Les Confessions

Jean-Jacques Rousseau

Les Confessions

Éditions Garnier
8, rue Garancière
PARIS

Sur la couverture : LES CERISES (Voir pp. 152-153)
Gravure par N. Ponse (1775), d'après une gouache de
Baudouin (Salon de 1765).

B. N. Estampes *Cl. B. N.*

Introduction, bibliographie,
notes, relevé des variantes et index
par
Jacques Voisine
Professeur à la Sorbonne

Édition révisée et augmentée

Édition illustrée

AVANT-PROPOS

L A *préparation de cette édition a été grandement facilitée par l'obligeant accueil rencontré auprès des spécialistes que mon travail m'a amené à consulter, et des nombreux collègues et amis qui m'ont aidé dans mes recherches. Quiconque a l'expérience de ce genre d'entreprise sait que la gratitude du chercheur ne saurait guère s'exprimer par une liste limitative de noms.*

Qu'il me soit permis toutefois de remercier particulièrement M. B. Gagnebin, professeur à l'Université de Genève, pour l'accès au manuscrit de Genève et pour les échanges d'informations dont j'ai profité; MM. Marcel Raymond, Jean Rousset, également professeurs honoraires à l'Université de Genève; M^{lle} Claire Rosselet, Conservateur honoraire de la Bibliothèque de Neuchâtel; M. le Dr F. L. Mars, à Nice; mes anciens collègues de l'Université de Lille, MM. Aulotte, Beaujeu, Hocquette, Régnier, Robichez, Trenard; MM. les Conservateurs de la Bibliothèque du Palais-Bourbon, à Paris, et des Archives du Service historique de l'Armée, à Vincennes; MM. Gilbert Py, J.-D. Candaux, P. Hoybye, R. Pomeau, R. A. Leigh.

INTRODUCTION

I. L'AUTOBIOGRAPHIE AVANT ROUSSEAU

L ES Confessions *ont-elles créé le genre autobiographique,
dont la pratique serait limitée au monde occidental moderne
et liée à l'habitude chrétienne de l'examen de conscience ? Cette
thèse traditionnelle est reprise, non sans force, par Georges
Gusdorf*[1], *qui rappelle que la sagesse de l'Inde considère la per-
sonnalité comme une illusion mauvaise, et qui explique l'adoption
tardive du genre par des Africains ou Asiatiques comme une
forme de défense contre l'Occident.* Georg Misch, *dans sa monu-
mentale* Geschichte der Autobiographie[2], *essayait au con-
traire d'établir que les origines du genre sont à chercher dans le
Proche et le Moyen Orient, et d'en trouver dans les littératures
grecque (la* 7ᵉ *lettre de Platon) et latine (le* Brutus *de* Cicéron)
*les premières esquisses. Mais seule est convaincante la dernière
partie de son étude, soulignant le rôle important de la réflexion
morale et religieuse (Sénèque, Marc Aurèle) dans le premier
développement de l'autobiographie, antérieurement à toute influence
proprement littéraire du christianisme.*

*La notion de modernisme est évidemment toute relative ; on
ne s'étonnera pas pourtant de constater que le titre de « premier
des modernes », avant d'être revendiqué pour Rousseau, l'a été
pour deux de ses illustres prédécesseurs dans ce genre : saint
Augustin et Pétrarque — sans parler de Montaigne, représentant*

1. « Conditions et limites de l'autobiographie », dans *Formen der
Selbstdarstellung (Festschrift Fritz Neubert)*, Berlin, 1956.
2. Francfort/Main, 1969. — V. aussi Ph. Lejeune, *L'Autobiographie
en France*, Paris, 1971, et R.-R. Wuthenow, *Das erinnerte Ich*, Munich,
1974.

d'un modernisme bien différent qui nous occupera tout à l'heure.

La hardiesse littéraire, en son temps, d'un ouvrage aussi subjectif que les Confessions *de saint Augustin, s'expliquait par le côté révolutionnaire de l'esprit chrétien. Ses treize livres proclamaient la gloire de Dieu démontrée dans la conversion de l'auteur, le titre jouant sur le double sens de* confessio laudis *et de* confessio peccati *(le* Confiteor *de la liturgie catholique est une* profession de foi*). L'humilité qui s'y exprime revêtait, peut-on dire sans paradoxe, une valeur exemplaire, que dégage bien la lettre accompagnant l'envoi du livre à un certain Darius :*

« Reçois mes *Confessions*, puisque tu t'y intéresses; regarde-moi bien dans ce livre, afin de ne point me louer plus que je ne le mérite, et là crois-en, *non pas ce que disent de moi les autres, mais ce que j'en dis moi-même*, étudie-moi bien et vois ce que je fus dans ma vérité, quand j'étais livré à mes seules forces[1]. »

On notera que l'éditeur de saint Augustin a souligné lui-même ici deux expressions caractéristiques d'une démarche qui sera justement celle de Rousseau : que dans une telle démarche, comme l'insinuera Érasme, pouvait avoir sa part un motif moins désintéressé d'apologie personnelle à l'adresse de ceux qui reprochaient à Augustin les désordres de sa jeunesse.

Cet exemple devait agir sur Rousseau, peut-être directement, à coup sûr indirectement : à la fois à travers toute la tradition d'autobiographie religieuse qu'inspirent à partir du Moyen Age ces premières Confessions — *et par l'intermédiaire de la littérature janséniste des* XVII[e] *et* XVIII[e] *siècles issue de l'*Augustinus.

Une critique en réaction contre l'antirousseauisme conservateur du tournant du siècle poussait à l'occasion le prosélytisme, entre 1930 et 1945, jusqu'à voir dans l'auteur des Rêveries *un mystique, que pouvaient revendiquer comme l'un des leurs les églises soit catholique soit protestante. Après ces simplifications — naïves ou insidieuses, peu importe — on distingue mieux aujourd'hui tout ce qui sépare le Promeneur solitaire des mystiques, lesquels* « n'ont de paix qu'ils ne soient délivrés

1. Cité et traduit par P. de Labriolle dans son édition des *Confessions* de saint Augustin, Paris, Belles-Lettres, 1933, I, pp. IX-X.

d'eux-mêmes, tandis que Jean-Jacques croit trouver la paix dans le sentiment de sa propre existence »[1]. *Il n'en demeure pas moins que le titre et l'esprit des* Confessions *rangent le livre ·dans la ligne de l'autobiographie mystique ou tout au moins religieuse, qui est confession, monologue devant Dieu. Que la première page des* « Confessions *sans repentir »* de Jean-Jacques *n'offre que la caricature d'un tel monologue, ne change rien au fait que la sincérité de l'auteur ne peut guère être mise en cause. Il ne faut pas oublier d'ailleurs que* les Confessions *en* douze *livres sont inachevées, et qu'il faut envisager l'ensemble* Confessions-Dialogues-Rêveries *comme trois étapes du récit d'une expérience unique qui tantôt reproduit l'expérience mystique, tantôt la transpose sur le plan d'un humanisme interprété parfois aujourd'hui — mais n'est-ce pas alors trahir Rousseau? — sans référence au divin ; divergence par laquelle se marque la nouveauté de sa démarche. Cette expérience repose en effet sur une véritable conversion — la* « crise de Vincennes » *— conversion apparemment* « laïque », *mais accompagnée des violentes manifestations physiologiques qui peuvent entourer un* transport *mystique*[2]. *Que cette conversion n'entraîne pas automatiquement cette paix avec soi-même que décriront les* Rêveries, *mais bien les années de malheurs, de souffrances, de persécutions et d'angoisses que relatent les derniers livres des* Confessions *et surtout les* Dialogues, *voilà qui est conforme au douloureux itinéraire qu'ont connu tant de grands mystiques — ce comble de maux étant d'ailleurs pour eux un signe d'élection. Rousseau lui aussi est un* martyr, *au sens étymologique de* témoin : *ne parle-t-il pas au l. XI*[3] *de* « l'honneur de souffrir pour la vérité » ? *Les visions et prémonitions elles-mêmes ne sont pas complètement absentes de son livre. Il prétend avoir eu au moins deux* « visions prophétiques », *dont l'une nous est rapportée par Bernardin de Saint-Pierre et l'autre dans deux passages des livres III et VI*[4], *exposant*

1. Formule de Marcel Raymond, dans sa nouvelle introduction aux *Rêveries*, Paris, Bibl. de la Pléiade, 1959, p. xliv.

2. V. l. VIII, p. 416 et n. 1.

3. P. 683.

4. Bernardin de Saint-Pierre, *la Vie et les ouvrages de J.-J. Rousseau,* éd. Souriau, Paris, 1907, pp.·102-3, et ci-dessous, p. 118 et n. 1.

*respectivement la « vision » et son « accomplissement »,
dans des termes qui suggèrent l'idée d'une intervention providen-
tielle* (« Ce jour m'a été promis depuis longtemps... »).
*Il est vrai que ce dernier incident se place dans une période dévote de
la jeunesse ; toujours est-il qu'il est relaté avec ferveur, sans la
moindre trace de cette ironie répandue sur le récit de tant d'épisodes
romanesques des jeunes années. Sans s'interroger ici sur la religion
de Rousseau, et en s'en tenant seulement à l'attitude et aux idées
maîtresses de conversion, épreuve, persécution, élection, les simi-
litudes sont évidentes avec tel ou tel trait des autobiographies
religieuses. On pense au* Secretum *ou à la* Lettre à la Postérité
*d'un Pétrarque dont le tempérament inquiet n'est d'ailleurs pas
sans affinités avec celui de Rousseau (Jean-Jacques a-t-il lu
le Pétrarque humaniste aussi bien que celui du* Canzoniere ?)
et qui se réfère d'ailleurs à saint Augustin :

« Toutes les fois que je lis tes *Confessions*, je crois, pris
entre deux mouvements opposés, l'espoir et la crainte,
lire l'histoire d'un voyage [*peregrinationem*] non d'un autre
mais de moi-même. »

*Ce n'est pas seulement une sainte Thérèse d'Avila qui écrit
elle-même sa vie, mais aussi beaucoup de fondateurs ou adeptes
de sectes : quakers d'Angleterre ou de la Nouvelle-Angleterre,
quiétistes comme M*^{me} *Guyon dont la vie est publiée à Metz
par Poiret à l'extrême fin du* XVII^e *siècle, piétistes allemands,
dont on a discuté l'influence possible sur les années de formation
de Jean-Jacques, et qu'on considère comme étant à l'origine du
genre autobiographique en Allemagne au* XVIII^e *siècle*[1]. *Rousseau,
bien évidemment, a ignoré la plupart de ces* Vies, *comme leurs
auteurs s'ignoraient eux-mêmes entre eux — encore que la
bibliothèque de M*^{me} *de Warens ait pu lui en fournir certaines.
Peu importe ; il ne s'agit pas ici de déceler des sources, mais de
relever une similitude d'attitude. Ce qui n'est pas douteux,*

1. Voir P. Grappin, dans *Littérature allemande*, sous la direction de
F. Mossé, Paris, Aubier, 1959, p. 338. — Sur l'éventuel piétisme de
Rousseau, v. la mise au point d'A. Ferrazzini, *Béat de Muralt et
J.-J. Rousseau*, Étude sur l'histoire des idées au XVIII^e siècle. La Neuve-
ville, Suisse, 1951.

— il nous le dit lui-même au l. VI — c'est que les écrits jansénistes ont tenu une grande place dans ses lectures des Charmettes. Avec les jansénistes, la tradition autobiographique se renoue directement aux Confessions *de saint Augustin, dont s'inspirent les Mémoires d'Hamon et d'Arnauld d'Andilly — tandis qu'un vif regain d'intérêt se manifeste pour la personne et l'œuvre d'Augustin lui-même. Arnauld lui-même traduit les* Confessions, *qui avaient déjà connu au* XVIe *siècle de nombreuses éditions, dont celle d'Érasme. Leur nombre est considérable au* XVIIIe *siècle.*

Il n'est pas sûr que Rousseau connaisse directement saint Augustin, qu'il cite de façon très approximative à la fin de la 2^e *Promenade, et n'a peut-être jamais pratiqué autrement qu'à l'état d'extraits dans* Le Sueur, *comme il l'indique au livre II*[1]. *On ne peut affirmer qu'il ait eu conscience de rejoindre son lointain prédécesseur dans sa délectation sentimentale à revivre sa jeunesse. Telle ou telle ressemblance avec l'évêque d'Hippone peut s'expliquer chez lui par l'augustinisme diffus que lui ont communiqué ses lectures jansénistes — et peut-être aussi les romans de l'abbé Prévost, dont Paul Hazard signalait à propos de* Manon Lescaut *le jansénisme*[2].

* * *

Alors que l'autobiographie est essentiellement à l'origine un genre religieux[3], *ses historiens ne manquent pas d'insister sur le phénomène de « sécularisation » qui, à partir de la*

1. Pp. 70-71.

2. Dessale-Régis comparait dès 1842 les *Confessions* de saint Augustin et celles de Rousseau. — Voir Rita Falke, « Die Confessions Rousseaus und ihr Vorbild », *Comparative Literature Studies,* sept. 1968.

3. Les statistiques établies pour les ouvrages de langue anglaise par W. Matthews, *British Autobiographies,* University of California Press, 1954, rangent ensuite, dans l'ordre, celles des voyageurs, savants, soldats, hommes politiques. Gœthe, dans une lettre à Göttling datée de Weimar, 4 mars 1826, se demande si les protestants ne seraient pas plus enclins à l'autobiographie que les catholiques, lesquels peuvent se tourner vers un confesseur; il pense que dans le cas de Montaigne et de Descartes, une forte ambiance protestante est à considérer.

Renaissance, permet le développement de l'autobiographie véritable. Qu'on adopte ou non le mot, Pétrarque appartient déjà à cette tendance par ses hésitations entre une vie orientée vers Dieu et les passions humaines que sont l'amour d'une femme et l'amour de la gloire.

Ce n'est pas la démarche religieuse qui est à l'origine de trois grands livres autobiographiques contemporains entre eux, mais d'esprit fort différent : les Essais *de Montaigne, les* Mémoires *de Benvenuto Cellini, et le* De Vita Propria *du médecin lombard Girolamo Cardano. Il serait sans doute possible de tirer vers le mysticisme ces deux derniers, qui se disent sujets à des visions ; mais Bayle — à qui surtout Cardan doit d'être encore connu au* XVIII[e] *siècle — donne dans son* Dictionnaire *des exemples de l'*« impiété » *de cet occultiste italien, dont il conteste pourtant — peut-être pour le laisser croire — qu'il fût athée.*

Rapprochant dans le préambule du manuscrit de Neuchâtel des Confessions *les noms de Montaigne et de Cardan, Rousseau nous invite lui-même à comparer à la sienne leurs autobiographies respectives. Le cas de Cardan peut être traité rapidement :*

« Un homme plus vain que Montaigne mais plus sincère est Cardan. Malheureusement ce même Cardan est si fou qu'on ne peut tirer aucune instruction de ses rêveries. D'ailleurs qui voudrait aller pêcher de si rares instructions dans dix tomes in-folio d'extravagances ? »

Il est fort possible que Rousseau n'ait connu de Cardan que ce qu'il a pu lire dans l'article Cardan *du* Dictionnaire *de Bayle, article qui mentionne justement l'édition faite de ses œuvres* « à Lyon, l'an 1663 », *en* « dix volumes in f⁰ », *par Gabriel Naudé, lequel* « n'a pu s'empêcher de dire que c'était un fou ». *Une note de Bayle énumère d'ailleurs ses* « bizarreries [1] ».

Certains passages du De Vita Propria *font pourtant penser à Rousseau. La passion de Cardan pour le jeu d'échecs peut n'être qu'une coïncidence sans intérêt. Mais il est curieux de voir Cardan reprocher à Marc Aurèle ce que Rousseau reprochera à Montaigne :*

« La plupart des hommes, même Marc Aurèle, se dé-

1. *Dictionnaire,* éd. 1720, p. 764, note o.

crivent dans leur autobiographie non tels qu'ils sont mais comme ils auraient dû être. D'autres survolent leurs fautes. Moi au contraire, je préfère dire toute la vérité [...] Certes personne ne me force à être sincère, mais je ferai comme le seul des dix lépreux qui retourna vers le Seigneur; je parlerai de moi selon le « connais-toi toi-même » de Socrate. »

Assez proche de Rousseau aussi cette observation :

« La contradiction de mon caractère et de mes habitudes fait de moi un inconnu même pour ceux avec qui je vis continuellement[1]. »

La volonté d'objectivité de Cardan se manifeste dans le portrait physique et moral nullement flatté qu'il trace de lui-même, plus « vrai » que Montaigne en ce sens que, faisant connaître ses défauts, il ne prend pas soin, lui, « de ne s'en donner que d'aimables ».

On sait comment l'ambition humaniste — dans le sens restreint du terme, bien qu'encore immense — de peindre en soi-même « la forme de l'humaine condition », et par là d'aider ses semblables à se conduire en se connaissant mieux, a guidé Montaigne. Avec lui s'achève, si l'on veut, le processus de « sécularisation » ; mais on voit aussi comment l'autobiographie, aux XVI[e] et XVII[e] siècles, cherche son objet et sa forme, hésitant entre l'instruction morale et le simple plaisir de se peindre ou de se raconter, passant des Mémoires au journal ou à l'essai[2].

La tradition des moralistes français, de Montaigne à La Bruyère, a marqué Rousseau. Si en effet les Confessions s'apparentent, par la conception maîtresse, aux grandes autobiographies

1. Cité et traduit par J. Lucas-Dubreton, *Jérôme Cardan l'halluciné,* Paris, A. Fayard, 1954.

2. Le développement de ce dernier genre en Angleterre, de la première traduction de Montaigne par Florio aux maîtres romantiques de l'essai, Lamb et Hazlitt, illustre la quasi-impossibilité d'une séparation entre subjectivisme pur et analyse psychologique subordonnée à l'instruction morale. Sur le genre des Mémoires jusqu'à la fin du XVII[e] siècle, voir A. Bertière, *Le Cardinal de Retz mémorialiste,* Paris, Klincksieck, 1978.

mystiques, elles sont par certains côtés proches de ces genres littéraires éminemment mondains que sont les Mémoires, *le portrait (y compris l'auto-portrait pratiqué par la société élégante du Grand Siècle) et les* Caractères. *Bon nombre de personnages y sont croqués d'un crayon satirique, surtout dans les premiers livres, où l'on trouve des traces de la manière et du style de La Bruyère — une des lectures favorites du temps des Charmettes. Mais à propos de Montaigne, on peut parler d'une véritable émulation. Il ne faudrait pas nous laisser prendre à l'affectation de mépris désinvolte du préambule de Neuchâtel :*

« Je mets Montaigne à la tête de ces faux sincères qui veulent tromper en disant vrai. Il se montre avec des défauts, mais il ne s'en donne que d'aimables ; il n'y a point d'homme qui n'en ait d'odieux. Montaigne se peint ressemblant mais de profil. Qui sait si quelque balafre à la joue ou un œil crevé du côté qu'il nous a caché, n'eût pas totalement changé sa physionomie [1]. »

Même allure agressive dans cette apostrophe de la 5e Lettre *à Sophie, où le champion de la vérité s'en prend au grand sceptique :*

« O Montaigne, toi qui te piques de franchise et de vérité, sois sincère et vrai, si un philosophe peut l'être, et dis-moi s'il est quelque climat sur la terre où ce soit un crime de garder sa foi, d'être clément, bienfaisant, généreux, où l'homme de bien soit méprisable et le scélérat honoré [2] ? »

On ne peut ici que regretter que l'étude des rapports entre Rousseau et Montaigne, qui n'a guère été poussée que sur le plan de la pédagogie, soit encore largement à faire. Le rapprochement a été établi entre la 2e Promenade *des* Rêveries, *décrivant le retour à la conscience après un évanouissement consécutif à une*

1. *Infra, p.* 787. Rousseau se pose justement la même question *à propos de lui-même* dans la 4e Promenade : « Que si quelquefois, sans y songer, par un mouvement involontaire j'ai caché le côté difforme en me peignant de profil... » (*Rêveries,* éd. Roddier, Paris, Garnier, 1960, pp. 55-56.)

2. *O. C.* (Pléiade), IV, 1108.

chute, et l'épisode célèbre de la chute de cheval de Montaigne. Mais s'est-on avisé que dans ce même domaine de l'analyse psychologique, la revendication de Montaigne, « Je n'ai point cette erreur commune de juger d'un autre selon que je suis »[1], *est peut-être à l'origine de l'insistance avec laquelle Rousseau, dans le préambule de Neuchâtel et ailleurs, critique la méthode qui consiste à juger les autres d'après soi ? N'y aurait-il pas un souvenir du célèbre* « Parce que c'était lui, parce que c'était moi » *dans la formule du livre IV,* « Je l'aimais parce que j'étais né pour l'aimer »[2]. *L'affectation, non seulement de singularité, mais aussi d'indépendance, est la même chez Montaigne et chez Rousseau :* « Mon esprit veut marcher à son heure, il ne peut se soumettre à celle d'autrui »[3]. « On nous prêche beaucoup le pardon des offenses : c'est une fort belle vertu sans doute, mais qui n'est pas à mon usage[4]. » *Ne croirait-on pas entendre Montaigne lui-même ? La recette du bonheur que mettent en application* Confessions *et* Rêveries *fait écho jusque dans les mots à ces formules des* Essais : « La plus grande chose du monde, c'est de savoir être à soi[5] »; « C'est une absolue perfection, et comme divine, de savoir jouir loyalement de son être » (dernière page des Essais). On pourrait se demander, à condition de ne rien systématiser, si Montaigne ne joue pas à l'origine des* Confessions *le rôle d'instigateur que jouera Plutarque dans les* Rêveries[6], *et estimer que Jean-Jacques a subi plus largement qu'il ne veut l'admettre, à son corps défendant peut-être, l'influence des* Essais. *Sans préjuger de ce qu'a pu être le projet initial des* Confessions, *il est probable que l'émulation avec Montaigne l'a incité à donner à son livre, non seulement plus d'unité, mais un semblant de rigueur scientifique, à la Montesquieu, dans l'expo-*

1. *Essais,* éd. Plattard, liv. I, ch. 37, II, 124. — On trouvera quelques indications sur les rapports entre les *Essais* et les *Confessions* dans le court article de M. Guggenheim, « Des *Essais* aux *Confessions,* deux écrivains devant leur moi », *French Review,* N. Y., May 1961; selon G. Pire (*Rev. de Litt. comp.,* oct.-déc. 1962), l'influence de Montaigne sur Rousseau se serait surtout exercée à travers Charron.

2. *Infra,* p. 168. — 3. P. 132. — 4. P. 690. — 5. I, ch. 39.

6. R. Pomeau dans son édition de *la Nouvelle Héloïse,* Classiques Garnier, 1959, p. 386 n., signale l'intéressante confusion de Rousseau qui attribue à Plutarque une réminiscence de Montaigne.

sition de « l'enchaînement des effets » à partir de « premières causes » constituées par certaines affections et idées que modifient l'éducation et les circonstances. Sur le dessein du moraliste classique se greffe l'ambition de l'auteur d'une Morale sensitive restée à l'état de projet, mais dont l'esprit est passé dans les Confessions[1].

* * *

Héritier, comme il est naturel, de plus d'une forme de culture, l'auteur des Confessions *s'inscrit dans un ensemble complexe de traditions littéraires groupant ce qu'on pourrait appeler les genres semi-autobiographiques et pseudo-autobiographiques.* Le plus ancien en date serait la Vita nuova de Dante, *que Walter Mönch appelle* « le premier roman autobiographique de la littérature moderne ». *L'usage de la première personne du singulier dans une œuvre de fiction peut relever de techniques très diverses. C'est un des critères extérieurs du roman picaresque, que Rousseau, grand lecteur de Lesage, n'a pas ignoré.* Le XVIIᵉ siècle voit naître la mode, qui sera fort répandue au XVIIIᵉ, *du roman présenté comme d'authentiques Mémoires : les romans de Marivaux et de Prévost, auteurs non moins chers à Jean-Jacques, entrent dans cette catégorie. Sans anticiper ici sur l'étude des procédés de composition et de style, qu'il suffise de renvoyer à la mention faite par Rousseau de sa lecture, lors de ses premières années parisiennes, des* Confessions du comte de***, *lecture qui entraîna son amitié avec l'auteur, Duclos. L'ouvrage, paru en* 1741-1742, *connut plusieurs rééditions. Bien que cette histoire d'un homme à bonnes fortunes retiré du monde ne présente guère de ressemblances avec l'esprit ou le contenu des* Confessions, *on ne saurait négliger l'ascendant qu'a pu exercer l'académicien, auteur à succès, sur le jeune Genevois qu'il honorait de son amitié, et qui ne lui retira sa confiance que deux ans avant de mourir. Les* Mémoires posthumes de Duclos *sur les mœurs de ce siècle, rapide défilé d'aventures amoureuses, ne diffèrent pas beaucoup par le ton des* Confessions du comte de***, *et ne ressemblent guère non plus à l'ouvrage de Rousseau. Mais en constatant les simi-*

1. *Infra*, pp. LV-LVIII.

litudes entre un ouvrage romanesque et un ouvrage du même
auteur présenté comme une autobiographie, on peut se demander
si dans l'histoire de leur longue amitié les deux écrivains n'ont
pas eu l'occasion d'échanger des idées sur l'art d'écrire sa vie, et
ses rapports avec le roman autobiographique (terme naturellement
inconnu alors). Les rapprochements qu'on peut faire entre tel
épisode de la Nouvelle Héloïse et telle page des Confessions
n'ont pas échappé à Rousseau lui-même, qui en plus d'un endroit,
surtout pour les parties de sa biographie où les documents lui
faisaient défaut, n'a pas toujours dû résister (il le laisse entendre)
au plaisir de se peindre, non pas tel qu'il avait été — dans la
mesure où sa mémoire et sa lucidité lui permettaient de l'ap-
préhender — mais selon ce qu'il aurait voulu dire, sentir ou
penser. Tout roman, écrit Georges Gusdorf, est une autobiogra-
phie par personnages interposés; inversement, un écrivain, si
sincère qu'il soit et se prétende, peut difficilement éviter de jouer
avec son propre personnage. Songeons justement, dans le cas de
Rousseau, à ce que certains procédés de jeu littéraire peuvent devoir,
de façon insaisissable, aux années d'amitié avec Diderot, dont les
Contes ont révélé la maîtrise dans cet art.

L'absence de modèles ou de termes de référence dans une entre-
prise que Rousseau proclame sans modestie la première du genre,
rend encore plus incertaine, en son siècle, les frontières qu'un
critique moderne dessinerait entre autobiographie et roman
autobiographique. Gardons-nous encore ici de toute simplification,
et tout en admirant dans les Confessions la première grande
autobiographie littéraire, reconnaissons que la tentative n'est pas
alors absolument isolée. Tout au long du siècle, alors que
continue à fleurir le genre des Mémoires qui fait une large place
à l'histoire des événements extérieurs et aux galeries de portraits,
apparaissent des Mémoires de caractère plus intérieur, attachant
une valeur instructive aux détails apparemment insignifiants de
la vie privée. L'évêque Huet, ami de La Fontaine, avait composé
un De Rebus ad eum pertinentibus (publié en 1719) dont
la préface, énumérant ses prédécesseurs dans le genre depuis
l'antiquité, contient comme une esquisse d'histoire de l'autobio-
graphie. La fin du siècle voit se multiplier des tentatives qui vont
de quelques pages (Hume) à plusieurs livres (Alfieri), et dont
il est souvent difficile de dire si elles ont été influencées, et dans

quelle mesure, par l'ouvrage de Rousseau ou ce qu'on croyait en connaître avant sa publication. Si l'influence des Confessions *a été déterminante sur le genre de l'autobiographie littéraire, l'idée d'écrire l'histoire de sa propre vie est venue à plusieurs écrivains européens à peu près en même temps qu'à Rousseau, et indépendamment de lui.*

Il importe de tenir compte de ces trois courants, sens religieux d'une direction (au sens anglais du mot guidance*), tradition psychologique des moralistes depuis Montaigne, goût et même jeu littéraire — dans l'appréciation objective des* Confessions *de Rousseau et de ce qu'elles apportent d'original.*

II. CONFIDENCE, CONFESSION, JUSTIFICATION

« L'amour de soi-même, ainsi que l'amitié qui n'en est que le partage, n'a point d'autre loi que le sentiment qui l'inspire [...] Dévoré du bien d'aimer et d'être aimé, et peu sensible à tous les autres, je ne veux point que mes amis se tourmentent plus que moi de ma pauvreté; mais qu'ils m'aiment tel que je suis... »

Ainsi Rousseau définissait-il fièrement les exigences de son amitié et de son besoin d'affection, dans une lettre à Mme d'Houdetot rédigée le jour même où il annonçait à Mme d'Épinay que, préférant aux bienfaits l'indépendance, il quittait l'Ermitage puisque la protectrice en elle avait étouffé l'amie. Aimer, être aimé. Le cri fait vaguement écho au fameux amare amabam *d'Augustin. Mais chez Rousseau la soif d'affection est presque pathologique, et explique peut-être obscurément l'exhibitionnisme de l'adolescent seul dans une ville étrangère, évoqué au début du livre III. Et comme l'indique le texte qui vient d'être cité, Rousseau se refuse à séparer amour d'autrui et amour ·de soi. La confidence est pour l'adolescent Rousseau la forme première de cet élan, don de soi mais en même temps complaisance pour soi, qui se traduira chez l'homme mûr par la confession, puis tournera à la justification revendicative. La distinction entre l'amour de soi, instinct bienfaisant et naturellement social, et le néfaste*

amour-propre, avaricieux et agressif, calcul de vanité suscité en nous par les conditions artificielles de la civilisation moderne, est le principe fondamental exposé dans une note du Discours sur l'Inégalité, *repris et développé dans l'*Émile, *la* Lettre à Christophe de Beaumont, *les* Dialogues. *Avant même de trouver à ce principe sa formulation philosophique, l'égotisme de Rousseau s'efforçait d'en donner une expression artistique en composant une comédie sur le sujet de* Narcisse. *Plus tard la « scène lyrique »* Pygmalion, *appliquant la théorie de l'amour de soi à la philosophie de la création artistique, fournira au romantisme futur un de ses grands thèmes. De cette théorie découle le grand principe rousseauiste qui justifie implicitement le retour sur soi que constituent* les Confessions, *et qui s'épanouira dans* les Rêveries : *le bonheur est en nous.* « O homme, lit-on au livre I de l'Émile, resserre ton existence au-dedans de toi, et tu ne seras plus misérable. » *La formule* « jouir de soi-même », *caractéristique de l'esprit des* Rêveries, *apparaît dans le premier des écrits imprimés de Rousseau, le* Verger de M^me^ la Baronne de Warens (1739), *médiocre poème qui constitue comme une esquisse des livres V et VI des* Confessions. *Dans l'*Épître en vers à Parisot (1742), *l'auteur offre une analyse de son caractère (timidité, haine de l'hypocrisie) et de ses goûts (les* « plaisirs du cœur » *préférés à la gloire). Lors des débuts à Paris, la feuille périodique* le Persifleur, *qui devait être rédigée alternativement par Diderot et par Rousseau, présente dans son premier et seul numéro connu un auto-portrait rédigé par Rousseau et conçu sur le principe du changement et de la contradiction : ce qui peut s'appliquer aussi bien à Diderot qu'à Rousseau et réunit évidemment des idées de l'un et de l'autre, mais anticipe sur quelques-unes des observations psychologiques des* Confessions (« le retour des mêmes objets renouvelle ordinairement en moi des dispositions semblables à celles où je me suis trouvé la première fois que je les ai vus... »).

L'autarcie sentimentale de Rousseau est de bonne heure renforcée par sa mauvaise santé, qui lui fera croire à plusieurs reprises à une mort prochaine, et cela dès sa jeunesse : après la première alerte aux Charmettes, *relatée au livre VI des* Confessions, *le sentiment d'être au seuil de la mort apparaît fréquemment dans la correspondance, notamment pendant l'hiver* 1757-

1758 *et l'année* 1761. *Ce pressentiment provoque un double mouvement : le désir de jouir de la vie (y compris, au sens rousseauiste, jouir de soi-même, de ce qu'on est et de ce qu'on a été), et celui de régler ses comptes avec le monde en examinant sa vie passée : intention d'où sortiront à la fois, et à peu près simultanément, l'analyse de soi, la justification, la confession.*

* * *

Aux Charmettes, à la suite d'un accident de laboratoire qui l'avait pour quelque temps privé de la vue, Rousseau avait déjà fait son testament. Mais c'est la grande crise de l'Ermitage qui le pousse à se mettre en règle avec un monde dont il se retire physiquement, d'abord en quittant la ville pour la retraite que lui offre M^{me} d'Épinay, puis en rompant avec la bienfaitrice abusive et leurs amis communs. Cette double rupture exige explications et justifications. Mais dans l'euphorie de l'installation à l'Ermitage, au printemps 1756, *surgissaient les souvenirs des belles années des Charmettes (quoi qu'on puisse en penser, elles étaient belles au moins par la jeunesse) ; Rousseau s'en inspirait pour créer « des êtres selon [son] cœur » dans cette correspondance fictive qui deviendra la* Nouvelle Héloïse. *C'est alors que se développe ce goût du souvenir qui se révèle si vif dans les premiers livres des* Confessions;

« Près de trente ans se sont passés depuis ma sortie de Bossey sans que je m'en sois rappelé le séjour d'une manière agréable par des souvenirs un peu liés »,

lit-on au livre I. Ce rappel remonterait donc peut-être à 1750-1752. *Mais le grand élan nostalgique vers la jeunesse perdue est bien contemporain de la composition de la* Nouvelle Héloïse, *dont certaines lettres ont déjà le ton des* Confessions :

« Dussé-je vivre des siècles entiers, le doux temps de ma jeunesse ne peut renaître pour moi, ni s'effacer de mon souvenir... [1] »

1. V^e partie, lettre VII.

Et l'ébauche des souvenirs de première enfance est déjà dans ce passage d'une lettre à Vernes du 18 septembre 1759 :

« Redevenu presque enfant, je m'attendris en rappelant mes vieilles chansons de Genève, je les chante d'une voix éteinte, et je finis par pleurer sur ma patrie, en songeant que je lui ai survécu. »

L'Émile, dont la composition est contemporaine de celle de l'Héloïse, contient des fragments autobiographiques qui auraient leur place dans les Confessions *: si l'allusion au séjour à l'hospice de Turin, qui introduit la* Profession de foi du vicaire savoyard, *comporte une part de transposition, l'anecdote de la bible du pasteur Lambercier dans le temple relate directement un souvenir de Bossey.*

Avec le processus idyllique de retour vers l'âge d'or de l'enfance, mis en marche par l'installation à l'Ermitage, interfère bientôt le processus apologétique né du malaise, de l'angoisse où le plonge l'incompréhension de Diderot, de M^{me} d'Épinay et de sa coterie. Dans les lettres à Sophie d'Houdetot, la confidente des années 1757-1758, Rousseau s'analyse, se défend, fait parade sinon de ses vertus, du moins de sa bonté : on ne le comprend pas, on ne connaît pas son vrai caractère :

« Ah, si je suis un méchant, que tout le genre humain est vil ! Qu'on me montre un homme meilleur que moi ! Qu'on me montre une âme plus aimante... » (2 novembre 1757.)

C'est déjà l'amorce du trop fameux préambule des Confessions. *Ses fautes ne viennent que de sa franchise impulsive, passionnée ; comment pourrait-il se tromper sur le sentiment intérieur qui le convainc de sa bonté ?*

« Et vous aussi, Sophie, vous me croyez un méchant ? Mais pourtant comment se fait-il que la vertu me soit si chère ? Que je sente en moi le cœur d'un homme de bien ? » (19 décembre 1757.)

L'argument est aussi beau, mais guère plus efficace, que celui de saint Augustin sur les tourments intérieurs que ne peut manquer de ressentir le méchant : « Putas quia non patitur malum,

cum enim malus est ». *Et il ne conçoit pas de meilleure démons-*
tration que de laisser voir dans son cœur — geste auquel dédai-
gnent de répondre ses prétendus amis. La confession se donne
ainsi paradoxalement comme le signe même de l'innocence, et se
confond avec la justification.

La gêne, la froideur qui accueillent son besoin d'épanchement,
la répugnance à répondre à la confidence par la confidence, le
confirment dans le sentiment que les autres ne sont pas constitués
comme lui, et graduellement dans la conviction que si son entourage
ne peut le comprendre, c'est parce que Jean-Jacques est différent
de tous les hommes :

« Apprenez mieux mon dictionnaire, ma bonne amie,
[*écrit-il à M*me *d'Épinay à la veille d'accepter l'invitation à l'Er-*
mitage], si vous voulez que nous nous entendions. Croyez
que mes termes ont rarement le sens ordinaire, c'est tou-
jours mon cœur qui s'entretient avec vous et peut-être
connaîtrez-vous quelque jour qu'il ne parle pas comme un
autre. »

La conviction, si fréquemment exprimée dans les Confessions,
d'être « unique », *prend donc corps au plus tard dans ces années.*
Et la fierté hautaine de la première page des Confessions *calque*
presque littéralement cette phrase initiale d'une lettre du 13 juil-
let 1757 à Sophie d'Houdetot :

« Je commence une correspondance qui n'a point
d'exemple et ne sera guère imitée. »

* * *

La solitude de l'Ermitage dut faciliter un véritable examen de
soi, plus sérieux que ne le laisse supposer cette vertueuse indi-
gnation dont la correspondance multiplie les chatouilleuses mani-
festations. Rien n'autorise à croire que le remords maintes fois
exprimé de l'abandon des enfants, soit hypocrisie ou illusion. Le
souvenir de ces abandons successifs, qu'il voit rétrospectivement
comme de lâches concessions aux mœurs légères de son temps,
ne peut manquer de venir troubler la conscience de l'homme qui a
secoué la poussière de ses souliers sur la moderne Babylone. La

*composition d'un traité d'éducation, entrepris on le sait à la demande de M^{me} de Chenonceaux, est conçue comme un acte de réparation. Vers le début et vers la fin du livre — l'*Émile — *se glissent en note deux allusions précises :*

« Je prédis à quiconque a des entrailles et néglige de si saints devoirs, qu'il versera longtemps sur sa faute des larmes amères et n'en sera jamais consolé. » [...]

« Je suis [*faiseur de livres*] pour mon malheur, je l'avoue; et mes torts, que je pense avoir assez expiés, ne sont pas pour autrui des raisons d'en avoir de semblables. Je n'écris pas pour excuser mes fautes, mais pour empêcher mes lecteurs de les imiter. »

Le commentaire de ces passages fait par Rousseau lui-même dans sa correspondance (lettres du 11 décembre 1760 à Lenieps et à M^{me} Dupin) ne laisse subsister aucun doute sur leur signification. Il parle même, au livre XII des Confessions, *du remords qui lui* « arracha presque l'aveu public de [*sa*] faute au commencement de l'*Émile »; *et au cours d'une crise de juin 1761 où il se croit à l'article de la mort il désigne ce passage à M^{me} de Luxembourg en lui avouant l'abandon des enfants. C'est à cette occasion qu'il emploie l'expression* « abréger ma confession » — *premier emploi peut-être de ce terme sous sa plume* [1].

* * *

Cette année 1761 marque en effet une étape dans la genèse des Confessions. *De 1761 à 1765 se précisent parallèlement, d'une part des projets biographiques encore incertains, qui organiseraient les souvenirs de la jeunesse heureuse, et se limiteraient peut-être à la période pré-parisienne — d'autre part le projet, plusieurs fois abandonné et repris (il ne deviendra définitif qu'en 1768) d'une apologie polémique, justifiant la conduite de Rousseau dans les affaires de l'Ermitage. A tout hasard, il commence à mettre de côté les lettres qu'il reçoit et les brouillons ou copies de réponse qu'il adresse — alors que jusqu'en 1755 il ne conservait aucune*

1. *C. C.*, IX, 14.

lettre[1]. *Mais il résiste encore aux sollicitations de son libraire et ami Rey, qui projette une édition générale de ses œuvres en tête de laquelle il voudrait faire figurer une* Vie de l'auteur. *Sa vie est en effet, répond-il,* « mêlée de beaucoup de faits qui en sont inséparables et qui compromettraient le secret d'autrui ». *Par contre, en ce même mois de janvier 1762 où il décline en ces termes l'invitation renouvelée de Rey, il confie à Malesherbes dans quatre longues lettres, non seulement les raisons de sa retraite dans la solitude, mais une véritable esquisse de sa vie*[2] *jusqu'à l'établissement à l'Ermitage : enfance, crise de Vincennes,* Discours, « réforme ». *Il dégage dans cette première ébauche des* Confessions *les traits marquants qu'il discerne dans son propre caractère : naturel paresseux, sensibilité excessive ; et la première des quatre lettres reprend un thème dont nous avons déjà rencontré l'amorce :*

« Personne au monde ne me connaît que moi seul [...] Je connais mes grands défauts, et je sens vivement tous mes vices ; avec tout cela, je mourrai plein d'espoir dans le Dieu suprême, et très persuadé que de tous les hommes que j'ai connus en ma vie aucun ne fut meilleur que moi. »

Ainsi des notes de plus en plus nombreuses dans la correspondance, parfois dans les écrits publics, préludent à la future orchestration des Confessions. *Mais l'événement décisif qui déterminera Rousseau à écrire — la condamnation de l'*Émile *(juin 1762) — est encore à venir. Et rien n'indique que le remords qui a provoqué l'aveu à M*ᵐᵉ *de Luxembourg et qui perce dans deux ou trois phrases du manuscrit de l'*Émile, *soit prêt à s'amplifier en ce* repentir *dont s'accompagne une confession religieuse.*

Comment l'idée de confession, qui n'est encore au début de 1762 qu'une formule possible entre plusieurs, et non un véritable

1. Les références données dans le texte de la Deuxième Partie des *Confessions* au recueil de lettres, renvoient au « *copie-de-lettres* » conservé à Neuchâtel.

2. « Dans ces quatre lettres, écrira-t-il au livre XI des *Confessions*, je tâchais de suppléer en quelque sorte aux Mémoires que j'avais projetés. »

projet, a-t-elle pu finir par s'imposer jusqu'à donner son titre à l'ouvrage ? C'est dans une lettre à Du Peyrou du 4 juillet 1765 qu'apparaît pour la première fois le mot « mes Confessions », mais Rousseau l'a déjà employé dans le préambule du manuscrit de Neuchâtel qu'on date de fin 1764 ou début 1765. Deux grandes épreuves — dont l'une alors n'est encore qu'imminente — font de Rousseau un martyr, c'est-à-dire un témoin persécuté de la vérité. Après avoir fui la France, il va être expulsé de Suisse. Mais il faut apprendre, comme il le dit, son « dictionnaire », pour comprendre la conception assez personnelle que se fait de la confession cet esprit religieux, mais peu orthodoxe.

Un curieux passage du livre IX[1] présente ainsi l'expiation inséparable de toute vraie confession :

> « Ici commence la grande et noble tâche que j'ai dignement remplie, d'expier mes fautes et mes faiblesses cachées en me chargeant de fautes plus graves, dont j'étais incapable, et que je ne commis jamais. »

Jean-Jacques fait penser à ces gamins inexpérimentés dans la pratique de l'examen de conscience qui, avant de passer au confessionnal, feuillettent fébrilement un manuel de confession, au risque de s'accuser, faute de savoir quoi dire, d'adultère et de simonie. Son idée surprend, non seulement de la part d'un chrétien, mais simplement d'un homme qui prétend servir la vérité. Mais il y a plus. L'idée de la valeur de la confession pour le rachat de la faute apparaît bien dans l'Émile, nous l'avons vu. La suite inachevée de l'Émile, conçue et peut-être rédigée avant 1765 (Émile et Sophie, ou les Solitaires) contient ce curieux passage :

> « Intrépide et barbare dans sa franchise, elle dit son crime [...], taisant en même temps ce qui l'excusait, ce qui la justifiait peut-être. »

Dans l'Héloïse surtout, la confession de Julie mariée constitue le tournant du livre. En raison du caractère donné à Wolmar, il n'apparaît pas invraisemblable (encore que beaucoup de contem-

1. P. 535.

*porains en aient jugé autrement !) que le pardon suive l'aveu
d'une faute qui appartient à un passé désormais mort. Mais si
l'on compare la conduite de Julie et de Wolmar à la façon dont
Jean-Jacques utilise pour lui-même l'hygiène de la confession, on
s'aperçoit que Wolmar ne pouvait selon lui, à moins d'être un
monstre, agir autrement. Rousseau ne conçoit pas de confession
sans absolution, et semble considérer que la seconde suit automa-
tiquement la première. La confession n'est pas seulement libéra-
trice, mais salvatrice. Deux passages révèlent cette confusion
entre confession et absolution ; mais précisons avant d'en faire état
qu'il ne saurait naturellement être question de reprocher à l'an-
cien catholique de ne pas savoir son catéchisme. Rousseau est
revenu en 1754 au calvinisme de son enfance. Il faut tenir compte,
lorsqu'on oppose les fautes qu'il avoue à la pureté de cœur dont il
se réclame, de ce qu'en réformé sincère il voit la justification non
dans les œuvres, mais dans la foi.*

*L'allusion transparente de l'Émile à l'abandon des enfants
donne lieu à cette étonnante remarque :*

« Après un tel passage il est surprenant qu'on ait eu le
courage de me la reprocher [*ma faute*] [1]. »

*De même dans la 2ᵉ Préface de la Nouvelle Héloïse (composée
au début de 1759), Rousseau semble estimer que le public n'est
plus en droit de lui reprocher d'avoir composé un roman après
avoir condamné les romans, du moment qu'il a reconnu lui-même
sa faiblesse.*

En fait le mot de confessions *n'est guère employé
qu'une dizaine de fois dans l'ouvrage ainsi intitulé. En quatre
occasions, le substantif au pluriel, ou le verbe* confesser, *s'applique
à l'aveu fait soit à la victime (Saint-Lambert, p. 559), soit à
un tiers (Mᵐᵉ de Luxembourg, p. 658), soit au lecteur (visite
à des courtisanes vénitiennes, p. 373 ; négligence envers Le Blond,*

1. Cf. une lettre de 1731 déjà, *Corr.,* éd. Leigh, I, p. 12. — Comparer
avec ces lignes d'Oscar Wilde (géniale rencontre, ou réminiscence ?) :
« There is a luxury in self-reproach. When we blame ourselves we feel
that no one else has a right to blame us. It is the confession, not the
priest, that gives us absolution. » (*Works,* éd. H. G. Maine, London,
1948, p. 81.)

*p. 599) d'un tort ou d'une faiblesse isolée. Tous ces aveux sauf
un se trouvent, sinon dans la première partie, du moins dans les
sept premiers livres ; or le livre VII se rattache étroitement, par
le ton aux six premiers, et était probablement compris dans la
première partie telle que l'envisageait d'abord Rousseau (le
manuscrit de Paris, rédigé antérieurement à celui de Genève, est
divisé I-VII, VIII-XII). La préoccupation de l'aveu, très
sensible dans les premiers livres, s'estompe ensuite.*

« J'ai fait le premier pas et le plus pénible dans le laby-
rinthe obscur et fangeux de mes confessions » ,

*lit-on au livre I [1], à propos du plaisir éprouvé à la fessée admi-
nistrée par M[lle] Lambercier et des suites psycho-physiologiques
que l'auteur attribue à cet incident. Deux autres aveux « pé-
nibles » jalonnent respectivement le livre II et le livre III :
l'affaire du ruban volé et de l'accusation mensongère portée contre
la servante Marion [2] ; l'abandon en pleine rue de M. Le Maître,
terrassé par une crise d'épilepsie [3]. Mais il est significatif que le
commentaire sur le remords dont s'allongeait ce dernier épisode
dans la plus ancienne des copies (Neuchâtel) [4] disparaît dans les
manuscrits de Paris et de Genève, postérieurs à la querelle avec
Hume (1766-1767) et à la naissance du complexe de persécution.
L'effet de la « pensée vile » qui vient à Jean-Jacques, héritier
des nippes de Claude Anet après le décès de ce dernier [5], épisode
relaté au livre V, est immédiatement atténué par ce qu'on pourrait
appeler « l'intercession » de M[me] de Warens, dont les « chères
et précieuses larmes »,* coulant dans le cœur de Jean-Jacques, « y
lavèrent jusqu'aux dernières traces d'un sentiment bas et
malhonnête. Il n'y en est jamais entré depuis ce temps-là. »

*C'est presque dire que l'auteur estime alors — quitte à changer
d'avis plus loin — que la confession au sens strict est désormais
terminée.*

Quant à l'usage du mot confession *ou* confessions *pour
désigner l'ouvrage lui-même, il ne se rencontre, nous l'avons dit,
qu'en une demi-douzaine de passages [6]. Le mot* Mémoires, *qui*

1. P. 18. — 2. Pp. 89-93. — 3. P. 143. — 4. P. 856. — 5. P. 236.
6. Livre II (p. 93); livre VII (« l'objet propre de mes confessions... »,
p. 322); livre VIII (« j'ai promis ma confession, non ma justifi-

*n'apparaît pas dans la première partie, figure plusieurs fois dans
la deuxième* [1], *et dans un dernier passage du livre XII toute
référence au titre est esquivée dans la périphrase « exposer
fidèlement ce que fut, fit et pensa J.-J. Rousseau* [2] *».*

Si un relatif groupement des termes confessions *et* Mémoires
semble indiquer que l'auteur tend à éliminer le premier *à mesure
qu'il avance dans sa rédaction, il faudrait se garder d'en tirer
une conclusion trop rigide. Il a flotté entre les deux, sans toujours
donner au premier tout son sens peut-être. A la fin de l'introduc-
tion du manuscrit de Neuchâtel, la formule* « ces mémoires »
est suivie de « l'histoire la plus secrète de mon âme, [...]
mes confessions à toute rigueur ». *L'idée qu'en se confes-
sant, on confesse nécessairement les autres, se rencontre encore
dans un des fragments (n° 16) réunis sous le titre* Mon por-
trait [3], *mais on en ignore la date — entre 1756 et 1762. Il n'est pas
impossible que Rousseau, indépendamment de toute idée reli-
gieuse (qu'on aurait tort de sous-estimer) ait été encouragé à
adopter le titre* Confessions *par la relative popularité qu'il
semble avoir acquise à la suite du succès du roman de Duclos,
paru en 1741* [4].

cation », p. 425, et « mes confessions sont nécessairement liées avec
celles de beaucoup de gens », p. 475); livre X (« je n'ai pas entrepris
mes confessions pour taire mes sottises », p. 639); livre XII (« tout
occupé de mes *Confessions,* j'en parlais très imprudemment à tout le
monde », p. 736).

1. Pp. 429, 475 (où il voisine avec *Confessions*); pp. 662, 686. —
Il est d'usage dans les éditions du xviiie siècle de grouper sous le
titre « Mémoires » les *Confessions, Dialogues* et *Rêveries ;* le dernier
éditeur à adopter cette pratique semble être Musset-Pathay en 1818.

2. P. 766.

3. Éd. Gagnebin-Raymond des *Œuvres complètes,* I, 1123.

4. Je relève, tant dans le Catalogue des Imprimés de la Bibliothèque
Nationale que dans le *Dictionnaire des Anonymes* de Barbier, six titres
d'ouvrages romanesques commençant par le mot *Confession* ou *Confes-
sions,* et publiés en France entre 1743 et 1779, donc antérieurement
à nos *Confessions.* La petite pièce *la Confession de Zulmé* publiée par
le rousseauiste Ginguené dans l'*Almanach des Muses* de 1779 relève de
l'érotisme pimenté de dévotion, mis à la mode par l'*Eloïsa* de Pope
et ses adaptations françaises. Les sens courants du mot, d'après le
Dictionnaire de l'Académie française de 1694, sont : 1° *Aveu, déclaration
que l'on fait de quelque chose.* — 2° La confession d'un criminel, *ce qu'il*

* * *

C'est donc la condamnation de l'Émile, coup absolument inattendu pour Rousseau, qui le détermine — alors qu'il avait décidé de ne plus écrire — à reprendre la plume. Ce qu'il publiera désormais, à l'exception de compositions musicales ou d'ouvrages de botanique, sera dicté par le souci de se justifier devant l'opinion. La réplique lancée de Suisse, à la fin de 1762, à la condamnation du livre par l'archevêque de Paris Christophe de Beaumont, est déjà un intéressant document autobiographique dans lequel Rousseau, se défendant d'impiété et d'hypocrisie, fait « l'histoire de ses idées ». Le pamphlet porte en épigraphe quelques lignes d'une lettre de saint Augustin, dont les Confessions [1] *sont citées à l'appui du rôle qu'assume Rousseau de témoin de la vérité :*

« Pour moi, j'ai promis de la dire en toute chose utile, autant qu'il serait en moi; c'est un engagement que j'ai dû remplir selon mon talent, et que sûrement un autre ne remplira pas à ma place, puisque, chacun se devant à tous, nul ne peut payer pour autrui. « La divine vérité », dit Augustin, « n'est ni à moi, ni à vous, ni à lui, mais à nous tous, qu'elle appelle avec force à la publier de concert, sous peine d'être inutile à nous-même si nous ne la communiquons aux autres : car quiconque s'approprie à lui seul un bien dont Dieu veut que tous jouissent, perd par cette usurpation ce qu'il dérobe au public, et ne trouve qu'erreur en lui-même pour avoir trahi la vérité [2]. »

Puis c'est la future épigraphe Intus et in cute *qui apparaît dans la correspondance (à Moultou, 29 janvier 1763). Bientôt, c'est aux pasteurs de Genève, qui se sont retournés eux aussi*

confesse devant le juge. — 3° *Confession de foi (quelquefois absolument, sans ajouter de foi). —* 4° *Se dit aussi de la déclaration que le pénitent fait de ses péchés, soit à Dieu, soit publiquement devant le prêtre.*

En employant le pluriel, Rousseau semble avoir voulu exclure tout sens autre que le quatrième.

1. Liv. XII, chap. 25.
2. *O. C.,* Pléiade, IV, p. 967-8.

contre lui, qu'il réplique avec les Lettres de la Montagne, *où sa propre apologie se mêle à celle des bourgeois de Genève. Au lendemain de cette publication, un dernier événement, qui le bouleverse, le décide à consacrer à sa justification, non plus un pamphlet occasionnel, mais le grand ouvrage,* Mémoires ou Confessions, *qui sera l'histoire de sa vie et de ses idées.*

 Le choc a été causé par le factum anonyme lancé à Genève fin décembre 1764 : le Sentiment des Citoyens. *L'auteur en est Voltaire, mais Rousseau accusera longtemps le pasteur Jacob Vernes. L'abandon des enfants — secret que connaissaient seuls les intimes de Rousseau, dont M*ᵐᵉ *d'Épinay, liée avec le médecin genevois Tronchin — y est divulgué au milieu d'un flot de grossières insultes. Rousseau se décide alors à rétablir la vérité dans ses Mémoires apologétiques, puisque pour ce pamphlet* « la dame d'Épinay a fourni des Mémoires à sa manière » *(à Duclos, 13 janvier 1765). La décision ne va d'ailleurs pas sans* « répugnance », *comme il le dit lui-même, et il se promet que rien ne paraîtra de son vivant. Quelques mois plus tard un traité conclu avec son nouvel ami neuchâtelois Du Peyrou fait ce dernier propriétaire à la mort de l'écrivain de tous ses papiers, et règle ainsi la question de la publication posthume.*

 Il semble bien établi que le pamphlet de Voltaire, parvenu à Rousseau le 31 décembre 1764, n'est pas cependant, comme on l'a cru longtemps, le point de départ de l'entreprise autobiographique. C'est au cours de l'année 1764 qu'ont été rédigées, comme l'indiquent la lettre et l'esprit d'une note du manuscrit de Neuchâtel, les pages qui devaient servir d'introduction à une histoire de la vie de Rousseau. Lorsqu'on les compare au préambule beaucoup plus court adopté dans la rédaction définitive, elles apparaissent comme beaucoup plus proches de la tradition des moralistes classiques. L'émulation avec Montaigne, l'insistance sur le profit moral que pourra tirer le lecteur d'une étude véridique du cœur humain, indiquent que Rousseau ne se laisse pas entraîner sans scrupule, soit au simple plaisir de revivre son passé (« en me livrant au souvenir de l'impression reçue... »), *soit au désir de se justifier* (« puisque mon nom doit durer parmi les hommes, je ne veux point qu'il y porte une réputation mensongère »); *il s'excuse sur la* « bigarrure » *du style qu'entraînera nécessairement son souci de vérité, mais que compensera*

*du moins la valeur psychologique de cette « pièce de comparai-
son » offerte à quiconque voudra sonder son propre cœur. Ces
garanties du moraliste n'étaient peut-être qu'une tentative de
« redressement » de la simple confidence égotiste, un peu comme
dans la Nouvelle Héloïse une histoire de passion et de séduction,
jetée sur le papier sans souci des conséquences et sans vues d'avenir
précises, se transformait en une édifiante apologie du mariage.
Mais il faut se souvenir que chez cet admirateur de Plutarque la
biographie présente par elle-même une valeur d'instruction ; ou
comme il est dit, au livre IV de l'Émile, à propos des utilités
de l'histoire :*

« Ceux, dit Montaigne, qui écrivent les vies, d'autant
qu'ils s'amusent plus aux conseils qu'aux événements, plus
à ce qui part du dedans qu'à ce qui arrive au dehors, ceux-
là me sont plus propres : voilà pourquoi, en toutes choses,
c'est mon homme que Plutarque (liv. II, ch. X). »

* * *

L'histoire de la rédaction des Confessions *est complexe et
encore incomplètement connue* [1]. *Les déplacements matériels de
Rousseau et les crises morales qu'il a traversées l'ont amené à
plusieurs reprises à interrompre son travail. Les manuscrits que
nous possédons, à l'exception de quelques fragments, ne sont pas
des rédactions de premier jet, mais des copies très soignées, anno-
tées et corrigées à diverses dates; l'édition de la* Correspondance
*complète par R. A. Leigh fournira peut-être, une fois achevée,
quelques renseignements.*

*Les grandes étapes de la composition du livre (que Rousseau
dit avoir commencé à Môtiers) peuvent s'établir de la façon sui-
vante, en prenant soin de ne pas confondre la date de rédaction
de chaque livre avec celle de sa transcription sur les copies auto-
graphes que nous possédons :*

1. La patiente et précieuse étude de M^me Hermine de Saussure,
Rousseau et les manuscrits des « Confessions », Paris, De Boccard, 1958,
apporte, avec quelques hypothèses contestables, beaucoup de nouveau
et une mise au point indispensable à toute nouvelle recherche sur
la question.

Lorsque Rousseau quitta la Suisse pour Strasbourg, puis pour Londres, fin décembre 1765, confiant à Du Peyrou une partie de ses papiers, il aurait déjà, selon M^{me} de Saussure, « poussé ses brouillons au moins jusqu'à ce qui fait la fin actuelle du livre VI, c'est-à-dire toute la première partie, et une partie du livre VII peut-être ». *En Angleterre, il travaille à la transcription dite aujourd'hui manuscrit de Neuchâtel (l'histoire de sa vie jusque vers le milieu du l. IV actuel), et, avec l'aide de papiers reçus de Du Peyrou, poursuit la rédaction de la première partie. La querelle avec Hume, la conviction que ses prétendus amis l'ont attiré en Angleterre pour l'y retenir captif, et sont prêts à tout pour l'empêcher de révéler dans ses Mémoires la vérité sur leurs machinations — tous ces inquiétants indices qu'il croit relever jettent Rousseau dans la plus vive inquiétude sur le sort de ses précieuses Confessions. Décidé à fuir l'Angleterre, qui n'est plus pour lui qu'un piège, il s'offre, dans une lettre au secrétaire d'État à l'Intérieur, le général Conway, à renoncer à écrire l'histoire de sa vie pourvu qu'on lui permette de quitter le pays. Il s'embarque à Douvres sans avoir reçu de réponse et sans avoir été inquiété — ce qui n'est peut-être pas pour le rassurer. C'est en Normandie, au château de Trye appartenant au prince de Conti, qu'il achève, à la fin de 1767, la rédaction de sa première partie — dans laquelle ses ennemis, à part une ou deux allusions fugitives, ne sont pas encore mentionnés. Il est possible, sinon probable, qu'il ait alors seulement décidé d'écourter cette première partie, de renoncer à y faire entrer ce qui constitue aujourd'hui le livre VII ; il termine le livre VI par un paragraphe précisant qu'il n'a pas l'intention d'aller plus loin. Quant à l'introduction composée à Môtiers, il se peut qu'elle ait déjà à cette date de 1767 été remplacée par celle, brève, agressive, arrogante, que nous lisons maintenant en tête du livre I. Cette page, qui porte la trace du ressentiment suscité par la querelle avec Hume, date au plus tard de 1769, puisqu'elle constitue le début de la copie, achevée à la fin de 1769 et dite manuscrit de Paris, des livres I à VII.*

Ce qui détermine Rousseau à reprendre son récit « après deux ans de silence et de patience », *comme le dit l'introduction qu'on lit aujourd'hui en tête du livre VII, c'est un incident survenu à l'automne de 1768, et qui lui donne* « la première idée du complot affreux dont [il est] la victime » : *il croit en effet*

*s'apercevoir de la disparition de documents, dans un recueil de
copies autographes de lettres envoyées et reçues. Les livres X,
XI et XII fournissent de nombreuses indications sur ce
« complot », dont l'obsession a précipité leur rédaction, en
même temps qu'elle faisait renoncer l'auteur à une « troisième
partie » projetée, laquelle devait d'abord commencer avec le
livre XII.*

*La reprise du travail a lieu à Monquin, en Dauphiné, en
février 1769 ; Rousseau rédige là les livres VIII à XII, avant
de gagner Lyon (avril 1770), puis Paris (juin), où il complète
probablement sur le manuscrit de Genève le livre XII (fin 1770-
début 1771). Peu avant le départ de Monquin, la très longue
lettre autobiographique à M. de Saint-Germain, datée du
26 février 1770, constitue un document capital, non seulement
sur le « complot », à la tête duquel Rousseau voit maintenant
Choiseul lui-même, mais sur l'état d'esprit dans lequel sont
rédigés les derniers livres, plus que jamais témoignage religieux
d'un croyant qui souffre pour sa foi :*

« J'étais homme et j'ai péché; j'ai fait de grandes fautes
que j'ai bien expiées, mais jamais le crime n'approcha
de mon cœur. Je me sens juste, bon, vertueux, autant
qu'homme qui soit sur la terre; voilà le motif de mon
espérance et de ma sécurité. Quoique je paraisse oublié
de la Providence, je n'en désespérerai jamais [...]. Non,
je ne trouve rien de si grand, rien de si beau, que de souf-
frir pour la vérité. J'envie la gloire des martyrs. Si je n'ai
pas en tout la même foi qu'eux, j'ai la même innocence
et le même zèle, et mon cœur se sent digne du même
prix[1]. »

*Renonçant à poursuivre les Confessions au-delà du livre XII,
Rousseau n'en tente pas moins de briser la conspiration du silence
dans laquelle il se croit enfermé par ses ennemis. Ce sont d'abord
les lectures publiques données à Paris à la fin de 1770 et au*

1. Affirmation corroborée par l'observation de Malesherbes dans
son *Mémorial sur la Liberté de la presse* (1789) : « Il se sentait le courage
des martyrs, il voulait en avoir la gloire. » (Cité par P. Grosclaude,
Rousseau et Malesherbes, Paris, 1960, p. 115.)

*début de 1771 — et auxquelles fait allusion la fin du livre XII,
puis la composition des trois* Dialogues *intitulés* Rousseau
juge de Jean-Jacques, *et la tentative de dépôt de cet ouvrage
sur le maître-autel de Notre-Dame (février 1776) ; la distribu-
tion dans les rues de Paris du tract* A tout Français aimant
encore la justice et la vérité *(avril 1776).* L'Histoire du
précédent écrit, *en appendice aux* Dialogues, *dresse le constat
de l'échec. Si l'apaisement marqué par les* Rêveries du Pro-
meneur solitaire, *rédigées dans les deux dernières années de
la vie de Rousseau, correspond effectivement à un nouvel état
d'esprit de résignation, et d'effort vers la sérénité* (« un plein
calme est établi dans mon cœur... »), *il ne doit pas nous faire
croire à une rupture entre* Confessions *et* Dialogues, *adressés
à la postérité, ou peut-être même aux contemporains, et* Rêveries,
*que le Promeneur solitaire prétend n'écrire que pour lui-même :
après cette affirmation de la Ire Promenade, n'ajoute-t-il pas
en effet :* « je reprends la suite de l'examen sévère et
sincère que j'appelai jadis mes *Confessions* » ?

Les Dialogues *amplifiaient le portrait moral élaboré dans
les* Confessions, *en élargissant l'analyse du caractère de l'homme
par celle de l'esprit qui préside à ses écrits, mettant ainsi l'accent
sur le souci passionné de justification. Ce dernier élément n'est
pas absent des* Rêveries, *continuation elles aussi des* Confessions,
*non plus sur ce seul plan mais sur tous les autres : examen de
conscience tendant à l'occasion vers la méditation religieuse,
analyse psychologique dans la tradition classique, goût enfin de
l'évocation du passé pour elle-même. Il convient d'ailleurs d'obser-
ver que jusqu'à deux mois de sa mort, Rousseau conserve avec
lui la copie autographe des* Confessions *qui servira à la publi-
cation, y ajoutant d'assez nombreuses notes (le livre XII en
particulier a été largement retouché en 1776).* L'histoire des
Confessions *est donc celle d'un ouvrage sans cesse repris pendant
plus de quinze ans, toujours inachevé, toujours en évolution comme
la vie même qu'il tente de retracer et d'interpréter.*

III. LES MATÉRIAUX
ET LEUR ORGANISATION.
MÉMOIRE ET PRINCIPES DIRECTEURS

« J'écrivais mes *Confessions* déjà vieux [...]. Je les écrivais de mémoire; cette mémoire me manquait souvent ou ne me fournissait que des souvenirs imparfaits et j'en remplissais les lacunes par des détails que j'imaginais en supplément de ces souvenirs, mais qui ne leur étaient jamais contraires. J'aimais à m'étendre sur les moments heureux de ma vie, et je les embellissais quelquefois des ornements que de tendres regrets venaient me fournir. Je disais les choses que j'avais oubliées comme il me semblait qu'elles avaient dû être, comme elles avaient été peut-être en effet, jamais au contraire de ce que je me rappelais qu'elles avaient été... »

Ce passage de la 4ᵉ Promenade — rédigée en 1777 — indique assez que pour la plus grande partie de son travail Rousseau n'a utilisé pour toute documentation que des souvenirs souvent incertains, et laisse supposer qu'une part de roman a pu s'introduire dans tout ce que l'auteur n'estime pas constituer l'essentiel de son autobiographie. Dans le cours même de son récit, les mêmes réserves sur les omissions possibles, sur l'ordre des faits, reviennent à plusieurs reprises, surtout dans la première partie. Ainsi dans ce passage du livre III :

« J'écris absolument de mémoire, sans monuments, sans matériaux [...]. Il y a des événements de ma vie qui me sont aussi présents que s'ils venaient d'arriver; mais il y a des lacunes et des vides que je ne peux remplir qu'à l'aide de récits aussi confus que le souvenir qui m'en est resté. J'ai donc pu faire des erreurs quelquefois, et j'en pourrai faire encore sur des bagatelles, jusqu'au temps où j'ai de moi des renseignements plus sûrs; mais en ce qui importe vraiment au sujet, je suis assuré d'être exact et fidèle, comme je tâcherai toujours de l'être en tout; voilà sur quoi l'on peut compter. »

Il convient donc d'établir entre les deux parties de l'ouvrage une distinction qui répond d'ailleurs à la faveur très différente qu'elles ont rencontrée et rencontrent encore respectivement auprès des lecteurs. L'auteur nous prévient lui-même, dans les pages d'introduction du livre VII, du ton sombre qui va désormais régner sur son récit [1]. *Ce n'est pas seulement qu'il a fini désormais d'évoquer pour le lecteur* « les doux souvenirs de mes beaux ans », *et que les pages qui viennent n'offrent plus que*« malheurs, trahisons, perfidies, que souvenirs attristants et déchirants ». *C'est aussi que l'objet qu'il se propose dans la seconde partie n'est plus tout à fait le même. Sans doute confirme-t-il dans ces mêmes pages de la 2ᵉ partie que* « l'objet de mes *Confessions* est de faire connaître exactement mon intérieur dans toutes les situations de ma vie ». *Mais il dispose désormais de documents, qu'il a commencé à réunir lorsque a pris corps l'intention encore indécise d'écrire un jour sa vie. Ces documents, à l'en croire, portent seulement sur* « un intervalle de six à sept ans », *et constituent un recueil de lettres* « qui finit en 1760 [2] », *et comporte* « une lacune [...] de près de six mois, depuis octobre 1756 jusqu'au mois de mars suivant [3] ». *Ce recueil, auquel se réfère à plusieurs reprises le texte des livres IX et X (lesquels portent sur la période en question, 1756-1760), est le* « copie-de-lettres » *conservé aujourd'hui à la Bibliothèque de Neuchâtel. Mais Rousseau admet aussi qu'il lui reste* « des lettres originales plus récentes [...] en très petit nombre ». *Il y a donc quelque exagération dans l'affirmation suivante :*

« Ma première partie a été toute écrite de mémoire et j'y ai dû faire beaucoup d'erreurs. Forcé d'écrire la seconde de mémoire aussi, j'y en ferai probablement beaucoup davantage [4]. »

Les erreurs sont en fait peu nombreuses dans cette seconde partie. C'est que, malgré les insuffisances de la documentation, le propos n'est plus seulement maintenant de « faire connaître

1. Pp. 221-324. Ce début du livre VII, rédigé à coup sûr postérieurement au corps du livre, et lors de l'achèvement de la 2ᵉ partie, est capital pour l'intelligence de la question qui nous occupe.
2. P. 323. — 3. P. 718. — 4. P. 322.

exactement [*son*] intérieur », *mais d'établir des faits, dont le rapprochement fera éclater aux yeux des lecteurs de bonne foi le* « complot » *dont Rousseau est victime. Ce glissement de point de vue n'apparaît nulle part plus clairement que dans la phrase de conclusion du livre XI, où il s'interroge sur ce qui se serait passé s'il était resté à Montmorency au lieu de s'enfuir lors du décret de prise de corps de juin 1762 :*

« Exemple grossier, mais sensible, de l'importance des moindres détails dans l'exposé des faits dont on cherche les causes secrètes, pour les découvrir par induction. »

* * *

Soucieux comme l'est Rousseau de l'ordonnance et de la présentation matérielle d'un récit que sa sincérité, mais aussi sa coquetterie d'écrivain, lui font présenter comme « plein de fautes de toute espèce », *il a divisé son ouvrage en* livres *groupés eux-mêmes en deux* parties. *Cette division en livres introduit dans le passé de l'auteur des étapes logiques, supposant une orientation de sa vie, ou un jugement d'ensemble porté rétrospectivement par le biographe. On peut naturellement s'attendre, de ce fait, à de grandes inégalités entre les différents livres, quant au nombre d'années couvert par chacun. Il va de soi que les années d'enfance ne sauraient offrir beaucoup d'événements significatifs : admirons plutôt la nouveauté d'un livre qui ose, en plein siècle des Lumières, consacrer tant de pages aux puérilités des premières années. Rousseau, nous le verrons, en est conscient, et éprouve à plusieurs reprises le besoin de s'en excuser. Mais si le lecteur moderne ne songe pas à s'en plaindre, le critique est en droit d'attendre, lui, que l'inégalité de fait qui vient d'être mentionnée corresponde à une proportion dans l'importance qu'attribue le biographe à chacune des étapes de l'*« histoire de son âme ».

Pendant plus d'un siècle, tous les éditeurs des Confessions *ont reproduit en tête de chaque livre des* Confessions *les deux dates initiale et terminale de la période qu'il était censé embrasser. Aucune date ne figure pourtant à cet endroit dans les manuscrits des* Confessions. *Les éditeurs se sont contentés de reprendre les dates proposées par Musset-Pathay dans son* Histoire de

la Vie et des Ouvrages de J.-J. Rousseau *en 1821, et adoptées par lui et par Petitain, vers le même temps, dans leurs éditions respectives. On peut aujourd'hui dater plus sûrement le contenu des livres, avec quelques réserves pour les livres IV à VI (les livres V et VI ne peuvent guère être séparés, les événements y étant distribués un peu au hasard, ou selon un ordre qui n'est pas celui de la chronologie)* [1]. *Le tableau ci-dessous donne, pour chaque livre, la période qu'il embrasse, et indique le ou les tomes couvrant la même période dans l'édition R. A. Leigh de la* Correspondance complète :

Livres	Nombre de pages (ms. de Paris)	Période couverte		Tomes correspondants de la C.C.
I	22	1712-mars 1728, soit	16 ans	I
II	23	mars-fin déc. 1728, soit	= 9 mois	I
III	22	fin déc. 1728-fin av. 1730	= 16 mois	I
IV	24	fin av. 1730-déb. oct. 1731	= 17 mois	I
V	26	déb. oct. 1731-aut. 1741	= 10 ans	I
VI	27		pour les 2 livres	
VII	39	aut. 1741-été 1749	= 8 ans	I-II
VIII	31	aut. 1749-av. 1756	= 6 ans ½	II-III
IX	52	av. 1756-fin déc. 1757	= 18 mois	III-IV
X	32	fin déc. 1757-fin déc. 1760 =	3 ans	V-VII
XI	24	fin déc. 1760-juin 1762	= 2 ans ½	VIII-XI
XII	35	juin 1762-fin oct. 1765	= 3 ans ½	XII-XXVII

(Les 13 dernières années de la vie de Rousseau ne sont pas relatées dans les *Confessions;* sur la date de 1741, *infra,* p. 238 n. 2.)

On voit par ce tableau combien nous sommes mieux armés pour contrôler les faits rapportés dans les l. VIII à XII (pour lesquels nous disposons de 25 tomes de la Correspondance*) que ceux évoqués dans les sept premiers livres, pour l'ensemble desquels*

1. Pour la chronologie des événements rapportés dans les l. I à IV, les travaux de Dufour, *Annales,* IV, 1908, p. 249-50, et Ritter, *Annales,* XVI, 1924-5, rendent encore des services.

nous n'avons que quelques dizaines de lettres, certaines d'authenticité douteuse ou de date incertaine. L'inégalité du contenu, mesuré en années, s'accroît dans certains cas de celle du nombre de pages de chaque livre dans le manuscrit de Paris[1]. Alors que le livre I rapporte seize années en 22 pages, le suivant en consacre à peu près autant à une période de neuf mois ; aux huit ans du livre VII correspondent 39 pages, et 52 aux dix-huit mois du livre IX. C'est donc ce dernier qui est le plus riche, avec les livres II à IV : 69 pages au total pour un ensemble de 3 ans et 1/2. On peut en conclure que les deux périodes de sa vie sur lesquelles l'auteur s'étend le plus volontiers sont celles de sa vie vagabonde d'une part et de l'Ermitage de l'autre : l'aventure et la solitude, deux penchants caractéristiques des deux versants de sa vie.

* * *

L'articulation du récit (choix des épisodes ou des commentaires marquant le début ou la fin des livres, usage des transitions...) relève de l'art de l'écrivain, et sera étudiée plus loin à ce titre. Mais il convient de faire état dès maintenant des principes directeurs qui président à l'organisation des matériaux, car ces principes, beaucoup plus que de simples procédés littéraires, constituent l'esprit même dans lequel l'auteur entend conduire l'histoire de son âme, et sont inséparables de ses convictions les plus profondes.

Une âme religieuse qui se sent la vocation du martyre se considère comme marquée par le destin. Mais il est curieux de voir se modifier, à mesure qu'on avance dans l'ouvrage, l'idée que se fait Rousseau du sort terrestre qui lui est réservé. Les mots

1. Je choisis le ms. de Paris de préférence à celui de Genève parce que les deux cahiers qui le composent sont de même format, ce qui permet d'instituer des comparaisons entre les livres en estimant que le nombre de mots à la page est constant. Il ne s'agit évidemment que de donner un ordre de grandeur ; je néglige le fait que l'écriture est souvent très serrée en fin de livre ou en bas de page; la différence de longueur du texte du livre XII dans les deux manuscrits de Paris et de Genève est à peu près compensée par le fait que dans celui de Paris les dernières pages, couvertes d'une écriture moins bien formée et plus espacée, sont sensiblement moins denses.

étoile, destin, *restent dans les premiers livres dépourvus de toute coloration optimiste ou pessimiste ; ils indiquent seulement que des desseins surnaturels planent sur le héros. Lors de la fuite de Genève, ni son père ni son oncle ne semblent avoir fait beaucoup d'efforts pour rattraper le jeune homme* :

« Il semblait que mes proches conspirassent avec mon étoile pour me livrer au destin qui m'attendait[1]. »

L'établissement que projetait pour lui, à Turin, le comte de Gouvon, est resté un rêve :

« Ma place n'était pas celle qui m'était assignée par les hommes, et j'y devais parvenir par des chemins bien différents[2]. »

La rencontre de M^{me} de Warens révèle à Jean-Jacques la vocation du bonheur, et désormais les Charmettes sont pour lui le séjour idyllique dont il gardera la nostalgie. La « sympathie des âmes[3] » est un signe du destin ; M^{me} de Warens est « celle pour qui j'étais né[4] ». Dans les livres de la première partie qui évoquent cette fille spirituelle de Fénelon, car c'est ainsi que Rousseau nous la présente, la notion d'une bienveillante providence se substitue à celle d'un aveugle destin[5]. Mais pour peu de temps. Précisément au moment où s'effondre le rêve du bonheur à deux, apparaît sous son véritable jour le destin terrestre de Rousseau. Au retour de Montpellier, il a su vaincre la tentation d'aller retrouver M^{me} de Larnage ; il regagne les Charmettes. Ne nous demandons pas si cette décision qu'il présente comme une conversion à la vertu n'était pas plutôt calcul avisé de ses intérêts les plus solides ; n'envisageons que la brutale déception qui attendait « Petit », supplanté en son absence (sinon plus tôt) dans les faveurs de « Maman » par le perruquier Wintzenried :

« Hélas ! la sincérité de mon retour au bien semblait me promettre une autre destinée; mais la mienne était

1. P. 59. — 2. P. 108. — 3. P. 55. — 4. P. 312.
5. Revenant inopinément de Turin, le jeune homme est accueilli ainsi par M^{me} de Warens : « On dira ce qu'on voudra; mais puisque la providence me le renvoie, je suis déterminée à ne pas l'abandonner. » (P. 114.)

écrite et déjà commencée et quand mon cœur, plein d'amour pour les choses bonnes et honnêtes, ne voyait plus qu'innocence et bonheur dans la vie, je touchais au moment funeste qui devait traîner à sa suite la longue chaîne de mes malheurs[1]. »

Désormais, il n'est plus question que de sa « mauvaise étoile[2] », *de* « l'aveugle fatalité qui m'entraînait à ma perte[3] ». *Dans le sombre livre XI, la tristesse tourne au désespoir ; il est* « appelé *au malheur[4], s'attachant par une funeste folie aux êtres mêmes (M^me d'Épinay ; M^me de Luxembourg, qu'il soupçonne d'autant plus, rétrospectivement, qu'il ne trouve rien de précis à lui reprocher ; sa patrie suisse enfin) par lesquels il doit périr :*

« C'est ainsi qu'aveugle et confiant dans mes espérances, je me suis toujours passionné pour ce qui devait faire mon malheur[5] ».

L'anathème lancé contre l'espérance est désormais sa maxime de conduite, et — à en croire les Rêveries — *le début de la guérison. On peut penser ici encore, avec les réserves qui conviennent, à l'âme qui cesse de lutter, s'abandonne à la Providence, et ne considère plus sa misère en ce monde que comme un signe de son bonheur dans l'autre.*

* * *

Un destin est par définition unique. L'orgueil est inséparable de la croyance à un sort exceptionnel, même et peut-être surtout lorsqu'on se croit promis à une infinité de malheurs. Malesherbes, qui a bien connu Rousseau, et qui soutient d'ailleurs dans une lettre à Moultou que « l'orgueil n'est pas l'unique cause de la manie de notre ami », *exagère à peine lorsqu'il juge ainsi le dérèglement de l'auteur des* Dialogues :

« Vous pensez que c'est un goût bien bizarre que de vouloir absolument être malheureux [...] Qu'on est malheureux, dites-vous, d'être haï de tout l'univers. Mais je crois

1. P. 301. — 2. P. 509. — 3. P. 618. — 4. P. 619. — 5. P. 692.

que vous vous trompez. C'était au contraire sa jouissance
la plus délicieuse [1]. »

La singularité est en effet revendiquée par l'auteur des Confes-
sions. *Comme son indépendance, elle est en conformité avec sa
théorie de l'amour de soi. (Son lointain disciple — et plus tard
ennemi — Barrès parlerait de* culte du moi.)

*Si Jean-Jacques a connu un destin exceptionnel, c'est qu'il
est un être exceptionnel, qu'on ne peut juger en se référant à
l'étalon de l'humanité commune. D'ou la nécessité de cette entre-
prise elle aussi exceptionnelle que sont* les Confessions.

*C'est, on l'a vu, à la veille de l'installation à l'Ermitage
que le candidat à la solitude invite sa bienfaitrice, si elle veut le
comprendre, à* « apprendre son dictionnaire ». *Mais la fière
épigraphe du premier* Discours *allait déjà dans le même sens :*
Barbarus hic ego sum, quia non intelligor illis *(on pense
encore à Barrès). Ce n'est pourtant que dans les années de l'Ermi-
tage que se multiplient, dans la correspondance, les revendications
de singularité :* « Personne ne sait se mettre à ma place »,
écrit-il à Grimm en octobre 1757,

« personne ne sait se mettre à ma place; on ne veut pas
voir que je suis un être à part, qui n'a point le caractère,
les maximes, les ressources des autres, et qu'il ne faut point
juger sur leurs règles [2]. »

Il n'est donc pas surprenant qu'il connaisse « un sort qui n'a
point d'exemple chez les mortels [3] ». *L'adjectif* unique,
*appliqué à Rousseau ou à ce qui le touche, apparaît fréquemment
dans* les Confessions, *parfois dans des circonstances presque
triviales : sa bonne entente, à Bossey, avec son cousin Abraham
Bernard, constitue* « un exemple peut-être unique depuis qu'il
existe des enfants [4] » ! *Et à propos de la vertu qu'il sut garder
dans sa passion pour Sophie d'Houdetot, il n'hésite pas à écrire :*
« Il est étonnant, il est unique peut-être qu'une femme

1. Cité par P. Grosclaude, *Rousseau et Malesherbes,* Paris, 1960,
pp. 96, 109, 113.
2. Lettre du 26 oct., selon Guillemin, et selon Leigh, *C. C.,* IV, 302.
3. P. 496. — 4. P. 14.

ayant pu venir jusqu'à marchander, s'en soit tirée à si
bon compte[1] ». *Unique aussi sa correspondance avec Sophie,
correspondance qui « n'a point d'exemple » — pas plus, on l'a
vu, que les Confessions elles-mêmes, ainsi que l'affirment, non
seulement le Préambule, mais aussi ce passage du livre X :*

« Je résolus d'en faire un ouvrage unique par une véra-
cité sans exemple, afin qu'au moins une fois on pût voir
un homme tel qu'il était en dedans[2]. »

On peut s'étonner que ce chrétien en soit venu à écrire : « moi
qui me suis cru toujours, et qui me crois encore, à tout
prendre, le meilleur des hommes[3] » — *affirmation qui semble
contredire celle, à peu près contemporaine, et citée plus haut, de
la lettre à Saint-Germain[4] ; on peut s'étonner que, plus scanda-
leusement encore, il proclame cette conviction à la face même de
son Dieu dans le fameux Préambule.*

*Sans escamoter le scandale, ni non plus mettre trop vite en
doute la sincérité de Rousseau, il convient de tenir compte de
deux circonstances atténuantes, minimes si l'on veut. D'abord,
Rousseau ne s'écrie pas, à la fin de cette page si souvent citée :*
« Je suis le meilleur des hommes ». *Il défie seulement tout
homme de bonne foi, après avoir fait un retour sur son propre
cœur, de s'exclamer comme le pharisien de l'Évangile :* « Je fus
meilleur que cet homme-là ». *Il reste, convenons-en, que ce
défi aux pharisiens (* « Hypocrite lecteur, mon semblable,
mon frère... » *) est lui-même un chef-d'œuvre de pharisaïsme.
Si l'on peut évoquer aussi, à propos de ce passage, l'épisode
évangélique de la femme adultère, on regrette que Jean-Jacques
n'ait pas imité l'humilité de la pécheresse, qui, elle, laissait au
Christ le soin de demander :* « Qui de vous lui jettera la première
pierre ? »

*En second lieu, l'emploi où se complaît Jean-Jacques du super-
latif relatif (* « le meilleur des hommes » *) est un fait de langue
courant à son époque, héritage du beau parler du Grand Siècle.
Cette observation rejoint une petite découverte de M^{me} de Saussure*

1. P. 524. — 2. P. 608. — 3. Pp. 608-609. — 4. *Supra*, p. XXXI.

sur le même sujet — mais elle en atténue à mon sens la portée[1].
*L'origine de la formule serait en effet à chercher dans une lettre
de Malesherbes, répondant aux inquiétudes exprimées par Rous-
seau touchant la publication de l'*Émile :

« J'ai conclu de la moitié de vos lettres que vous étiez
le plus honnête de tous les hommes, et de l'autre moitié
que vous étiez le plus malheureux. »

*Il me paraît difficile d'apprécier la part de la politesse épisto-
laire et celle de l'évaluation critique dans une formule de ce genre.
Il ne viendrait à l'idée de personne d'accuser Rousseau de méga-
lomanie sentimentale dans cette fin d'une lettre à Malesherbes :*

« Soyez bien persuadé, Monsieur, qu'on ne peut être
plus reconnaissant de vos bontés, plus touché de votre
estime que je le suis, ni vous honorer plus respectueusement
que je le fais. »

*L'emploi du superlatif relatif pour le superlatif absolu, ou
du comparatif dans des phrases négatives, relève des conventions
du bon ton ; une formule comme* « je vous suis très attaché »,
*quoique plus sincère, paraîtrait froide jusqu'à l'insolence calculée.
On sait comment cette dévaluation du superlatif relatif, s'étendant
à la langue littéraire en général, entraîne des expressions du type*
« un divertissement le plus galant du monde », *où le super-
latif n'a pas plus de valeur qu'un simple positif. On trouverait
cent exemples de tels emplois chez Corneille, Molière, Bossuet
ou La Bruyère — et chez Rousseau, héritier des procédés de la
rhétorique classique. Si bien qu'on peut se demander s'il faut voir
une manifestation de vanité ou une inoffensive élégance stylistique
dans des passages comme ceux-ci :*

« celui de tous les hommes qui a toujours le plus respecté
les lois [2] » ;
« [*les*] plus délicieux sentiments qui jamais soient entrés
dans un cœur d'homme [3] ».

De même Rousseau, lorsque est mis à sa disposition le petit

1. *Rousseau et les manuscrits des «Confessions»*, Paris, 1958, pp. 63-67.
2. P. 735. — 3. P. 506.

château de Montmorency, se juge « peut-être alors le particulier de l'Europe le mieux et le plus agréablement logé[1] » *; il parle en termes analogues d'autrui, disant de l'abbé de Saint-Pierre :*

« Cet homme rare, [...] le seul peut-être [le mot *peut-être* est supprimé dans le ms. de Paris], depuis l'existence du genre, humain, qui n'eût d'autre passion que celle de la raison[2] »,

et qualifiant Diderot, à la veille de leur querelle, de « génie peut-être unique[3] ». *Il applique le même type d'expression à des objets matériels, déclarant la vue de Montmorency* « unique peut-être au monde » *avec un sang-froid digne des modernes spécialistes de publicité[4]. Ce qui était élégance de style finit ainsi par devenir un automatisme au fond sans conséquence, comme dans l'américanisme* the best in the world, *d'où toute notion de comparaison est pratiquement absente.*

Dira-t-on que le comparatif « je fus meilleur que cet homme-là » *garde bien, dans la phrase interrogative qui termine le fameux Préambule, toute sa valeur ? Sans prétendre qu'il n'en ait plus aucune, reconnaissons qu'elle sort affaiblie d'un rapprochement avec les formules qui viennent d'être citées, et refusons-nous à suivre ceux qui trop souvent ont édifié sur cette base étroite d'ambitieuses constructions expliquant tout Rousseau par la vanité et l'insincérité. Tenons compte d'un certain goût de l'exagération dont on a chez lui d'autres traces ; c'est Malesherbes encore qui note :*

« s'il eût été aussi malade qu'il s'entend à dire dans le temps de ses premiers ouvrages, il n'aurait pas vécu deux ans[5] »,

— observation qui atténue la portée réelle, et de ses plaintes, et de ses orgueilleux défis, mais qui laisse entière sa conviction d'être « unique », *— sentiment qu'il serait paradoxal de trouver déplacé chez un homme de génie.*

1. P. 621. — 2. P. 500.
3. Fragment publié par B. Gagnebin et M. Raymond dans leur édition des *Écrits autobiographiques*, Pléiade, p. 1036 et n. 1.
4. P. 610.
5. P. Grosclaude, *op. cit.* p. 111.

IV. « ROUSSEAU JUGE DE JEAN-JACQUES » DANS LES *CONFESSIONS*

Dans l'évocation du Jugement dernier sur laquelle s'ouvre solennellement l'ouvrage, l'insultant défi lancé au genre humain est la naïve contrepartie de la confiance de l'élu dans son salut personnel. Insolente ici, cette foi s'exprime plus modestement, mais non moins fermement, dans les propos de Julie mourante, ou dans ceux du Vicaire savoyard qui continue malgré son « scepticisme involontaire » et « nullement pénible » à célébrer la messe sans scrupules :

« Quoi qu'il en soit de ce mystère inconcevable, je ne crains pas qu'au jour du jugement je sois puni pour l'avoir jamais profané dans mon cœur. »

C'est qu'en effet Dieu, qui lit dans le cœur du Vicaire comme dans celui de Jean-Jacques, ne juge pas sur les apparences extérieures, ni même sur les actes ; c'est la foi qui justifie. D'ailleurs,

« il y a des moments d'une espèce de délire où il ne faut point juger des hommes par leurs actions[1] ».

Mais encore importe-t-il de retrouver sous ces actes, fondements insuffisants en eux-mêmes d'un jugement moral, les véritables motifs qu'ils recouvrent. Le premier préambule des Confessions, *dans le manuscrit de Neuchâtel, portait aussi sur la notion de jugement, et mettait le lecteur en garde contre l'erreur commune des hommes, prompts à juger du caractère d'autrui d'après le leur propre[2], ainsi que l'ont fait les ennemis de Rousseau, lesquels* « se sont formé des systèmes selon leurs vues », *feignant d'excuser ses fautes et* « chargeant » *sur ses sentiments :*

1. P. 41.
2. C'est de façon analogue qu'un grand esprit comme l'abbé de Saint-Pierre voulut « rendre les hommes semblables à lui, au lieu de les prendre tels qu'ils sont, et qu'ils continueront d'être » (p. 500).

« C'est ainsi qu'épargné dans les faits je fus cruellement traité dans le caractère, et qu'on parvint à me rendre odieux en me louant. »

A plus forte raison, lorsqu'on applique au cas particulier de Rousseau cette maxime générale, convient-il de se souvenir qu'un Jean-Jacques, caractère peut-être « unique », ne peut être compris et jugé selon les critères qui valent pour l'humanité commune. Le constant effort de Rousseau autobiographe sera d'opposer le « vrai » Jean-Jacques à l'image mensongère que se fait de lui un public savamment trompé par d'inlassables ennemis. On sait comment les Dialogues *expriment, jusque dans leur forme, cette tentative presque désespérée. Mais le vrai titre des* Dialogues, « Rousseau juge de Jean-Jacques », *indique aussi que Rousseau a désormais renoncé à la méthode dont il se réclamait dans les premiers livres au moins des* Confessions :

« Je voudrais pouvoir en quelque façon rendre mon âme transparente aux yeux du lecteur [...], faire en sorte qu'il ne s'y passe pas un mouvement qu'il n'aperçoive, afin qu'il puisse juger par lui-même du principe qui les produit[1]. »

Et encore au livre VIII :
« C'est à moi d'être vrai, c'est au lecteur d'être juste[2]. »

— formule reprise à la fin de la 4ᵉ Promenade :

« S'il faut être juste pour autrui, il faut être vrai pour soi[3]. »

1. P. 198. La métaphore est déjà en trois endroits chez Pétrarque, que Rousseau a beaucoup pratiqué (v. *supra*, p. x) : voir les sonnets *Cosi potess'io..., Quando'l voler..., Si è debile...* Le motif de la transparence, qu'a étudié J. Starobinski, reparaît au l. IX :
« *Mon cœur, transparent comme le cristal, n'a jamais su cacher durant une minute entière un sentiment un peu vif qui s'y fût réfugié* ». (Pp. 527-528.)
2. Pp. 425-426.
3. *Rêveries*, Éd. Roddier, Classiques Garnier, p. 59.

Et encore :

« Ma fonction est de dire la vérité, mais non pas de la faire croire [1]. »

Au lecteur donc de juger, Rousseau se chargeant d'instruire le dossier. Il est nécessaire de renvoyer ici à ce passage capital de la fin du livre IV où l'auteur prétend fournir des matériaux à un lecteur invité à construire lui-même l'édifice :

« C'est à lui d'assembler ces éléments et de déterminer l'être qu'ils composent : le résultat doit être son ouvrage; et s'il se trompe alors, toute l'erreur sera de son fait [2]... »

Toute la page serait à citer.

Théoriquement, selon une telle répartition des charges entre auteur et lecteur, c'est à Jean-Jacques qu'il incomberait de nous faire connaître les éléments constitutifs de sa personnalité tels que la nature et l'éducation les ont modelés [3], de nous révéler comment en chaque circonstance il a réagi, quels motifs ont inspiré ses actes. Il s'agit donc d'un portrait « en devenir », et non statique, fondé sur le principe d'un enchaînement des effets à partir de certaines causes (ainsi la mémorable fessée reçue de M^{lle} Lambercier, origine à la fois d'une déviation érotique et d'un sentiment précoce de l'injustice : pp. 15-16). La gageure apparaît déjà, puisque le narrateur, quand bien même il n'en aurait pas l'intention, — et il l'a, — présente déjà combinés les « faits » qu'il est censé livrer bruts.

Aussi l'invitation faite au lecteur de juger en toute liberté, et la prétendue neutralité objective de l'auteur, font-elles plus d'une fois place à la suspicion jetée par le second sur la bonne foi du premier. Si Rousseau ne récuse pas le juge qu'il s'est choisi, du moins semble-t-il bientôt lui reprocher de faire, lui aussi, de son propre cœur, la mesure du cœur de Jean-Jacques :

1. P. 229. — 2. P. 198.
3. Distinction essentielle chez Rousseau, qu'il posait dès les premières pages du Préambule de Neuchâtel (« Pour bien connaître un caractère, il y faudrait distinguer l'acquis d'avec la nature... »). Il la répète à Bernardin de Saint-Pierre, qui s'en sert pour esquisser lui-même le portrait moral de Rousseau : v. par ex. éd. Souriau, p. 77.

ainsi au livre V, où est rapporté le partage fait par « Maman »
de ses faveurs entre Anet et « Petit » [1] :

« Le lecteur, déjà révolté, juge qu'étant possédée par
un autre homme, elle se dégradait à mes yeux en se parta-
geant, et qu'un sentiment de mésestime attiédissait ceux
qu'elle m'avait inspirés : il se trompe [...]. Je peux jurer que
jamais je ne l'aimai plus tendrement que quand je désirais
si peu de la posséder. »

Il est curieux de voir comment, au livre XII, ces mêmes lecteurs
que Rousseau avait choisis comme arbitres entre ses ennemis et
lui-même (c'était l'idée même des Confessions, *en tout cas de la*
seconde partie) sont considérés maintenant comme presque
acquis à la cause des ennemis. Après avoir dit de ceux que dési-
gnent seulement les mystérieux et redoutables pronoms on *et*
ils:

« ils ont toujours jugé de mon cœur par les leurs [2] »,

Rousseau écrit quelques pages plus loin :

« Voici encore un de ces aveux sur lesquels je suis sûr
d'avance de l'incrédulité des lecteurs, obstinés à juger
toujours de moi par eux-mêmes, quoiqu'ils aient été forcés
de voir dans tout le cours de ma vie mille affections internes
qui ne ressemblaient point aux leurs [...].
Mais quoi qu'ils en puissent croire ou dire, je n'en
continuerai pas moins d'exposer fidèlement ce que fut,
fit et pensa J.-J. Rousseau, sans expliquer ni justifier la
singularité de ses sentiments et de ses idées, ni rechercher
si d'autres ont pensé comme lui [3]. »

Ainsi, ce n'est pas lui qui a changé : c'est le lecteur qui ne
joue plus le jeu, tandis que lui, Rousseau, s'en tient impertur-
bablement à son propos tel qu'il était formulé à la fin du livre IV,

« détaillant avec simplicité tout ce qui m'est arrivé, tout
ce que j'ai fait, tout ce que j'ai pensé, tout ce que j'ai
senti [4] ».

1. P. 224. — 2. P. 760. — 3. Pp. 766-767. — 4. P. 198.

*A la limite de ce soupçonneux isolement se situe le défi au
lecteur « pharisien »; c'est le Préambule rédigé après coup,
dans lequel un Rousseau prématurément vieilli, invoquant le
souverain Juge, se pourvoit d'avance en appel, par une de ces
pathétiques contradictions dont il est coutumier, contre le jugement
que quelques pages plus loin, mais dans un texte rédigé antérieu-
rement, il invite son lecteur à élaborer.*

*Le paradoxe ne se situe pas seulement ici sur le plan moral ; il
est aussi d'ordre psychologique, et touche au problème même de
toute autobiographie. Comment juger sans sonder les reins et les
cœurs ? Quel être humain peut prétendre connaître un homme,
qu'il s'agisse d'autrui ou de soi-même ? Rousseau croit à la
possibilité de l'instrospection, sans se faire d'illusions sur ses
difficultés* [1]. *Il écrit dans le Préambule de Neuchâtel :*

« Nul ne peut écrire la vie d'un homme que lui-même.
Sa manière d'être intérieure, sa véritable vie n'est connue
que de lui; mais en l'écrivant il la déguise; sous le nom
de sa vie, il fait son apologie [2]. »

*Bel exemple de lucidité. Dira-t-on que ce passage a disparu
de la rédaction définitive ? Une trace du même scrupule apparaît
cependant au livre VIII :*

« Me voici dans un de ces moments critiques de ma vie
où il est difficile de ne faire que narrer, parce qu'il est
presque impossible que la narration même ne porte em-
preinte de censure ou d'apologie [3]. »

*Et le début de la 4ᵉ Promenade, — consacrée au Mensonge, —
presque aveu d'échec, est plus net encore :*

1. Sur l'introspection littéraire et ses problèmes, voir la *Bibliographie*.
Le fragment suivant, peut-être destiné à une utilisation éventuelle
dans *les Confessions*, montre que Jean-Jacques ne s'engage pas à
l'improviste :
« Je sens combien il est difficile de se garantir des illusions du cœur,
et de ne pas se donner le change à soi-même sur les motifs qui nous
font agir. Je rends compte simplement de ce que j'ai cru sentir, sans
affirmer que la vanité ne m'en imposât pas. » (Fragment reproduit
dans *O. C.* I, p. 1117.)
2. P. 787. — 3. P. 447.

« Le *Connais-toi toi-même* du temple de Delphes n'était pas une maxime si facile à suivre que je l'avais cru dans mes *Confessions.* »

Ajoutons d'ailleurs que « se connaître », au sens de l'oracle de Delphes, tel qu'on est présentement, est déjà une gageure, mais que la chose est relativement plus facile que « se connaître » tel qu'on a été, au sens où l'entend l'homme qui écrit ses Confessions *dix, vingt ou quarante ans après l'événement. L'exigence préalable d'une mémoire sûre, étayée par des documents précis, s'ajoute aux difficultés générales de l'introspection telles que les connaissent les auteurs de journaux intimes. Mémoire, lucidité, sincérité, trois conditions essentielles. Dans la mesure d'ailleurs où la lucidité est, au moins théoriquement, séparable de la sincérité, elles se ramènent presque à un problème d'expression. Ici interviennent déjà des facteurs de déformation. Reconstruire sa vie, c'est nécessairement l'interpréter, y introduire un ordre, une direction, dont peu de vies sont pourvues. La raconter, c'est encore l'interpréter, pour rendre communicable l'expérience. La déformation, inconsciente ou consciente, due à l'intervention de l'artiste, sera examinée plus loin. Que penser de la mémoire de Rousseau, de ses capacités d'introspection ?*

Pour la mémoire, la réponse est aisée, car il nous renseigne lui-même en plus d'un passage des Confessions *et des* Dialogues. *Sa mémoire ne lui retrace que les objets agréables ; elle est compensée par une imagination toujours en travail :*

« Il est étonnant avec quelle facilité j'oublie le mal passé, quelque récent qu'il puisse être [...]. Ma cruelle imagination, qui se tourmente sans cesse à prévenir les maux qui ne sont point encore, fait diversion à ma mémoire [...]. J'épuise en quelque façon mon malheur d'avance [...] tandis qu'au contraire, sans cesse occupé de mon bonheur passé, je le rappelle et le rumine pour ainsi dire, au point d'en jouir derechef quand je veux[1]... »

L'optimisme de ces lignes du livre XI est d'ailleurs quelque peu démenti par la sombre coloration de ce livre et de ceux qui

1. P. 690.

l'entourent, et la suite de ce texte montre que cette observation psychologique, si elle n'est pas fausse, vient à propos pour étayer une justification morale — l'incapacité de se livrer au désir de la vengeance.

Nous savons aussi que, pour une grande partie de l'ouvrage, l'auteur, dépourvu de toute documentation écrite, doit s'en remettre à ses seuls souvenirs. Mais plus intéressants sont les problèmes posés par la communication avec le lecteur. Toute entreprise d'analyse morale — et pas seulement la sienne, comme il l'a affirmé un peu naïvement — navigue nécessairement entre deux hypothèses antinomiques : se croire « unique » (sinon, quel intérêt y aurait-il à se confesser publiquement ?) et supposer que le cœur d'autrui, n'en déplaise à Jean-Jacques, est fait comme le nôtre (sinon, comment espérer se faire comprendre ?). Trop logique, Rousseau se refuse à accepter cette inévitable contradiction. Lorsqu'il parle de « se connaître », il entend bien ne pas s'arrêter au niveau du vague « état d'âme », mais saisir les motifs de ses actions, pensées ou sentiments.

<p style="text-align:center">* * *</p>

On peut juger dépassé le vieux débat — Rousseau est-il classique ou romantique, sentimental ou rationaliste ? — et il est naïf d'exiger de lui un choix entre ces prétendues exclusives. Force est de reconnaître cependant que cet autodidacte nourri de la pensée française des XVIIe et XVIIIe siècles, et admirateur de Montesquieu, fait montre, dans la recherche des motifs de sa conduite, des qualités d'observation du moraliste, et du penchant « philosophique » pour la réduction à un système des complexités du comportement humain.

En plus d'un cas il a su deviner ou soupçonner en lui le motif moins noble qui se dissimule peut-être derrière un geste de courage ou de générosité. Évoquant l'échec à la scène de sa comédie de Narcisse, *il raconte au livre VIII comment, au sortir de la première représentation, il retrouve au café d'autres spectateurs,* « qui probablement s'étaient ennuyés comme moi. Là, je dis hautement mon *peccavi*, m'avouant humblement ou fièrement l'auteur de la pièce, et en parlant comme tout le

monde en pensait. Cet aveu public de l'auteur d'une mauvaise pièce qui tombe fut fort admiré, et me parut très peu pénible. J'y trouvai même un dédommagement d'amour-propre dans le courage avec lequel il fut fait, et je crois qu'il y eut en cette occasion plus d'orgueil à parler, qu'il n'y aurait eu de sotte honte à se taire[1]. »

L'analyse est fine, et ne manque pas de courage. N'est-ce pas toute l'entreprise des Confessions *qui est en cause ici ? Rousseau n'a pas pu ne pas s'en apercevoir*[2]. *Il admet de même qu'il* joue *un rôle lors de l'adoption de sa* « réforme » *après le* 1er *Discours, affectant par timidité de mépriser une politesse qu'il ne savait pas pratiquer*[3]. *Il dénonce à l'occasion ses propres sophismes ; pourquoi a-t-il décidé, à l'Ermitage, d'avouer à Saint-Lambert son amour pour M*me *d'Houdetot, et « de lui faire pleinement [ses] confessions en tout ce qui ne compromettait pas sa maîtresse » ? — Là encore, on le remarquera, c'est le principe même de la confession qui est suspecté ; voici la réponse :*

« Je ne doute pas que ce choix ne fût encore un piège de ma passion, pour me tenir plus rapproché d'elle[4]... »

Ailleurs, précurseur de la médecine psychiatrique, Rousseau attribue à un motif physiologique — observation profonde et neuve à l'époque[5] *— son comportement gauche et bougon, et sa haine du monde. S'il a refusé, après le triomphe du* Devin du village,

1. P. 459.
2. Dans la *Vie de Marianne* de Marivaux — un de ses romans favoris, qu'il a acheté en 1737 — Rousseau a pu lire l'observation d'un *confesseur,* le P. Saint-Vincent, au lit de mort de son pénitent M. de Climal, sur « l'orgueil de l'aveu ». Voir le passage dans l'éd. Deloffre, Class. Garnier, p. 248, où est cité en note le commentaire de P. Sage qui en dégage la portée. Il aurait sans doute pu trouver chez saint Augustin des notations analogues, faites cette fois par le pénitent lui-même.
3. P. 436. — 4. P. 559.
5. C'est ainsi que Gœthe au livre X de *Poésie et Vérité,* remarque à propos de Herder — mais peut-être pensait-il aussi à Rousseau — qu'on ne fait pas assez attention aux effets de la maladie sur le caractère, et qu'on juge fort à la légère le caractère d'un malade en exigeant de lui qu'il se conduise comme un homme en bonne santé.

d'être présenté au roi, la première et secrète raison qu'il en donne est :

« un fréquent besoin de sortir, qui m'avait fait beaucoup souffrir le soir même [...], et qui pouvait me tourmenter le lendemain, quand je serais dans la galerie ou dans les appartements du Roi, parmi tous ces grands, attendant le passage de Sa Majesté. Cette infirmité était la principale cause qui me tenait écarté des cercles, et qui m'empêchait d'aller m'enfermer chez des femmes [1]. »

De ce motif, auquel donne toute sa force, chez l'homme mûr, la crainte de la honte et du ridicule, on peut dans un ordre d'idées très différent, rapprocher celui qu'attribue Rousseau, en mainte circonstance, à l'adolescent qu'il est dans les premiers livres. Même justesse, même nouveauté ici dans la psychologie dont fait preuve l'écrivain. Cette fois c'est de psychologie de l'enfance qu'il s'agit, et plutôt que d'un motif, d'une absence de motif, significative de l'insouciance de cet âge et du goût du jeu. Rousseau revient d'autant plus volontiers sur l'inconsistance et la futilité de l'explication proposée, qu'il tient à souligner — ce n'est pas, on le verra, sans intention — la naïveté qu'il garda longtemps après être sorti de l'enfance. Ayant conduit à Fribourg M^lle Merceret, jeune femme de chambre de M^me de Warens, il s'en sépare « sans pleurs », et repart « sans trop savoir où [il avait] dessein d'aller ». Le narrateur ne peut s'empêcher ici de se demander si la sagesse n'eût pas été de se fixer à Fribourg, d'épouser la Merceret, et de vivre « en paix jusqu'à [sa] dernière heure » une existence sans histoire comme celle des gens heureux dont parle le proverbe. Pourquoi le jeune homme quitta-t-il Fribourg ? pourquoi ne retourna-t-il pas à Nyon voir son père, comme il le lui avait promis ? (Cette seconde question est plus rhétorique, car nous devinons bien la réponse sans que Rousseau nous la dise.)

« Je revins non pas à Nyon, mais à Lausanne. Je voulais me rassasier de la vue de ce beau lac qu'on voit là dans sa plus grande étendue. La plupart de mes secrets motifs

1. P. 449.

déterminants n'ont pas été plus solides. Des vues éloignées ont rarement assez de force pour me faire agir. L'incertitude de l'avenir m'a toujours fait regarder les projets de longue exécution comme des leurres de dupe[1]. »

Ces exemples suffisent à indiquer la sûreté et la variété de la motivation que nous propose Rousseau. Ajouterai-je : la sincérité ? La dernière citation me fait hésiter. Juste dans la mesure où elle s'applique à l'enfant, l'observation est tendancieuse dans la mesure où elle nous invite à déclarer l'homme incapable de calcul, d'arrière-pensée ; à le prendre pour un être de premier mouvement, et, selon l'expression populaire, le cœur sur la main.

** * **

Or, cette continuité de l'enfant à l'homme est justement une des pièces maîtresses de ce qu'on est bien forcé d'appeler la démonstration :

« Quoique né homme à certains égards, j'ai été longtemps enfant, et je le suis encore à beaucoup d'autres [...]; et, pour me connaître dans mon âge avancé, il faut m'avoir bien connu dans ma jeunesse[2]. »

*La naïveté et l'innocence inhérentes à la condition d'enfant tendent à devenir — les ennemis de Rousseau parleraient ici de sophisme, mais encore une fois sa sincérité n'est sans doute pas en cause — des qualités particulières à l'enfant que fut Rousseau. On voit le parti que peut tirer l'auteur de cette confiance naïve léguée à l'homme par l'enfant qu'il fut (*The child is father of the man, *écrira Wordsworth*) ; elle lui permet de présenter, dans ses derniers livres, un Rousseau innocent, dans les deux sens du mot, livré pieds et poings liés aux machinations d'astucieux ennemis. C'est le sens des nombreuses notes ajoutées après coup sur le manuscrit, et ironisant sur l'aveuglement qui lui fit longtemps croire à la sincérité de tel ou tel de ses prétendus amis :*

« Mes malheurs n'avaient pas encore détruit cette

1. P. 162. — 2. P. 198.

confiance naturelle à mon cœur, et l'expérience ne m'avait pas encore appris à voir partout des embûches sous les caresses »,

écrit-il encore à la fin du livre XII[1]. Rousseau croit en effet que le caractère est la résultante du naturel et de l'éducation, laquelle a, dans son cas, agi dans le même sens que le naturel :

« Comment serais-je devenu méchant, quand je n'avais sous les yeux que des exemples de douceur, et autour de moi que les meilleures gens du monde[2] ? »

« J'ai dit, je répète et je répéterai peut-être une chose dont je suis tous les jours plus pénétré : c'est que si jamais enfant reçut une éducation raisonnable et saine, ç'a été moi[3]... »

On aurait tort cependant de croire que ce besoin de justification prime pour Rousseau toute autre considération, au point de le rendre indifférent à la portée philosophique de son livre.

Après la publication, au début de ce siècle, du manuscrit de Neuchâtel, qu'on appelait alors « la première rédaction des Confessions, » on a longtemps distingué assez artificiellement deux phases successives dans la réalisation du projet autobiographique. La substitution au préambule primitif, riche en observations à la Montaigne sur l'étude du cœur humain en général, du bref et revendicatif Préambule définitif a trop facilement fait accepter l'idée d'une phase « moraliste » à laquelle aurait succédé une phase « apologétique ». Si l'étude des variantes — surtout des suppressions — semble confirmer en partie cette vue, bien des indices permettent d'établir que le désir de justification est présent dès l'origine à la genèse du livre — et que l'ambition d'offrir au public une analyse psychologique de valeur universelle n'abandonna jamais Rousseau. Les deux desseins se concilient dans la seconde phrase du Préambule définitif :

« Je veux montrer à mes semblables un homme dans toute la vérité de la nature : et cet homme, ce sera moi[4]. »

1. P. 777. — 2. P. 10. — 3. P. 66.
4. C'est à peine diminuer le caractère révolutionnaire des *Confessions*

C'est indiquer assez clairement que les ambitions didactiques du moraliste persistent jusque dans la dernière phase de la rédaction des Confessions, *alors même que le besoin de justification est devenu prédominant. C'est précisément au tournant de l'ouvrage, dans ce moment de recueillement qui marque le début du livre IX, avant le récit du fatal séjour à l'Ermitage, que nous est donnée l'explication de cette dualité. Parmi les projets d'ouvrages que passe en revue le narrateur, et qui devaient occuper la retraite dans l'asile offert par M^me d'Epinay, celui qui lui tenait le plus à cœur était* la Morale sensible, ou le Matérialisme du sage, *projet dont l'abandon coïncide avec la décision définitive d'écrire les « Mémoires ». Il était naturel que beaucoup de réflexions réunies en vue de* la Morale sensible *passassent dans cet autre traité d'observation psychologique que sont les* Confessions. *C'est ce que confirme l'étude des pages consacrées au livre IX à* la Morale sensible[1] *et les rapprochements qu'elle suggère avec quelques autres passages des* Confessions. *L'idée de la* Morale sensible, *dont Rousseau voulait faire* « un livre vraiment utile aux hommes, et même un des plus utiles qu'on pût leur offrir », *était due* « à des observations faites sur [lui]-même ». *Cette observation préliminaire est immédiatement suivie de la généralisation d'une constatation qui caractérise précisément, dans les premiers livres des* Confessions *surtout, Rousseau lui-même, tel qu'il se présente dans son apparente inconséquence :*

« L'on a remarqué que la plupart des hommes sont, dans le cours de leur vie, souvent dissemblables à eux-mêmes, et semblent se transformer en des hommes tout différents[2]. »

C'est exactement ce qu'il dit de lui-même :

« Je crois avoir déjà remarqué qu'il y a des temps où je suis si peu semblable à moi-même qu'on me prendrait

que d'observer qu'elles conservent par là un côté didactique qui est bien de leur siècle. C'est le contraire qui surprendrait. Il n'est pas d'exemple, vers 1780, d'ouvrage littéraire qui ne se réclame pas de quelque utilité.

1. Pp. 484-485. — 2. P. 484.

pour un autre homme de caractère tout opposé[1]. »
« J'ai déjà noté des moments de délire inconcevables où
je n'étais plus moi-même[2]. »

*On laissera provisoirement de côté cette autre inconséquence —
de vanité celle-là — qui consiste à généraliser à partir de soi-
même et à attribuer aux autres les traits qu'on a découverts
en soi-même, alors précisément qu'on se prétend différent d'eux
et qu'on leur interdit de nous juger d'après eux-mêmes. Les
sautes d'humeur, les contradictions, sont revendiquées fièrement
par Rousseau, par Diderot et par plus d'un génie « sensible »
au XVIII[e] siècle comme le signe de cette originalité dont le Neveu
de Rameau offre un cas-limite (« Rien ne dissemble plus de lui
que lui-même... »).*

L'introspection fournit donc à l'auteur des Confessions *des
observations générales sur la conduite humaine ; du comportement
d'un homme présenté « dans toute la vérité de la nature »,
il tire à l'occasion des leçons valables pour tous. Ainsi à propos
de son infatuation pour M[me] d'Houdetot et des sophismes qu'elle
lui dicte :*

« Grande leçon pour les âmes honnêtes, que le vice
n'attaque jamais à découvert, mais qu'il trouve le moyen de
surprendre[3]. »

En un sens, il n'en va pas autrement des Confessions *que de
tous les romans du temps, qui, fussent-ils l'œuvre d'un Sade,
ne sauraient renoncer à l'intention moralisatrice. Mais l'« uti-
lité » des* Confessions *est plus directe ; c'est celle même qu'aurait
eue la Morale sensitive; comme il comptait le faire pour ce
traité à peine ébauché, Rousseau a prétendu introduire dans
l'histoire de sa vie la rigueur d'un enchaînement scientifique,
d'un système à la Montesquieu. L'évolution morale de l'être
humain qui nous est présenté obéit, comme dans le cas de tout
être humain, à une loi dont on peut saisir les premiers principes,
et qui, une fois comprise, nous permet d'agir sur notre propre
comportement :*

1. P. 142. — 2. P. 164. — 3. P. 523.

« Il y a une certaine succession d'affections et d'idées qui modifient celles qui les suivent, et qu'il faut connaître pour en bien juger. Je m'applique à bien développer partout les premières causes pour faire sentir l'enchaînement des effets. »

Si l'auteur a bien accompli sa tâche, le lecteur pourra, à partir de ces effets, « juger par lui-même du *principe* qui les produit [1] ».

Un exemple de cette participation sollicitée du lecteur se rencontre dans l'exposé des affaires de l'Ermitage :

« Avant de dire l'effet que cet état [*l'installation à l'Ermitage*] fit sur mon cœur, il convient d'en récapituler les affections secrètes, afin qu'on suive mieux dans ses causes le progrès de ces nouvelles modifications [2]. »

On voit que sous cette méthode règne une philosophie sensualiste qui ne surprendra pas chez un philosophe français du XVIII^e siècle, lecteur de Locke, ami et disciple de Condillac, rival d'Helvétius et d'Holbach.

« Je trouvai [...] que, modifiés continuellement par nos sens et par nos organes, nous portions, sans nous en apercevoir, dans nos idées, dans nos sentiments, dans nos actions même l'effet de ces modifications [3]. »

La phrase, qui s'applique à l'idée maîtresse de la Morale sensitive, *pourrait aussi bien, on le voit, commenter tel ou tel incident des* Confessions; *de même que toute la suite de ce passage du livre IX, sur la faiblesse considérée comme obstacle principal à la moralité, roule sur l'opposition entre* « bonté » *et* « vertu » *(au sens étymologique de* force*) par laquelle Rousseau définit, nous le verrons, son propre tempérament, et excuse ses fautes.*

Que devint en effet le projet de Morale sensitive, *tel que Rousseau le concevait en 1756 ?*

1. P. 198. C'est moi qui souligne.
2. P. 490.
3. P. 485. — Sur le développement de ce sensualisme dans *les Rêveries*, voir l'Introduction d'H. Roddier à cet ouvrage, Paris, Garnier, 1959.

« Des distractions, dont on apprendra bientôt la cause, m'empêchèrent de m'en occuper, et l'on saura aussi quel fut le sort de mon esquisse, *qui tient au mien de plus près qu'il ne semblerait* [1]. »

Le renseignement annoncé est donné au livre XII ; Rousseau, recevant à Môtiers, en 1762, ses papiers qu'on vient de lui envoyer, constate la disparition, avec une partie de sa correspondance, du « brouillon de la *Morale sensible* [2] ».

Lorsqu'il déclare que le sort de cet écrit touche de près à son propre sort, il pense naturellement au « complot » *et à l'exploitation qu'on risque de faire contre lui de ses papiers intimes ; mais il n'est pas interdit d'imaginer, en même temps, à la lumière de ce passage, comment* les Confessions *ont pu prendre le relais de la Morale sensible, pour constituer une autobiographie aux intentions didactiques, de même que l'Émile est un traité d'éducation avec des fragments autobiographiques, et l'Héloïse un roman encombré d'instructions pratiques qui tend parfois à l'autobiographie imaginaire* [3].

* * *

La grande originalité du portrait que donne de lui-même Rousseau apparaît lorsqu'on le compare, soit aux auto-portraits des mondains du XVII^e *siècle, soit aux portraits tracés dans le livre même, de personnages qui traversent la vie de l'auteur. Tous ces portraits sont des instantanés, fixant la vie de l'être à un moment de son développement, implicitement choisi comme caractéristique de lui-même ou de ses rapports avec le personnage principal. Au contraire le portrait moral qui s'élabore au long des* Confessions *est par définition celui d'un être qui évolue :*

« Pour me connaître dans mon âge avancé, il faut m'avoir bien connu dans ma jeunesse [4]. »

1. P. 485 *(c'est moi qui souligne)*. — 2. P. 719.
3. Reste à voir — nous y reviendrons plus loin — si *les Confessions* elles-mêmes ne glissent pas parfois vers le roman (v. pp. LXXXVII sqq).
4. P. 198.

La lecture du livre permettra au lecteur de bonne foi, pense Rousseau, de constater qu'en évoluant Jean-Jacques est resté fidèle à lui-même. En fait, on peut se demander si chez ce disciple de Montesquieu, comme il arrive souvent chez le maître lui-même, la conclusion à laquelle nous achemine une méthode d'allure scientifique n'est pas plutôt un postulat. Le procédé a du moins l'avantage, en posant la continuité du personnage, d'aider à en dégager les traits permanents. On peut les rassembler en deux groupes : caractéristiques psychologiques — dominées par la notion de « dissemblance » ou de contradiction — et caractéristiques morales — dominées par le couple — parfois l'antinomie — bonté-vertu. Dans les deux cas, Jean-Jacques (et ceci est conforme à ce qui vient d'être dit du dessein didactique inséparable de la confession proprement dite) a conscience de définir la nature humaine dans ce qu'elle a d'universel, en se définissant lui-même. On vient de le voir à propos de cette psychologie de la contradiction que l'auteur virtuel de la Morale sensitive *découvrait chez tous les hommes. Quant à la grande question dont l'ombre se profile sur chacune des « confessions » rapportées dans les premiers livres, et accusant l'incapacité de pratiquer la vertu chez un être qui s'affirme essentiellement bon, c'est elle qui domine toute la philosophie morale du siècle : la vertu est-elle ou non naturelle à l'homme*[1] *? De façon générale, l'étonnement, et, disons-le, la satisfaction marqués par Rousseau de se trouver si complexe correspondent dans une certaine mesure au goût croissant du public de son temps, formé aux romans de Marivaux, de Richardson et de Prévost, pour les complexités de l'âme humaine. On peut cependant dire aussi sans trop exagérer que l'auteur, poussant à l'extrême les particularités de tempérament de l'homme, s'est complu à jouer vis-à-vis du public le rôle d'homme à paradoxes dans lequel l'a enfermé le succès du* Discours sur les Sciences et les Arts. *C'est ainsi qu'il se présente dès les premières pages des* Confessions :

« Ainsi commençait à se former ou à se montrer en moi

1. Le débat est dégagé avec fermeté, au début du siècle, dans les *Lettres persanes* de Montesquieu : voir éd. Adam, Droz, Genève, et Paris, Minard, 1954, p. 40, n.1.

ce cœur à la fois si fier et si tendre, ce caractère efféminé, mais pourtant indomptable, qui, flottant toujours entre la faiblesse et le courage, entre la mollesse et la vertu, m'a jusqu'au bout mis en contradiction avec moi-même[1]... »

Comment concilier ce dualisme fondamental avec le besoin d'unité et de continuité sur lequel doit s'appuyer la thèse de la confession-justification ? Au risque d'apparaître une fois de plus inconséquent, Rousseau n'hésitera pas, après s'être montré contradictoire, à s'en prendre à ceux qui lui reprocheraient ses « prétendues contradictions ». *C'est ainsi qu'une* « avarice presque sordide » *s'allie en lui au* « plus grand mépris pour l'argent »[2], *que l'* « oisiveté des cercles » *lui rend la société insupportable, tandis qu'il trouve charmante l'oisiveté dans la solitude*[3]. *On voit pourtant que ces deux exemples opposent à l'homme artificiel — avec lequel risque de s'identifier le lecteur — l'homme selon la vérité de la nature : ce qui est contradiction aux yeux du premier se résout harmonieusement chez le second.*

La bonté *dont se réclame Jean-Jacques est la conséquence logique de sa conformité à la vraie nature de l'homme. Le héros des* Confessions *ne diffère pas en cela de celui de l'*Émile, *de la* Julie *de l'*Héloïse, *du* Romain *ou du* Spartiate *du* 1er Discours, *du sauvage du* 2e, *des Suisses idéalisés de la* Lettre à d'Alembert[4]. *On sait que la bonté est conçue par lui négativement, comme le défaut de méchanceté. Il fait état à plusieurs reprises de son cœur* « incapable de haine ». *Ses soins tendent à montrer, tout au long des premiers livres comment cette bonté naturelle a été encore renforcée par l'éducation*[5]. *En théorie, Rousseau est pleinement conscient de l'insuffisance de ce mérite négatif dans la tentation et l'épreuve ; il a on ne peut mieux*

1. P. 12. — 2. P. 40. — 3. P. 761.
4. Voir la série des études de G. R. Havens sur la théorie de la bonté naturelle chez Rousseau; la version française, publiée dans la *Revue d'Histoire littéraire de la France,* s'achève par l'article consacré à la *Correspondance,* aux *Confessions,* aux *Dialogues* et aux *Rêveries :* R.H.L.F., XXXII, 1925, pp. 212 sqq.
5. Outre l'exemple cité plus haut, p. LIV, voir l'hommage rendu, p. 354, à l'éducation reçue de « la meilleure des femmes », Mme de Warens.

exposé, dans la Nouvelle Héloïse, *ce qui sépare la bonté de la vertu :*

« Et que peut faire de plus la bonté d'âme séparée de la véritable vertu, dont le plus sublime effort n'est pas tant de faire le bien que de ne jamais mal faire ? »

C'est ainsi que le curé de Pontverre, qui accueille le jeune Jean-Jacques après sa fuite de Genève, mais n'a pas le courage de le renvoyer à sa famille, comme l'exigerait son devoir, est bon, *mais non* vertueux, *ne connaissant d'autre vertu que la dévotion*[1]. *Une comparaison employée à la fin du livre VI aide encore à comprendre la différence : la* « bonté d'âme » *constitue le terrain favorable dans lequel peut germer la vertu, plante délicate dont la culture exige non seulement des années de soins et d'efforts, mais l'application de la raison éclairée : une fois de plus ce Rousseau* « sentimental » *est bien fils du siècle des Lumières.*

« Voilà la première obligation véritable que j'aie à l'étude », *explique-t-il après avoir relaté, au livre VI, son premier acte vertueux :*

« C'était elle qui m'avait appris à réfléchir, à comparer. Après les principes si purs que j'avais adoptés il y avait peu de temps, après les règles de sagesse et de vertu que je m'étais faites et que je m'étais senti si fier de suivre, la honte d'être si peu conséquent à moi-même, de démentir si tôt et si haut mes propres maximes, l'emporta sur la volupté. L'orgueil eut peut-être autant de part à ma résolution que la vertu; mais si cet orgueil n'est pas la vertu même, il a des effets si semblables, qu'il est pardonnable de s'y tromper... »

et plus loin :

« Ainsi commencèrent à germer avec mes malheurs les vertus dont la semence était au fond de mon âme, que l'étude avait cultivées, et qui n'attendaient pour éclore que le ferment de l'adversité[2]. »

Coup sur coup, deux décisions courageuses, dictées par l'hon-

1. P. 48. — 2. Pp. 300, 306.

*neur et le sens du devoir, marquent ainsi la fin du sixième livre
et de la première partie : renoncement à M^me de Larnage,
renoncement à M^me de Warens. Comment l'homme dont la
jeunesse s'achève sur cette double victoire pourrait-il, dans son
âge mûr, devenir un scélérat ? La deuxième partie, comparée
à ces livres où régnait une conception héroïque de la vertu, à la
Plutarque, ne semble rien apporter d'abord d'aussi spectaculaire.
On est même surpris de voir le narrateur faire état d'une seule
occasion où il ait « su [se] vaincre », alors qu'elle nous paraît
plus caractéristique d'un tempérament insouciant des difficultés
matérielles que d'une conduite « vertueuse » : à Venise, démuni
d'argent, il diffère un soir jusqu'au lendemain matin d'ouvrir
ce qu'il devine être la lettre de change tant attendue. L'anecdote
illustre surtout la naïveté de ce Brutus en herbe qui ne manque
pas d'ajouter :* « J'aurais vingt traits pareils à citer en ma vie,
mais je suis trop pressé pour pouvoir tout dire[1]. »

*Est-ce à dire qu'il est venu, une fois passées les folies de sa
jeunesse, à une conception plus prosaïque de la vertu ? Le secré-
taire de l'ambassadeur Montaigu, s'il s'acquitte avec « zèle,
droiture et courage » de ses devoirs, n'excède pas les mérites
d'un bon fonctionnaire. Mais on aurait tort de croire éteint
l'enthousiasme héroïque : le succès du* Discours sur les Sciences
et les Arts *décide Rousseau à sa « réforme » :*

« Je ne trouvai plus rien de grand et de beau que d'être
libre et *vertueux*, au-dessus de la fortune et de l'opinion,
et de se suffire à soi-même[2]. »

*Il est facile d'ironiser ; la rupture avec la société, au mépris
du ridicule, plus tard le refus des honneurs, du confort et des
gratifications, exigeaient un réel courage. Mais courage n'est pas
synonyme de vertu, ni héroïsme de moralité. L'incurable penchant
romanesque de Rousseau risque de nous faire dévier de notre
propos. En fait, de même que sa bonté est surtout négative,
sa vertu est moins souvent dans les bonnes actions que dans les
remords suscités par les mauvaises. On sait quel rôle joue, dans
la genèse des* Confessions, *le sentiment de culpabilité que suscite*

1. P. 399. — 2. P. 422.

tardivement l'abandon de ses enfants. On sait aussi que le souvenir d'une accusation injuste, et peut-être lourde de conséquences, portée contre la jeune servante Marion, le poursuit lorsqu'il rédige la fin du second livre, et jusque dans la 4ᵉ Promenade des Rêveries. *Mais quand il arrive au livre VIII, le sentiment de son ingratitude envers sa bienfaitrice Mᵐᵉ de Warens lui semble plus lourd encore à supporter. Peut-être la 10ᵉ Promenade, restée inachevée, se serait-elle prolongée sur cette dernière* « confession » :

« De tous les remords que j'ai sentis en ma vie, voilà le plus vif et le plus permanent[1]. »

Il serait cruellement mesquin de dire que la présence de ce remords suffit à le rassurer. Et pourtant, en chacun de ces cas, Rousseau prend bien soin de distinguer sa conduite, *qui fut coupable, et son* cœur, *qui jamais ne s'ouvrit au mal. Son ingratitude envers Mᵐᵉ de Warens fut dans sa conduite ;* « mais elle a trop déchiré mon cœur pour que jamais ce cœur ait été celui d'un ingrat ».

De même lorsqu'il accusa Marion :

« Jamais la méchanceté ne fut plus loin de moi que dans ce cruel moment [...] A peine étais-je sorti de l'enfance ou plutôt j'y étais encore. Dans la jeunesse, les véritables noirceurs sont plus criminelles encore que dans l'âge mûr : mais ce qui n'est que faiblesse l'est beaucoup moins, et ma faute au fond n'était guère autre chose[2]. »

Cette distinction entre l'acte et l'intention amène l'auteur des Confessions, *incapable de résoudre la contradiction entre le caractère criminel de l'acte et la bonté naturelle de celui qui l'a commis, à substituer à la notion de faute celle d'erreur. Le cas le plus étonnant est naturellement celui de l'abandon des enfants, exposé au livre VIII. Son horreur du mal, son impossibilité de haïr, son attendrissement devant* « tout ce qui est vertueux, généreux, aimable », *sont alors allégués :*

1. P. 464.
2. P. 94. — Inversement, et exceptionnellement, dans l'aventure avec Mᵐᵉ d'Houdetot, il se dit « coupable sans remords » (p. 523).

« Tout cela peut-il jamais s'accorder dans la même âme, avec la dépravation qui fait fouler aux pieds, sans scrupule, le plus doux des devoirs ? Non, je le sens, et le dis hautement, cela n'est pas possible [...] J'ai pu me tromper, mais non m'endurcir [...] Ma faute est grande, mais c'est une erreur [1]. »

« Telles ont été les erreurs et les fautes de ma jeunesse », *ainsi s'ouvrait le dernier alinéa du livre VI. Il est significatif de voir ici basculer l'équilibre, encore respecté à la fin de la première partie, entre* fautes *et* erreurs.

* * *

Est-ce l'égotisme, est-ce le goût du moraliste pour l'observation du cœur humain en général, qui rend compte d'une curieuse tendance à expliquer dans certains cas le comportement moral d'autrui par les mêmes motifs qui lui serviraient à rendre compte du sien ? Il me paraît bien qu'ici c'est l'égotisme qui est en cause. Pour l'auteur des Confessions, *en effet, l'humanité se divise en deux grandes catégories ; seule l'intéresse celle qui groupe les êtres de premier mouvement, incapables comme lui de calcul ou de dissimulation. A ceux-là, il est prêt à tout pardonner. L'aventurier Sauttern ou Sauttersheim, dont il s'entiche à Môtiers, a pu laisser dans le pays les plus détestables souvenirs ; Rousseau lui garde sa confiance :*

« Je ne cesserai jamais de croire qu'il était bien né, et que tout le désordre de sa conduite fut l'effet des situations où il s'est trouvé. »

Mais c'est surtout le cas de M^{me} de Warens qui mérite de nous retenir. Rousseau n'avait pas manqué de nous prévenir en la présentant au livre II, des effets de la « sympathie des âmes » et des affinités qui la rapprochent de lui : elle a quitté son mari et sa patrie « par une étourderie assez semblable à la mienne »; elle a comme lui « perdu sa mère dès sa naissance »; et quelle curieuse prédestination amoureuse dans cette formule, au milieu

1. Pp. 423-425.

du portrait physique du personnage : « une bouche à la mesure de la mienne »[1] ! *Aussi n'est-il pas étonnant que Rousseau* « pense avoir lu dans le fond de son âme » *comme il lit dans la sienne propre*[2]*, et qu'il la soumette, elle aussi, à une confession qui est souvent une apologie.*

« J'ai promis d'exposer fidèlement ses principes[3] »; *il la présente en effet, au risque de scandaliser le lecteur, avec une apparente objectivité, exactement comme il procède dans son propre cas, sans faire plus de grâce à ses fautes à elle qu'aux siennes propres*[4]*. Ce mimétisme indique assez qu'il s'identifie instinctivement avec sa bienfaitrice, et qu'en plus d'un cas ce qu'il dit d'elle pourrait s'appliquer à lui. Elle aussi a ses contradictions,* « un caractère sensible » *allié à* « un tempérament froid ». *Aussi lorsque Rousseau nous dit :*

« Ses motifs étaient louables jusque dans ses fautes; en s'abusant elle pouvait mal faire, mais elle ne pouvait vouloir rien qui fût mal »,

c'est tout autant lui-même qu'elle qu'il défend[5].

« Vous eûtes des erreurs et non pas des vices; votre *conduite* fut répréhensible mais votre *cœur* fut toujours pur. *Qu'on mette le bien et le mal dans la balance,* et qu'on soit équitable : quelle autre femme, si sa vie secrète était manifestée ainsi que la vôtre, *s'oserait* jamais comparer à vous ? »

On reconnaît, transposé, le fameux préambule des Confessions, *avec l'évocation du Jugement dernier, le défi, et le* « Je fus meilleur que cet homme-là »[6].

* ** *

Comment nous apparaît Jean-Jacques à travers son livre ? Les traits qui peuvent être recueillis çà et là doivent être ordonnés autour du portrait de Rousseau jeune qui occupe plusieurs pages

1. P. 53. — 2. P. 55. — 3. P. 266 — 4. Pp. 303-304. — 5. P. 228.
6. P. 304. — On notera encore cette curieuse formule, plus appropriée cette fois à M^{me} de Warens qu'à Rousseau lui-même : « Toutes ses fautes lui vinrent de ses erreurs, jamais de ses passions » (p. 225).

*du livre III, et que complète une des dernières pages du livre XI,
s'appliquant davantage au Rousseau des dernières années* [1]. *Cette
contradiction fondamentale s'en dégage :* « on dirait que mon
cœur et mon esprit n'appartiennent pas au même individu ».
Une extrême sensibilité et vivacité d'imagination, jointe à une
« lenteur de penser » *qui rend pénible le travail intellectuel
et oblige Rousseau à transcrire ses manuscrits quatre ou cinq
fois* « avant de [*les*] donner à la presse ». *Cette lenteur est
physiologique. Rousseau se donne comme indolent, paresseux
même* [2]. *Son imagination sans cesse en mouvement correspond
à son naturel emporté, mais vite apaisé. Elle le porte, dans son
âge avancé, à s'inquiéter plus de l'avenir que du présent, tandis
que sa mémoire se tourne vers les souvenirs heureux.*

*Cette double disposition, sensible et intellectuelle, nous vaut,
dans la première partie, un Rousseau désintéressé — par paresse,
nous dit-il* [3] *— gai, insouciant* [4], *capable d'engager sa destinée
sur un coup de tête (la fuite de Genève) et totalement imprévoyant. Si un calcul a pu lui faire accepter à seize ans l'idée d'une
conversion au catholicisme (ne croyons pas trop, ici, au désintéressement !), il est certainement sincère quand il se voit, à l'hospice de Turin, croyant à moitié à quelque coup de théâtre qui le
sauvera au dernier moment d'un pas peu honorable :*

« Je ne pris pas précisément la résolution de me faire
catholique; mais, voyant le terme encore éloigné, je pris
le temps de m'apprivoiser à cette idée, et en attendant,
je me figurais quelque événement imprévu qui me tirerait
d'embarras [5]. »

*Son imagination romanesque apparaît là ; elle est inséparable
de l'insouciance de son âge, et d'une naïveté sur laquelle le narrateur
insiste volontiers, non sans humour : le voyage avec la Merceret,
au livre IV, en est un joli exemple.*

*Cette naïveté constitue le principal lien entre le Rousseau de
la première partie et celui de la seconde. Incapable de vindicte,
voire de rancune, il ne songe qu'à jouir du passé dans les intervalles*

1. Pp. 122-128 et 690. Tout portrait physique, comme il est normal,
est pratiquement éliminé de ce qui doit être l'histoire d'une âme.
2. Pp. 284, 321, 335. — 3. Pp. 40-41. — 4. Pp. 334-422. — 5. P. 70.

de répit que lui laisse son imagination inquiète de l'avenir, et des pièges que lui tendent ses ennemis. Mais il ne songe plus à se peindre désormais — alors que le même goût du passé l'amenait, dans sa première partie, à modeler avec complaisance la figure du jeune homme d'autrefois. Le portrait du Rousseau vieilli qui se dégage des derniers livres, ce n'est pas l'auteur qui nous le donne. C'est à nous d'esquisser, à partir de quelques traits qui percent çà et là, une silhouette inquiète, pourchassée par les espions, se hâtant de rédiger à la dérobée les pages qui contiennent son testament spirituel. C'est moins un portrait du Rousseau de 1765 qu'une profession de foi que nous proposent ces lignes du livre XII :

« J'étais sûr qu'à travers mon inaptitude à supporter aucun joug, on trouverait toujours un homme juste, bon, sans fiel, sans haine, sans jalousie, prompt à reconnaître ses propres torts, plus prompt à oublier ceux d'autrui, cherchant toute sa félicité dans les passions aimantes et douces, et portant en toute chose la sincérité jusqu'à l'imprudence, jusqu'au plus incroyable désintéressement. »

* * *

Qu'en pense le lecteur ? On sait qu'au XIXe siècle, le lecteur n'a pas ménagé à Rousseau les accusations d'hypocrisie, de mensonge, de monstrueuse et aveugle vanité. Cette citation, mettant l'accent sur la sincérité de l'homme, peut aider à faire le point, et à dissiper la confusion entre vérité et sincérité dans laquelle sont souvent tombés, et des critiques qui n'étaient pas tous malintentionnés, et Jean-Jacques lui-même, attaché à sa formule Vitam impendere vero.

On songe de moins en moins, aujourd'hui, à mettre en doute les faits rapportés dans les Confessions. *De nombreux travaux récents en ont confirmé l'exactitude, rectifiant à l'occasion des dates dont Rousseau reconnaissait tout le premier l'incertitude. Mais la véracité des faits, nous le savons, lui importe moins que celle des sentiments et intentions.*

La nécessaire distinction entre la sincérité des Confessions *et leur vérité en implique une autre entre la première partie, où*

l'auteur juge avec un recul suffisant son personnage, et la seconde où, du moins à partir du livre IX, c'est-à-dire des affaires de l'Ermitage, il est à la fois juge et partie.

Sincérité et vérité se rejoignent assez souvent, peut-on estimer, dans les premiers livres où l'auteur, en exposant de façon plausible son caractère et bon nombre de ses motifs, apporte en même temps une précieuse contribution — une des premières en date — à la psychologie de l'enfant et de l'adolescent. Quoi de plus vrai, sur le plan universel comme sur le plan personnel, que cet adolescent, presque enfant encore, qui, à l'hospice de Turin, engagé irrémédiablement dans la machinerie de la conversion, compte obscurément et absurdement sur quelque événement merveilleux qui lui évitera d'avoir à renier la foi de ses pères ? L'invraisemblance d'un tel calcul ne vaut que pour un adulte. L'abandon imprévoyant au sentiment du moment, l'adhésion impulsive au premier parti déraisonnable mais attrayant qui se présente, l'aptitude à lâcher la proie pour l'ombre, telle est la disposition par laquelle Rousseau explique — avec la plus grande vraisemblance — sa fuite de Genève, son comportement à l'hospice de Turin, son départ de Turin en compagnie de l'ami Bâcle. On peut accepter de même l'explication, valable cette fois pour la psychologie de l'adulte aussi bien que pour celle de l'enfant, donnée par Rousseau de son obstination à accuser Marion du vol du ruban. Dans un premier temps, la victime est choisie arbitrairement en apparence — en fait parce qu'elle intéresse sentimentalement le jeune homme :

« Elle était présente à ma pensée, je m'excusai sur le premier objet qui s'offrit. »

Une fois l'accusation lancée, l'amour-propre et la peur entrent en jeu :

« L'invincible honte l'emporta sur tout, la honte seule fit mon impudence; et plus je devenais criminel, plus l'effroi d'en convenir me rendait intrépide. »

On ne saurait mieux analyser la psychologie de l'aveu ; et l'on trouverait difficilement meilleur exemple de l'humilité réelle à laquelle sait atteindre — trop rarement — l'auteur des Confessions.

Sincérité et vérité commencent à se dissocier, dès la première partie, sur un plan fort important : celui des rapports avec M^me de Warens. On est souvent tenté de contester la version présentée par Rousseau, non pas des faits (il lui arrive de se tromper, mais il ne cherche guère à nous tromper) mais des motifs qui animent soit sa bienfaitrice soit lui-même. Une évidente idéalisation rétrospective de toute l'«idylle» des Charmettes domine en effet l'imagination du narrateur, et risque de fausser ses souvenirs[1]. Les Charmettes rejoignent dans son esprit cet âge d'or qu'il oppose à la réalité présente dans le Discours sur l'Inégalité, *sans d'ailleurs en contester le caractère peut-être théorique* (« Commençons par écarter tous les faits... »). *Cette période de vie heureuse auprès de* « Maman » *représente, pour le rêveur qui n'a pas connu sa mère, ce que les Freudiens définiraient comme la nostalgie du retour à l'obscur confort de l'embryon dans la matrice. C'est à revenir aux Charmettes que songe immédiatement Rousseau lorsqu'il quitte Venise en 1744 après son éclat chez l'ambassadeur. On a vu aussi comment, évoquant sa dernière rencontre avec M^me de Warens en 1754, il se reprochait de n'avoir pas tout quitté pour la suivre. Au remords de l'ingratitude, au sentiment du devoir esquivé, s'ajoute peut-être encore ici cette impulsion élémentaire, quasi physiologique. Les dernières lignes qu'il ait écrites, cette 10^e Promenade interrompue par la mort, reviennent à l'évocation des années de jeunesse avec* « Maman ».

Lorsque, au retour de Montpellier, Jean-Jacques, à l'approche de Pont-Saint-Esprit, décide finalement de ne pas prendre la route de Bourg-Saint-Andéol où l'attend M^me de Larnage (peut-être d'ailleurs l'invitation était-elle moins ferme que ne le dit Rousseau), est-ce bien la « vertu » *qui le ramène à Chambéry, ou un calcul plus ou moins conscient qui lui fait apparaître son intérêt bien entendu, sa sécurité, comme mieux assurés auprès de M^me de Warens ? N'est-ce pas cette solution de facilité que représente, en toutes les autres occasions, le retour chez* « Maman » *? Il est possible que celle-ci fasse exception ; mais les apparences sont contre lui.*

1. L'exemple le plus apparent de cette idéalisation porte sur le personnage de Claude Anet et les circonstances de sa mort, de façon générale sur la situation du trio. V. *infra*, p. 231 et n. 1.

Il en va de même pour les sentiments attribués à M^me de Wa-rens, dont la conduite est curieusement justifiée par Rousseau, on l'a vu, dans les termes mêmes qu'il emploie pour justifier la sienne propre. Les livres II à VI la présentent comme recueil-lant non pas une, mais cinq ou six fois cet orphelin qu'est prati-quement Jean-Jacques ; et la générosité de sa bienfaitrice, si souvent grugée par des charlatans beaux parleurs, n'est proba-blement pas en cause. Pourtant ces sauvetages successifs peuvent aussi apparaître comme l'échec répété d'autant de tentatives faites par « Maman » pour se débarrasser de son encombrant protégé. Elle s'en croyait bien quitte en l'envoyant à Turin sous la garde du couple Sabran. Si elle se résigne de bonne grâce à son retour imprévu, un sentiment moins pur semble se mêler plus tard — sans l'exclure — à la générosité. Rousseau insiste trop sur le « tempérament froid » et la désinvolte indifférence de sa protectrice en matière sexuelle pour être parfaitement convaincant dans les raisons qu'il donne de l'initiation dont elle le fit bénéficier. Est-il trop cynique de penser qu'à Annecy, alors que Claude Anet était depuis peu sous son toit, M^me de Warens préférait « caser » son nouveau protégé et le mettre en mesure de voler de ses propres ailes ? Le voilà donc séminariste. « La triste maison qu'un séminaire, surtout pour qui sort de celle d'une aimable femme[1] ! » *Aussi Jean-Jacques est-il bientôt de retour chez* « Maman ». « Elle ne m'abandonne pas »; *c'est vrai, mais elle le mit en pension chez M. Le Maître. Après que Jean-Jacques a déserté M. Le Maître à Lyon dans les circonstances peu charitables qu'il a relatées à la fin du livre III, il revient tout droit à Annecy. Mais sa bienfaitrice est partie sans le prévenir. On comprend qu'agent secret, elle lui eût caché la destination et surtout l'objet de son voyage, mais on peut s'étonner, si leurs relations étaient si affectueuses, qu'elle ne lui ait pas fait quelque pieux mensonge au lieu de le laisser sans aucune nouvelle. En fait, c'est elle qui lui a donné pour instruc-tions de suivre Le Maître* « au moins jusqu'à Lyon, et de m'atta-cher à lui aussi longtemps qu'il aurait besoin de moi. Elle m'a depuis avoué que le désir de m'éloigner de Ven-

ture était entré pour beaucoup dans cet arrangement. »

On est tenté de voir là une demi-vérité révélatrice, de même qu'on peut imaginer que le départ du jeune homme pour Montpellier suscita moins de regrets que de soulagement dans le cœur de celle qui allait si facilement remplacer l'absent par le garçon perruquier Wintzenried. Rousseau, revenu de Montpellier, ne put cependant pas se résigner tout de suite à quitter l'infidèle. Il fit même une seconde tentative de cohabitation avec son rival et « Maman » *après le préceptorat chez Mably* [1]. *Est-ce bien la* « situation désolante » *du partage qui fit échouer cette dernière tentative ? Jean-Jacques avait déjà connu la même du temps d'Anet. Mais c'était une chose d'être promu amant en titre à la mort du jardinier, et une autre de se voir rétrograder à la seconde place après avoir été favori.*

Il est enfin un trait de caractère qui, dès cette première partie, peut paraître inquiétant au lecteur en quête de vérité : c'est le goût de l'affabulation, manifesté notamment dans le besoin de se créer de fausses identités. Pendant les semaines de vagabondage à Turin, au sortir de chez M^me de Vercellis, Rousseau se tire d'un mauvais pas en se donnant pour « un jeune étranger de grande naissance, dont le cerveau s'était dérangé ». *A Lausanne, la tête encore pleine des talents de son ami Venture de Villeneuve, il se prétend Parisien et se fait appeler Vaussore de Villeneuve. Sur la route de Montpellier c'est sous le nom de Dudding et sous l'identité d'un Anglais jacobite qu'il se fait connaître de M^me de Larnage. Ce goût, inséparable de ses inclinations romanesques, ne semble pas avoir sérieusement faussé l'exactitude générale du récit. Mais il n'est pas douteux que Rousseau aime à jouer un rôle — ne serait-ce que celui de l'homme qu'il croit ou voudrait être. Il conviendra de nous en souvenir en étudiant l'aspect littéraire de l'ouvrage.*

Autour du Rousseau de la seconde partie — en gros, le Rousseau d'après les querelles de l'Ermitage — c'est une justification qui s'organise, plutôt qu'une confession. Il est étonnant de constater quelle conception il se fait, à partir du livre IX, le martyr se substituant au pénitent, des notions d'expiation et de confession [2].

1. P. 312.
2. *Supra*, pp. XXIII-XXIV.

Le Préambule définitif rédigé vers le même temps pour remplacer celui du manuscrit de Neuchâtel, procède du même esprit.

*Substituer ainsi l'*expiation *à la* confession *(un peu de la même façon que se trouvaient confondues* confession *et* absolution*), c'est précisément faire passer la sincérité avant la vérité, ou le zèle avant la justice. Rousseau n'a pas conscience de cette substitution. Un curieux exemple de cette confusion est la version qu'il donne de l'affaire du pamphlet calomniateur* le Sentiment des Citoyens, *paru en 1764. Ayant attribué au pasteur Vernes ce libelle qu'on sait aujourd'hui être de Voltaire, Rousseau ne voulut jamais se dédire, et une* Déclaration *publiée après sa mort contient cette phrase étonnante :*

« Il ne s'agit pas de savoir précisément si M. Vernes est ou n'est pas l'auteur du libelle, mais si je dois croire ou ne pas croire qu'il l'est [1]. »

La déclaration qui termine le livre XII n'est pas moins significative :

« J'ai dit la vérité. Si quelqu'un sait des choses contraires à ce que je viens d'exposer, *fussent-elles mille fois prouvées,* il sait des mensonges et des impostures [2]... »

L'affabulation a-t-elle ici tourné au délire ? Dans certaines des pages les plus sombres des derniers livres, il devient impossible de suivre l'auteur dans tous ses soupçons et accusations. Ne nous en plaignons pas cependant. Il y a là une hygiène qui, comme le remarque Mme de Saussure, a peut-être sauvé Rousseau :

« Les psychiatres traditionnels nous disent que la conscience de leur état est le premier pas vers la guérison chez les fous. Les psychanalystes n'ont pas d'autre méthode que celle d'amener les déséquilibrés à prendre conscience de la cause de leur déséquilibre. Grâce aux ressources de

1. Pp. 749-753 et n. 1, p. 753. — 2. P. 780.

son propre génie, Rousseau a appliqué cette méthode à lui-même ; les *Confessions* [*et, j'ajouterai, les* Dialogues] sont une sorte d'analyse (dans le sens que les psychanalystes donnent à ce terme), et sa lucidité l'a toujours arrêté au bord de l'abîme[1]. »

V. L'ART DE L'ÉCRIVAIN

Toute autobiographie est œuvre d'art. L'approximation vers la vérité y est donc menacée constamment, non seulement par l'inévitable partialité de l'observateur, mais par la déformation littéraire de l'écrivain (depuis le simple plaisir d'écrire), laquelle transforme les données de la mémoire ou à l'occasion supplée à leur absence.

COMPOSITION

Le jugement porté sur la vie, les méthodes d'instrospection et d'exposition adoptées, commandent déjà les grandes lignes de la composition. Mais dans la pratique, un long ouvrage dont la rédaction, interrompue, abandonnée, reprise, s'étend sur quelque quinze ans, n'obéit pas strictement à une vue synthétique ou à une ordonnance d'ensemble. L'étonnant est que la disparate entre la première et la seconde partie (qui ont toujours été appréciées inégalement des lecteurs) ne soit pas plus sensible encore. L'évolution du point de vue de l'auteur, de ses intentions, l'idée nouvelle qu'il se fait de sa place dans la société, devaient entraîner des changements dans la composition initialement prévue.

La deuxième partie, surtout dans ses quatre derniers livres, se modèle assez artificiellement sur les divisions de la première, lesquelles ne lui conviennent plus alors qu'ont changé l'objet même des Confessions, *et en conséquence la méthode.*

La « découverte » du « complot » date de 1768, mais la date à laquelle Rousseau fixe le début du complot a varié. En gros on peut distinguer deux temps ; la formation de la « ligue », en 1752-1753, par Diderot et Grimm, au lendemain du triomphe

1. *Rousseau et les manuscrits des* « *Confessions* », p. 270.

du Devin du village; *et, au début de 1758,* « l'établissement d'un système adopté [...] par ceux qui disposent de moi [1] ». *Système destiné non seulement à discréditer Rousseau de son vivant mais à ruiner définitivement sa réputation aux yeux de la postérité par* « le plus noir, le plus affreux complot qui jamais ait été tramé contre la mémoire d'un homme [2] ».

On a vu plus haut qu'à l'objet qu'il se proposait dans sa première partie (écrite en l'absence de tout document ou presque): faire connaître les sentiments de l'auteur dans les différentes situations de sa vie, Rousseau est amené à substituer, dans les derniers livres, une justification appuyée sur des pièces à conviction. A une première partie « active » *dans laquelle le* « premier principe » *est le caractère même du héros, renforcé par l'éducation reçue, s'opposerait donc théoriquement une seconde partie* « passive » *dans laquelle le héros, devenant progressivement victime, est mû par un* « principe » *mystérieux et effrayant que le narrateur, lui, n'a pu découvrir, mais que le lecteur pourrait peut-être saisir à la lumière d'un exposé fidèle des faits. Tant que ce* « premier principe » *n'a pas été découvert, il n'est pas possible de dater le début du complot, donc d'établir la démarcation logique entre première et seconde partie. La division de fait adoptée finalement par l'auteur, à la fin du livre VI, est purement littéraire: pour l'homme de la nature, l'homme des Charmettes, va commencer la grande épreuve avec la vie dans la cité corruptrice. Schématiquement, c'est ainsi que les deux parties du* Discours sur l'Inégalité *présentaient le diptyque: état de nature, état de société. Mais une telle division ne correspond nullement, dans* les Confessions, *à la* « ligne de partage des eaux » *psychologique et morale. Rousseau l'a senti, et ne prévoyait sans doute pas d'abord une coupure entre les livres VI et VII, qui diffèrent peu par le ton. Le livre VII, dans le manuscrit de Paris, figure dans le même cahier que les six premiers ; son introduction présente les caractères d'une rédaction postérieure, proche par le ton des tout derniers livres. Si c'est en 1752 que se noue la* « ligue » *contre Rousseau, le livre VIII pouvait effectivement constituer le premier d'une seconde partie qui mènerait le lecteur jusqu'à la fin du livre XI — la fuite de Montmorency.*

1. P. 580. — 2. P. 670.

Albert Jansen, qui croyait le livre XII écrit tout entier à Paris, avait peut-être tendance à surestimer l'importance de la coupure entre les livres XI et XII. Il avait pourtant raison de penser, semble-t-il, que la troisième partie projetée devait d'abord commencer avec le livre XII. On sait qu'à la fin de ce livre, Rousseau, achevant hâtivement sa rédaction, renvoie à un avenir incertain (le passage ne figure que dans le manuscrit de Genève, transcrit et complété plus tard que celui de Paris) cette troisième partie qui ne verra jamais le jour.

Les hésitations de l'auteur devant le problème des divisions logiques de l'ouvrage et de leur décalage fréquent avec le découpage en livres se trahissent et par la longueur des derniers livres, et par le retour de formules analogues en tête de trois livres de la seconde partie, autour du bloc logique constitué par les livres VIII-IX-X-XI. *Le préambule du livre* VII, *annonçant un contraste avec les précédents qui en fait ne sera sensible qu'à partir du livre* VIII, *prévient que désormais va se déployer le tableau de* « fautes énormes » *et de* « malheurs inouïs ». *Avec le livre* VIII « commence, dans sa première origine, la longue chaîne de [ses] malheurs ». *Et nous lisons en tête du livre* XII : « Ici commence l'œuvre de ténèbres... »

On voit donc que si une distinction entre première et seconde partie s'impose théoriquement avant toute étude de la composition intérieure de l'ouvrage, il convient de ne pas confondre la séparation adoptée faute de mieux par l'auteur à la fin du livre VI, *littérairement acceptable mais rendant mal compte de l'objet de l'ouvrage, et l'opposition profonde qui domine son esprit, mais qui ne saurait se traduire par une démarcation précise, entre le Rousseau* « actif » *de la jeunesse et la victime prisonnière du complot.*

* * *

Présenter au lecteur la formation d'un caractère fondamentalement bon, mais généralement faible devant les efforts qu'exige la vertu, telle est la préoccupation dominante des premiers livres. Conformément à l'esprit de confession *qu'implique le titre, et aussi à l'ambition humaniste de l'auteur, cet exposé s'accompagne de la démonstration, à propos du cas particulier de Jean-Jacques, d'une vérité morale de valeur universelle : nos actes*

nous suivent, et aussi nos affections premières. Tel incident apparemment insignifiant de l'enfance chez le pasteur Lambercier annonce déjà l'horreur de l'injustice qui enflammera les grands écrits de la maturité ; tel autre infléchit dans un sens pathologique son attitude future devant les femmes. C'est d'une visite du jeune homme chez un paysan victime d'une taxation cruelle que naît sa haine farouche de l'oppression. Deux cas au moins esquissent un schéma moralisateur qui fait se succéder (avec des variations dans l'ordre) la faute, la prédiction du remords, le remords lui-même, l'expiation. Ajoutons que la prédiction du remords, soit par la victime présente ou future, soit par un tiers, s'effectue, comme chez les tragiques grecs, dans l'ignorance, pour le héros, de la signification ou de la portée des paroles qu'il entend :

« Quand tu seras grand, *dit M^{me} de Warens à Rousseau lors de leur première rencontre,* tu te souviendras de moi. »

Mot qu'il commente ainsi :

« Je crois qu'elle ne pensait pas elle-même que cette prédiction s'accomplirait si cruellement[1]. »

Il nous faut attendre presque la fin du livre VIII pour comprendre ce qu'il veut dire : de cette première rencontre, il rapproche mentalement la dernière, qui fut de sa part, estime-t-il maintenant, un lâche abandon de son ancienne bienfaitrice :

« Ah ! c'était alors le moment d'acquitter ma dette ! Il fallait tout quitter pour la suivre, m'attacher à elle jusqu'à sa dernière heure, et partager son sort quel qu'il fût. Je n'en fis rien [...] Je gémis sur elle, et ne la suivis pas. De tous les remords que j'ai sentis en ma vie, voilà le plus vif et le plus permanent. Je méritai par là les châtiments terribles qui depuis lors n'ont cessé de m'accabler : puissent-ils avoir expié mon ingratitude[2] ! »

On notera en passant que le remords « le plus vif et le plus permanent » de tous ceux qu'éprouva Rousseau ne se rapporte pas, comme on pourrait le croire, à ces deux fautes très inégalement graves mais également célèbres que sont l'abandon des

1. P. 57 — 2. P. 464.

enfants et le vol du ruban chez M^me de Vercellis, avec ses suites.

Quant à ce dernier cas, le processus est le même, mais les différentes phases sont toutes indiquées en quelques pages à la fin du livre II [1], le récit s'ouvrant par cette formule :

« J'en emportai [*de ce séjour*] les longs souvenirs du crime et l'insupportable poids des remords dont au bout de quarante ans ma conscience est encore chargée... »

C'est au comte de la Roque que revient le rôle de la prophétesse Cassandre :

« En nous renvoyant tous deux, [*il*] se contenta de dire que la conscience du coupable vengerait assez l'innocent. Sa prédiction n'a pas été vaine; elle ne cesse pas un seul jour de s'accomplir... »

C'est sur le sentiment de l'expiation que s'achève le livre :

« Si c'est un crime qui puisse être expié, comme j'ose le croire, il doit l'être par tant de malheurs dont la fin de ma vie est accablée... »

Cette affirmation permet de mieux comprendre ce que représentent les derniers livres par rapport aux premiers. A plusieurs reprises est apparue déjà la tendance à rapprocher, voire à confondre, confession, absolution et expiation. Arrivant à la fin de son entreprise, Rousseau envisage sa confession comme un cycle complet qui s'achève maintenant par l'expiation. Ainsi s'explique le rôle passif qu'il joue désormais, dans son récit, victime et non plus héros, mais victime solidaire du héros dont elle expie les fautes. Il n'est donc plus question pour lui maintenant de s'accuser. Se considérant comme exclu de la société, véritable hors-la-loi moral (et le séjour à l'île Saint-Pierre, à la fin du livre XII, avec le rêve de prison perpétuelle, revêt ici une signification mythique), il échappe pour ainsi dire au temps et au flot des événements ; l'idée semble exclue implicitement qu'il puisse encore commettre des fautes, encourir des responsabilités — une fois que s'est ouverte, quelque part dans le livre IX peut-

1. Pp. 91-95.

*être, la deuxième phase de ce grand cycle de « crime et châti-
ment ».*

*S'il accepte d'expier, il ne renonce pas à être un témoin. Il le
précise lorsqu'il expose, au début du livre VII, la méthode qu'il
suivra désormais, et qui s'appuiera sur la production de pièces
justificatives :*

« Je n'ai pas peur que le lecteur oublie jamais que je
fais mes confessions pour croire que je fais mon apologie;
mais il ne doit pas s'attendre non plus que je taise la vérité
lorsqu'elle parle en ma faveur [1]. »

*D'après les documents qui lui seront présentés, le lecteur
devra tenter de dégager — ce que Rousseau n'a pu faire lui-même —
les tenants et aboutissants de la trame dans laquelle il est enve-
loppé :*

« J'ignore si ce mystère, qui en est encore un pour moi,
s'éclaircira dans la suite aux yeux des lecteurs [2]... »

*Dès lors que le lecteur n'a pas en main les fils secrets de
l'affaire (et comment les aurait-il ?) peut-il vraiment juger
comme l'y invite Rousseau ?*

« Lecteur sensé, pesez, décidez; pour moi, je me tais »,

*écrit-il encore au livre XI, reprenant ainsi la formule adoptée
dans les premiers livres. Ce jugement objectif, dans le mystère
qui plane sur les derniers livres, est devenu impossible (d'où
leur ton tragique), en admettant même que la gageure ait pu être
tenue dans les premiers.*

*La méthode des pièces justificatives, vu la documentation
limitée dont dispose l'auteur, n'a pu être appliquée qu'au cours des
livres IX et X. Mais elle conférait à ces deux livres une unité
arbitraire qui risquait de fausser le découpage de la seconde partie.
Il est à l'éloge de l'écrivain que la division en livres y semble
néanmoins naturelle. Très habilement, il a doublé la fin maté-
rielle et arbitraire du livre X (déterminée par l'épuisement du
recueil de lettres) d'une conclusion sentimentale, véritables « adieux*

1. P. 323. — 2. Pp. 482-483.

à l'amour »[1], *rehaussée par l'annonce dramatique des infortunes proches (« la mer immense de mes malheurs... »). Toujours présent, l'art est peut-être plus naturel dans les derniers livres, malgré les apparences, que dans la première partie, où l'auteur apportait un soin méticuleux aux préparations, aux effets dramatiques, aux équilibres et symétries.*

* * *

Dans une biographie, les repères chronologiques déterminent d'eux-mêmes, en principe, les articulations du récit : fuite de Genève à la fin du livre premier, de Montmorency à la fin du livre XI ; publication de la Nouvelle Héloïse *au début de ce même livre ; entrée au cadastre à Chambéry — le premier emploi stable — à la fin du livre IV. Mais Rousseau, nous le savons, se propose moins de rapporter des faits localisables que de nous rendre présent tout ce qu'il a pensé et senti. Les étapes vécues l'intéressent moins que l'interprétation qu'il en peut donner a posteriori en tant que narrateur. De même que le sentiment d'innocence compte plus pour lui que l'acte extérieurement répréhensible, de même un incident n'est rapporté que pour son caractère exemplaire. D'où la longueur de ce qu'un lecteur pressé considérerait comme des « digressions » — en fait l'essentiel (toutes proportions gardées, on pourrait dire la même chose de la* Nouvelle Héloïse*). L'anecdote, d'ailleurs joliment racontée, de l'examen auquel Jean-Jacques enfant est soumis par M. d'Aubonne[2] n'occupe que quelques lignes, mais elle est suivie de cinq pages de commentaire expliquant le caractère du héros. L'introduction de menus faits retenus pour leur caractère révélateur se fera même anachronique à l'occasion ; le récit, au livre I, de l'apprentissage chez le graveur Ducommun est interrompu par la relation d'un incident qui se rapporte au temps des relations avec Francueil, et qui aurait sa place au livre VIII.*

Rousseau a donc assez peu de srupules, de son propre aveu, à bouleverser la chronologie en répartissant tant bien que mal entre les livres V et VI divers événements dont il n'a pas gardé de souvenirs très précis. Le livre VI s'ouvre artificiellement sur

1. P. 640. — 2. P. 124.

*l'exclamation « Ici commence le court bonheur de ma vie »,
alors que ce bonheur était déjà décrit dès le livre III ; mais c'est
que ce bonheur est désormais* localisé : *le séjour aux Charmettes
est devenu un mythe, en regard duquel la date d'installation aux
Charmettes — qui a fait couler tant d'encre — est (en ce sens
seulement) un faux problème, puisque la division en livres tend
à nous faire croire à un emménagement définitif aux Charmettes ;
en fait, nous le savons maintenant, et le dernier alinéa du livre V
le laisse entendre sans ambiguïté, il y a eu plusieurs séjours,
dans plusieurs maisons différentes, le domicile principal restant
en ville, à Chambéry.*

*Ce n'est pas le départ de Turin et l'installation chez M^{me} de
Warens, comme il serait logique, qui décident de la division
entre les livres II et III, mais un événement «* intérieur *», au
cours même du séjour à Turin, l'épisode du ruban.*

*Il n'est pas douteux que le livre III occupait dans la compo-
sition originale une place importante. L'examen comparatif
des manuscrits de Genève et de Neuchâtel est ici très révélateur.
On constate d'abord que l'ordre des alinéas décrivant la vie à
Annecy chez M^{me} de Warens a été bouleversé entre ces deux
rédactions ; ensuite, que dans le manuscrit de Genève le début
du livre IV se trouve reculé de deux paragraphes, tandis qu'un
important développement sur le remords, à la suite du récit de
l'abandon de Le Maître, a été supprimé. L'aspect de* confession
*et d'humiliation volontaire était ainsi plus accusé dans la rédac-
tion primitive, où le livre se terminait sur le «* troisième aveu
pénible *» — les deux premiers étant la fessée de M^{lle} Lambercier,
au livre I, et le ruban volé, au livre II. Un aveu par livre, par
conséquent.*

« Alors je cessai mes folies *», déclare Rousseau quelques
lignes après le récit de l'abandon de Le Maître. A cette dernière
«* folie *» (n'est-ce déjà plus une «* faute *» ?) sur laquelle s'achevait
primitivement le livre III, répond symétriquement à la fin du
livre VI le premier acte de vertu*[1].

1. De même dans la Deuxième Partie la fin du livre VII est ponc-
tuée d'un acte vertueux (intervention de Jean-Jacques en faveur de
son ennemi Palissot) avant le récit, au livre IX, de la grande crise de
l'Ermitage : tel est donc l'homme qui va tomber entre les mains des
méchants !

*
* *

*On aimerait savoir à quelle intention correspondait la double
numérotation — chiffres noirs en tête de chaque alinéa, chiffres
rouges groupant plusieurs alinéas — commencée dans les premières
pages des livres I, VII et IX*[1]. *Elle semble témoigner d'un
souci qui a longtemps occupé Rousseau pour les plus petits détails
de composition. Mais à partir du moment où les divisions exté-
rieures ne répondent qu'imparfaitement à l'ordonnance profonde
dans un ouvrage qu'il faut bien considérer comme inachevé, il est
à craindre que le savoir-faire d'un écrivain rompu aux trucs
du métier n'entraîne çà et là l'application d'une rhétorique un
peu scolaire. Cette crainte est-elle justifiée?*

*Il convient de faire exception d'abord pour le livre XII, qui
s'il n'est pas comme le prétend Rousseau arrangé « au hasard »,
sans « aucun ordre, aucune liaison »*[2] , *est du moins écrit
à la hâte comme en témoigne, dans le manuscrit de Paris, l'écriture
des dernières pages. La multiplication des variantes vers la fin
du livre montre néanmoins qu'un travail de révision a pu avoir
lieu. Il faut aussi faire la part des redites qu'un Rousseau obsédé
laisse échapper à partir du livre IX, lorsqu'il fait allusion aux
torts de Thérèse*[3] *ou lorsqu'il déclare à trois reprises en l'espace
de quatre pages qu'il donna tous ses amis à Grimm, sans que
jamais Grimm lui donnât un des siens*[4].

*Les défauts de l'écrivain — minimes, convenons-en — ne
relèvent pourtant pas toujours, même dans ces derniers livres,
de la précipitation, mais plutôt d'un léger artifice. Le livre
XII nous fournit justement notre premier exemple. Il énumère*[5]
*trois « pertes cruelles » que fit Rousseau à Môtiers. La pre-
mière fut celle de M. de Luxembourg; la seconde, celle de « la
meilleure des femmes et des mères »; mais la troisième
perte n'est à mettre sur le même plan qu'au prix d'une sorte de
jeu sur les mots, car Milord Maréchal* « ne mourut pas; mais,
las de servir des ingrats, il quitta Neuchâtel, et depuis lors
je ne l'ai pas revu ». *Une certaine monotonie préside parfois aux*

1. V. M. Launay, « Début de réponse », *Annales*, XXXVI, 50.
2. Pp. 708, 743. — 3. Pp. 491, 702. — 4. Pp. 551, 554-5. —
5. Pp. 732-4.

*formules de transition en tête d'alinéa. Au livre IX, on lit à
quelques pages d'intervalle :* « Au plus fort de ma plus grande
exaltation... » « Au plus fort de mes douces rêveries [1]... »
Ailleurs c'est la formule « tandis que » *qui est mise à contribution :*

« Tandis que [...] je vivais dans le plus doux repos,
l'Europe n'était pas si tranquille que moi [2]. »

« Tandis qu'on se battait en Italie, on chantait en
France [3]. »

« Tandis que j'engraissais à Chenonceaux, ma pauvre
Thérèse engraissait à Paris d'une autre manière [4]. »

« Tandis que je philosophais sur les devoirs de l'homme,
un événement vint me faire mieux réfléchir sur les miens [5]. » ;

ici, on ne peut que louer l'emploi humoristique.

« Tandis que je faisais ainsi mes confidences, M[me] Le Vasseur
les faisait aussi de son côté, mais dans des vues moins
désintéressées [6]. »

« Tandis que Duchesne avançait à pas de tortue, Néaulme,
qu'il retenait, avançait encore plus lentement [7]. »

*Si la répétition à quelques pages d'intervalle peut être fâcheuse,
il faut convenir que Rousseau sait faire jaillir à l'occasion de ces
rapprochements de piquants contrastes. Un exemple du même
procédé, débarrassé cette fois de sa rigidité mécanique, se rencontre
au début du livre IV. Le narrateur vient d'évoquer l'admiration
envieuse qu'il éprouvait pour son ami Venture, reçu et choyé
partout dans le monde :*

« Eh ! que je m'y connaissais mal ! [*ma vie*] eût été
cent fois plus charmante si j'avais été moins bête... »

Suit un défilé des filles qui n'auraient peut-être demandé à

1. Pp. 506, 511. — 2. P. 207. — 3. P. 212. — 4. Pp. 402-403. —
5. P. 422. — 6. P. 424. — 7. P. 664. — Ces répétitions résultant
de l'application mécanique d'un procédé sont à distinguer de celles
auxquelles Rousseau se laisse entraîner sous l'ardeur de son désir de
justification (vertus du père et des tantes qui l'ont élevé : pp. 16 et 66)
ou de son ressentiment (fatuité donjuanesque de Grimm, p. 438).

Jean-Jacques que de se montrer plus hardi : M^{lles} Merceret,
Galley, de Graffenried... toutes les occasions manquées par
l'inflammable mais timide jeune homme.

La réflexion du narrateur sur ce qu'aurait pu être sa vie,
les prolongements imaginaires à partir d'embranchements pos-
sibles, dans le récit de ce qu'elle fut effectivement, jalonnent
poétiquement l'ouvrage d'une série de développements au condi-
tionnel — l'irréel du rêve — et constituent une série d'articulations
possibles *doublant les articulations réelles. L'auteur s'interroge*
ainsi à la fin du livre I sur ce qui lui serait arrivé si, placé chez
un meilleur maître, il n'avait jamais eu l'idée de s'enfuir de
Genève ; au livre IV, sur la vie qu'il aurait menée à Fribourg
s'il avait épousé la Merceret. Dans ces deux cas, il se laisse
aller à rêver d'une vie médiocre et heureuse d'artisan ou de musicien
d'église, loin des artifices de la grande cité ; c'est le rêve de la
*petite maison à volets verts dans l'*Émile. *Dans la seconde*
partie, les si... *prennent une autre allure, ils se chargent non*
plus de nostalgie mais d'inquiétude : supposons, imagine Rousseau,
au dernier alinéa du livre XI, que je n'aie pas quitté Montmorency
malgré la menace du décret de prise de corps : « aurais-je éga-
lement été décrété ? Grande question, d'où dépend la
solution de beaucoup d'autres... »

* * *

Non moins sûrs dans leurs effets poétiques sont les procédés
rendant sensible l'écoulement pathétique du temps : l'allusion çà
et là aux « courts bonheurs de ma vie »[1], *aux* « rares inter-
valles » — *mot caractéristique* — *de bonheur, aux instants où*
il a entrevu à sa portée un bonheur que, par la faute d'autrui,
il n'a pu saisir ; la fugitive jouissance de ce moment de justice
immanente, « court, mais délicieux à tous égards », *où*
une aristocratique assemblée, à la table du comte de Gouvon,
se retourne étonnée pour observer les traits de ce laquais au savoir
inattendu, Ruy Blas avant la lettre[2]. *Le même sens de la rétri-*
bution — qui est aussi le sentiment de la vocation accomplie —

1. P. 498. — 2. Pp. 103-104.

s'étale fièrement dans l'anticipation, à propos du concert malheu-
reux donné par l'apprenti musicien chez M. de Treytorens [1]*,*
du triomphe de l'opéra le Devin du village, *relaté au livre VIII* [2]*.*
« Quel diable de sabbat ! » *s'écrient les auditeurs de Lausanne,*
« quelle musique enragée ! » *et vingt ans plus tard, à Fontai-*
nebleau, les plus jolies femmes du royaume s'écrieront : « Quels
sons charmants ! quelle musique enchanteresse ! »

 D'autres rapprochements agissent en sens inverse ; rappels
et non plus anticipations, ils accusent la fuite du temps, le vieillis-
sement, la déchéance parfois. Aux éblouissantes apparitions
*de M*me *de Warens jeune qui marquent successivement les livres II,*
III et IV, s'oppose d'abord le froid accueil que reçoit « Petit »
lorsque Wintzenried l'a supplanté auprès de « Maman »;
c'est sur la tristesse de l'« ancien bonheur mort pour tou-
jours » *que s'achèvent le livre VI et la Première Partie :*

 « Je venais rechercher le passé qui n'était plus et qui
ne pouvait renaître [3]. »

 Le contraste avec le vertueux sacrifice que vient justement de
*faire Jean-Jacques en renonçant à M*me *de Larnage relève de*
l'ironie tragique. Mais un autre rappel, d'une ironie toute diffé-
rente — celle de l'attendrissement — fait rebondir le récit vers
l'avenir, et l'espoir ; les illusions ne sont pas toutes mortes ;
l'enthousiasme brûle encore dans l'âme de Jean-Jacques ; et
le voilà en route pour Paris et la gloire :

 « Toujours le même dans tous les temps, je partis de
Savoie avec mon système de musique comme autrefois
j'étais parti de Turin avec ma fontaine de Héron [4]. »

 Dans la deuxième partie, les rappels du passé prendront un ton
plus sombre. « Maman » *a cinquante-cinq ans lorsque son*
ancien protégé la revoit après treize ans de séparation.

 1. P. 166. — 2. P. 448. — 3. P. 312.
 4. Symétriquement, à la fin de la Deuxième Partie, un rebondis-
sement dramatique chassera Rousseau de l'île Saint-Pierre et le livrera à
la vie errante au moment même où il croyait trouver la retraite de
ses rêves et où s'amorçait la fin d'une symphonie (« Je prenais
donc congé de mon siècle... »).

« Je la revis... Dans quel état, mon Dieu ! quel avilissement ! Que lui restait-il de sa vertu première ? Était-ce la même M^me de Warens, jadis si brillante, à qui le curé de Pontverre m'avait adressé[1] ? »

Il éprouve la même impression lorsque son ancien ami Venture vient le « surprendre un beau matin » :

« Qu'il me parut changé ! Au lieu de ses anciennes grâces, je ne lui trouvai plus qu'un air crapuleux, qui m'empêcha de m'épanouir avec lui. Ou mes yeux n'étaient plus les mêmes, ou la débauche avait abruti son esprit, ou tout son premier éclat tenait à celui de la jeunesse, qu'il n'avait plus[2]... »

Pionnier de l'autobiographie, Rousseau n'a pas encore mis au point le procédé littéraire que commencera à développer son premier successeur français, Chateaubriand : l'intrusion du narrateur vieilli et de la date de rédaction dans le récit des événements passés de la jeunesse. Des allusions au séjour en Angleterre, où il se trouve alors, transparaissent au livre IV ; la hantise du complot perce dans les derniers livres, où l'écrivain se croit espionné jusque dans son cabinet de travail et craint de se voir arracher d'un moment à l'autre son manuscrit. Mais il n'a pas exploité systématiquement, avant les Rêveries, *les ressources poétiques du contraste entre passé et présent ; et peut-être de tels contrastes, lorsqu'ils se présentent dans leur naturel, n'en sont-ils que plus émouvants.*

LA VIE JUGÉE

Telle est la souple composition de « ces cahiers pleins de fautes de toute espèce » — *à tout prendre, une œuvre incomplète, mais artistement élaborée, où l'art est moins apparent que l'émotion. Quelle vue d'ensemble nous laisse-t-elle d'une vie ?*

Deux étapes la marquent. La première est la crise de Vincennes, d'où sort le Discours sur les Sciences et les Arts (« je vis un autre univers et je devins un autre homme... »)

1. P. 463. — 2. P. 473.

avec le conseil donné par Diderot de concourir pour le prix de l'Académie de Dijon :

« Je le fis, et dès cet instant je fus perdu. Tout le reste de ma vie et de mes malheurs fut l'effet inévitable de cet instant d'égarement. »

La seconde est la querelle de l'Ermitage. Un passage important du livre IX[1] dégage cette double « révolution », car c'est le mot qu'emploie l'auteur le reprenant plus loin[2] en l'appliquant cette fois à la seule affaire de l'Ermitage :

« Mais il est temps d'en venir à la grande révolution de ma destinée, à la catastrophe qui a partagé ma vie en deux parties si différentes, et qui d'une bien légère cause a tiré de si terribles effets. »

C'est donc logiquement à la fin du livre IX que devrait se situer la coupure entre les deux grandes parties des Confessions. *Ce livre qui débute par un long retour sur soi-même — bilan plutôt qu'examen de conscience — dans l'esprit de tout l'ouvrage, en est vraiment la charnière. Là viennent s'articuler les réflexions de l'auteur sur le sens de sa propre existence. La révolution en deux temps, qui se déroule sur les six ou sept ans séparant la première idée du* Discours sur les Sciences et les Arts *de la querelle avec M^me d'Épinay, procède d'un étalement bien naturel. Même chez un être de premier mouvement comme croit l'être Rousseau, il suffit rarement d'une seule décision pour changer le cours de toute une vie, et il n'est guère de décision qui n'ait été, consciemment ou non, préparée par un lent travail intérieur. Il serait naïf de lui reprocher de n'avoir pu fixer, à l'heure et à la minute près, le moment précis où s'effectue le passage d'un versant à l'autre.*

Cette observation suffit-elle à rendre compte de l'absence assez surprenante de tout commentaire à la suite d'un fait aussi lourd de conséquences que la rupture avec l'ambassadeur Montaigu, au livre VII ? Rousseau ne se retrouve-t-il pas ainsi rejeté en marge d'une société dans laquelle il pouvait alors se croire

1. Pp. 494-495. — 2. P. 560.

« arrivé » ? *On peut s'étonner qu'il ne semble pas considérer l'épisode comme un des grands tournants de sa vie, alors qu'il n'y aura plus chez lui d'autre tentative de faire carrière. En fait, il faut se souvenir que les événements comptent pour lui dans la mesure où ils apportent un ébranlement à son être sensible ; qu'il n'écrit pas l'histoire de ses occupations mais celle de son âme. Sa Confession n'est pas un* curriculum vitæ. *On peut dire, en s'inspirant de la métaphore à laquelle il recourt au début des* Rêveries, *que le calendrier l'intéresse moins que le baromètre. C'est au livre IX seulement — toujours le livre IX ! — qu'il tire la moralité de l'épisode de Venise : cet échec l'a dégoûté de toute autre entreprise ; il s'installe donc dans la vie obscure et médiocre avec une femme presque illettrée dont la rencontre, écrit-il,* « fixa mon être moral »[1]. *Dès lors, que se présente dix ans plus tard le choix entre Genève et l'Ermitage, l'adoption du second parti est dans la logique de sa conduite, et n'a pas besoin d'être longuement commenté :*

 « En me retirant à Genève, j'aurais pu m'épargner de grands malheurs à moi-même; mais je doute qu'avec tout mon zèle ardent et patriotique j'eusse fait rien de grand et d'utile pour mon pays[2]. »

 On ne peut d'ailleurs s'empêcher de penser que Rousseau ne regrette pas même ces « grands malheurs » *qui ont fait de lui ce qu'il est, qui confèrent unité et singularité au héros des* Confessions — *et à l'ouvrage lui-même sa poésie et sa signification.*

LANGUE ET STYLE

 Plutôt que d'essayer de rassembler ici des remarques de détail qui trouveront leur place dans l'annotation, je me limiterai à quelques indications sur l'orthographe et la langue des Confessions *avant d'aborder l'importante question du style original qui devait correspondre, dans l'esprit de l'auteur, à la nouveauté de son projet.*

 A l'époque de Rousseau, orthographe et grammaire subissent,

1. P. 490. — 2. P. 471.

sous l'influence des grammairiens et puristes, une évolution à laquelle il résiste souvent lui-même, soit par attachement à la littérature française du siècle précédent, soit par réaction d'homme du peuple et de Genevois contre les élégances minaudières du beau monde parisien. Dans plus d'un cas aussi, il témoigne d'hésitations qui sont le fait de plusieurs grands écrivains du siècle, surpris par des réformes grammaticales qui n'ont pas toujours la logique pour elles.

L'étude des manuscrits, où se lisent des corrections orthographiques de relecture d'une encre différente (ainsi dans le cas de la leçon anthipathique*), montre qu'il ne s'agit pas chez Rousseau d'indifférence. Le texte de la présente édition modernise uniformément l'orthographe, mais quelques variantes pourront donner une idée de celle de Rousseau* [1]. *Dans le redoublement des consonnes, son usage diffère souvent de l'orthographe moderne : on lit dans les manuscrits des* Confessions appellé, rappeller, serrail, minutter, incomodoient, inaliables. *Les variations sont assez fréquentes, aussi bien dans l'orthographe que dans l'accentuation et la ponctuation. Rousseau écrit tantôt* simpathie, péristile, genti, *tantôt* sympathie, perystile (sic), Le Gentil Bernard. *Il écrit (peut-être par inattention)* orphevre, beuf, aujourdui, distingoient; cathécumène *est constant.*

Certaines particularités sont genevoises : les formes de conjugaison ils distraisent, distraisant [2] *; malgré la petite leçon d'orthographe donnée au livre III* [3]*, il arrive encore à Rousseau d'omettre l'accent circonflexe à la* 3e *personne du singulier du subjonctif imparfait, et d'écrire «* quelque femme que ce fut *». Genevoise aussi, l'orthographe* Jaques *qu'il donne non seulement à son prénom* Jean Jaques *mais au roi* Jaques d'Écosse *et à la rue* St Jaques*. Les variations dans l'orthographe des noms propres nous valent* Chambéri *à côté de* Chambéry*,* Eaubonne *après* Aubonne *(sans doute par confusion entre la localité proche de Montmorency et l'ami de M*me *de Warens, M. d'Aubonne).*

1. L'éd. de la Pléiade (*O. C.*, I) reproduit l'orthographe et la ponctuation des mss. autographes.

2. Bernardin de Saint-Pierre n'a pas la même excuse pour employer *ils revêtissent;* mais c'est peut-être là un flottement qui n'était pas exceptionnel alors.

3. P. 122.

Beuzenwal *au début et* Beuzenval *à la fin du livre VII. Rousseau écrit aussi* Du Deffend; Bellay *pour Belley dans le Bugey ;* Mitridate.

*Incertitudes encore dans l'orthographe latine (conditor alme syderum), les diphtongues finales d'*aquæ, silvæ, *étant abrégées en* aqua', sylva'. *L'orthographe italienne semble moins sûre dans les manuscrits des* Confessions — *où l'on trouve* matamatica *(peut-être simple inattention)*, justizia *pour* giustizia, — *que dans la copie Luxembourg de l'*Héloïse.

* * *

Parmi les faits de langue qui relèvent d'une légère coquetterie archaïsante, signalons quand ce vint à [1], *l'emploi régulier de* vieux *devant un substantif masculin à voyelle ou* h *initiale. Laissant de côté les assez nombreux provincialismes genevois ou savoyards du vocabulaire, relevés par Alexis Fran*:*ois, et signalés dans l'annotation, il convient de noter aussi un penchant très discret pour le néologisme, en particulier la fabrication d'adjectifs sur des participes présents :* Maman, toujours projetante [2] ; des souvenirs bien rappelants [3], — *indépendamment de néologismes de création plaisante comme* venturisé [4], *sur le nom de Venture.*

Le style de ce grand écrivain préromantique reste classique par certaines de ses qualités et même ses défauts. Une convention du style noble du siècle précédent, l'abus du superlatif passepartout ou d'un comparatif qu'on pourrait appeler de politesse en phrase négative, a déjà été signalée, et l'on a vu comme elle faussait l'auto-portrait moral de l'auteur ou risquait d'inciter la critique à un excès de sévérité. Nous ne connaîtrons guère mieux M^{me} *de Warens quand on nous aura prévenu qu'il était*

« impossible de voir une plus belle tête, un plus beau sein, de plus belles mains et de plus beaux bras [5]. »

Du fait de cette tendance à l'abstraction, propre à la langue des classiques français, le pittoresque se trouve à peu près exclu

1. P. 185. — 2. P. 231. — 3. P. 170. — 4. P. 164. — 5. P. 53.

*des descriptions d'un ouvrage pourtant pénétré de l'amour de
la nature extérieure. Sans doute l'objet est-il de peindre — toujours
dans la tradition classique — l'homme intérieur. Du moins s'atten-
drait-on à apprendre quelle impression a ressentie l'auteur, au
cours de ses voyages, devant les grands spectacles de la nature.
Or, s'il mentionne la mer, qu'il voit pour la première fois lors
du voyage à Venise, c'est seulement pour dire, bien avant d'en
venir à cette période de sa vie, que ce spectacle l'a déçu [1]. Pour
connaître les impressions que lui a laissées, au retour de Venise,
la traversée des Alpes, c'est* la Nouvelle Héloïse *qu'il faut
lire. Malgré le mot célèbre de Sainte-Beuve, généralisant à partir
d'une notation limitée (« C'était, depuis Bossey, la première
fois que j'avais du vert devant mes fenêtres... ») Rous-
seau n'a pas introduit beaucoup de couleur dans la prose française
(ce mérite reviendra à son disciple Bernardin), mais seulement
— en admirateur de Fénelon et de Buffon — plus de musique.
Les épithètes descriptives sont absentes des paysages. La page
célèbre du livre IV relatant une nuit passée à la belle étoile près
de Lyon contient une seule notation de couleur, et escamote la
description qu'on attendrait au réveil :*

« mes yeux, en s'ouvrant virent l'eau, la verdure, un
paysage admirable [2]. »

*C'est tout. Dans cette page, comme dans les quelques autres
paysages des* Confessions, *l'auteur recherche l'impression d'en-
semble produite sur l'âme par le concours des sensations. Cette
préoccupation caractéristique d'un siècle moralisant qui s'est mis
à l'école de la philosophie sensualiste est d'autant plus vive chez
un Rousseau musicien, mais relativement indifférent aux effets
plastiques [3], qu'elle répond au principe de l'harmonie.
Le paysage de montagne évoqué à la fin du même livre IV inté-
resse surtout l'auteur par l'effet qu'il produit en lui [4].*

1. P. 180. — 2. P. 191.

3. Rousseau reste étranger aux tentatives contemporaines des
poètes, puis des prosateurs (Bernardin) pour transporter dans la
littérature les procédés propres à la peinture.

4. Sur les descriptions chez Rousseau, et leur fondement philoso-
phique, voir l'excellente étude de Margaret L. Buchner, *A Contribution*

*Mais pourquoi demanderions-nous à Rousseau ce que Chateau-
briand ou Hugo apporteront plus tard? Son art est dans la viva-
cité, la concision, la simplicité du récit — le plus souvent au style
direct, en phrases brèves*[1], *recourant volontiers, dans les passages
dramatiques, au présent de l'indicatif, et faisant à l'occasion du
changement de temps un délicat procédé d'ironie :*

« Elle avait les bras nus, les cheveux épars, son peignoir
mal arrangé. Cet abord m'était très nouveau; ma pauvre
tête n'y tint pas; je me trouble, je m'égare, et bref me voilà
épris de M[me] Dupin[2]. »

*Sans doute Rousseau est-il bien de son siècle par l'émotion, voire
la passion qui sous-tend fréquemment la phrase (« J'ose le dire »
revient à quelques pages d'intervalle, pp. 738 et 752). Mais son
expression n'a rien de mélodramatique ; par là, la phrase des*
Confessions *constitue une réussite artistique supérieure à
celle de l'*Héloïse, *dont la qualité musicale est pourtant grande. Le
recours à l'exclamation reste discret, teinté parfois de simplicité
familière (« Ah ! voilà de la pervenche ! ») mais pouvant
atteindre à la solennité de l'invocation :* « Oh ! si les âmes déga-
gées de leurs terrestres entraves voient encore du sein de
l'éternelle lumière ce qui se passe chez les mortels, pardon-
nez, ombre chère et respectable[3]... »

*Un des procédés qui contribuent le plus à la vie du récit résulte
du principe même de l'ouvrage : invitant le lecteur à se faire juge
d'un caractère, l'auteur est amené constamment à le prendre à
témoin, à aiguiser sa curiosité, à réveiller son attention — parfois,
on l'a vu, à lui attribuer une incrédulité irritante. La formule
« qui croirait que... », « croirait-on que... », revient souvent
dans les premiers livres, alors que le lecteur peut n'être pas
encore familiarisé avec ce qu'il y a d'unique chez le héros*[4].
Tantôt l'auteur dialogue avec le lecteur :

« Pourquoi, direz-vous, ne les pas écrire [*ses récits de*

to the Study of the Descriptive Technique of Jean-Jacques Rousseau, Baltimore
et Paris, Belles-Lettres, 1937.

1. L'étude des variantes fait apparaître un goût prononcé pour
l'asyndète.

2. P. 339. — 3. P. 303. — 4. Pp. 15, 91, 110.

voyage] ? Et pourquoi les écrire ? vous répondrai-je[1]. »

Tantôt c'est une formule familière, qui suppose un interlocuteur imaginaire :

« Et vous appelez cela de l'oisiveté ? C'est un travail de forçat[2]. »

Tantôt l'appel au lecteur s'achemine vers la pathétique imploration qui envahira les Dialogues :

« Je désire ardemment que quelqu'un de mes lecteurs, animé du zèle de la vérité et de l'équité, veuille relire en entier les *Lettres écrites de la Montagne ;* il sentira, j'ose le dire, la stoïque modération qui règne dans cet ouvrage, après les sensibles et cruels outrages dont on venait à l'envi d'accabler l'auteur[3]. »

De la même façon, un procédé rhétorique élémentaire, celui du contraste, est renouvelé par son heureuse adaptation au caractère même du personnage en cause, dont le paradoxe est la nature même :

« Si je veux peindre le printemps, il faut que je sois en hiver; si je veux décrire un beau paysage, il faut que je sois dans des murs; et j'ai dit cent fois que si j'étais mis à la Bastille, j'y ferais le tableau de la liberté[4]. »

Cette disposition nous vaut de dramatiques effets de surprise, habilement présentés de façon à mettre en valeur la force d'âme de Jean-Jacques devant les coups du sort : il n'a « de [*sa*] vie été si gai » *que le jour où il est décrété[5] ; et c'est sous le coup de cette condamnation qu'il compose son ouvrage le plus attendrissant[6]. Enfin Rousseau devine les ressources que peut offrir le procédé du contraste au genre même de l'autobiographie intérieure, par l'opposition signalée plus haut entre passé et présent (ainsi l'éloquence dont fait preuve en public le jeune compagnon de l'Archimandrite, en regard des piètres bafouillages de l'exilé recevant une députation de la ville d'Yverdon[7]), ou celle entre l'anticipation et la réalité vécue (l'arrivée à Paris[8]).*

1. P. 184. — 2. P. 762. — 3. P. 738. — 4. P. 194. — 5. P. 683. — 6. P. 691. — 7. P. 174. — 8. P. 179.

* * *

L'étude des variantes fournira d'innombrables exemples des soucis de styliste de l'auteur des Confessions [1].

S'il n'est pas question d'entreprendre ici un dénombrement des procédés de style des Confessions, *du moins peut-on tenter de préciser la façon dont un écrivain d'éducation classique préserve, dans un ouvrage d'un genre tout nouveau, l'équilibre entre le principe traditionnel de l'*unité de ton *et les exigences révolutionnaires qu'implique son dessein.*

Les premières pages du manuscrit de Neuchâtel posent nettement le problème :

« Il faudrait pour ce que j'ai à dire inventer un langage aussi nouveau que mon projet [...] Si je veux faire un ouvrage écrit avec soin comme les autres, je ne me peindrai pas, je me farderai. C'est ici de mon portrait qu'il s'agit, et non pas d'un livre [...] Je prends donc mon parti sur le style comme sur les choses. Je ne m'attacherai point à le rendre uniforme; j'aurai toujours celui qui me viendra, j'en changerai selon mon humeur sans scrupule [...] Mon style inégal et naturel, tantôt rapide et tantôt diffus, tantôt sage et tantôt fou, tantôt grave et tantôt gai, fera lui-même partie de mon histoire [2]... »

Qu'on n'aille pas prendre cette déclaration au pied de la lettre : cette indifférence prétendue à l'égard du travail du style est assez démentie par le nombre et le soin des copies, par l'abondance des variantes. Tout comme l'introspection idéale, la spontanéité objective de l'expression est un leurre. Mais le programme a été tenu en ce qui concerne la variété.

Il serait facile de donner des échantillons des différents styles des Confessions : *une oraison funèbre en miniature (« Allez, âme douce et bienfaisante... ») salue au livre XII la mort de M^{me} de*

1. On rencontre en particulier très souvent l'interversion des termes d'une énumération; procédé plaisamment appliqué par le maître de philosophie de M. Jourdain à la phrase « *Belle Marquise, vos beaux yeux...* » etc. Ainsi p. 155, var. *c*, etc.

2. Pp. 790-791.

Warens [1]. *Le thème des ténèbres et du mystère confère aux premières lignes du livre XII, dans un climat « aristotélicien » de terreur et de pitié, une vraie grandeur tragique (on y rencontre même un alexandrin, « Dans l'abîme des maux où je suis submergé... »). Tel épisode du voyage à Montpellier est traité aussi lestement qu'il convient :*

« M^me de Larnage établit sa femme de chambre dans ma chaise et je passai dans la sienne avec elle. Je puis assurer que la route ne nous ennuyait pas de cette manière, et j'aurais eu bien de la peine à dire comment le pays que nous parcourions était fait [2]. »

Rousseau n'a rien à envier à Voltaire dans l'art du trait d'esprit qui ridiculise et déconsidère un ennemi transformé en fantoche : qu'il s'agisse du pasteur Montmollin qui savait convaincre son conseil de paroisse par des « arguments tirés de sa cave [3] » ou de l'ambassadeur Montaigu qui, s'obstinant, malgré le peu de temps dont on dispose, à vouloir chiffrer les anodines dépêches qu'il adresse à la Cour,

« trouva à cela un expédient admirable, ce fut de faire dès le jeudi la réponse aux dépêches qui devaient arriver le lendemain [4] ».

Une des nouveautés du livre est l'introduction, dans un récit sérieux, de détails puérils, parfois d'un comique peu exigeant :

« Je me souviens pourtant d'avoir une fois pissé dans la marmite d'une de nos voisines, appelée M^me Clot, tandis qu'elle était au prêche [5] ».

L'auteur n'hésitera pas à faire siennes des locutions proverbiales « manger son pain à la fumée du rôti [6] », des expressions populaires comme s'enfourner [7]. Mais l'emploi de ce vocabulaire relève, nous allons le voir, d'un procédé littéraire plus large. La variété de style des Confessions *n'a rien en effet d'anarchique. Un écrivain du XVIII^e siècle ne saurait, quelle que*

1. P. 734. — 2. P. 293. — 3. P. 742. — 4. P. 353. — 5. P. 10. — 6. P. 290. — 7. P. 172.

soit sa volonté d'indépendance, s'affranchir complètement des usages d'une époque où la division des genres et l'adaptation à chacun du style qui lui revient, n'est guère mise en question (sinon par la multiplication des genres eux-mêmes, comme la propose Diderot dans le domaine dramatique). A plus forte raison un Rousseau, autodidacte sans doute, mais disciple du « siècle de Louis XIV », contre lequel il n'a nullement le sentiment de se rebeller.

On distingue la trace dans les Confessions *de plusieurs genres littéraires en honneur aux* XVII[e] *et* XVIII[e] *siècles, et auxquels s'apparentent respectivement, mais toujours avec souplesse, différents épisodes.*

Le genre des Mémoires, *croirait-on volontiers, apparemment le plus proche de l'autobiographie, pourrait être celui dont Rousseau s'est le plus inspiré. Mais le plébéien Rousseau (encore que Citoyen de Genève) se trouve en fait bien éloigné de ce genre aristocratique par l'indifférence de son propos à l'égard des événements publics et par l'indépendance relative, par rapport à la chronologie commune, d'une histoire toute intérieure. Avec ce genre, très en faveur depuis la fin du siècle précédent (et Rousseau est notamment familier avec les* Mémoires de Gramont, *fort utiles au faux Anglais sur la route de Montpellier) les* Confessions *n'ont guère qu'un point commun, l'usage des portraits intercalés dans le récit, dont le déroulement se trouve ainsi détendu et diversifié. Mais les portraits ici sont presque tous des auto-portraits moraux, généralement limités à un ou deux traits caractéristiques. On en trouve encore un à la fin du livre XII, où l'auteur, à propos du séjour à l'île Saint-Pierre, définit le genre d'oisiveté qui lui plaît* [1]. *Un seul portrait physique de l'auteur — à seize ans. Il serait intéressant de le comparer, pour la facture, avec les auto-portraits des auteurs de* Mémoires *au* XVII[e] *siècle, La Rochefoucauld ou M[lle] de Montpensier :*

« Sans être ce qu'on appelle un beau garçon, j'étais bien pris dans ma petite taille; j'avais un joli pied, la jambe fine, l'air dégagé, la physionomie animée, la bouche mignonne, les sourcils et les cheveux noirs, les yeux petits

1. P. 762.

et même enfoncés, mais qui lançaient avec force le feu dont mon sang était embrasé[1]... »

Bien que M^{me} de Warens tienne beaucoup de place dans les premiers livres des Confessions, *que son caractère, son mode de vie et même sa silhouette* (« elle était assez pesante, et craignant de trop fatiguer ses porteurs, elle voulut descendre à peu près à moitié chemin[2]... ») *nous soient familiers, le livre ne contient pas de portrait en forme de « Maman ». A plus forte raison en est-il de même pour les personnages de second plan que l'art de Rousseau sait pourtant faire vivre dans notre imagination. Tout au plus un trait fugitif nous éclaire-t-il sur leur caractère, comme ce ricanement et ce « souris » sardonique que laisse un jour échapper l'oratorien Bertier[3] et qui laissent planer une inquiétude mystérieuse sur son rôle possible dans le « complot » futur.*

De ces très rares portraits, on peut retenir ceux, antagonistes (encore le procédé du contraste), des deux maîtres qu'eut successivement Jean-Jacques au séminaire d'Annecy[4]. Le premier « avait des cheveux plats, gras et noirs, un visage de pain d'épice, une voix de buffle, un regard de chat-huant, des crins de sanglier au lieu de barbe; son sourire était sardonique, ses membres jouaient comme les poulies d'un mannequin; j'ai oublié son odieux nom; mais sa figure effrayante et doucereuse m'est bien restée et j'ai peine à me la rappeler sans frémir. »

Cette caricature offre un violent contraste avec la « physionomie touchante » *de l'abbé Gâtier, qui suit immédiatement.*

Une autre caricature, celle d'un personnage sympathique cette fois, le juge-maje Simon, au livre IV[5], est un petit chef-d'œuvre de comique délicat — bien que les variantes dénotent l'exagération manifeste apportée par Rousseau à déformer encore la figure de ce nain galant (« il n'avait assurément pas deux pieds de haut... »).

1. P. 51. Cf. dans le ms. de Neuchâtel (*infra,* p. 814, var. *o*) : la « physionomie animée » est remplacée par une « âme ardente ».
2. P. 260. — 3. Pp. 595-596. — 4. Pp. 128-129. — 5. Pp. 155-157.

* * *

On voit déjà que l'art de l'écrivain peut l'entraîner à prendre des libertés avec cette vérité dont il se prétend le serviteur. Dira-t-on qu'en ces à-côtés la fantaisie est sans conséquence, pourvu que soient respectés les éléments de ce portrait intérieur qui constitue le sujet du livre ? Nous allons voir qu'ici encore l'attrait du détail piquant, amusant ou touchant, risque d'apporter plus d'une retouche à la figure du héros lui-même — ce dont nous ne saurions nous plaindre, nous dont la curiosité s'intéresse au peintre tout autant qu'au modèle.

Dans l'important exorde de la seconde partie, Rousseau évoque la joie qu'il a eue à écrire la première :

« J'y revenais sans cesse avec un nouveau plaisir, et je pouvais tourner mes descriptions sans gêne jusqu'à ce que j'en fusse content[1]. »

Et c'est sur le ton d'un romancier qu'il établit un peu plus loin la transition avec la Deuxième Partie :

« Je me suis laissé, dans ma première partie, partant à regret pour Paris, déposant mon cœur aux Charmettes, y fondant mon dernier château en Espagne, projetant d'y rapporter un jour aux pieds de Maman, rendue à elle-même, les trésors que j'aurais acquis, et comptant sur mon système de musique comme sur une fortune assurée. »

Le détachement du biographe vis-à-vis du caractère qu'il étudie, condition d'objectivité, tend à se confondre ici avec l'attitude à la fois sympathique et ironique d'un Cervantes, d'un Lesage, d'un Sterne — plus tard d'un Stendhal — vis-à-vis de leur héros favori. L'auteur du roman en partie autobiographique qu'est la Chartreuse de Parme traitera son Fabrice un peu comme Rousseau traite dans une autobiographie parfois romanesque, au sens plein du mot, un Jean-Jacques transfiguré par la jeunesse. Faut-il s'en étonner ? Rousseau nous a prévenus. Au livre X, il dit de M^me de Boufflers :

1. P. 323.

« Elle affectait l'esprit romain, et moi, je l'eus toujours romanesque; cela se tenait d'assez près[1]. »

Réflexion qui éclaire un caractère et amène à la synthèse l'ingénieuse antithèse établie par Albert Schinz entre le « Rousseau romantique » *et le* « Rousseau romain »[2] : *hypothèse de travail utile, mais pas nécessairement définitive. Les Romains de Rousseau ont pris chez Plutarque un air de légende (Plutarque n'alternait-il pas, dans ses lectures d'enfance, avec d'Urfé et Madeleine de Scudéry ?), et la parfaite unité de l'*« esprit romain » *et de l'*« esprit romanesque » *s'exprime on ne peut plus clairement dans les transports que suscite chez l'amoureux de M^{me} de Larnage la visite du Pont-du-Gard :*

« Elle avait bien songé à me prémunir contre les filles de Montpellier, mais non pas contre le Pont du Gard. On ne s'avise jamais de tout[3]. »

Le romanesque du jeune Jean-Jacques, vu à distance par l'auteur des Confessions, *tient en effet le milieu entre l'héroïque et l'héroï-comique — se rapprochant ainsi des vraies sources du romanesque littéraire, et particulièrement des meilleures pages de l'Arioste — cher à Rousseau[4]. L'ironie discrète avec laquelle le poète italien relate tel exploit chevaleresque se retrouve dans plus d'un épisode des* Confessions. *Il n'est pas question, on s'en doute, d'établir ici des rapprochements précis, mais de définir un ton, auquel contribue aussi l'apparente nonchalance de la composition. On pourrait appliquer aussi aux premiers livres*

1. P. 639.
2. A. Schinz, *la Pensée de J.-J. Rousseau*, Paris, Alcan, 1929. La formule du regretté professeur suisse-américain serait plus juste en anglais où l'adjectif *romantic* couvre les domaines de *romantique* et de *romanesque* en français.
3. P. 295.
4. Il s'en est lui-même aperçu bien avant d'écrire *les Confessions*, comme en témoigne ce curieux passage de l'*Épître à Parisot* :

> « J'étais un vil enfant du sort abandonné,
> Peut-être dans la fange à périr destiné,
> Orgueilleux avorton dont la fierté *burlesque*
> Mêlait comiquement l'enfance au *romanesque*... »

(*O.C.*, I, 1959, p. 1139 C'est moi qui souligne.)

la réflexion que fait Paul Hazard dans ces lignes où il rapproche justement le Don Quichotte *du* Roland furieux :

« C'est un jeu, et un jeu charmant, que d'abandonner une narratôn dont la continuité finit par s'imposer comme un devoir, comme une tâche à terminer; on dépose un moment son fardeau, on conte pour le plaisir de conter, on flâne délicieusement, avec la complicité de lecteurs que rien ne presse [1]... »

Qu'on compare maintenant avec la formule par laquelle Rousseau introduit, au livre I, une anecdote parmi cinq ou six, dont le souvenir le fait « tressaillir d'aise » :

« Je vous fais grâce des cinq; mais j'en veux une, une seule, pourvu qu'on me la laisse conter le plus longuement qu'il me sera possible, pour prolonger mon plaisir [...]. O vous, lecteurs curieux de la grande histoire du noyer de la terrasse, écoutez-en l'horrible tragédie et vous abstenez de frémir, si vous pouvez [2]. »

L'apostrophe est comme une parodie des procédés narratifs hérités des conteurs en plein air et traditionnellement reproduits, pour introduire un épisode particulièrement dramatique, par l'Arioste ou ses prédécesseurs. Le même ton, mais sans nuance parodique, paraît à la fin du livre XI, lorsque le fugitif parti de Montmorency arrive au terme d'un long voyage chez Roguin :

« Ah, respirons quelques instants chez ce digne hôte ! J'ai besoin d'y reprendre du courage et des forces; je trouverai bientôt à les employer [3]. »

La confusion volontaire entre Rousseau-narrateur et Rousseau-héros relève d'une technique littéraire éprouvée.

Lecteur des grands épopées italiennes, Rousseau est aussi familier avec toute une littérature de pastiche ou de parodie qui s'apparente au genre héroï-comique défini par Boileau dans la

1. Paul Hazard, *Don Quichotte de Cervantès,* Paris, Mellottée, s.d., pp. 176-177.
2. Pp. 22-23. — 3. P. 693.

préface du Lutrin *comme une invention personnelle, mais en fait importé d'Italie bien avant Boileau. Ce burlesque à l'envers applique un style « élevé » à des sujets « bas ». On sait combien le genre ou sous-genre de la parodie — particulièrement au théâtre — a été pratiqué au* XVIII^e *siècle. C'est à ce décalage systématique entre style et sujet qu'a justement recours Rousseau pour résoudre un des problèmes suscités par la nouveauté de son entreprise. Car comment, dans un livre sérieux où l'auteur a résolu de « tout » dire, introduire des anecdotes puériles alors considérées comme indignes d'un lecteur qu'on respecte*[1] ? *L'apostrophe « O vous, lecteurs curieux... » relève précisément de ce procédé, l'expression («* grande histoire... horrible tragédie... frémir... *») accusant délibérément la futilité de l'incident. De même, vers la fin du livre I, l'anecdote des pommes volées est commentée par la note discrètement mélodramatique :* « Lecteur pitoyable, partagez mon affliction. » *Dans un autre passage du livre II, Jean-Jacques devant l'Inquisiteur à Turin est comparé plaisamment à Henri IV de France, faisant par procuration pénitence publique à Rome*[2].

L'art de Rousseau est d'avoir su user avec grande indépendance d'un procédé dont la simple répétition serait vite devenue monotone. Le livre III s'ouvre sur une scène où le burlesque *se mêle à l'*héroï-comique *(l'épisode de l'*« homme au sabre »*), et où l'*« expédient romanesque » *imaginé par le jeune Jean-Jacques s'inspire peut être d'illustres folies, comme celles du Tasse ou de Don Quichotte*[3]. *Même flottement heureux entre*

1. Le scrupule s'exprime plus d'une fois au cours des premiers livres, ainsi dans ce passage du livre II (p. 64) :

 « *Avant que d'aller plus loin, je dois au lecteur mon excuse ou ma justification, tant sur les menus détails où je viens d'entrer que sur ceux où j'entrerai dans la suite, et qui n'ont rien d'intéressant à ses yeux.* »

 En prenant garde à la dévaluation subie par l'adjectif *intéressant* (qui fait alors partie du vocabulaire de l'esthétique), on notera l'évolution du goût littéraire (sous l'influence précisément de Rousseau) : ces « menus détails » font pour le lecteur moderne le charme du livre.

2. Le caractère littéraire du passage — qui relève bien de l'héroï-comique par la disproportion de la comparaison — est bien commenté par Ritter, *Famille et Jeunesse* [...], pp. 199-201.

3. On se souviendra qu'il prétend se faire passer pour « un jeune étranger de grande naissance, dont le cerveau s'était dérangé ».

*burlesque et héroï-comique dans le contraste, au cours du concert
chez M. de Treytorens, entre la dignité du chef d'orchestre amateur
et la bouffonnerie qui résulte tant de l'application exagérée
des musiciens que des commentaires des auditeurs — lesquels
sont de mèche avec eux.*

*L'étude des variantes fait apparaître en plus d'un passage
de la première partie un travail de correction stylistique qui va
dans le sens de l'amplification héroï-comique. On le constaterait
par exemple dans les premières lignes du livre II, où Rousseau
se dépeint sous les traits d'un chevalier errant prêt à sérénader
sous les fenêtres d'une châtelaine* ¹. *Mais l'épisode le plus inté-
ressant est celui de l'amour de tête pour M^{lle} de Vulson, au
livre I* ². *Tout y semble présenté de façon à laisser le lecteur en
doute jusqu'au dernier moment sur le sérieux des sentiments
éprouvés — mais on aurait tort de s'y laisser prendre puisqu'on
nous a prévenus que cet amour donnait lieu à* « des scènes à
pâmer de rire ». *L'ironie s'introduit discrètement dans les
premières lignes* (« ces héroïques regrets... des lettres d'un
pathétique à faire fendre les rochers »). *M^{lle} de Vulson
serait-elle éprise du jeune garçon ?* « Enfin, j'eus la gloire
qu'elle n'y put plus tenir et qu'elle vint me voir à
Genève [...]. Quand elle partit, je voulais me jeter dans l'eau
après elle, et je fis longtemps retentir l'air de mes cris. »
*Ne sommes-nous pas en pleine passion romantique ? Mais
l'effet de surprise ne tarde pas :*

« Huit jours après, elle m'envoya des bonbons et des
gants; ce qui m'eût paru fort galant, si je n'eusse appris
en même temps qu'elle était mariée, et que ce voyage, dont
il lui avait plu de me faire honneur, était pour acheter ses
habits de noces. »

1. Même ironie à l'endroit des penchants romanesques du jeune
Jean-Jacques, un peu plus loin :
« *La seule chose qui m'intéressât dans tout l'éclat de la cour* [de
Turin] *était de voir s'il n'y aurait point là quelque jeune Princesse qui
méritât mon hommage, et avec laquelle je pusse faire un roman.* »
Le héros se conduit dans le monde comme ferait Don Quichotte ou
le Lysis du *Berger extravagant.*
2. Pp. 30-32.

Et voici le ton héroï-comique :

« Je ne décrirai pas ma *fureur ;* elle se conçoit. Je jurai dans mon *noble courroux* de ne plus revoir la *perfide,* n'imaginant pas pour elle de plus terrible punition... »

Puis, de nouveau, l'ironie :

« Elle n'en mourut pas cependant... »

La comparaison avec la première rédaction de cette scène dans le manuscrit de Neuchâtel[1] *montre combien, dans la version de Genève, se sont renforcés les effets dramatiques et le jeu de l'ironie. Plusieurs détails du texte qui vient d'être cité sont des additions : les lettres* « pathétiques », « *le projet de suicide* », *l'offre* « galante » *de bonbons, — à un amant ! — la mort méritée à laquelle échappe injustement la perfide maîtresse. Le commentaire final du manuscrit de Neuchâtel a d'autre part disparu de la version définitive :*

« Tout jeune que j'étais, l'aventure me parut plus plaisante que tragique ; mon amour s'en alla comme il était venu, et la vanité qui l'avait allumé l'éteignit sans peine. »

*On comprend l'effet littéraire de cette suppression. Cette explication un peu lourde tuait l'ironie en supprimant l'ambiguïté, qui fait le charme de la page et laisse au lecteur le plaisir d'interpréter lui-même ce qui n'est qu'allusion. Mais cette suppression a aussi une valeur psychologique. C'est ce que révèle la suite de l'épisode. Vingt ans plus tard, lisons-nous dans le manuscrit de Neuchâtel, Rousseau, de passage à Nyon, et en promenade sur le lac, aperçoit dans une barque une dame qu'on lui dit être la M*ⁱˡᵉ *de Vulson de sa jeunesse :*

« Je jugeai que ce n'était pas la peine de renouveler la querelle avec une femme de quarante ans, et, faisant signe à nos bateliers de s'éloigner, je lui tournai le dos sans rien dire. Ainsi finirent mes premières amours. »

Rien ici que de très positif : l'homme a presque oublié la

1. Pp. 804-805.

puérile amourette, et l'ex-M^{lle} de Vulson n'est plus qu'une
matrone.

Les modifications apportées à cette phrase dans le manuscrit
de Genève introduisent de nouveau l'ambiguïté des sentiments,
et nous présentent un Rousseau tout différent de ce quadragénaire
de bon sens :

« Je *tressaillis* à ce nom presque oublié : mais je dis aux
bateliers de *changer de route*, ne jugeant pas, quoique j'eusse
assez beau jeu pour *prendre ma revanche*, que ce fût la
peine d'être parjure, et de renouveler une querelle de vingt
ans avec une femme de quarante. »

Le mot d'esprit final dissimule sous son élégance une mélan-
colique réflexion sur la fuite du temps, et c'est le romanesque
Jean-Jacques — toujours amoureux — qui revit. Ses « premières
amours » n'ont jamais pris fin. S'agissait-il bien d'un amour
de tête ? Nous voilà en pleine élégie, au sortir d'une amusante
petite comédie. Les changements apportés par l'auteur à son
premier texte témoignent, par l'attendrissement, du vieillissement
intervenu après le séjour en Angleterre. Ils illustrent en même
temps la tendance de Rousseau à préférer, du moins lorsque ses
souvenirs ne peuvent être contrôlés par aucun document, la version
littéraire à la vraisemblance historique. Un autre exemple est
donné par Ritter[1], comparant la version définitive de l'épisode
de M^{me} Basile[2] au « brouillon » retrouvé par Jansen (ci-
dessous, p. 828).

« Elle me rassura en me regardant d'un œil assez doux »
devient « Elle ne me regarda point »; *et* « j'avais la témérité
de reposer quelquefois la main sur son genou » *devient* « Je
n'osai [...] la toucher [...], même dans une attitude aussi
contrainte, pour m'appuyer un instant sur ses genoux. »

Ces détails, infimes peut-être, importent dans une histoire
des « sentiments » éprouvés par celui qui raconte sa vie. Ils
donnent à réfléchir sur la prétendue absence d'art annoncée dans
le Préambule de Neuchâtel :

1. *Annales*, XVI, 168-169.
2. P. 81.

« Je vais travailler pour ainsi dire dans la chambre obscure; il n'y faut point d'autre art que de suivre exactement les traits que je vois marqués[1]... »

* * *

On pourrait encore déceler dans les Confessions *l'influence de genres romanesques alors en faveur. André Maurois, qui va un peu loin en déclarant que les sentiments, à la différence des faits, y sont imaginés, n'a pas entièrement tort d'ajouter :*

« Les *Confessions* de Rousseau font le meilleur des romans picaresques. Tous les éléments du romanesque lui étaient donnés : un adolescent livré à lui-même; une grande variété de condition, de caractères et de lieux; des amours et des voyages; la lente découverte de la société par un homme qui jusqu'à quarante ans a pu presque entièrement lui échapper. C'était de quoi faire un *Gil Blas* sentimental, et Rousseau n'y a point manqué.

L'étrange est qu'il veut, lui, que la peinture des sentiments passés soit plus vraie dans son livre que celle des événements[2]. »

B. Gagnebin et M. Raymond (O.C., p. 1311), commentant de leur côté le goût exprimé par Rousseau pour le roman de Lesage[3], renvoient à ce passage du manuscrit de Neuchâtel :

« Sans avoir aucun état moi-même, j'ai connu tous les états : j'ai vécu dans tous depuis les plus bas jusqu'aux plus élevés, excepté le trône. »

Au livre IV, les aventures de Jean-Jacques, au service de l'aventurier arménien, « archimandrite de Jérusalem », *pourraient en effet fort bien être tirées du* Lazarillo de Tormes.

1. Rousseau admet d'ailleurs, dans la 4ᵉ Promenade des *Rêveries,* on l'a vu par le texte cité plus haut p. xxxiii (et éd. Roddier, p. 55), sa tendance à l'amplification artistique.

2. Préface d'A. Maurois à l'édition des *Confessions* annotée par J. Fournier, Paris, Bordas, 1949.

3. Au livre iv (p. 193).

Mais il convient encore de ne pas oublier que Rousseau était aussi grand lecteur de Marivaux et de Prévost — sans parler de Duclos dont il a déjà été fait mention plus haut. C'est Marivaux (plutôt que Fielding qui le lui emprunta) qui aura enseigné à Rousseau ce genre « d'intrusion d'auteur » qui consiste à identifier plaisamment le temps réel du romancier à sa table de travail avec le temps fictif dans lequel vivent ses personnages. Ainsi la soudaine apparition de son patron devant le petit voleur de pommes fait sursauter le narrateur (« La plume me tombe des mains ») — *tandis que le narrateur, qui s'est laissé entraîner à épiloguer, revient ainsi à son héros qu'il avait laissé sur la route de Turin :*

« Mais c'est assez de réflexions pour un voyageur ; il est temps de reprendre ma route [1]. »

L'admiration pour l'auteur des Mémoires *d'un homme de qualité, dont l'influence sur l'*Héloïse *est sensible, a porté Rousseau, d'autre part, à modeler son propre personnage sur le type du* « héros sensible » *qui soupire comme Des Grieux :*

« J'étais né pour les courtes joies et les longues douleurs [2]. »

*Le début de ses amours avec M*me *d'Houdetot est marqué par une visite inopinée de cette dernière à l'Ermitage, en bottes*

1. Livre i, p. 37, et livre II, p. 61. — Le procédé semble avoir été inventé par Marivaux dans son roman expérimental de jeunesse *Pharsamon*. — Voir Wayne C. Booth, « The Self-Conscious Narrator in Comic Fiction before *Tristram Shandy* », *Publ. Mod. Lang. Assoc. of Amer.*, LXVII, 1952, pp. 171-173 (on corrigera l'erreur de l'auteur, qui croit *Pharsamon*, écrit en 1712 mais publié seulement en 1737, postérieur à *Marianne* et à *Jacob*) et Jean Rousset, *Forme et signification* [...], Paris, José Corti, 1962, p. 50. L'étude de J. Rousset montre bien la dette de l'auteur de *Pharsamon* envers le burlesque, et cite (p. 50 n. 1) un curieux passage dans lequel Marivaux éprouve le besoin de justifier — comme plus tard Rousseau — le récit d'un enfantillage. Sa justification est d'ordre esthétique, celles de Rousseau seront d'ordre psychologique ou sentimental; mais la conscience d'innover en heurtant le bon ton est la même.

2. *Manon Lescaut*, éd. Matoré, Genève, Droz, et Lille, Giard, 1953, p. 69. Comparer avec les fréquentes mentions, par Rousseau, de ses « courts instants de bonheur », et avec les non moins nombreuses allusions à son sombre destin.

et en habit d'homme, après un épisode de « carrosse versé »
qui ne déparerait pas la Marianne de Marivaux. *Et Rousseau*
ne peut s'empêcher de remarquer :

« Cette visite eut un peu l'air d'un début de roman[1] ».

La tendance à l'imagination romanesque se manifeste si bien
dans ces années de l'Ermitage (le début du livre IX en convient
assez[2]) que l'érudition a fort à faire aujourd'hui pour retracer,
dans la genèse de la Nouvelle Héloïse, *les interférences de la*
réalité et de la fiction. On peut même deviner, dans les Confes-
sions, *des esquisses de romans se développant à partir d'un*
tournant virtuel de la vie de l'auteur, et constituant les vies
possibles de différents Jean-Jacques — type de réflexion qui est
devenu inhérent à la technique et à la poésie de l'autobiographie
moderne. On peut ainsi imaginer une carrière de grand com-
mis, préparée par le comte de Gouvon[3], mais brisée par
l'insensé Montaigu[4] ; un Jean-Jacques artisan, graveur ou
horloger comme son père ; ou paisible Fribourgeois, époux de la
Merceret ; peut-être même un Jean-Jacques « gigolo », entretenu
par la capiteuse M^me de Larnage, et s'élevant par les femmes,
comme plus d'un héros, romanesque ou réel, d'un siècle qu'on
aime à dire frivole.

VI. FORTUNE ET INFLUENCE
DES *CONFESSIONS*

En l'absence de toute étude d'ensemble[5], on doit se résigner
à jalonner de quelques noms et références bibliographiques l'es-
quisse d'un sujet redoutable par son ampleur, en faisant observer
*qu'il est malaisé et peut-être artificiel de distinguer l'*influence
du livre des vicissitudes posthumes de l'homme lui-même ; qu'il est
pratiquement impossible de séparer les Rêveries *des* Confes-
sions; *enfin qu'un tableau, même supposé complet, de l'action*

1. P. 511. — 2. Pp. 504-506. — 3. P. 107. — 4. Pp. 384-385.
5. Des éléments sur la réception des *Confessions* en France, en
Allemagne, en Russie, sont réunis sous le titre « Lectures des *Confessions*
de J.-J. Rousseau » dans la revue *Œuvres et Critiques,* Paris, Éd. J.-M.
Place, III, 1, 1978.

exercée en France par les Confessions *devrait être complété par une étude de ce que peuvent leur devoir des écrivains étrangers comme Wordsworth, Gœthe, George Eliot ou Tolstoï, pour ne citer que les plus grands*[1].

Les grandes lignes du « devenir » de Rousseau depuis le XVIII[e] *siècle ont été tracées par Albert Schinz dans son* État présent *(1941)* des travaux sur Jean-Jacques Rousseau. *Les* Lettres sur les ouvrages et le caractère de J.-J. Rousseau *publiées par M*[me] *de Staël avant même la publication de la seconde partie des* Confessions *sont assez caractéristiques du malaise qu'inspira cet ouvrage à plusieurs des admirateurs de son auteur. Loin de le mettre sur le même plan que l'*Émile *ou l'*Héloïse, *M*[me] *de Staël réclame pour l'auteur la* pitié, *et voit une circonstance atténuante dans l'influence néfaste qu'elle attribue à Thérèse Levasseur*[2]. *Sans doute* les Confessions *sont-elles, comme le reste de l'œuvre de Rousseau, associées au déroulement des événements révolutionnaires, par la publication échelonnée, à partir de 1788, de la grande édition de Mercier, Brizard et de l'Aulnaye (Letourneur y a aussi collaboré), illustrée par Moreau et d'autres grands artistes. Sans doute le manuscrit dit de Paris est-il solennellement remis à la Convention par Thérèse, à la veille du transfert des cendres d'Ermenonville au Panthéon (1794) ; ce manuscrit encore inédit aidera à établir, après rapport de Lakanal au nom du Comité de l'Instruction publique, l'édition Poinçot de 1798, contenant pour la première fois le texte non expurgé des* Confessions. *On aurait tort cependant de croire que les révolutionnaires eux-mêmes fussent tous prêts à accepter d'enthousiasme un ouvrage d'un goût aussi*

1. A la différence des *Rêveries,* les *Dialogues* sont hors de cause, d'abord parce qu'ils n'ont jamais été édités, depuis la fin du XVIII[e] siècle, en dehors des Œuvres complètes; ensuite parce qu'on les considérait encore au début du XX[e] siècle comme l'ouvrage inutilisable d'un déséquilibré.

2. Cette opinion, reprise par la plupart des admiratrices de Jean-Jacques — à l'exception de M[me] de Charrière — a inspiré à Faguet une hypothèse séduisante : il se demande dans *les Amies de J.-J. Rousseau* (p. 165) quelle peut être la part, dans la documentation utilisée par l'auteur des *Confessions,* des racontars et affabulations de Thérèse. Il ne semble pas cependant, à la lumière de nos connaissances actuelles, qu'on puisse tirer grand-chose de cette idée.

révolutionnaire. Si le grand italianiste Ginguené, futur ministre de l'Instruction publique, est sensible à la poésie d'enfance, et défend dans ses Lettres sur les Confessions *(1791) l'ouvrage en même temps que la mémoire de son auteur, un Sébastien Mercier, pourtant peu suspect de tiédeur envers Jean-Jacques, préfère la seconde partie à la première, et n'aime pas le procédé de la* confession *littéraire. Il interprète curieusement l'ouvrage comme un roman contenant des apologues moraux ; mettant en garde le lecteur contre la tentation de prendre au pied de la lettre les pages sur le ruban de Marion, sur l'abandon des enfants. Il est frappant de voir ce disciple, dans son zèle à défendre le maître, contester la sincérité des aveux et imputer son entreprise — comme le font les plus farouches ennemis de Rousseau — au désir de faire parler de lui*[1]. *Son ami Restif de la Bretonne dont le* Monsieur Nicolas *a été conçu, sinon écrit, avant la publication des* Confessions, *n'est pas plus indulgent que Mercier, jugeant trop « littéraire » (on ne pourrait adresser à ses propres écrits le même reproche...) cet ouvrage dans lequel Rousseau parle « en auteur ».*

S'il y eut alors succès, ce fut donc un succès de scandale, et assez limité. Un témoignage indirect est donné par le nombre d'écrits romanesques dans le titre desquels figure le mot confessions : *le* Dictionnaire des Anonymes *de Barbier, édition de 1872, en mentionne sept entre 1784 et 1798, ce qui est relativement peu.*

Il faut compter au moins un demi-siècle avant de voir les Confessions *appréciées à leur juste valeur par les écrivains français*[2] *— à l'exception probablement de Chateaubriand,*

1. Sébastien Mercier, *De Jean-Jacques Rousseau considéré comme un des premiers auteurs de la Révolution* (Paris, 1791). La thèse de Mercier a l'intérêt de mettre en relief le côté artistique des *Confessions* et, par les rapprochements avec l'*Héloïse* et l'*Émile*, ce qui les apparente au genre romanesque.

Le seul écrivain avec Restif qui ait alors tenté d'imiter la formule autobiographique de Jean-Jacques est Mme Roland, dans ses *Mémoires* écrits en prison, où elle se défend d'ailleurs de faire « sa confession », mais qui mériteraient cependant d'être étudiés dans cet esprit.

2. Signalons leur exploitation dans les poèmes didactiques de Delille (*L'Imagination*, publ. 1806) et de Legouvé (*Les Souvenirs, ou les avantages de la Mémoire*, 1798).

qui s'en cache. Les Mémoires d'outre-tombe *professent, et par leur titre même, et par les déclarations expresses de l'auteur, une tout autre conception de l'autobiographie. Mais Chateaubriand était encore au début de la Révolution, il ne le dissimule pas, fervent rousseauiste ; il a peine encore, dans* René, *à s'arracher à la fascination des* Rêveries. *L'attitude du narrateur et les procédés de style, dans la présentation des souvenirs d'enfance, rappellent souvent de près chez le noble auteur des* Mémoires, *ce Jean-Jacques vulgaire qu'il affecte de dédaigner. Il traite Rousseau comme Rousseau traitait Montaigne, si bien que dans son cas aussi le mépris paraît suspect. Une étude comparée des deux œuvres autobiographiques reste à faire. Elle devrait tenir compte du fait que Chateaubriand, qui commence à écrire en 1809, n'a pu manquer d'être fâcheusement indisposé contre Rousseau par la publication, survenue peu après, des pseudo-*Mémoires *de M^{me} d'Épinay — ouvrage dont les falsifications ne seront révélées qu'un siècle plus tard. On peut en dire autant de presque tout le* XIX^e *siècle — y compris Sainte-Beuve, qui fut pourtant le premier critique à rendre justice au génie de l'auteur des* Confessions.*

A la calomnieuse version des affaires de l'Ermitage présentée par les éditeurs abusifs de M^{me} d'Épinay s'opposaient, autour de 1820, l'importante Histoire de la Vie et des Ouvrages de Jean-Jacques Rousseau *de Musset-Pathay, et sa grande édition des* Œuvres complètes. *Avec des erreurs (il croit obstinément que Rousseau s'est suicidé) et une sympathie parfois naïvement partiale, Musset-Pathay a beaucoup fait pour réhabiliter l'auteur des* Confessions [1]. *Est-ce simple coïncidence si son fils Alfred intitule* Confession d'un enfant du siècle *son roman autobiographique (1836) ?*

1. Le titre même de son ouvrage, commenté à la première page (« Je mettais, entre l'auteur et ses écrits, un rapport nécessaire... »), souligne le principe qui, toutes réserves faites à l'égard des abus de la critique biographique, a renouvelé l'érudition rousseauiste. — Le poème contemporain (1820) de L. V. Flamand-Grétry sur *l'Ermitage de J.-J. Rousseau et de Grétry,* malgré des appendices utilisant les travaux de Musset-Pathay, contribue à la fortune touristique plutôt que littéraire de Montmorency.

*Le nom de Musset appelle celui de George Sand. L'auteur d'*Indiana *s'apparente sinon à Rousseau, du moins à son entourage, puisqu'elle descend de Dupin de Francueil, beau-fils de la protectrice de Jean-Jacques. Elle ne lui a pas ménagé son admiration, éditant elle-même* les Confessions *(1847) avant de donner à la* Revue des Deux Mondes *ses* Nouvelles réflexions sur Jean-Jacques Rousseau et les Charmettes *(1863). Mais l'influence propre des* Confessions, *c'est surtout chez Nerval et chez Stendhal qu'elle devrait être cherchée. Le premier, après une enfance passée à Ermenonville, tout pénétré du souvenir du Promeneur solitaire, est obsédé par la mort de Rousseau ; la polémique sur le « suicide » entre Musset-Pathay et Stanislas, fils de René de Girardin, l'hôte de Rousseau à Ermenonville, fait rage alors. Sur ce sujet, Nerval songe en 1850 à écrire un drame ; il s'est souvenu des* Confessions *dans* Angélique *et dans* Sylvie[1] ; *et après Rousseau et Chateaubriand, il ouvre la voie à Proust dans le riche domaine littéraire de l'exploration de la mémoire. Quant à Stendhal, longtemps considéré à tort comme émancipé de bonne heure de l'influence rousseauiste, il doit sans doute à Rousseau une part de son égotisme (le mot, c'est à l'Angleterre qu'il le doit, mais justement à des écrivains comme Hazlitt très attachés eux-mêmes à Rousseau), sans qu'il soit facile de faire ici la part des* Confessions [2]. *Moins importante, sans être pourtant négligeable, paraît la dette envers Rousseau d'un Lamartine (le titre des* Confidences, *1849, est un reproche à l'indiscrète vulgarité de « Confessions » publiques), qui a lu les* Confessions *dès 1809-1810 et publiera en 1871 un* Jean-Jacques Rousseau. *Les affinités sont plus grandes dans le cas d'Amiel, tourné comme le* Promeneur solitaire *vers la vie intérieure*[3].

Avec la seconde moitié du XIXe *siècle naissent la critique et*

1. Voir le pénétrant article de John W. Kneller, « Nerval and Rousseau », *Publications of the Modern Language Association of America*, 1953.

2. Voir l'article de V. Brombert dans la *Revue des Sciences humaines*, Lille, oct.-déc. 1958.

3. Voir I. Benrubi, « L'idéal moral chez Rousseau, Mme de Staël et Amiel », *Annales*, XXVII, 1938.

*l'érudition rousseauiste, et commence le long travail d'approfon-
dissement et d'interprétation — qui se poursuit toujours — des*
Confessions. *Sainte-Beuve, qui s'était peut-être inspiré de
l'épisode de M^me Basile dans un sonnet de jeunesse*[1], *consacre
aux* Confessions, *en 1850, un bel et vigoureux article des*
Causeries du lundi. *Le premier, il esquissait la comparaison
avec Chateaubriand ; il osait, au lendemain de la mort de l'En-
chanteur, donner la préférence à Jean-Jacques,* « plus vraiment
sincère » *et surtout* « plus homme, plus attendri ». *Il
dégageait avec force les nouveautés de l'ouvrage : le sentiment
de la vie intime, à propos de la chanson de la tante Suzon ; le
sentiment de la réalité* (« il n'oublie jamais la mention du
repas... il a eu faim dans sa vie... »); *la découverte de la
rêverie* (« son Amérique à lui »), *à propos de la promenade
faite un jour à Annecy au son des cloches des vêpres ; les prome-
nades à pied (dont on a* « fort abusé depuis »)...

*L'élan est donné désormais pour une compréhension plus
profonde des richesses des* Confessions, *et de leur nouveauté
poétique. En 1861, Streckeisen-Moultou publie les* Œuvres et
Correspondance *inédites, révélant beaucoup de fragments
qui intéressent la genèse des* Confessions. *Plus tard, Rousseau
a pu profiter des curiosités pour son temps suscitées par le cente-
naire de la révolution de 1789 : il en a souffert aussi, comme on
le verra. Sully-Prudhomme consacre un poème à Rousseau,
tandis que Jules Claretie préface une édition des* Confessions
(1889) qui connaîtra aussi une édition américaine.

Il est curieux de voir l'inventeur du « culte du moi » *se
réclamer, en 1891, de ce Rousseau contre qui il protestera vingt
ans plus tard en pleine Chambre des Députés en refusant de
voter les crédits prévus pour la commémoration du 200^e anniver-
saire de la naissance de Rousseau. L'hommage du jeune Barrès
au précurseur s'adressait, il est vrai, à l'auteur des* Rêveries,
plutôt qu'à celui des Confessions; *mais songeait-il à les dis-
tinguer* [2] *?*

Cette indication, combinée avec la « révélation » *dans ces*

1. Voir la pièce « Une soirée encore » dans la *Suite* de *Joseph
Delorme.*

2. M. Barrès, *le Jardin de Bérénice,* ch. IX.

*mêmes années de l'égotiste Stendhal, explique en partie la violente
réaction antirousseauiste et antiromantique de l'opinion conser-
vatrice au début du XXᵉ siècle. Le Rousseau que l'on combat
alors est sans doute l'auteur des* Confessions *(que ses ennemis
continuent souvent à juger sur la simple lecture du fâcheux
Préambule !), mais c'est aussi un Rousseau plus ou moins
mythique, un Rousseau stendhalien et gidien dont se réclamaient,
implicitement ou non, les apôtres du culte du moi et de l'immo-
ralisme. On va aussi faire de lui, bientôt, le bouc émissaire du
sentimentalisme romantique que pourchassent Pierre Lasserre,
Ernest Seillière (éditeur en 1929 des* Confessions*) et aux
États-Unis Irving Babbitt. Cet antiromantisme affleure encore
dans la première scène de* Mon Faust *(1945) où Paul Valéry
accuse certainement, à travers le procédé même de la confession,
devenu à la mode, un illustre responsable. Faust s'adresse à sa
secrétaire :*

« Mon devoir est de vous prévenir que, dans ces
Mémoires que j'entreprends d'écrire, il viendra certai-
nement plus d'une page qu'il vous sera peut-être assez
gênant d'entendre. Et plus gênant ensuite de me relire.
Mais je veux donner la plus forte, la plus poignante impres-
sion de sincérité que jamais livre ait pu donner, et ce
puissant effet ne s'obtient qu'en se chargeant soi-même de
toutes les horreurs, ignominies intimes ou expériences
exécrables — vraies ou fausses — dont un homme puisse
s'être avisé. Il n'est rien de si vil ou de si sot qui ne donne
couleur de vérité à une histoire de soi-même[1]. »

*Rousseau représente encore, pour les adversaires du régime
républicain, et selon une formule simpliste, un des responsables
de la Révolution — crime pardonnable chez un galant homme
comme Voltaire, mais inexpiable chez un plébéien exhibi-
tionniste (moralement au moins) vivant en concubinage avec une
fille d'auberge. En ces années où Joseph Texte, dans sa thèse
soutenue en 1896, salue en Rousseau un pionnier du « cosmopoli-
tisme littéraire », la critique traditionaliste — Jules Lemaître,*

1. P. Valéry, *Mon Faust,* fragments. Paris, N.R.F., 54ᵉ éd., 1955,
p. 28.

Faguet même, malgré des pages pénétrantes — est souvent sévère pour Rousseau, parce qu'elle juge « les valeurs françaises » *menacées par l'immoralité des* Confessions *et, pour un peu, traiterait de métèque le Citoyen de Genève. Ces défenseurs de la morale auraient aujourd'hui fort à faire.*

En contrepartie, l'exploration intérieure de Rousseau dans les zones troubles de la conscience a justement été le plus précieux des documents pour les recherches nouvelles suscitées par les travaux de Freud, et de façon générale pour la science médicale. C'est ce que reconnaît volontiers un médecin, admirateur de l'« artiste incomparable » *qu'est Jean-Jacques, sans indulgence pour l'homme, qui le* « déconcerte » *et le* « dégoûte », *mais le trouvant* « plus intelligible et plus supportable » *à partir du moment où il le considère comme un malade. Le titre les* Confessions sans pénitence *donné par Georges Duhamel à son essai (1941) est d'ailleurs heureux et juste ; il est seulement dommage qu'il ait paru en un temps où il était de bon ton de parler de pénitence*[1]. *Le critique a le mérite de conclure que les* Confessions *ont* « ouvert les voies à la littérature d'aveux et d'instrospection ».

Il faut bien ici revenir à Gide, si souvent au carrefour des grands courants littéraires de notre siècle. Protestant comme Jean-Jacques, l'autobiographe de Si le grain ne meurt *n'appartient pas seulement à sa postérité littéraire par un besoin presque morbide de se confesser. Il est aussi un des maîtres de la littérature des souvenirs d'enfance et d'adolescence, dont Rousseau est l'initiateur, mais qui en France ne prend guère son essor avant le début de notre siècle.*

Il faut au lecteur d'aujourd'hui, si familier avec ce genre d'écrits depuis Anatole France, Romain Rolland et plus d'un grand romancier étranger, quelque effort pour imaginer la choquante nouveauté, en plein XVIII[e] *siècle, de cette dignité littéraire conférée à des* enfantillages. *Sans revenir sur les procédés littéraires utilisés par Rousseau pour atténuer cette hardiesse sans*

1. François Mauriac, éditeur lui-même des *Confessions* en 1929, n'avait pas caché dans *Trois grands hommes devant Dieu* son hostilité à l'égard de l'auteur des *Confessions*. Il eut le courage de revenir sur son jugement dans ses articles du *Figaro* en 1942.

*précédent, observons que son ironie devant les naïvetés du jeune
âge ne lui interdisait pas, à l'occasion, d'heureux sondages dans
ce que nous appelons aujourd'hui la psychologie de l'enfance*[1].

 *La fortune du genre autobiographique, si remarquable à notre
époque, est d'ailleurs inséparable de celle de la biographie en
général, très goûtée du public lettré français depuis que de grands
écrivains comme André Maurois — qui l'a brillamment trans-
portée d'Angleterre en France, avant de passer plus récemment
lui-même à l'autobiographie — lui ont conféré ses lettres de
noblesse. Faut-il voir là un processus de démocratisation de la
littérature ? Ce ne sont plus seulement les écrivains qui écrivent
aujourd'hui, en fin de carrière, l'histoire de leur vie*[2]. *Rousseau
serait surpris de compter tant d'émules (pas tous conscients
probablement) parmi les boxeurs, les champions cyclistes ou
les* stars, *ou de voir le titre de ses* Confessions *annexé par la
« presse du cœur ». La dévaluation du genre correspond à
l'inflation contemporaine du roman ; il est plus facile de se raconter
que de créer des personnages, et combien de prétendus romans qui
ne sont que de médiocres autobiographies ! Que de modernes
« confessions », aussi, semblent composées selon la recette
donnée par Valéry — et font paraître bien anodins les pauvres
aveux de Jean-Jacques, par comparaison avec certain néo-roman-
tisme du sordide.*

<div align="center">* * *</div>

 Car c'est finalement, quoi qu'en pût penser l'auteur de Mon
Faust, *l'exigence toute classique de vérité humaine qui constitue,*

 1. C'est ainsi qu'au livre III le jeune Jean-Jacques, soumis à un
petit examen par M. d'Aubonne sur la prière de Mme de Warens,
en sort fort satisfait : « J'étais enchanté de lui. » Or, comme nous
l'apprend la phrase suivante, les pronostics de M. d'Aubonne sur
l'avenir de ce garçon sont peu brillants : « J'étais enchanté de lui,
croyant qu'il l'était de moi », avait d'abord écrit Rousseau dans le manus-
crit de Neuchâtel (la suppression est heureuse). Tout en souriant de
la naïve conclusion de l'enfant, nous comprenons que, pour ce dernier,
les rôles étaient inversés, persuadé qu'il était d'être lui-même le person-
nage principal de la scène.

 2. Il était dans la logique des choses qu'un de ces écrivains, Jean
Guéhenno, de biographe de Jean-Jacques, devînt à son tour autobio-
graphe (*Changer la vie*, 1962) : influence, ou justice poétique ?

comme le voulait Rousseau, la dominante de la première des grandes autobiographies littéraires.

Depuis une cinquantaine d'années, le renouveau de la critique rousseauiste, rétablissant les faits déformés par les ennemis de Jean-Jacques, confirme graduellement, par la publication de documents d'archives, la véracité substantielle des Confessions. *Un épisode capital fut au début du siècle la publication du livre de Frederika Macdonald, popularisé en France dans la traduction de G. Roth,* la Légende de Jean-Jacques Rousseau *recti-fiée : il révélait les falsifications auxquelles avait été soumis le manuscrit de l'*Histoire de M^{me} de Montbrillant, *roman autobiographique dont une édition adultérée avait été offerte au public un siècle plus tôt dans l'intention de réfuter les derniers livres des* Confessions, *et sous le titre fallacieux* Mémoires de M^{me} d'Épinay.

Après les travaux de Jansen, Ritter, Mugnier dès la fin du xix^e *siècle, plus tard ceux de Bouvier et de Courtois, après la fondation à Genève de la* Société Jean-Jacques Rousseau *(1905) et la commémoration en Suisse et en France du bicente-naire de 1912,* les Confessions *allaient enfin pouvoir apparaître sous un jour plus juste. La publication entre les deux guerres de la* Correspondance générale *due à Th. Dufour et P.-P. Plan, malgré des imperfections, apportait un indispensable instrument de travail. Tout récemment, les recherches sur* les Confessions *ont suscité des études capitales : celle de M^{me} de Saussure sur* Rousseau et les manuscrits des « Confessions » *(1958), et l'édition par B. Gagnebin et M. Raymond du texte intégral du manuscrit de Genève (1959 ; nouvelle édition revue et corrigée, 1962). Si leur auteur s'en trouve parfois éclairé plus bruta-lement, sa vraie grandeur n'en souffrira pas. Il n'a pas réclamé notre complaisance.*

VII. MANUSCRITS ET ÉDITIONS

Les deux manuscrits des Confessions *conservés respecti-vement à la Bibliothèque publique et universitaire de Genève, et à la Bibliothèque de la Chambre des Députés à Paris, ainsi que le manuscrit partiel (moins des 2/3 de la Première partie) conservé*

à la Bibliothèque de Neuchâtel, sont des copies autographes rédigées avec soin. La date de leur rédaction, que M^{me} de Saussure s'est efforcée de préciser[1], *ne doit pas être confondue avec celle de la composition — sur des brouillons que nous n'avons plus — de tel ou tel livre : les* Confessions *sont un ouvrage posthume, interrompu ou limité à regret à la forme que nous lui connaissons, mais revu presque jusqu'à sa dernière heure par l'écrivain qui l'avait entrepris une quinzaine d'années plus tôt.*

On s'accorde à penser que le manuscrit de Neuchâtel est le plus ancien des trois. On peut laisser de côté l'hypothèse émise par M^{me} de Saussure, selon laquelle tous trois dériveraient d'un archétype qu'elle appelle « manuscrit Z »; *rien ne permet en effet de penser qu'un manuscrit unique représente le stade intermédiaire entre les ébauches et brouillons fragmentaires (dont on discute encore lesquels constituent des avant-projets des* Confessions) *et les trois transcriptions actuellement connues*[2]. *Mais il convient d'en retenir la constatation, illustrée par l'étude des variantes, que le manuscrit de Neuchâtel ne correspond pas dans tous les cas à une version définitivement abandonnée.*

Le manuscrit de Neuchâtel, utilisant une rédaction commencée en 1764, s'interrompt dans le cours du livre IV. Rousseau n'y a plus travaillé après son retour d'Angleterre en 1767. Il a été versé à la Bibliothèque de Neuchâtel en 1795, après la mort de Du Peyrou, dépositaire de Rousseau.

La transcription dans le « manuscrit de Paris » *d'une version comportant une introduction nouvelle et de nombreuses variantes commence en 1768 dans des carnets reçus par Rousseau de son libraire hollandais Rey en automne 1767*[3]. *La copie des deux parties est achevée dans la première moitié de 1770. Le manuscrit*

1. Son livre est le premier à relever systématiquement tous les indices relatifs à l'écriture, la qualité du papier et de l'encre, pour les combiner avec toutes nos sources d'information livresque sur la genèse de l'œuvre.

2. M^{me} de Saussure elle-même commence par parler « *des* » manuscrits Z (ch. IV) avant d'adopter l'expression « *le* » manuscrit Z (ch. V). — Les brouillons et fragments conservés à Neuchâtel sont reproduits dans l'édition Gagnebin-Raymond qui les répartit en « ébauches des *Confessions* » et « ébauches des *Rêveries* »; cette répartition reste naturellement discutable.

3. Saussure, p. 265.

*se présente sous la forme de deux cahiers de petit format (env.
18 × 12 cm), au total quelque 360 pages (180 feuillets) cou-
vertes sans aucune marge d'une écriture très fine et régulière, et
contenant respectivement les livres I à VII et VIII à XII.*

*La répartition est différente dans les deux cahiers, de format
inégal, constituant le manuscrit de Genève (livres I à VI, VII à
XII). Ce manuscrit, qui a servi à l'édition originale, porte
différentes indications en rouge de la main des premiers éditeurs,
notamment des suppressions de noms propres. Le cahier contenant
les livres VII à XII a été rédigé simultanément avec la partie
correspondante des deux cahiers du manuscrit de Paris, en 1769-
1770. La copie des livres I à VI est postérieure. Elle dut être
faite à Paris en 1770-1771, d'après le manuscrit de Paris :
ainsi s'explique la différence de format entre les deux cahiers
genevois, inattendue chez un copiste aussi soigneux que Rousseau.
L'existence de ces deux transcriptions simultanées est une précau-
tion de l'auteur, toujours inquiet d'une subtilisation possible de
ses papiers par ses ennemis.*

*C'est bien le manuscrit de Genève que Rousseau destinait
à la publication. Les notes additives, postérieures à l'époque
de transcription du texte, y sont en effet plus nombreuses pour
les deux parties ; et c'est ce manuscrit qu'il remet en mai 1778
à son ami genevois Moultou en vue d'une publication posthume.
En 1882, la famille Moultou en fit don à la Bibliothèque de Genève.*

*Le manuscrit de Paris, gardé avec lui par Rousseau lorsqu'il
s'établit à Ermenonville quelques semaines avant sa mort, fut
« mis à l'abri » par son hôte le marquis de Girardin, lequel le
conserva longtemps malgré les réclamations de Thérèse Levasseur.
Lorsque cette dernière put enfin s'en rendre maîtresse, elle le
remit à la Convention (1794).*

HISTOIRE DE LA PUBLICATION

1. Texte de Genève.

Les Confessions *ne devaient paraître, selon l'intention de
Rousseau, exprimée à la fin du livre VIII (p. 475), que* « long-
temps après [sa] mort » *et celle des personnes qu'il met en
cause. C'est dans cet esprit qu'il avait remis son manuscrit,
en mai 1778, à Paul Moultou, en présence du fils de ce dernier,*

Pierre. Son exécuteur testamentaire Du Peyrou assurait même que Rousseau n'entendait pas que la publication intervînt avant le début du XIX^e *siècle. Mais dès la mort de l'écrivain la multi- plication de publications non autorisées, souvent fautives ou tendancieuses, de ses inédits, décida Paul Moultou et Du Peyrou à faire paraître eux-mêmes, en 1782, la Première Partie — dont le contenu ne risquait pas de porter atteinte à la réputation de Diderot, Grimm, M^{me} d'Épinay, et autres ennemis de Jean- Jacques encore vivants à cette date.*

On peut écarter définitivement l'hypothèse d'une édition de 1781, qui serait l'édition originale. C'est vraisemblablement à la suite d'une affirmation de Musset-Pathay [1] *que Jansen, Ritter, F. et J. Serand, répètent cette date de 1781. L'erreur peut s'expliquer par le fait que la suscription 1781 figure en tête des* Œuvres posthumes *publiées à Genève, qui comprennent bien les* Confessions *mais seulement aux tomes VIII-IX, parus en 1782-1783.*

Une fois admise la date de 1782, reste à décider laquelle des trois éditions des Confessions *sorties cette année-là à Genève des presses de la Société typographique constitue l'édition originale. Des témoignages concordants excluant celle des* Œuvres com- plètes, *en souscription (le titre exact est* Collection des Œu- vres...), *s'agit-il de l'édition séparée en gros caractères, ou, comme le voudrait J. Calemard* [2], *de l'édition des* Œuvres posthumes ? *La discussion n'est pas close.*

La Seconde Partie parut à la fin de 1789, aux protestations de Du Peyrou. Paul Moultou étant mort en 1787, son fils Pierre vendit à deux imprimeurs genevois ses droits sur le manuscrit.

1. « La première partie des *Confessions* parut en 1781, la deuxième en 1788 » (*Histoire de la vie* [...], Paris, 1821, t. II, p. 461). La même affirmation est reprise dans l'Avant-Propos de l'édition parisienne « avec des éclaircissements et des notes historiques » publiée à Paris vers 1825 par P. R. Auguis (*Bibliographie* de Senelier, n° 1942).

2. La thèse de Calemard et sa polémique contre le docteur F. Mi- chaux, défenseur de la thèse traditionnelle considérant comme originale l'édition séparée, sont exposées dans une série d'articles du *Bulletin du Bibliophile* de 1927 à 1933 et dans la *Revue d'Histoire littéraire de la France* en 1928-1929. Une nouvelle démonstration par P. Hirsch en faveur de l'édition séparée était annoncée en 1959 comme devant paraître dans le *Bulletin du Bibliophile*.

L'édition originale de la Seconde Partie, ainsi publiée par Barde et Manget, se présente comme les tomes XXXI et XXXII (« Second supplément ») de la Collection des Œuvres *de 1780-1782. Elle fut aussitôt copiée par la Société typographique qui reproduisit la mention « Second supplément » et fit le service à ses sous-cripteurs. Ces deux éditions ayant le même nombre de pages et la même présentation ne se distinguent que par d'infimes détails.*

L'année suivante Du Peyrou publie à son tour à Neuchâtel chez Fauche-Borel, sa propre édition de la Seconde partie (Collection complète des Œuvres [...], *tomes XXV et XXVI), d'après une copie faite par ses soins en 1779 sur le manuscrit que lui avait communiqué Paul Moultou ; il met en tête un* Dis-cours justificatif.

2. Texte de Paris.

Les premiers éditeurs avaient non seulement remplacé par des initiales beaucoup de noms propres, surtout dans la Seconde Partie (seul Du Peyrou donnait ces noms in extenso), mais encore expurgé la Première partie de plusieurs anecdotes jugées trop hardies : le Maure de Turin (l. II), l'homme au sabre, l'opiat de M^{me} de Luxembourg (l. III), la rencontre à Lyon de deux homosexuels (l. IV). En 1798 (an VI) le libraire parisien Poinçot donnait la « première édition complète » en complétant et parfois remplaçant le texte de Genève par celui de Paris, et en 1817 paraissait chez Deterville *la première édition du manuscrit de Paris* [1].

3. Texte de Neuchâtel (livres I-IV).

Il fut publié pour la première fois par Th. Dufour à Genève en 1909 dans le tome IV (1908) des Annales de la Société Jean-Jacques Rousseau.

PRINCIPALES ÉDITIONS

Une fois rétablis par Poinçot avant 1798 les passages supprimés par les premiers éditeurs, le choix du manuscrit de Paris comme

1. Barbier, cité par Sénelier (n° 1194) fait état d'une première édition in-8° par Poinçot en 1796, dont l'existence n'est pas confirmée. Celle de 1798 est in-12.

texte de base n'offrait pas d'intérêt. A l'exception d'une douzaine d'éditions parisiennes avant 1824, tous les éditeurs sont revenus au seul texte de Genève, mais sans coupures désormais. Mais il faut attendre le XX[e] *siècle avant de trouver des éditions faites d'après le manuscrit.*

La liste des éditions données par la Bibliographie générale des œuvres de Jean-Jacques Rousseau *établie par Jean* SENELIER (*Paris, s.d.* [1949]) *a été complétée, pour la période 1949-1978, par* R. DESNÉ, *dans le périodique* Œuvres et critiques, III, 1, 1978.

Voici celles des éditions qui ont apporté une contribution importante à notre connaissance de l'œuvre et de son auteur :

1. Premières éditions de la 1[re] Partie.

Édition séparée en gros caractères, *imprimée par la Société typographique de Genève pour la vente à l'étranger :*
Les Confessions de J.-J. Rousseau, suivies des Rêveries du Promeneur solitaire, *Genève, 1782 (2 t. de 471 + 279 p. + 300 pour les* Rêveries, *in-8°).*

Collection complète des Œuvres, *imprimée à partir de 1784 par la Société typographique pour Moultou et Du Peyrou, en 3 formats, in-4 , in-8° et in-12 :*
Collection complète des œuvres de J.-J. Rousseau, Citoyen de Genève [...], Tome dixième [...], *contenant la Première Partie des* Mémoires *composée des* Confessions *et des* Rêveries du Promeneur solitaire. *Genève, 1782.*

Édition des Œuvres posthumes, *lancée en 1782 par la Société typographique pour compenser le mauvais débit de la* Collection complète *publiée par souscription :*
Œuvres posthumes de Jean-Jaques [sic] Rousseau ou Recueil de pièces manuscrites, pour servir de Supplément aux éditions publiées pendant sa vie [...] Tome huitième [pp. 43-391] et tome neuvième [p. 1-210]. *Genève, 1782, in-8°.*

2. Premières éditions de la 2[e] Partie.

Édition Barde et Manget, *et édition presque identique de la Société typographique :*
Collection des Œuvres de J.-J. Rousseau [...], Tome

trente-unième [*sic*] (Tome trente-deuxième) [...] *Second supplément à la Collection des Œuvres de J.-J. Rousseau, Citoyen de Genève* [...] *Genève, 1789. 2 vol. in-8°.*

Édition Du Peyrou, *en 2 formats (in-8° et in-12) :*
Collection complète des Œuvres *de J.-J. Rousseau, Citoyen de Genève* [...] *Tome XXV (XXVI)* [...] *Seconde partie des Confessions de J.-J. Rousseau, Citoyen de Genève* [...] *tome III (IV). A Neuchâtel, de l'Imprimerie de L. Fauche-Borel* [...], *1790. In-8°.*

(*Avec un* Avis du Libraire *sur les erreurs des premiers éditeurs, et un* Discours préliminaire *dans lequel Du Peyrou justifie sa publication. Première édition sans coupure de la Seconde Partie, mais exécutée sur une copie non autographe.*)

Édition Brizard-Mercier-de l'Aulnaye [et Letourneur] :
La publication, de 1788 à 1793, de cette grande édition en 37 volumes in-8° des Œuvres complètes, *a été étroitement associée au déroulement des premiers événements révolutionnaires, et constitue un intéressant exemple du prestige de Rousseau à l'époque. Les illustrations, par Moreau et autres, comportent de curieux frontispices allégoriques, à la fois témoignages et instruments de la légende de Rousseau. Nombreuses notes défendant Rousseau, signées « G. B. » (Gabriel Brizard, dit l'abbé Brizard, avocat au Parlement de Paris).*

Œuvres complètes *de J.-J. Rousseau classées par ordre de matières* [...] *Nouvelle édition. s. l.* [*Paris*], *Poinçot, t. XXIII-XXVI, 1793, in-8° :*

Édition Poinçot :

J.-J. Rousseau, Confessions. Première édition complète collationnée sur le manuscrit de l'auteur déposé au Comité d'Instruction publique. Avec une table alphabétique des noms et des matières. *Paris, Poinçot, an VI-1798. 4 vol. in-12.*

*L'*Avis du libraire *fait état du rétablissement des noms propres et des passages retranchés par les précédents éditeurs. Frontispices allégoriques empruntés à l'éd. Brizard-Mercier-de l'Aulnaye.*

Cette édition n'est pas, *comme l'ont cru la plupart des bibliographes et critiques, s'appuyant sur une interprétation erronée du terme « collationnée », une « Première édition du manuscrit de*

*Paris », mais une édition composite modifiant le texte des premières
éditions faites en Suisse par des emprunts au ms. de Paris;
procédé adopté ensuite par l'édition Didot mentionnée ci-dessous et
par plusieurs autres.*

Édition Didot jeune *des Œuvres, publiées de 1793 à 1800,
en 18 vol.* :

Œuvres de *Jean-Jacques Rousseau, Citoyen de Genève*, Édi-
tion ornée de figures, et collationnée sur les manuscrits de
l'auteur déposés au Comité d'Instruction publique. *A Paris,
de l'Imprimerie de Didot jeune [...] Tome Douzième [Tome trei-
zième], contenant les* Confessions. *A Paris et Amsterdam,
chez J.-E. Gabriel Dufour, successeur de Defer de Maisonneuve.
An VII [1799]. Grand in-4°. (Texte du manuscrit de Genève,
complété d'après le manuscrit de Paris pour les passages rétablis.
Très bel ouvrage avec curieux frontispices allégoriques originaux
par Cochin, Moreau, etc., qui font l'objet de notices explicatives.)*

1ʳᵉ édition du ms. de Paris :

Œuvres *de J.-J. Rousseau, Citoyen de Genève. Édition
dirigée par MM. Naigeon, Fayol et Baucarel, Paris, Didot
aîné, An IX, Vol. XIV-XV.*

(Avertissement de l'éditeur : « *Cette nouvelle édition des*
Confessions *de Rousseau a été faite sur le manuscrit auto-
graphe de l'auteur, déposé aux archives du Corps législatif. Cette
édition, qui diffère en une infinité de points de toutes celles qui
l'ont précédée, est la seule qu'on puisse regarder comme authen-
tique [...].* ».)

Même texte et même avertissement dans l'éd. Deterville
et Lefèvre, *Paris, 1817, vol. XIII-XIV.*

Édition Petitain *des Œuvres, en 22 vol. in-8°* :

(Le nom de l'éditeur n'apparaît que dans la réédition en 1839.)
Œuvres complètes de *J.-J. Rousseau. Avec des notes histo-
riques [par G. Petitain]. Paris, Lefèvre, Imprimerie de Crapelet,
1819.* Les Confessions, *suivies des* Lettres à Malesherbes
et des Rêveries, *occupent les 3 premiers volumes. Important
avertissement, constituant la première étude sérieuse de l'histoire
des éditions, avec des observations sur la valeur respective des
manuscrits, illustrées par la comparaison d'une série de variantes,
classées en corrections et additions.*

Éditions Musset-Pathay, *publiées respectivement en 1819-*
1820 (22 vol. in-12) et de 1823 à 1826 (25 vol. in-8`) :

Confessions [*sic*] *de J.-J. Rousseau, Citoyen de Genève.*
A Paris, chez M^{me} Veuve Perronneau, libraire, Quai des Augus-
tins n° 39 : Alexis Eymery, libraire, rue Mazarine n° 30. 1819.
2 vol. in-12, constituant les premiers d'une Collection des œuvres
complètes non mentionnée sur le titre. L'Avertissement des
nouveaux éditeurs *est signé V.D.M. [Musset-Pathay]. Le*
texte de la 1^{re} partie est précédé d'un Éloge de J.-J. Rousseau
par d'Escherny. *Les notices contiennent notamment un bref*
historique de la composition, donnant 1781 et 1788 comme date
de publication des deux parties ; une étude relevant les contra-
dictions entre la chronologie donnée par Rousseau dans les Confes-
sions *et celle qui ressort de la correspondance ; un* Examen des
Mémoires de M^{me} d'Épinay considérés comme Mémoires
historiques. *Les notes des éditeurs en bas des pages sont distin-*
guées par une étoile de celles de Rousseau.

Œuvres complètes *de J.-J. Rousseau, mises dans un nouvel*
ordre avec des notes historiques et des éclaircissements par
V.-D. Musset-Pathay [...], tomes XIV, XV, XVI. Les
Confessions *(et non plus cette fois* Confessions, *sans article),*
Paris, M. Dupont, 1824 (in-8°).
L'auteur a reproduit à regret les « passages obscènes ». Un
Examen des Confessions *et des critiques qu'on en a faites,*
signé M. P., défend Rousseau contre ses détracteurs et renvoie
*à l'*Histoire de la vie et des ouvrages. *On y trouverait la*
justification des dates apposées par l'éditeur en tête de chaque
livre. Cette chronologie, en partie erronée, sera reproduite désor-
mais pendant plus d'un siècle par tous les éditeurs comme si
elle était due à Rousseau lui-même.

Édition Hachette :

Œuvres complètes *de J.-J.* Rousseau, *Paris, Hachette,*
1856-1858, en 8 vol. in-12. Les Confessions *y occupent la*
fin du tome V et le début du tome VI. Sans valeur scientifique
supérieure aux précédentes, cette édition comporte une commode
Table analytique *qui facilite les recherches dans tous les écrits*
de Rousseau.

Éditions Van Bever :

Jean-Jacques Rousseau. Les Confessions. *Édition inté-grale publiée sur le texte autographe conservé à Genève, accom-pagné de variantes extraites du manuscrit de la Chambre des Députés, de notes et d'un index par Ad. Van Bever [...], Paris, les Éditions G. Crès et Cⁱᵉ [...] 1912, 2 vol. in-18.*

Cette édition, donnant pour la première fois les variantes du manuscrit de Paris, fut reprise chez Crès en 1913 et 1927 ; elle servit (moins les variantes) à l'établissement de l'édition Garnier de 1926. Elle a le tort — qui trahit une insuffisante fidélité au manuscrit de Genève *— de reproduire encore les dates de Musset-Pathay en tête de chaque livre.*

Édition Gagnebin-Raymond :

Jean-Jacques Rousseau. Œuvres complètes. I. Les Confessions. Autres textes autobiographiques. *Publiés et commentés par Bernard Gagnebin, Robert Osmont [pour les* Dialogues] *et Marcel Raymond. Paris, Bibliothèque de la Pléiade, 1959. Réimpression revue et corrigée, 1962.*

Édition capitale, reproduisant pour la première fois le texte de Genève (établi par B. Gagnebin) dans l'orthographe de Rousseau. Remarquable introduction de M. Raymond ; très riche annotation littéraire, psychologique et historique ; contient plus de 100 pages de « Fragments autobiographiques et documents biographiques », dont certains inédits [1].

VIII. PRINCIPES DE LA PRÉSENTE ÉDITION

Le texte suivi est celui du manuscrit de Genève, mais, confor-mément à l'habitude de la Collection des Classiques Garnier, l'orthographe de Rousseau — qui, comme il a été dit plus haut, n'est pas exempte de variations — a été systématiquement modernisée, ainsi que sa ponctuation, sauf dans quelques cas où cette dernière présentait un réel intérêt littéraire [2]. *J'ai tenté*

[1]. J'ai rendu compte de cette édition dans la *R.H.L.F.* de janvier-mars 1962, pp. 104-111.

[2]. On observera que Th. Dufour, publiant le texte du manuscrit de Neuchâtel, avait renoncé à une édition diplomatique, et recons-tituait l'orthographe du *Dictionnaire de l'Académie française* de 1762. Il n'est guère plus arbitraire de moderniser purement et simplement.

de donner, avec le texte de Genève, non seulement toutes *les variantes des manuscrits de Paris et de Neuchâtel, — ce qu'aucune édition n'a présenté jusqu'ici — mais, toutes les fois que j'ai pu les déchiffrer, les ratures et corrections des trois manuscrits* [1].

Toutes ces variantes, sauf dans les cas exceptionnels où l'orthographe des manuscrits présente un intérêt particulier, sont orthographiées à la moderne. Mon travail, qui peut naturellement n'être pas exempt d'erreurs, pourra, je l'espère, rendre des services — avec l'irremplaçable étude de M^{me} de Saussure sur les manuscrits — dans l'étude comparée des différentes rédactions et de leur datation.

Il va sans dire que la reproduction des variantes des différentes éditions *constituerait un travail aussi colossal que parfaitement vain. Notre propos n'est pas de voir comment on a successivement déformé le texte de Rousseau, mais d'aider à saisir à travers ses repentirs, tantôt l'évolution de ses intentions ou de ses angoisses, tantôt le travail du style.*

Il n'a pas paru utile de gonfler ce livre par la reproduction en appendice de divers écrits ou fragments de caractère autobiographique, Lettres à Malesherbes, « Mon Portrait », *etc. Tous ces textes sont aujourd'hui facilement accessibles, notamment dans l'éd. Gagnebin-Raymond.*

Les notes de Rousseau, placées à la page appropriée du texte, sont appelées par des astérisques (*). *Il était tentant d'essayer de distinguer dans la typographie celles qui sont contem-*

1. Une reproduction du ms. de Neuchâtel a été publiée en 1973 par la Bibliothèque romande, Lausanne, avec une postface de Pierre-Paul Clément.

P. Grosclaude a inclus le texte du manuscrit de Neuchâtel dans son édition des *Confessions* (Paris, Classiques verts, Éditions Magnard, 1947).

Th. Dufour a donné les ratures du ms. de Neuchâtel, mais lorsque des mots ou groupes de mots sont ajoutés en interligne ou en marge, ils les incorpore simplement dans le texte sans le signaler.

Dans l'édition Van Bever, un petit nombre de variantes du ms. de Paris sont omises; le relevé est çà et là fautif.

L'édition Gagnebin-Raymond ne donne qu'un *choix* de variantes, généralement intéressantes, malgré quelques regrettables omissions.

poraines de la rédaction ou transcription et celles qui sont posté-
rieures. Mais il n'est pas toujours possible d'en décider avec
certitude.

Les notes de l'éditeur, appelées par des numéros, et
séparées du texte par un filet, en bas de page, sont allégées
non seulement des renseignements proprement biographiques
concernant les personnages cités par Rousseau, mais aussi de
nombreuses explications sur les rapports de ces personnages
avec Rousseau. On aura donc intérêt à se reporter dans chaque
cas à l'index des noms de personnes. Ce procédé s'appliquant
à tous les noms propres de personnes, historiques, légendaires ou
littéraires, figurant dans le manuscrit, j'ai jugé superflu de faire
précéder ces noms d'un astérisque. C'est donc à Frédéric II ou
à Diderot qu'on trouvera les indications utiles (complétées au
besoin de références bibliographiques) sur les relations que Rous-
seau eut avec eux, en même temps que la référence des pages
où ils sont nommés par lui. On trouvera de même à Agésilas
ou à César une observation sur ce que ces noms représentent pour
l'imagination de Rousseau, à Sylvandre l'identification
de ce personnage de fiction. J'ai pu compléter ou corriger par des
indications inédites ou encore inexploitées l'identification de diverses
figures de second plan encore inconnues ou peu connues, mais je
n'ai pas cru utile de le signaler dans chaque cas [1].

La Bibliographie a été allégée de la même façon par le rejet à
l'article approprié de l'Index des références bibliographiques
propres à tel ou tel personnage en particulier. On n'y a pas
fait non plus figurer tous les ouvrages ou articles mentionnés
dans l'Introduction ou dans les notes. Elle comprend à la suite
d'un choix d'ouvrages généraux des sections groupant les titres
d'études pouvant faciliter l'intelligence de chaque livre ou groupe
de livres des Confessions.

JACQUES VOISINE

1. Voir mon article « Quelques personnages secondaires des
Confessions », *Revue des Sciences humaines*, Lille, avril-juin 1963.

BIBLIOGRAPHIE

SUR LE GENRE AUTOBIOGRAPHIQUE

Jean PRÉVOST, *Essai sur l'introspection,* Paris, 1927.
André MAUROIS, *Aspects de la biographie,* Paris, 1928.
Georges GUSDORF, « Conditions et limites de l'autobiographie », dans *Mélanges Fritz Neubert,* Berlin, 1956.
R. PASCAL, *Design and Truth in Autobiography,* London, 1960.
Ph. LEJEUNE. *L'Autobiographie en France.* Paris, 1971.
L'Autobiographie. Nº Spécial de la *R.H.L.F.,* nov.-déc. 1975.

OUVRAGES DE RÉFÉRENCE SUR ROUSSEAU

Louis-Jogn COURTOIS, *Chronologie critique de la vie et des œuvres de J.-J. Rousseau,* Genève, 1924 et *Annales,* XV.
Les *Annales de la Société Jean-Jacques Rousseau* paraissent à Genève depuis 1905 (la périodicité, devenue irrégulière, groupe souvent plusieurs années en un tome). Une table générale des tomes I à XV (1905-1923) a paru dans le tome XVII (1926). Abrégé ci-dessous et dans l'annotation en : *Annales.* La *Chronologie* de Courtois (abrégée en COURTOIS, *Chronologie*) est citée d'après le vol. XV des *Annales.* Elle contient une bibliographie de plus de 900 titres, aujourd'hui en grande partie dépassée, mais pouvant encore rendre des services.
Jean SÉNELIER, *Bibliographie générale des œuvres de Jean-Jacques Rousseau,* Paris, s. d. [1949].
Exclut les études *sur* Rousseau ou son œuvre. A utiliser avec précaution pour les titres en langue étrangère.

F. DE GIRARDIN, *Iconographie des œuvres de J.-J. Rousseau,* Paris, 1910.

H. BUFFENOIR, *Les Portraits de J.-J. Rousseau,* t. I et II, Paris, 1913. Le ms. du t. III, inédit, est déposé à la Bibliothèque Nationale, Cabinet des Estampes.

ÉTUDES GÉNÉRALES SUR LA PERSONNE, LA PENSÉE ET L'ART DE ROUSSEAU

J. GUÉHENNO, *Jean-Jacques, Histoire d'une conscience.* Paris, 1962 (1948-1952).

L.-G. CROCKER, *Jean-Jacques Rousseau.* N.-Y. Mac Millan, t. I, 1968, t. II, 1973.

Br. BACZKO, *Rousseau, solitude et communauté.* Traduit du polonais par Cl. Brendhel-Lamhout. Paris-La Haye, Mouton, 1974.

J. STAROBINSKI, *Jean-Jacques Rousseau, la transparence et l'obstacle.* Paris, 1957.

B. MUNTEANO, *Solitude et contradictions de J.-J. Rousseau,* Paris, Nizet, 1975.

B. GAGNEBIN, *A la rencontre de Rousseau,* Genève, Georg, 1962 (Album d'illustrations).

Pierre BURGELIN, *La Philosophie de l'existence de J.-J. Rousseau,* Paris, P.U.F., 1972 (1952).

Robert DERATHÉ, *Le Rationalisme de J.-J. Rousseau,* Paris, P.U.F., 1948; *J.-J. Rousseau et la science politique de son temps,* ibid., 1950.

John S. SPINK, *J.-J. Rousseau et Genève,* Essai sur les idées politiques et religieuses de Rousseau [...], Paris, Boivin, 1934.

J.-L. LECERCLE, *L'Art du roman chez Rousseau,* Paris, A. Colin, 1969.

P.-M. MASSON, *La Religion de J.-J. Rousseau,* Paris, Hachette, 3 vol., 1916.

Albert JANSEN, *Rousseau als Botaniker,* Berlin, 1885.

Julien Tiersot, *Jean-Jacques Rousseau* (sur Rousseau musicien). Paris, Alcan, 1912.

G. Fusseder, *Beiträge zur Kenntnis der Sprache Rousseaus,* Leipzig, 1909. (Nomenclature, selon un classement analytique, du vocabulaire et de la grammaire de Rousseau.)

A. François, « Les Provincialismes suisses-romands et savoyards de Jean-Jacques Rousseau », *Annales,* III, 1907.

R. Grimsley, *J.-J. Rousseau. A Study in Self-Awareness.* Cardif, 1961.

ÉDITIONS DES ÉCRITS DE ROUSSEAU

Œuvres complètes, en cours de publication, Paris, N.R.F., Bibliothèque de la Pléiade. Abrégé ici en *O. C.*

I. (1959). *Écrits autobiographiques,* éd. Gagnebin, Osmont et Raymond (voir *supra,* p. cxxiv); n[lle] éd. revue et corrigée, 1962.

II. (1961). *Nouv. Héloïse, Théâtre, Poésies, Essais littéraires.*

III. (1964). *Contrat Social. Écrits politiques.*

IV. (1969). *Émile, Éducation, Morale, Botanique.*

Pour tous écrits non encore publiés dans cette édition des *Œuvres complètes* et ne figurant pas dans la liste ci-dessous, on utilisera provisoirement l'édition Hachette signalée p. CXXIII.

Discours sur les Sciences et les Arts, éd. critique avec une introduction et un commentaire par G.-R. Havens, New York et Londres, 1946.

Lettre à d'Alembert, éd. critique par M. Fuchs. Textes littéraires français, Genève, Droz, et Lille, Giard, 1948.

Political Writings, éd. C.-A. Vaughan, Cambridge University Press, 1915. (Édition du texte français du *Discours sur l'Inégalité,* du *Contrat social,* etc., avec commentaire en anglais.) *Du Contrat social,* edited with an Introduction and Notes by Ronald Grimsley, Oxford, Clarendon Press, 1972.

La Nouvelle Héloïse, éd. critique, par D. Mornet, Paris, Hachette, 1925.

La Nouvelle Héloïse, éd. R. Pomeau, Paris, Classiques Garnier, 1959.

La Profession de Foi du Vicaire savoyard, éd. critique par P.-M. Masson, Paris, Hacgette, 1914.

Les Rêveries du Promeneur solitaire, éd. critique par J.-S. Spink, S.T.F.M., Paris, Didier, 1948.

Les Rêveries du Promeneur solitaire, éd. H. Roddier, Paris, Classiques Garnier, 1960, remise à jour par G. Fauconnier, 1973.

Correspondance.

Mes références renvoient à la *Correspondance complète* publiée par R. A. Leigh, Taylor Inst., Oxford, Voltaire Foundation (abrégée en *C. C.*) 33 vol. parus de 1965 à 1979, couvrant jusqu'à l'année 1767. En attendant les derniers volumes, on utilisera avec précaution l'éd. en 20 vol. de Th. Dufour et P.-P. Plan, Paris, 1924-34, Table et Addenda par B. Gagnebin, Genève, Droz, 1953, autre Addenda dans *Annales,* XXXIV, 1956-8, p. 7-26; abrégé en *D. P.*

SUR LES CONFESSIONS

Outre l'éd. Gagnebin-Raymond, celles de J. Lecercle (Paris, 1962) et de M. Launay avec introd. de J. Fabre (Paris, 1966), on consultera :

Th. Dufour, « La première rédaction des *Confessions* », *Annales,* IV, 1908.

M. Raymond, « Jean-Jacques Rousseau, deux aspects de sa vie intérieure. Intermittences et permanence du moi. » *Annales,* XXIX, 1941-1942; — « J.-J. Rousseau et le problème de la connaissance de soi », *Studi Francesi.* Turin, sept-déc. 1962.

J. Voisine, « Essai de préhistoire intérieure des *Confessions* », *l'Information littéraire,* 1976-I.

G. POULET, *Études sur le temps humain,* Paris, Plon, 1950.

M. LAUNAY, « La Structure poétique de la 1re partie des *Confessions* », *Annales,* XXXVI, 1963-1965.

Hermine de SAUSSURE, *Rousseau et les manuscrits des « Confessions* », Paris, de Boccard, 1958.

R. TROUSSON, « État présent des recherches sur les *Confessions* », *Œuvres et critiques,* Paris, M.-J. Place, III, 1, 1978.

SUR LE LIVRE I

E. RITTER, *La Famille et la Jeunesse de J.-J. Rousseau,* Paris, 1896, et 2e éd., *Annales,* XVI, 1924.

A. FRANÇOIS, « Encore la famille de Rousseau », *Annales,* XXXI, 1946-1949.

B. GAGNEBIN, « Les Demeures de Rousseau à Genève », *Journal de Genève,* 8-9 février 1958.

Et les études de M. RAYMOND (*Mélanges A. Bonnard,* Neuchâtel, 1958), Fr. ORLANDO, (*Annales,* XXXVII), Chr. ROBIN (*R.S.H.,* janv.-mars 1973).

SUR LES LIVRES II ET III

E. GAILLARD, « J.-J. Rousseau à Turin », *Annales,* XXXII, 1950-1952, pp. 55-120.

F. MUGNIER, *Mme de Warens et J.-J. Rousseau,* Paris, 1891.

L.-F. BENEDETTO, *Mme de Warens d'après de nouveaux documents,* Paris, Plon, 1914.

Fr. CHEDEVILLE et Cl. ROUSSEL, dans *Annales,* XXXVI.

SUR LES LIVRES III, IV ET V

G. DAUMAS, « Notes sur le séjour de J.-J. Rousseau à Chambéry », *Rev. des Sc. humaines,* fasc. 66 et 67, 1952.

G. DAUMAS, « En marge des *Confessions* », *Annales* XXXIII, 1953-1955.

J. VOISINE, « R. autobiographe et écrivain d'après le l. IV des *Confessions* », *R.H.L.F.,* 1977.

M. J. Temmer, *Art and Influence of J.-J. R.,* Chapel Hill, N. C. 1973 (ch. 2 sur « l'Idylle des Cerises »).

P. Grosclaude, *J.-J. Rousseau et Lyon,* Paris, Alcan, 1933.

SUR LE LIVRE VI

Chronologie universelle [...] « complétée et dressée par Rousseau pour son usage », publ. *Annales,* I, 1905, pp. 213-220.

Marg. Richebourg, « Liste des ouvrages possédés, lus ou mentionnés par Rousseau », *Annales,* XXI, 1932, pp. 199-250.

A. Monglond, « Le journal des Charmettes », dans *Jeunesses,* Paris, Grasset, 1933,
à corriger par

H. de Saussure, « Les maisons des Charmettes », *Genava,* n.s. IV, Genève, 1956, et en appendice à *Rousseau et les manuscrits des « Confessions »,* pp. 363-372 ; et G. Daumas, « L'idylle des Charmettes est-elle un mythe ? », *Annales,* XXXIV, 1956-1958, pp. 83-106.

M. Jourda, « J.-J. Rousseau à Montpellier », *Bull. Acad. Sc. et Lett. de l'Univ. de Montpellier,* 1937.

L. Aurenche, « J.-J. Rousseau et M^me de Larnage », *Annales,* III, 1907, pp. 69-82.

L. Aurenche, *J.-J. Rousseau chez M. de Mably,* Paris, S.F.E.L.T., 1934 (vaut aussi pour les livres III à V).

P. Moreau, « Observations sur le style du VI^e livre des *Confessions* », *Revue universitaire,* mars-avril 1957.

SUR LE LIVRE VII

« Dépêches de Venise », publ. par J.-D. Candaux, *O. C.,* III, pp. 1045-1234.

R. Derche, « Autour du séjour de J.-J. Rousseau à Venise ». *Annales de l'Université de Grenoble,* I, 1924.

Amédée Outrey, « Un épisode de la querelle de Voltaire et de Rousseau : la publication des *Lettres de Venise* ». *Rev. d'Hist. diplomatique,* LXXIII [en fait LXXXIV] 1950.

A. François, « Rousseau, les Dupin, Montesquieu », *Annales*, XXX, 1943-1945, pp. 47-64.

M. Bouchard, *L'Académie de Dijon et le premier Discours de Rousseau*, Paris Les Belles-Lettres, 1950.

J.-D. Candaux ,« J.-J. R. à Gênes et à Venise : quelques documents nouveaux », *Studi Francesi*, 1964, pp. 250-254.

Ch. Guyot, *Plaidoyer pour Thérèse Levasseur*, Neuchâtel, 1962 (avec bonne bibliographie).

A. Senechal, « J.-J. R. secrétaire de M^me Dupin », *Annales*, XXXVI, 1963-5.

SUR LE LIVRE VIII

J. Fabre, « Deux frères ennemis, Diderot et J.-J. », dans *Lumières et Romantisme*, Paris, 1963.

G. R. Havens, « Diderot and the Composition of Rousseau's First *Discourse* », *Romanic Review*, XXX, 1939, pp. 369-381.

Louisette Richebourg, *Contribution à l'histoire de la querelle des Bouffons*, Paris, Nizet-Bastard, 1937.

E. Ritter, « Les enfants de Rousseau », *Annales*, XI, 1916-1917, pp. 59-113.

SUR LES LIVRES IX, X ET XI

M^me d'Épinay, *Histoire de M^me de Montbrillant*, texte intégral publié par Georges Roth, Paris, Gallimard, 3 vol., 1951 (contient un utile index).

Diderot, *Correspondance*, éd. G. Roth, Paris, Éd. de Minuit, en cours de publication depuis 1954. La période appropriée est couverte par les vol. I-IV (1958).

H. Guillemin, « Les affaires de l'Ermitage (1756-1757), Examen critique des documents », *Annales*, XXIX, 1941-1942, pp. 59-258.

Gilbert Py, « J.-J. R. et la congrégation des prêtres de l'Oratoire de Jésus », *Annales*, 1974.

M. L. Torrey, « Rousseau's Quarrell with Grimm and Diderot », *Essays in Honor of Albert Feuillerat,* New York, 1943, pp. 163-182.

Auguste Rey, *J.-J. Rousseau dans la vallée de Montmorency,* Paris, 1909.

R. Osmont, « Remarques sur la genèse et la composition de la *Nouvelle Héloïse* », *Annales,* XXXIII, 1953-1955, pp. 93-148.

B. Guyon, Introduction à la *Nouvelle Héloïse* dans l'éd. des *Œuvres complètes,* Bibliothèque de la Pléiade, t. II, 1961, pp. XVIII-LXX.

J. S. Spink, « Les premières pages de l'*Émile* », *Cahiers de l'Association internationale des Études françaises,* nos 3-4-5, Paris, 1953, pp. 185-189 (sur les problèmes d'édition posés par l'*Émile*),
développé dans

Peter D. Jimack, *La Genèse et la rédaction de l'*Émile. Studies on Voltaire and the XVIIIth Century, XIII, Genève, 1960.

Marcel Françon, « La condamnation de l'*Émile* », *Annales,* XXXI, 1946-1949.

SUR LE LIVRE XII

F. Berthoud, *J.-J. Rousseau au Val-de-Travers,* Paris, 1881.

Maurice Boy de la Tour, « La maison de Rousseau à Môtiers, », *Annales,* III, 1907.

Charly Guyot, *Un Ami et Défenseur de Rousseau, Pierre-Alexandre Du Peyrou,* Neuchâtel, s.d. [1958].

Edith C. Cuthell, *The Scottish Friend of Frederick the Great, the Last Earl Marshall,* London, 1915.

« Letters of Milord Maréchal to Rousseau », [présentées par F. C. Green], *French Studies,* Oxford, janvier 1955.

J. S. Spink, « La Première Rédaction des *Lettres écrites de la Montagne,* publiée d'après le manuscrit autographe », et « La genèse des *Lettres écrites de la Montagne* », *Annales,* XX, 1931, et XXI, 1932.

A. Choisy, « Les Libelles de Voltaire contre Rousseau en 1765 », *Annales*, XXV, 1936.

A. Schinz, « J.-J. Rousseau, les déistes et les pasteurs de Genève », *Romanic Review*, XXVIII, pp. 46-58.

B. Gagnebin, « Voltaire a-t-il provoqué l'expulsion de Rousseau de l'Ile Saint-Pierre ? », *Annales*, XXX, 1943-1945, pp. 111-132.

SUR L'INFLUENCE ET LA FORTUNE DES CONFESSIONS

Le volume du Bi-centenaire (1912) des *Annales* (t. VIII) contient une série d'articles consacrés à l'influence de Rousseau en France et à l'étranger.

A. Monglond, *Histoire intérieure du Préromantisme français*, Grenoble 1929, t. II, *Le Maître des âmes sensibles* (particulièrement le ch. 5, « Confessions et lyrisme intérieur »).

Cl. Sussenberger, *R. im Urteil der deutschen Publizistik bis zum Ende der französischen Revolution*, Bern-Frankfurt a.M., 1974.

H. Roddier, *Jean-Jacques Rousseau en Angleterre au* XVIIIe *siècle*. Paris, Didier-Boivin, 1950.

J. Voisine, *Jean-Jacques Rousseau en Angleterre à l'époque romantique. Les écrits autobiographiques et la légende*, Paris, Didier, 1956.

Roy Pascal, « Goethe's Autobiography and Rousseau's *Confessions* », *Studies* [...] *presented to R.L.G. Ritchie*, London, 1949, pp. 147-162.

ÉTUDES DIVERSES

Catalogue de l'Exposition J.-J. Rousseau, Bibliothèque Nationale, Paris, 1962.

« Présence de J.-J. Rousseau » (Entretiens de Genève, 1962), *Annales*, XXXV, 1963.

J. Voisine, « État des travaux sur J.-J. Rousseau [...] », *l'Information littéraire*, fasc. 2 de 1964.

J.-J. Rousseau et son œuvre (Actes du Colloque du Collège de France, 1962), Paris, Klincksieck, 1964.

Raymond TROUSSON, *Rousseau et sa fortune littéraire,* Bordeaux, Ducros, 1971; « Quinze années d'études rousseauistes », *Dix-huitième siècle,* IX, 1977.

Art. « Rousseau » du *Dizionario critico della lietturatura francese,* diretto da Fr. SIMONE, t. II, Torino, 1973.

J. ROUSSEL, *J.-J. R. en France après la Révolution, 1795-1830* Paris, 1972.

J. R. SPELL, *R. in the Spanish World before 1833,* Gordian Press U.S., 1975 (1938).

H. de SAUSSURE, *Étude sur le sort des manuscrits de J.-J. R.,* Neuchâtel, 1974.

N[os] spéciaux consacrés à Rousseau par la *R.S.H.,* Lille, janv.-mars 1976; *Daedalus, Journal of the American Academy of Arts and Sciences,* Summer 1978.

Les thèses de Roger BARNY sur « la Révolution française et R. » et de J. MOUNIER sur « Rousseau en Allemagne de 1782 à 1810 », sont sous presse (1979) par les soins des ateliers de l'Université de Lille III.

TABLEAU CHRONOLOGIQUE
DE LA VIE
ET DES PRINCIPAUX ÉCRITS
DE JEAN-JACQUES ROUSSEAU

1712. — 28 JUIN : *naissance de Jean-Jacques Rousseau, Grand' rue, à Genève.*
7 JUILLET : *mort de Suzanne Rousseau, mère de Jean-Jacques.*

1717. — *Isaac Rousseau et son fils Jean-Jacques déménagent pour s'installer dans la ville basse, au Faubourg Saint-Gervais, rue de Coutance.*

1722-1724. — *Jean-Jacques en pension chez le pasteur Lambercier, à Bossey.*

1725. — *Jean-Jacques habite chez son oncle Gabriel Bernard, Grand'rue, à Genève, et entre en apprentissage.*

1728. — 14 MARS : *Jean-Jacques s'enfuit de Genève.*
21 MARS *(Rameaux)* : *il se présente à M^{me} de Warens à Annecy.*
12 AVRIL : *entrée à l'Hospice des Catéchumènes à Turin : Conversion au catholicisme.*
JUILLET-DÉCEMBRE : *service chez M^{me} de Vercellis.*

1729. — FÉVRIER-JUIN (?) : *service chez le comte de Gouvon.*
SEPTEMBRE-OCTOBRE : *de retour à Annecy, au séminaire pour quelques semaines.*

1730. — FIN JUIN (?) : « *Journée des cerises* ».
JUILLET : *voyage d'Annecy à Fribourg avec M^{lle} Merceret.*
AOUT 1730-AVRIL 1731 : *Rousseau enseigne la musique, à Lausanne puis à Neuchâtel.*

1731. — AVRIL : *Rousseau recueilli par l'ambassade de France à Soleure.*

JUIN-JUILLET : *premier séjour à Paris, comme précepteur.*

OCTOBRE : *après un séjour à Lyon, Jean-Jacques entre à Chambéry au Cadastre de Savoie.*

1732. — JUIN : *Rousseau quitte le Cadastre pour donner des leçons de musique en ville.*

1732 ou **1733.** — *Voyage à Besançon.*

1735 ou **1736.** — *Premier séjour au vallon des Charmettes.*

1737. — 11 SEPTEMBRE : *départ de Chambéry pour Montpellier.*

1738. — FÉVRIER (?) : *retour à Chambéry.*

1740-1741. — *Rousseau précepteur à Lyon chez M. de Mably.*

1741 ou **1742** (v.p. 328, n. 2). — AUTOMNE : *arrivée à Paris.*

HIVER 1741-1742 ou 1742-1743 : *rencontre de Diderot.*

1743. — JANVIER : Dissertation sur la musique moderne.

10 JUILLET : *départ de Paris pour Venise.*

1744. — 22 AOUT : *Rousseau quitte Venise pour Paris.*

1745. — *A Paris, fait la connaissance de Thérèse Levasseur.*

1746-1747. — HIVER : *naissance du premier enfant de Rousseau.*

1749. — AUTOMNE : « *Illumination de Vincennes* ». *Amitié avec Grimm.*

1750. — 9 JUILLET : *le* Discours sur les Sciences et les Arts *est couronné par l'Académie de Dijon.*

NOVEMBRE : *publication du 1er Discours.*

1751. — *Polémique autour du 1er Discours.*

1752. — 18 OCTOBRE : le Devin du village *est représenté à Fontainebleau devant le roi.*

18 DÉCEMBRE : *représentation de* Narcisse *au Théâtre-Français.*

1753. — NOVEMBRE : Lettre sur la musique francaise.

1754. — JUIN-OCTOBRE. : *séjournant à Genève, Rousseau réintègre l'Église calviniste et la citoyenneté genevoise.*

1755. — Aout : *publication du* Discours sur les origines de l'inégalité.

1756. — 9 Avril : *Installation à l'Ermitage de Montmorency, chez M^{me} d'Épinay.*

1757. — Avril-Mai : *querelle et réconciliation avec Diderot.*
Printemps-Été : *amour pour Sophie d'Houdetot.*
Octobre-Novembre : *querelle et rupture avec Grimm.*
*Article « Genève » de l'*Encyclopédie (t. VII).
15 Décembre : *Rousseau quitte l'Ermitage pour le Mont-Louis, dans le village de Montmorency.*

1758. — 6 Mai : *lettre de rupture de M^{me} d'Houtetot à Rousseau.*
Septembre-Octobre : *publication de la* Lettre à d'Alembert sur les spectacles.

1759. — Mai-Juillet : *Installation provisoire au Petit Château de Montmorency.*

1760. — Juin : *affaire de la publication non autorisée de la* Lettre à Voltaire sur la Providence.

1761. — Janvier : *mise en vente à Paris de* la Nouvelle Héloïse.

1762. — Janvier : *rédaction des quatre* Lettres *autobiographiques* à M. de Malesherbes.
Avril : *publication à Amsterdam du* Contrat social, *dont l'entrée en France est aussitôt interdite.*
Fin mai : *mise en vente à Paris de l'*Émile.
9 Juin : *condamnation de l'*Émile *par le Parlement de Paris. Rousseau, décrété de prise de corps, prévient l'arrestation en quittant Montmorency pour la Suisse.*
14 Juin : *il arrive à Yverdon, en territoire bernois. Vers le même temps* le Contrat Social *et l'*Émile *sont interdits et saisis à Genève.*
Juillet : *expulsé du territoire bernois, Rousseau s'installe à Môtiers-Travers, dans la principauté de Neuchâtel dépendant du roi de Prusse. Mort à Chambéry de M^{me} de Warens. — Condamnation de l'*Émile *par les États de Hollande et par le Conseil scolaire de Berne.*
Aout : *mandement de l'archevêque de Paris contre l'*Émile.

1763. — Mars : Lettre à Christophe de Beaumont, archevêque de Paris.

12 Mai : *Rousseau renonce à la bourgeoisie de Genève.*

Septembre-Octobre : *Rousseau attaqué dans les* Lettres écrites de la Campagne.

1764. — Octobre : *publication à Amsterdam des* Lettres écrites de la Montagne.

Fin Décembre : *à Genève, Voltaire lance contre Rousseau le pamphlet anonyme* le Sentiment des Citoyens.

1765. — Janvier-Mars : *les* Lettres de la Montagne *sont condamnées et brûlées à La Haye, puis à Paris.*

Mars : *Rousseau convoqué devant le Consistoire de Môtiers.*

Juillet : *excursion à l'île de Saint-Pierre, dans le lac de Bienne.*

6 Septembre : « *Lapidation* » *de Môtiers.*

12 Septembre au 25 Octobre : *Rousseau à l'île de Saint-Pierre.*

29 Octobre : *il quitte Bienne pour Strasbourg avec l'intention de gagner Berlin (le récit des* Confessions *s'arrête ici).*

Novembre-Décembre : *longtemps indécis à Strasbourg, il décide finalement de gagner Paris à destination de l'Angleterre.*

Fin Décembre : *Rousseau à Paris, au Temple, sous la protection du prince de Conti.*

1766. — 4 Janvier : *départ de Paris pour Calais sous la conduite de Hume.*

Janvier-Mars : *séjour à Londres puis dans la banlieue, à Chiswick.*

Fin Mars : *installation à Wootton, en Staffordshire.*
Rousseau y travaille à la Première Partie des Confessions.

Juillet : *début de la querelle (par correspondance) avec Hume.*

1767. — Mars : *le roi d'Angleterre George III accorde à Rousseau une pension.*

Mai : *départ précipité de Wootton et retour en France, sous le nom de Renou.*

Juin : *après quelques jours chez Mirabeau à Fleury-sous-Meudon, près de Clamart, Rousseau s'installe chez le*

*prince de Conti à Trye-le-Château, près de Gisors. Il
y achèvera la rédaction de la Première Partie au moins des*
Confessions.

OCTOBRE-NOVEMBRE : *séjour et maladie, à Trye, de Du
Peyrou ; une brouille s'ensuit. Interruption de la rédaction
des* Confessions.

1768. — PRINTEMPS : *il apparaît par la correspondance que
le « complot » commence à prendre forme dans l'imagination
de Rousseau.*
*Il remet à M^{me} de Nadaillac, avec divers papiers, un
« cahier de confessions ».*

JUIN-JUILLET : *ayant quitté Trye, il séjourne à Lyon puis
Grenoble.*

AOUT : *installation à Bourgoin, en Dauphiné. « Mariage
civil » avec Thérèse.*

1769. — JANVIER : *installation à Monquin, près de Bourgoin.*
NOVEMBRE : *à Monquin, reprise de la rédaction des* Confessions.

1770. — 26 FÉVRIER : *longue lettre à M. de Saint-Germain sur
le « complot ».*

10 AVRIL : *la rédaction des* Confessions *est parvenue à la
fin du livre XI au moins. Rousseau quitte Monquin pour Lyon.*

ÉTÉ : *installé à Paris, Rousseau redemande à M^{me} de Nadail-
lac le « cahier de confessions », reprend le métier de copiste,
et achève la Deuxième Partie des* Confessions.

NOVEMBRE OU DÉCEMBRE : *première séance de lecture
des* Confessions.

1771. — MAI : *les lectures des* Confessions *sont interdites par
la police.*

1772-1776. — *Rédaction, correction et mise au net de* Rousseau
juge de Jean-Jacques, Dialogues, *puis début de la
composition des* Rêveries du Promeneur solitaire.

1776. — 24 OCTOBRE : *accident de Ménilmontant, relaté
dans la 2^e Promenade des* Rêveries.

1777. — *Continuation des* Rêveries, *menées jusqu'à la 7^e Pro-
menade.*

AOUT : *Rousseau renonce au métier de copiste.*

1778. — Janvier à Avril : *rédaction des 8ᵉ, 9ᵉ et 10ᵉ Promenades des* Rêveries.

 2 Mai : *remise par Rousseau à Paul Moultou d'une copie autographe des* Confessions *(manuscrit dit de Genève)*.

 20 Mai : *installation à Ermenonville chez le marquis de Girardin*.

 2 Juillet : *Rousseau meurt à Ermenonville*.

 4 Juillet : *inhumation dans l'île des Peupliers*.

1779. — *Publication à la suite du poème* les Mois, *de Roucher, des quatre* Lettres à M. de Malesherbes.

1780. — *Publication en Angleterre du premier des trois* Dialogues.

1782. — Printemps : *publication à Genève de la* 1ʳᵉ Partie *des* Confessions *suivie des* Rêveries du Promeneur solitaire, *et un peu plus tard des trois* Dialogues.

1789. — Automne : *publication à Genève de la Deuxième Partie des* Confessions.

1794. — Octobre : *transfert au Panthéon des restes de Rousseau·*

1. GENÈVE, la porte de Rive

B. N. Estampes

2. « ... le triste sol où j'habite aujourd'hui. » (Voir p. 149)

VUE DE DOVEDALE

Cl. B. N.

3. Madame de Warens par Largillière

4. LES CHARMETTES

Planche gravée par Hamilton, extraite de J.-J. Rousseau,
Œuvres complètes, t. I, Paris, Furne, 1835.

5. JEAN-JACQUES ROUSSEAU
Portrait anonyme du xviiie siècle

6. MADAME CLAUDE DUPIN PAR NATTIER vers 1741

Venise, Accademia

Cl. Alinari-Brogi-Giraudon

7. CANALETTO, *la Scuola grande di San Marco (Rio dei Mendicanti)*

8. Thérèse Levasseur après la mort de Rousseau
Dessin gravé par Naudet

9. « *Elle vint ; je la vis...* » (Voir p. 521)
Planche gravée par Lefèvre d'après T. Johannot,
extraite de J.-J. Rousseau, *Œuvres complètes*, t. I, Paris, Furne, 1835.

10. VUE DE MOTIERS-TRAVERS et de ses environs
Gravure par Choffard.

11. MILORD MARÉCHAL
Peinture anonyme

12. DU PEYROU
Peinture anonyme

13, LE PASTEUR MONTMOLLIN
Peinture anonyme

14. L'ÎLE DE SAINT-PIERRE
Gravure d'après Villeneuve, 1795

LES CONFESSIONS

DE

J.-J. ROUSSEAU

PREMIÈRE PARTIE [a]

Voici *le seul portrait d'homme, peint exactement d'après
nature et dans toute sa vérité, qui existe et qui proba-
blement existera jamais. Qui que vous soyez, que ma destinée
ou ma confiance ont fait l'arbitre de ce*ᵇ *cahier, je vous conjure
par mes malheurs, par vos entrailles, et au nom de toute l'espèce
humaine, de ne pas anéantir un ouvrage utile et unique, lequel peut
servir de première pièce de comparaison pour l'étude des hommes,
qui certainement est encore à commencer, et de ne pas ôter à l'hon-
neur de ma mémoire le seul monument sûr de mon caractère qui
n'ait pas été défiguré par mes ennemis. Enfin, fussiez-vous,
vous-même, un de mes ennemis implacables, cessez de l'être
envers ma cendre, et ne portez pas votre cruelle injustice jus-
qu'au temps où ni vous ni moi ne vivrons plus, afin que vous puis-
siez vous rendre au moins une fois le noble témoignage d'avoir
été généreux et bon quand vous pouviez être malfaisant et vindi-
catif ; si tant est que le mal qui s'adresse à un homme qui n'en
a jamais fait,* ᶜ *ou voulu faire, puisse porter le nom de
vengeance.*

LES CONFESSIONS
DE J.-J. ROUSSEAU

PREMIÈRE PARTIE

LIVRE I[a]

Intus, et in cute [1] [b]

1. **1.** J[c] forme une entreprise qui n'eut jamais d'exemple et[d] dont l'exécution n'aura point d'imitateur. Je veux montrer à mes semblables un homme dans toute la vérité de la nature[e]; et cet homme ce sera moi.

2. Moi seul. Je sens mon cœur[f] et je connais les hommes. Je ne suis fait comme aucun de ceux que j'ai vus; j'ose croire n'être fait comme aucun de ceux qui existent. Si je ne vaux pas mieux, au moins je suis autre. Si la nature

1. L'épigraphe latine empruntée au satirique Perse *(Ego te intus et in cute novi)* exprime énergiquement l'ambition de mettre à nu l'âme humaine. Le ton solennel de ces premières pages leur confère le caractère d'une profession de foi; l'auteur l'entendait bien ainsi, et l'importance qu'il leur attribue ressort de l'étude des manuscrits des *Confessions* ainsi que de la correspondance contemporaine de leur rédaction.

Deux introductions successives, d'inégale longueur, ont été prévues. L'une et l'autre s'incorporent au livre I, mais s'en détachent logiquement par leur contenu. La première en date et la plus longue, transcrite en tête du ms. de Neuchâtel (on en lira le texte ci-dessous, variante *c* p. 786), y est séparée du début de l'autobiographie proprement dite (« Je suis né à Genève en 1712... ») par quatre gros points en losange de la main de Rousseau — signe qu'on ne rencontre pas ailleurs dans le cahier. (Un signe à peu près semblable figure toutefois à la fin du l. II dans le ms. de Paris.) Dans les mss. de Genève et de Paris, où l'auteur a commencé une double numérotation des alinéas correspondant vraisemblablement à une division en « chapitres » et « paragraphes », l'introduction définitive constitue comme un court premier chapitre, numéroté séparément. Il n'est pas douteux

a bien ou mal fait de briser le moule dans lequel elle m'a jeté, c'est ce dont on ne peut juger qu'après m'avoir lu.

3. Que la trompette du jugement dernier sonne quand elle voudra; je viendrai, ce livre à la main, me présenter devant le souverain juge. Je dirai hautement : voilà ce que j'ai fait, ce que j'ai pensé, ce que je fus. J'ai dit le bien et le mal avec la même franchise. Je n'ai rien tu de mauvais, rien ajouté de bon, et s'il m'est arrivé d'employer quelque ornement indifférent, ce n'a jamais été que pour remplir un vide occasionné par mon défaut de mémoire; j'ai pu supposer vrai ce que je savais avoir pu l'être, jamais ce que je savais être faux. Je me suis montré tel que je fus, méprisable et vil quand je l'ai été, bon, généreux, sublime, quand je l'ai été : j'ai dévoilé mon intérieur tel que tu l'as vu toi-même. Être éternel, rassemble autour de moi l'innombrable foule de mes semblables; qu'ils écoutent mes confessions, qu'ils[a] gémissent de mes indignités, qu'ils rougissent de mes misères. Que chacun d'eux

que ces deux introductions successives ont été l'une comme l'autre longuement méditées et retravaillées (voir le livre de M^me de Saussure, et l'art. de R. Osmont dans l'*Information littéraire* de mars-avril 1957), ce qui explique qu'on ait pu proposer pour chacune des dates diverses, et que M^me de Saussure ait cru pouvoir trouver dans les termes d'une lettre de Malesherbes à Rousseau l'origine de l'orgueilleux défi à l'humanité qui termine le préambule définitif (v. *Introduction* pp. xli-xlii).

La première introduction, insistant surtout sur la nouveauté de l'enquête psychologique entreprise, n'a été publiée qu'au début du xx^e siècle, par Th. Dufour, premier éditeur du ms. de Neuchâtel. Si son intérêt littéraire est considérable, elle n'a, du fait de cette publication tardive, joué aucun rôle dans l'histoire de la fortune de Rousseau. Au contraire le préambule définitif, figurant dans les éditions successives des mss. de Genève et de Paris à partir de 1782, a suffi pour condamner Rousseau aux yeux de nombreux lecteurs — certains illustres — qui n'ont jamais poursuivi au-delà de la seconde page leur lecture des *Confessions*. Dès le lendemain de la mort de Rousseau, peut-être même de son vivant, ce préambule circulait dans les milieux lettrés. Palissot en imprimait en 1779 dans son *Éloge de Rousseau* une version tronquée, fort répandue, qui accentuait encore le cynisme du texte en ne laissant à Rousseau que ses noirceurs, comme dans la phrase « Je me suis montré tel que je fus, méprisable et vil quand je l'ai été, *bon, généreux, sublime, quand je l'ai été...* » — où le second membre est tout simplement supprimé (sur la notion de jugement et les intentions apologétiques dans ce préambule, voir *Introduction*, pp. xliv sqq).

découvre à son tour son cœur aux pieds de ton trône avec la même sincérité[a]; et puis qu'un seul te dise, s'il l'ose : *Je fus meilleur que cet homme-là.*

2. 1. Je suis né à Genève en 1712[1], d'Isaac Rousseau, Citoyen, et de Suzanne Bernard, Citoyenne[2]. Un bien[b] fort médiocre à partager entre[c] quinze enfants ayant réduit presque à rien la portion de mon père, il n'avait pour[d] subsister que son métier d'horloger, dans lequel il était à la vérité fort habile[e]. Ma mère, fille du ministre Bernard, était plus riche; elle avait de[f] la sagesse et de la beauté : ce n'était pas sans peine que mon père l'avait obtenue. Leurs amours avaient commencé presque avec leur vie : dès l'âge de huit à neuf ans ils se promenaient ensemble tous les soirs sur la Treille[g]; à dix ans ils ne pouvaient plus se quitter[3]. La sympathie, l'accord des âmes affermit en eux[h] le sentiment qu'avait produit l'habitude. Tous deux, nés tendres et sensibles, n'attendaient que le moment de trouver[i] dans un autre la même disposition, ou plutôt ce moment les attendait eux-mêmes, et chacun d'eux jeta son cœur dans le premier qui s'ouvrit pour le recevoir. Le sort[j], qui semblait contrarier leur passion, ne fit que l'animer. Le jeune amant, ne pouvant obtenir sa maîtresse, se consumait de douleur; elle lui conseilla de voyager pour l'oublier[k]. Il voyagea sans fruit, et revint plus amoureux que jamais[l]. Il retrouva celle qu'il aimait tendre et fidèle. Après cette épreuve, il ne restait qu'à s'aimer toute la vie;[m] ils le jurèrent, et[n] le ciel bénit leur serment.

1. Rousseau est né le 28 juin 1712 à Genève dans une maison située dans la ville haute, rue de la Boulangerie (aujourd'hui n° 40, Grand'Rue : une plaque y a été apposée en 1962), et non pas comme on l'a cru longtemps rue Chevelu, rebaptisée par les Révolutionnaires rue J.-J. Rousseau, dans le quartier populaire de Saint-Gervais, où ses parents vinrent s'établir quand il avait cinq ans. Il a été baptisé le 4 juillet à la cathédrale Saint-Pierre avec les prénoms de Jean-Jacques (ce dernier prénom est régulièrement orthographié *Jaques* par Rousseau comme c'était alors l'usage à Genève).

2. Pour être *citoyen* de Genève il fallait être fils ou fille de bourgeois et né dans la ville, à la différence des *natifs*, nés à Genève de parents n'ayant pas droit de bourgeoisie, et des *habitants*, qui ne justifient ni de l'une ni de l'autre de ces qualités. Sur Suzanne Rousseau, v. *Index.*

3. La promenade de la Treille, à Genève, proche de la Cathédrale.

2. Gabriel Bernard, frère de ma mère, devint amoureux d'une des sœurs de mon père; mais elle ne consentit à épouser le frère qu'à condition que son frère épouserait la sœur[a]. L'amour arrangea tout, et les deux mariages se firent le même jour. Ainsi mon oncle était le mari de ma tante, et leurs enfants furent doublement mes cousins germains[b]. Il en naquit un de part et d'autre au bout d'une année; ensuite il fallut encore se séparer.

3. Mon oncle Bernard était ingénieur : il alla servir dans l'Empire et en Hongrie sous le prince Eugène. Il se distingua au siège et à la bataille de Belgrade[c]. Mon père, après la naissance de mon frère unique, partit pour Constantinople, où il[d] était appelé, et devint horloger du sérail. Durant son absence, la beauté de ma mère, son esprit, ses talents*, lui attirèrent des hommages. M. de la Closure, résident de France, fut des plus empressés à lui en offrir. Il fallait que sa passion fût vive, puisqu'au bout de[g] trente ans je l'ai vu s'attendrir en me parlant d'elle. Ma mère avait plus que de la vertu pour s'en défendre, elle aimait[h] tendrement son[i] mari, elle le pressa de revenir : il[j] quitta tout et revint. Je fus le triste fruit de ce retour. Dix mois après, je naquis infirme et malade; je coûtai la vie à ma mère, et ma naissance fut le premier de mes malheurs.

4. Je n'ai pas su comment mon père supporta cette perte, mais je sais qu'il ne s'en consola jamais. Il croyait la revoir en moi, sans pouvoir oublier que je la lui avais ôtée; jamais il ne m'embrassa que je ne sentisse à ses soupirs, à ses[k] convulsives étreintes, qu'un regret amer

* Elle en avait de trop brillants pour son état, le ministre son père qui l'adorait ayant pris grand soin de son éducation. Elle dessinait, elle chantait, elle s'accompagnait du théorbe, elle avait de la lecture et faisait des vers passables. En voici qu'elle fit impromptu[e] dans l'absence de son frère et de son mari, se promenant avec sa belle-sœur et leurs deux enfants, sur un propos que quelqu'un lui tint à leur sujet[f] :

> *Ces deux Messieurs qui sont absents*
> *Nous sont chers de bien des manières ;*
> *Ce sont nos amis, nos amants ;*
> *Ce sont nos maris et nos frères,*
> *Et les pères de ces enfants.*

se mêlait à ses caresses[a]; elles n'en étaient que plus tendres[b].
Quand il me disait : Jean-Jacques, parlons de ta mère,
je lui disais : hé bien ! mon père, nous allons donc pleurer;
et ce mot[c] seul lui tirait déjà des larmes. Ah ! disait-il en
gémissant, rends-la-moi, console-moi d'elle, remplis le vide
qu'elle a laissé dans mon[d] âme. T'aimerais-je ainsi si tu
n'étais que mon fils[e] ? Quarante ans après l'avoir perdue, il
est mort dans les bras d'une seconde[f] femme, mais le nom
de la première à la bouche, et son image au fond du cœur.

5. Tels furent les auteurs de mes jours. De tous les
dons que le ciel leur avait départis, un cœur[g] sensible
est le seul qu'ils[h] me laissèrent; mais il avait fait leur
bonheur, et fit[i] tous les malheurs de ma vie.

3. 1. J'étais né presque mourant; on[j] espérait peu de
me conserver. J'apportai le germe[k] d'une incommodité
que les ans ont renforcée, et qui maintenant ne me donne[l]
quelquefois des relâches que pour me laisser souffrir
plus cruellement d'une autre façon. Une sœur de mon
père, fille aimable et sage, prit si grand soin de moi, qu'elle
me sauva. Au moment[m] où j'écris ceci, elle est encore en[n]
vie, soignant, à l'âge de quatre-vingts ans, un mari plus
jeune qu'elle, mais usé par la boisson[1]. Chère tante, je
vous[o] pardonne de m'avoir fait vivre, et je m'afflige de
ne pouvoir vous rendre à la fin de vos jours les tendres
soins que vous m'avez prodigués au commencement
des miens. J'ai aussi ma mie Jacqueline[p] encore vivante,
saine et robuste. Les mains qui m'ouvrirent les yeux à
ma naissance[q] pourront me les fermer à ma mort.

2. Je sentis avant de penser : c'est le sort commun de
l'humanité[r]. Je l'éprouvai plus qu'un autre. J'ignore
ce que je fis jusqu'à cinq ou six ans; je ne sais comment
j'appris à lire[s] ; je ne me souviens que de mes premières
lectures et de leur effet sur moi[t]: c'est le temps d'où je
date sans interruption la conscience de moi-même. Ma mère
avait laissé[u] des romans. Nous nous mîmes à les lire
après souper mon père et moi [v]. Il n'était question d'abord
que de m'exercer à la lecture par des livres amusants;
mais bientôt l'intérêt devint si vif, que nous lisions tour
à tour sans relâche et passions les nuits à cette occupation.
Nous ne pouvions jamais quitter qu'à la fin du volume.
Quelquefois mon père, entendant[w] le matin les hirondelles,

1. V. *Index*, Gonceru, Suzanne, née Rousseau.

disait tout honteux : allons nous coucher; je suis plus enfant que toi.

3. En peu de temps j'acquis, par cette dangereuse méthode, non seulement une extrême facilité à lire[a] et à m'entendre, mais une intelligence unique à mon âge sur les passions. Je n'avais[b] aucune idée des choses, que tous les sentiments m'étaient déjà connus. Je n'avais rien conçu, j'avais tout senti[c]. Ces émotions confuses que j'éprouvais coup sur coup n'altéraient point la raison que je n'avais pas encore; mais[d] elles m'en formèrent une d'une autre trempe, et me donnèrent de la vie humaine des notions bizarres et romanesques[e], dont l'expérience et la réflexion n'ont jamais bien pu me guérir.

4. Les romans finirent avec l'été de 1719. L'hiver suivant, ce fut autre chose. La bibliothèque de ma mère épuisée, on eut recours à la portion de celle de son père qui nous était échue. Heureusement, il s'y trouva de bons livres[f]; et cela ne pouvait guère être autrement; cette bibliothèque ayant été formée par un ministre, à la vérité, et savant même, car c'était la mode alors, mais homme de goût et d'esprit. L'*Histoire de l'Église et de l'Empire,* par Le Sueur; le *Discours* de Bossuet *sur l'Histoire universelle ;* les *Hommes illustres* de Plutarque; l'*Histoire de Venise* par Nani; les *Métamorphoses* d'Ovide[g]; La Bruyère; les *Mondes* de Fontenelle; ses *Dialogues des Morts,* et quelques tomes de Molière, furent transportés dans le cabinet de mon père, et je les lui lisais tous les jours, durant son travail[h]. J'y pris un goût rare et peut-être unique à[i] cet âge. Plutarque surtout[j] devint ma lecture favorite. Le plaisir que je prenais à le relire sans cesse me guérit[k] un peu des romans; et je préférai bientôt Agésilas, Brutus, Aristide, à Orondate, Artamène et Juba[l]. De ces intéressantes

1. Sur Le Sueur et Nani, voir *Index.* Composé pour l'instruction du Dauphin et publié en 1781, le *Discours* (= dissertation) *sur l'Histoire universelle* de Bossuet était encore un ouvrage contemporain lorsqu'il avait pris place dans la bibliothèque du ministre Bernard, à qui ne devait pas déplaire cette conception providentialiste de l'histoire (les *Dialogues des morts* de Fénelon sont de 1683, les *Entretiens* de Fontenelle *sur la pluralité des mondes* de 1686, la première édition des *Caractères* de La Bruyère de 1688). L. Delaruelle (*R.H.L.F.,* XIX, 1912, pp. 258 sqq.) attribue une grande influence à Bossuet dans l'idée que se fait des anciens Romains l'auteur du *Discours sur les Sciences et les Arts.* Le Plutarque était, comme le confirme une variante du

lectures, des entretiens qu'elles occasionnaient entre mon père et moi, se forma[a] cet esprit libre et républicain, ce caractère indomptable[b] et fier, impatient de joug et de servitude, qui m'a tourmenté tout le temps de ma vie dans les situations les moins propres à lui donner l'essor. Sans cesse occupé de Rome et d'Athènes, vivant pour ainsi dire avec leurs grands hommes[c], né moi-même citoyen d'une république, et fils d'un père[d] dont l'amour de la patrie était la plus forte passion, je m'en enflammais à son exemple; je[e] me croyais Grec ou Romain; je devenais le personnage dont je lisais la vie : le récit des traits de constance et d'intrépidité qui m'avaient frappé me rendait les yeux étincelants et la voix[f] forte. Un jour que[g] je racontais à table l'aventure de Scævola, on fut effrayé de me voir avancer et tenir la main sur un réchaud pour représenter[h] son action.

5. J'avais un frère plus âgé que moi de sept ans[1]. Il apprenait la profession de mon père. L'extrême affection qu'on avait pour moi le faisait un peu négliger, et ce n'est pas cela que j'approuve. Son éducation se sentit de cette négligence. Il prit le train du libertinage, même avant l'âge d'être un vrai libertin. On le mit chez un autre maître, d'où il faisait des escapades comme il en avait fait de la maison paternelle. Je ne le voyais presque point, à peine puis-je dire avoir fait connaissance avec lui; mais je ne laissais pas de l'aimer tendrement, et il m'aimait autant qu'un polisson peut aimer quelque chose. Je me souviens qu'une fois que mon père le châtiait rudement et avec colère, je me jetai impétueusement entre deux, l'embrassant étroitement. Je le couvris ainsi de mon corps,

livre I dans le manuscrit de Neuchâtel, dans la traduction d'Amyot. Un cahier d'extraits de lectures du jeune Rousseau, conservé à Neuchâtel, contient 56 citations de Plutarque; et l'on sait que l'historien grec demeure la lecture favorite de l'auteur des *Rêveries* (4e Promenade). C'est à Plutarque en particulier que Rousseau doit son admiration pour Sparte (voir sur l'inflence de Plutarque la mise au point de G. Pire, *RLC,* oct.-déc. 1958).

Sur Agésilas, Brutus, etc., voir *Index.* Rousseau oppose ici, non pas des figures incarnant la réalité historique, mais deux conceptions de l'idéal héroïque : les unes servant de prête-nom à des héros de romans du xviie siècle, les autres devenues légendaires à travers les récits de Plutarque.

1. Sur François Rousseau, voir *Index.*

recevant les coups qui lui étaient portés, et je m'obstinai
si bien dans cette attitude, qu'il fallut enfin[a] que mon père
lui fît grâce, soit désarmé par mes cris et mes larmes, soit
pour ne pas me maltraiter plus que lui. Enfin mon frère
tourna si mal, qu'il s'enfuit et disparut[b] tout à fait. Quelque
temps après, on sut qu'il était en Allemagne. Il n'écrivit
pas une seule fois. On n'a plus eu de ses nouvelles depuis
ce temps-là, et voilà comment je suis demeuré fils unique.

6. Si ce pauvre garçon fut élevé négligemment, il n'en
fut pas ainsi de son frère, et les enfants des rois ne sauraient
être soignés avec plus de zèle que je le fus durant mes
premiers ans, idolâtré de tout ce qui m'environnait, et
toujours, ce qui est bien plus rare, traité en enfant chéri[c],
jamais en enfant gâté. Jamais une[d] seule fois, jusqu'à ma
sortie de la maison paternelle, on ne m'a laissé courir[e]
seul dans la rue avec les autres enfants, jamais on n'eut
à réprimer en moi ni à satisfaire aucune de ces fantasques
humeurs qu'on impute à la nature, et qui naissent[f] toutes
de la seule éducation. J'avais les défauts de mon âge; j'étais
babillard, gourmand, quelquefois menteur. J'aurais volé des
fruits, des bonbons, de la mangeaille; mais jamais je n'ai
pris plaisir à faire du mal, du dégât, à charger les autres, à
tourmenter de pauvres animaux. Je me souviens pourtant
d'avoir une fois pissé dans la marmite d'une de nos voi-
sines, appelée M^me Clot, tandis qu'elle était au prêche.
J'avoue même que ce souvenir me fait encore rire, parce
que M^me Clot, bonne femme au demeurant, était bien la
vieille la plus grognon que je connus de ma vie. Voilà la
courte et véridique histoire de tous mes méfaits enfantins.

7. Comment serais-je devenu méchant, quand je n'avais
sous les yeux que des exemples de douceur, et autour de
moi que les meilleures gens du monde ? Mon père, ma
tante, ma mie, mes parents, nos amis, nos voisins, tout ce
qui[g] m'environnait ne m'obéissait pas à la vérité, mais
m'aimait, et moi je les aimais de même. Mes volontés
étaient si peu excitées et si peu contrariées, qu'il ne me
venait pas dans l'esprit d'en avoir. Je puis jurer que jusqu'à
mon asservissement sous un maître, je n'ai pas su ce que
c'était qu'une fantaisie. Hors le temps que je passais à
lire ou écrire auprès de mon père, et celui où ma mie me
menait promener, j'étais toujours avec ma tante, à la voir
broder, à l'entendre chanter, assis ou debout à côté d'elle,
et j'étais content. Son enjouement, sa douceur, sa figure

agréable, m'ont laissé de si fortes impressions, que je vois encore son air, son regard, son attitude : je me souviens de ses petits propos caressants ; je dirais comment elle était vêtue et coiffée, sans oublier les deux crochets que ses cheveux noirs faisaient sur ses tempes, selon la mode de ce temps-là.

8. Je suis persuadé que je lui dois le goût ou plutôt la passion pour la musique, qui ne s'est bien développée en moi que longtemps après[1]. Elle savait une quantité prodigieuse d'airs et de chansons qu'elle chantait avec un filet de voix douce. La sérénité d'âme de cette excellente fille éloignait d'elle et de tout ce qui l'environnait la rêverie et la tristesse. L'attrait que son chant avait pour moi fut tel que non seulement plusieurs de ses chansons me sont toujours restées dans la mémoire, mais qu'il m'en revient même, aujourd'hui que je l'ai perdue, qui, totalement oubliées depuis mon enfance, se retracent à mesure que je vieillis, avec un charme que je ne puis exprimer. Dirait-on que moi, vieux radoteur, rongé de soucis et de peines, je me surprends quelquefois à pleurer comme un enfant en marmottant ces petits airs d'une voix déjà cassée et tremblante ? Il y en a un surtout qui m'est bien revenu tout entier quant à l'air ; mais la seconde moitié des paroles s'est constamment refusée à tous mes efforts pour me la rappeler, quoiqu'il m'en revienne confusément les rimes. Voici le commencement et ce que j'ai pu me rappeler du reste :

> Tircis, je n'ose
> Écouter ton chalumeau
> Sous l'ormeau ;
> Car on en cause
> Déjà dans notre hameau.
>
>
> un berger
> s'engager
> sans danger,
> Et toujours l'épine est sous la rose[2].

1. Sur le goût de Rousseau pour la musique, voir la n. 1, p. 205.
2. Les vers manquant de la chanson de la tante Suzon sont ainsi rétablis à la suite de Petitain par les éditeurs modernes :

> *Un cœur s'expose*
> *A trop s'engager*
> *Avec un berger*
> *Et toujours l'épine est sous la rose.*

Je cherche où est le charme attendrissant que mon cœur trouve à cette chanson : c'est un caprice auquel je ne comprends rien; mais il m'est de toute impossibilité de la chanter jusqu'à la fin sans être arrêté par mes larmes. J'ai cent fois projeté d'écrire à Paris pour faire chercher le reste des paroles, si tant est que quelqu'un les connaisse encore. Mais je suis presque sûr que le plaisir que je prends à me rappeler cet air s'évanouirait en partie, si j'avais la preuve que d'autres que ma pauvre tante Suzon l'ont chanté.

9. Telles furent les premières affections de mon entrée à la vie : ainsi commençait à se former ou à se montrer en moi ce cœur à la fois si fier et si tendre, ce caractère efféminé, mais pourtant indomptable, qui, flottant toujours entre la faiblesse et le courage, entre la mollesse et la vertu, m'a jusqu'au bout mis en contradiction avec moi-même, et a fait que l'abstinence et la jouissance, le plaisir et la sagesse, m'ont également échappé.

10. Ce train d'éducation[a] fut interrompu par un accident dont les suites ont influé sur le reste de ma vie. Mon père eut un démêlé avec un M. Gautier, capitaine en France et apparenté dans le Conseil. Ce Gautier, homme insolent et lâche, saigna du nez, et, pour se venger, accusa mon père d'avoir mis l'épée à la main dans la ville. Mon père, qu'on voulut envoyer en prison, s'obstinait à vouloir[b] que, selon la loi, l'accusateur y entrât aussi bien que lui. N'ayant pu l'obtenir, il aima mieux sortir de Genève, et s'expatrier pour le reste de sa vie, que de céder sur un point où l'honneur et la liberté lui[c] paraissaient compromis.

11. Je restai sous la tutelle de mon oncle Bernard[d], alors employé aux fortifications de Genève. Sa fille aînée était morte, mais il avait un fils de même âge que moi[1]. Nous fûmes mis ensemble à Bossey, en pension chez le ministre Lambercier, pour[e] y apprendre avec le latin tout

Le souvenir des premiers vers a vraisemblablement fourni à Rousseau le couplet final de Colette repris en chœur par les villageois dans *le Devin du village* :

> *Allons danser sous les ormeaux,*
> *Animez-vous, jeunes fillettes :*
> *Allons danser sous les ormeaux,*
> *Galants, prenez vos chalumeaux.*

1. Sur Abraham Bernard, voir *Index*.

le menu fatras dont on l'accompagne sous le nom d'éducation[a].

1. Deux ans passés au village adoucirent[b] un peu mon âpreté romaine, et me ramenèrent à l'état d'enfant. A Genève, où l'on ne m'imposait rien, j'aimais l'application, la lecture; c'était[e] presque mon seul amusement; à Bossey, le travail[d] me fit aimer les jeux qui lui servaient de relâche. La campagne était pour moi si nouvelle, que je ne pouvais me lasser d'en jouir. Je pris pour elle un goût si vif, qu'il n'a jamais pu s'éteindre. Le souvenir[e] des jours heureux que j'y ai passés m'a fait regretter son séjour et ses plaisirs dans tous les âges, jusqu'à celui qui m'y a ramené. M. Lambercier était un homme fort raisonnable, qui, sans négliger notre instruction, ne nous chargeait point de devoirs[f] extrêmes. La preuve qu'il s'y prenait bien est que, malgré mon aversion pour la gêne, je ne me suis jamais rappelé avec dégoût mes heures d'étude, et que, si je n'appris pas de lui beaucoup de choses, ce que j'appris je l'appris sans peine, et n'en ai[g] rien oublié.

2. La simplicité de cette vie champêtre me fit un bien d'un prix inestimable en ouvrant mon cœur à l'amitié. Jusqu'alors je n'avais connu que des sentiments élevés, mais[h] imaginaires. L'habitude de vivre ensemble dans un état paisible m'unit tendrement à mon cousin Bernard[i]. En peu de temps j'eus pour lui des sentiments plus affectueux que ceux que j'avais eus pour mon frère, et qui ne se sont jamais effacés. C'était un grand garçon fort efflanqué, fort fluet, aussi[j] doux d'esprit que faible de corps, et qui n'abusait pas trop de la prédilection qu'on avait pour lui dans la maison comme fils de mon tuteur. Nos[k] travaux, nos amusements, nos goûts, étaient les mêmes : nous étions seuls[l]; nous étions de même âge; chacun des deux avait besoin d'un camarade; nous séparer était, en quelque sorte, nous anéantir. Quoique nous[m] eussions peu d'occasions de faire preuve de notre attachement l'un pour l'autre, il était extrême[n], et non seulement nous ne pouvions vivre un instant séparés, mais nous n'imaginions pas que nous puissions jamais l'être. Tous deux d'un esprit[o] facile à céder aux caresses, complaisants quand on ne voulait pas nous contraindre, nous étions toujours d'accord sur tout. Si, par la faveur de ceux qui nous gouvernaient, il avait sur moi[p] quelque ascendant sous leurs yeux, quand nous étions seuls j'en avais un sur lui qui rétablissait l'équi-

libre. Dans nos études, je lui soufflais sa leçon quand il hésitait[a]; quand mon thème était fait je lui aidais à faire[b] le sien, et dans nos amusements mon goût plus actif lui servait toujours de guide. Enfin nos deux caractères[c] s'accordaient si bien, et l'amitié qui nous unissait était si[d] vraie, que, dans plus de cinq ans que nous fûmes presque inséparables, tant à Bossey qu'à Genève, nous nous battîmes[e] souvent, je l'avoue, mais jamais on n'eut besoin de nous séparer[f], jamais une de nos querelles ne dura plus[g] d'un quart d'heure, et jamais une seule fois nous ne[h] portâmes l'un contre l'autre aucune accusation. Ces remarques sont, si l'on veut, puériles, mais il en résulte[i] pourtant un exemple peut-être unique depuis qu'il existe des enfants.

3. La manière dont je vivais à Bossey[j] me convenait si bien, qu'il ne lui a manqué que de durer plus longtemps pour fixer absolument mon caractère. Les sentiments tendres, affectueux, paisibles, en faisaient le fond. Je crois que jamais individu de[k] notre espèce n'eut naturellement moins de vanité que moi. Je m'élevais par élans, à des mouvements sublimes, mais je retombais aussitôt dans ma langueur. Être aimé de[l] tout ce qui m'approchait était le plus[m] vif de mes désirs. J'étais doux, mon cousin l'était; ceux qui nous gouvernaient l'étaient eux-mêmes. Pendant deux ans entiers je ne fus ni[n] témoin ni victime d'un sentiment violent. Tout nourrissait dans mon cœur les dispositions qu'il[o] reçut de la nature. Je ne connaissais rien d'aussi charmant que de voir tout le monde content[p] de moi et de toute chose. Je me souviendrai toujours qu'au temple, répondant au catéchisme, rien ne me troublait plus, quand il m'arrivait d'hésiter, que de voir sur le visage de M[lle] Lambercier des marques d'inquiétude et de peine. Cela seul[q] m'affligeait plus que la honte de manquer en public, qui[r] m'affectait pourtant extrêmement; car, quoique peu sensible aux louanges, je le fus toujours beaucoup à la honte, et je puis dire ici que l'attente des réprimandes de M[lle] Lambercier me donnait moins d'alarmes que la crainte de la chagriner.

4. Cependant elle ne manquait pas au besoin de sévérité, non plus que son frère; mais comme cette sévérité, presque toujours juste, n'était jamais emportée, je m'en affligeais, et ne m'en mutinais point. J'étais plus fâché[s] de déplaire que d'être puni, et le signe du mécontentement m'était plus cruel que la peine afflictive[t]. Il est embarras-

sant de s'expliquer mieux, mais cependant il le faut.
Qu'on changerait de méthode avec la jeunesse, si l'on
voyait mieux les effets éloignés de[a] celle qu'on emploie
toujours indistinctement, et souvent indiscrètement ! La
grande leçon qu'on peut tirer d'un exemple aussi commun
que funeste me fait résoudre à le donner.

1. Comme M[lle] Lambercier[b] avait pour nous l'affection
d'une mère, elle en avait aussi l'autorité, et la portait quel-
quefois jusqu'à nous infliger la punition des enfants quand
nous l'avions méritée. Assez longtemps elle s'en tint à
la menace, et cette menace d'un châtiment tout nouveau
pour moi me semblait très effrayante; mais après l'exécu-
tion, je la trouvai moins terrible à l'épreuve que l'attente
ne l'avait été, et ce qu'il y a de plus bizarre[c] est que ce
châtiment m'affectionna davantage encore à celle qui me
l'avait imposé. Il fallait même toute la vérité de cette affec-
tion et toute ma douceur naturelle pour m'empêcher de
chercher le retour du même traitement en le méritant;
car j'avais trouvé dans la douleur, dans la honte même,
un mélange de sensualité qui m'avait laissé plus de désir
que de crainte de l'éprouver derechef par la même main.
Il est vrai que, comme il se mêlait sans doute à cela quelque
instinct précoce du sexe, le même châtiment reçu de son
frère ne m'eût point du tout paru plaisant. Mais, de l'hu-
meur dont il était, cette substitution n'était guère à craindre,
et si je m'abstenais de mériter la correction, c'était unique-
ment de peur de fâcher M[lle] Lambercier; car tel est en
moi l'empire de la bienveillance, et même de celle que les
sens ont fait naître, qu'elle leur donna toujours la loi dans
mon cœur.

2. Cette récidive, que j'éloignais sans la craindre, arriva
sans qu'il y eût de ma faute, c'est-à-dire de ma volonté,
et j'en profitai, je puis dire, en sûreté de conscience. Mais
cette seconde fois fut aussi la dernière, car M[lle] Lamber-
cier, s'étant sans doute aperçue à quelque signe que ce
châtiment n'allait pas à son but, déclara qu'elle y renonçait
et qu'il la fatiguait trop. Nous avions jusque-là couché dans
sa chambre, et même en hiver quelquefois dans son lit.
Deux jours après on nous fit coucher dans une autre
chambre[d], j'eus désormais l'honneur, dont je me serais
bien passé, d'être traité par elle en grand garçon.

3. Qui croirait que ce châtiment d'enfant, reçu à huit
ans par la main d'une fille de trente, a décidé de mes goûts,

de mes désirs, de mes passions, de moi pour le reste de ma vie, et cela précisément dans le sens contraire à ce qui devait[a] s'ensuivre naturellement ? En même temps que mes sens furent allumés, mes désirs prirent si bien le change, que, bornés à ce que j'avais éprouvé, ils ne s'avisèrent point de chercher autre chose. Avec un sang brûlant de sensualité presque dès ma naissance, je me conservai pur de toute souillure jusqu'à l'âge où les tempéraments les plus froids et les plus tardifs se développent. Tourmenté longtemps sans savoir de quoi, je dévorais d'un œil ardent les belles personnes; mon imagination me les rappelait sans cesse, uniquement pour les mettre en œuvre à ma mode, et en faire autant de demoiselles Lambercier.

4. Même après l'âge nubile, ce goût bizarre, toujours persistant et[b] porté jusqu'à la dépravation, jusqu'à la folie, m'a conservé les mœurs honnêtes qu'il semblerait avoir dû m'ôter. Si jamais éducation fut modeste et chaste, c'est assurément celle que j'ai reçue. Mes trois tantes n'étaient pas seulement des personnes d'une sagesse exemplaire, mais d'une réserve que depuis longtemps les femmes ne connaissaient plus. Mon père, homme de plaisir, mais galant à la vieille mode, n'a jamais tenu, près des femmes qu'il aimait le plus, des propos dont une vierge eût pu rougir, et jamais on n'a poussé plus loin que dans ma famille et devant moi le respect qu'on doit aux enfants; je ne trouvai pas moins d'attention chez M. Lambercier sur le même article, et une fort bonne servante y fut mise à la porte pour un mot un peu gaillard qu'elle avait prononcé devant nous[c]. Non seulement je n'eus jusqu'à mon adolescence aucune idée distincte de l'union des sexes, mais jamais cette idée confuse ne s'offrit à moi que sous une image odieuse et dégoûtante. J'avais pour les filles publiques une horreur qui ne s'est jamais effacée : je ne pouvais voir un débauché sans dédain, sans effroi même, car mon aversion pour la débauche allait jusque-là, depuis qu'allant un jour au Petit Sacconex par un chemin creux, je vis des deux côtés des cavités dans la terre, où l'on me dit que ces gens-là faisaient leurs accouplements. Ce que j'avais vu de ceux des chiennes me revenait aussi toujours à l'esprit en pensant aux autres, et le cœur me soulevait à ce seul souvenir[1].

1. Les villages du Grand et du Petit Saconnex sont dans la ban-

5. Ces préjugés de l'éducation, propres par eux-mêmes à retarder les premières explosions d'un tempérament combustible, furent aidés, comme j'ai dit, par la diversion que firent sur moi les premières pointes de la sensualité. N'imaginant que ce que j'avais senti, malgré des effervescences de sang très incommodes, je ne savais porter mes désirs que vers l'espèce de volupté qui m'était connue, sans[a] aller jamais jusqu'à celle qu'on m'avait rendue haïssable et qui tenait de si près à l'autre sans que j'en eusse le moindre soupçon. Dans mes sottes fantaisies, dans mes érotiques fureurs[b], dans les actes extravagants auxquels elles me portaient quelquefois, j'empruntais imaginairement le secours de l'autre sexe, sans penser jamais qu'il fût propre à nul autre usage qu'à celui que je brûlais d'en tirer.

6. Non seulement donc c'est ainsi qu'avec un tempérament très ardent, très lascif, très précoce, je passai toutefois l'âge de puberté sans désirer, sans connaître d'autres plaisirs des sens que ceux dont Mlle Lambercier m'avait très innocemment donné l'idée; mais quand, enfin le progrès des ans m'eut fait homme, c'est encore

lieue ouest de Genève, sur la route de Ferney. En attribuant à cette fessée des suites psycho-pathologiques aussi décisives, Rousseau, précurseur indiscuté de la psychanalyse, a attiré sur son propre cas l'attention de nombreux psychanalystes et médecins. Nous renvoyons une fois pour toutes aux études signalées dans la Bibliographie, auxquelles on ajoutera pour cet épisode l'article de l'abbé Paul Jury, « La fessée de J.-J. Rousseau », *Psyché,* fascicule 4 (fév. 1947), pp. 155 sqq. On remarquera que Rousseau diminue la différence d'âge entre l'enfant et la jeune femme, et exagère sa propre précocité, quand il parle du châtiment « reçu à huit ans par la main d'une fille de trente » : l'incident, survenu après un hiver, sinon deux, passé à Bossey, date au plus tôt de 1723 : Mlle Lambercier, née en 1683, a donc quarante ans, et Rousseau onze. Mais on se gardera de croire qu'il s'agit là pour Rousseau d'une expérience exceptionnelle, et que la seule sexualité donne la clé de son caractère. Le souci de marquer dans une expérience de l'enfance le germe d'un trait de caractère ou d'une disposition affective de l'homme est conforme au dessein même des *Confessions,* entreprises dans un souci de franchise totale. « Pour me connaître dans mon âge avancé, il faut m'avoir bien connu dans ma jeunesse. » (P. 198.) Ce principe, dans l'esprit de l'auteur, doit être constamment présent au lecteur, et inspire la plupart des incidents relatés dans les quatre premiers livres.

ainsi que ce qui devait me perdre me conserva. Mon ancien goût d'enfant, au lieu de s'évanouir, s'associa tellement à l'autre, que je ne pus jamais l'écarter des désirs allumés par mes sens, et cette folie, jointe à ma timidité naturelle, m'a toujours rendu très peu entreprenant près des femmes, faute d'oser tout dire ou de pouvoir tout faire, l'espèce de jouissance dont l'autre n'était pour moi que le dernier terme ne pouvant être usurpée par celui qui la désire, ni devinée par celle qui peut l'accorder. J'ai[a] ainsi passé ma vie à convoiter et me taire auprès des personnes que j'aimais le plus. N'osant jamais déclarer mon goût, je l'amusais du moins par des rapports qui m'en conservaient l'idée. Être aux genoux d'une maîtresse impérieuse, obéir à ses ordres, avoir des pardons à lui demander, étaient pour moi de très douces jouissances, et plus ma vive imagination m'enflammait le sang, plus j'avais l'air d'un amant transi. On conçoit que cette manière de faire l'amour n'amène pas des progrès bien rapides, et n'est pas fort dangereuse à la vertu de celles qui en sont l'objet. J'ai donc fort peu possédé, mais je n'ai pas laissé de jouir beaucoup à ma manière, c'est-à-dire par l'imagination. Voilà comment mes sens, d'accord avec mon humeur timide et mon esprit romanesque, m'ont conservé des sentiments purs et des mœurs honnêtes, par les mêmes goûts qui peut-être, avec un peu plus d'effronterie, m'auraient plongé dans les plus brutales voluptés.

7. J'ai fait le premier pas et le plus pénible dans le labyrinthe obscur et fangeux de mes confessions. Ce n'est pas ce qui est criminel qui coûte le plus à dire, c'est ce qui est ridicule et honteux. Dès à présent je suis sûr de moi : après ce que je viens d'oser dire, rien ne peut plus m'arrêter. On peut juger de ce qu'ont pu me coûter de semblables aveux, sur ce que, dans tout le cours de ma vie[b], emporté quelquefois près de celles que j'aimais par les fureurs d'une passion qui m'ôtait la faculté de voir, d'entendre, hors de sens et saisi d'un tremblement convulsif dans tout mon corps, jamais je n'ai pu prendre sur moi de leur déclarer ma folie, et d'implorer d'elles, dans la plus[c] intime familiarité, la seule faveur qui manquait aux autres. Cela ne m'est jamais arrivé qu'une fois dans l'enfance, avec une enfant de mon âge; encore fut-ce elle qui[d] en fit la première proposition.

1. En remontant de cette sorte aux premières traces de mon être sensible, je trouve des éléments qui[a], semblant quelquefois incompatibles, n'ont pas laissé de s'unir pour produire avec force un effet uniforme et simple, et j'en trouve d'autres qui, les mêmes en apparence, ont formé, par le concours de certaines circonstances, de si différentes combinaisons, qu'on n'imaginerait jamais qu'ils eussent entre eux aucun rapport. Qui croirait, par exemple, qu'un des ressorts les plus vigoureux de mon âme fut trempé dans la même source d'où la luxure et la mollesse ont coulé dans mon sang ? Sans quitter le sujet dont je viens de parler, on en va voir sortir une impression bien différente[b].

J'étudiais un jour seul ma leçon dans la chambre contiguë à la cuisine. La servante avait mis sécher à la plaque[1] les peignes de[c] M[lle] Lambercier. Quand elle revint les[d] prendre, il s'en trouva un dont tout un côté de dents était[e] brisé. A qui s'en prendre de ce dégât ? personne autre que moi n'était entré dans la chambre. On m'interroge : je nie d'avoir touché le peigne. M. et M[lle] Lambercier se réunissent, m'exhortent[f], me pressent, me menacent; je persiste avec[g] opiniâtreté; mais la conviction était trop forte, elle l'emporta sur toutes mes protestations, quoique ce fût la première fois qu'on[h] m'eût trouvé tant d'audace à mentir. La chose fut prise au sérieux; elle méritait de l'être. La méchanceté, le mensonge[i], l'obstination, parurent également dignes de punition; mais pour le coup ce ne fut pas par M[lle] Lambercier qu'elle me fut infligée. On écrivit à mon oncle Bernard; il vint. Mon pauvre cousin était chargé d'un autre délit, non moins grave; nous fûmes[j] enveloppés dans la même exécution. Elle fut terrible. Quand, cherchant le remède[k] dans le mal même, on eût voulu pour jamais amortir mes sens[l] dépravés, on n'aurait pu mieux s'y prendre. Aussi me laissèrent-ils en repos pour longtemps[m].

On ne put m'arracher l'aveu[n] qu'on exigeait. Repris à plusieurs fois et mis dans[o] l'état le plus affreux, je fus inébranlable. J'aurais souffert la mort[p], et j'y étais résolu. Il fallut que la force[q] même cédât au diabolique entê-

1. La *plaque* de fer ou de fonte appliquée au fond d'une cheminée. Il s'agit ici d'une cheminée de cuisine, dont la chaleur se communiquait ainsi à la pièce contiguë.

tement d'un enfant, car on n'appela pas autrement ma constance. Enfin je sortis de cette cruelle épreuve en pièces, mais triomphant.

Il y a maintenant près de cinquante ans de cette aventure, et je n'ai pas peur d'être aujourd'hui puni[a] derechef pour le même fait. Eh bien, je déclare à la face du Ciel que j'en étais innocent, que je n'avais[b] ni cassé, ni touché le peigne, que je n'avais pas approché de la plaque, et que je n'y avais pas même songé. Qu'on ne me demande pas comment ce dégât se fit : je l'ignore et[c] ne puis le comprendre; ce que je sais très certainement, c'est que j'en étais innocent.

Qu'on se figure un caractère[d] timide et docile dans la vie ordinaire, mais ardent, fier, indomptable dans les passions; un enfant toujours gouverné par la[e] voix de la raison, toujours [traité] avec douceur, équité, complaisance, qui n'avait pas même l'idée de l'injustice, et qui, pour la première fois, en éprouve une si[f] terrible de la part précisément des gens qu'il[g] chérit et qu'il respecte le plus[h]. Quel renversement d'idées ! quel désordre de sentiments ! quel bouleversement[i] dans son cœur, dans sa[j] cervelle, dans tout son petit être intelligent et moral[k] ! Je dis qu'on s'imagine tout cela[l], s'il est possible, car pour moi, je[m] ne me sens pas capable de démêler, de suivre la moindre trace de ce qui se passait alors en moi.

Je n'avais pas encore assez de raison pour sentir combien les apparences me condamnaient, et pour me mettre à la place des autres. Je me tenais à la mienne, et tout ce que je sentais, c'était la rigueur d'un châtiment effroyable pour un[n] crime que je n'avais pas commis. La douleur du corps[o], quoique vive, m'était peu sensible; je ne sentais que l'indignation, la rage, le désespoir. Mon cousin, dans un cas à peu près semblable, et qu'on avait puni d'une faute involontaire comme d'un[p] acte prémédité, se mettait en fureur à mon exemple, et se montait, pour ainsi dire, à mon unisson. Tous deux dans le même lit nous nous embrassions avec des transports convulsifs, nous étouffions et quand nos jeunes cœurs un peu soulagés pouvaient exhaler leur colère, nous nous levions sur notre séant, et nous nous mettions tous deux à crier cent fois de toute notre force : *Carnifex, Carnifex, Carnifex !*

Je sens en écrivant ceci que mon pouls s'élève encore; ces moments me seront toujours présents quand je vivrais cent mille ans. Ce premier sentiment de la violence et de

l'injustice est resté si profondément gravé dans mon âme,
que toutes les idées qui s'y rapportent me rendent ma
première émotion, et ce sentiment, relatif à moi dans
son origine, a pris une telle consistance en lui-même,
et s'est[a] tellement détaché de[b] tout intérêt personnel,
que mon cœur s'enflamme au spectacle ou au récit de toute
action injuste, quel qu'en soit l'objet et en quelque lieu
qu'elle se commette, comme si l'effet en retombait sur
moi. Quand je lis les cruautés d'un tyran féroce, les sub-
tiles noirceurs d'un fourbe de[c] prêtre, je partirais volon-
tiers[d] pour aller poignarder ces misérables, dussé-je cent
fois y périr. Je me suis souvent mis en nage[e] à poursuivre
à la course ou à coups de[f] pierre un coq, une vache, un
chien[g], un animal que j'en voyais tourmenter un autre,
uniquement parce qu'il se sentait le plus fort. Ce mou-
vement peut m'être naturel[h], et je crois qu'il l'est; mais
le[i] souvenir profond de la première injustice que j'ai
soufferte y fut trop longtemps et trop fortement lié pour
ne l'avoir pas[j] beaucoup renforcé.

Là fut le terme de la sérénité de[k] ma vie enfantine.
Dès ce moment je cessai de jouir d'un bonheur pur, et
je sens aujourd'hui même que le souvenir des charmes
de mon enfance s'arrête là. Nous restâmes encore à Bossey
quelques mois. Nous y fûmes comme on nous représente
le premier homme[l] encore dans le paradis terrestre, mais
ayant cessé d'en jouir. C'était en apparence la même
situation, et en effet une tout autre manière d'être. L'atta-
chement[m], le respect, l'intimité, la confiance, ne liaient
plus les élèves à leurs guides; nous ne les regardions plus
comme des dieux qui lisaient dans nos cœurs : nous étions
moins honteux de mal faire et plus craintifs d'être accu-
sés[n] : nous commencions à nous cacher, à nous mutiner,
à mentir. Tous les vices de notre âge corrompaient notre
innocence, et enlaidissaient nos jeux. La campagne même[o]
perdit à nos yeux cet attrait de douceur et de simplicité
qui va au cœur. Elle nous semblait déserte et sombre;
elle s'était comme couverte d'un voile qui nous en cachait
les beautés. Nous cessâmes de cultiver nos petits jardins[p],
nos herbes, nos fleurs. Nous n'allions plus gratter légè-
rement la terre[q], et crier de joie en découvrant le germe
du grain que nous avions semé. Nous nous dégoûtâmes
de cette vie[r]; on se dégoûta de nous; mon oncle nous
retira, et nous nous séparâmes de M. et M[lle] Lambercier,

rassasiés les uns des autres, et[a] regrettant peu de nous quitter.

Près de trente ans se sont passés depuis ma sortie de Bossey sans que je m'en sois rappelé le séjour d'une manière agréable par des souvenirs un peu liés : mais depuis qu'ayant passé l'âge mûr je décline vers la vieillesse, je sens que ces[b] mêmes souvenirs renaissent tandis que les autres s'effacent, et se gravent dans ma mémoire avec des traits dont[c] le charme et la force augmentent de jour en jour; comme si, sentant déjà la vie qui s'échappe[d], je cherchais à la ressaisir par ses[e] commencements. Les moindres faits de ce temps-là me plaisent par cela seul qu'ils sont de ce temps-là. Je me rappelle toutes les circonstances des lieux, des[f] personnes, des heures. Je vois la servante[g] ou le valet agissant dans la chambre, une hirondelle entrant par la fenêtre, une mouche se poser sur ma main tandis que je récitais ma leçon : je vois tout l'arrangement de la chambre[h] où nous étions; le cabinet de M. Lambercier à main droite, une estampe représentant[i] tous les papes, un baromètre, un[j] grand calendrier, des framboisiers qui, d'un jardin fort élevé[k] dans lequel la maison s'enfonçait sur le derrière, venaient ombrager la fenêtre, et[l] passaient quelquefois jusqu'en dedans. Je sais bien que le lecteur n'a pas grand besoin de[m] savoir tout cela, mais[n] j'ai besoin, moi, de le lui dire. Que n'osé-je lui raconter de même[o] toutes les petites anecdotes de cet heureux âge, qui me font encore tressaillir[p] d'aise quand je me les rappelle ! Cinq ou six surtout... Composons. Je vous fais grâce des[q] cinq; mais j'en veux une, une seule, pourvu qu'on me la laisse conter[r] le plus longuement qu'il me sera possible, pour prolonger mon plaisir[s].

Si je ne cherchais que le vôtre, je pourrais choisir celle du derrière de M[lle] Lambercier, qui, par une malheureuse culbute au bas du pré, fut étalé tout en plein devant le Roi de Sardaigne à son passage[1] : mais celle du noyer

1. Victor-Amédée II (voir *Index*) devenu quatre ans plus tôt roi de Sardaigne, venant de Thonon et se rendant à Annecy, passa avec sa suite à Bossey le 23 août 1724. Cette indication sert à fixer un *terminus ad quem* pour la fin du séjour à Bossey — commencé probablement fin 1722 puisque Rousseau parle d'un séjour de deux ans. Un épisode connu de ce séjour n'est pas mentionné ici, parce qu'il figurait

de la terrasse est plus amusante pour moi qui fus acteur,
au lieu que je ne fus[a] que spectateur de la culbute; et
j'avoue que je ne trouvai pas le[b] moindre mot pour rire
à un accident qui, bien que comique en lui-même, m'alar-
mait pour une personne que j'aimais comme une mère,
et peut-être plus.

Ô vous, lecteurs curieux de la grande histoire du noyer
de la terrasse, écoutez-en l'horrible tragédie et vous
abstenez de frémir, si vous pouvez.

Il y avait, hors[c] la porte de la cour, une terrasse à gauche
en entrant, sur laquelle[d] on allait souvent s'asseoir l'après-
midi[e], mais qui n'avait point d'ombre. Pour lui en donner,
M. Lambercier y fit planter un noyer. La plantation de cet
arbre se fit avec solennité : les deux pensionnaires en furent
les parrains; et, tandis qu'on comblait le creux, nous
tenions l'arbre chacun d'une main avec des chants de
triomphe. On fit[f] pour l'arroser une espèce de bassin
tout autour du pied. Chaque jour, ardents spectateurs
de[g] cet arrosement, nous nous confirmions, mon cousin
et moi, dans l'idée[h] très naturelle qu'il était plus beau de
planter un arbre sur la terrasse qu'un drapeau sur la
brèche[i], et nous résolûmes de nous procurer cette gloire
sans la partager avec qui que ce fût.

Pour cela nous allâmes couper une bouture d'un jeune
saule, et nous la plantâmes sur la terrasse, à huit ou dix
pieds de l'auguste noyer. Nous n'oubliâmes pas de faire
aussi un creux autour de notre arbre : la difficulté était
d'avoir de quoi le remplir; car l'eau venait d'assez loin,
et on ne nous laissait pas courir pour en aller prendre.
Cependant il en fallait absolument pour notre saule[j].
Nous employâmes toutes sortes de ruses pour lui en
fournir durant quelques jours, et cela nous réussit si bien,
que nous le vîmes bourgeonner et pousser de petites feuilles
dont nous mesurions l'accroissement d'heure en heure,
persuadés, quoiqu'il ne fût pas à un pied de terre, qu'il
ne tarderait pas à nous ombrager.

Comme notre arbre, nous occupant tout entiers, nous
rendait incapables de toute application, de toute étude[k],
que nous étions comme en délire, et que, ne sachant à

déjà dans l'*Émile* (livre II) : c'est la visite nocturne de Jean-Jacques au
temple où M. Lambercier l'a envoyé chercher sa Bible.

qui nous en avions, on nous tenait de plus court qu'aupa-
ravant, nous vîmes l'instant fatal où l'eau nous allait man-
quer, et nous nous désolions dans l'attente de voir notre[a]
arbre périr de sécheresse[b]. Enfin la nécessité, mère de
l'industrie, nous[c] suggéra une invention pour garantir
l'arbre et nous d'une mort certaine : ce fut de faire[d] par-
dessous terre une rigole qui conduisît secrètement au saule
une partie de l'eau dont on arrosait le noyer. Cette entre-
prise, exécutée avec ardeur, ne réussit[e] pourtant pas d'a-
bord. Nous avions si mal pris la pente, que l'eau ne coulait
point; la terre s'éboulait et bouchait la rigole; l'entrée[f]
se remplissait d'ordures; tout allait de travers. Rien ne
nous rebuta : *Omnia vincit labor improbus.* Nous creusâmes
davantage et la terre et notre bassin, pour donner à l'eau
son écoulement; nous[g] coupâmes des fonds de boîtes
en petites planches étroites[h], dont les unes mises[i] de plat[1]
à la file, et d'autres[j] posées en angle des deux côtés sur
celles-là, nous firent[k] un canal triangulaire pour notre
conduit. Nous plantâmes à l'entrée de petits bouts de bois
minces et[l] à claire-voie, qui, faisant une espèce de grillage
ou de crapaudine, retenaient[m] le limon et les pierres sans
boucher le passage à l'eau. Nous recouvrîmes soigneu-
sement notre ouvrage de terre bien[n] foulée; et le jour où
tout fut fait, nous attendîmes dans des transes[o] d'espérance
et de crainte l'heure de l'arrosement. Après des siècles
d'attente, cette heure[p] vint enfin; M. Lambercier vint aussi
à son ordinaire assister à l'opération[q], durant laquelle nous
nous tenions tous deux derrière lui pour cacher notre
arbre, auquel[r] très heureusement il tournait le dos.

A peine achevait-on de verser le premier seau d'eau,
que nous commençâmes d'en voir couler dans notre
bassin. A cet aspect la prudence[s] nous abandonna; nous
nous mîmes à pousser des cris de joie qui firent retourner
M. Lambercier, et ce fut dommage, car il prenait grand
plaisir à voir[t] comment la terre du noyer était bonne et
buvait avidement son eau. Frappé de la voir se partager
entre deux bassins, il s'écrie à son tour[u], regarde, aperçoit
la friponnerie, se fait[v] brusquement apporter une pioche,
donne un coup, fait voler deux ou trois[w] éclats de nos

1. *De plat* (à plat, par opposition à *de champ* = verticalement) est
déjà archaïque au XVIII[e] siècle. Rousseau emploie *à plat*, p. 348.

planches, et criant à pleine tête : *Un aqueduc ! un aqueduc !*
il frappe[a] de toutes parts des coups impitoyables, dont
chacun portait au[b] milieu de nos cœurs. En un moment,
les planches, le conduit, le bassin, le saule, tout fut détruit,
tout fut labouré, sans qu'il y eût, durant cette expédition
terrible[c], nul autre mot prononcé[d], sinon l'exclamation
qu'il répétait sans cesse. *Un aqueduc !* s'écriait-il en brisant
tout, *un aqueduc ! un aqueduc*[e] *!*

On croira que l'aventure finit mal pour les petits archi-
tectes. On se trompera : tout[f] fut fini. M. Lambercier
ne nous dit pas un mot de reproche, ne nous fit pas plus
mauvais visage[g], et ne nous en parla plus; nous l'enten-
dîmes même[h] un peu après rire auprès de sa sœur à gorge
déployée, car le rire de M. Lambercier s'entendait de loin[i],
et ce qu'il y eut de plus étonnant encore[j], c'est que, passé
le premier saisissement, nous ne fûmes pas nous-mêmes
fort affligés. Nous[k] plantâmes ailleurs un autre arbre, et
nous nous rappelions souvent la catastrophe du premier,
en répétant entre nous[l] avec emphase : *Un aqueduc ! un
aqueduc !* Jusque-là j'avais eu des accès d'orgueil par
intervalles quand j'étais Aristide ou Brutus. Ce fut ici
mon premier mouvement de vanité bien marquée. Avoir[m]
pu construire un aqueduc de nos mains, avoir mis une
bouture en concurrence avec un grand arbre, me parais-
sait le suprême degré de la gloire[n]. A dix ans j'en jugeais
mieux que César à trente.

L'idée de ce noyer[o] et la petite histoire qui s'y rapporte
m'est si bien restée[p] ou revenue, qu'un de mes plus
agréables projets dans mon[q] voyage de Genève, en 1754,
était d'aller à Bossey[r] y revoir les monuments des jeux
de mon enfance, et surtout le cher noyer, qui devait alors
avoir[s] déjà le tiers d'un siècle. Je fus si continuellement
obsédé, si peu maître de moi-même, que je ne pus trouver
le moment de me satisfaire. Il y a peu d'apparence que cette
occasion renaisse jamais pour moi. Cependant je n'en ai
pas perdu le désir avec l'espérance, et je suis presque sûr
que si jamais, retournant dans ces lieux[t] chéris, j'y retrou-
vais mon cher noyer encore en être, je l'arroserais de mes
pleurs[1].

1. Plus d'un admirateur des *Confessions* dut s'interroger après
Rousseau sur le sort du noyer de Bossey. Une enquête ouverte à ce

De retour à Genève, je passai deux ou trois ans[1] chez mon oncle en attendant qu'on résolût ce[a] que l'on ferait de moi. Comme il destinait son fils au génie, il lui fit apprendre un peu de dessin, et lui enseignait les Éléments d'Euclide. J'apprenais tout cela par compagnie, et j'y pris goût, surtout au dessin[b]. Cependant on délibérait si l'on me ferait horloger, procureur ou ministre. J'aimais mieux être ministre, car je trouvais bien beau de prêcher. Mais le petit revenu du bien de ma mère à partager entre mon frère et moi ne suffisait pas pour pousser mes études. Comme l'âge où j'étais ne rendait pas ce choix bien pressant encore, je restais en attendant chez mon oncle, perdant à peu près mon temps, et ne laissant pas de payer, comme il était juste, une assez forte pension.

Mon oncle, homme de plaisir[c] ainsi que mon père, ne savait pas comme lui se captiver par ses devoirs, et prenait assez peu de soin de nous. Ma tante était une dévote un peu piétiste, qui aimait mieux chanter les psaumes que[d] veiller à notre éducation. On nous laissait presque une[e] liberté entière dont nous n'abusâmes jamais. Toujours inséparables, nous nous suffisions l'un à l'autre, et n'étant point tentés de fréquenter[f] les polissons de notre âge, nous ne prîmes aucune[g] des habitudes libertines que l'oisiveté nous pouvait inspirer. J'ai même tort de nous supposer oisifs, car de la vie nous ne le fûmes moins, et ce qu'il y avait d'heureux était que tous les amusements dont nous nous passionnions successivement nous tenaient ensemble occupés dans la maison sans que nous fussions même tentés de descendre à la rue. Nous faisions des cages, des flûtes, des volants, des tambours, des maisons, des *équiffles*[2], des arbalètes. Nous gâtions les outils de mon

sujet en 1784 dans un périodique anglais s'était close sur une lettre de Louis Bridel, de Lausanne, affirmant que l'arbre avait été coupé par « une main froidement méthodique ». La légende n'en fit pas moins son chemin, puisqu'en 1828 encore un ébéniste s'en prétend acquéreur et s'offre à le débiter (voir J. Voisine, *J.-J. Rousseau en Angleterre* [...], p. 144, et L.-J. Courtois, *Chronologie* [...], p. 5, n. 7). Le noyer de Bossey est un thème favori de l'iconographie rousseauiste.

1. En fait guère plus de six mois, puisque Jean-Jacques est encore à Bossey fin août 1724 et qu'il entre en apprentissage chez Ducommun (Ritter, *Famille et Jeunesse...*) en avril 1725.

2. *Équiffle* ou mieux *écliffe*, terme genevois désignant la *canonnière*,

bon vieux grand-père pour faire des montres à son imitation. Nous avions surtout un goût de préférence pour barbouiller du papier, dessiner, laver, enluminer, faire un dégât de couleurs. Il vint à Genève un charlatan italien, appelé *Gamba-Corta ;* nous allâmes le voir une fois, et puis nous n'y voulûmes plus aller : mais il avait des marionnettes, et nous nous mîmes à faire des marionnettes; ses marionnettes jouaient des manières de comédies, et nous fîmes des comédies pour les nôtres. Faute de pratique[a], nous contrefaisions du gosier la voix de Polichinelle, pour jouer ces charmantes comédies que nos pauvres bons parents avaient la patience de voir et d'entendre. Mais mon oncle Bernard ayant un jour lu dans la famille un[b] très beau sermon de sa façon, nous quittâmes les comédies, et nous nous mîmes à composer des sermons. Ces détails ne sont pas fort intéressants, je l'avoue; mais ils montrent à quel point il fallait que notre première éducation eût été bien dirigée, pour que, maîtres[c] presque de notre temps et de nous dans un âge si tendre, nous fussions si peu tentés d'en abuser. Nous avions si peu besoin de nous faire des camarades que nous en négligions même l'occasion. Quand nous allions nous promener, nous regardions[d] en passant leurs jeux sans convoitise, sans songer même à y prendre part. L'amitié[e] remplissait si bien nos cœurs[f], qu'il nous suffisait d'être ensemble pour que les plus simples goûts fissent nos délices.

A force de nous voir[g] inséparables, on y prit garde; d'autant plus que, mon cousin[h] étant très grand et moi très petit, cela faisait un couple assez plaisamment assorti. Sa longue figure effilée, son petit visage de pomme cuite, son air mou, sa démarche[i] nonchalante, excitaient les enfants à se moquer de lui[j].

Dans le patois du pays on lui donna le surnom de *Barnâ Bredanna*[1], et sitôt que nous sortions nous n'entendions que *Barnâ Bredanna*[k] tout autour de nous. Il endurait cela plus tranquillement que moi. Je me fâchai, je voulus me battre; c'était ce que les petits coquins deman-

jouet d'enfant constitué par une tige de sureau évidée de sa moelle, et munie d'un piston permettant de lancer un projectile léger.

1. Jeu sur le nom de *Bernard* : c'est celui que porte l'âne dans le *Roman de Renart*. Le sobriquet en patois savoyard équivaut à peu près à *âne bâté* (*barnâ* = brider).

daient[a]. Je battis, je fus battu. Mon pauvre cousin me soutenait de son mieux[b]; mais il était faible, d'un coup de poing on le renversait. Alors je devenais furieux. Cependant, quoique j'attrapasse force horions, ce n'était pas à moi qu'on en voulait, c'était à *Barnâ Bredanna;* mais j'augmentai tellement[c] le mal par ma mutine colère que nous n'osions plus sortir qu'aux heures[d] où l'on était en classe, de peur d'être hués et[e] suivis par les écoliers.

Me voilà déjà redresseur des torts. Pour être un Paladin dans[f] les formes, il ne me manquait[g] que d'avoir une dame; j'en eus deux. J'allais de temps en temps voir mon père à Nyon, petite ville du pays de Vaud, où il s'était établi. Mon père était fort aimé[h], et son fils se sentait de cette bienveillance. Pendant[i] le peu de séjour que je faisais près de lui, c'était à qui me fêterait. Une Madame de Vulson[j], surtout, me faisait[k] mille caresses; et pour y mettre le comble, sa fille me prit pour son galant. On sent ce que c'est qu'un galant de[l] onze ans pour une fille de vingt-deux. Mais toutes ces friponnes sont si aises de mettre ainsi de petites poupées en avant pour cacher les grandes, ou pour les tenter par l'image d'un jeu qu'elles savent rendre attirant ! Pour moi, qui ne voyais point entre elle et moi de disconvenance, je pris la chose au sérieux; je me livrai de tout mon cœur, ou plutôt de toute ma tête, car je n'étais guère amoureux que par là, quoique je le fusse à la folie, et que mes transports, mes agitations, mes[m] fureurs donnassent des scènes à pâmer de rire.

Je connais deux sortes d'amours très distincts, très réels, et qui n'ont presque rien de commun, quoique[n] très vifs l'un et l'autre, et tous deux différents de la tendre amitié. Tout le cours de ma vie s'est partagé entre[o] ces deux amours de si diverses natures, et je les ai même éprouvés tous deux à la fois[p]; car, par exemple, au moment dont je parle, tandis que je m'emparais de Mlle de Vulson si publiquement et si tyranniquement que je ne pouvais souffrir qu'aucun homme approchât d'elle, j'avais avec une[q] petite Mlle Goton des tête-à-tête assez courts, mais assez vifs, dans lesquels elle daignait faire la maîtresse d'école, et c'était tout[r]; mais ce tout, qui en effet était tout pour moi, me paraissait le bonheur suprême, et, sentant déjà le prix du mystère, quoique je n'en susse user qu'en enfant, je rendais à Mlle de Vulson, qui ne s'en doutait guère, le soin qu'elle prenait de m'employer à

cacher d'autres amours. Mais à mon grand regret mon secret fut découvert, ou moins bien gardé de[a] la part de ma petite maîtresse d'école que de la mienne, car[b] on ne tarda pas à nous séparer, et quelque temps après, de retour à Genève, j'entendis, en passant à Coutance, de petites filles me crier à demi-voix : *Goton tic-tac Rousseau*[c] [1].

C'était en vérité, une singulière personne que cette petite M[lle] Goton. Sans être belle, elle avait une figure difficile à oublier, et que je me rappelle encore, souvent beaucoup trop pour un vieux fou. Ses yeux surtout n'étaient pas de son âge, ni sa taille, ni son maintien. Elle avait un petit air imposant et fier, très propre à son rôle, et qui en avait occasionné la première idée entre nous. Mais ce qu'elle avait de[d] plus bizarre était un mélange d'audace et de réserve difficile à concevoir. Elle se permettait avec moi les plus grandes privautés, sans jamais m'en permettre aucune avec elle; elle me traitait exactement en enfant : ce qui me fait croire[e], ou qu'elle avait déjà cessé de l'être, ou qu'au contraire elle l'était encore assez elle-même pour ne voir qu'un jeu dans le péril auquel elle s'exposait.

J'étais[f] tout entier, pour ainsi dire, à chacune de ces deux personnes, et si parfaitement, qu'avec aucune des deux il ne m'arrivait jamais de[g] songer à l'autre. Mais

1. Coutance : partie du quartier Saint-Gervais où habita à partir de 1718 la famille de Jean-Jacques, sur l'emplacement de la *rue de Coutance* actuelle, encore appelée couramment *Coutance* tout court à Genève. — Pour *Goton tic-tac Rousseau*, on peut écarter l'explication dont Littré cite un exemple chez Mathurin Régnier, *Sat. X* (« en venir à tic-tac » signifiant « en venir aux coups »); il s'agirait alors de la fessée recherchée par Jean-Jacques). Les fillettes (moins bien renseignées que nous !) veulent dire simplement que Goton et Rousseau sont « amoureux » l'un de l'autre; les dictionnaires citent des expressions du type

> *Quand je vois une fillette*
> *Soudain mon cœur fait tic-tac.*

Ce genre de métaphore encore en usage dans certaines provinces françaises au xx[e] siècle équivaut au cœur percé d'une flèche et flanqué de deux prénoms que gribouillent sur les murs les écoliers. Rousseau l'emploie sans équivoque possible dans *Arlequin amoureux malgré lui* (O.C., II, 1961, p. 948) : Arlequin, placé entre deux jeunes femmes, exprime son émotion : « Tic, toc, tic, toc... toc, toc; ta, ta, ta; ma foi, je crois que mon cœur bat des deux côtés. »

15. Nouveau plan de Genè

ras du Niton

L'Eveque

Gargoran

Vignes

PART

L'E...

Tonge de la s.
Bombe

TRANCHEES

Grande Rue de Rive

La Magdelaine

Porte du
Four

PALAIS

Nicolas Chalmandrier vers 1715

du reste rien de semblable en ce qu'elles me faisaient
éprouver[a]. J'aurais passé ma vie entière avec M[lle] de
Vulson sans songer à la quitter; mais en l'abordant ma
joie était tranquille et n'allait pas à l'émotion. Je l'aimais
surtout en grande compagnie; les plaisanteries, les
agaceries, les jalousies même, m'attachaient, m'intéres-
saient; je triomphais avec orgueil[b] de ses préférences près
des grands rivaux qu'elle paraissait maltraiter. J'étais
tourmenté, mais j'aimais ce tourment. Les applaudis-
sements, les encouragements, les ris m'échauffaient,
m'animaient. J'avais des emportements, des saillies[c];
j'étais transporté d'amour dans un cercle; tête-à-tête
j'aurais été contraint, froid, peut-être ennuyé. Cependant
je m'intéressais tendrement à elle[d]; je souffrais quand elle
était malade, j'aurais donné ma santé pour rétablir la sienne,
et notez que je savais très bien par expérience ce que c'était
que maladie, et ce que c'était que santé. Absent d'elle,
j'y pensais, elle me manquait; présent, ses caresses
m'étaient douces au cœur, non aux sens. J'étais impu-
nément familier avec elle; mon imagination ne me deman-
dait que ce qu'elle m'accordait; cependant je[e] n'aurais
pu supporter de lui en voir faire autant à d'autres. Je
l'aimais en frère, mais j'en étais jaloux en amant.

Je l'eusse été de M[lle] Goton[f] en Turc, en furieux, en
tigre, si j'avais seulement imaginé qu'elle pût faire à
un autre le même traitement qu'elle m'accordait, car
cela même était une grâce qu'il fallait demander à genoux.
J'abordais M[lle] de Vulson avec un plaisir très vif, mais
sans trouble; au lieu qu'en voyant seulement M[lle] Goton,
je ne voyais plus rien; tous mes sens étaient bouleversés.
J'étais familier avec la première sans avoir de[g] familiarités;
au contraire, j'étais aussi tremblant qu'agité devant la
seconde, même au fort des plus grandes[h] familiarités.
Je crois que si j'avais resté trop longtemps avec elle, je
n'aurais pu vivre; les palpitations m'auraient étouffé.
Je craignais également de leur déplaire; mais j'étais plus
complaisant pour l'une et plus obéissant pour l'autre. Pour
rien au monde je n'aurais voulu fâcher M[lle] de Vulson;
mais si M[lle] Goton m'eût ordonné de me jeter dans les
flammes, je crois[i] qu'à l'instant j'aurais obéi[j].

Mes amours ou plutôt mes rendez-vous avec celle-ci
durèrent peu, très heureusement pour elle et pour moi.
Quoique mes liaisons avec M[lle] de Vulson n'eussent pas

le même danger, elles ne laissèrent pas d'avoir aussi leur catastrophe, après avoir un peu plus longtemps duré. Les fins de tout cela devaient toujours avoir l'air un peu romanesque, et donner prise aux exclamations. Quoique mon commerce avec M[lle] de Vulson fût moins vif, il était plus attachant peut-être. Nos séparations ne se faisaient jamais sans larmes, et il est singulier dans quel vide accablant je me sentais plongé après l'avoir quittée. Je ne pouvais parler que d'elle, ni penser qu'à elle : mes regrets étaient vrais et vifs; mais je crois qu'au fond ces héroïques regrets n'étaient pas tous pour elle, et que, sans que je m'en aperçusse, les amusements dont elle était le centre y avaient leur bonne part. Pour tempérer les douleurs de l'absence, nous nous écrivions des lettres d'un pathétique à[a] faire fendre les rochers[1]. Enfin j'eus la gloire qu'elle n'y put plus tenir, et qu'elle vint me voir à Genève. Pour le coup, la tête acheva de me tourner; je fus ivre et fou les deux jours qu'elle y resta. Quand elle partit, je voulais me jeter[b] dans l'eau après elle, et je fis longtemps retentir l'air de mes cris. Huit jours après, elle m'envoya des bonbons et des gants; ce qui m'eût paru fort galant, si je n'eusse appris en même temps qu'elle était mariée, et que ce voyage, dont il lui avait plu de me faire honneur, était pour acheter ses habits de noces. Je ne décrirai pas ma fureur; elle se conçoit. Je jurai dans mon noble courroux de ne plus revoir la perfide, n'imaginant pas pour elle de plus terrible punition. Elle n'en mourut pas cependant; car vingt ans après, étant allé voir mon père, et me promenant avec lui sur le lac, je demandai qui étaient des dames que je voyais dans un bateau peu loin du nôtre. Comment ! me dit mon père en souriant, le cœur ne te le dit-il pas ? ce sont tes anciennes amours; c'est M[me] Christin, c'est M[lle] de Vulson. Je tressaillis à ce nom presque oublié:

1. Le narrateur s'amuse à introduire discrètement dans cette idylle à « l'air un peu romanesque » un lieu commun de la pastorale italienne, espagnole ou française. Les bergers de Sannazar, de Garcilaso ou de d'Urfé pleurent, on le sait, abondamment. Un personnage de Garcilaso (*Églogue* I, vers 197-19δ) s'exclame par exemple : « Sous mes larmes les pierres attendrissent leur dureté naturelle, et la brisent ». Toute cette page est délicatement empreinte d'ironie sur soi-même, et écrite en style semi-parodique, comme le montre la confrontation avec le manuscrit de Neuchâtel (voir variantes).

mais je dis aux bateliers de changer de route; ne jugeant pas, quoique j'eusse assez beau jeu pour prendre[a] ma revanche, que ce fût la peine d'être parjure, et de renouveler une querelle de vingt ans avec une femme de quarante.

Ainsi se perdait en niaiseries le plus précieux temps de mon enfance, avant qu'on eût décidé de ma destination. Après de longues délibérations pour suivre mes dispositions naturelles, on prit enfin le parti pour lequel j'en avais le moins, et l'on me mit chez M. Masseron, greffier de la ville, pour apprendre[b] sous lui, comme disait M. Bernard[c], l'utile métier de grapignan[1]. Ce surnom[d] me déplaisait souverainement; l'espoir de gagner force écus par une voie ignoble flattait peu mon humeur hautaine; l'occupation me paraissait ennuyeuse, insupportable; l'assiduité, l'assujettissement, achevèrent de m'en rebuter, et je n'entrais jamais au greffe qu'avec une[e] horreur qui croissait de jour en jour. M. Masseron, de son côté, peu content de moi[f], me traitait avec mépris, me reprochant sans cesse mon engourdissement, ma bêtise, me répétant tous les jours que mon oncle l'avait assuré *que je savais, que je savais,* tandis que[g] dans le vrai je ne savais rien; qu'il lui avait promis un joli garçon, et qu'il ne le lui avait donné qu'un âne. Enfin je fus renvoyé du greffe ignominieusement pour mon ineptie, et il fut[h] prononcé par les clercs de M. Masseron que je n'étais bon qu'à mener la lime[i].

Ma vocation[j] ainsi déterminée, je fus mis en apprentissage, non toutefois chez un horloger, mais chez un graveur[k]. Les dédains du greffier m'avaient extrêmement humilié et j'obéis sans murmure. Mon maître, appelé[l] M. Ducommun, était un jeune homme[m] rustre et violent, qui vint à bout[n], en très peu de temps, de ternir tout l'éclat de mon enfance, d'abrutir mon caractère aimant et vif, et de me réduire, par l'esprit[o] ainsi que par la fortune, à mon véritable état d'apprentif[2]. Mon latin[p], mes

1. Littré cite, outre ce passage, un emploi au xviie siècle de *grapignan* (procureur), qu'il donne comme formé par analogie avec *grappiller,* et dont la phrase suivante, « gagner force écus par une voie ignoble », éclaire assez le sens. Sur les dates des deux apprentissages successifs, voir *Index,* Masseron, Ducommun.

2. Non seulement les anciennes orthographes *apprentif, baillif,* restent encore en usage en France jusqu'au milieu du xviiie siècle,

antiquités, mon histoire, tout fut pour longtemps oublié; je ne me souvenais pas même qu'il y eût eu des Romains au monde. Mon père, quand je l'allais voir, ne trouvait plus en moi son idole[a], je n'étais plus pour les dames le galant Jean-Jacques, et je sentais si bien moi-même que M. et M[lle] Lambercier n'auraient plus reconnu[b] en moi leur élève, que j'eus honte de me[c] représenter à eux, et ne les ai plus revus depuis[d] lors. Les goûts les plus vils, la plus basse polissonnerie, succédèrent à mes aimables amusements, sans m'en laisser même la moindre idée. Il faut que, malgré l'éducation la plus honnête, j'eusse un grand penchant à dégénérer; car cela se fit très rapidement, sans la moindre peine, et jamais César si précoce ne[e] devint si promptement Laridon.

Le métier ne me déplaisait[f] pas en lui-même : j'avais un goût vif pour le dessin, le jeu du burin m'amusait assez, et, comme le talent du graveur pour l'horlogerie est très borné, j'avais l'espoir d'en atteindre la perfection[g]. J'y serais parvenu peut-être si la brutalité de mon maître et la gêne excessive ne m'avaient rebuté du travail. Je lui dérobais mon temps pour l'employer en occupations du même genre, mais qui avaient pour moi[h] l'attrait de la liberté. Je gravais des espèces de médailles pour nous servir[i], à moi et à mes camarades, d'ordre de chevalerie. Mon maître me surprit à ce travail de contrebande, et me roua de coups, disant que je m'exerçais à faire de la fausse monnaie, parce que nos médailles avaient les armes de la République. Je puis bien jurer que je n'avais[j] nulle idée de la fausse monnaie, et très peu de la véritable[k]. Je savais mieux comment se faisaient les as romains que nos pièces de trois sols.

La tyrannie de mon maître finit par me rendre insupportable le travail que j'aurais aimé, et par me donner des vices que j'aurais haïs, tels que le mensonge[l], la fainéantise, le vol. Rien ne m'a mieux appris la différence[m] qu'il y a de la dépendance filiale à l'esclavage servile, que le souvenir des changements que[n] produisit en moi cette époque. Naturellement timide et honteux, je n'eus jamais[o] plus d'éloignement pour aucun défaut que pour l'effronterie[p]. Mais j'avais joui d'une liberté honnête, qui seulement

mais même la prononciation de l'*f* final se maintient à Genève jusqu'au début du XIX[e] siècle.

s'était[a] restreinte jusque-là par degrés, et s'évanouit[b] enfin tout à fait. J'étais hardi chez mon père, libre chez M. Lambercier, discret chez mon oncle; je devins craintif chez mon maître, et dès lors je fus un enfant perdu. Accoutumé à une égalité parfaite avec mes supérieurs dans la manière de vivre, à ne pas connaître un plaisir qui ne fût à ma portée, à ne pas voir un mets dont je n'eusse ma part, à n'avoir pas un désir[c] que je ne témoignasse, à mettre enfin tous les mouvements de mon cœur sur mes lèvres : qu'on juge de ce que je dus devenir dans une maison où je n'osais[d] pas ouvrir la bouche, où il fallait sortir de table au tiers du repas[e], et de la chambre aussitôt que je n'y avais rien à faire, où, sans cesse enchaîné à mon travail, je ne voyais qu'objets de jouissance pour d'autres et de privations pour moi seul; où l'image de la liberté[f] du maître et des compagnons augmentait le poids de mon[g] assujettissement; où dans les disputes sur ce que je savais le mieux[h], je n'osais ouvrir la bouche; où tout enfin ce que je voyais devenait pour mon[i] cœur un objet de convoitise, uniquement parce que j'étais privé de tout. Adieu l'aisance, la gaieté, les mots heureux qui[j] jadis souvent dans mes fautes m'avaient fait échapper au châtiment. Je ne puis me rappeler sans rire qu'un soir, chez mon père[k], étant condamné pour quelque espièglerie à m'aller coucher sans souper[l], et passant par la cuisine avec mon triste morceau de pain, je vis et flairai le rôti tournant à la broche. On était autour du feu; il fallut en passant saluer tout le monde. Quand la ronde fut faite, lorgnant du coin de l'œil ce rôti qui avait si bonne mine et qui sentait si bon, je ne pus m'abstenir de lui faire aussi la révérence, et de lui dire[m] d'un ton piteux : *Adieu, rôti*. Cette saillie de naïveté[n] parut si plaisante, qu'on me fit rester à souper. Peut-être eût-elle eu le même bonheur chez mon maître, mais il est[o] sûr qu'elle ne m'y serait pas venue, ou que je n'aurais jamais osé m'y livrer.

Voilà comment j'appris à convoiter en silence, à me cacher, à dissimuler, à mentir, et à dérober enfin, fantaisie qui[p] jusqu'alors ne m'était pas venue, et dont je n'ai pu depuis lors bien me guérir. La convoitise et l'impuissance mènent toujours là. Voilà pourquoi tous les laquais sont fripons, et pourquoi tous les apprentis doivent l'être; mais dans un état égal et tranquille, où tout ce[q] qu'ils voient est à leur portée[r], ces derniers perdent en grandis-

sant ce[a] honteux penchant. N'ayant pas eu le même avan-
tage, je n'en[b] ai pu tirer le même profit[1].

Ce sont presque toujours[c] de bons sentiments mal diri-
gés qui font faire aux enfants le premier pas vers le mal.
Malgré les privations et les tentations[d] continuelles, j'avais
demeuré[e] plus d'un an chez mon maître sans[f] pouvoir
me résoudre à rien prendre[g], pas même des choses à manger.
Mon premier vol fut[h] une affaire de complaisance; mais
il ouvrit la porte à[i] d'autres qui n'avaient pas une si
louable fin.

Il y avait chez mon maître un compagnon appelé
M. Verrat, dont la[j] maison, dans le voisinage, avait un
jardin assez éloigné qui produisait de[k] très belles asperges.
Il prit envie à M. Verrat[l], qui n'avait pas beaucoup d'argent,
de voler à sa mère des asperges dans leur primeur, et de
les vendre pour faire quelques bons déjeuners. Comme
il[m] ne voulait pas s'exposer lui-même et qu'il n'était pas
fort ingambe, il me choisit pour cette expédition[n]. Après
quelques cajoleries préliminaires, qui me gagnèrent d'au-
tant mieux que je n'en voyais pas le but, il me la proposa
comme une idée qui lui venait sur-le-champ. Je[o] disputai
beaucoup; il insista. Je n'ai jamais pu résister aux cares-
ses; je me rendis. J'allais tous les matins moissonner les
plus belles asperges; je les portais au Molard, où[p] quelque
bonne femme, qui voyait que je venais de les voler, me le
disait pour les avoir à meilleur compte. Dans ma frayeur je[q]
prenais ce qu'elle voulait bien me donner; je[r] le portais
à M. Verrat. Cela se changeait promptement en un déjeuner
dont j'étais le pourvoyeur, et qu'il partageait avec[s] un

1. Ces réflexions, de même que plus haut celles sur les châtiments
corporels à propos du séjour à Bossey, sont à rapprocher des principes
de la première éducation « purement négative » développés dans le
second livre de l'*Émile* :
« Maintenez l'enfant dans la seule dépendance des choses [...].
N'offrez jamais à ses volontés indiscrètes que des obstacles physiques
ou des punitions qui naissent des actions mêmes, et qu'il se rappelle
dans l'occasion : sans lui défendre de mal faire, il suffit de l'en empê-
cher [...]. Qu'il ne sache ce que c'est qu'obéissance quand il agit, ni
ce que c'est qu'empire quand on agit pour lui. »
Cette méthode de liberté est un peu, comme Rousseau vient de le
dire, celle qu'il avait connue à Bossey avant l'affaire du peigne brisé,
première initiation à l'injustice. Il n'a que treize ans quand il entre
en apprentissage, et ressent vivement le contraste.

autre camarade; car pour moi, très content d'en avoir[a] quelque bribe, je ne touchais pas même à leur vin.

Ce petit manège dura plusieurs jours sans qu'il me vînt même à l'esprit de[b] voler le voleur, et de dîmer sur M. Verrat le produit de ses asperges[c]. J'exécutais ma friponnerie avec la plus grande fidélité; mon seul motif était de complaire à celui qui me la faisait faire. Cependant, si j'eusse été surpris, que de coups, que[d] d'injures, quels traitements cruels n'eussé-je point essuyés, tandis que le[e] misérable, en me démentant, eût été cru sur sa parole, et moi doublement puni pour avoir osé le charger, attendu qu'il était compagnon et que je n'étais qu'apprentif! Voilà comment en tout état le fort coupable se sauve aux dépens du faible innocent.

J'appris ainsi qu'il n'était pas si[f] terrible de voler que je l'avais cru, et je tirai[g] bientôt si bon parti de ma science, que rien de ce que je convoitais n'était à ma portée en sûreté. Je n'étais pas absolument mal nourri chez mon maître et la sobriété ne m'était pénible qu'en la lui voyant si mal garder. L'usage de faire sortir[h] de table les jeunes gens quand on y sert ce qui les tente le plus, me paraît très bien entendu pour les rendre aussi friands que fripons. Je devins[i] en peu de temps l'un et l'autre; et je m'en trouvais[j] fort bien pour l'ordinaire, quelquefois fort mal quand j'étais surpris.

Un souvenir qui me fait frémir encore et rire tout à la fois, est celui d'une chasse aux pommes qui me coûta cher. Ces pommes étaient au fond d'une dépense qui, par une jalousie élevée[k] recevait du jour de la cuisine. Un jour que j'étais seul dans la maison, je montai sur la[l] maie pour regarder dans le jardin des Hespérides ce précieux fruit dont je ne pouvais approcher. J'allai chercher la broche pour voir si elle[m] pourrait y atteindre : elle était trop courte. Je l'allongeai par une autre petite broche qui servait pour le menu gibier[n]; car mon maître aimait la chasse. Je piquai plusieurs fois sans succès; enfin je sentis avec transport que j'amenais une pomme. Je tirai[o] très doucement: déjà la pomme touchait à la jalousie : j'étais prêt à la saisir[p]. Qui dira ma douleur ? La pomme était trop grosse, elle ne put passer par le trou. Que d'inventions[q] ne mis-je point en usage pour la tirer ! Il fallut trouver des[r] supports pour tenir la[s] broche en état, un couteau assez long pour[t] fendre la pomme, une latte pour la soutenir. A force d'adresse[u]

et de temps je parvins à la partager, espérant tirer ensuite
les pièces l'une après l'autre; mais à peine furent-elles sépa-
rées, qu'elles tombèrent toutes deux dans la dépense.
Lecteur pitoyable, partagez mon affliction.

Je ne perdis point courage; mais j'avais perdu beaucoup
de temps. Je craignais d'être surpris; je renvoie au lende-
main une tentative plus heureuse, et[a] je me remets à l'ou-
vrage tout aussi tranquillement que si je n'avais rien fait,
sans[b] songer aux deux témoins indiscrets qui déposaient
contre moi dans la dépense.

Le lendemain[c], retrouvant l'occasion belle, je tente un
nouvel essai. Je monte sur mes tréteaux, j'allonge la broche,
je l'ajuste; j'étais prêt à piquer[d]... Malheureusement le
dragon ne dormait pas; tout à coup la[e] porte de la dépense
s'ouvre : mon maître en sort, croise les bras, me regarde
et me dit : Courage[f] !... La plume me tombe des mains.

Bientôt, à force d'essuyer de mauvais traitements, j'y
devins moins sensible; ils me parurent enfin une sorte de
compensation du vol, qui me mettait en droit de le conti-
nuer. Au lieu de[g] retourner les yeux en arrière et de regar-
der la punition, je les[h] portais en avant et je regardais la
vengeance. Je jugeais que me battre comme fripon, c'était
m'autoriser à l'être. Je trouvais que voler et être battu
allaient ensemble[i], et constituaient en quelque sorte un
état, et qu'en remplissant la partie de cet état qui dépen-
dait de moi, je pouvais laisser le soin de l'autre à mon maître.
Sur cette idée je me mis à voler plus tranquillement qu'au-
paravant. Je me disais : Qu'en arrivera-t-il enfin ? Je serai
battu. Soit : je suis fait pour l'être.

J'aime à manger, sans être avide : je suis sensuel, et non
pas gourmand. Trop d'autres goûts me[j] distraisaient[1] de
celui-là. Je ne me suis jamais occupé de ma bouche que
quand mon cœur était oisif; et cela m'est[k] si rarement
arrivé dans ma vie, que je n'ai guère eu le temps de songer
aux bons morceaux. Voilà pourquoi je ne bornai pas
longtemps ma friponnerie au comestible, je l'étendis
bientôt à tout ce qui me tentait; et si je ne devins pas un

1. Les formes *distraisent, distraisait, distraisant*, données comme
« grosses fautes » par Littré, sont alors courantes en Savoie (saint
François de Sales les employait), et sont encore attestées en Suisse
romande au xxe siècle, selon A. François. Voir d'autres exemples
ci-dessous, livre IV, p. 154 et livre VI, p. 284.

voleur en forme, c'est que je n'ai jamais été beaucoup tenté
d'argent. Dans le cabinet commun, mon maître avait un
autre[a] cabinet à part qui fermait à clef; je trouvai le moyen
d'en ouvrir la porte et de la refermer sans[b] qu'il y parût.
Là je mettais à contribution ses bons outils, ses[c] meilleurs
dessins, ses empreintes, tout ce qui me faisait envie et qu'il
affectait[d] d'éloigner de moi. Dans le fond, ces vols étaient
bien innocents[e], puisqu'ils n'étaient faits que pour être
employés à son service : mais j'étais transporté de joie
d'avoir ces bagatelles en[f] mon pouvoir; je croyais voler
le talent avec ses productions[g]. Du reste, il y avait dans[h]
des boîtes des recoupes d'or et d'argent, de petits bijoux[i],
des pièces de prix, de la monnaie. Quand j'avais[j] quatre
ou cinq sols dans ma poche, c'était beaucoup : cependant,
loin de toucher à rien de tout cela, je ne me[k] souviens pas[l]
même d'y avoir jeté de ma vie un regard de convoitise.
Je le voyais avec plus d'effroi que de plaisir[m]. Je crois
bien que cette horreur du vol de l'argent et de ce qui en
produit me venait en grande partie de[n] l'éducation. Il se
mêlait à cela des idées secrètes d'infamie, de prison, de
châtiment, de potence qui m'auraient fait frémir si j'avais
été tenté; au lieu que mes tours ne[o] me semblaient que
des espiègleries, et n'étaient pas autre chose en effet. Tout
cela ne pouvait valoir que d'être bien étrillé par mon
maître, et d'avance je m'arrangeais là-dessus.

Mais, encore une fois, je ne convoitais pas même assez
pour[p] avoir à m'abstenir; je ne sentais rien à combattre.
Une seule feuille de beau papier à dessiner me tentait plus
que l'argent pour en[q] payer une rame. Cette bizarrerie
tient à une des[r] singularités de mon caractère; elle a eu
tant d'influence sur ma conduite qu'il importe de l'expliquer.

J'ai des passions très ardentes, et tandis qu'elles
m'agitent, rien n'égale mon impétuosité : je ne connais
plus ni ménagement, ni respect, ni crainte, ni bien-
séance; je suis[s] cynique, effronté, violent, intrépide; il
n'y a ni[t] honte qui m'arrête, ni danger qui m'effraye :
hors le seul objet qui m'occupe, l'univers[u] n'est plus
rien pour moi. Mais tout cela ne dure qu'un moment,
et le moment qui suit me jette dans l'anéantissement.
Prenez-moi dans le calme, je suis l'indolence et la timi-
dité même : tout m'effarouche, tout me rebute; une mouche
en volant me fait peur; un mot à dire, un geste à faire[v]
épouvante ma paresse; la crainte et la honte me subjuguent

à tel point que je voudrais m'éclipser aux yeux de tous les mortels. S'il faut agir, je ne sais que faire; s'il faut parler, je ne sais que dire; si l'on me regarde, je suis décontenancé. Quand je me passionne, je[a] sais trouver quelquefois ce que j'ai à dire; mais dans les entretiens ordinaires, je ne trouve rien, rien du tout; ils me sont insupportables par[b] cela seul que je suis obligé de parler.

Ajoutez qu'aucun de mes goûts dominants ne consiste en choses qui s'achètent[c]. Il ne me faut que des plaisirs purs, et l'argent les empoisonne tous. J'aime par exemple ceux de la table; mais, ne pouvant souffrir ni la gêne de la bonne compagnie, ni la crapule du cabaret[d], je ne puis les goûter qu'avec un ami; car seul, cela ne m'est pas possible; mon imagination s'occupe alors d'autre chose, et je n'ai pas le plaisir de manger. Si mon sang allumé me demande des femmes, mon cœur[e] ému me demande encore plus de l'amour[f]. Des femmes à prix d'argent perdraient pour moi tous leurs charmes; je doute même s'il serait en[g] moi d'en profiter. Il en est ainsi de tous les plaisirs à ma portée; s'ils ne sont gratuits, je les trouve insipides. J'aime les seuls biens qui ne sont à personne qu'au premier qui sait les goûter.

Jamais l'argent ne me parut une chose aussi[h] précieuse qu'on la trouve. Bien plus, il ne m'a[i] même jamais paru fort commode[j]; il n'est bon à rien par lui-même, il faut le transformer pour en jouir; il faut acheter[k], marchander, souvent être dupe, bien[l] payer, être mal servi. Je voudrais une chose bonne dans sa qualité : avec mon argent je suis sûr de l'avoir mauvaise. J'achète cher un œuf frais, il est vieux, un beau fruit, il est vert[m]; une fille, elle est gâtée. J'aime le bon vin[n], mais où en prendre ? Chez un marchand de vin ? comme que je fasse, il m'empoisonnera. Veux-je absolument être bien servi ? que de soins, que d'embarras ! avoir des amis, des correspondants, donner des commissions, écrire, aller, venir[o], attendre; et souvent au bout être encore trompé. Que de peine avec mon argent ! Je la crains plus que je n'aime le bon vin.

Mille fois, durant mon apprentissage et depuis, je suis sorti dans le dessein d'acheter quelque friandise. J'approche de la boutique d'un pâtissier, j'aperçois des femmes au comptoir; je crois déjà les voir rire et se moquer[p] entre elles du petit gourmand. Je passe devant une fruitière, je lorgne du coin de l'œil de belles poires, leur parfum me

tente; deux ou trois jeunes gens tout près de là me regardent; un homme qui me connaît est devant sa boutique; je vois de loin venir une fille[a]; n'est-ce point la servante de la maison ? Ma vue courte[b] me fait mille illusions. Je prends tous[c] ceux qui passent pour des gens de[d] connaissance; partout je suis intimidé, retenu par quelque obstacle; mon désir croît avec ma honte, et je rentre enfin comme un sot, dévoré de convoitise, ayant dans ma poche de quoi la satisfaire[e], et n'ayant osé rien acheter.

J'entrerais dans les plus[f] insipides détails, si je suivais dans l'emploi de mon argent, soit par moi, soit par d'autres, l'embarras, la honte, la répugnance, les inconvénients[g], les dégoûts de toute espèce que j'ai toujours éprouvés. A mesure qu'avançant dans ma vie le lecteur[h] prendra connaissance de mon humeur, il sentira tout cela sans que je m'appesantisse à le lui dire.

Cela compris, on comprendra sans peine une de mes[i] prétendues contradictions : celle d'allier une avarice presque sordide avec le plus grand mépris pour l'argent. C'est un meuble pour moi si peu commode, que je ne m'avise pas même de désirer celui que je n'ai pas; et que quand j'en ai je le garde longtemps[j] sans le dépenser, faute de savoir l'employer à ma fantaisie; mais l'occasion commode et agréable se présente-t-elle, j'en profite si bien que ma bourse se vide avant que je m'en sois aperçu. Du reste, ne cherchez pas en moi le tic des avares[k], celui de dépenser pour l'ostentation; tout au contraire, je dépense en secret et pour le plaisir : loin de me faire gloire de dépenser, je m'en cache. Je sens si bien que l'argent n'est pas à mon usage, que je suis presque honteux d'en avoir[l], encore plus de m'en servir[m]. Si j'avais[n] eu jamais un revenu suffisant pour vivre commodément, je n'aurais point été tenté d'être avare, j'en suis très sûr. Je dépenserais tout mon revenu sans chercher à l'augmenter : mais ma situation précaire me tient en crainte. J'adore la liberté. J'abhorre la gêne, la peine, l'assujettissement. Tant que dure l'argent que j'ai dans ma bourse, il assure mon indépendance; il me dispense de m'intriguer pour en trouver d'autre; nécessité que j'eus toujours en horreur : mais de peur de le voir finir, je le choie. L'argent qu'on possède est l'instrument de la liberté; celui qu'on pourchasse est[o] celui de la servitude. Voilà pourquoi je serre bien et ne convoite rien.

Mon désintéressement n'est donc que paresse; le plaisir

d'avoir ne vaut pas la peine d'acquérir[a] : et ma dissipation n'est[b] encore que paresse; quand l'occasion de dépenser agréablement se présente, on ne peut trop la mettre à profit. Je suis moins tenté de l'argent que des choses, parce qu'entre l'argent et la possession désirée il y a toujours un intermédiaire; au lieu qu'entre la chose même et sa jouissance il n'y en a point. Je vois la chose, elle me tente; si je ne vois que le moyen de l'acquérir, il ne me tente pas. J'ai donc été fripon et quelquefois je le suis encore[c] de bagatelles qui me[d] tentent et que j'aime mieux prendre que demander : mais, petit ou grand, je ne me souviens pas d'avoir pris de ma vie un liard à personne; hors une seule fois, il n'y a pas quinze ans, que je volai sept livres dix sous. L'aventure vaut la peine d'être contée, car il s'y trouve un concours impayable d'effronterie et de bêtise, que j'aurais peine moi-même à croire s'il regardait un autre que moi.

C'était à Paris. Je me promenais avec M. de Francueil au Palais-Royal, sur les cinq heures. Il tire sa montre, la regarde, et me dit : Allons à l'Opéra : je le veux bien; nous allons. Il prend deux billets d'amphithéâtre, m'en donne un[e], et passe le premier avec l'autre, je le suis, il entre. En entrant après lui, je trouve la porte[f] embarrassée. Je regarde, je vois tout le monde debout; je juge que je pourrai bien me perdre dans cette foule, ou du moins laisser[g] supposer à M. de Francueil que j'y suis perdu. Je sors, je reprends ma contremarque, puis mon argent, et je m'en vais, sans songer qu'à peine avais-je atteint la porte que tout le monde était assis, et qu'alors M. de Francueil voyait clairement que je n'y étais plus.

Comme jamais rien ne fut plus éloigné de mon humeur que ce trait-là, je le note, pour montrer qu'il y a des moments d'une espèce de délire où il ne faut point juger[h] des hommes par leurs actions. Ce n'était pas précisément voler cet argent; c'était en voler l'emploi : moins c'était un vol, plus c'était une infamie.

Je ne finirais pas[i] ces détails si je voulais suivre toutes les routes par lesquelles[j], durant mon apprentissage, je passai de la sublimité de l'héroïsme à la bassesse d'un vau-rien. Cependant, en prenant les vices de mon état[k], il me fut impossible d'en prendre tout à fait les goûts. Je m'en-nuyais des amusements de mes camarades; et quand la trop grande gêne m'eut aussi rebuté du travail, je m'ennuyai

de tout. Cela me rendit le goût de la lecture[a] que j'avais perdu depuis longtemps. Ces lectures, prises sur mon[b] travail, devinrent un nouveau crime qui m'attira de nouveaux châtiments. Ce goût irrité[c] par la contrainte devint passion, bientôt fureur. La Tribu, fameuse loueuse de livres, m'en[d] fournissait de toute espèce. Bons et mauvais, tout passait; je ne choisissais point : je lisais tout avec[e] une égale avidité. Je lisais à l'établi, je lisais en allant faire mes messages, je lisais à la garde-robe, et m'y oubliais des heures entières; la tête me tournait de la lecture, je ne faisais plus[f] que lire. Mon maître m'épiait, me surprenait, me battait, me prenait mes livres. Que de volumes furent déchirés, brûlés, jetés par les fenêtres ! que d'ouvrages restèrent[g] dépareillés chez la Tribu ! Quand je n'avais plus de quoi la payer, je lui donnais mes chemises, mes cravates, mes hardes[h]; mes trois sols d'étrennes[1] tous les dimanches lui étaient régulièrement portés[i].

Voilà donc, me dira-t-on, l'argent devenu nécessaire. Il est vrai, mais ce fut quand la lecture m'eut ôté toute activité. Livré tout entier à mon nouveau goût, je ne faisais plus que lire, je ne volais plus. C'est encore ici une de mes différences caractéristiques. Au fort d'une certaine habitude d'être, un rien me distrait, me change, m'attache, enfin me passionne; et alors tout est oublié, je ne songe plus qu'au nouvel objet qui m'occupe. Le cœur me battait d'impatience de feuilleter le[j] nouveau livre que j'avais dans la poche; je le tirais aussitôt que j'étais seul, et ne songeais plus à fouiller le cabinet de mon maître[k]. J'ai même peine à croire que[l] j'eusse volé quand même j'aurais eu des passions plus coûteuses. Borné au moment présent, il n'était pas dans mon tour d'esprit de m'arranger ainsi pour[m] l'avenir. La Tribu me faisait crédit : les avances étaient petites; et quand j'avais empoché mon livre, je ne[n] songeais plus à rien. L'argent qui[o] me venait naturellement passait de même à cette femme, et quand elle devenait pressante, rien n'était plus tôt sous ma main que mes propres effets. Voler par avance était trop de prévoyance, et voler pour payer n'était pas même une tentation.

1. Littré ne donne d'autre sens d'*étrennes* que « présent à l'occasion du premier jour de l'an ». *Étrennes* au sens de *pourboire* est un provincialisme genevois.

A force de querelles, de coups, de lectures dérobées et mal choisies, mon humeur devint[a] taciturne, sauvage; ma tête commençait à s'altérer, et je vivais en vrai loup-garou. Cependant si mon goût ne me préserva pas des livres plats et fades, mon bonheur me préserva des livres[b] obscènes et licencieux : non que la Tribu[c], femme à tous égards très accommodante, se fît un scrupule de m'en prêter. Mais, pour les faire valoir, elle me les nommait avec un air de mystère qui me forçait précisément à les refuser, tant par dégoût que par honte; et le hasard seconda si bien mon humeur pudique, que j'avais plus de trente ans avant que j'eusse jeté les yeux sur aucun de ces[d] dangereux livres qu'une belle dame de par le monde trouve incommodes, en ce qu'on ne peut[e], dit-elle, les lire que d'une main[1].

En moins d'un an j'épuisai la mince boutique de la Tribu, et alors je me trouvai dans mes loisirs cruellement désœuvré. Guéri de mes goûts d'enfant et de polisson par celui de la lecture, et même par mes lectures, qui, bien que[f] sans choix et souvent mauvaises, ramenaient pourtant mon cœur à des sentiments plus nobles que ceux que m'avait donné[s] mon état; dégoûté de tout ce qui était à ma portée, et sentant trop loin de moi tout ce qui m'aurait tenté, je ne voyais rien de possible qui pût[g] flatter mon cœur. Mes sens émus depuis longtemps me demandaient une jouissance dont je ne savais pas même imaginer l'objet. J'étais aussi loin du véritable que si je n'avais point eu de sexe; et, déjà pubère et sensible, je pensais quelquefois à mes folies, mais je[h] ne voyais rien au delà[i]. Dans cette étrange situation, mon inquiète imagination prit un[j] parti qui me sauva de moi-même et[k] calma ma naissante sensualité; ce fut de se nourrir des situations qui m'avaient intéressé dans mes lectures, de les rappeler, de les varier, de les combiner, de me les approprier tellement que je devinsse un des personnages que j'imaginais, que je me visse toujours dans les positions les plus agréables[l] selon mon goût, enfin que l'état

1. Musset-Pathay, citant un propos rapporté par le marquis de Ximenès, nomme cette « belle dame » : M[lle] de Clermont. Il s'agit sans doute de la princesse connue sous ce titre, Marie-Anne de Bourbon, petite-fille de Louis XIV et sœur du Régent (voir sur cette princesse, R. Shackleton, *Montesquieu*, Oxford Univ. Pr., 1961, p. 51).

fictif où je venais à bout de me mettre, me fît oublier mon
état réel dont j'étais si mécontent. Cet amour des objets
imaginaires et cette facilité de[a] m'en occuper achevèrent
de me dégoûter de tout ce qui m'entourait, et détermi-
nèrent ce goût pour la solitude qui m'est toujours resté
depuis ce temps-là. On verra plus d'une fois dans la suite
les bizarres effets de cette disposition[b] si misanthrope et
si sombre en apparence, mais qui vient en effet d'un cœur
trop affectueux, trop aimant, trop tendre, qui, faute d'en
trouver d'existants qui lui ressemblent, est forcé de[c] s'ali-
menter de fictions. Il me suffit, quant à présent, d'avoir
marqué l'origine et[d] la première cause d'un penchant qui
a modifié toutes mes passions, et qui, les contenant par
elles-mêmes, m'a toujours rendu[e] paresseux à faire, par trop
d'ardeur à désirer.

J'atteignis ainsi ma seizième année, inquiet, mécontent
de tout et de moi, sans goûts de mon état, sans plaisirs
de mon âge, dévoré de désirs dont j'ignorais l'objet[f],
pleurant sans sujets de larmes, soupirant sans savoir de
quoi; enfin caressant tendrement mes chimères, faute de[g]
rien voir autour de moi qui les valût. Les dimanches, mes
camarades venaient me chercher après le prêche pour
aller[h] m'ébattre avec eux. Je leur aurais volontiers échappé
si j'avais pu; mais une fois en train dans leurs jeux, j'étais
le plus ardent et j'allais plus loin[i] qu'aucun autre; difficile
à ébranler et à retenir. Ce fut là de tout temps ma disposi-
tion constante. Dans nos promenades hors de la ville,
j'allais toujours en avant sans songer au retour[j], à moins
que d'autres n'y songeassent pour moi. J'y fus pris deux
fois; les portes furent fermées avant que je pusse[k] arriver.
Le lendemain[l] je fus traité comme on s'imagine, et la
seconde fois il me fut promis un tel accueil pour la troi-
sième, que je résolus de ne m'y pas exposer. Cette troisième
fois si[m] redoutée arriva pourtant. Ma vigilance fut mise en
défaut par un maudit capitaine appelé M. Minutoli, qui
fermait toujours la porte où il était de garde une demi-
heure avant les autres[n]. Je revenais avec deux camarades.
A demi-lieue de la ville, j'entends sonner la retraite;
je double le pas; j'entends battre la caisse[o], je cours à
toutes jambes : j'arrive essoufflé[p], tout en nage; le cœur
me bat; je vois de loin les soldats à[q] leur poste; j'accours,
je crie[r] d'une voix étouffée. Il était trop tard. A vingt pas
de l'avancée je vois lever le premier pont. Je frémis en

voyant en l'air ces cornes terribles, sinistre et fatal augure du sort inévitable que ce moment commençait pour moi.

Dans le premier transport de douleur, je me jetai sur le glacis[a] et mordis la terre. Mes camarades, riant de leur malheur, prirent à l'instant leur parti. Je pris aussi le mien; mais ce fut d'une autre manière. Sur le lieu même je jurai de ne[b] retourner jamais chez mon maître[c]; et le lendemain, quand, à l'heure de la découverte, ils rentrèrent en ville, je leur[d] dis adieu pour jamais, les priant seulement d'avertir en secret mon cousin Bernard de la résolution que j'avais prise, et du lieu où il pourrait me[e] voir encore une fois[1].

A mon entrée en apprentissage, étant[f] plus séparé de lui, je le vis moins : toutefois, durant quelque temps nous nous rassemblions les dimanches; mais insensiblement chacun prit d'autres habitudes, et nous nous vîmes[g] plus rarement. Je suis persuadé que sa mère contribua beaucoup à ce changement. Il était, lui, un[h] garçon du haut; moi, chétif apprentif, je n'étais plus qu'un enfant de Saint-Gervais. Il n'y avait plus[i] entre nous d'égalité malgré la naissance; c'était déroger que de me fréquenter. Cependant les liaisons ne cessèrent[j] point tout à fait entre nous, et comme[k] c'était un garçon d'un bon naturel, il suivait quelquefois son[l] cœur malgré les leçons de sa mère[m]. Instruit de ma résolution, il accourut, non pour m'en dissuader ou[n] la partager, mais pour jeter, par de petits présents, quelque agrément dans ma fuite; car mes propres ressources ne pouvaient me mener fort loin. Il me donna entre autres une petite épée, dont j'étais fort épris[o], que j'ai portée jusqu'à Turin, où[p] le besoin m'en fit défaire, et où je me la passai, comme on dit[q], au travers du corps[2].

1. Littré critique l'emploi par Rousseau de *découverte* pour désigner l'ouverture des portes d'une ville. C'est le dimanche 14 mars 1728 que, trouvant les portes fermées, Rousseau décide de quitter Genève; l'incident est daté par la présentation à M^me de Warens le dimanche des Rameaux (« Pâques fleuries »), 21 mars 1728 (*infra*, p. 52).

2. Cette expression plaisante se dit au xviii^e siècle d'un soldat qui vend ses armes pour se procurer de quoi manger ou boire. Rousseau laisse clairement entendre ici qu'il dut, arrivé à Turin, vendre l'épée pour vivre. Au livre II, on ignore ce que devient l'épée, arrachée non sans peine (p. 64) à la rapacité du ménage Sabran. Mais le manuscrit

Plus j'ai réfléchi depuis à la manière dont il se conduisit avec moi dans ce moment critique, plus je me suis persuadé qu'il suivit les instructions de sa mère, et peut-être de son père; car il n'est pas possible que de lui-même, il n'eût fait quelque effort pour me retenir, ou qu'il n'eût été tenté de me suivre[a] : mais point. Il m'encouragea dans mon dessein plutôt qu'il ne m'en détourna; puis, quand il me vit bien résolu, il me quitta sans beaucoup de larmes. Nous ne nous sommes jamais écrit ni revus. C'est dommage[b] : il était d'un caractère essentiellement bon : nous étions faits pour nous aimer.

Avant de m'abandonner à la fatalité de ma destinée, qu'on me permette de tourner un moment les yeux sur celle qui m'attendait naturellement si[c] j'étais tombé dans les mains d'un meilleur maître[1]. Rien n'était plus convenable à mon humeur[d], ni plus propre à me rendre heureux, que l'état tranquille et[e] obscur d'un bon artisan, dans certaines classes[f] surtout, telle qu'est à Genève celle des graveurs. Cet état, assez lucratif pour donner une subsistance aisée, et pas assez pour mener à la fortune, eût borné mon ambition[g] pour le reste de mes jours, et, me laissant un loisir honnête pour cultiver des goûts modérés, il[h] m'eût contenu dans ma sphère sans m'offrir aucun moyen d'en sortir. Ayant une imagination assez riche pour orner[i] de ses chimères tous les états, assez puissante pour me[j] transporter, pour ainsi dire à mon gré, de l'un à l'autre, il m'importait peu dans lequel je fusse en effet. Il ne pouvait y avoir si loin du lieu où j'étais[k] au premier château en Espagne, qu'il ne me fût aisé de m'y[l] établir. De cela seul il suivait que l'état le plus simple, celui qui donnait le moins de tracas et de soins, celui qui laissait l'esprit le plus libre, était celui qui me convenait le mieux; et c'était précisément le mien[m]. J'aurais passé dans le sein de ma religion, de ma patrie, de ma famille et de mes amis, une vie[n]

de Neuchâtel (voir les variantes des passages correspondants, ici et au livre II) donne une version différente : elle lui aurait été prise par les Sabran.

1. Ch. Guyot, publiant dans les *O.C.* (t. II, 1961) le roman inachevé de Rousseau, *le Petit Savoyard ou la Vie de Claude Noyer,* qu'il date de 1756, rapproche à juste titre le ton nostalgique du passage qui suit, au potentiel du passé, d'un mouvement très semblable de ce petit roman (*ibid.,* p. 1200 et n. 1).

paisible et douce, telle[a] qu'il la fallait à mon caractère, dans
l'uniformité d'un travail de mon goût et d'une société
selon mon cœur. J'aurais été bon chrétien, bon citoyen[b],
bon père de famille, bon ami, bon ouvrier, bon homme en
toute chose. J'aurais aimé mon état, je l'aurais honoré[c]
peut-être, et après avoir[d] passé une vie obscure et simple,
mais égale et douce, je serais mort paisiblement dans le
sein des miens. Bientôt oublié, sans doute, j'aurais été
regretté du moins aussi longtemps qu'on se serait souvenu
de moi.

Au lieu de cela[e]... quel tableau vais-je faire ? Ah !
n'anticipons point sur les misères de ma vie ! Je n'occu-
perai que trop mes lecteurs de ce triste sujet[f].

LIVRE SECOND[a]

Autant le moment où l'effroi me suggéra le projet
de fuir m'avait paru triste, autant celui où je l'exé-
cutai me parut[b] charmant. Encore enfant, quitter mon
pays, mes parents, mes appuis, mes ressources; laisser
un apprentissage à moitié fait sans savoir mon métier
assez pour en vivre; me livrer aux horreurs de la misère
sans voir aucun moyen d'en sortir; dans l'âge de la fai-
blesse et de l'innocence, m'exposer à toutes les tentations
du vice et du désespoir; chercher au loin les maux[c], les
erreurs, les pièges, l'esclavage et la mort, sous un joug[d]
bien plus inflexible que celui que je n'avais pu[e] souffrir :
c'était là ce que j'allais faire; c'était la perspective[f] que j'au-
rais dû envisager. Que celle que je[g] me peignais était dif-
férente ! L'indépendance que[h] je croyais avoir acquise était
le seul sentiment qui m'affectait. Libre et maître de moi-
même, je croyais pouvoir tout faire, atteindre à tout : je
n'avais qu'à m'élancer pour m'élever et[i] voler dans les
airs. J'entrais avec sécurité dans le vaste espace du monde;
mon mérite allait le remplir; à chaque pas j'allais trouver[j]
des festins, des trésors, des aventures, des amis prêts à
me servir, des maîtresses empressées à me plaire : en me
montrant j'allais occuper de moi[k] l'univers, non pas pour-
tant l'univers tout entier, je l'en dispensais en quelque
sorte, il ne m'en fallait pas tant. Une société charmante
me suffisait sans m'embarrasser du reste. Ma modération
m'inscrivait dans une sphère étroite, mais délicieusement[l]
choisie, où j'étais assuré de régner. Un seul château bor-
nait mon ambition. Favori du seigneur et de la dame,
amant de la demoiselle, ami du frère[m] et protecteur des
voisins, j'étais content; il ne m'en fallait pas davantage[n].

En attendant ce[o] modeste avenir, j'errai quelques jours
autour de la Ville, logeant chez des paysans de ma con-
naissance, qui tous me reçurent avec plus de bonté que

n'auraient fait des[a] urbains. Ils m'accueillaient, me logeaient, me nourrissaient[b] trop bonnement pour en avoir le mérite. Cela ne pouvait[c] pas s'appeler faire l'aumône; ils n'y mettaient pas assez l'air de la supériorité.

A force[d] de voyager et de parcourir le monde, j'allai jusqu'à Confignon[e], terres de Savoie à deux lieues de Genève. Le curé s'appelait M. de Pontverre. Ce nom fameux dans l'histoire de[f] la République me frappa beaucoup. J'étais curieux de voir comment étaient faits les descendants des gentilshommes de la Cuiller. J'allai voir M. de Pontverre : il me reçut bien, me parla de l'hérésie de Genève, de l'autorité de la Sainte Mère Église, et me donna à dîner. Je trouvai peu de chose à répondre à des arguments qui finissaient ainsi[g], et je jugeai que des curés chez qui l'on dînait si bien valaient tout au moins nos ministres[h]. J'étais certainement plus savant que M. de Pontverre, tout gentilhomme qu'il était; mais j'étais trop bon convive pour être si bon théologien; et son vin[i] de Frangy, qui me parut excellent, argumentait si victorieusement pour lui, que j'aurais[j] rougi de fermer la bouche à un[k] si bon hôte[l]. Je cédais donc, ou du moins je ne résistais pas en face[l]. A voir les ménagements dont j'usais, on m'aurait cru faux. On se fût trompé; je n'étais qu'honnête, cela est certain. La flatterie, ou[m] plutôt la condescendance, n'est pas toujours un vice, elle est[n] plus souvent une vertu, surtout dans les jeunes gens. La bonté avec

1. La confrérie de la Cuiller (Rousseau écrit *cueiller*) fut instituée en 1527 (ou 1528 ?) dans un château du Pays de Vaud où des gentilshommes, mangeant de la bouillie avec des cuillers de bruyère, se firent fort de manger à la cuiller « ceux de Genève », et adoptèrent comme signe de reconnaissance une cuiller pendue au cou (voir Jacob Spon, *Histoire de Genève,* éd. de 1730, 4°, I, p. 190). Rousseau faisait allusion à cet épisode de la rivalité entre la Savoie catholique et Genève dans sa *Lettre à d'Alembert* (éd. Fuchs, T.L.F., p. 162, n. 1). François de Montchenu, sieur de Terny, connu sous le nom de Pontverre, d'une seigneurie de Savoie lui appartenant, fut choisi comme premier chef par les confrères. Le 1er janvier 1529 au matin, il fit scandale pour se faire ouvrir à Genève la porte Saint-Gervais encore fermée; comme il retraversait Genève le soir, il y fut attaqué et tué. Le curé Benoît de Pontverre qui accueille Rousseau ne descend pas de François de Pontverre (voir *Index*, Pontverre).

La région de Frangy (localité au sud de Genève, entre Annecy et Bellegarde) produit aujourd'hui des vins blancs.

laquelle un homme[a] nous traite nous attache à lui : ce
n'est pas pour l'abuser qu'on lui cède, c'est pour ne pas
l'attrister, pour ne pas lui rendre le mal pour le bien.
Quel intérêt avait M. de Pontverre à m'accueillir, à me
bien traiter, à vouloir me convaincre[b] ? Nul autre que
le mien propre. Mon jeune cœur[c] se disait cela. J'étais
touché de[d] reconnaissance et de respect pour le bon[e]
prêtre. Je sentais[f] ma supériorité; je ne voulais pas l'en
accabler pour prix de son hospitalité. Il n'y avait point[g]
de motif hypocrite à cette conduite : je ne songeais point
à changer de religion; et, bien loin de me familiariser[h]
si vite avec cette idée, je ne l'envisageais qu'avec une hor-
reur qui devait[i] l'écarter de moi pour longtemps : je voulais
seulement ne point fâcher ceux qui me caressaient dans
cette vue; je voulais cultiver leur bienveillance, et leur
laisser[j] l'espoir du succès en paraissant moins armé que
je ne l'étais en effet[k]. Ma faute en cela ressemblait à la
coquetterie des honnêtes femmes qui, quelquefois, pour
parvenir à leurs fins, savent, sans rien permettre ni rien
promettre, faire espérer plus qu'elles ne veulent céder.

La raison, la pitié, l'amour de l'ordre exigeaient[l]
assurément que, loin de se prêter à ma folie, on[m] m'éloi-
gnât de ma perte où je courais, en me renvoyant dans ma
famille. C'est là ce qu'aurait fait ou tâché de faire tout
homme vraiment[n] vertueux[o]. Mais quoique M. de Pont-
verre fût un[p] bon homme, ce n'était assurément pas un
homme vertueux; au contraire, c'était un dévot[q] qui ne
connaissait d'autre vertu que d'adorer les images et de dire
le rosaire; une espèce de missionnaire[r] qui n'imaginait
rien de mieux, pour le bien de la foi, que faire des libelles
contre[s] les ministres de Genève. Loin de penser à me
renvoyer chez moi, il[t] profita du désir que j'avais de m'en
éloigner, pour me mettre hors d'état d'y retourner quand
même[u] il m'en prendrait envie. Il y avait tout à parier
qu'il m'envoyait périr de misère ou devenir un[v] vaurien.
Ce n'était point là ce qu'il voyait : il voyait une âme ôtée à
l'hérésie et rendue à l'Église. Honnête homme ou vaurien,
qu'importait cela pourvu que j'allasse à la messe ? Il ne
faut pas croire, au reste, que cette façon de penser soit
particulière aux Catholiques; elle est celle de toute religion
dogmatique où[w] l'on fait l'essentiel non de faire, mais de
croire.

Dieu vous appelle, me dit M. de Pontverre : allez à

Annecy; vous y trouverez une bonne Dame bien chari-
table, que les bienfaits du Roi mettent en état de retirer
d'autres âmes de l'erreur dont elle est sortie elle-même.
Il s'agissait de M^me de Warens, nouvelle convertie, que
les prêtres forçaient[a], en effet, de partager avec la canaille
qui venait[b] vendre sa foi, une pension de deux mille francs
que lui donnait le Roi de Sardaigne[c]. Je me sentais fort
humilié d'avoir besoin d'une bonne Dame bien charitable.
J'aimais fort qu'on me donnât mon nécessaire, mais non
pas qu'on me fît la charité; et une dévote[d] n'était pas pour
moi fort attirante. Toutefois, pressé par M. de Pontverre,
par la faim[e] qui me talonnait, bien aise aussi[f] de faire un
voyage et d'avoir un but, je prends mon parti, quoique
avec peine, et je pars pour Annecy. J'y pouvais être aisé-
ment en un jour[g]; mais je ne me pressais pas, j'en mis trois.
Je ne voyais pas un château à droite ou à gauche sans aller
chercher l'aventure que j'étais sûr qui m'y attendait.
Je n'osais entrer dans le château ni heurter, car j'étais
fort timide[h], mais je chantais sous la fenêtre qui avait
le plus d'apparence, fort surpris, après m'être longtemps
époumoné, de ne voir paraître ni[i] Dames ni Demoiselles
qu'attirât la beauté de[j] ma voix ou le sel de mes chansons[k],
vu que j'en savais d'admirables que mes camarades
m'avaient apprises, et que je chantais[l] admirablement.

J'arrive enfin; je vois M^me de Warens. Cette époque
de ma vie a décidé de mon caractère; je ne puis me résoudre
à la passer légèrement. J'étais au milieu de ma seizième
année. Sans être ce qu'on appelle un beau garçon, j'étais
bien[m] pris dans ma petite taille; j'avais un joli pied, la
jambe fine, l'air dégagé, la physionomie animée, la bouche
mignonne[n], les sourcils et les cheveux noirs, les yeux petits
et même enfoncés, mais[o] qui lançaient avec force le feu
dont mon sang était embrasé. Malheureusement je ne savais
rien de tout[p] cela, et de ma vie il ne m'est arrivé de songer
à ma figure que lorsqu'il n'était plus temps d'en tirer parti.
Ainsi j'avais[q] avec la timidité de mon âge celle d'un naturel[r]
très aimant, toujours troublé par la crainte de déplaire.
D'ailleurs, quoique j'eusse l'esprit[s] assez orné, n'ayant
jamais vu le monde, je manquais totalement de manières,
et mes connaissances, loin d'y suppléer, ne servaient qu'à
m'intimider davantage, en me faisant sentir combien j'en
manquais.

Craignant donc que mon abord ne prévînt pas en ma

faveur, je pris autrement mes avantages, et je fis une belle lettre en style d'orateur, où, cousant des phrases des livres avec[a] des locutions d'apprentif, je déployais toute mon éloquence pour[b] capter la bienveillance de M^me de Warens. J'enfermai la lettre de M. de Pontverre dans la mienne, et je partis pour cette terrible audience. Je ne trouvai point M^me de Warens; on me dit qu'elle venait de sortir pour aller à l'église. C'était le jour des Rameaux de l'année 1728. Je cours pour la suivre : je la vois, je l'atteins, je lui parle... Je dois me souvenir du lieu ; je l'ai souvent depuis mouillé de mes larmes et couvert de mes baisers[c]. Que ne puis-je entourer d'un balustre d'or cette heureuse place ! que n'y puis-je attirer les hommages de toute la terre ! Quiconque aime à honorer les monuments du salut des hommes n'en devrait approcher qu'à genoux[1].

C'était un passage derrière sa maison, entre un ruisseau à main droite qui la séparait du jardin, et le mur de la cour à gauche, conduisant par une fausse porte à l'église des Cordeliers. Prête à entrer dans cette porte, M^me de Warens se retourne à ma voix. Que devins-je à cette vue ! Je m'étais figuré une vieille dévote bien rechignée ; la bonne Dame de M. de Pontverre ne pouvait être autre chose à mon avis. Je vois[d] un visage pétri de grâces, de beaux yeux bleus pleins de douceur, un teint éblouissant, le contour[e] d'une gorge enchanteresse. Rien n'échappa au rapide coup d'œil du jeune prosélyte ; car je devins à l'instant le sien[f], sûr qu'une religion prêchée par de tels missionnaires ne pouvait manquer de mener en paradis[g]. Elle prend en souriant la lettre que je lui présente d'une main tremblante, l'ouvre, jette un coup d'œil sur celle de M. de Pontverre, revient à la mienne, qu'elle lit tout entière, et qu'elle eût relue encore si son laquais ne l'eût avertie[h] qu'il était temps d'entrer. Eh ! mon enfant, me dit-elle d'un ton[i] qui me fit tressaillir, vous voilà courant le pays bien jeune ; c'est dommage en vérité. Puis, sans attendre ma réponse, elle ajouta : Allez chez moi m'attendre[j] ; dites qu'on vous donne à déjeuner ; après la messe j'irai causer avec vous.

1. « Un balustre d'or », conformément au vœu de Rousseau, fut édifié à Annecy en 1928 pour le deux-centième anniversaire de la rencontre, à l'emplacement décrit par lui dans la cour de l'ancien Évêché (aujourd'hui Trésorerie générale).

Louise-Éléonore de Warens était une demoiselle de
la Tour de Pil[a], noble et ancienne famille de Vevey,
ville du pays de Vaud. Elle avait épousé fort jeune M. de
Warens de la maison de Loys, fils aîné de M. de Villardin
de Lausanne. Ce mariage, qui ne produisit point d'enfants,
n'ayant pas trop réussi, M[me] de Warens, poussée par
quelque[b] chagrin domestique, prit le temps que[c] le Roi
Victor-Amédée était à Évian, pour passer le lac et venir se
jeter aux pieds de ce prince, abandonnant ainsi[d] son mari,
sa famille et son pays, par une étourderie assez semblable
à la mienne, et qu'elle a eu tout le temps de pleurer aussi.
Le Roi, qui aimait à faire le zélé catholique, la prit sous sa
protection, lui donna une pension de quinze cents livres
de Piémont[1], ce qui était beaucoup pour un prince aussi[e]
peu prodigue, et voyant que sur cet accueil on l'en croyait
amoureux, il l'envoya à Annecy, escortée par un déta-
chement de ses gardes[f], où, sous la direction de Michel
Gabriel de Bernex, évêque titulaire de Genève, elle fit
abjuration au couvent de la Visitation[2].

Il y avait[g] six ans qu'elle y était quand j'y vins, et elle
en avait alors vingt-huit, étant née avec le siècle. Elle
avait de ces beautés qui se conservent[h] parce qu'elles
sont plus dans la physionomie que dans les traits; aussi
la sienne était-elle encore dans tout son[i] premier éclat.
Elle avait un air caressant et tendre, un regard[j] très doux,
un sourire angélique, une bouche à la mesure de la mienne,
des cheveux cendrés d'une beauté peu commune, et
auxquels elle donnait un tour négligé qui la rendait très
piquante. Elle était petite de stature, courte même, et
ramassée un peu dans sa taille, quoique sans difformité;
mais il était impossible de voir une plus belle tête, un plus
beau sein, de plus[k] belles mains et de plus beaux bras.

Son éducation avait été fort mêlée : elle avait ainsi
que moi perdu sa mère[l] dès sa naissance, et recevant
indifféremment des[m] instructions comme elles s'étaient

1. 1 500 livres de Piémont font environ 1750 livres de France.
2. Selon Mugnier, le monastère de la Visitation, où abjura
M[me] de Warens, avait pour supérieure Françoise-Madeleine Favre des
Charmettes, tante de M. de Conzié (sur ce dernier, voir *Index*). L'abju-
ration eut lieu le 8 septembre 1726, un peu plus d'un mois après
l'audience accordée à Évian par Victor-Amédée; l'arrivée de Jean-
Jacques à Annecy se place non pas six ans, mais dix-huit mois plus tard.

présentées, elle avait appris un peu de sa gouvernante, un peu de[a] son père, un peu de ses maîtres, et beaucoup de ses amants, surtout d'un M. de Tavel, qui, ayant du goût et des connaissances, en orna la personne qu'il aimait. Mais tant de genres différents se nuisirent les uns aux autres, et le peu d'ordre qu'elle[b] y mit empêcha que ses diverses études n'étendissent la justesse naturelle de son esprit. Ainsi, quoiqu'elle eût[c] quelques principes de philosophie et de physique, elle ne laissa pas de prendre le goût que son père avait pour la médecine empirique et pour[d] l'alchimie : elle faisait des[e] élixirs, des teintures, des baumes, des magistères[1]; elle prétendait avoir des secrets. Les charlatans, profitant de[f] sa faiblesse, s'emparèrent d'elle, l'obsédèrent, la ruinèrent[g], et consumèrent, au milieu des fourneaux et des drogues, son esprit, ses talents et ses charmes, dont elle eût pu faire les délices des meilleures sociétés.

Mais si de vils fripons[h] abusèrent de son éducation mal[i] dirigée pour obscurcir les lumières de sa raison, son excellent cœur fut à l'épreuve et demeura toujours le même : son caractère aimant et doux, sa sensibilité pour les malheureux, son inépuisable[j] bonté, son humeur gaie, ouverte et franche, ne s'altérèrent jamais; et même aux approches de la vieillesse[k], dans le sein de l'indigence, des maux, des calamités[l] diverses, la sérénité de sa belle âme lui conserva jusqu'à la fin de sa vie toute la[m] gaieté de ses plus beaux jours.

Ses erreurs lui vinrent d'un fonds d'activité inépuisable qui voulait sans cesse de l'occupation. Ce n'étaient pas des[n] intrigues de femmes qu'il lui fallait, c'étaient des entreprises à faire[o] et à diriger. Elle était née pour les grandes affaires. A sa place Mme de Longueville n'eût été qu'une tracassière[2]; à la place de Mme de Longueville elle eût

1. *Magistères* ou préparations magistrales (et tenues secrètes), nom donné alors en pharmacie à des composés généralement minéraux auxquels on attribuait des vertus supérieures.

2. Dans Littré, *tracassier* est donné comme substantif masculin et féminin, et adjectif, avec les sens : 1° celui qui va et vient pour de petites occupations; 2° celui, celle, qui tracasse, qui ne sait ce qu'il veut, qui suscite des difficultés sans raison; 3° brouillon, indiscret, qui colporte de mauvais propos de l'un à l'autre.

Rousseau emploie aussi le verbe *tracasser* intransitivement, dans un sens correspondant à 1°.

gouverné l'État. Ses talents ont été déplacés[a]; et ce qui
eût fait sa gloire dans une situation plus élevée a fait sa
perte dans celle où elle a vécu. Dans les choses qui étaient
à sa portée, elle étendait toujours son plan dans sa tête
et voyait toujours son objet en grand. Cela faisait qu'em-
ployant[b] des moyens proportionnés à ses vues plus qu'à
ses forces, elle[c] échouait par la faute des autres, et son
projet venant à manquer, elle était ruinée où d'autres
n'auraient presque rien perdu. Ce goût des affaires, qui
lui[d] fit tant de maux, lui fit du moins un grand bien dans
son asile monastique[e], en l'empêchant de s'y fixer[f] pour
le reste de ses jours comme elle en était tentée. La vie
uniforme et simple des religieuses[g], leur petit cailletage[1]
de parloir, tout cela ne pouvait[h] flatter un esprit toujours
en mouvement, qui, formant chaque jour de nouveaux
systèmes, avait besoin de liberté pour s'y livrer. Le bon
évêque de Bernex, avec moins d'esprit que François
de Sales, lui ressemblait[i] sur bien des points; et
M[me] de Warens, qu'il appelait sa fille, et qui ressemblait[j]
à M[me] de Chantal[k] sur beaucoup d'autres, eût pu lui res-
sembler encore dans sa retraite, si son goût ne l'eût détour-
née de l'oisiveté d'un couvent. Ce ne fut point[l] manque
de zèle si cette aimable femme ne se livra pas aux menues
pratiques de dévotion qui semblaient convenir à une
nouvelle convertie vivant sous la direction d'un prélat.
Quel qu'eût été le[m] motif de son changement de religion,
elle fut[n] sincère dans celle qu'elle avait embrassée. Elle a
pu se repentir d'avoir commis la faute, mais non pas
désirer d'en revenir. Elle n'est pas seulement morte bonne
catholique, elle a vécu telle de bonne foi, et j'ose affirmer,
moi qui pense avoir lu dans[o] le fond de son âme, que
c'était uniquement par aversion pour les simagrées qu'elle
ne faisait point en public la dévote : elle avait une piété
trop solide pour affecter de la dévotion. Mais ce n'est pas
ici le lieu de m'étendre sur ses principes; j'aurai d'autres
occasions d'en parler.

Que ceux qui nient la sympathie des âmes expliquent,
s'ils peuvent, comment, de la première entrevue, du
premier[p] mot, du premier regard, M[me] de Warens m'inspira

1. *Cailletage* = propos de *caillette,* mot défini par Littré « personne
ayant du babil et point de consistance », et fort usité du XVI[e] à la fin
du XVIII[e] siècle.

non seulement le plus vif attachement, mais une confiance parfaite[a] et qui ne s'est jamais démentie. Supposons que ce que j'ai senti pour elle fût véritablement de l'amour, ce qui paraîtra[b] tout au moins douteux à qui suivra l'histoire de[c] nos liaisons; comment cette passion[d] fut-elle accompagnée, dès sa naissance, des sentiments qu'elle inspire le moins : la paix du cœur[e], le calme, la sérénité, la sécurité, l'assurance ? Comment, en approchant pour la première fois d'une femme aimable[f], polie, éblouissante, d'une Dame d'un état supérieur au mien[g], dont je n'avais jamais abordé la pareille, de celle dont dépendait mon sort en quelque sorte par l'intérêt plus ou moins grand qu'elle y prendrait[h]; comment, dis-je, avec tout cela me trouvai-je à l'instant aussi libre, aussi à mon aise que si j'eusse été parfaitement sûr de lui plaire ? Comment n'eus-je pas un[i] moment d'embarras, de timidité, de gêne ? Naturellement honteux, décontenancé, n'ayant jamais vu le monde, comment pris-je avec elle[j], du premier jour[k], du premier instant les manières faciles, le langage tendre, le[l] ton familier que j'avais dix ans après, lorsque la plus grande intimité l'eût rendu naturel ? A-t-on de l'amour, je ne dis pas sans désirs[m], j'en avais; mais sans inquiétude, sans jalousie ? Ne veut-on pas au moins apprendre de l'objet qu'on aime si l'on est aimé ? C'est une question qu'il ne m'est pas plus venu dans l'esprit de lui faire une[n] fois en ma vie que de me demander à moi-même si je m'aimais, et[o] jamais elle n'a été plus curieuse avec moi. Il y eut certainement quelque chose[p] de singulier dans mes sentiments pour cette[q] charmante femme, et l'on y trouvera dans la suite des bizarreries auxquelles on ne s'attend pas.

Il fut question de ce que je deviendrais, et pour en causer plus à loisir, elle me retint à dîner. Ce fut le premier repas de ma vie où j'eusse manqué d'appétit, et sa femme de chambre, qui nous servait, dit aussi que j'étais le premier voyageur de mon âge et de mon[r] étoffe qu'elle en eût vu manquer. Cette remarque, qui ne me nuisit pas dans l'esprit de sa maîtresse, tombait un peu[s] à plomb sur un gros manant qui dînait avec nous et qui dévora lui tout seul un repas honnête pour six personnes. Pour moi, j'étais dans un ravissement qui ne me permettait pas de manger. Mon cœur se nourrissait d'un sentiment tout nouveau dont il occupait tout mon être; il ne me laissait des esprits pour nulle autre fonction.

M^me de Warens voulut savoir les détails de ma petite histoire; je retrouvai pour la lui conter tout le feu[a] que j'avais perdu chez mon maître. Plus j'intéressais cette[b] excellente âme en ma faveur, plus elle plaignait le sort auquel j'allais m'exposer. Sa tendre compassion se marquait dans son air, dans[c] son regard, dans ses gestes. Elle n'osait m'exhorter[d] à retourner à Genève. Dans sa position c'eût été un crime de lèse-catholicité, et elle n'ignorait pas combien elle était surveillée[e] et combien ses discours étaient pesés. Mais elle me parlait d'un ton si touchant de l'affliction de mon père, qu'on voyait bien qu'elle eût approuvé que j'allasse le consoler. Elle ne savait pas combien, sans y songer, elle[f] plaidait contre elle-même. Outre que ma résolution était prise, comme je[g] crois l'avoir dit, plus je la trouvais éloquente[h], persuasive, plus ses discours m'allaient au cœur[i], et moins je pouvais me résoudre à me détacher d'elle. Je sentais que retourner à Genève était mettre entre elle et moi une barrière presque insurmontable, à moins de revenir à la démarche que j'avais faite, et à laquelle[j] mieux valait me tenir tout d'un coup. Je m'y tins[k] donc. M^me de Warens voyant ses efforts inutiles, ne les poussa pas jusqu'à se compromettre; mais elle me dit avec un regard de commisération : « Pauvre petit, tu dois aller où Dieu t'appelle; mais[l] quand tu seras grand, tu te souviendras de moi. » Je crois qu'elle ne pensait pas elle-même que cette[m] prédiction s'accomplirait si cruellement[1].

La difficulté restait tout entière. Comment subsister si jeune hors de mon pays ? A peine à la moitié de mon apprentissage, j'étais bien loin de savoir mon métier. Quand je l'aurais su, je n'en aurais pu vivre en Savoie, pays trop pauvre pour avoir des arts. Le manant qui dînait[n] pour nous, forcé de faire une pause pour reposer sa mâchoire, ouvrit un avis qu'il disait venir du Ciel, et qui, à juger par[o] les suites, venait bien plutôt du côté contraire; c'était que j'allasse à Turin, où, dans un hospice établi pour[p] l'instruction des catéchumènes, j'aurais, dit-il, la vie temporelle et[q] spirituelle, jusqu'à ce qu'entré

1. Rousseau songe ici au remords qu'il ressent en rédigeant ses *Confessions,* de n'avoir pas sauvé son ancienne bienfaitrice de la misère où il la vit tombée lors du voyage de 1754 à Genève (voir *infra,* livre VIII, p. 464).

dans le sein de l'Église je trouvasse[a], par la charité des
bonnes âmes, une place qui me convînt. A l'égard des
frais du voyage, continua[b] mon homme, Sa Grandeur
Monseigneur l'Évêque ne manquera pas, si Madame lui
propose cette sainte œuvre, de vouloir charitablement
y pourvoir, et Madame la Baronne, qui est si charitable[c],
dit-il en s'inclinant sur son assiette, s'empressera sûrement
d'y contribuer aussi.

Je trouvais toutes ces charités bien dures : j'avais le
cœur[d] serré, je ne disais rien, et M[me] de Warens, sans
saisir ce projet avec autant[e] d'ardeur qu'il était offert,
se contenta de répondre que chacun devait[f] contribuer
au bien selon son pouvoir, et qu'elle en parlerait à Mon-
seigneur : mais mon diable d'homme, qui craignit qu'elle
n'en parlât à son gré, et qui avait son petit intérêt dans
cette affaire, courut prévenir les aumôniers, et emboucha[1]
si bien les bons prêtres, que quand M[me] de Warens, qui
craignait pour moi ce voyage, en voulut parler à l'Évêque,
elle trouva que c'était une affaire arrangée, et il lui remit
à l'instant l'argent destiné pour mon petit viatique[g].
Elle n'osa insister pour me faire rester : j'approchais[h]
d'un âge où une femme du sien ne pouvait décemment
vouloir retenir un jeune homme auprès d'elle.

Mon voyage étant ainsi[i] réglé par ceux qui[j] prenaient
soin de moi, il fallut bien me soumettre et c'est même
ce que je fis sans beaucoup de répugnance. Quoique
Turin fût plus loin que Genève, je jugeai[k] qu'étant la
capitale[l], elle avait avec Annecy des relations plus étroites
qu'une ville étrangère d'état et de religion; et puis,
partant pour obéir à M[me] de Warens, je me regardais
comme vivant toujours sous sa direction; c'était plus que
de vivre à son voisinage. Enfin l'idée d'un grand voyage
flattait ma manie ambulante, qui[m] déjà commençait à
se déclarer. Il me paraissait beau de passer les monts à
mon âge[n], et de m'élever au-dessus de mes camarades de
toute la hauteur des Alpes. Voir du pays est un appât
auquel un Genevois ne résiste guère. Je donnai donc
mon consentement. Mon manant[o] devait partir dans deux
jours avec sa femme. Je leur fus confié et recommandé.

1. *Emboucher,* au sens de « instruire d'avance de ce qu'il faut dire »,
est vieilli et familier au temps de Rousseau.

Ma bourse leur fut remise, renforcée par[a] M[me] de Warens qui de plus me donna secrètement un petit pécule, auquel elle joignit d'amples instructions, et nous partîmes le Mercredi Saint.

Le lendemain de mon départ d'Annecy, mon père y arriva courant à ma piste avec un M. Rival, son ami, horloger comme lui, homme d'esprit, bel esprit même, qui faisait des vers mieux que La Motte, et parlait presque aussi bien que lui[b]; de plus, parfaitement honnête homme, mais dont la littérature déplacée n'aboutit qu'à faire un de ses fils comédien.

Ces messieurs virent M[me] de Warens et se contentèrent de pleurer mon sort avec elle, au lieu de me suivre et de m'atteindre, comme ils l'auraient pu facilement, étant à cheval et moi à pied. La même chose était arrivée à mon oncle Bernard. Il était venu à Confignon, et de là, sachant que j'étais à Annecy[c], il s'en retourna à Genève. Il semblait que mes proches conspirassent avec mon étoile pour me livrer au destin qui m'attendait. Mon frère s'était perdu[d] par une semblable négligence, et si bien perdu qu'on n'a[e] jamais su ce qu'il était devenu.

Mon père n'était pas seulement un homme d'honneur, c'était un homme d'une probité sûre, et il avait une de ces âmes fortes qui font les grandes vertus; de plus, il était bon père[f], surtout pour moi[g]. Il m'aimait très tendrement; mais il aimait aussi[h] ses plaisirs, et d'autres goûts avaient un peu attiédi l'affection paternelle depuis que je vivais loin de lui. Il s'était remarié à Nyon, et quoique sa femme ne fût plus en âge de me donner des frères, elle avait des parents; cela faisait une autre famille, d'autres[i] objets, un nouveau ménage, qui ne rappelait plus[j] si souvent mon souvenir. Mon père vieillissait[k] et n'avait aucun bien pour soutenir sa vieillesse. Nous avions, mon frère et moi, quelque bien de ma mère, dont le revenu devait appartenir à mon père durant notre éloignement[l]. Cette idée ne[m] s'offrait pas à lui directement, et ne l'empêchait pas de faire son devoir; mais elle agissait sourdement sans qu'il s'en aperçût lui-même, et ralentissait quelquefois son zèle qu'il eût poussé plus loin sans cela. Voilà, je crois, pourquoi, venu d'abord[n] à Annecy sur mes traces, il ne me suivit pas[o] jusqu'à Chambéry, où il était moralement sûr de m'atteindre. Voilà[p] pourquoi encore l'étant allé voir[q] souvent depuis ma fuite, je reçus toujours de lui

des caresses de père[a], mais sans grands efforts pour me
retenir.

Cette conduite d'un père dont j'ai si bien connu la
tendresse et la vertu m'a[b] fait faire des réflexions sur
moi-même qui n'ont pas peu contribué à me maintenir
le cœur sain. J'en ai tiré cette grande maxime de morale,
la seule peut-être[c] d'usage dans la pratique, d'éviter les
situations qui mettent nos devoirs en opposition avec nos
intérêts, et qui nous montrent notre bien dans le mal d'autrui :
sûr que, dans de telles situations, quelque sincère amour[d]
de la vertu qu'on y porte, on faiblit tôt ou tard sans s'en
apercevoir, et l'on devient injuste et méchant dans le fait,
sans avoir cessé d'être juste et bon dans l'âme.

Cette maxime fortement imprimée au fond de mon
cœur, et mise en pratique, quoiqu'un peu tard, dans[e]
toute ma conduite, est une de celles qui m'ont donné
l'air le plus bizarre et le plus fou dans le public, et[f] surtout
parmi mes connaissances. On m'a imputé de vouloir
être original et faire autrement que les autres. En vérité,
je ne songeais[g] guère à faire ni comme les autres ni autre-
ment[h] qu'eux. Je désirais sincèrement de faire ce qui était
bien. Je me dérobais de toute ma force à des situations
qui me donnassent un intérêt contraire à[i] l'intérêt d'un
autre homme, et par conséquent un désir secret[j], quoique
involontaire, du mal de cet homme-là.

Il y a deux[k] ans que Milord Maréchal me voulut mettre
dans son testament. Je m'y opposai de toute ma force.
Je lui marquai que je ne voudrais pour rien au monde
me savoir dans le testament de[l] qui que [ce] fût, et beau-
coup moins dans le sien. Il se rendit : maintenant il veut
me faire une pension viagère, et je ne m'y oppose pas.
On dira que je trouve mon compte à ce changement[m],
cela peut être. Mais, ô mon bienfaiteur et mon père, si j'ai
le malheur de vous survivre, je sais qu'en vous perdant
j'ai tout à perdre, et que je n'ai rien à gagner[1].

C'est là, selon moi, la bonne philosophie, la seule
vraiment assortie au cœur humain. Je me pénètre chaque
jour davantage de sa profonde[n] solidité, et je l'ai retournée
de différentes manières dans[o] tous mes derniers écrits ;

1. Voir au livre XII (p. 731) et *Index*, Keith ; sur la date de
l'incident, variante [k].

mais le public[a], qui est frivole, ne l'y a pas su remarquer. Si je survis assez à cette entreprise consommée pour en[b] reprendre une autre, je me propose de donner dans la suite de l'*Émile*[1] un exemple si charmant et si frappant de cette même[c] maxime, que mon lecteur soit forcé d'y faire attention. Mais c'est assez[d] de réflexions pour un voyageur; il est temps de reprendre ma route.

Je la fis plus agréablement que je n'aurais dû m'y attendre, et mon manant[e] ne fut pas si bourru qu'il en avait l'air. C'était un homme entre deux âges, portant en queue ses cheveux noirs grisonnants, l'air grenadier, la voix forte, assez gai, marchant bien, mangeant mieux, et qui faisait[f] toute sorte de métiers, faute d'en savoir aucun. Il avait proposé, je crois, d'établir à Annecy je ne sais quelle manufacture. M^me de Warens n'avait pas manqué de donner dans le projet, et c'était pour tâcher de le faire agréer au ministre qu'il faisait[g], bien défrayé, le voyage de Turin. Notre homme avait le talent d'intriguer en se fourrant toujours avec les prêtres, et faisant l'empressé pour les servir; il avait pris[h] à leur école un certain jargon dévot dont il usait sans cesse, se piquant[i] d'être un grand prédicateur. Il savait même un passage latin de la Bible, et c'était comme s'il en avait su mille, parce qu'il le répétait mille fois le jour[j] : du reste, manquant rarement d'argent quand il en savait dans la bourse des autres; plus adroit pourtant que fripon, et qui, débitant d'un ton de racoleur ses capucinades, ressemblait à l'ermite Pierre prêchant la croisade le sabre au côté.

Pour M^me Sabran, son épouse, c'était une assez bonne femme, plus tranquille le jour que la nuit. Comme je

1. La « suite de l'*Émile* », intitulée *Émile et Sophie, ou les Solitaires,* ouvrage inachevé dont le projet est mentionné le 18 mars 1765, date contemporaine de la rédaction de ce passage, dans une lettre de Rousseau au libraire Rey. En 1768 (lettre du 6 juillet, à Du Peyrou), Rousseau se fait envoyer par Du Peyrou le manuscrit de ce roman, qu'il lui avait laissé en dépôt avec d'autres papiers, et manifeste pour cet écrit « un faible que je ne combats pas ». Dans les dernières années de sa vie, il en parle encore avec plaisir à Bernardin de Saint-Pierre, qu'il essaie de décider à terminer lui-même l'ouvrage, et par qui nous connaissons les grandes lignes de l'intrigue projetée. Il est difficile de dire si l' « exemple si charmant » auquel il est fait ici allusion figure dans le texte fragmentaire publié en 1780 de cet écrit, sur lequel on consultera G. Turbet-Delof, *R.H.L.F.,* janv.-mars 1964.

couchais toujours dans leur chambre, ses bruyantes
insomnies m'éveillaient souvent et m'auraient éveillé
bien davantage si j'en avais compris le sujet. Mais je ne
m'en doutais pas même, et[a] j'étais sur ce chapitre d'une
bêtise qui a laissé à la seule nature tout le soin de mon
instruction.

Je m'acheminais gaiement avec mon dévot guide et
sa sémillante compagne. Nul accident ne troubla[b] mon
voyage; j'étais dans la plus heureuse situation de corps
et d'esprit où j'aie été de mes jours. Jeune, vigoureux,
plein de santé, de[c] sécurité, de confiance en moi et aux
autres, j'étais dans[d] ce court, mais précieux moment de
la vie, où sa plénitude expansive étend pour ainsi dire
notre être par toutes nos sensations, et embellit[e] à nos
yeux la nature entière du charme de notre existence. Ma
douce inquiétude avait un objet qui la rendait[f] moins
errante et fixait mon imagination. Je me regardais comme
l'ouvrage[g], l'élève, l'ami, presque l'amant de Mme de Wa-
rens. Les choses obligeantes qu'elle m'avait dites, les[h]
petites caresses qu'elle m'avait faites, l'intérêt si tendre
qu'elle avait paru prendre à moi, ses regards charmants,
qui[i] me semblaient pleins d'amour parce qu'ils m'en
inspiraient; tout cela nourrissait mes idées durant la
marche, et me faisait rêver[j] délicieusement. Nulle crainte,
nul doute sur mon sort ne troublait[k] ces rêveries. M'en-
voyer à Turin, c'était, selon moi, s'engager à m'y faire
vivre, à m'y placer convenablement. Je n'avais plus de
souci sur moi-même; d'autres s'étaient chargés de ce soin.
Ainsi je marchais légèrement, allégé de ce poids; les jeunes
désirs, l'espoir[l] enchanteur, les brillants projets remplis-
saient mon âme. Tous les objets que je voyais me sem-
blaient[m] les garants de ma[n] prochaine félicité. Dans les
maisons j'imaginais des festins rustiques; dans les prés,
de folâtres jeux; le long des eaux[o], les bains, des prome-
nades, la pêche; sur les arbres, des fruits délicieux; sous[p]
leur ombre, de voluptueux tête-à-tête; sur les montagnes[q],
des cuves de lait et de crème, une oisiveté charmante,
la paix, la simplicité, le plaisir d'aller sans savoir où.
Enfin rien ne frappait mes yeux sans porter à mon cœur[r]
quelque attrait de jouissance. La grandeur, la variété,
la beauté réelle du spectacle, rendai[en]t[s] cet attrait digne
de la raison; la vanité même y mêlait sa pointe. Si jeune,
aller en Italie, avoir déjà vu tant de pays, suivre Annibal

à travers les monts, me paraissait une gloire au-dessus de mon âge. Joignez à[a] tout cela des stations fréquentes et bonnes[b], un grand appétit et de quoi le contenter; car en vérité ce n'était pas la peine de m'en faire faute, et sur le dîner de M. Sabran, le mien ne paraissait pas.

Je ne me souviens pas d'avoir eu, dans tout le cours de ma vie[c], d'intervalle plus parfaitement exempt de soucis et de peine que celui des sept ou huit jours que nous mîmes à ce voyage[1 d]; car le pas de M[me] Sabran, sur lequel il fallait régler le nôtre, n'en fit qu'une longue promenade. Ce souvenir m'a laissé le goût le plus vif pour tout ce qui s'y rapporte, surtout[e] pour les montagnes et pour les voyages pédestres. Je n'ai voyagé à pied que dans mes beaux jours, et toujours avec délices[f]. Bientôt les devoirs, les affaires, un bagage à porter, m'ont forcé de faire le monsieur et de prendre des voitures; les soucis[g] rongeants, les embarras, la gêne, y sont montés avec moi, et dès lors[h], au lieu qu'auparavant dans mes voyages je ne sentais que le plaisir d'aller, je n'ai plus senti que le besoin d'arriver. J'ai cherché longtemps, à Paris, deux camarades du même goût que moi qui voulussent consacrer chacun cinquante louis de sa bourse et un an de son temps à faire ensemble[i], à pied, le tour de l'Italie, sans autre équipage qu'un garçon qui portât avec nous un sac de nuit. Beaucoup de gens se sont présentés, enchantés de ce projet en apparence, mais au fond le prenant tous pour un pur château en Espagne dont on cause en conversation sans[j] vouloir l'exécuter en effet. Je me souviens que, parlant avec passion de ce projet avec Diderot et Grimm, je leur en donnai enfin la fantaisie.

1. Le voyage dura certainement plus de « sept ou huit jours ». Si le départ d'Annecy eut effectivement lieu le mercredi saint (24 mars), il aurait duré une vingtaine de jours, puisque le registre de l'Hospice de Turin date du 12 avril l'entrée de Rousseau. Le parcours d'Annecy à Turin par Chambéry, Saint-Jean-de-Maurienne, Lanslebourg et le col du Mont-Cenis (vraisemblablement celui que suivirent les Sabran; c'est celui qu'emprunteront au retour Rousseau et Bâcle) comporte, par les routes d'aujourd'hui, 282 kilomètres. On a peine à croire que nos voyageurs aient pu accomplir en montagne des étapes quotidiennes de 40 kilomètres. Au contraire, la « longue promenade » réglée sur « le pas de M[me] Sabran » représenterait assez bien une vingtaine de jours, en étapes de 15 kilomètres environ.

Je crus une fois l'affaire faite; mais le tout se réduisit à vouloir faire un voyage par écrit, dans lequel Grimm ne trouvait rien de si plaisant que de faire faire à Diderot beaucoup d'impiétés, et de me faire fourrer à l'Inquisition à sa place[1].

Mon regret d'arriver si vite à Turin fut tempéré par le plaisir de voir une grande ville, et par l'espoir d'y faire bientôt une[a] figure digne de moi, car déjà les fumées de l'ambition me montaient à la tête; déjà je me regardais comme infiniment au-dessus de mon ancien état d'apprentif; j'étais bien[b] loin de prévoir que dans peu[c] j'allais être fort au-dessous.

Avant que d'aller plus loin, je dois au lecteur mon excuse[d] ou ma justification, tant sur les menus détails où je viens d'entrer que sur ceux où j'entrerai dans la suite, et qui n'ont rien d'intéressant à ses yeux. Dans l'entreprise que j'ai faite de me montrer tout entier au public, il faut que rien de moi ne lui reste obscur ou caché; il faut que je me tienne incessamment sous ses yeux; qu'il me suive dans[e] tous les égarements de mon cœur, dans[f] tous les recoins de ma vie; qu'il ne me perde pas de vue un seul instant, de peur que, trouvant dans mon récit la moindre lacune, le moindre vide, et se demandant[g] : Qu'a-t-il fait durant ce temps-là ? il ne m'accuse de n'avoir pas voulu tout dire[h]. Je donne assez de prise à la malignité des hommes par mes récits, sans lui en donner encore par mon silence[i].

Mon petit pécule était parti : j'avais jasé, et[j] mon indiscrétion ne fut pas pour mes conducteurs à pure perte. M[me] Sabran trouva le[k] moyen de m'arracher jusqu'à un[l] petit ruban glacé d'argent que M[me] de Warens m'avait donné pour ma petite épée, et que je regrettai plus que tout le reste; l'épée même[m] eût resté dans leurs mains si je m'étais moins obstiné. Ils m'avaient fidèlement défrayé

1. Des versions légèrement différentes de ce projet littéraire de Grimm sont mentionnées par H. Meister dans la *Correspondance littéraire* dirigée par Grimm et Diderot (juillet 1782), par D.-J. Garat (*Mémoires historiques sur la vie de M. Suard ;* 1820, t. II, p. 14) et par Musset-Pathay (*Histoire de la vie et des ouvrages de J.-J. Rousseau,* 1827, t. II, p. 548).

dans la route, mais ils ne[a] m'avaient rien laissé. J'arrive à Turin sans[b] habits, sans argent, sans linge, et laissant très exactement à mon seul mérite tout l'honneur de la fortune que j'allais faire.

J'avais des lettres, je les portai; et tout de suite je fus mené à l'Hospice des catéchumènes[1], pour y être instruit dans la religion pour laquelle on me vendait ma subsistance. En entrant je vis une grosse porte à barreaux de fer, qui dès que je fus[c] passé fut fermée à[d] double tour sur mes talons. Ce début[e] me parut plus imposant qu'agréable, et commençait à me donner à penser, quand on me fit entrer dans une grande pièce. J'y vis pour tout meuble

1. Reprenant après P.-M. Masson, L. Benedetto et E. Ritter, l'étude du registre de l'Hospice et les recherches dans les archives locales, le commandant E. Gaillard (voir *Bibliographie*) a renouvelé toute la question du séjour à Turin, identifiant plusieurs personnages et donnant d'utiles renseignements topographiques. Il propose la chronologie suivante :

12 avr., entrée de R. à l'hospice sous le nom de « Gio[vanni] Giaco[mo] Franco *Rosso,* calvinista ». Assemblée en son honneur (?).

14 avr., assemblée en l'honneur de Judith Komès (peut-être la jeune juive aux « yeux fripons ») et d'un autre catéchumène.

Vers le 16, aventure avec le Maure.

Le 17, admonestation du recteur.

Le 21, abjuration à *l'Hospice,* et non comme le dit Rousseau à l'église Saint-Jean toute proche (pas de trace du prétendu « acte d'abjuration » publié dans le *Figaro* du 30 nov. 1916 et le *Journal de Genève* du 1er déc. 1916).

Le 22 ou 23, visite au P. Inquisiteur, à l'église S. Domenico également proche.

Le 23, *baptême* à Saint-Jean (consigné au registre des baptêmes de l'église).

Le registre de l'Hospice ne porte pas trace d'une date de sortie; les historiens la font varier entre le 23 avril (Gaillard) et fin juin (Ritter). On perd la trace de Rousseau jusqu'aux environs du 25 juillet, date probable de l'entrée chez M[me] de Vercellis. Il est possible que Rousseau ait allongé dans son récit la durée du séjour à l'Hospice pour faire ressortir sa résistance aux convertisseurs; on notera qu'il parle de *deux mois* pendant lesquels il ne put accoster la jeune juive (Judith Kolmès sort effectivement le 13 juin). On comparera ce récit avec celui, romancé, de l'*Émile,* livre IV, en introduction à la « Profession de foi ».

un autel de bois surmonté d'un grand crucifix au fond de
la chambre, et autour[a] quatre ou cinq chaises aussi de bois,
qui paraissaient avoir été cirées, mais qui seulement étaient
luisantes à force de s'en servir et de les frotter. Dans cette
salle[b] d'assemblée étaient quatre ou cinq affreux bandits,
mes camarades d'instruction, et qui semblaient plutôt
des archers du diable que des aspirants à se faire enfants
de Dieu. Deux de ces coquins étaient des Esclavons, qui
se disaient[c] Juifs et Maures, et qui, comme ils me l'avouè-
rent, passaient leur vie à courir l'Espagne et l'Italie, embras-
sant le christianisme et se faisant baptiser partout où le
produit en valait la peine. On ouvrit une autre porte de
fer qui[d] partageait en deux un grand balcon régnant sur
la cour. Par cette porte entrèrent nos sœurs les catéchum-
m[èn]es[e], qui comme moi s'allaient régénérer, non par
le baptême, mais par une solennelle abjuration. C'étaient
bien les plus grandes salopes et les plus vilaines coureuses
qui jamais aient empuanti le bercail du Seigneur. Une seule
me parut jolie et assez intéressante. Elle était à peu près
de mon âge, peut-être un[f] an ou deux de plus. Elle avait
des yeux fripons qui rencontraient quelquefois les miens.
Cela m'inspira quelque désir de faire connaissance avec
elle; mais, pendant près de deux mois qu'elle demeura
encore dans cette maison, où elle était depuis trois, il me
fut absolument impossible de l'accoster, tant elle était
recommandée à notre vieille geôlière, et obsédée par le
saint missionnaire, qui travaillait à sa conversion avec
plus[g] de zèle que de diligence. Il fallait qu'elle fût extrê-
mement stupide, quoiqu'elle n'en eût[h] pas l'air, car jamais
instruction ne fut plus longue. Le saint homme ne la trou-
vait toujours point[i] en état d'abjurer. Mais elle s'ennuya
de[j] sa clôture, et dit qu'elle voulait sortir, chrétienne ou
non. Il fallut la prendre au mot tandis qu'elle consentait[k]
encore à l'être, de peur qu'elle ne se mutinât et qu'elle ne
le voulût plus.

La petite communauté fut assemblée en l'honneur du
nouveau venu. On nous fit une courte exhortation; à moi,
pour[l] m'engager à répondre à la grâce que Dieu me
faisait; aux autres, pour les inviter à m'accorder leurs
prières et à m'édifier par leurs exemples. Après quoi, nos
vierges étant rentrées dans leur clôture, j'eus le temps de
m'étonner[m] tout à mon aise de[n] celle où je me trouvais.

Le lendemain matin on nous assembla de nouveau pour

l'instruction, et ce fut alors que je commençai[a] à réfléchir pour la première fois sur le pas que j'allais faire et sur les démarches qui m'y avaient entraîné.

J'ai dit, je répète et je répéterai peut-être[b] une chose dont je suis tous les jours plus pénétré; c'est que si jamais enfant reçut une éducation raisonnable et saine[c], ç'a été moi. Né dans une famille que ses mœurs distinguaient du peuple, je n'avais reçu que des leçons de sagesse et des exemples d'honneur de tous mes parents. Mon père, quoique homme de plaisir, avait non seulement une probité sûre, mais beaucoup de religion. Galant homme dans le monde, et chrétien dans l'intérieur, il m'avait[d] inspiré de bonne heure les sentiments dont il était pénétré. De mes trois tantes, toutes sages et vertueuses, les deux aînées étaient dévotes, et la troisième, fille[e] à la fois pleine de grâces, d'esprit et de sens, l'était peut-être[f] encore plus qu'elles, quoique avec moins[g] d'ostentation. Du sein de cette estimable famille, je passai chez M. Lambercier, qui[h], bien qu'homme d'église et prédicateur[i], était croyant en dedans et faisait presque aussi bien qu'il disait. Sa sœur et lui culti-vèrent, par des instructions douces et judicieuses, les principes de piété qu'ils[j] trouvèrent dans mon cœur. Ces dignes gens employèrent pour cela des moyens si vrais, si discrets, si raisonnables, que, loin de m'ennuyer au ser-mon, je n'en sortais jamais sans être intérieurement touché et sans faire des résolutions de bien vivre, auxquelles je manquais rarement en y pensant. Chez ma tante Bernard la dévotion m'ennuyait[k] un peu plus, parce qu'elle en faisait[l] un métier. Chez mon maître je n'y pensais plus guère, sans[m] pourtant penser différemment. Je ne trouvai point de jeunes gens qui me[n] pervertissent. Je devins polisson, mais non libertin.

J'avais donc de la religion tout ce qu'un enfant[o] à l'âge où j'étais en pouvait avoir. J'en avais même davan-tage, car pourquoi[p] déguiser ici ma pensée ? Mon enfance ne fut point d'un enfant; je sentis, je pensai toujours[q] en homme. Ce n'est qu'en grandissant que je suis rentré dans la classe ordinaire[r]; en naissant, j'en étais sorti. L'on rira de me voir me donner[s] modestement pour un prodige[t]. Soit : mais quand on aura bien ri, qu'on[u] trouve un enfant qu'à six ans les romans attachent, intéressent, transpor-tent au point d'en pleurer à chaudes larmes; alors je sentirai ma vanité ridicule, et je conviendrai que j'ai tort.

Ainsi, quand j'ai dit qu'il ne fallait point parler aux enfants de religion si l'on voulait[a] qu'un jour ils en eussent, et qu'ils étaient incapables de connaître Dieu, même à notre manière, j'ai tiré mon sentiment de mes observations, non de ma propre expérience : je savais qu'elle ne concluait rien pour les autres. Trouvez des[b] J.-J. Rousseau à six ans, et parlez-leur de Dieu à sept, je vous réponds que vous ne courez aucun risque.

On sent, je crois, qu'avoir de la religion, pour un enfant, et même pour un homme, c'est suivre celle où il est né. Quelquefois on en ôte[c]; rarement on y ajoute; la foi dogmatique est un fruit de l'éducation. Outre ce principe commun qui m'attachait au culte de mes pères, j'avais l'aversion particulière[d] à notre ville pour le catholicisme, qu'on nous donnait pour une affreuse idolâtrie, et dont on nous peignait[e] le clergé sous les plus noires couleurs. Ce sentiment allait si loin chez moi qu'au commencement je n'entrevoyais jamais le dedans d'une église, je[f] ne rencontrais jamais un prêtre en surplis, je n'entendais jamais la[g] sonnette d'une procession sans un frémissement de terreur[h] et d'effroi, qui me quitta bientôt dans les villes mais qui[i] souvent m'a repris dans les paroisses de campagne, plus semblables à celles où je l'avais d'abord[j] éprouvé. Il est vrai que[k] cette impression était singulièrement[l] contrastée par le souvenir des caresses que les curés des environs de Genève font volontiers aux[m] enfants de la ville[n]. En même temps que la sonnette[o] du viatique me faisait peur, la cloche de la messe ou de vêpres me rappelait un déjeuner, un goûter, du beurre frais[p], des fruits, du laitage. Le bon dîner de M. de Pontverre avait produit encore un grand effet. Ainsi je m'étais aisément étourdi sur tout cela[q]. N'envisageant le papisme que par[r] ses liaisons avec[s] les amusements et la gourmandise, je m'étais[t] apprivoisé sans peine avec l'idée d'y vivre[u]; mais celle d'y entrer solennellement ne s'était présentée à moi qu'en fuyant, et dans un avenir éloigné[v]. Dans ce moment il n'y eut plus moyen de prendre le change : je vis avec[w] l'horreur la plus vive l'espèce d'engagement que j'avais pris et[x] sa suite inévitable. Les futurs néophytes que j'avais autour de moi n'étaient pas propres à[y] soutenir mon courage par leur exemple, et je ne pus me dissimuler que la sainte œuvre que j'allais faire n'était au fond[z] que l'action d'un bandit. Tout jeune encore, je sentis que, quelque

religion qui fût la[a] vraie, j'allais vendre la mienne, et que, quand même je choisirais[b] bien, j'allais au fond de mon cœur mentir[c] au Saint-Esprit et mériter le mépris des hommes. Plus j'y pensais, plus je m'indignais contre moi-même; et je gémissais du sort qui m'avait[d] amené là, comme si ce sort n'eût pas été mon ouvrage. Il y eut des moments où ces réflexions devinrent si fortes, que si j'avais un instant trouvé la porte ouverte, je me serais[e] certainement évadé; mais il ne me fut pas possible, et cette résolution[f] ne tint pas non plus bien fortement.

Trop de désirs secrets la combattaient pour[g] ne la pas vaincre. D'ailleurs, l'obstination du dessein formé de ne[h] pas retourner à Genève, la honte, la difficulté même de repasser les monts, l'embarras de me voir loin de mon pays, sans[i] amis, sans ressources; tout cela concourait à me faire regarder[j] comme un repentir tardif les remords de ma conscience; j'affectais de me reprocher ce que j'avais fait, pour excuser ce que j'allais faire. En aggravant les torts du passé, j'en regardais l'avenir comme une suite[k] nécessaire. Je ne me disais pas : rien n'est fait encore et tu peux être innocent si tu veux; mais je me disais : gémis du crime dont tu t'es rendu coupable et que tu t'es mis dans la nécessité d'achever.

En effet, quelle rare force d'âme ne[l] me fallait-il point à mon âge pour révoquer tout ce que jusque là j'avais pu promettre[m] ou laissé espérer, pour rompre les[n] chaînes que je m'étais données, pour déclarer[o] avec intrépidité que je voulais rester dans la religion de mes pères, au risque de tout ce qui en[p] pouvait arriver ! Cette vigueur n'était pas de mon âge, et il est peu probable qu'elle eût eu un heureux succès. Les choses étaient trop avancées pour qu'on voulût en avoir le démenti, et plus ma résistance eût été grande, plus de manière ou d'autre, on se fût fait une loi de la surmonter.

Le sophisme qui me[q] perdit est celui de la plupart des hommes, qui se plaignent de manquer de force quand il[r] est déjà trop tard pour en user. La vertu ne nous coûte que par notre faute, et si nous voulions être toujours sages[s], rarement aurions-nous besoin d'être vertueux. Mais des penchants faciles à surmonter[t] nous entraînent sans résistance; nous cédons à des tentations légères dont nous méprisons le danger. Insensiblement nous tombons dans des situations périlleuses, dont nous pouvions aisé-

ment nous garantir, mais dont nous ne pouvons plus nous
tirer sans des efforts héroïques[a] qui nous effrayent, et nous
tombons[b] enfin dans l'abîme en disant à Dieu : « Pourquoi
m'as-tu fait si faible ? » Mais malgré nous il répond à nos
consciences : « Je t'ai fait trop faible pour sortir du gouffre,
parce que je t'ai fait assez fort pour n'y pas tomber. »

Je ne pris pas précisément la résolution de me faire
catholique; mais, voyant le terme encore éloigné, je pris[c]
le temps de m'apprivoiser à cette idée, et en attendant je
me figurais quelque événement imprévu qui me tirerait
d'embarras. Je résolus, pour[d] gagner du temps, de faire
la plus belle défense qu'il me serait possible. Bientôt ma
vanité me dispensa de songer à ma résolution, et dès que
je m'aperçus que j'embarrassais quelquefois ceux qui
voulaient m'instruire, il ne m'en fallut pas davantage
pour chercher à les[e] terrasser tout à fait. Je mis même à
cette entreprise un zèle[f] bien ridicule; car tandis qu'ils
travaillaient sur moi, je voulus travailler sur eux. Je croyais
bonnement qu'il ne fallait que les convaincre pour les enga-
ger à se faire protestants.

Ils ne trouvèrent donc pas en moi tout à fait autant de
facilité qu'ils en attendaient, ni du côté des lumières ni
du côté de la volonté. Les Protestants sont généralement
mieux instruits que les Catholiques. Cela doit être : la
doctrine des uns exige[g] la discussion, celle des autres la
soumission. Le Catholique doit[h] adopter la décision qu'on
lui donne; le Protestant doit apprendre à se décider. On
savait cela; mais on n'attendait ni de mon état ni de mon
âge de grandes difficultés pour des gens exercés. D'ailleurs
je n'avais point[i] fait encore ma première communion ni reçu
les instructions qui s'y rapportent : on le savait encore, mais
on[j] ne savait pas qu'en revanche j'avais été bien instruit
chez M. Lambercier, et que de plus j'avais par-devers moi
un petit magasin fort incommode à ces messieurs dans
l'*Histoire de l'Église et de l'Empire*[1], que j'avais apprise pres-
que par cœur chez mon père, et depuis[k] à peu près oubliée,
mais[l] qui me revint à mesure que la dispute s'échauffait.

Un vieux prêtre, petit, mais assez vénérable, nous fit
en commun la première conférence. Cette conférence
était pour mes camarades[m] un catéchisme plutôt qu'une

1. Sur l'*Histoire de l'Église et de l'Empire,* voir p. suivante, et
Index, Le Sueur.

controverse, et il avait plus à faire à les instruire qu'à résoudre
leurs objections. Il n'en fut pas de même avec moi. Quand
mon tour vint, je l'arrêtai sur tout[a]; je ne lui sauvai pas
une des[b] difficultés que je pus lui faire. Cela rendit la confé-
rence fort longue[c] et fort ennuyeuse pour les assistants.
Mon vieux prêtre parlait beaucoup, s'échauffait, battait
la campagne, et[d] se tirait d'affaire en disant qu'il n'enten-
dait pas bien le français. Le lendemain, de peur que mes
indiscrètes objections ne scandalisassent mes camarades,
on me mit[e] à part dans une autre chambre avec un autre
prêtre, plus jeune, beau parleur, c'est-à-dire faiseur de[f]
longues phrases, et content de lui si jamais Docteur le fut.
Je ne me laissai pourtant pas[g] trop subjuguer à sa mine
imposante, et, sentant qu'après tout je faisais ma tâche,
je me mis à lui répondre avec[h] assez d'assurance et à le
bourrer par-ci par-là du mieux que je[i] pus. Il croyait
m'assommer avec saint Augustin, saint Grégoire et les
autres Pères, et il trouvait, avec une surprise incroyable,
que je[j] maniais tous ces Pères là presque aussi légèrement
que lui : ce n'était pas que je les eusse jamais lus, ni lui
peut-être; mais j'en avais retenu beaucoup de passages
tirés de mon Le Sueur; et sitôt qu'il m'en citait un, sans
disputer sur sa citation, je lui[k] ripostais par une autre du
même Père, et qui souvent l'embarrassait beaucoup. Il
l'emportait pourtant à la fin par deux raisons : l'une, qu'il
était le plus fort, et que, me sentant pour ainsi dire à sa
merci, je jugeais[l] très bien, quelque jeune que je fusse,
qu'il ne fallait pas le pousser à bout[m]; car je voyais assez
que le vieux petit prêtre n'avait pris en amitié ni mon
érudition ni moi; l'autre raison était[n] que le jeune avait de
l'étude et que je n'en avais point. Cela faisait qu'il mettait
dans sa manière d'argumenter une méthode que je ne
pouvais pas suivre, et que, sitôt qu'il se sentait pressé
d'une objection imprévue, il la remettait au lendemain,
disant[o] que je sortais du sujet présent. Il rejetait même
quelquefois toutes mes citations[p], soutenant qu'elles
étaient fausses, et[q], s'offrant à m'aller chercher le livre,
me défiait de les y trouver. Il sentait qu'il ne risquait pas
grand'chose, et qu'avec toute mon érudition d'emprunt,
j'étais trop peu exercé à manier[r] les livres, et trop peu
latiniste[1] pour trouver un passage dans un gros[s] volume,

1. Sur Rousseau latiniste, voir livre VI, p. 275, n. 1.

quand même je serais[a] assuré qu'il y est. Je le soupçonne même d'avoir usé de[b] l'infidélité dont il accusait[c] les Ministres, et d'avoir fabriqué[d] quelquefois des passages pour se tirer d'une objection qui l'incommodait.

Tandis que duraient ces petites ergoteries, et que les jours se passaient à disputer, à marmotter des prières et à faire le vaurien, il m'arriva une petite vilaine aventure assez dégoûtante, et qui faillit même à[e] finir fort mal pour moi.

Il n'y a point d'âme si vile et de cœur si barbare qui ne soit susceptible de quelque sorte d'attachement. L'un de ces deux bandits qui se disaient Maures me prit en affection. Il m'accostait volontiers, causait avec moi dans son baragouin franc, me rendait de petits services, me faisait part[f] quelquefois de sa portion[g] à table, et me donnait[h] surtout de fréquents baisers avec une ardeur qui m'était fort incommode. Quelque[i] effroi que j'eusse naturellement de ce visage de pain d'épice[j], orné d'une longue balafre, et de ce regard allumé qui semblait plutôt furieux que tendre, j'endurais ces baisers en me disant en moi-même : le pauvre homme a conçu pour moi une amitié bien vive; j'aurais tort de le rebuter. Il passait par degrés à des manières plus[k] libres, et tenait[l] de si singuliers propos, que je croyais quelquefois que la tête lui avait tourné. Un soir, il voulut venir coucher avec moi; je m'y opposai[m], disant que mon lit était trop petit. Il me pressa[n] d'aller dans le sien; je le refusai encore; car ce misérable était si malpropre et puait si fort le tabac[o] mâché, qu'il me faisait mal au cœur.

Le lendemain, d'assez bon matin, nous étions tous deux seuls dans la salle d'assemblée : il recommença ses caresses, mais avec des mouvements si violents qu'il en était effrayant. Enfin, il voulut passer par degrés aux privautés les plus[p] malpropres et me forcer, en disposant de ma main[q], d'en faire autant. Je me dégageai impétueusement en[r] poussant un cri et faisant un saut en arrière, et, sans[s] marquer ni indignation ni colère, car je n'avais pas la moindre idée de ce dont il s'agissait, j'exprimai ma surprise et mon dégoût avec tant d'énergie, qu'il me laissa là : mais tandis qu'il achevait de se démener[t], je vis partir vers la cheminée et tomber à terre je ne sais quoi de gluant et de blanchâtre qui me fit soulever le cœur. Je m'élançai sur le balcon[u], plus ému, plus troublé, plus effrayé même que je ne l'avais été de ma vie, et prêt à me trouver mal.

Je ne pouvais comprendre ce qu'avait ce malheureux;
je le crus[a] saisi du haut mal, ou de quelque frénésie encore
plus terrible, et véritablement je ne sache rien de plus
hideux à[b] voir pour quelqu'un de sang-froid que cet obscène
et sale maintien, et ce visage affreux enflammé de la plus
brutale concupiscence. Je n'ai jamais vu d'autre homme[c]
en pareil état; mais si nous sommes ainsi[d] dans nos trans-
ports près des femmes, il faut qu'elles aient les yeux bien
fascinés pour ne pas nous prendre en horreur.

Je n'eus rien de plus pressé que d'aller conter à tout
le monde ce qui venait de m'arriver. Notre vieille inten-
dante me dit de me taire, mais je vis que[e] cette histoire
l'avait fort affectée, et je l'entendais grommeler entre
ses dents : *Can maledet ! brutta bestia !* Comme je ne compre-
nais pas pourquoi je devais me taire, j'allai toujours mon
train, malgré la défense, et je bavardai[f] si bien que le
lendemain un des administrateurs[g] vint de bon matin
m'adresser une[h] assez vive mercuriale, m'accusant de
faire beaucoup de bruit pour peu de mal et de commettre[1]
l'honneur d'une maison sainte.

Il prolongea sa censure en m'expliquant beaucoup
de choses que j'ignorais, mais qu'il ne croyait pas m'ap-
prendre, persuadé que je m'étais défendu sachant[i] ce
qu'on me voulait[j], et n'y voulant pas consentir. Il me dit
gravement que c'était une œuvre[k] défendue, ainsi que la
paillardise, mais dont au reste l'intention n'était pas plus
offensante pour la personne qui en était l'objet, et qu'il
n'y avait pas de quoi s'irriter si fort pour avoir été trouvé
aimable. Il[l] me dit sans détour que lui-même, dans sa
jeunesse, avait eu le même honneur, et qu'ayant été surpris[m]
hors d'état de faire résistance, il n'avait rien trouvé là de
si cruel. Il poussa l'impudence jusqu'à se servir des propres
termes, et s'imaginant que la cause de ma résistance[n]
était la crainte de la douleur, il m'assura que cette crainte
était vaine, et qu'il ne fallait pas s'alarmer de rien.

J'écoutais cet infâme avec un étonnement d'autant
plus grand qu'il ne parlait point pour lui-même; il semblait
ne m'instruire que pour mon bien. Son discours lui parais-
sait si simple qu'il n'avait pas même cherché le secret du
tête-à-tête; et nous avions en tiers un ecclésiastique que

1. *Commettre,* au sens de *compromettre,* ne se rencontre plus après
le xviiie siècle. Le manuscrit de Neuchâtel donne *compromettre.*

tout cela n'effarouchait pas plus que lui. Cet air[a] naturel
m'en imposa tellement, que j'en vins à croire que c'était
sans doute un usage admis dans le monde, et dont je n'avais
pas eu plus tôt occasion d'être instruit. Cela fit que je l'écou-
tai sans[b] colère, mais non sans[c] dégoût. L'image de ce qui
m'était arrivé, mais surtout de ce que j'avais vu, restait
si fortement[d] empreinte dans ma mémoire, qu'en y pensant[e],
le cœur me soulevait encore. Sans que j'en susse davantage,
l'aversion de la chose s'étendit à l'apologiste, et je ne
pus me[f] contraindre assez pour qu'il ne[g] vît pas le mauvais
effet de ses leçons. Il me lança un regard peu caressant, et[h]
dès lors il n'épargna rien pour me rendre le séjour de
l'hospice[i] désagréable. Il y parvint[j] si bien que, n'aper-
cevant pour en sortir[k] qu'une seule voie, je[l] m'empressai
de la prendre, autant que[m] jusque-là je m'étais efforcé
de l'éloigner.

Cette aventure me mit pour[n] l'avenir à couvert des
entreprises des Chevaliers de la manchette, et la vue
des gens qui passaient pour en être, me rappelant l'air et les
gestes de mon effroyable Maure, m'a toujours inspiré[o]
tant d'horreur, que j'avais peine à la cacher. Au contraire,
les femmes gagnèrent beaucoup dans mon esprit à cette
comparaison[p] : il me semblait que je leur devais en ten-
dresse de sentiments, en[q] hommage de ma personne, la
réparation des offenses de mon sexe, et la plus laide
guenon devenait[r] à mes yeux un objet adorable, par le
souvenir de ce[s] faux Africain.

Pour lui, je ne sais[t] ce qu'on put lui dire; il ne me
parut pas que, excepté la dame Lorenza, personne le vît
de plus mauvais œil qu'auparavant. Cependant il ne
m'accosta[u] ni ne me parla plus. Huit jours après, il fut
baptisé en grande cérémonie[v], et habillé de blanc de la
tête aux pieds, pour représenter la candeur de son âme
régénérée. Le lendemain il sortit de l'hospice et je ne l'ai
jamais revu.

Mon tour vint un mois après[w]; car il fallut tout ce
temps-là pour donner à mes directeurs l'honneur d'une
conversion difficile, et l'on me fit passer en revue tous les
dogmes pour triompher[x] de ma nouvelle docilité.

Enfin, suffisamment instruit et suffisamment disposé au
gré de mes maîtres, je fus mené processionnellement à
l'église métropolitaine de Saint-Jean pour y faire une
abjuration solennelle et recevoir les accessoires du baptême,

quoiqu'on ne me[a] baptisât pas réellement[b] : mais comme
ce sont à peu près les mêmes cérémonies, cela sert à per-
suader au peuple que les protestants ne sont pas chrétiens.
J'étais revêtu d'une certaine robe grise[c], garnie de brande-
bourgs blancs[d], et destinée pour ces sortes d'occasions.
Deux hommes portaient, devant et derrière moi, des
bassins de cuivre, sur lesquels[e] ils frappaient avec une clef,
et où chacun mettait son aumône, au gré de sa dévotion
ou de l'intérêt qu'il prenait au nouveau[f] converti. Enfin,
rien du faste catholique ne fut omis pour rendre la[g] solennité
plus édifiante pour le public, et plus humiliante pour moi.
Il n'y eut que l'habit blanc, qui m'eût été fort utile, et
qu'on ne me donna pas comme au Maure, attendu que
je n'avais pas l'honneur d'être Juif.

Ce ne fut pas tout. Il fallut ensuite aller à l'Inquisition
recevoir[h] l'absolution du crime d'hérésie, et rentrer dans[i]
le sein de l'Église avec la même cérémonie à laquelle
Henri IV[j] fut soumis par son ambassadeur[1]. L'air et
les manières[k] du très Révérend Père Inquisiteur n'étaient
pas[l] propres à dissiper la terreur[m] secrète qui m'avait
saisi en entrant dans cette maison. Après plusieurs questions
sur ma foi, sur mon état, sur ma famille, il me demanda
brusquement si ma mère était damnée. L'effroi me fit
réprimer le premier mouvement de mon indignation;
je me contentai de répondre que je voulais espérer qu'elle
ne l'était pas, et que Dieu avait pu l'éclairer à sa dernière
heure. Le moine[n] se tut, mais il fit une grimace qui ne me
parut point du tout un signe d'approbation.

Tout cela fait, au moment où je pensais être enfin placé
selon mes espérances, on me mit à la porte avec[o] un peu
plus de vingt francs en petite monnaie qu'avait produit[s]
ma quête[2]. On me recommanda de vivre en bon chrétien,
d'être fidèle à la grâce; on me souhaita bonne fortune,
on ferma sur moi la porte, et tout disparut.

1. Ritter (p. 200) explique l'allusion par un passage où d'Aubigné
relate la pénitence publique à laquelle se soumirent devant le pape
Clément les cardinaux Du Perron et Ossat, représentant le roi de
France. Ritter souligne à juste titre le caractère littéraire de ce
passage, où, comme souvent, Rousseau a recours à un procédé du
style héroï-comique, le rapprochement entre deux termes dispro-
portionnés.
2. On a vu (p. 53, n. 1) que la livre de Piémont valait un peu plus
que celle de France.

Ainsi s'éclipsèrent en un instant[a] toutes mes grandes espérances, et il ne me resta de la démarche intéressée que je venais de faire que le souvenir d'avoir été apostat et dupe tout à la fois. Il est aisé[b] de juger quelle brusque révolution dut se faire dans mes idées, lorsque de mes brillants projets de fortune je me vis[c] tomber dans la plus complète misère, et qu'après avoir délibéré le matin sur le choix du palais que j'habiterais, je[d] me vis le soir réduit à coucher dans la rue. On croira que je commençai par me livrer à un désespoir d'autant plus cruel que le regret de mes fautes devait[e] s'irriter, en me reprochant que[f] tout mon malheur était mon ouvrage. Rien de tout cela. Je venais pour la première fois de ma vie d'être enfermé pendant[g] plus de deux mois; le premier sentiment que je goûtai fut celui de la liberté que j'avais recouvrée. Après un long esclavage, redevenu maître de moi-même et de mes actions, je me voyais au milieu d'une grande ville abondante en ressources, pleine de gens de condition dont mes talents et mon mérite ne pouvaient manquer de me faire accueillir sitôt que j'en serais connu. J'avais de plus tout le temps d'attendre[h], et vingt francs que j'avais dans ma poche me semblaient un trésor qui ne[i] pouvait s'épuiser. J'en pouvais disposer à mon gré, sans rendre compte à personne. C'était la première fois que je m'étais vu si riche. Loin de me livrer au découragement et[j] aux larmes, je ne fis que changer d'espérances, et[k] l'amour-propre n'y perdit rien. Jamais je ne me sentis tant de confiance et de sécurité; je croyais déjà ma fortune faite, et je trouvais[l] beau de n'en avoir l'obligation qu'à moi seul.

La première chose que je fis fut de[m] satisfaire ma curiosité en parcourant toute la ville, quand ce n'eût été que pour[n] faire un acte de ma liberté. J'allai voir monter la garde; les instruments militaires me plaisaient beaucoup. Je suivis des processions; j'aimais le faux-bourdon des prêtres; j'allai voir le Palais du Roi; j'en approchais avec crainte; mais voyant[o] d'autres gens entrer, je fis comme eux; on me laissa faire. Peut-être dus-je cette grâce au petit paquet que j'avais sous[p] le bras. Quoi qu'il en soit, je conçus une grande opinion de moi-même, en me trouvant dans ce palais; déjà je m'en regardais[q] presque comme un habitant. Enfin, à force[r] d'aller et venir, je me lassai; j'avais faim, il faisait chaud : j'entrai chez une marchande

de laitage; on me donna[a] de la giuncà, du lait caillé, et
avec deux grisses de cet excellent pain de Piémont que
j'aime plus qu'aucun autre[1], je fis pour mes cinq ou six[b]
sols un des bons dîners que j'aie faits de mes jours[c].

Il fallut chercher un gîte. Comme je savais déjà assez
de piémontais pour me faire entendre, il ne[d] me fut pas
difficile à trouver, et j'eus la prudence de le choisir plus
selon ma bourse que selon mon goût. On m'enseigna[e]
dans la rue du Pô la femme d'un ̱oldat qui retirait à un sol
par nuit des domestiques hors de service. Je trouvai chez
elle un grabat vide, et je m'y établis. Elle était jeune et
nouvellement mariée, quoiqu'elle eût déjà cinq ou six
enfants. Nous couchâmes tous dans la même chambre, la
mère, les enfants[f], les hôtes; et cela dura de cette façon
tant que je restai chez elle. Au demeurant c'était une
bonne femme, jurant comme un charretier[g], toujours
débraillée et décoiffée, mais douce de cœur, officieuse,
qui me prit en amitié, et qui même me fut utile.

Je passai plusieurs jours à me livrer uniquement au
plaisir de l'indépendance et de la curiosité. J'allais errant
dedans et dehors la ville, furetant, visitant tout ce qui
me paraissait curieux et nouveau; et tout l'était pour un
jeune homme sortant de sa niche, qui n'avait jamais vu
de capitale. J'étais surtout fort exact à faire ma cour,
et j'assistais[h] régulièrement tous les matins à la messe du
Roi[i]. Je trouvais beau de me voir dans la même chapelle
avec ce Prince et sa suite : mais ma passion pour la musique,
qui commençait à se déclarer, avait plus de part à mon
assiduité que la pompe de la Cour[j], qui, bientôt vue et
toujours la même, ne frappe pas longtemps. Le roi de
Sardaigne avait alors la[k] meilleure symphonie de l'Europe.
Somis[l], Desjardins, les Bezozzi y brillaient alternativement.
Il n'en fallait pas tant pour attirer un jeune homme que le[m]
jeu du moindre instrument, pourvu qu'il fût juste, trans-
portait[n] d'aise. Du reste, je n'avais pour la magnificence
qui frappait mes yeux qu'une admiration stupide et sans
convoitise. La seule chose qui m'intéressât dans tout l'éclat

1. *Giuncà,* forme piémontaise de *giuncata,* lait caillé. A la fin
du livre I de l'*Émile,* Rousseau parle de « petits bâtons de pain
dur ou de biscuit semblable au pain de Piémont, qu'on appelle dans
le pays des *grisses* ». Le mot piémontais *grissia* désigne un petit pain
long, généralement fendu dans le sens de la longueur, et aujourd'hui
souvent une miche.

de la cour était de voir s'il n'y[a] aurait point là quelque[b] jeune Princesse qui méritât[c] mon hommage, et avec laquelle je pusse faire un roman.

Je faillis en[d] commencer un dans un état moins brillant, mais où, si je l'eusse[e] mis à fin, j'aurais trouvé des plaisirs mille fois plus délicieux.

Quoique je vécusse avec beaucoup d'économie, ma bourse insensiblement s'épuisait[f]. Cette économie, au reste, était moins l'effet de la prudence que[g] d'une simplicité de goût que même aujourd'hui l'usage des grandes tables n'a point altéré. Je ne connaissais pas et je ne connais pas encore de meilleure chère que celle d'un repas rustique[h]. Avec du laitage, des œufs, des herbes, du fromage, du pain bis[i] et du vin passable, on est toujours sûr de me bien régaler; mon[j] bon appétit fera le reste, quand un maître d'hôtel et des laquais autour de moi ne me rassasieront pas de[k] leur importun aspect. Je faisais alors de beaucoup meilleurs repas, avec[l] six ou sept sols de dépense, que je ne les ai faits depuis à six ou sept francs. J'étais donc sobre[m], faute d'être tenté de ne pas l'être : encore ai-je tort d'appeler[n] tout cela sobriété, car j'y mettais toute la sensualité possible. Mes poires, ma giuncà, mon fromage, mes grisses, et quelques verres d'un gros vin de Montferrat[o] à couper par tranches[1], me rendaient le plus heureux des gourmands. Mais encore avec tout cela pouvait-on voir la fin de vingt livres. C'était ce que[p] j'apercevais plus sensiblement de jour en jour, et malgré l'étourderie de mon âge, mon inquiétude sur l'avenir alla bientôt jusqu'à l'effroi. De[q] tous mes châteaux en Espagne, il ne me resta que celui de chercher[r] une occupation qui me fît vivre, encore n'était-il[s] pas facile à réaliser. Je songeai à mon ancien métier; mais je ne le savais pas assez pour aller travailler chez un maître, et les maîtres même n'abondaient pas à Turin. Je pris donc, en attendant mieux, le parti d'aller m'offrir de boutique[t] en boutique pour graver un chiffre ou des armes sur de la vaiselle, espérant tenter les gens par le bon marché, en me mettant à leur discrétion. Cet expédient ne fut pas fort heureux. Je fus presque

1. Le Montferrat, région historique du Piémont, entre Turin, Verceil et Tortone, siège d'une principauté au XIII[e] siècle, a une industrie vinicole prospère, mais produit surtout un gros vin qui justifie la plaisanterie de Rousseau.

partout éconduit, et ce que je[a] trouvais à faire était si peu de chose, qu'à peine y gagnai-je[b] quelques repas[c]. Un jour, cependant, passant d'assez bon matin dans la Contrà nova, je vis, à travers les vitres d'un comptoir, une jeune marchande[d] de si bonne grâce et d'un air si attirant, que, malgré ma timidité près des dames, je n'hésitai pas d'entrer et de lui offrir mon petit talent. Elle ne me rebuta point, me fit asseoir, conter ma petite histoire, me plaignit, me dit d'avoir bon courage, et que les bons chrétiens ne m'abandonneraient pas; puis, tandis qu'elle envoyait chercher, chez un orfèvre du voisinage, les outils dont j'avais dit avoir besoin, elle monta dans sa cuisine, et m'apporta elle-même à déjeuner. Ce début me parut de bon augure; la suite ne le démentit pas. Elle[e] parut contente de mon petit travail, encore plus de mon petit babil quand je me fus un peu rassuré; car elle était brillante et parée, et, malgré son air gracieux, cet éclat m'en avait imposé. Mais son accueil plein de bonté, son ton compatissant, ses manières douces et caressantes, me mirent bientôt à mon aise. Je vis que je réussissais, et cela me fit réussir davantage[f]. Mais quoique Italienne, et trop jolie pour n'être pas un peu coquette, elle était pourtant si modeste, et moi si timide, qu'il était difficile que[g] cela vînt sitôt à bien. On ne nous laissa pas le temps d'achever l'aventure. Je ne m'en rappelle qu'avec plus de charmes les courts moments que j'ai passés auprès d'elle, et je puis dire y avoir goûté dans leurs prémices les plus doux ainsi que les plus purs plaisirs de l'amour.

C'était une brune extrêmement piquante, mais dont le bon naturel peint sur son joli visage rendait la vivacité touchante[h]. Elle s'appelait Madame Basile. Son mari, plus âgé qu'elle et passablement jaloux, la laissait, durant ses voyages, sous la garde d'un commis trop maussade pour être séduisant, et qui ne laissait pas d'avoir[i] des prétentions pour son compte, qu'il ne montrait guère que par sa mauvaise humeur. Il en prit beaucoup contre moi, quoique j'aimasse à l'entendre jouer de la flûte, dont il jouait[j] assez bien. Ce nouvel Égisthe grognait toujours quand il me voyait entrer chez sa dame : il me traitait avec un dédain qu'elle lui rendait bien. Il semblait même qu'elle[k] se plût, pour le tourmenter, à me caresser en sa présence, et cette sorte de vengeance, quoique[l] fort de mon goût, l'eût été[m] bien plus dans le tête-à-tête. Mais elle ne la pous-

sait pas jusque-là, ou du moins ce n'était pas de la même manière. Soit qu'elle me trouvât trop jeune, soit qu'elle ne sût point faire les avances, soit qu'elle voulût sérieusement être sage, elle avait alors une sorte de réserve qui n'était pas repoussante, mais qui m'intimidait sans que je[a] susse pourquoi. Quoique je ne me sentisse pas pour elle ce respect aussi[b] vrai que tendre que j'avais pour M[me] de Warens, je me sentais plus de crainte et bien moins de familiarité. J'étais embarrassé, tremblant; je n'osais la regarder, je n'osais respirer auprès d'elle; cependant je craignais plus la mort de m'en éloigner. Je dévorais d'un œil avide tout ce que je pouvais[c] regarder sans être aperçu : les fleurs de sa robe, le bout de son joli pied, l'intervalle d'un bras[d] ferme et blanc qui paraissait entre son gant et sa manchette, et[e] celui qui se faisait quelquefois entre son tour de gorge et son mouchoir. Chaque objet ajoutait à l'impression des autres. A force de regarder ce que je pouvais voir, et même au delà, mes yeux se troublaient[f], ma poitrine s'oppressait, ma respiration, d'instant en instant plus embarrassée, me donnait beaucoup de peine à gouverner, et tout ce que je pouvais faire était de filer sans bruit des soupirs[g] fort incommodes dans le silence où nous étions[h] assez souvent. Heureusement M[me] Basile occupée à son ouvrage, ne s'en apercevait pas, à ce qu'il me semblait. Cependant je voyais quelquefois, par une sorte de sympathie, son fichu se renfler assez fréquemment. Ce dangereux[i] spectacle achevait de me perdre[j], et quand j'étais prêt à céder à mon transport, elle m'adressait[k] quelque mot d'un ton tranquille qui me faisait rentrer en moi-même à l'instant.

Je la vis plusieurs fois seule de cette manière, sans que jamais un[l] mot, un geste, un regard même trop expressif marquât entre nous la moindre intelligence. Cet état[m], très tourmentant pour moi, faisait cependant mes délices, et à peine dans la simplicité de mon cœur pouvais-je imaginer pourquoi j'étais si tourmenté. Il paraissait que ces petits tête-à-tête ne lui déplaisaient pas non plus, du moins elle en rendait les occasions[n] assez fréquentes; soin bien gratuit assurément de sa part pour l'usage[o] qu'elle en faisait et qu'elle m'en laissait faire.

Un jour qu'ennuyée des sots colloques du commis elle[p] avait monté dans sa chambre, je me hâtai, dans l'arrière-boutique où j'étais, d'achever ma petite tâche

et je la suivis. Sa chambre était entr'ouverte; j'y entrai
sans être aperçu[a]. Elle brodait près d'une fenêtre, ayant,
en face, le côté de la chambre opposé à la porte. Elle ne
pouvait me voir entrer, ni m'entendre, à cause du bruit
que des chariots faisaient dans la rue. Elle se mettait tou-
jours bien : ce jour-là sa parure[b] approchait de la coquet-
terie. Son attitude était gracieuse, sa tête un peu baissée
laissait[c] voir la blancheur de son cou; ses cheveux[d] relevés
avec élégance étaient ornés de fleurs. Il régnait dans toute
sa figure[e] un charme que j'eus le temps de[f] considérer,
et qui me mit hors de moi. Je me jetai à genoux à l'entrée
de la chambre, en tendant les[g] bras vers elle d'un mouvement
passionné, bien sûr qu'elle[h] ne pouvait m'entendre, et ne
pensant pas qu'elle pût me voir[i] : mais il y avait à la che-
minée une glace[j] qui me trahit. Je ne sais quel effet ce
transport fit sur elle; elle ne me regarda point, ne me parla
point; mais tournant à demi la tête, d'un simple[k] mou-
vement de doigt, elle me montra[l] la natte à ses pieds.
Tressaillir, pousser un cri[m], m'élancer à la place qu'elle
m'avait marquée, ne fut pour moi qu'une même chose :
mais ce qu'on[n] aurait peine à croire est que dans cet état je
n'osai rien entreprendre au delà, ni dire un seul mot, ni
lever les yeux sur[o] elle, ni la toucher même, dans une
attitude aussi contrainte, pour m'appuyer un instant
sur ses genoux. J'étais muet, immobile : mais non pas
tranquille assurément : tout[p] marquait en moi l'agitation,
la joie, la reconnaissance, les ardents désirs incertains
dans leur objet, et contenus par la[q] frayeur de déplaire
sur laquelle mon jeune cœur ne pouvait se rassurer.

Elle ne paraissait ni plus tranquille ni moins timide
que moi. Troublée de me voir là, interdite de m'y avoir
attiré, et commençant à sentir toute la conséquence d'un
signe parti[r] sans doute avant la réflexion, elle ne m'accueil-
lait ni me repoussait, elle n'ôtait pas les yeux de dessus son
ouvrage, elle tâchait de faire comme si elle ne m'eût pas[s]
vu à ses pieds : mais toute ma bêtise ne m'empêchait pas
de[t] juger qu'elle partageait mon embarras, peut-être mes
désirs, et qu'elle était retenue par une honte semblable
à la mienne, sans que[u] cela me donnât la force de la sur-
monter[v]. Cinq ou six ans qu'elle avait de plus que moi
devaient, selon moi, mettre de son côté toute la hardiesse,
et je me disais que, puisqu'elle ne faisait rien pour exciter
la mienne, elle ne voulait pas que j'en eusse. Même encore

aujourd'hui je trouve que je pensais juste, et sûrement elle avait trop d'esprit pour ne pas voir qu'un novice tel que moi avait besoin non seulement d'être encouragé, mais d'être instruit.

Je ne sais comment eût fini cette scène vive et muette, ni combien[a] de temps j'aurais demeuré immobile dans cet état ridicule et délicieux, si nous n'eussions été interrompus. Au plus fort de mes agitations, j'entendis[b] ouvrir la porte de la cuisine, qui touchait la chambre où nous étions, et M[me] Basile alarmée me dit vivement de la voix et du geste : Levez-vous, voici Rosina. En me levant en hâte, je saisis une main qu'elle me tendait, et j'y appliquai deux baisers brûlants, au second desquels je sentis cette charmante main se presser un peu contre mes lèvres. De mes jours je n'eus un si doux moment : mais l'occasion que j'avais perdue ne revint plus, et nos[c] jeunes amours en restèrent là[1].

C'est peut-être pour cela[d] même que l'image de cette aimable femme est restée empreinte au fond de mon cœur en traits si charmants. Elle s'y est même embellie

1. L'étude des variantes montre le plaisir et le soin qu'a pris Rousseau à écrire et récrire cette scène, qu'il est curieux de comparer à cette confidence rapportée par Bernardin de Saint-Pierre (*Le caractère et les ouvrages de J.-J. Rousseau* [...], éd. Souriau, p. 94) :
« Oh, que l'innocence ajoute de pouvoir à l'amour ! J'ai aimé deux fois passionnément; l'une, une personne à laquelle je n'avais jamais parlé. Un seul signe a été la source de mille lettres passionnées, des plus douces illusions. J'entrais dans un appartement où elle était : je l'aperçois, le dos tourné; à sa vue, la joie, le désir, l'amour se peignaient dans mon visage, dans mes traits, dans mes gestes; je ne m'apercevais pas qu'elle me voyait dans la glace. Elle se tourne, offensée de mes transports, et du doigt me montre la terre : j'allais tomber à ses genoux lorsqu'on entra. Ce simple mouvement fut cause de lettres très douces. » — « Elle était mariée sans doute ? » — « Oui. » — « Oh, je conçois combien doux ce mélange d'amour et de vertu. »
S'il s'agit bien de M[me] Basile (et comment croire que l'incident du miroir ait pu accidentellement se renouveler avec une autre femme ?) que penser des « lettres passionnées » et « très douces » qui auraient suivi l'aventure ? Pure affabulation ? Serait-ce au contraire le récit des *Confessions* qui serait arrangé ? L'une ou l'autre version contaminerait-elle l'épisode avec des détails d'une autre amourette (M[lle] Serre ?) ?
— L'épisode du miroir est finement commenté par J. Starobinski dans le xi[e] *Cahier de l'Association Nationale des Études françaises,* Paris, 1959, pp. 217-219.

à mesure que j'ai mieux connu le monde et les femmes.
Pour peu qu'elle eût eu d'expérience, elle s'y[a] fût prise autre-
ment pour[b] animer un petit garçon : mais si son cœur
était faible, il était honnête; elle cédait involontairement
au penchant qui l'entraînait : c'était, selon[c] toute apparence,
sa première infidélité, et j'aurais peut-être eu plus à faire[d]
à vaincre sa honte que la mienne. Sans être venu là, j'ai
goûté près d'elle des[e] douceurs inexprimables. Rien de
tout ce que m'a fait sentir la possession des femmes ne
vaut les deux minutes que j'ai passées à ses pieds sans même
oser toucher à sa robe. Non, il n'y a point de[f] jouissances
pareilles à celles que peut donner une[g] honnête femme
qu'on aime; tout est faveur auprès d'elle. Un petit signe
du doigt, une main[h] légèrement pressée contre ma bouche,
sont les seules faveurs que je reçus jamais de M[me] Basile,
et le souvenir de ces faveurs si légères me transporte encore
en y pensant.

Les deux jours suivants, j'eus beau guetter un nou-
veau tête-à-tête, il me fut impossible d'en trouver le
moment, et je n'aperçus[i] de sa part aucun soin pour le
ménager. Elle eut même le maintien[j] non plus froid,
mais plus retenu qu'à l'ordinaire, et je crois qu'elle évi-
tait mes regards, de peur de ne pouvoir assez gouverner
les siens. Son maudit commis fut plus désolant que
jamais : il devint même railleur[k], goguenard; il me dit
que je ferais mon chemin près des dames. Je tremblais
d'avoir[l] commis quelque indiscrétion, et, me regardant[m]
déjà comme d'intelligence avec elle, je voulus couvrir du
mystère un goût qui jusqu'alors n'en avait pas grand
besoin. Cela me rendit plus circonspect à saisir les occa-
sions de la satisfaire, et à force de les vouloir sûres, je n'en
trouvai plus du tout.

Voici encore une autre folie romanesque dont[n] jamais
je n'ai pu me guérir, et qui, jointe à ma timidité naturelle,
a beaucoup démenti les prédictions du commis. J'aimais
trop sincèrement, trop parfaitement, j'ose[o] dire, pour
pouvoir aisément être heureux. Jamais passions ne furent
en même temps plus[p] vives et plus pures que les miennes,
jamais amour ne fut plus[q] tendre, plus vrai, plus désinté-
ressé[r]. J'aurais mille fois sacrifié mon bonheur à celui
de la personne que j'aimais; sa réputation m'était plus chère
que ma vie, et jamais pour[s] tous les plaisirs de la jouis-
sance je n'aurais voulu compromettre un moment son repos.

Cela m'a fait apporter tant de soins, tant de secret, tant de précaution dans mes entreprises, que jamais aucune n'a pu réussir. Mon peu de succès[a] près des femmes est toujours venu de les trop aimer[b].

Pour revenir au flûteur Égisthe, ce qu'il y avait[c] de singulier, était qu'en devenant plus insupportable, le traître[d] semblait devenir plus complaisant. Dès le[e] premier jour que sa[f] dame m'avait pris en affection, elle avait songé à me rendre utile[g] dans le magasin. Je savais passablement l'arithmétique; elle lui avait proposé de m'apprendre à tenir les livres; mais mon bourru reçut très mal la proposition, craignant peut-être d'être supplanté. Ainsi tout mon travail[h] après mon burin était de transcrire quelques comptes et mémoires, de mettre au net quelques livres, et de traduire quelques lettres de commerce d'italien en français. Tout d'un coup[i] mon homme s'avisa de revenir à la proposition faite et rejetée, et dit qu'il m'apprendrait[j] les comptes à parties doubles; et qu'il voulait me mettre en état d'offrir mes services à M. Basile[k], quand il serait de retour. Il y avait dans son ton, dans son air[l], je ne sais[m] quoi de faux, de malin, d'ironique, qui ne me donnait pas de la confiance. Mme Basile[n], sans attendre ma réponse, lui dit sèchement que je lui étais[o] obligé de ses offres, qu'elle espérait que la fortune favoriserait enfin mon mérite, et que ce serait grand dommage qu'avec tant d'esprit je ne fusse qu'un commis.

Elle m'avait dit[p] plusieurs fois qu'elle voulait me faire faire une connaissance qui[q] pourrait m'être utile. Elle pensait assez sagement pour sentir qu'il était temps de me détacher d'elle[r]. Nos muettes déclarations s'étaient faites le jeudi. Le dimanche elle donna un dîner, où je me trouvai et où se trouva aussi un Jacobin[s] de bonne mine auquel elle me présenta. Le moine me traita très affectueusement, me félicita sur ma conversion, et me dit plusieurs choses sur mon histoire qui m'apprirent qu'elle la lui avait[t] détaillée; puis, me donnant deux petits coups[u] d'un revers de main sur la joue, il me dit d'être sage[v], d'avoir bon courage, et de l'aller voir, que nous causerions plus à loisir ensemble. Je jugeai, par les égards que tout le monde avait pour lui, que c'était un homme de considération, et par le ton paternel qu'il prenait avec Mme Basile, qu'il était son confesseur. Je me rappelle bien aussi que sa décente

familiarité était[a] mêlée de marques d'estime et même de respect pour sa pénitente, qui me firent[b] alors moins d'impression qu'elles ne m'en font aujourd'hui. Si j'avais eu plus d'intelligence, combien[c] j'eusse été touché d'avoir pu rendre sensible une[d] jeune femme respectée par son confesseur !

La table ne se trouva pas assez grande pour[e] le nombre que nous étions ; il en fallut une petite[f], où j'eus l'agréable[g] tête-à-tête de Monsieur le Commis. Je n'y perdis rien du côté[h] des attentions et de la bonne chère ; il y eut bien des assiettes envoyées à la petite table dont l'intention n'était[i] sûrement pas pour lui. Tout allait très bien jusque-là : les femmes étaient[j] fort gaies, les hommes fort galants ; M[me] Basile faisait ses honneurs avec une grâce charmante. Au milieu du dîner, l'on entend arrêter une[k] chaise à la porte ; quelqu'un monte[l], c'est M. Basile. Je le vois comme s'il[m] entrait actuellement, en habit d'écarlate à boutons d'or, couleur que j'ai prise en aversion depuis ce[n] jour-là. M. Basile était un grand et bel homme qui se présentait[o] très bien. Il entre avec fracas, et de l'air de quelqu'un qui surprend son monde, quoiqu'il n'y eût là que de ses amis. Sa femme lui saute au cou[p], lui prend les mains, lui fait mille caresses qu'il reçoit sans les lui rendre. Il salue la compagnie, on lui[q] donne un couvert, il mange. A peine avait-on commencé de parler de son voyage, que, jetant les yeux sur la petite table, il demande d'un ton sévère ce que c'est que ce petit garçon qu'il aperçoit là. M[me] Basile le lui dit[r] tout naïvement. Il demande si je loge dans la maison. On lui dit que non. Pourquoi non ? reprend-il[s] grossièrement : puisqu'il s'y tient le jour, il[t] peut bien y rester la nuit. Le moine[u] prit la parole, et après un éloge grave et vrai de M[me] Basile, il fit le mien en peu de mots ; ajoutant que, loin de blâmer la pieuse charité de sa femme, il devait s'empresser[v] d'y prendre part, puisque rien n'y passait les bornes de la discrétion. Le mari répliqua d'un ton d'humeur, dont il cachait la moitié, contenu par la présence du moine, mais qui suffit pour me faire[w] sentir qu'il avait des instructions sur mon compte, et que le commis m'avait servi de sa façon.

A peine était-on hors de table, que celui-ci[x], dépêché par son bourgeois, vint en triomphe me signifier de sa part de sortir à l'instant de[y] chez lui, et de n'y remettre les pieds de ma vie[z]. Il assaisonna sa commission de tout

ce qui pouvait la rendre insultante et cruelle. Je partis sans rien dire, mais le cœur navré, moins de quitter cette aimable femme que de la laisser en proie à la brutalité de son mari. Il avait raison, sans doute, de[a] ne vouloir pas qu'elle fût infidèle; mais, quoique sage et bien née, elle était italienne, c'est-à-dire sensible et vindicative, et il avait tort, ce me semble, de prendre[b] avec elle les moyens les plus propres à s'attirer le malheur qu'il craignait.

Tel fut le succès de ma première aventure. Je voulus essayer de repasser deux ou trois fois dans la rue, pour revoir au moins[c] celle que mon cœur regrettait sans cesse; mais au lieu d'elle je ne vis que son mari et le[d] vigilant commis, qui, m'ayant aperçu, me fit, avec l'aune de la boutique, un geste plus expressif qu'attirant. Me voyant si bien guetté, je perdis courage et n'y passai plus. Je voulus aller voir au moins le patron qu'elle m'avait ménagé. Malheureusement je ne savais pas son nom. Je rôdai plusieurs fois[e] inutilement autour du couvent, pour tâcher de le rencontrer. Enfin d'autres événements[f] m'ôtèrent les charmants souvenirs de M[me] Basile, et dans peu je l'oubliai si bien, qu'aussi simple et aussi[g] novice qu'auparavant je ne restai pas même affriandé de jolies femmes.

Cependant ses libéralités avaient un peu remonté mon petit équipage, très modestement toutefois, et avec la précaution d'une femme prudente, qui[h] regardait plus à la propreté qu'à la parure, et qui voulait m'empêcher de souffrir, et non pas me faire briller. Mon habit, que j'avais apporté de Genève, était bon et portable encore; elle y ajouta[i] seulement un chapeau et quelque linge. Je n'avais point de manchettes; elle ne voulut point m'en donner, quoique j'en eusse bonne envie. Elle se contenta de me[j] mettre en état de me tenir propre, et c'est un soin qu'il ne fallut pas me recommander tant que je parus devant elle.

Peu de jours après ma catastrophe, mon hôtesse, qui, comme je l'ai dit, m'avait pris en amitié, me dit qu'elle m'avait peut-être trouvé une place, et qu'une dame de condition voulait me voir. A ce mot, je me crus tout de bon dans les[k] hautes aventures : car j'en revenais toujours là. Celle-ci ne se trouva pas aussi brillante que je me[l] l'étais figuré. Je fus chez cette dame avec le domestique qui lui avait parlé de moi. Elle m'interrogea, m'examina : je ne lui déplus pas; et tout de suite j'entrai à son service,

non pas tout à fait en qualité de favori, mais en qualité de
laquais. Je fus vêtu de la couleur de ses gens; la seule
distinction[a] fut qu'ils portaient l'aiguillette, et qu'on ne
me la donna pas[b]; comme il n'y avait point de[c] galons à
sa livrée, cela faisait[d] à peu près un habit bourgeois[e]. Voilà
le terme inattendu auquel[f] aboutirent enfin toutes mes
grandes espérances.

Madame la Comtesse de Vercellis[g], chez qui j'entrai,
était veuve et sans enfants : son mari était piémontais;
pour elle, je l'ai toujours crue savoyarde, ne pouvant[h]
imaginer qu'une Piémontaise parlât si bien français, et
eût un accent[i] si pur. Elle était entre deux âges, d'une
figure fort noble, d'un esprit[j] orné, aimant la littérature[k]
française, et s'y connaissant. Elle écrivait beaucoup,
et toujours en français. Ses lettres avaient le tour et presque
la grâce de celles de M[me] de Sévigné; on aurait pu s'y
tromper à quelques-unes. Mon principal emploi, et qui ne
me déplaisait pas, était de les écrire sous sa dictée, un
cancer au sein, qui la faisait beaucoup souffrir, ne lui per-
mettant plus d'écrire elle-même.

M[me] de Vercellis avait non seulement beaucoup d'es-
prit, mais une âme élevée et forte. J'ai suivi sa dernière
maladie; je l'ai vu[e] souffrir et mourir sans jamais mar-
quer[l] un instant de faiblesse, sans faire le moindre effort
pour se[m] contraindre, sans sortir de son rôle de femme,
et sans se douter qu'il y eût à cela de la philosophie[n], mot
qui n'était pas encore à la mode, et qu'elle ne connaissait
même pas dans le sens qu'il porte aujourd'hui[1]. Cette force

1. Les sarcasmes de Rousseau contre l'abus à la mode du mot de
philosophie, et l'esprit d'impiété auquel il sert de manteau, n'ont pas
attendu pour s'exprimer la rupture avec les Encyclopédistes. On peut
déjà relever un emploi ironique du mot dans *Les Prisonniers de guerre,*
où il sert à désigner l'inconstance amoureuse attribuée aux galants
français. Au temps de l'exaltation « romaine » du I[er] *Discours,* le
terme devient nettement péjoratif dans *l'Allée de Sylvie* (imprimée dans
le *Mercure* de sept. 1750) :

> ... *Le vice instruit par la folie*
> *Et d'un faux titre revêtu*
> *Sous le nom de philosophie*
> *Tend des pièges à la vertu.*

La préface de *Narcisse* (1753) critique la notion de philosophie alors
en faveur. On peut d'ailleurs se demander si Diderot et ses amis du
petit cercle de M[me] d'Épinay ne se permettent pas eux aussi, à l'occa-

de caractère allait quelquefois jusqu'à la sécheresse. Elle
m'a toujours paru aussi peu sensible pour autrui que
pour elle-même : et quand elle faisait du bien aux
malheureux, c'était[a] pour faire ce qui était bien en soi,
plutôt que par une véritable commisération. J'ai un peu
éprouvé de cette insensibilité pendant les trois mois[1] que[b]
j'ai passés auprès d'elle. Il était naturel qu'elle prît en affec-
tion un jeune[c] homme de quelque espérance, qu'elle
avait incessamment sous les yeux, et qu'elle songeât, se
sentant mourir, qu'après elle il aurait besoin de secours et
d'appui : cependant, soit qu'elle ne me jugeât pas digne
d'une attention particulière, soit que les gens qui[d] l'obsé-
daient ne lui aient permis de[e] songer qu'à eux, elle ne fit
rien pour moi.

Je me rappelle pourtant fort bien qu'elle avait[f] marqué
quelque curiosité de me connaître. Elle m'interrogeait
quelquefois : elle était bien aise que je lui montrasse les
lettres que j'écrivais à M[me] de Warens, que je lui rendisse
compte de mes sentiments[g]. Mais elle ne s'y prenait assuré-
ment pas bien pour les connaître, en ne me montrant
jamais les siens. Mon cœur aimait à s'épancher, pourvu
qu'il sentît que c'était dans un autre. Des interrogations

sion, d'ironiser sur les « philosophes »; le surnom de Diderot dans
cette coterie, « le philosophe », est à demi plaisant, de même que ceux
de Rousseau « l'ours », celui du fils de M[me] d'Épinay, « le lettré »,
celui de M[me] Le Vasseur, « le [lieutenant-] criminel », etc. N'est-ce
pas Diderot qui fournit à Rousseau l'idée du « philosophe qui s'argu-
mente en se bouchant les oreilles » dans le 2[e] Discours (infra, livre VIII,
p. 460, n.*) ?

A partir de 1755, en tout cas, Rousseau n'ironise plus : l'expression
« tourbe philosophique » apparaît dans la correspondance. A la fausse
philosophie, il oppose la vraie, qui peut être stoïcisme dans la douleur
comme ici chez M[me] de Vercellis, ou ce « matérialisme du sage » dont
un des principes était formulé plus haut (p. 60). La Deuxième Partie des
Confessions est plus violente dans les attaques contre les philosophes :
voir notamment au livre IX, p, 537. Désormais Rousseau abandonne
à ses anciens amis le terme de philosophe, qui pour eux implique une
exigence fondamentale de bienfaisance et par suite la vie en société,
incompatible avec la retraite qu'a choisie Rousseau.

1. Au lieu de trois mois, il faudrait plutôt cinq mois, puisque le
commandant Gaillard a trouvé la date du décès de M[me] de Vercellis
(19 déc. 1728) et celle de son testament (27 août 1728), rédigé plusieurs
semaines après l'arrivée de Rousseau.

sèches et froides, sans aucun signe d'approbation ni de blâme[a] sur mes réponses[b] ne me donnaient, aucune confiance. Quand rien ne m'apprenait si mon babil plaisait ou déplaisait, j'étais toujours en crainte, et je cherchais moins à montrer ce que je pensais qu'à ne rien dire qui pût me nuire. J'ai remarqué depuis[c] que cette manière sèche d'interroger[d] les gens pour les connaître est un tic assez commun[e] chez les femmes qui se piquent d'esprit. Elles s'imaginent qu'en ne laissant point paraître leur sentiment, elles parviendront à mieux pénétrer le vôtre : mais elles ne voient pas qu'elles ôtent par là le courage de le montrer. Un homme qu'on interroge commence par cela seul à se mettre en garde, et s'il croit que, sans prendre à lui un[f] véritable intérêt, on ne veut que le faire jaser, il ment, ou se tait, ou redouble d'attention sur lui-même, et aime encore mieux passer pour[g] un sot que d'être dupe de votre curiosité. Enfin c'est toujours un mauvais moyen de lire dans le cœur des autres que d'affecter de cacher le sien[1].

M[me] de Vercellis ne m'a jamais dit un mot qui sentît l'affection, la pitié, la bienveillance. Elle m'interrogeait froidement; je répondais avec[h] réserve. Mes réponses étaient si timides qu'elle dut les trouver basses et s'en ennuya. Sur la fin elle ne me questionnait plus, ne me parlait plus que pour son service. Elle me jugea moins sur ce que j'étais que sur ce qu'elle m'avait fait, et à force de ne voir en moi qu'un[i] laquais, elle m'empêcha de lui paraître autre chose.

Je crois que j'éprouvai dès lors ce jeu malin des intérêts cachés qui m'a traversé toute ma vie, et qui m'a donné une aversion bien naturelle pour[j] l'ordre apparent qui les produit. M[me] de Vercellis, n'ayant point d'enfants, avait pour héritier son neveu le comte de la Roque, qui lui faisait assidûment sa cour. Outre cela, ses principaux domestiques, qui la voyaient tirer à sa fin, ne s'oubliaient pas, et il y avait tant d'empressés autour d'elle, qu'il était difficile qu'elle eût[k] du temps pour penser à moi. A la tête de sa maison était un nommé M. Lorenzi[ni], homme adroit, dont la femme[l], encore plus adroite, s'était telle-

1. A ce défaut de psychologie constaté chez M[me] de Vercellis, on peut opposer l'art qu'aura M. d'Aubonne de mettre Rousseau en confiance en l'interrogeant pour prendre sa mesure (p. 124).

ment insinuée dans les bonnes grâces de sa maîtresse, qu'elle était plutôt chez elle sur le pied d'une amie que d'une femme à gages. Elle lui avait donné pour femme de chambre une nièce à elle appelée M[lle] Pontal, fine mouche, qui se donnait des airs de demoiselle suivante, et aidait sa tante à obséder si bien leur maîtresse qu'elle ne voyait que par leurs yeux et n'agissait que par leurs mains. Je n'eus pas le bonheur d'agréer à ces trois personnes : je leur obéissais, mais je ne les servais pas; je n'imaginais pas qu'outre le service de notre commune maîtresse, je dusse être encore le valet de ses valets. J'étais d'ailleurs une espèce de personnage inquiétant pour eux[a]. Ils voyaient bien que je n'étais pas à ma place; ils craignaient que Madame ne le vît aussi, et que ce qu'elle ferait pour m'y mettre[b] ne diminuât leurs portions : car ces sortes de gens[c], trop avides pour être justes, regardent tous les legs qui sont pour d'autres comme pris sur leur propre bien. Ils se réunirent donc pour m'écarter[d] de ses yeux. Elle aimait à écrire des lettres; c'était un amusement pour elle dans son état : ils l'en dégoûtèrent[e] et l'en firent détourner par le médecin, en la persuadant que cela la fatiguait. Sous prétexte que je n'entendais pas le service, on[f] employait au lieu de moi deux gros manants de porteurs de chaise autour d'elle; enfin l'on fit si bien, que, quand elle fit son testament, il y avait huit jours que je n'étais entré dans sa chambre. Il est vrai qu'après cela j'y entrai comme auparavant, et j'y fus même plus assidu que personne, car les[g] douleurs de cette pauvre femme me déchiraient; la constance avec laquelle elle les[h] souffrait me rendait extrêmement respectable et chère, et j'ai bien versé[i] dans sa chambre des larmes sincères, sans qu'elle ni personne[j] s'en aperçût.

Nous la perdîmes enfin. Je la vis expirer. Sa vie avait été celle d'une femme[k] d'esprit et de sens; sa mort fut celle d'un sage. Je puis dire qu'elle me rendit la religion catholique aimable par la sérénité d'âme avec laquelle elle en remplit les devoirs sans négligence et sans affectation. Elle était naturellement sérieuse. Sur la fin de sa maladie, elle prit une sorte de gaieté trop[l] égale pour être jouée, et qui n'était qu'un contrepoids donné par la raison[m] même contre la[n] tristesse de son état. Elle ne garda le lit que les deux derniers jours, et ne cessa de s'entretenir paisiblement avec tout le monde. Enfin, ne

parlant plus, et déjà dans les combats de l'agonie, elle
fit un gros pet. Bon ! dit-elle en se retournant, femme
qui pète n'est pas morte. Ce furent les derniers mots
qu'elle prononça.

Elle avait légué un an de leurs gages à ses bas domes-
tiques; mais n'étant point couché sur l'état de sa maison,
je n'eus rien. Cependant le comte de la Roque me fit
donner trente livres[1], et me laissa l'habit neuf que j'avais
sur le corps, et que M. Lorenzi[ni] voulait m'ôter. Il promit
même de chercher à me placer et me[a] permit de l'aller voir.
J'y fus deux ou trois fois sans pouvoir lui parler. J'étais
facile à rebuter, je n'y retournai plus. On verra bientôt
que j'eus tort.

Que n'ai-je achevé tout ce que j'avais à dire de mon
séjour chez Mme de Vercellis ! Mais bien que mon appa-
rente situation demeurât la même, je ne sortis pas de sa
maison comme j'y étais entré. J'en emportai les longs sou-
venirs du crime et l'insupportable poids des remords dont
au bout de quarante ans ma conscience est encore chargée,
et dont l'amer sentiment, loin de s'affaiblir, s'irrite à mesure
que je vieillis. Qui croirait que la faute d'un enfant pût
avoir des suites aussi cruelles[b] ? C'est de ces suites plus
que probables que mon cœur ne[c] saurait se consoler.
J'ai peut-être fait périr dans[d] l'opprobre et dans la misère
une fille aimable, honnête[e], estimable, et qui sûrement
valait beaucoup mieux que moi.

Il est bien difficile que la dissolution d'un ménage
n'entraîne un peu de confusion dans la maison, et qu'il
ne s'égare bien des choses : cependant, telle était la fidélité
des domestiques et la vigilance de M. et Mme Lorenzi[ni],
que rien ne se trouva de manque sur l'inventaire. La seule
Mlle Pontal perdit un petit ruban couleur de rose et argent,
déjà vieux[1]. Beaucoup d'autres meilleures choses étaient
à ma portée; ce ruban seul me tenta, je le volai, et comme
je ne le cachais guère, on me le trouva bientôt. On voulut
savoir où je l'avais pris[g]. Je me trouble, je balbutie, et enfin
je dis, en rougissant, que c'est Marion qui me l'a donné.
Marion était une jeune Mauriennoise dont Mme de Vercel-

1. En fait le testament de la défunte destinait 30 livres à chacun
de ses domestiques; le comte de La Roque ne fit donc qu'exécuter
cette disposition. Peut-être Rousseau répugne-t-il à se confondre, en
admettant la chose, avec les « bas domestiques ».

NUOVA PIANTA DELLA REALE CITTA DI TORINO.

Con i Nomi di ciaschedun'Isola con la Tauola per Ritrouare le Chiese, e luoghi Pii có numeri segnati, e Tauola, Alfabetica per ritrouare i luoghi più principali della Città 1751.

Alle Rive del Pò nel suo Borgo vi è la Chiesa di S.
Marco, e Leonardo Porcelot.

Si vertono, che i Nomi dell'Isole in varia consono quelli delle
Chiese in esse esistenti.

TAVOLA ALFABETICA
DE LUOGHI PRINCIPALI.

A Palazzo del Rè, e Giardino.
B Piazza Reale.
C Padiglione Reale.
D Piazza del Castello.
E Palazzo del Duca, e sia Castello Reale.
F Piazza dietro al Castello.
G Secreteria di Stato, Uffizio del Soldo,
 Segreteria delle Lettere, Tesoreria Generale.
H Secretario di Stato, e di Guerra.
I Tesoro Regio, e Suarjaria Reale.
K Academia Reale.
L Regio Archivio.
M Regia Università degli Studj, con pubblica Libraria, e Sopregio
N Regia Zecca.
O Porta di Pò, Strada della Vigna della Regina, e Superga.
P Quartieri militari di Cavalleria.
Q Piazza Carlina.
R Collegio Reale delle Provincie.
S Ghetto degli Ebrei.
T Palazzo di S. A. E. il Principe di Carignano.
V Piazza e Chiesa distinta S.
X Palazzo Reale di Scuola de' Nobili Convittori.
Y Piazza d'Arme detta del S. Carlo.
Z Porta nuova, Strada del Regio Valentine.
Aa Regio Arsenale.
Bb Il Passaggio della Cittadella.
Cc La Cittadella.
Dd Porta Segnal, Strada di Rivoli.
Ee Porta Susina, Strada d'Infantria.
Ff Quartieri militari d'Infantria.
Gg Piazza Parigini.
Gg Reale Senato, e Regia Camera de' Conti.
Hh La Torre della Città.
Ii Palazzo della Città.
Kk Piazza detta dell'Erbe.
Ll Piazza di S. Giovanni.
Mm La Torre, e li Quartieri del Vicariato.
Nn Strada di S. Giovanni, Piazza del Mercato,
 e Strada della Venaria.
Si vendono nette centro in Pò vicino la
Porta col Libraro Rinera Cloti.

JRIN (1751) Cl. B. N.

lis avait fait sa cuisinière, quand, cessant de donner à manger, elle avait renvoyé la sienne, ayant plus besoin de[a] bons bouillons que de ragoûts fins. Non seulement Marion était jolie, mais elle avait[b] une fraîcheur de coloris qu'on ne trouve que dans les montagnes, et surtout un air de modestie et de douceur qui faisait qu'on ne pouvait la voir sans l'aimer; d'ailleurs bonne fille, sage, et d'une fidélité à toute épreuve. C'est ce qui surprit quand je la nommai. L'on n'avait guère moins de confiance en moi qu'en elle, et l'on jugea qu'il importait de vérifier lequel était le fripon des deux. On la fit venir; l'assemblée était nombreuse, le comte de la Roque y était. Elle arrive, on lui montre le ruban, je la charge effrontément; elle reste interdite, se tait, me jette un regard qui aurait désarmé les démons, et auquel mon barbare cœur résiste. Elle nie enfin avec assurance, mais sans emportement, m'apostrophe, m'exhorte à rentrer en moi-même, à ne pas déshonorer une fille innocente qui ne m'a jamais fait de mal; et moi, avec une impudence infernale, je confirme ma déclaration, et lui soutiens en face qu'elle m'a donné le ruban. La pauvre fille se mit à pleurer, et ne me dit que ces mots : Ah ! Rousseau, je vous croyais un bon caractère. Vous me rendez bien malheureuse; mais je ne voudrais pas être à votre place. Voilà tout. Elle continua de se défendre avec autant de simplicité que de fermeté, mais sans se permettre[c] jamais contre moi la moindre invective. Cette modération[d], comparée à mon ton décidé, lui fit tort. Il ne semblait pas naturel de supposer d'un côté une audace aussi diabolique, et de l'autre une aussi angélique douceur. On ne parut pas[e] se décider absolument, mais les préjugés étaient pour moi. Dans[f] le tracas où l'on était[g], on ne se donna pas[h] le temps d'approfondir la chose; et le comte de la Roque, en nous renvoyant tous deux, se contenta de dire que la conscience du coupable vengerait assez l'innocent. Sa prédiction n'a pas été vaine; elle ne cesse pas un seul jour de s'accomplir[1].

1. Les remords laissés par cette faute (dont Rousseau s'accuse encore dans la 4e Promenade des *Rêveries*) ont souvent paru disproportionnés à leur objet : Rousseau ne semble-t-il pas placer sur le même plan ceux que suscite en lui l'abandon de ses enfants (v. p. xxi) ? On peut s'étonner qu'il y voie un motif essentiel de « la résolution [*qu'il a*] prise d'écrire [*ses*] confessions ». Il expose pourtant clairement

J'ignore ce que devint cette victime de ma calomnie; mais il n'y a pas d'apparence qu'elle ait après cela trouvé facilement à se bien placer. Elle emportait une imputation cruelle à son honneur de toutes manières. Le vol n'était qu'une bagatelle, mais enfin c'était un vol, et, qui pis est, employé à séduire un jeune garçon : enfin[a] le mensonge et l'obstination ne laissaient rien à espérer de celle en qui[b] tant de vices étaient réunis. Je ne regarde pas même la misère et l'abandon comme le plus grand danger auquel je l'aie exposée. Qui sait, à son âge, où le découragement de l'innocence avilie a pu la[c] porter ? Eh ! si le remords d'avoir pu la rendre malheureuse est insupportable, qu'on juge de celui d'avoir pu la rendre[d] pire que moi !

Ce souvenir cruel me trouble quelquefois et me bouleverse au point de voir dans mes insomnies cette[e] pauvre fille venir[f] me reprocher mon crime, comme s'il[f] n'était commis que d'hier. Tant que j'ai vécu tranquille, il m'a moins tourmenté; mais au milieu d'une vie orageuse il m'ôte la plus douce consolation des innocents persécutés : il me fait bien sentir ce que je crois avoir dit dans quelque ouvrage, que le remords s'endort durant un destin prospère, et s'aigrit dans l'adversité[1]. Cependant je n'ai jamais pu prendre sur moi de décharger mon cœur de cet aveu dans le sein d'un ami. La plus étroite intimité ne me l'a jamais fait faire à personne, pas même à M[me] de Warens. Tout ce que j'ai pu faire a été d'avouer que j'avais à me reprocher une action atroce, mais[g] jamais je n'ai dit en quoi elle consistait[h]. Ce poids est donc resté jusqu'à ce jour sans[i] allègement sur ma conscience, et je puis dire que le désir de m'en délivrer en quelque sorte a beaucoup contribué à la résolution que j'ai prise d'écrire mes confessions.

J'ai procédé rondement dans celle que je viens de faire, et l'on ne trouvera[j] sûrement pas que j'aie ici pallié la

p. 93 les conséquences à longue portée qui ont pu résulter, moins du vol anodin en soi d'un ruban, que du mensonge calomnieux qui l'a couvert et qui a peut-être ruiné une vie innocente.

1. *Quelque ouvrage :* Il s'agit en fait d'une première rédaction du livre IV des *Confessions* : v. la variante *p* de la p. 146. On trouve dans la Profession de foi de l'*Émile* un passage légèrement différent de ton sur le remords.

noirceur de mon[a] forfait. Mais je ne remplirais[b] pas le
but de ce livre, si je n'exposais en même temps mes dispo-
sitions intérieures, et que je craignisse de m'excuser en
ce qui est conforme à la vérité. Jamais la méchanceté ne
fut plus loin de[c] moi que dans[d] ce cruel moment, et lorsque
je chargeai cette malheureuse fille, il est bizarre, mais il
est vrai que mon[e] amitié pour elle en fut la cause. Elle était
présente à ma pensée, je m'excusai sur le premier objet
qui[f] s'offrit. Je l'accusai d'avoir fait ce que je voulais
faire, et de m'avoir donné le ruban, parce que[g] mon
intention était de le lui donner. Quand je la vis paraître
ensuite, mon cœur fut déchiré, mais la présence de tant de[h]
monde fut plus forte que mon repentir. Je[i] craignais peu
la punition, je ne craignais que la honte; mais je la craignais
plus que la mort, plus que le crime, plus que tout au
monde. J'aurais voulu m'enfoncer, m'étouffer dans le
centre de la terre; l'invincible honte l'emporta sur tout,
la honte seule fit mon impudence; et plus je devenais
criminel, plus[j] l'effroi d'en convenir me rendait intrépide.
Je ne voyais que l'horreur d'être reconnu, déclaré[k] publi-
quement, moi présent, voleur, menteur, calomniateur.
Un trouble universel m'ôtait tout autre sentiment. Si l'on
m'eût laissé[l] revenir à moi-même, j'aurais infailliblement
tout déclaré. Si[m] M. de la Roque m'eût pris à part[n], qu'il
m'eût dit : Ne perdez pas cette pauvre fille; si vous êtes
coupable, avouez-le-moi[o]; je me serais jeté à ses pieds
dans l'instant, j'en suis parfaitement sûr. Mais on ne fit
que m'intimider quand il fallait me donner du courage.
L'âge est encore une attention qu'il est juste de faire; à
peine étais-je sorti de l'enfance, ou plutôt j'y étais encore.
Dans la jeunesse, les véritables[p] noirceurs sont plus crimi-
nelles[q] encore que dans l'âge mûr : mais ce qui n'est que
faiblesse l'est beaucoup moins, et[r] ma faute au fond n'[s]était
guère autre chose. Aussi son souvenir m'afflige[u] -t-il
moins à cause du mal en lui-même qu'à cause de celui
qu'il a dû causer. Il m'a même fait ce bien de me garantir
pour le reste de ma vie de tout acte tendant au crime, par
l'impression terrible qui m'est restée du seul que j'aie
jamais commis; et je crois sentir que mon aversion pour
le mensonge me vient en grande partie du regret d'en avoir
pu faire un aussi noir. Si c'est un crime qui puisse être
expié, comme j'ose le croire, il[v] doit l'être par tant de
malheurs dont la fin de ma vie est accablée, par quarante

ans de droiture et d'honneur dans des occasions difficiles, et la pauvre Marion trouve tant de vengeurs en ce monde, que, quelque grande qu'ait été mon offense envers elle, je crains peu d'en emporter la coulpe[1] avec moi. Voilà ce que j'avais à dire sur cet article. Qu'il me soit permis de n'en reparler jamais[a].

1. Terme des langues théologique et juridique, encore employé dans les *Rêveries,* éd Roddier, Class. Garnier, 1960, p. 34.

LIVRE III[a]

Sorti de chez M[me] de Vercellis à peu près comme j'y étais entré, je retournai chez mon ancienne hôtesse, et j'y restai cinq ou six semaines, durant lesquelles la santé, la jeunesse et l'oisiveté me rendirent souvent mon tempérament importun. J'étais inquiet, distrait, rêveur[b]; je pleurais, je soupirais, je désirais un bonheur dont je n'avais pas l'idée, et dont je sentais pourtant la privation. Cet état ne peut se décrire, et peu d'hommes[c] même le peuvent imaginer, parce que la plupart ont prévenu cette plénitude de vie, à la fois tourmentante et[d] délicieuse, qui, dans[e] l'ivresse du désir, donne un avant-goût de la jouissance. Mon sang allumé remplissait incessamment mon[f] cerveau de filles et de femmes : mais, n'en sentant pas le véritable usage, je les occupais[g] bizarrement en idée à mes fantaisies sans en savoir rien faire de plus; et ces idées tenaient mes sens dans une activité très incommode[h], dont, par bonheur, elles ne m'apprenaient point à me délivrer. J'aurais donné[i] ma vie pour retrouver un quart d'heure une demoiselle Goton. Mais ce n'était plus le temps où[j] les jeux de l'enfance allaient là comme d'eux-mêmes. La honte, compagne de la conscience du mal, était venue avec les années; elle avait accru ma timidité naturelle au point de la rendre invincible; et jamais, ni dans ce temps-là ni depuis, je n'ai pu parvenir à faire[k] une proposition lascive, que celle à qui je la faisais ne m'y ait en quelque sorte[l] contraint par ses avances, quoique sachant qu'elle n'était pas scrupuleuse, et presque assuré d'être pris au mot.

Mon agitation crût au point que, ne pouvant contenter mes désirs, je les attisais par les plus extravagantes manœuvres. J'allais chercher[m] des allées sombres, des réduits cachés, où je pusse m'exposer de loin[n] aux personnes du sexe dans l'état où j'aurais voulu[o] pouvoir être auprès d'elles. Ce qu'elles voyaient n'était pas l'objet obscène, je n'y songeais même pas; c'était l'objet ridicule. Le sot plaisir

que j'avais de l'étaler à leurs yeux ne peut se décrire. Il n'y avait de là[a] plus qu'un pas à faire pour sentir le traitement désiré, et je ne doute pas que quelque résolue[b], en passant, ne m'en eût donné[c] l'amusement, si[d] j'eusse eu l'audace d'attendre. Cette folie eut une catastrophe à peu près aussi comique, mais[e] un peu moins plaisante pour moi.

Un jour j'allai m'établir au fond d'une cour dans laquelle était un puits où les filles de la maison venaient[f] souvent chercher de l'eau[g]. Dans ce fond il y avait une petite descente qui menait à des caves par plusieurs communications. Je sondai dans l'obscurité ces allées souterraines, et, les trouvant longues et obscures, je jugeai qu'elles ne finissaient point, et que[h], si j'étais vu et surpris, j'y trouverais un refuge assuré. Dans cette confiance, j'offrais aux filles qui venaient au puits un spectacle plus risible[i] que séducteur. Les plus sages feignirent de ne rien voir[j]; d'autres se mirent à rire; d'autres se crurent insultées et firent du bruit. Je me sauvai dans ma retraite : j'y fus suivi. J'entendis une voix d'homme[k] sur laquelle je n'avais pas compté, et qui m'alarma. Je m'enfonçai dans les souterrains, au risque de m'y perdre : le bruit, les voix, la voix d'homme, me suivaient toujours. J'avais compté sur l'obscurité, je vis de la lumière. Je frémis, je m'enfonçai davantage. Un mur m'arrêta, et, ne pouvant aller plus loin, il fallut attendre là ma destinée. En un moment je fus atteint[l] et saisi par un grand homme portant une grande moustache[m], un grand chapeau, un grand sabre, escorté de quatre ou cinq vieilles femmes armées chacune d'un manche à balai, parmi lesquelles j'aperçus la petite coquine qui m'avait décelé, et qui voulait sans doute me voir au visage.

L'homme au sabre, en me prenant par le bras, me demanda rudement ce que je faisais là. On conçoit que ma réponse n'était pas prête. Je me remis cependant; et, m'évertuant dans ce moment critique, je tirai de ma tête un expédient romanesque qui me réussit. Je lui dis, d'un ton suppliant, d'avoir pitié de mon âge et de mon état; que j'étais un jeune étranger[n] de grande naissance, dont le cerveau s'était dérangé; que je m'étais échappé de la maison paternelle parce qu'on voulait m'enfermer; que j'étais perdu s'il me faisait connaître; mais que, s'il voulait bien me laisser aller, je pourrais peut-être un jour reconnaître[o] cette grâce. Contre toute attente, mon discours et mon air firent effet : l'homme terrible en fut touché; et après une réprimande assez

courte, il me laissa doucement aller sans me questionner davantage. A l'air dont la jeune et les vieilles me virent partir, je jugeai[a] que l'homme que j'avais tant craint m'était fort utile, et qu'avec elles seules je n'en aurais pas été quitte à si bon marché. Je les entendis murmurer je ne sais quoi dont je ne me souciais guère[b]; car, pourvu que le sabre et l'homme ne s'en mêlassent pas, j'étais bien sûr, leste et vigoureux comme[c] j'étais, de me délivrer[d] bientôt et de leurs tricots[1] et d'elles.

Quelques jours après, passant[e] dans une rue avec un jeune abbé, mon voisin, j'allai donner du nez contre l'homme au sabre. Il[f] me reconnut, et me contrefaisant d'un ton railleur : Je suis prince, me dit-il, je suis prince; et moi je suis un coyon : mais que Son Altesse n'y revienne pas. Il n'ajouta rien de plus, et je m'esquivai en baissant la tête et le remerciant, dans mon cœur, de sa discrétion. J'ai jugé[g] que ces maudites[h] vieilles lui avaient fait honte de sa crédulité. Quoi qu'il en soit[i], tout piémontais qu'il était, c'était un bon homme, et jamais je ne pense à lui sans un mouvement de reconnaissance : car l'histoire était si plaisante, que[j], par le seul désir de faire rire, tout autre à sa place[k] m'eût déshonoré. Cette aventure, sans avoir les suites que j'en pouvais craindre,[l] ne laissa pas de me rendre sage pour longtemps.

Mon séjour chez Mme de Vercellis m'avait[m] procuré quelques connaissances, que j'entretenais dans l'espoir qu'elles pourraient m'être utiles. J'allais voir quelquefois entre autres un abbé savoyard appelé M. Gaime, précepteur des enfants du comte de Mellarède. Il était jeune encore et peu répandu, mais plein de bon sens, de probité, de lumières, et l'un des[n] plus honnêtes hommes que j'aie connus. Il ne me fut d'aucune ressource pour l'objet qui m'attirait chez lui : il n'avait pas assez de crédit pour me placer; mais je trouvai près de lui des avantages plus précieux qui m'ont profité[o] toute ma vie, les leçons de la saine morale et les maximes de la droite raison. Dans l'ordre successif de mes goûts et de mes idées, j'avais toujours été trop haut ou trop bas; Achille ou Thersite, tantôt héros[p] et tantôt vaurien. M. Gaime prit le[q] soin

1. *Tricot*, diminutif de *trique*, « bâton gros et court » (Littré; encore en usage au xviiie siècle). Ce sont les manches à balai mentionnés plus haut.

de me mettre à ma place et de me montrer à moi-même, sans m'épargner ni me décourager. Il me parla très honorablement de mon[a] naturel et de mes talents : mais il ajouta qu'il en voyait naître les obstacles qui m'empêcheraient d'en tirer parti; de sorte qu'ils devaient, selon lui[b], bien moins me servir de degrés pour monter à la fortune que de ressources pour m'en passer. Il me fit un tableau vrai de la vie humaine[c], dont je n'avais que de fausses idées; il me montra comment[d], dans un destin contraire, l'homme sage peut toujours tendre au bonheur et courir au plus près du vent pour y parvenir; comment il n'y a point de vrai bonheur sans sagesse, et comment la sagesse est de tous les états[e]. Il amortit beaucoup mon admiration pour la grandeur, en me[f] prouvant que ceux qui dominaient les autres n'étaient ni plus sages ni plus heureux qu'eux. Il me dit une chose qui m'est souvent revenue[g] à la mémoire, c'est que si chaque homme pouvait lire dans les cœurs[h] de tous les autres, il y aurait plus de gens qui voudraient descendre que de ceux qui voudraient monter. Cette réflexion, dont la vérité frappe, et qui n'a rien d'outré, m'a été d'un grand usage dans le cours de ma vie pour me faire tenir à ma place paisiblement. Il me donna les premières vraies idées de l'honnête, que mon génie ampoulé n'avait saisi que dans ses excès. Il me fit sentir que l'enthousiasme des vertus sublimes était[i] peu d'usage dans la société, qu'en s'élançant trop haut on était sujet[j] aux chutes; que la continuité des petits devoirs[k] toujours bien remplis ne demandait pas moins de force que les actions héroïques; qu'on en tirait meilleur parti pour l'honneur et pour le bonheur; et qu'il valait infiniment mieux avoir toujours l'estime des hommes que quelquefois leur admiration.

Pour établir les devoirs de l'homme il fallait bien remonter à leur principe. D'ailleurs, le pas que je venais de faire, et dont mon état présent était la suite, nous conduisait à parler de religion[l]. L'on conçoit déjà que l'honnête M. Gaime est[m], du moins en grande partie, l'original du Vicaire Savoyard. Seulement, la prudence l'obligeant à parler avec plus de réserve, il s'expliqua moins ouvertement sur certains points; mais au reste ses maximes, ses sentiments[n], ses avis, furent les mêmes, et, jusqu'au conseil de[o] retourner dans ma patrie, tout fut comme je l'ai rendu depuis au public. Ainsi, sans m'étendre sur des entretiens dont chacun peut avoir la substance, je dirai[p] que ses leçons[q],

sages, mais d'abord sans effet, furent dans mon cœur un
germe de[a] vertu et de religion qui ne s'y[b] étouffa jamais,
et qui n'attendait[c], pour fructifier, que les soins d'une
main plus chérie.

Quoique alors ma conversion[d] fût peu solide[e], je ne
laissais pas d'être ému. Loin de m'ennuyer de ses entre-
tiens, j'y pris goût à cause de leur clarté, de leur simplicité,
et surtout[f] d'un certain intérêt de cœur dont je sentais
qu'ils étaient pleins. J'ai l'âme aimante, et je me suis tou-
jours attaché[g] aux gens moins à proportion du bien qu'ils
m'ont fait que de celui qu'ils m'ont voulu, et c'est sur
quoi mon tact ne me trompe guère. Aussi je m'affectionnais
véritablement à M. Gaime; j'étais pour ainsi dire son
second disciple[h]; et cela me fit pour le moment même
l'inestimable bien de me détourner de la pente du vice
où m'entraînait mon oisiveté.

Un jour que je ne pensais à rien moins, on vint me cher-
cher de la part du comte de la Roque. A force d'y aller
et de ne pouvoir lui parler, je m'étais ennuyé, je n'y allais
plus : je crus qu'il m'avait oublié, ou qu'il lui était resté
de mauvaises impressions de moi. Je me trompais[i]. Il
avait été témoin[j] plus d'une fois du plaisir avec lequel
je[k] remplissais mon devoir auprès de sa tante; il le lui
avait même dit, et il m'en reparla quand moi-même je
n'y songeais plus. Il me reçut bien, me dit que, sans m'amu-
ser de promesses[l] vagues, il avait cherché à me placer,
qu'il avait réussi, qu'il me mettait en chemin de devenir[m]
quelque chose, que c'était à moi de faire le reste; que la
maison où il me faisait entrer était puissante et considérée,
que je n'avais pas besoin d'autres protecteurs pour[n]
m'avancer, et que quoique traité d'abord[o] en simple domes-
tique, comme je venais de l'être, je pouvais être[p] assuré que
si[q] l'on me jugeait par mes sentiments et par ma conduite
au-dessus de cet état, on[r] était disposé à ne m'y pas laisser[s].
La fin de ce discours démentit cruellement les brillantes
espérances que le commencement m'avait données. Quoi !
toujours laquais ? me dis-je en moi-même avec un[t] dépit
amer que la confiance effaça bientôt. Je me sentais trop peu
fait pour cette place pour craindre qu'on m'y laissât.

Il me mena chez[u] le Comte de Gouvon, premier écuyer
de la Reine, et chef de l'illustre maison de Solar[1]. L'air

1. Les recherches du commandant Gaillard ont permis d'identifier

de dignité de ce respectable vieillard me rendit plus touchante l'affabilité de son accueil. Il m'interrogea avec intérêt, et je lui répondis avec[a] sincérité. Il dit au comte de la Roque que j'avais une physionomie agréable et qui promettait de l'esprit; qu'il lui paraissait qu'en effet je n'en manquais pas, mais que ce n'était pas[b] là tout, et qu'il fallait voir le reste; puis, se tournant vers moi : Mon enfant, me dit-il[c], presque en toutes choses les commencements sont[d] rudes; les vôtres ne le seront pourtant pas beaucoup. Soyez sage, et cherchez à plaire ici à tout le monde; voilà[e], quant à présent, votre unique emploi : du reste, ayez bon courage; on veut prendre soin de vous. Tout de suite il passa chez la marquise de Breil, sa[f] belle-fille, et me présenta à elle, puis à l'abbé de Gouvon, son fils. Ce début me parut de bon augure[g]. J'en savais assez déjà pour juger qu'on ne fait pas tant de façon à la réception d'un laquais. En effet, on ne me traita pas comme tel. J'eus la table de l'office; on ne me donna point d'habit de livrée, et[h] le comte de Favria, jeune étourdi, m'ayant voulu faire monter derrière son carrosse, son grand-père défendit que je montasse derrière aucun carrosse, et que je suivisse personne hors de[i] la maison. Cependant je servais à table, et je faisais à peu près au-dedans le service d'un laquais; mais je le faisais en quelque façon librement, sans être attaché nommément à personne. Hors quelques lettres qu'on me[j] dictait, et des images que le comte de Favria me faisait découper, j'étais presque le maître de tout mon temps dans la journée. Cette épreuve dont je ne m'apercevais pas, était assurément très dangereuse; elle n'était[k] pas même fort humaine; car cette grande oisiveté pouvait me faire contracter des vices que je n'aurais[l] pas eus sans cela.

tous les membres de cette famille nommés par Rousseau (voir *Index*) et leur demeure, au n° 11 actuel de la Via S. Domenico, à l'angle de la Via S. Agostino. Les images découpées par Rousseau pour le jeune comte de Favria ont même été retrouvées : elles font partie d'une collection de 22 albums in-f°. Le « deuil qu'on portait alors » à la cour est celui de la reine de Sardaigne, Anne d'Orléans (nièce de Louis XIV) morte le 26 août 1728. Quant aux « mouvements à la cour », E. Gaillard les attribue aux remontrances adressées par le Roi à ses courtisans, lors des bruits qui coururent sur son prochain remariage (août 1730) avec la comtesse de Saint-Sébastien. Il date de la mi-février 1729 l'entrée de Rousseau chez le comte de Gouvon, et de septembre 1729 son départ de cette maison.

Mais c'est ce qui très heureusement n'arriva point. Les leçons de M. Gaime avaient fait[a] impression sur mon cœur, et j'y pris[b] tant de goût que je m'échappais quelquefois pour aller les entendre encore. Je crois que ceux qui me voyaient sortir ainsi furtivement ne devinaient guère où j'allais. Il ne se peut rien de plus sensé que les avis qu'il me donna sur ma conduite. Mes commencements furent admirables; j'étais d'une[c] assiduité, d'une attention, d'un zèle, qui charmaient tout le monde. L'abbé Gaime m'[d] avait sagement averti de modérer cette première ferveur, de peur qu'elle ne vînt[e] à se relâcher et qu'on[f] n'y prît garde. Votre début, me dit-il[g], est la règle de ce qu'on exigera de vous : tâchez de vous ménager de quoi faire[h] plus dans la suite, mais gardez-vous de[i] faire jamais moins[j].

Comme on ne m'avait[k] guère examiné sur mes petits talents et qu'on ne[l] me supposait que ceux que m'avait donné[s] la nature, il ne paraissait pas, malgré[m] ce que le comte de Gouvon m'avait pu dire, qu'on songeât à tirer parti de moi[n]. Des affaires vinrent à la traverse, et je fus à peu près oublié. Le marquis de Breil, fils du comte de Gouvon, était alors ambassadeur à Vienne. Il survint des mouvements à la cour qui se firent sentir dans la famille[o], et l'on y fut[p] quelques semaines dans une agitation qui[q] ne laissait guère le temps de penser à moi. Cependant jusque-là je m'étais peu relâché[r]. Une chose me fit du bien et du mal, en m'éloignant de toute dissipation extérieure, mais en me rendant un peu[s] plus distrait sur mes devoirs.

Mademoiselle de Breil[t] était une jeune personne à peu près de mon âge, bien faite, assez belle, très blanche, avec des cheveux très noirs, et, quoique brune, portant sur son visage cet air de douceur des blondes auquel mon cœur n'a jamais résisté. L'habit de cour, si favorable aux jeunes personnes, marquait sa jolie taille, dégageait sa poitrine et ses épaules, et rendait son teint encore plus éblouissant par le deuil qu'on portait alors. On dira que ce n'est pas à un domestique de s'apercevoir de ces choses-là[u]. J'avais tort, sans doute; mais je m'en apercevais toutefois, et même je n'étais pas le seul. Le maître d'hôtel et les valets de chambre en parlaient quelquefois à table avec une grossièreté qui me faisait cruellement souffrir. La tête ne me tournait pourtant pas au point d'[v] être amoureux tout de bon. Je ne m'oubliais point; je me tenais à ma place, et mes désirs même ne s'émancipaient pas. J'aimais à voir

M^{lle} de Breil, à lui entendre dire quelques mots qui marquaient de l'esprit, du sens, de l'honnêteté : mon ambition[a], bornée au plaisir de la servir, n'allait point au delà[b] de mes droits. A table j'étais attentif à[c] chercher l'occasion de les faire valoir. Si son laquais quittait un moment[d] sa chaise, à l'instant on m'y voyait établi : hors de là je me tenais vis-à-vis d'elle; je cherchais dans ses yeux ce qu'elle allait demander, j'épiais le moment de changer son assiette[e]. Que n'aurais-je point fait pour qu'elle daignât m'ordonner quelque chose, me regarder, me dire un seul mot[f]; mais point; j'avais la mortification[g] d'être nul pour elle; elle ne s'apercevait pas même que j'étais là. Cependant, son frère, qui m'adressait quelquefois la parole à table, m'ayant dit je ne sais quoi[h] de peu obligeant, je lui fis[i] une réponse si fine et si bien tournée, qu'elle y fit attention, et jeta les yeux sur moi[j]. Ce coup d'œil, qui fut[k] court, ne laissa pas de me transporter[l]. Le lendemain, l'occasion[m] se présenta d'en obtenir un second[n], et j'en profitai. On donnait ce jour-là un grand dîner, où, pour la première fois, je vis avec beaucoup d'étonnement le maître d'hôtel servir l'épée au côté et le chapeau sur la tête. Par hasard on vint à parler de la devise de la maison de Solar, qui était sur la tapisserie avec les armoiries : *Tel fiert qui ne tue pas.* Comme les Piémontais ne sont pas pour l'ordinaire consommés dans la langue française, quelqu'un trouva dans cette devise une faute d'orthographe, et dit qu'au mot *fiert*[o] il ne fallait point de *t*.

Le vieux comte de Gouvon allait répondre; mais ayant jeté les yeux sur moi, il vit que je souriais sans[p] oser rien dire : il m'ordonna de parler. Alors je[q] dis que je ne croyais pas que le *t* fût de trop, que *fiert* était un vieux mot français qui ne[r] venait pas du nom *ferus*, fier, menaçant, mais du verbe *ferit*[s], il frappe, il blesse; qu'ainsi la devise ne me paraissait pas dire : Tel menace, mais *tel frappe qui ne tue pas*[1].

Tout le monde me regardait[t] et se regardait sans rien

1. Le mot *nom,* appliqué ici à *ferus,* désigne alors un substantif, pronom ou adjectif. — E. Gaillard a recueilli une tradition orale de la famille Solar, selon laquelle Rousseau aurait non seulement expliqué la signification littérale de la devise, mais interprété celle-ci en ajoutant que ce qui blesse sans tuer, c'est l'amour.

L'observation « les Piémontais ne sont pas pour l'ordinaire consommés dans la langue française » est à rapprocher de ce que Rousseau dit plus haut (p. 87) de M^{me} de Vercellis : « je l'ai toujours crue savoyarde

dire[a]. On ne vit de la vie un pareil étonnement. Mais ce qui me flatta[b] davantage fut de voir clairement sur le visage de M[lle] de Breil[c] un air de satisfaction. Cette personne si dédaigneuse daigna me jeter un second regard qui valait[d] tout au moins le premier; puis[e], tournant les yeux vers son grand-papa, elle semblait attendre avec une sorte d'impatience la louange qu'il me devait, et qu'il me donna en effet[f] si pleine et entière et d'un air si content, que toute la table s'empressa de faire chorus. Ce moment fut court, mais délicieux à tous égards. Ce fut un de ces moments trop rares qui replacent les choses dans leur ordre naturel, et vengent le mérite avili des outrages de la fortune. Quelques minutes après, M[lle] de Breil, levant derechef les yeux sur moi, me pria, d'un ton de voix aussi timide qu'affable, de lui donner à boire. On juge que je ne la fis pas attendre; mais en approchant je fus saisi d'un tel tremblement, qu'ayant trop rempli le verre, je répandis une partie de l'eau sur l'assiette et même sur elle. Son frère me demanda étourdiment pourquoi je tremblais si fort. Cette question ne servit pas à me rassurer, et M[lle] de Breil rougit jusqu'au blanc des yeux.

Ici finit[g] le roman où l'on remarquera, comme avec

[elle l'était effectivement], ne pouvant imaginer qu'une Piémontaise parlât si bien français, et eût un accent si pur ». Ce reproche semble injustifié, et pourrait s'expliquer par un préjugé de Genevois ou de Savoyard contre les Piémontais (cf. p. 98 : « tout Piémontais qu'il était, c'était un bon homme »). La langue française était cultivée à Turin avec une faveur particulière depuis le mariage du duc Victor-Amédée de Savoie avec Christine, fille d'Henri IV de France; après elle son fils épousa successivement deux princesses françaises et continua à faire régner les manières françaises. Le duc Victor-Amédée II devenu roi de Sicile, puis de Sardaigne (1720), avait épousé (p. 101, n. 1) une nièce de Louis XIV. On parlait français à sa cour; le français était la langue de l'armée; l'enseignement était donné en français dans les pensionnats salésiens et à l'Académie militaire de Turin, que fréquentaient les enfants de la noblesse, et où enseigna l'abbé Gaime (voir *Index*). Les Français de passage (Misson, le président de Brosses) font l'éloge du français parlé à Turin; c'est à l'Académie militaire que Lord Chesterfield, connaisseur en la matière, enverra son fils perfectionner son français. A la fin du siècle encore, Alfieri, qui y fut élevé, devra réagir contre l'habitude qu'il a prise d'écrire et de penser en français plutôt qu'en italien. Les mémoires publiés à partir de 1759 par l'Académie (scientifique et littéraire) de Turin sont rédigés en français, plus rarement en latin.

M^me Basile, et dans toute la suite de ma vie, que je ne suis pas heureux dans la conclusion de mes amours. Je m'affectionnai inutilement à l'antichambre de Madame de Breil : je n'obtins plus une seule marque d'attention de la part de sa fille. Elle sortait et rentrait sans me regarder, et^a moi, j'osais à peine jeter les yeux sur elle. J'étais même si bête et si maladroit, qu'un jour qu'elle avait en passant laissé tomber son gant, au lieu de m'élancer sur ce gant que j'aurais voulu couvrir de baisers, je n'osai^b sortir de ma place, et je laissai ramasser le gant^c par un gros butor de valet que j'aurais^d volontiers écrasé. Pour achever de m'intimider, je m'aperçus que je n'avais pas le bonheur d'agréer à M^me de Breil. Non seulement elle ne m'ordonnait rien, mais elle n'acceptait jamais mon service; et deux fois^e, me trouvant dans son antichambre, elle me demanda d'un ton fort sec si je n'avais rien à faire^f. Il fallut renoncer à cette chère antichambre. J'en eus d'abord du regret, mais les distractions vinrent à la traverse, et bientôt je n'y pensai plus.

J'eus de quoi me consoler du dédain de M^me de Breil par les bontés de son beau-père, qui s'aperçut enfin que j'étais là. Le soir du dîner dont j'ai parlé, il eut avec moi un entretien d'une demi-heure, dont il parut content et dont je^g fus enchanté. Ce bon vieillard, quoique homme d'esprit, en avait moins que M^me de Vercellis, mais il avait plus d'entrailles, et je réussis mieux auprès de lui. Il me dit de m'attacher à l'abbé de Gouvon son fils, qui m'avait pris en affection; que cette affection, si j'en profitais, pouvait m'être utile, et me faire acquérir ce qui me manquait pour les vues qu'on avait sur moi^h. Dès le lendemain matin je volai chez M. l'abbé. Il ne me reçut point en domestique; il me fit asseoir au coin de son feu, et, m'interrogeant avec^i la plus grande douceur, il vit bientôt que mon éducation, commencée sur tant de choses, n'était achevée sur^j aucune. Trouvant surtout que j'avais peu de latin, il entreprit de m'en enseigner davantage. Nous convînmes que je me rendrais chez lui tous les matins, et je commençai dès le lendemain. Ainsi, par une^k de ces bizarreries qu'on^l trouvera souvent dans le cours de ma vie, en même temps au-dessus et au-dessous de mon état, j'étais^m disciple et valet dans la même maison, et^n dans ma servitude j'avais cependant un précepteur d'une^o naissance à ne l'être que des enfants des rois.

M. l'Abbé de Gouvon était un cadet destiné par sa famille à l'épiscopat, et dont[a] par cette raison l'on avait poussé les études plus qu'il n'est ordinaire aux[b] enfants de qualité. On l'avait envoyé à l'Université de Sienne, où il avait resté plusieurs années et[c] dont il avait rapporté une assez forte dose de cruscantisme[1] pour être à peu près à Turin ce qu'était jadis à Paris l'abbé de Dangeau. Le dégoût de la théologie l'avait jeté dans les belles-lettres, ce qui est très ordinaire en Italie à ceux qui courent la carrière de la prélature. Il avait bien lu les poètes; il faisait passablement des vers latins et italiens. En un mot il avait[d] le goût qu'il fallait pour former le mien et mettre quelque choix dans le fatras dont je m'étais farci la tête. Mais, soit que mon babil lui eût fait[e] quelque illusion sur mon savoir, soit qu'il ne pût supporter l'ennui du latin élémentaire[f], il me mit d'abord beaucoup trop haut; et à peine m'eut-il fait traduire[g] quelques fables de Phèdre, qu'il me jeta dans Virgile, où je n'entendais presque rien. J'étais destiné, comme on verra[h] dans la suite, à[i] rapprendre souvent le latin et à ne le savoir jamais[2]. Cependant je travaillais avec assez de zèle, et M. l'Abbé me prodiguait[j] ses soins avec une bonté dont le souvenir m'attendrit encore. Je passais avec lui une[k] bonne partie de la matinée, tant pour mon instruction que pour son service; non

1. *Cruscantisme* équivaut ici à purisme. L'académie *della Crusca* tire son nom de *crusca* = la *balle* (séparée du grain dans la fabrication de la farine). L'*Enciclopedia italiana* conteste l'explication traditionnelle, selon laquelle les académiciens prétendaient extraire la *farine* du savoir en rejetant la *balle* ; ils auraient choisi le mot avec une modestie ironique, pour se distinguer de leurs collègues plus ambitieux de l'*académie florentine*. Fondée à Florence au XVIe siècle, elle veille sur la pureté de la langue (toscane s'entend, de sorte que pour un Piémontais le *cruscantisme* peut passer pour quelque peu antipatriotique). L'université de Sienne, une des plus anciennes d'Italie (XIIIe siècle), autre haut lieu de la culture toscane, comprenait des facultés de droit, médecine et chirurgie, et une école de pharmacie. Sienne avait aussi depuis la fin du XVIIe siècle une académie littéraire et musicale.

2. Sur Rousseau latiniste, cf. *supra*, p. 71; *infra*, p. 131 (« je ne savais pas même assez de latin pour être prêtre »), p. 130 (« [il] me fit prendre en horreur le latin qu'il voulait m'enseigner »), p. 275 (« c'était mon étude la plus pénible et dans laquelle je n'ai jamais fait de grands progrès »), et la n. 1.

pour celui de sa personne, car il ne souffrit jamais que je lui en rendisse aucun, mais pour écrire sous sa dictée[a] et pour copier; et ma fonction de secrétaire me[b] fut plus utile que celle d'écolier. Non seulement j'appris ainsi l'italien[c] dans sa pureté, mais je pris du goût pour la littérature et[d] quelque discernement des bons livres[e] qui ne s'acquérait pas chez la Tribu, et qui me servit beaucoup dans la suite, quand je me mis à[f] travailler seul.

Ce temps fut celui de ma vie où, sans projets romanesques, je pouvais le plus raisonnablement me livrer à l'espoir de parvenir. M. l'Abbé, très content de moi, le disait à tout le monde[g], et son père m'avait pris dans une affection si singulière, que le comte de Favria m'apprit qu'il avait parlé de moi au Roi. M[me] de Breil elle-même avait quitté pour moi son air méprisant. Enfin je devins une espèce de favori dans la maison[h], à la grande jalousie des autres domestiques, qui, me[i] voyant honoré des instructions[j] du fils de leur maître, sentaient bien que ce n'était pas pour[k] rester longtemps leur égal.

Autant que j'ai pu juger des vues qu'on avait sur moi par quelques mots lâchés à la volée, et auxquels je n'ai réfléchi[l] qu'après coup, il m'a paru que la maison de Solar[m], voulant courir la carrière des ambassades, et peut-être s'ouvrir de loin celle du ministère, aurait été bien aise de se former[n] d'avance un sujet qui eût[o] du mérite et des talents, et qui, dépendant[p] uniquement d'elle, eût pu dans la suite obtenir sa confiance et la servir utilement. Ce projet du comte de Gouvon était noble, judicieux, magnanime, et vraiment digne d'un grand seigneur bienfaisant et prévoyant : mais, outre que je n'en voyais pas alors toute l'étendue, il était trop sensé pour ma tête, et demandait un trop long assujettissement. Ma folle ambition ne cherchait la fortune qu'à travers les aventures, et[q] ne voyant point de femme à tout cela[r], cette manière de parvenir me paraissait lente, pénible et triste; tandis que j'aurais dû la trouver d'autant plus honorable et[s] sûre que les femmes ne s'en mêlaient pas[t], l'espèce de mérite qu'elles protègent ne valant assurément pas celui qu'on me supposait.

Tout allait à merveilles. J'avais obtenu[u], presque arraché l'estime de tout le monde : les épreuves étaient finies[v]; et l'on me regardait généralement[w] dans la maison comme un jeune homme de la plus grande espérance[x],

qui n'était pas à sa place et qu'on s'attendait d'y voir[a] arriver. Mais ma place n'était pas celle qui m'était assignée par les hommes, et j'y devais parvenir par des chemins bien différents. Je touche à un de ces traits caractéristiques qui me sont propres, et qu'il suffit de présenter au lecteur sans y ajouter de réflexion.

Quoiqu'il y eût à Turin beaucoup de nouveaux convertis de mon espèce[b], je ne les aimais pas et n'en avais jamais voulu voir aucun. Mais j'avais vu quelques Genevois qui ne l'étaient pas, entre autres un [c]M. Mussard, surnommé Tord-Gueule, peintre en miniature, et un peu mon parent. Ce M. Mussard déterra ma demeure chez[d] le comte de Gouvon, et vint m'y voir avec un autre[e] Genevois appelé Bâcle, dont j'avais été camarade durant mon apprentissage. Ce Bâcle était un garçon très amusant[f], très gai, plein de saillies bouffonnes que son âge rendait agréables[g]. Me voilà tout d'un coup engoué de M. Bâcle, mais engoué au point de ne pouvoir[h] le quitter. Il allait[i] partir bientôt pour s'en retourner à Genève. Quelle perte j'allais faire ! J'en sentais bien toute la grandeur. Pour mettre du moins à profit le temps qui m'était laissé, je ne le quittais plus, ou plutôt il ne me quittait pas lui-même; car la tête ne me tourna pas d'abord[j] au point d'aller hors de l'hôtel passer la journée avec lui sans congé; mais bientôt, voyant[k] qu'il m'obsédait entièrement, on lui défendit la porte, et je m'échauffai si bien, qu'oubliant tout, hors mon ami Bâcle, je n'allais ni chez M. l'Abbé, ni chez M. le Comte, et[l] l'on ne me voyait plus dans la maison. On me fit des réprimandes que je n'écoutai pas. On me menaça de me congédier. Cette menace fut ma perte : elle me fit entrevoir qu'il était possible que[m] Bâcle ne s'en allât pas seul. Dès lors, je ne vis plus d'autre plaisir, d'autre sort, d'autre bonheur, que celui de faire un pareil voyage[n], et je ne voyais à cela que l'ineffable félicité du voyage, au bout duquel, pour surcroît, j'entrevoyais M[me] de Warens, mais dans un éloignement immense; car pour retourner à Genève, c'est[o] à quoi je ne pensai jamais. Les monts, les prés, les bois, les ruisseaux, les villages[p], se succédaient sans fin et sans cesse[q] avec de nouveaux charmes; ce bienheureux trajet semblait devoir absorber ma vie entière. Je me rappelais avec délices combien[r] ce même voyage m'avait paru charmant en venant. Que devait-ce être lorsqu'à tout l'attrait de l'indépendance[s]

se joindrait celui de faire route avec un camarade de mon[a] âge, de mon goût et de bonne humeur, sans gêne, sans devoir, sans contrainte, sans obligation d'aller ou rester que comme il nous plairait ? Il fallait être fou pour sacrifier une pareille fortune à des projets d'ambition[b] d'une exécution lente[c], difficile, incertaine, et qui, les supposant réalisés un jour, ne valaient pas dans tout leur éclat un quart d'heure de vrai plaisir et de liberté dans la jeunesse[d].

Plein de cette sage fantaisie, je me conduisis si bien que je vins à bout de me faire chasser, et en vérité ce ne fut pas sans peine. Un soir, comme je rentrais, le maître d'hôtel me signifia mon congé de la part de M. le Comte. C'était précisément ce que je demandais; car, sentant malgré moi l'extravagance de ma conduite, j'y ajoutais, pour m'excuser, l'injustice et l'ingratitude, croyant mettre ainsi les gens dans leur tort, et me justifier[e] à moi-même un parti pris par nécessité. On me dit de la part du comte de Favria d'aller lui parler le lendemain matin avant mon départ; et comme on voyait que[f], la tête m'ayant tourné, j'étais capable de n'en rien faire, le maître d'hôtel remit après cette visite à me[g] donner quelque argent qu'on m'avait destiné, et qu'assurément j'avais fort mal gagné; car ne voulant pas me laisser dans l'état de valet, on ne m'avait pas fixé de gages.

Le comte de Favria, tout jeune et tout étourdi qu'il était, me tint en cette occasion les discours les plus sensés, et j'oserais presque dire les plus tendres, tant il m'exposa d'une manière flatteuse et touchante les soins de son oncle et les intentions de son grand-père. Enfin, après m'avoir mis vivement devant les yeux tout ce que je sacrifiais pour courir à ma perte, il m'offrit de faire ma paix, exigeant pour toute condition que je ne visse plus ce petit malheureux qui m'avait séduit.

Il était si clair qu'il ne disait pas tout cela de lui-même, que malgré mon stupide aveuglement, je sentis toute la bonté de mon vieux maître, et j'en fus touché : mais ce cher voyage était trop empreint dans mon imagination pour que rien pût en balancer le charme. J'étais tout à fait hors de sens : je me raffermis, je m'endurcis, je fis le fier, et je répondis arrogamment que, puisqu'on m'avait donné mon congé, je l'avais pris, qu'il n'était plus temps de s'en dédire, et que quoi qu'il pût m'arriver[h] en ma vie, j'étais bien résolu de[i] ne jamais me faire chasser deux fois

d'une maison. Alors ce jeune homme, justement irrité, me donna les noms que je méritais, me mit hors de sa chambre par les épaules, et me ferma la porte[a] aux talons. Moi, je sortis triomphant, comme si je venais d'emporter[b] la plus grande victoire et de peur d'avoir un second combat à soutenir, j'eus l'indignité de partir sans aller remercier M. l'Abbé de ses bontés.

Pour concevoir jusqu'où[c] mon délire allait dans ce moment, il faudrait connaître à quel point mon cœur est sujet à s'échauffer sur les moindres choses, et avec quelle force il se plonge dans[d] l'imagination de l'objet qui l'attire, quelque vain que soit quelquefois cet objet. Les plans les plus bizarres, les plus enfantins, les plus fous, viennent caresser mon idée favorite et me montrer de la vraisemblance à m'y livrer. Croirait-on qu'à près de dix-neuf ans on puisse fonder sur une fiole vide la subsistance du reste de ses jours ? Or, écoutez.

L'abbé de Gouvon m'avait fait présent, il y avait quelques semaines, d'une petite fontaine de Héron[1] fort jolie, et dont j'étais transporté. A force de faire jouer cette fontaine et de parler de notre voyage, nous pensâmes[e], le sage Bâcle et moi, que l'une pourrait bien servir à l'autre et le prolonger. Qu'y avait-il[f] dans le monde d'aussi curieux qu'une fontaine de Héron ? Ce principe fut le[g] fondement sur lequel nous bâtîmes[h] l'édifice de notre fortune. Nous devions[i], dans chaque village, assembler les paysans autour de notre fontaine, et là les repas et la bonne chère devaient nous tomber avec d'autant plus d'abondance que nous étions persuadés l'un et l'autre que les[j] vivres ne coûtent rien à ceux qui les recueillent[k], et que quand ils n'en gorgent pas les passants, c'est pure mauvaise volonté de leur part. Nous n'imaginions partout que festins et noces[l], comptant que, sans débourser que le vent de nos poumons, et l'eau de notre fontaine, elle pouvait nous défrayer en Piémont, en Savoie, en France, et par tout le monde. Nous faisions des projets de voyage qui ne finissaient point, et nous dirigions d'abord notre

1. La fontaine de Héron (voir *Index*) est selon Musset-Pathay « composée de deux bassins bien fermés, qui communiquent par un tuyau. On remplit de vin le bassin supérieur. En mettant de l'eau dans l'autre, la pression de l'air fait jaillir le vin en forme de jet, de manière qu'on a l'air de changer l'eau en vin. »

course au nord, plutôt pour le plaisir de[a] passer les Alpes que[b] pour la nécessité supposée de nous arrêter[c] enfin quelque part[d].

Tel fut le plan sur lequel je me mis en campagne, abandonnant sans regret mon protecteur, mon précepteur, mes études, mes espérances, et l'attente d'une fortune presque assurée, pour commencer[e] la vie d'un vrai vagabond. Adieu la capitale; adieu la cour, l'ambition, la vanité[f], l'amour, les belles, et toutes les[g] grandes aventures dont l'espoir m'avait amené[h] l'année précédente. Je pars avec[i] ma fontaine et mon ami Bâcle, la bourse légèrement garnie, mais le cœur saturé de joie, et ne songeant qu'à jouir de cette ambulante félicité à laquelle j'avais tout[j] à coup borné mes brillants projets[1].

Je fis[k] cet extravagant voyage presque aussi agréablement[l] toutefois que je m'y étais attendu, mais non pas tout à fait de la même manière; car bien que notre fontaine amusât quelques moments dans les cabarets les hôtesses et leurs servantes, il n'en fallait pas moins payer en sortant. Mais cela ne nous troublait guère, et nous ne songions à tirer parti tout de bon de cette ressource que quand l'argent viendrait à nous manquer. Un accident nous en évita la peine : la fontaine se cassa près de Bramans[2]; et il en était temps, car nous sentions, sans oser nous le dire, qu'elle commençait à nous ennuyer. Ce malheur nous rendit plus gais qu'auparavant, et nous rîmes beaucoup de notre étourderie, d'avoir oublié que nos[m] habits et nos souliers s'useraient, ou d'avoir cru les renouveler avec le jeu de notre fontaine. Nous continuâmes notre voyage aussi allègrement que nous l'avions commencé, mais filant un peu plus droit vers le terme où notre bourse tarissante nous faisait une nécessité d'arriver.

1. La date du départ de Turin varie selon les critiques de février 1729 (Masson, Dufour) à septembre 1729 (Gaillard). Février est certainement trop tôt, car Rousseau n'a quitté Mme de Vercellis que fin décembre 1728 et a dû rester plusieurs semaines, sinon mois, chez les Gouvon. De plus Courtois fait remarquer que le col du Mont-Cenis (2 082 m) n'était guère franchissable en février, et que Claude Anet, encore en apprentissage, ne devait vraisemblablement résider chez Mme de Warens, où le trouvera Rousseau, qu'après le 19 juin.

2. Bramans (Rousseau orthographie Bramant) entre Lanslebourg et Modane, aujourd'hui département de la Savoie.

A Chambéry je devins pensif, non sur la sottise que je venais de faire : jamais homme ne prit sitôt ni si bien son parti[a] sur le passé; mais sur l'accueil qui m'attendait chez M[me] de Warens : car j'envisageais exactement sa maison comme ma maison paternelle. Je lui avais écrit mon entrée chez le comte de Gouvon; elle savait sur quel pied j'y étais, et en m'en félicitant, elle m'avait donné des[b] leçons très sages sur la manière dont je devais correspondre aux bontés qu'on avait pour moi[c]. Elle regardait ma fortune comme assurée, si je ne la détruisais pas par ma faute. Qu'allait-elle dire en me voyant arriver ? Il ne me vint pas même à l'esprit qu'elle pût me fermer sa porte : mais je craignais le chagrin que j'allais lui donner; je craignais ses reproches plus[d] durs pour moi que la misère. Je résolus de tout endurer[e] en silence et de tout faire pour l'apaiser. Je ne voyais plus dans[f] l'univers qu'elle seule : vivre dans sa disgrâce était[g] une chose qui ne se pouvait pas[h].

Ce qui m'inquiétait le plus était mon compagnon de voyage, dont je ne voulais pas lui donner le surcroît, et dont je craignais de ne pouvoir me débarrasser aisément. Je préparai cette séparation en vivant assez froidement avec lui la dernière journée. Le drôle me comprit; il[i] était plus fou que sot. Je crus qu'il s'affecterait de mon inconstance[j]; j'eus tort; mon ami Bâcle ne s'affectait de rien. A peine, en entrant à Annecy, avions-nous mis[k] le pied dans la ville, qu'il me dit : Te voilà chez toi, m'embrassa, me dit adieu, fit une pirouette et disparut. Je n'ai jamais plus entendu parler de lui. Notre connaissance et notre amitié durèrent[l] en tout environ six semaines, mais[m] les suites en dureront autant que moi.

Que le cœur me battit en approchant de la maison de M[me] de Warens ! Mes jambes tremblaient sous moi, mes yeux se couvraient d'un voile, je ne voyais rien, je n'entendais rien, je n'aurais reconnu personne; je fus contraint de m'arrêter plusieurs fois pour respirer et reprendre mes sens. Était-ce la crainte de ne pas obtenir[n] les secours dont j'avais besoin qui me troublait à ce point[o] ? A l'âge où j'étais, la peur de mourir de faim donne-t-elle de pareilles alarmes ? Non, non; je le dis[p] avec autant de vérité que de fierté, jamais[q] en aucun temps de ma vie il n'appartint à l'intérêt ni à l'indigence de m'épanouir ou de me serrer le cœur. Dans le cours d'une vie inégale[r] et mémorable par ses vicissitudes, souvent sans asile et sans

pain, j'ai toujours vu du même œil l'opulence et la misère.
Au besoin, j'aurais pu mendier ou voler comme un autre,
mais non pas me troubler pour en être réduit là. Peu
d'hommes ont[a] autant gémi que moi, peu ont autant versé
de pleurs dans leur vie; mais jamais la pauvreté ni la crainte
d'y tomber ne[b] m'ont fait pousser un soupir ni répandre
une larme. Mon âme, à l'épreuve de la fortune, n'a connu
de vrais biens ni de vrais maux que ceux qui ne dépendent
pas d'elle, et c'est quand rien ne m'a manqué pour le néces-
saire que je me suis senti le plus malheureux des mortels.

A peine parus-je aux yeux de M^me de Warens que son
air me rassura. Je tressaillis au premier son de sa voix; je
me précipite à ses pieds[c], et, dans les transports de la plus
vive joie, je colle ma bouche sur sa main. Pour elle, j'ignore
si elle avait su de mes nouvelles; mais je vis peu de sur-
prise sur son visage, et je n'y vis aucun chagrin. Pauvre
petit, me dit-elle d'un ton caressant, te revoilà donc ? Je
savais bien que tu étais trop jeune pour ce voyage; je suis
bien aise au moins qu'il n'ait pas aussi mal tourné que[d]
j'avais craint. Ensuite elle me fit conter mon histoire,
qui ne fut pas longue, et que je lui fis très fidèlement, en
supprimant[e] cependant quelques articles, mais au reste
sans m'épargner[f] ni m'excuser.

Il fut question de mon gîte. Elle consulta sa femme de
chambre[g]. Je n'osais respirer durant[h] cette délibération;
mais quand j'entendis que je coucherais dans la maison,
j'eus à peine à me contenir, et je vis porter mon petit
paquet dans la chambre qui m'était destinée, à peu près
comme Saint-Preux vit remiser sa chaise chez M^me de
Wolmar[1]. J'eus pour surcroît le plaisir d'apprendre que

1. Allusion à l'épisode du retour de Saint-Preux en Suisse après
son voyage autour du monde, *Nouvelle Héloïse,* IV, lettre VI (édition
Pomeau, Garnier, p. 403). Le rapprochement entre Saint-Preux et
Rousseau, soulignant le caractère partiellement autobiographique du
roman, a souvent été fait, et par Rousseau lui-même (*infra,* livre IX,
p. 500) et par les contemporains (*infra,* livre XI, p. 646 : « Ce qui me
rendit les femmes si favorables fut la persuasion où elles furent que
j'avais écrit ma propre histoire, et que j'étais moi-même le héros de
ce roman. ») On comparera aussi, dans la même lettre du roman
(*ibid.,* p. 401) le couplet de Saint-Preux (« L'instant où des hauteurs du
Jura je découvris le lac de Genève fut un instant d'extase et de ravis-
sement... ») et celui de Rousseau au début du livre IV des *Confessions,*
infra, p. 168) : « Toutes les fois que j'approche du pays de Vaud... »
Même analogie entre la fin de la lettre VII de la V^e partie (p. 598),

cette faveur ne serait point passagère; et dans un moment
où l'on me croyait attentif à tout autre chose, j'entendis[a]
qu'elle disait : On dira ce qu'on voudra; mais puisque la
providence me le renvoie, je suis déterminée à ne[b] pas
l'abandonner.

Me voilà donc enfin établi chez[c] elle. Cet établissement
ne fut[d] pourtant pas encore celui dont je date les jours
heureux de ma vie, mais[e] il servit à le préparer. Quoique
cette sensibilité de cœur, qui nous fait[f] vraiment jouir de
nous, soit l'ouvrage de la nature et peut-être un produit
de l'organisation, elle a besoin de situations qui la dévelop-
pent. Sans ces causes occasionnelles[g], un homme né très
sensible ne sentirait[h] rien, et mourrait sans avoir connu[i]
son être. Tel à peu près j'avais été jusqu'alors, et tel j'aurais
toujours été[j] peut-être, si je n'avais jamais connu Mme de
Warens, ou si même l'ayant connue, je n'avais pas vécu
assez longtemps auprès d'elle pour contracter la douce ha-
bitude des sentiments affectueux qu'elle m[k]'inspira. J'oserai
le dire; qui ne sent que l'amour ne sent pas ce qu'il y a de
plus doux dans la vie. Je connais un autre sentiment,
moins[l] impétueux peut-être, mais plus délicieux mille fois,
qui quelquefois est joint à l'amour et qui souvent en est
séparé. Ce sentiment n'est pas non plus l'amitié seule; il est
plus voluptueux, plus tendre : je n'imagine pas qu'il puisse
agir pour[m] quelqu'un du même sexe; du moins je fus ami
si jamais homme le fut[n], et je ne l'éprouvai jamais près
d'aucun de mes amis. Ceci n'est pas clair, mais[o] il le deviendra
dans la suite; les sentiments ne se décrivent bien que par
leurs effets[p].

Elle habitait une vieille maison[1] mais assez grande
pour avoir une belle pièce de[q] réserve, dont elle fit sa

sur les charmes paisibles des veillées d'automne chez Mme de Wolmar
(« on ne serait pas fâché de recommencer le lendemain, le surlendemain
et toute sa vie... ») et les douces joies de la vie chez Mme de Warens
(« J'aurais ainsi passé ma vie et l'éternité même sans m'ennuyer un
instant », p. 117). — Cf. aussi *Dialogues, O. C.*, I, 778.
 1. La maison qu'occupait Mme de Warens a été démolie en 1784
pour faire place au Palais de l'Évêché, aujourd'hui Trésorerie générale,
rue J.-J.-Rousseau (anciennement rue Saint-François). Un passage,
décrit par Rousseau au début du livre II, et sur lequel donnait la
chambre du jeune homme, conduisait de là à l'église des Cordeliers
(aujourd'hui cathédrale); la rue Royale actuelle n'étant pas construite,
il pouvait avoir « du vert devant [*ses*] fenêtres ».

chambre de parade, et qui fut[a] celle où l'on me logea.
Cette chambre était[b] sur le passage dont j'ai parlé, où se
fit notre première entrevue, et au delà du ruisseau et[c] des
jardins, on découvrait la campagne. Cet aspect n'était pas
pour le jeune habitant une chose indifférente. C'était,
depuis Bossey, la première fois que j'avais[d] du vert devant
mes fenêtres. Toujours masqué par des murs, je n'avais[e]
eu sous les yeux que des toits ou le gris des rues. Combien
cette nouveauté me fut sensible et douce ! Elle augmenta
beaucoup mes dispositions à l'attendrissement. Je faisais
de ce charmant paysage encore un des bienfaits de ma[f]
chère patronne : il me semblait qu'elle l'avait mis là tout
exprès pour moi[g]; je m'y plaçais paisiblement auprès d'elle;
je la voyais partout entre les fleurs et la verdure; ses charmes
et ceux du printemps se confondaient à mes yeux. Mon
cœur, jusqu'alors comprimé, se trouvait plus au large dans
cet espace, et mes soupirs s'exhalaient plus librement[h]
parmi ces vergers.

On ne trouvait pas chez M^me de Warens la magnifi-
cence que j'avais vue à Turin; mais on y trouvait[i] la pro-
preté, la décence et une abondance patriarcale[j] avec laquelle
le faste ne s'allie jamais. Elle avait peu de vaisselle d'argent,
point de porcelaine[k], point de gibier dans sa cuisine, ni[l]
dans sa cave de vins étrangers; mais l'une et l'autre étaient[m]
bien garnies au service de tout le monde, et dans des tasses
de faïence elle donnait d'excellent café. Quiconque[n] la
venait voir était invité à dîner avec elle ou chez elle; et
jamais ouvrier[o], messager ou passant ne sortait sans manger
ou boire[p]. Son domestique était composé d'une[q] femme de
chambre fribourgeoise assez jolie, appelée Merceret[r], d'un
valet de son pays appelé Claude Anet, dont il sera question
dans la suite[s], d'une cuisinière et de deux porteurs de
louage quand elle allait en visite, ce qu'elle faisait rarement.
Voilà bien des choses pour deux mille[t] livres de rente;
cependant son petit revenu bien ménagé eût pu suffire à
tout cela dans un pays où la terre est très bonne et l'argent
très rare[u]. Malheureusement l'économie ne fut jamais sa
vertu favorite : elle s'endettait[v], elle payait; l'argent faisait
la navette, et tout allait[w].

La manière dont son ménage était monté était précisé-
ment celle que j'aurais choisie[x] : on peut croire que j'en
profitais [y] avec plaisir[z]. Ce qui m'en plaisait moins était
qu'il fallait rester très longtemps à table. Elle supportait

avec[a] peine la première[b] odeur du potage et des mets ;
cette odeur la faisait presque tomber en défaillance, et ce[c]
dégoût durait longtemps. Elle se remettait peu à peu,
causait et ne mangeait point. Ce n'était qu'au bout d'une
demi-heure qu'elle essayait le premier morceau. J'aurais
dîné trois fois dans cet intervalle[d] ; mon repas était fait[e]
longtemps avant qu'elle eût commencé le sien[f]. Je recom-
mençais de compagnie ; ainsi je mangeais pour deux, et ne
m'en trouvais pas plus mal[g]. Enfin je me livrais d'autant
plus[h] au doux sentiment du bien-être que j'éprouvais
auprès d'elle, que ce bien-être dont je jouissais n'était mêlé
d'aucune inquiétude sur les moyens de le soutenir. N'étant
point encore dans[i] l'étroite confidence de ses affaires, je
les supposais en état d'aller toujours sur le[j] même pied.
J'ai retrouvé les mêmes agréments dans sa maison par la
suite : mais, plus instruit de sa situation réelle[k], et voyant
qu'ils anticipaient sur ses rentes, je ne les ai plus goûtés[l] si
tranquillement. La prévoyance a toujours gâté chez moi
la jouissance. J'ai[m] vu l'avenir à pure perte : je n'ai jamais
pu l'éviter[n].

Dès le premier jour, la[o] familiarité la plus douce s'éta-
blit[p] entre nous au même[q] degré où elle a continué[r] tout
le reste de sa vie. *Petit* fut mon nom, *Maman* fut le sien,
et toujours nous demeurâmes *Petit* et *Maman*, même quand
le nombre des années en eut presque effacé la différence
entre[s] nous. Je trouve que ces deux noms rendent à mer-
veilles l'idée de notre ton, la simplicité de nos manières,
et surtout la relation de nos cœurs[1]. Elle fut pour moi la
plus tendre des mères, qui jamais ne chercha son plaisir,
mais toujours mon bien ; et si les sens[t] entrèrent dans mon
attachement pour elle, ce n'était pas pour en changer la
nature, mais[u] pour le rendre seulement plus exquis, pour

1. Le terme de *Maman,* comme l'a signalé Ritter, était d'usage en
Savoie à l'égard de la maîtresse de maison. Il s'employait aussi fami-
lièrement en France à l'égard d'une femme ou jeune fille aimée : c'est
ainsi que Diderot appelle sa fiancée (*Corr.,* édition Roth, I, 28). Il
convient donc d'être prudent dans les interprétations psychanalytiques
que beaucoup de critiques ont été tentés d'en donner. Il demeure que
le terme convient parfaitement au tempérament et aux habitudes de
Rousseau, qui appelle Thérèse *mon enfant* (livre XI, p. 687), Milord
Maréchal *mon digne père* (livre XII, p. 706), Isabelle d'Ivernois *ma fille.*

m'enivrer du charme d'avoir une maman jeune et jolie qu'il m'était délicieux de caresser : je dis caresser au pied de la lettre, car jamais elle n'imagina de m'épargner les baisers ni les plus tendres caresses[a] maternelles, et jamais il n'entra dans mon cœur d'en abuser. On dira[b] que nous avons eu à la fin des relations d'une autre espèce; j'en conviens; mais il faut attendre[c], je ne puis tout dire à la fois.

Le coup d'œil de notre première entrevue fut le seul moment[d] vraiment passionné qu'elle m'ait jamais[e] fait sentir; encore ce moment fut-il l'ouvrage de la surprise. Mes regards indiscrets n'allaient jamais[f] fureter sous son mouchoir, quoiqu'un[g] embonpoint mal caché dans cette place eût bien pu les y attirer. Je n'avais ni transports ni désirs auprès d'elle; j'étais dans un calme ravissant, jouissant sans savoir de quoi. J'aurais ainsi passé ma vie et l'éternité même sans[h] m'ennuyer un instant. Elle est la seule personne avec qui je n'ai jamais senti cette sécheresse de conversation qui me fait un[i] supplice du devoir de la soutenir. Nos tête-à-tête étaient moins des entretiens qu'un babil intarissable, qui pour finir avait besoin d'être interrompu. Loin de me faire une loi de parler, il fallait plutôt m'en faire une de me taire. A force de méditer ses projets, elle tombait souvent dans la rêverie. Hé bien ! je la laissais rêver, je me taisais, je la contemplais[j], et j'étais le plus heureux des hommes. J'avais encore un tic[k] fort singulier. Sans prétendre[l] aux faveurs du tête-à-tête, je le recherchais[m] sans cesse, et j'en jouissais avec une passion qui dégénérait en fureur quand des importuns venaient le troubler. Sitôt que quelqu'un arrivait, homme ou femme, il n'importait pas, je sortais en murmurant, ne pouvant souffrir[n] de rester en tiers auprès d'elle. J'allais compter les minutes dans son antichambre, maudissant[o] mille fois ces éternels visiteurs, et ne pouvant concevoir ce qu'ils avaient tant à dire, parce que j'avais à dire encore plus.

Je ne sentais toute la force de mon attachement pour elle que quand je ne la voyais pas. Quand je la voyais, je n'étais que content; mais mon inquiétude en son absence allait[p] au point d'être douloureuse[q]. Le besoin de vivre avec elle me donnait des élans[r] d'attendrissement qui souvent allaient jusqu'aux larmes. Je me souviendrai toujours qu'un jour de grande fête, tandis qu'elle était à vêpres, j'allai me promener[s] hors de la ville, le cœur plein de son image et du désir ardent de passer mes jours auprès

d'elle. J'avais assez de sens pour voir que quant à présent cela n'était pas possible, et qu'un bonheur que je goûtais si bien serait court. Cela[a] donnait à ma rêverie une tristesse qui[b] n'avait pourtant rien de sombre, et qu'un[c] espoir flatteur tempérait. Le son des cloches, qui m'a toujours singulièrement affecté[d], le chant des oiseaux, la beauté du jour, la douceur du paysage, les maisons éparses et champêtres dans lesquelles je plaçais en idée notre commune demeure; tout cela[e] me frappait tellement d'une impression vive, tendre, triste et touchante, que je me vis comme en extase transporté dans cet heureux temps et dans cet heureux séjour où[f] mon cœur, possédant toute la félicité qui pouvait lui plaire, la goûtait dans des ravissements inexprimables, sans[g] songer même à la volupté des sens. Je ne me souviens pas de m'être élancé jamais dans l'avenir avec plus de force et d'illusion que je fis alors; et ce qui m'a frappé le plus dans le souvenir de cette rêverie[h], quand elle s'est réalisée, c'est d'avoir retrouvé des objets tels exactement que je les avais imaginés. Si jamais rêve d'un homme éveillé eut l'air d'une vision prophétique, ce fut assurément celui-là[1]. Je n'ai été déçu que dans sa durée imaginaire; car les jours, et les ans, et la vie entière, s'y passaient dans une[i] inaltérable tranquillité; au lieu qu'en effet tout cela n'a duré qu'un moment. Hélas ! mon plus constant bonheur fut en songe. Son accomplissement fut presque à l'instant suivi du réveil[j].

1. La réalisation aux Charmettes de ce rêve « prophétique » d'Annecy est évoquée au livre VI (p. 283). On l'a justement rapproché d'une « vision » d'adolescence mentionnée par Bernardin de Saint-Pierre (v. p. VII). On notera ici l'emploi dans deux sens différents, à quelques lignes d'intervalle, du terme *rêverie*, état sentimental dans le premier cas, phénomène de pressentiment dans le second. Rousseau dans son dernier ouvrage (les *Rêveries*) emploiera le terme concurremment avec celui de *méditation*. Un autre emploi de *rêverie* se rencontre au livre IV (p. 194) : « je n'eus point durant ce voyage [*de Lyon à Chambéry*] ces rêveries délicieuses qui m'avaient suivi dans l'autre [*de Soleure à Paris*] »; les « rêveries » en question sont précisées plus haut, (pp. 178-179) : elles oscillent entre des rêves d'ambition militaire (taxés de « folies ») et des rêves bucoliques (« mes chères bergeries »). Sur cette question voir J. Voisine, « Du nouveau sur les *Rêveries* », *Information littéraire,* janvier-février 1962 ; l'étude de la notion de rêverie est reprise par M. Raymond, « Rêver à la Suisse », *Cahiers du Sud,* 1er-2e trimestres 1962.

Je ne finirais pas si j'entrais dans le détail de toutes les folies que le souvenir de cette chère Maman me faisait faire quand je n'étais plus sous ses yeux. Combien de fois j'ai baisé mon lit en songeant qu'elle y avait couché; mes rideaux, tous les meubles de[a] ma chambre, en songeant qu'ils étaient à elle, que sa belle main les avait touchés; le plancher même sur lequel je me prosternais en songeant qu[b]'elle y avait marché ! Quelquefois même[c] en sa présence il m'échappait des extravagances que le plus violent amour[d] seul semblait pouvoir inspirer. Un jour[e], à table, au moment qu'elle avait mis un morceau dans sa bouche, je m'écrie que j'y vois un cheveu : elle rejette[f] le morceau sur son assiette; je m'en saisis avidement et l'avale. En un mot, de moi à l'amant le plus passionné il n'y avait qu'une différence unique, mais essentielle, et qui rend mon état[g] presque inconcevable à la raison.

J'étais revenu d'Italie, non[h] tout à fait comme j'y étais allé, mais comme[i] peut-être jamais à mon âge on n'en est revenu. J'en avais rapporté non ma virginité, mais mon pucelage. J'avais senti le progrès des ans; mon tempérament[j] inquiet s'était enfin déclaré, et sa première éruption, très involontaire[k], m'avait donné sur ma santé des alarmes qui peignent mieux que toute autre chose l'innocence[l] dans laquelle j'avais vécu jusqu'alors. Bientôt rassuré, j'appris ce dangereux supplément qui trompe la nature, et[m] sauve aux jeunes gens de mon humeur beaucoup de désordres aux dépens de leur santé, de leur vigueur, et quelquefois de leur vie[1]. Ce vice que la honte et la[n] timidité trouvent si commode, a de plus un grand attrait pour les imaginations vives : c'est de

1. *Supplément* se dit encore au XVIII[e] siècle de ce par quoi on *supplée* à l'absence de quelque chose et a donc le sens d'activité ou produit de remplacement. L'opposition entre *virginité* et *pucelage* se rencontre dans l'ancienne langue. Littré (article *Pucelage*) cite d'après Lacurne de Sainte-Palaye — contemporain de Rousseau — un texte du *Lancelot du Lac,* du XV[e] siècle : « Virginité et pucelage ne sont pas une même chose ni une même vertu [...] Pucelage est une vertu que tous ceux et toutes celles ont, qui n'ont attouchement de charnelle compagnie; mais virginité est trop plus haute chose et plus merveilleuse, car nul ne la peut avoir, soit homme ou femme, qu'il ait volonté de charnel attouchement. »

disposer, pour ainsi dire, à leur gré, de tout le sexe, et de
faire servir à leurs plaisirs la beauté qui les tente, sans
avoir besoin d'obtenir son[a] aveu. Séduit par ce funeste
avantage, je travaillais à détruire[b] la bonne constitution[c]
qu'avait rétablie en moi la nature, et[d] à qui j'avais donné
le temps de se bien former. Qu'on ajoute à cette disposition
le local de ma situation présente; logé chez une jolie
femme[e], caressant son image au fond de mon cœur, la
voyant[f] sans cesse dans la journée; le soir entouré d'objets
qui me la rappellent[g], couché dans un lit où je sais qu'elle
a couché[h]. Que de stimulants ! tel lecteur qui se les repré-
sente me[i] regarde déjà comme à demi mort. Tout au contraire
ce qui devait me perdre fut précisément ce qui me sauva,
du moins pour un temps. Enivré du charme de vivre auprès
d'elle, du désir ardent d'y passer mes jours, absente ou
présente, je voyais toujours en elle une tendre mère, une
sœur chérie, une délicieuse amie, et rien de plus. Je la voyais
toujours ainsi, toujours la même, et ne voyais jamais
qu'elle. Son image[j], toujours présente à mon cœur, n'y
laissait place à nulle autre; elle était pour moi la seule
femme qui fût au monde; et l'extrême douceur[k] des senti-
ments qu'elle m'inspirait, ne laissant pas à mes sens le
temps de s'éveiller[l] pour d'autres, me garantissait d'elle
et de tout son sexe. En un mot, j'étais sage parce que
je l'aimais. Sur ces effets, que je rends mal, dise qui pourra
de quelle espèce était mon attachement pour elle[m]. Pour
moi, tout ce que j'en puis dire est que s'il paraît déjà fort
extraordinaire, dans la suite il le paraîtra beaucoup plus.

Je passais mon temps le plus agréablement du monde,
occupé[n] des choses qui me plaisaient le moins[o]. C'étaient
des projets à rédiger, des mémoires à mettre au net, des
recettes à transcrire; c'étaient des herbes à trier, des drogues
à piler[p], des alambics à gouverner. Tout à travers[q] tout
cela venaient des foules de passants, de mendiants [r], de visites
de toute espèce. Il fallait entretenir[s] tout à la fois un soldat,
un apothicaire, un chanoine, une belle dame, un frère lai.
Je pestais [t], je grommelais, je jurais, je donnais au diable
toute cette maudite cohue. Pour elle, qui prenait tout
en gaieté, mes fureurs la faisaient rire aux larmes; et ce
qui la faisait rire encore plus était de me voir d'autant
plus furieux que je ne pouvais moi-même m'empêcher
de rire. Ces petits intervalles où j'avais le plaisir de[u] grogner
étaient charmants; et s'il survenait un nouvel importun

durant la querelle, elle en savait encore tirer parti pour
l'amusement en prolongeant malicieusement la visite,
et me jetant[a] des coups d'œil pour lesquels je l'aurais
volontiers battue. Elle avait peine à[b] s'abstenir d'éclater
en me voyant, contraint et retenu par la bienséance, lui
faire des yeux de possédé, tandis qu'au fond de mon cœur,
et même en dépit de moi, je trouvais tout cela très
comique.

Tout cela, sans me plaire en soi, m'amusait[c] pour-
tant parce qu'il faisait partie d'une manière d'être qui
m'était charmante. Rien de ce qui se faisait autour de moi,
rien de[d] tout ce qu'on me faisait faire, n'était selon mon
goût, mais tout était selon mon cœur. Je crois que je serais
parvenu à aimer la médecine, si mon[e] dégoût pour elle
n'eût fourni des scènes folâtres qui nous égayaient sans
cesse : c'est peut-être la première fois que cet art a produit
un[f] pareil effet. Je prétendais connaître à l'odeur un livre
de médecine, et ce qu'il y a de plaisant est que je m'y
trompais rarement. Elle me faisait goûter des plus détes-
tables drogues. J'avais beau fuir ou vouloir me défendre ;
malgré ma résistance et mes horribles grimaces[g], malgré
moi et mes dents[1], quand je voyais ses jolis doigts bar-
bouillés s'approcher de ma bouche, il fallait finir par
l'ouvrir et sucer. Quand tout son petit ménage était ras-
semblé dans la même chambre, à nous entendre courir
et crier au milieu des éclats de rire, on eût cru qu'on y
jouait quelque farce, et non pas qu'on y faisait[h] de l'opiat
ou de l'élixir.

Mon temps ne se passait pourtant pas[i] tout entier à
ces polissonneries. J'avais trouvé[j] quelques livres dans
la chambre que j'occupais[k] : *Le Spectateur*[2], Pufendorf,
Saint-Évremond, *La Henriade*. Quoique je n'eusse plus
mon ancienne fureur de lecture[l], par désœuvrement

1. *Malgré mes dents* : Rousseau semble vouloir rendre ici son sens
propre à cette expression usée (alors simple synonyme de « malgré
moi ») dont Littré ne donne pas d'exemples postérieurs au début du
XVIII[e] siècle.

2. Il s'agit probablement du périodique publié à Londres au début
du siècle par Addison et Steele, et fort populaire en France depuis sa
traduction à Amsterdam en 1714, plutôt que de son imitation en 1722
par Marivaux, *le Spectateur français*.

je lisais un peu de tout cela. *Le Spectateur* surtout me[a] plut beaucoup, et me fit du bien. M. l'abbé de Gouvon m'avait appris à lire moins avidement et avec plus de réflexion; la lecture me profitait mieux. Je m'accoutumais à réfléchir sur l'élocution, sur les constructions élégantes; je m'exerçais à discerner le français pur de mes[b] idiomes provinciaux. Par exemple, je fus corrigé d'une faute[c] d'orthographe, que je faisais avec tous nos Genevois, par ces deux vers de la *Henriade* :

Soit qu'un ancien respect pour le sang de leurs maîtres
Parlât encor pour lui dans[d] le cœur de ces traîtres [1].

Ce mot *parlât*, qui me frappa, m'apprit qu'il fallait un *t* à la troisième personne du subjonctif, au lieu qu'auparavant je l'écrivais et prononçais *parla* comme le présent [*sic*] de l'indicatif.

Quelquefois je causais avec Maman de mes lectures; quelquefois je lisais auprès d'elle; j'y prenais grand plaisir; je m'exerçais à bien lire, et cela me fut utile aussi. J'ai dit qu'elle avait l'esprit orné : il était alors dans toute sa fleur[e]. Plusieurs gens de lettres s'étaient empressés à lui plaire, et lui avaient appris à juger des ouvrages d'esprit. Elle avait, si je puis parler ainsi, le goût un peu protestant; elle ne parlait que de Bayle et faisait grand cas de Saint-Évremond, qui depuis longtemps était mort en France. Mais cela n'empêchait pas qu'elle ne connût la bonne littérature et qu'elle n'en parlât fort bien. Elle avait été élevée dans[f] des sociétés choisies : et, venue en Savoie encore jeune, elle avait perdu dans le commerce[g] charmant de la noblesse du pays ce ton maniéré du pays de Vaud, où[h] les femmes prennent le bel esprit pour l'esprit du monde, et ne savent parler que par épigrammes.

Quoiqu'elle n'eût vu la Cour qu'en passant, elle y avait jeté un coup d'œil rapide qui lui avait suffi pour la connaître. Elle s'y conserva toujours des amis, et malgré[i] de secrètes jalousies, malgré les murmures qu'excitaient sa conduite et ses dettes, elle n'a jamais perdu sa pension. Elle avait l'expérience du monde et[j] l'esprit de réflexion qui fait tirer parti de cette expérience. C'était le sujet favori de ses conversations, et c'était précisément[k], vu

1. Voltaire, *Henriade*, II, 337-8.

mes idées chimériques, la sorte d'instruction dont j'avais le plus grand besoin. Nous lisions ensemble La Bruyère : il lui plaisait plus que La Rochefoucauld, livre triste et désolant, principalement dans la jeunesse, où l'on n'aime[a] pas à voir l'homme comme il est[1]. Quand elle moralisait, elle se perdait quelquefois un peu dans les espaces; mais, en lui baisant de temps en temps la bouche ou les mains, je prenais patience, et ses longueurs ne m'ennuyaient pas[b].

Cette vie était trop douce pour pouvoir durer. Je le sentais, et l'inquiétude de la voir finir était la seule chose qui en troublait la jouissance. Tout en folâtrant, Maman m'étudiait[c], m'observait, m'interrogeait, et bâtissait pour ma fortune force projets dont je me serais bien passé. Heureusement ce n'était pas le tout de connaître mes penchants, mes goûts, mes petits talents : il fallait trouver ou faire naître les occasions d'en tirer parti, et tout cela n'était pas l'affaire d'un jour[d]. Les préjugés mêmes qu'avait conçus la pauvre femme en faveur de mon mérite reculaient les moments de le mettre en œuvre, en la rendant

1. En La Rochefoucauld, Rousseau attaque le fondement de la morale cynique et mondaine (cf. dans la *Lettre à d'Alembert* sa critique du personnage de Philinte du *Misanthrope*) et de toutes les morales de l'intérêt qui posent l'amour-propre comme premier moteur des actions humaines. A quoi Rousseau oppose sa propre théorie de l'*amour de soi,* distinct de l'amour-propre, naturel et non acquis (voir *Introduction,* p. xvi). Le goût de Rousseau pour La Bruyère s'est maintenu dans l'âge mûr et est sans doute responsable de certains aspects du style de Rousseau, peut-être de quelques portraits semi-caricaturaux dans les *Confessions.* A Môtiers, il se fait envoyer par Duchesne un La Bruyère. Quelques années plus tôt, la rhétorique de ce passage de la *Lettre à d'Alembert* semble bien un pastiche abrégé d'une page célèbre du moraliste sur le rire et les pleurs au théâtre (*Caractères,* Des Ouvrages de l'esprit, paragraphe 50) :

« Au fond, quand un homme est allé admirer de belles actions et des fables, et pleurer sur des malheurs imaginaires, qu'a-t-on encore à exiger de lui ? N'est-il pas content de lui-même ? Ne s'applaudit-il pas de sa belle âme ? Ne s'est-il pas acquitté de tout ce qu'il doit à la vertu par l'hommage qu'il vient de lui rendre ? Que voudrait-on qu'il fît de plus ? Qu'il la pratiquât lui-même ? Il n'a point de·rôle à jouer; il n'est pas comédien. »

Moraliste et styliste lui aussi, Rousseau applique à un développement qui critique l'institution même du théâtre le même procédé de l'interrogation oratoire, culminant sur un trait d'esprit satirique.

plus difficile sur le choix des moyens. Enfin, tout allait
au gré de mes désirs, grâce à la bonne opinion qu'elle
avait de moi : mais il en fallut rabattre, et dès lors adieu la
tranquillité. Un de ses parents, appelé M. d'Aubonne[a],
la vint voir. C'était un homme de beaucoup d'esprit,
intrigant[b], génie à projets comme elle, mais qui ne s'y
ruinait pas, une espèce d'aventurier. Il venait de proposer[c]
au cardinal de Fleury un plan de loterie très composée,
qui n'avait pas été goûté. Il[d] allait le proposer à la cour
de Turin, où il fut adopté[e] et mis en exécution. Il s'arrêta
quelque temps à Annecy[f], et devint amoureux de
M[me] l'Intendante, qui était une personne fort aimable,
fort de mon goût, et la seule que je visse avec plaisir chez[g]
Maman. M. d'Aubonne me vit; sa parente lui parla de moi :
il se chargea de m'examiner, de voir à quoi j'étais propre,
et[h], s'il me trouvait de l'étoffe, de chercher à[i] me placer.

Mme de Warens m'envoya chez lui deux ou trois
matins de suite, sous prétexte de[j] quelque commission,
et sans me prévenir de rien. Il s'y prit très bien pour
me faire jaser[k], se familiarisa avec moi, me mit à mon
aise autant qu'il était possible, me parla de niaiseries
et de toutes sortes de sujets, le tout sans paraître m'obser-
ver, sans la moindre affectation, et comme si, se plaisant
avec moi, il eût voulu converser sans gêne. J'étais enchanté
de lui[l]. Le résultat de ses observations fut que[m], malgré
ce que promettaient mon extérieur et ma physionomie
animée, j'étais sinon tout à fait inepte, au moins un garçon
de peu d'esprit, sans idées[n], presque sans acquis, très borné
en un mot à tous égards, et que l'honneur de devenir
quelque jour curé de village était la plus haute fortune à
laquelle je[o] dusse aspirer. Tel fut le compte qu'il rendit de
moi à Mme de Warens. Ce fut la seconde[p] ou troisième fois
que je fus ainsi jugé[q] : ce ne fut pas la dernière, et l'arrêt de
M. Masseron a souvent été confirmé.

La cause de[r] ces jugements tient trop à mon carac-
tère pour n'avoir pas ici besoin d'explication; car en
conscience on[s] sent bien que je ne puis sincèrement y
souscrire, et qu'avec[t] toute l'impartialité possible, quoi
qu'aient pu dire[u] MM. Masseron, d'Aubonne et beaucoup
d'autres[v], je ne les saurais prendre au mot.

Deux choses presque[w] inalliables s'unissent en moi
sans que[x] j'en puisse concevoir la manière : un tempé-
rament[y] très ardent, des passions vives[z], impétueuses,

et des idées lentes[a] à naître, embarrassées et qui ne se
présentent jamais[b] qu'après coup. On dirait que mon
cœur et[c] mon esprit n'appartiennent pas au même individu.
Le sentiment, plus prompt que l'éclair, vient remplir mon
âme, mais au lieu de m'éclairer, il[d] me brûle et m'éblouit.
Je sens tout et[e] je ne vois rien. Je suis emporté, mais
stupide; il faut que je sois de sang-froid pour penser. Ce
qu'il y a[f] d'étonnant est que j'ai cependant le tact[g] assez
sûr, de la pénétration, de la finesse[h] même, pourvu qu'on
m'attende : je fais d'excellents impromptus à loisir, mais
sur le temps je n'ai jamais rien[i] fait ni dit qui vaille. Je
ferais[j] une fort jolie conversation par la poste, comme on
dit que les Espagnols jouent aux échecs. Quand[k] je lus
le trait d'un duc de Savoie qui se retourna, faisant route,
pour crier : *A votre gorge, marchand de Paris*, je dis : Me
voilà[1].

1. L'anecdote à laquelle fait allusion Rousseau a été identifiée
dans l'*Intermédiaire des Chercheurs et Curieux*, t. II, 1865, col. 673 et 725,
et t. III, 1866, col. 84. La réponse brève et grossière du marchand au
duc qui lui proposait une somme dérisoire attira une réplique à retar-
dement qui s'inspire elle-même du procédé populaire consistant à
renvoyer à l'interlocuteur son interjection, en la « réalisant ».
Le portrait que trace Rousseau de lui-même, insistant surtout sur
les contradictions de son caractère, est à rapprocher d'un passage
analogue, à la fin du livre IV, pp. 192-193, et de remarques éparses dans
le livre III (p. 142 à propos de l'abandon de M. Le Maître), ainsi que
de l'auto-portrait mi-sérieux mi-plaisant présenté dès 1740 dans le
Persifleur (*O.C.*, t. I, 1959, pp. 1109-1111). L'idée implicite, très préro-
mantique, selon laquelle le génie s'accompagne souvent d'une sensi-
bilité exagérée, de contradictions dans le caractère, et d'une certaine
excentricité, est chère à Rousseau et Diderot. On pourrait se demander
si Rousseau, sans avoir l'intention de fausser la vérité du portrait, n'a
pas insisté délibérément sur ces contradictions, tant par dessein artis-
tique que pour souligner l'originalité de son personnage. Et en se
souvenant que le *Persifleur* a été entrepris avec la collaboration de
Diderot, on pourra constater des analogies entre le portrait de Rousseau
par lui-même, celui que trace Diderot des Langrois et de lui-même
dans une lettre célèbre à Sophie Volland (12 août 1759) : « ... Avec
une rapidité surprenante dans les mouvements, dans les désirs, dans
les projets, dans les fantaisies, dans les idées, ils ont le parler lent...»)
et celui du non moins célèbre Neveu de Rameau, présenté au début
de la nouvelle de ce titre. Ce qui reste propre à Rousseau, c'est la
« gaucherie » qu'il revendique comme un de ses traits habituels, et
qui tend à confirmer l'honnête et naïve simplicité de son cœur.
L'allusion à « l'opéra en Italie », un peu plus loin, s'explique par

Cette lenteur de penser, jointe à cette vivacité de sentir, je ne l'ai pas seulement dans la conversation, je l'ai même seul et quand je travaille. Mes idées[a] s'arrangent dans ma tête avec la plus incroyable difficulté : elles y circulent sourdement, elles y fermentent jusqu'à m'émouvoir, m'échauffer, me donner des palpitations; et, au milieu de[b] toute cette émotion, je ne vois rien nettement, je ne saurais écrire un seul mot, il faut que j'attende. Insensiblement ce[c] grand mouvement s'apaise, ce chaos se débrouille, chaque chose vient se mettre à sa place, mais lentement, et après une longue et confuse agitation. N'avez-vous point vu[d] quelquefois l'opéra en Italie ? Dans les[e] changements de scènes il règne sur ces grands théâtres un désordre[f] désagréable et qui dure assez longtemps; toutes les décorations sont entremêlées; on voit de toutes parts un tiraillement qui fait peine, on croit que tout va renverser : cependant, peu à peu tout s'arrange, rien ne manque, et l'on est tout surpris de voir succéder à[g] ce long tumulte un spectacle ravissant. Cette manœuvre est à peu près celle qui se fait dans mon cerveau quand je veux écrire. Si j'avais[h] su premièrement attendre, et puis rendre dans leur beauté les choses qui s'y sont ainsi peintes, peu d'auteurs m'auraient surpassé.

De là vient l'extrême difficulté que je trouve à écrire. Mes[i] manuscrits, raturés, barbouillés, mêlés, indéchiffrables, attestent la peine qu'ils m'ont coûtée. Il n'y en a pas un qu'il ne m'ait fallu transcrire[j] quatre ou cinq fois avant de le donner à la presse. Je n'ai jamais[k] pu rien faire la plume à la main vis-à-vis[l] d'une table et de mon papier : c'est à la promenade, au milieu des rochers et des bois, c'est la nuit dans mon lit et durant mes insomnies, que j'écris dans mon cerveau; l'on peut juger avec quelle lenteur, surtout pour un homme absolument dépourvu de[m] mémoire verbale, et qui de[n] la vie n'a pu retenir[o] six vers par cœur. Il y a telle de mes périodes que j'ai tournée et retournée cinq ou six nuits dans ma tête avant qu'elle fût en état d'être mise sur le papier. De là vient[p] encore que je réussis mieux aux ouvrages qui[q] demandent du travail qu'à ceux qui veulent être faits avec une certaine légèreté, comme les lettres, genre dont je n'ai jamais pu

des souvenirs du séjour de Venise, comme il y en a beaucoup dans le *Dictionnaire de Musique* (voir *infra,* livre VII).

prendre le ton, et dont l'occupation me met au supplice.
Je n'écris[a] point de lettres sur les moindres sujets qui ne
me coûtent des heures de[b] fatigue, ou, si je veux écrire
de suite ce qui me vient, je ne[c] sais ni commencer ni finir;
ma lettre est un long et confus verbiage; à peine m'entend-
on quand on la lit.

Non seulement les idées me coûtent à rendre, elles me
coûtent même à[d] recevoir. J'ai étudié les hommes[e], et
je me crois assez bon observateur : cependant je ne sais
rien voir de ce que je vois; je ne vois[f] bien que ce que je
me rappelle, et je n'ai de l'esprit que dans mes souvenirs.
De tout ce qu'on dit, de tout ce qu'on fait, de tout ce qui
se passe en ma présence, je ne sens rien, je ne pénètre rien.
Le signe extérieur est[g] tout ce qui me frappe. Mais ensuite
tout cela me revient : je me rappelle[h] le lieu, le temps, le
ton, le regard, le geste, la circonstance; rien ne m'échappe[i].
Alors, sur ce qu'on a fait ou dit, je trouve ce qu'on a pensé,
et il est rare que je me trompe.

Si peu maître de mon esprit seul avec moi-même, qu'on
juge de ce que je dois être dans la conversation, où, pour
parler à propos, il faut penser[j] à la fois et sur-le-champ
à mille choses. La seule idée de tant de convenances, dont
je suis sûr d'oublier[k] au moins quelqu'une, suffit pour
m'intimider. Je ne comprends pas même comment on
ose parler dans un cercle : car à chaque mot il[l] faudrait
passer en revue tous les gens qui sont là; il faudrait con-
naître tous leurs caractères, savoir[m] leurs histoires, pour
être sûr de ne rien[n] dire qui[o] puisse offenser quelqu'un.
Là-dessus, ceux qui vivent dans le monde ont un grand
avantage[p] : sachant mieux ce qu'il faut taire, ils sont plus[q]
sûrs de ce qu'ils disent; encore leur échappe-t-il souvent
des balourdises. Qu'on juge de celui qui tombe là des
nues : il[r] lui est presque impossible de parler une minute
impunément. Dans le tête-à-tête, il y a un autre inconvé-
nient que je trouve pire, la nécessité de parler[s] toujours :
quand on vous parle il faut répondre, et[t] si l'on ne dit mot
il faut relever la conversation. Cette insupportable contrainte
m'eût seule dégoûté de la société. Je ne trouve point de
gêne plus[u] terrible que l'obligation de parler sur-le-champ[v]
et toujours. Je ne sais si ceci tient à ma mortelle aversion
pour tout assujettissement; mais c'est assez qu'il faille
absolument que je parle pour que je dise une sottise infail-
liblement.

Ce qu'il y a de plus fatal est qu'au lieu de savoir me taire quand je[a] n'ai rien à dire, c'est alors que[b] pour payer plus[c] tôt ma dette, j'ai la fureur de vouloir parler. Je me hâte de balbutier[d] promptement des paroles sans idées, trop heureux quand elles ne signifient rien[e] du tout. En voulant vaincre ou cacher mon ineptie, je manque rarement de la montrer. Entre mille exemples que j'en pourrais citer, j'en prends un qui n'est pas de ma jeunesse, mais d'un temps où, ayant[f] vécu plusieurs années dans le monde, j'en aurais pris l'aisance et le ton, si la chose eût été possible. J'étais un soir[g] avec deux grandes dames et un homme qu'on peut nommer; c'était M. le duc de Gontaut. Il n'y avait personne autre dans la chambre, et je m'efforçais de fournir quelques mots[h], Dieu sait quels ! à une conversation entre quatre personnes, dont trois[i] n'avaient assurément pas besoin de mon supplément[1]. La maîtresse de la maison se fit apporter un [*sic*] opiate dont elle prenait tous les jours deux fois pour son estomac[j]. L'autre dame, lui voyant faire la grimace[k], dit en riant : Est-ce de l'opiate de M. Tronchin ? — Je ne crois pas, répondit sur le même ton[l] la première. — Je crois qu'elle ne vaut guère mieux, ajouta galamment le spirituel Rousseau. Tout le monde resta interdit; il n'échappa ni le moindre mot ni le moindre sourire, et,[m] à l'instant d'après, la conversation prit un autre tour[n]. Vis-à-vis d'une autre, la balourdise eût pu n'être que plaisante; mais adressée à une femme[o] trop aimable pour n'avoir pas un peu fait parler d'elle, et qu'assurément je n'avais pas dessein d'offenser, elle était[p] terrible; et je crois que les deux témoins, homme et femme, eurent bien de la peine à[q] s'abstenir d'éclater[r]. Voilà de ces traits d'esprit qui m'échappent pour vouloir parler[s] sans avoir rien à dire. J'oublierai difficilement celui-là; car, outre qu'il est par lui-même très mémorable, j'ai dans la tête qu'il a eu des suites qui ne me le rappellent que trop souvent[2].

Je crois que voilà[t] de quoi faire assez comprendre

1. *Supplément* : v. p. 119, n. 1.
2. Au livre X (pp. 626-627) et dans le manuscrit de Neuchâtel, les deux dames sont nommées : M[mes] de Luxembourg et de Mirepoix. L'incident pourrait se situer, propose Courtois, en avril 1760 à Montmorency. Le mot *opiat* ou *opiate* (*opiat*, s. m., avec *t* final sonore, — orthographe adoptée plus haut, p. 121 — et *opiate,* s. f., existent également au XVIII[e] siècle) désigne un « électuaire magistral » — nous dirions aujourd'hui une spécialité pharmaceutique — en principe à base

comment, n'étant pas un sot, j'ai[a] cependant souvent passé pour l'être, même chez des gens en état de bien juger : d'autant plus malheureux que ma physionomie[b] et mes yeux promettent davantage, et que[c] cette attente frustrée rend plus choquante aux autres ma stupidité. Ce détail, qu'une occasion particulière a fait naître, n'est pas inutile à ce qui doit suivre. Il contient la clef de bien des choses extraordinaires qu'on m'a vu faire et qu'on attribue à une humeur sauvage que je n'ai point. J'aimerais la société comme un autre, si je n'étais sûr de m'y montrer[d] non seulement à mon désavantage, mais tout autre que je ne suis. Le parti que j'ai pris d'écrire et de me cacher[e] est précisément celui qui me convenait. Moi présent, on n'aurait jamais su ce que je valais, on ne l'aurait pas soupçonné même[f]; et c'est ce qui est arrivé à M[me] Dupin, quoique femme d'esprit, et quoique j'aie vécu dans sa maison plusieurs années; elle me l'a dit[g] bien des fois elle-même depuis ce temps-là. Au reste, tout ceci souffre[h] de certaines exceptions et j'y reviendrai dans la suite.

La mesure de mes talents ainsi[i] fixée, l'état qui me convenait ainsi désigné, il ne fut plus question[j], pour la seconde fois, que de remplir ma vocation[1]. La difficulté fut que je n'avais pas fait mes études, et que je ne savais pas même assez de latin pour être prêtre. M[me] de Warens imagina de me faire instruire au séminaire pendant quelque temps. Elle en parla au supérieur. C'était un lazariste appelé M. Gros, bon petit homme[k], à moitié borgne, maigre, grison, le plus spirituel et le moins pédant lazariste que j'aie[l] connu; ce qui n'est pas beaucoup dire, à la vérité.

Il venait[m] quelquefois chez Maman, qui l'accueillait, le caressait, l'agaçait même, et se faisait quelquefois lacer par lui, emploi[n] dont il se chargeait assez volontiers. Tandis

d'opium. L'opiate de Tronchin était employée notamment dans le traitement des maladies vénériennes : M[me] d'Épinay, contaminée par son mari (Rousseau y fait discrètement allusion à la fin du livre VII, p. 408 et n. 1), y eut recours, comme elle nous l'apprend elle-même dans l'*Histoire de M[me] de Montbrillant* (éd. Roth, t. I, p. 461). La remarque malheureuse « Je crois qu'elle ne vaut guère mieux » peut laisser entendre que l'opiate utilisée par M[me] de Luxembourg, bien que n'étant pas une préparation de Tronchin, était employée dans des affections aussi peu glorieuses.

1. Allusion à l'entrée en apprentissage, l. I, p. 32.

qu'il était en fonction, elle courait par la chambre de côté et d'autre, faisant tantôt ceci, tantôt cela[a]. Tiré par le lacet, Monsieur le Supérieur suivait en grondant, et disant[b] à tout moment : Mais, Madame, tenez-vous donc. Cela faisait un sujet assez pittoresque.

M. Gros se prêta de[c] bon cœur au projet de Maman. Il[d] se contenta d'une pension très modique, et se chargea de l'instruction. Il ne fut[e] question que du consentement de l'évêque, qui non seulement l'accorda, mais qui voulut payer la pension[1]. Il permit aussi que je restasse en habit laïque jusqu'à ce qu'on pût juger[g], par un essai, du succès qu'on devait espérer[1].

Quel changement ! Il fallut m'y soumettre. J'allai au séminaire comme[h] j'aurais été au supplice. La triste maison qu'un séminaire, surtout pour qui sort de celle d'une[i] aimable femme ! J'y portai un[j] seul livre, que j'avais prié Maman de me prêter[k], et qui me fut d'une grande ressource. On ne devinera pas[l] quelle sorte de livre c'était : un livre de musique. Parmi les talents qu'elle avait cultivés, la musique n'avait pas été oubliée. Elle avait de la voix, chantait passablement, et jouait un peu du clavecin : elle avait eu la complaisance de me donner quelques leçons de chant, et il fallut commencer de loin, car à peine savais-je la musique de nos psaumes[m]. Huit ou dix leçons de femme, et fort interrompues, loin de me mettre en état de solfier, ne m'apprirent pas le quart des signes de la musique. Cependant j'avais une[n] telle passion pour cet art, que je voulus essayer de m'exercer seul[2]. Le livre que j'emportai n'était pas même des plus faciles[o]; c'étaient les cantates de Clérambault. On concevra[p] quelle fut mon application et mon obstination, quand je dirai que, sans connaître ni[q] transposition, ni quantité, je parvins à déchiffrer et chanter sans faute le premier récitatif et le premier air de la cantate d'*Alphée et Aréthuse ;* et il est vrai que cet air est scandé si juste, qu'il ne faut que réciter les vers avec leur mesure pour y mettre celle de l'air.

1. Le séjour de Rousseau au séminaire d'Annecy semble avoir duré au moins deux mois, si ses souvenirs sont exacts (p. 131 : « Si j'étais resté deux mois à la merci de ce monstre... »). La date de l'incendie du couvent des Cordeliers (p. 133) le dimanche 16 octobre 1729, fournit un repère : l'entrée au séminaire se placerait donc au plus tôt fin août, au plus tard début octobre.

2. Sur ce goût pour la musique, v. pp. 205-206.

Il y avait au séminaire un maudit lazariste qui m'entreprit, et qui me fit prendre en horreur le latin qu'il voulait m'enseigner. Il avait des cheveux plats, gras et noirs, un visage de pain d'épice, une voix de buffle, un regard de chat-huant, des crins de sanglier au lieu de barbe; son sourire était[a] sardonique; ses membres jouaient comme les poulies d'un mannequin : j'ai oublié son odieux nom; mais[b] sa figure effrayante et doucereuse m'est bien restée, et[c] j'ai peine à me la rappeler sans frémir[d]. Je crois le rencontrer encore dans les corridors, avançant gracieusement son crasseux bonnet carré pour me faire signe d'entrer dans sa chambre, plus affreuse pour moi qu'un cachot. Qu'on juge du contraste d'un pareil maître pour le disciple[e] d'un abbé de cour !

Si j'étais resté[f] deux mois à la merci de ce monstre, je suis persuadé que ma tête n'y aurait pas résisté. Mais le bon M. Gros, qui s'aperçut que[g] j'étais triste, que je ne mangeais pas, que je maigrissais, devina le sujet de mon chagrin; cela n'était pas difficile. Il m'ôta des griffes de ma bête, et, par un autre contraste encore plus marqué, me remit au plus doux des hommes : c'était un jeune abbé faucigneran[1], appelé M. Gâtier, qui faisait son séminaire, et qui, par complaisance pour M. Gros, et je crois par humanité, voulait bien prendre sur ses études le temps qu'il donnait à diriger les miennes; je n'ai jamais vu de physionomie plus touchante que celle de M. Gâtier. Il était blond, et sa barbe tirait[h] sur le roux : il avait le maintien ordinaire aux gens de sa province, qui[i], sous une figure épaisse, cachent tous beaucoup d'esprit; mais ce qui se marquait[j] vraiment en lui était une âme[k] sensible, affectueuse, aimante. Il y avait dans ses grands yeux bleus un mélange de douceur, de tendresse et de tristesse, qui faisait qu'on ne pouvait le voir sans s'intéresser à lui. Aux regards, au ton de ce pauvre jeune homme, on eût dit qu'il prévoyait sa destinée, et qu'il se sentait[l] né pour être malheureux.

Son caractère ne démentait point sa physionomie; plein de patience et de complaisance, il semblait plutôt étudier avec moi que m'instruire. Il n'en fallait pas tant pour me le faire aimer : son prédécesseur avait rendu cela très[m]

1. *Faucigneran* : originaire du Faucigny, région devenue terre du duché de Savoie, avec pour capitale Bonneville, à la fin du XVIIᵉ siècle, et occupant à peu près la moitié méridionale de l'actuel département de la Haute-Savoie.

facile. Cependant, malgré tout le temps qu'il me donnait, malgré toute la bonne volonté que nous y mettions l'un et l'autre, et quoiqu'il s'y prît très bien, j'avançai peu en travaillant beaucoup. Il est singulier qu'avec assez de conception, je n'ai[a] jamais pu rien apprendre avec des maîtres[b], excepté mon père et M. Lambercier. Le peu que je sais de plus, je l'ai appris seul, comme on verra ci-après. Mon esprit impatient de toute espèce de joug ne peut s'asservir à la loi du moment; la crainte même de ne pas apprendre m'empêche d'être attentif; de peur d'impatienter celui qui me parle, je feins d'entendre, il va en avant, et je n'entends rien. Mon esprit veut marcher à son heure, il ne peut[c] se soumettre à celle d'autrui.

Le temps des ordinations étant venu, M. Gâtier s'en retourna diacre dans sa province. Il emporta mes regrets, mon[d] attachement, ma reconnaissance. Je fis pour lui des vœux qui n'ont pas été plus exaucés que ceux que j'ai faits pour moi-même. Quelques années après j'appris qu'étant vicaire dans une paroisse, il avait fait un enfant à une fille, la seule dont, avec un cœur très tendre, il[e] eût jamais été amoureux. Ce fut un scandale effroyable[f] dans un diocèse administré très sévèrement. Les prêtres, en bonne règle, ne doivent faire des enfants qu'à des femmes mariées. Pour avoir manqué à cette loi de convenance[g], il fut mis en prison, diffamé, chassé. Je ne sais s'il aura pu dans la suite rétablir ses affaires; mais le sentiment de son infortune, profondément gravé dans mon cœur, me revint quand j'écrivis l'*Émile*, et réunissant M. Gâtier avec M. Gaime, je fis[h] de ces deux dignes prêtres l'original du Vicaire savoyard. Je me flatte que[i] l'imitation n'a pas déshonoré mes modèles.

Pendant que j'étais au séminaire, M. d'Aubonne fut obligé de quitter Annecy. M. l'Intendant s'avisa de trouver mauvais qu'il fît l'amour à sa femme. C'était faire comme le chien du jardinier : car, quoique Mᵐᵉ Corvesi fût[j] aimable, il vivait fort mal avec elle; des goûts ultramontains la lui rendaient inutile[1], et il la traitait si brutalement qu'il

1. « Le chien du jardinier ne veut pas de sa pâtée, et grogne si les bœufs la mangent. » Ce proverbe castillan fournit le titre d'une célèbre comédie de Lope de Vega. Les « goûts ultramontains » attribués à M. Corvesi ne sont autres que l'homosexualité volontiers reprochée aux Italiens, dès le xvɪᵉ siècle, par les Français (voir par exemple les *Regrets* de Du Bellay).

fut question de séparation. M. Corvesi était un vilain
homme, noir comme une taupe, fripon comme une chouette,
et qui à force de vexations finit par se faire[a] chasser lui-
même. On dit que les Provençaux se vengent de leurs
ennemis par des chansons : M. d'Aubonne se vengea du
sien par une comédie; il envoya cette pièce à M[me] de
Warens, qui me la fit voir. Elle me plut, et me fit naître
la fantaisie d'en faire une[b] pour essayer si j'étais en effet
aussi bête que l'auteur l'avait prononcé : mais ce ne fut qu'à
Chambéry que j'exécutai ce projet en écrivant l'*Amant
de lui-même*. Ainsi quand j'ai dit dans la préface de cette
pièce que je[c] l'avais écrite à dix-huit ans, j'ai menti de
quelques années[1][d].

C'est à peu près à ce temps-ci que se rapporte un
événement peu important en lui-même, mais qui a eu pour
moi des suites, et qui a fait du bruit dans le monde quand
je l'avais[e] oublié. Toutes les semaines j'avais une fois la
permission de sortir[f]; je n'ai pas besoin de dire quel usage
j'en faisais. Un dimanche que j'étais chez Maman, le feu
prit à un bâtiment des Cordeliers attenant à la maison
qu'elle occupait. Ce bâtiment, où était leur four, était plein
jusqu'au comble de fascines sèches. Tout fut[g] embrasé
en très peu de temps[h] : la maison était en grand péril et
couverte par les flammes que le vent y portait. On se mit
en devoir de déménager en hâte[i] et de porter les meubles
dans le jardin, qui était vis-à-vis mes anciennes fenêtres[j]
et au delà du ruisseau dont j'ai parlé. J'étais si troublé,
que je jetais[k] indifféremment par la fenêtre tout ce qui
me tombait sous la main, jusqu'à un gros mortier de[l]
pierre qu'en tout autre temps[m] j'aurais eu peine à sou-
lever. J'étais prêt[n] à y jeter de même une grande glace

1. Rousseau explique au livre VII (p. 334) comment sa comédie de
jeunesse *Narcisse, ou l'amant de lui-même,* fut « retouchée » par Mari-
vaux avant d'être représentée en déc. 1752, et publiée en 1753 avec une
préface dans laquelle l'auteur du *Discours sur les Sciences et les Arts* se
défend contre le reproche d'inconséquence. On ignore la date de com-
position, le séjour à Chambéry s'étendant de la fin de 1731 à la fin de
1741; J. Scherer, dernier éditeur de la pièce (*O.C.,* t. II, 1961, p. 1859),
opine pour « plusieurs rédactions successives », sous l'influence des
succès contemporains de Voltaire et de Marivaux à la scène, peut-être
à partir de 1733-1734. Il est donc difficile de dire de combien d'années
Rousseau a menti; cet aveu est en tout cas une de ses « confessions »
mineures.

si quelqu'un ne m'eût retenu[a]. Le bon évêque, qui était venu[b] voir Maman ce jour-là, ne resta pas non plus oisif : il l'emmena dans le jardin[c], où il se mit en prières avec elle et[d] tous ceux qui étaient là; en sorte qu'arrivant[e] quelque temps après, je vis tout le monde à genoux, et m'y mis, comme les autres[f]. Durant la prière du saint homme le vent changea, mais si brusquemment et si à propos, que les flammes qui couvraient la maison et entraient déjà par les fenêtres furent portées de l'autre côté de la cour, et la maison n'eut aucun mal. Deux[g] ans après, M. de Bernex étant mort, les Antonins, ses anciens confrères, commencèrent à recueillir les pièces qui pouvaient[h] servir à sa béatification[1]. A la prière du père Boudet, je joignis à ces pièces une attestation du fait que je viens de[i] rapporter, en quoi je fis bien; mais en quoi je fis mal, ce fut de donner ce fait pour un miracle. J'avais vu l'évêque en[j] prière, et durant sa prière, j'avais vu le vent changer[k] et même très à propos; voilà ce que je pouvais dire et certifier; mais qu'une de ces[l] deux choses fût la cause de l'autre, voilà ce que je ne devais pas attester, parce que je ne pouvais le savoir. Cependant, autant que je puis me rappeler mes idées, alors sincèrement catholique, j'étais de bonne foi. L'amour du merveilleux, si naturel au cœur humain[m], ma vénération pour ce vertueux prélat, l'orgueil secret d'avoir peut-être contribué moi-même

1. L'ordre de Saint-Antoine, largement répandu dans la région du Rhône et en Savoie, avait été fondé en 1070 à Vienne (en France) par un gentilhomme dauphinois, son fils ayant été guéri après un pèlerinage à un sanctuaire abritant des reliques de saint Antoine. Les religieux soignaient à l'origine les victimes du « feu Antoine » ou Mal des Ardents, et parcouraient les rues en agitant une clochette pour solliciter la générosité des fidèles. Cette maladie ayant à peu près disparu au XVIIIe siècle, l'ordre fut réuni en 1777 à celui de Malte.

L'évêque mourut cinq ans après l'incendie, et ce n'est pas deux mais près de douze ans plus tard (1742) que Rousseau ajouta sa contribution aux documents réunis pour un éventuel procès en béatification. Elle fut probablement remise au P. Boudet par Mme de Warens (et non par Rousseau lui-même) lors d'une visite du Père aux Charmettes en 1742. On trouvera le mémoire·dans la *C.G.*, I, 152. Alors qu'il n'était publié que fragmentairement dans le livre du P. Boudet, il le fut intégralement par les soins ironiques de Fréron — comme Rousseau le signale plus loin — dans *l'Année littéraire*, t. II de 1765, pp. 260-262. Les *Lettres de la Montagne*, rejetant l'autorité des miracles, avaient paru quelques mois plus tôt (décembre 1764).

au miracle aidèrent à me séduire; et ce qu'il y a de sûr est que si ce miracle eût été l'effet des plus ardentes prières, j'aurais bien pu m'en attribuer ma part.

Plus de trente ans après, lorsque j'eus publié les *Lettres de la Montagne*[a], M. Fréron déterra ce certificat, je ne sais comment, et en fit usage dans ses feuilles. Il faut avouer que la[b] découverte était heureuse, et l'à-propos me parut à moi-même très plaisant.

J'étais destiné à être le rebut de tous les états. Quoique M. Gâtier eût rendu de mes progrès le compte le moins défavorable[c] qui lui fût possible, on voyait qu'ils n'étaient pas proportionnés à mon travail, et cela n'était pas encourageant pour[d] me faire pousser mes études. Aussi l'évêque et le supérieur se rebutèrent-ils, et[e] on me rendit à M^me de Warens comme un sujet qui n'était pas même bon pour être prêtre; au reste assez bon garçon, disait-on, et point vicieux : ce qui fit[f] que, malgré tant de préjugés rebutants sur mon compte, elle ne m'abandonna pas.

Je rapportai chez elle en triomphe son livre de musique, dont j'avais tiré si bon parti. Mon air d'*Alphée et Aréthuse* était à peu près tout ce que j'avais appris au séminaire. Mon goût marqué pour cet art[g] lui fit naître[h] la pensée de me faire musicien[i] : l'occasion était commode; on faisait chez elle, au moins une fois la semaine, de la musique, et le maître de musique de la cathédrale, qui dirigeait ce petit concert, venait la voir très souvent. C'était un Parisien nommé M. Le Maître, bon compositeur, fort vif, fort gai, jeune encore, assez bien fait, peu d'esprit, mais au demeurant très bon homme[j]. Maman me fit faire sa connaissance : je m'attachais à lui, je ne lui déplaisais pas : on parla de pension, l'on en convint[k]. Bref, j'entrai chez lui, et j'y passai l'hiver d'autant plus agréablement que, la maîtrise n'étant qu'à[l] vingt pas de la maison de[m] Maman, nous étions chez elle[n] en un moment, et nous y soupions très souvent[o] ensemble[p].

On jugera bien que la vie de la maîtrise, toujours chantante et gaie, avec les musiciens et les enfants de chœur, me plaisait plus que celle du séminaire avec les[q] pères de Saint-Lazare. Cependant cette vie, pour être plus libre, n'en était pas moins égale et réglée. J'étais fait pour aimer l'indépendance et pour n'en abuser jamais. Durant six mois[r] entiers je ne sortis pas une seule fois que pour aller chez Maman ou à l'église, et je n'en fus pas même tenté.

Cet intervalle est un de ceux où j'ai vécu dans le plus grand calme, et que je me suis rappelés avec le plus de plaisir. Dans les situations diverses où je me suis trouvé, quelques-uns[a] ont été marqués par un tel sentiment de bien-être[b], qu'en les remémorant j'en suis affecté comme si j'y étais encore. Non seulement je me rappelle les temps, les lieux, les personnes, mais tous les objets environnants, la température[c] de l'air, son odeur, sa couleur, une certaine impression locale qui ne s'est fait sentir que là, et dont le[d] souvenir vif m'y transporte de nouveau. Par exemple[e], tout ce qu'on répétait[f] à la maîtrise, tout ce qu'on chantait[g] au chœur, tout ce qu'on y faisait, le bel et noble habit des chanoines[1], les chasubles des prêtres, les mitres des chantres, la figure des musiciens, un vieux charpentier boiteux qui jouait de la contrebasse, un petit abbé blondin qui jouait du violon, le lambeau de soutane[h] qu'après avoir posé son épée[i], M. Le Maître endossait par-dessus son habit laïque, et le beau surplis fin dont il en couvrait les loques pour aller au chœur; l'orgueil avec lequel j'allais[j], tenant ma petite flûte à bec, m'établir dans l'orchestre à la tribune pour un petit bout[k] de récit que M. Le Maître avait fait exprès pour moi, le bon dîner qui nous attendait[l] ensuite, le bon appétit qu'on y portait; ce concours d'objets[m] vivement retracé m'a cent fois charmé dans ma mémoire, autant et plus[n] que dans la réalité. J'ai gardé toujours une affection tendre pour un certain air du *Conditor alme siderum* qui marche par ïambes, parce qu'un dimanche de l'Avent j'entendis de mon lit chanter cette hymne avant[o] le jour sur le perron de la cathédrale, selon un rite de cette église-là. M[lle] Merceret, femme de chambre de Maman[p], savait un peu de musique; je n'oublierai jamais un petit motet[q] *Afferte* que M. Le Maître me fit chanter avec elle, et que sa maîtresse écoutait avec tant de plaisir. Enfin tout, jusqu'à la bonne servante Perrine, qui était si bonne fille et que les enfants de chœur faisaient tant endêver, tout[r], dans les souvenirs de ces temps de bonheur et d'innocence, revient souvent me ravir et m'attrister.

Je vivais à Annecy depuis[s] près d'un an sans le moindre

1. « Le bel et noble habit des chanoines » d'Annecy, porté dans le chœur lors des offices, était fixé par un bref de 1604 du pape Paul V; il était bleu et rouge (Serand).

reproche[a]; tout le monde était content de moi. Depuis mon départ de Turin je n'avais point fait de sottise, et je n'en fis point tant que je fus sous les yeux de Maman. Elle me conduisait, et me conduisait[b] toujours bien; mon attachement pour elle était devenu ma seule passion[c]; et ce qui prouve que ce n'était pas une passion folle, c'est que mon cœur formait ma raison. Il est vrai qu'un seul sentiment, absorbant pour ainsi dire toutes mes facultés, me mettait hors d'état de rien apprendre, pas même la musique[d], bien que j'y fisse tous mes efforts. Mais il n'y avait point de ma faute; la bonne volonté y était tout entière, l'assiduité y était. J'étais distrait, rêveur, je soupirais : qu'y pouvais-je faire? Il ne manquait à mes progrès rien qui dépendît de moi; mais pour que je fisse de nouvelles folies il ne fallait qu'un sujet qui vînt me les inspirer. Ce sujet se présenta; le hasard arrangea les choses[e], et, comme on verra dans la suite, ma mauvaise tête en tira parti.

Un soir du mois de février qu'il faisait bien froid, comme nous étions tous autour du feu, nous entendîmes[f] frapper à la porte de la[g] rue. Perrine prend sa lanterne, descend, ouvre; un jeune homme entre[h] avec elle, monte, se présente d'un air aisé, et fait à M. Le Maître un[i] compliment court et bien tourné, se donnant pour un musicien français que le mauvais état de ses finances forçait de vicarier pour passer son chemin. A ce mot de musicien français le cœur tressaillit au bon[j] Le Maître; il aimait passionnément son pays et son art. Il accueillit le jeune passager, lui offrit le gîte, dont il paraissait avoir grand besoin, et qu'il accepta sans beaucoup de façon. Je l'examinai tandis qu'il se chauffait et qu'il jasait en attendant le souper. Il était court de stature[k], mais large de carrure; il avait[l] je ne sais quoi de contrefait dans[m] sa taille sans aucune difformité particulière; c'était pour ainsi dire un bossu à épaules plates[n], mais je crois qu'il boitait un peu. Il avait un habit noir plutôt usé que vieux, et qui tombait[o] par pièces, une chemise très fine et très sale, de belles manchettes d'effilé, des guêtres dans chacune desquelles il aurait mis ses deux jambes, et pour se garantir[p] de la neige un petit chapeau à porter sous le bras. Dans ce comique équipage[q] il y avait pourtant quelque chose de noble que son maintien ne démentait pas; sa physionomie avait de la finesse et de l'agrément; il parlait facilement

et bien, mais très peu modestement. Tout marquait en
lui un jeune débauché qui avait eu de l'éducation, et qui[a]
n'allait pas gueusant comme un gueux, mais comme un
fou[1]. Il nous dit qu'il s'appelait Venture de Villeneuve,
qu'il venait de Paris, qu'il s'était égaré dans sa route[b]; et
oubliant un peu son rôle de musicien, il ajouta qu'il allait
à Grenoble voir un parent qu'il avait dans le parlement.

Pendant le souper[c] on parla de musique, et il en parla[d]
bien. Il connaissait tous les grands virtuoses, tous les
ouvrages célèbres, tous les acteurs[e], toutes les actrices,
toutes les jolies femmes, tous les grands seigneurs. Sur
tout ce qu'on disait il[f] paraissait au fait; mais à peine un
sujet était-il entamé qu'il[g] brouillait l'entretien par quelque
polissonnerie qui faisait rire et oublier ce qu'on avait dit.
C'était un samedi; il y avait le lendemain musique à la
cathédrale; M. Le Maître lui[h] propose d'y chanter : *Très
volontiers*[1]; lui demande quelle est sa partie : *la haute-contre*[i],
et il parle d'autre chose. Avant d'aller à l'église[k] on lui
offrit sa partie à prévoir[2]; il n'y jeta pas les yeux. Cette
gasconnade surprit Le Maître. Vous verrez, me dit-il à
l'oreille, qu'il ne sait pas une note de musique. J'en ai
grand'peur, lui répondis-je. Je les suivis très inquiet.
Quand on commença, le cœur me battit d'une terrible
force, car je m'intéressais beaucoup[l] à lui.

J'eus bientôt de quoi me rassurer. Il chanta ses deux
récits avec toute la justesse et[m] tout le goût imaginables,
et qui plus est, avec une très jolie voix. Je n'ai guère eu de[n]
plus agréable surprise. Après la messe[o], M. Venture reçut
des compliments à perte de vue des chanoines et des musi-
ciens[p], auxquels il répondait en polissonnant, mais toujours
avec beaucoup de grâce. M. Le Maître l'embrassa de bon
cœur; j'en fis autant : il vit que j'étais bien aise, et cela parut
lui faire plaisir.

On conviendra, je m'assure, qu'après m'être engoué
de M. Bâcle, qui[q] tout compté n'était qu'un manant,

1. Cette page très littéraire évoque un peu le *Roman comique,*
auquel Rousseau fera allusion plus loin. *Vicarier* se disait, comme on
le voit ici et plus loin p. 163, des musiciens qui offraient de ville en
ville leurs services dans les maîtrises. L'*effilé* est un linge à franges.
Gueuser, encore employé au xix[e] siècle, c'est « faire métier de demander
l'aumône » (Littré).

2. *Haute-contre :* voix de ténor. — *Prévoir* est inusité, selon Littré,
au sens où l'emploie ici Rousseau : étudier d'avance.

je pouvais m'engouer de M. Venture, qui avait de l'éduca-
tion, des talents, de l'esprit[a], de l'usage du monde, et qui
pouvait passer pour un aimable débauché. C'est aussi ce
qui m'arriva, et ce qui serait arrivé, je pense, à tout autre
jeune homme à ma place[b], d'autant plus facilement encore
qu'il aurait eu un meilleur tact pour sentir[c] le mérite,
et un meilleur goût pour[d] s'y attacher; car Venture en
avait[e], sans contredit, et il en avait surtout un bien rare
à son âge, celui de n'être point pressé[f] de montrer son
acquis. Il est vrai qu'il se vantait de beaucoup de choses
qu'il ne savait point; mais pour celles qu'il savait et qui
étaient en assez grand nombre, il n'en[g] disait rien : il atten-
dait l'occasion de les montrer; il s'en prévalait alors sans
empressement, et cela faisait le plus grand effet. Comme
il s'arrêtait après chaque chose sans parler du reste, on ne
savait[h] plus quand il aurait tout montré[i]. Badin, folâtre,
inépuisable[j], séduisant dans la conversation[k], souriant
toujours et ne riant jamais, il disait du ton le plus élégant
les choses les plus grossières, et les faisait passer[l]. Les
femmes même[s] les plus modestes s'étonnaient de[m] ce qu'elles
enduraient de lui. Elles avaient beau sentir qu'il fallait se
fâcher, elles n'en avaient pas la force. Il ne lui fallait que
des filles[n] perdues, et je ne crois pas qu'il fût fait pour avoir
des bonnes fortunes, mais il était fait pour mettre un agré-
ment infini dans[o] la société des gens qui en avaient. Il[p]
était difficile qu'avec tant de talents agréables, dans un pays
où[q] l'on s'y connaît et où on les aime, il restât borné
longtemps à la sphère des musiciens.

Mon goût pour M. Venture, plus raisonnable dans sa
cause, fut aussi moins extravagant dans ses effets, quoique
plus vif et plus durable que celui que j'avais pris pour[r]
M. Bâcle. J'aimais à le voir, à l'entendre; tout ce qu'il
faisait me paraissait charmant; tout ce qu'il disait[s] me
semblait des oracles; mais mon[t] engouement n'allait
point jusqu'à ne pouvoir me séparer de lui. J'avais à
mon voisinage un bon préservatif contre[u] cet excès.
D'ailleurs, trouvant ses maximes très bonnes pour lui,
je sentais qu'elles n'étaient[v] pas à mon usage; il me fallait
une autre sorte de volupté, dont il n'avait pas l'idée, et
dont je n'osais[w] même lui parler, bien sûr qu'il se serait
moqué de moi. Cependant j'aurais voulu allier cet atta-
chement avec celui qui me[x] dominait. J'en parlais à
Maman avec transport; Le Maître lui en[y] parlait avec éloges.

Elle consentit qu'on le lui amenât. Mais cette entrevue
ne réussit point du tout : il la trouva précieuse; elle le
trouva libertin; et, s'alarmant pour moi d'une aussi
mauvaise[a] connaissance, non seulement elle me défendit
de le lui ramener, mais elle me peignit si fortement[b] les
dangers que je courais avec ce jeune homme, que je devins un
peu plus circonspect à m'y livrer, et très heureusement pour
mes mœurs et pour ma tête, nous fûmes bientôt séparés.

M. Le Maître avait les goûts de son art; il aimait le vin.
A table cependant il était sobre, mais en travaillant dans
son cabinet il fallait qu'il bût. Sa servante le savait si bien,
que, sitôt qu'il préparait son papier pour composer, et
qu'il prenait son violoncelle, son[c] pot et son verre arri-
vaient l'instant d'après, et le pot se renouvelait de temps
à autre. Sans jamais être[d] absolument ivre, il était presque
toujours pris de vin; et en vérité c'était dommage, car
c'était un garçon[e] essentiellement bon et si gai que Maman
ne l'appelait que *petit chat*. Malheureusement il aimait son
talent, travaillait beaucoup, et buvait de même. Cela prit
sur sa santé et enfin sur son humeur[f] : il était quelquefois
ombrageux et facile à offenser. Incapable de grossièreté,
incapable de manquer à qui que ce[g] fût, il n'a jamais dit
une mauvaise parole, même à un de ses enfants de chœur;
mais il ne fallait pas non plus lui manquer, et cela était
juste. Le mal était qu'ayant peu d'esprit, il[h] ne discernait
pas les tons et les caractères, et[i] prenait souvent la mouche
sur rien.

L'ancien Chapitre de Genève, où jadis tant de princes
et d'évêques se faisaient un honneur d'entrer, a perdu
dans son exil son ancienne splendeur, mais il a conservé
sa fierté. Pour pouvoir y être admis, il faut toujours
être gentilhomme ou docteur de Sorbonne[j], et s'il est un
orgueil pardonnable, après celui qui se tire du mérite
personnel, c'est celui qui se tire de la naissance. D'ailleurs
tous les prêtres qui[k] ont des laïques à leurs gages les
traitent d'ordinaire avec assez de hauteur. C'est ainsi
que les chanoines traitaient souvent le pauvre Le Maître.
Le chantre surtout[l], appelé M. l'abbé de Vidonne, qui
du reste était un très galant homme, mais trop plein de
sa noblesse, n'avait pas toujours pour lui les égards que
méritaient ses talents; et l'autre[m] n'endurait pas volontiers
ces dédains. Cette année ils eurent, durant la semaine
sainte, un démêlé plus vif qu'à l'ordinaire dans un dîner[n]

de règle que l'évêque donnait aux chanoines, et où[a] Le Maître était toujours invité[b]. Le chantre lui fit quelque passe-droit, et lui dit[c] quelque parole dure que[d] celui-ci ne put digérer; il prit sur-le-champ la résolution de s'enfuir la[e] nuit suivante, et rien ne put l'en faire démordre, quoique M[me] de Warens, à qui il alla faire ses adieux[1], n'épargnât rien pour l'apaiser. Il ne put renoncer au plaisir de se venger de ses tyrans, en les laissant dans l'embarras aux fêtes de Pâques, temps où l'on avait le plus grand besoin de lui. Mais ce qui l'embarrassait[g] lui-même était sa musique qu'il voulait emporter, ce qui n'était pas facile : elle formait une caisse assez grosse et fort lourde, qui ne s'emportait pas sous le bras.

Maman fit ce que j'aurais fait, et ce que je ferais encore à sa place. Après bien des efforts inutiles pour le retenir, le voyant résolu de partir comme que ce fût, elle prit le parti de l'aider en tout ce qui dépendait d'elle. J'ose dire qu'elle le devait[h]. Le Maître s'était consacré, pour ainsi dire, à son service. Soit[i] en ce qui tenait à son art, soit en ce qui tenait à ses soins, il était entièrement à ses ordres, et le cœur avec lequel il les suivait[j] donnait à sa complaisance un nouveau prix. Elle ne faisait donc que rendre à un ami, dans une occasion essentielle, ce qu'il faisait pour elle en détail depuis trois ou quatre ans; mais elle avait une âme qui, pour remplir de pareils devoirs, n'avait pas besoin de songer que c'en[k] étaient pour elle. Elle me fit venir, m'ordonna de suivre M. Le Maître au moins jusqu'à Lyon, et de m'attacher à lui aussi longtemps qu'il aurait besoin de moi. Elle m'a depuis avoué que le désir de m'éloigner de Venture était entré pour beaucoup dans cet arrangement. Elle consulta Claude Anet, son fidèle domestique[l], pour le transport de la caisse. Il fut d'avis qu'au lieu de prendre à Annecy une bête de somme, qui nous ferait infailliblement découvrir, il fallait, quand il serait nuit, porter la caisse à bras jusqu'à une certaine distance, et louer ensuite un âne dans un village pour la transporter jusqu'à Seyssel[1] où, étant sur terres de France, nous[m] n'aurions plus rien à risquer. Cet avis fut suivi; nous partîmes le[n] même soir à sept heures, et[o] Maman, sous prétexte de payer ma dépense, grossit la[p] petite bourse du

1. De Seyssel (actuel département de l'Ain), à 35 kilomètres d'Annecy, partait le coche pour Lyon.

pauvre *petit chat* d'un surcroît qui ne lui fut pas inutile.
Claude Anet, le jardinier et moi, portâmes la caisse comme
nous pûmes jusqu'au premier village, où un âne nous
relaya, et la même nuit nous nous rendîmes à Seyssel.

Je crois avoir déjà remarqué qu'il y a des temps où
je suis si peu semblable à moi-même qu'on me prendrait
pour un autre homme de caractère tout opposé. On en
va voir un exemple. M. Reydelet, curé de Seyssel, était
chanoine de Saint-Pierre, par conséquent de la connais-
sance de M. Le Maître, et l'un des hommes dont il devait
le plus se cacher. Mon avis fut au contraire d'aller nous
présenter à lui, et lui demander gîte sous quelque prétexte,
comme si nous étions là[a] du consentement du Chapitre.
Le Maître goûta cette idée qui rendait sa vengeance[b]
moqueuse et plaisante. Nous allâmes donc effrontément
chez M. Reydelet[c], qui nous reçut très bien. Le Maître
lui dit qu'il allait à Belley, à la prière de l'évêque, diriger
sa musique aux fêtes de Pâques[d]; qu'il comptait repasser
dans peu de jours, et moi, à l'appui de ce mensonge, j'en
enfilai cent autres si naturels[e], que M. Reydelet, me
trouvant joli garçon, me prit en amitié et me fit mille
caresses. Nous fûmes bien régalés, bien couchés[f]. M. Rey-
delet ne savait quelle chère nous faire; et nous nous
séparâmes les meilleurs amis du monde, avec promesse
de[g] nous arrêter plus longtemps au retour[h]. A peine
pûmes-nous attendre que nous fussions seuls pour com-
mencer nos éclats de rire, et j'avoue qu'ils me reprennent
encore en y pensant, car on ne saurait imaginer une
espièglerie mieux soutenue[i] et plus heureuse. Elle nous
eût égayés durant toute la route, si M. Le Maître, qui ne
cessait de boire et de battre la campagne, n'eût été attaqué
deux ou trois fois d'une atteinte à laquelle il devenait[j]
très sujet et qui ressemblait[k] fort à l'épilepsie. Cela me jeta
dans des embarras qui m'effrayèrent, et dont je[l] pensai
bientôt à me tirer comme je pourrais.

Nous allâmes à Belley passer les fêtes de Pâques comme
nous l'avions dit à M. Reydelet; et, quoique nous n'y
fussions[m] point attendus, nous fûmes reçus du Maître
de musique et accueillis de tout le monde avec grand
plaisir. M. Le Maître[n] avait de la considération dans son
art, et la méritait. Le maître de musique de Belley se fit
honneur de ses meilleurs ouvrages et tâcha d'obtenir
l'approbation d'un si bon juge : car outre que Le Maître

était connaisseur, il était équitable, point jaloux et point flagorneur[a]. Il était si supérieur à tous ces[b] maîtres de musique de province, et ils le sentaient si bien eux-mêmes, qu'ils le regardaient moins comme leur confrère que comme leur chef[c].

Après avoir passé très agréablement quatre ou cinq jours à Belley, nous en repartîmes et continuâmes notre route sans autre accident que ceux dont je viens de parler. Arrivés à Lyon, nous fûmes loger à Notre-Dame-de-Pitié[1], et en attendant la caisse, qu'à la faveur d'un autre mensonge nous avions embarquée sur le Rhône[d] par les soins de notre bon patron M. Reydelet[e], M. Le Maître alla voir ses connaissances, entre autres le P. Caton, cordelier[f], dont il sera parlé dans la suite, et l'abbé Dortan, comte de Lyon. L'un et l'autre le reçurent bien; mais ils le trahirent[g] comme on verra[h] tout à l'heure; son bonheur s'était épuisé chez M. Reydelet.

Deux jours après notre arrivée à Lyon, comme nous passions dans une petite rue, non loin de notre auberge, Le Maître fut[i] surpris d'une de ses atteintes, et celle-là fut si violente que j'en fus saisi[j] d'effroi. Je fis des cris, appelai du secours, nommai son auberge et suppliai qu'on l'y fît porter; puis, tandis qu'on s'assemblait et s'empressait autour d'un homme tombé sans sentiment et écumant au milieu de la rue, il fut délaissé du seul ami sur lequel il[k] eût dû compter. Je pris[l] l'instant où personne ne songeait à moi; je tournai le coin de la rue et je disparus. Grâce au Ciel, j'ai fini ce[m] troisième aveu pénible. S'il m'en restait beaucoup de pareils à faire, j'abandonnerais le travail que j'ai commencé[n].

De tout ce que j'ai dit jusqu'à présent, il[o] en est resté quelques traces dans les lieux où j'ai vécu; mais ce que j'ai à dire dans[p] le livre suivant est presque[q] entièrement ignoré. Ce sont les plus grandes extravagances de ma vie, et il est heureux qu'elles n'aient pas plus mal fini. Mais ma tête, montée au ton d'un instrument étranger, était hors de son diapason : elle y revint d'elle-même,

1. L'auberge de Notre-Dame-de-la-Pitié, rue Sirène à Lyon (aujourd'hui 32, rue de l'Hôtel-de-Ville), portait au xixe siècle, jusqu'à sa démolition en 1864, une plaque avec l'inscription « J.-J. Rousseau a logé dans cet hôtel en 1732 » [en fait, 1730]. Rousseau y descendit de nouveau en 1768.

et alors je cessai mes folies, ou du moins j'en fis de plus accordantes à mon naturel. Cette époque de ma[a] jeunesse est celle dont j'ai l'idée la plus confuse. Rien presque ne s'y est passé d'assez intéressant[b] à mon cœur pour m'en[c] retracer vivement le souvenir, et il est difficile que dans tant[d] d'allées et venues, dans tant de déplacements successifs, je ne fasse pas quelques transpositions de temps ou de lieu. J'écris absolument de mémoire, sans monuments, sans matériaux qui puissent me la rappeler. Il y a des événements de ma vie qui me sont aussi présents que s'ils venaient d'arriver; mais il y a des lacunes et des vides que je ne[e] peux remplir qu'à l'aide de récits aussi confus que le souvenir qui m'en est resté. J'ai donc pu faire des erreurs quelquefois, et j'en pourrai faire encore[f] sur des bagatelles, jusqu'au temps où j'ai de moi des renseignements plus sûrs; mais en ce qui importe vraiment au sujet, je suis assuré d'être exact et fidèle, comme je tâcherai toujours de l'être en tout : voilà sur quoi l'on peut compter.

Sitôt que j'eus quitté M. Le Maître, ma résolution fut prise et je[g] repartis pour Annecy. La cause et le mystère de notre départ m'avaient donné un grand intérêt pour la sûreté de notre retraite; et cet intérêt, m'occupant tout entier, avait fait[h] diversion durant quelques jours à celui qui me rappelait en arrière; mais dès que la sécurité me laissa plus tranquille, le sentiment dominant reprit sa place. Rien ne me flattait, rien ne me tentait, je n'avais de désir pour rien que pour retourner auprès de Maman. La tendresse et la vérité de mon attachement pour elle avaient déraciné de mon cœur tous les projets imaginaires, toutes les folies de l'ambition. Je ne voyais plus d'autre bonheur que celui de vivre auprès d'elle, et je ne faisais pas un pas sans sentir que je m'éloignais de ce bonheur[i]. J'y revins donc aussitôt que cela me fut possible. Mon[j] retour fut si prompt et mon esprit si distrait, que, quoique je me rappelle avec tant de plaisir tous[k] mes autres voyages, je n'ai pas le moindre souvenir de celui-là[l]; je ne m'en rappelle rien du tout, sinon mon départ de Lyon et mon arrivée à Annecy. Qu'on juge surtout si cette dernière époque a dû sortir de ma mémoire ! En arrivant, je ne trouvai plus M^me de Warens; elle était partie[m] pour Paris.

Je n'ai jamais bien su le secret de ce voyage. Elle me l'aurait dit, j'en suis très sûr, si je l'en avais pressée; mais

jamais homme ne fut moins curieux que moi[a] du secret
de ses amis : mon cœur, uniquement occupé du présent[b],
en remplit toute sa capacité, tout son espace[c] et, hors les
plaisirs passés qui font désormais mes uniques jouissances,
il n'y reste pas un coin de vide pour ce qui n'est plus.
Tout ce que j'ai cru d'entrevoir dans[d] le peu qu'elle m'en
a dit est que, dans la révolution[e] causée à Turin par l'abdi-
cation du roi de Sardaigne, elle craignit d'être oubliée,
et voulut, à la faveur des intrigues de M. d'Aubonne,
chercher le même avantage à la cour de France, où elle
m'a souvent dit qu'elle[f] l'eût préféré, parce que la multi-
tude des grandes affaires fait qu'on n'y est pas si désagréa-
blement surveillé. Si cela est, il est[g] bien étonnant qu'à
son retour on ne lui ait pas fait plus mauvais visage, et
qu'elle ait toujours joui de sa pension sans[h] aucune
interruption. Bien des gens ont cru qu'elle avait été chargée
de quelque commission secrète, soit de la part de l'évêque,
qui avait alors[i] des affaires à la cour de France, où il fut
lui-même obligé d'aller[j], soit de la part de quelqu'un
plus puissant encore, qui sut lui ménager un heureux
retour. Ce qu'il y a de sûr, si cela est, est que l'ambassa-
drice n'était pas mal choisie, et que, jeune et belle encore,
elle avait tous les talents nécessaires pour se bien tirer
d'une négociation[1][k].

1. On remarquera (voir les variantes) que la fin du livre III et le
début du livre IV ne sont pas les mêmes dans les manuscrits de Genève
et Paris d'une part, de Neuchâtel de l'autre. On peut en tirer d'inté-
ressantes conclusions sur l'importance que Rousseau a voulu donner
à l'aveu pénible de l'abandon de M. Le Maître.

C'est fin avril 1730 (Pâques tombant cette année-là le 9 avril) que
Rousseau revient à Annecy pour y constater l'absence de M[me] de
Warens. Les raisons du voyage à Paris de M[me] de Warens et de d'Au-
bonne sont évidemment politiques. Benedetto a montré que d'Au-
bonne voulait proposer aux Sardes un plan de révolution dans le pays
de Vaud. Le départ pour Paris de M[me] de Warens ne saurait en tout
cas, comme le croit Rousseau, être la conséquence de l'abdication de
Victor-Amédée II — laquelle ne survint que près de cinq mois
plus tard. En revanche M[me] de Warens, après avoir quitté Paris et
séjourné à Lyon, se rendit à Turin (août-sept. 1730) où elle obtint du
nouveau monarque Charles-Emmanuel III la reconduction de sa pen-
sion, avant de s'installer définitivement à Chambéry où Rousseau la
rejoignit un an plus tard.

LIVRE IV[a]

J'ARRIVE, et je ne la trouve plus. Qu'on juge de ma sur-
prise et de ma douleur ! C'est alors que le[b] regret
d'avoir lâchement abandonné[c] M. Le Maître commença
de se faire sentir; il fut[d] plus vif encore quand j'appris le
malheur qui lui était arrivé. Sa caisse de musique qui conte-
nait[e] toute sa fortune, cette précieuse caisse, sauvée avec
tant de fatigue, avait été saisie[f] en arrivant à Lyon, par les
soins du comte Dortan, à qui le Chapitre avait fait écrire
pour le prévenir de cet enlèvement furtif. Le Maître avait[g]
en vain réclamé son bien[h], son gagne-pain, le travail de
toute sa vie. La propriété de cette caisse était[i] tout au moins
sujette à litige; il n'y en eut point. L'affaire fut décidée
à l'instant même par la loi du plus fort, et le pauvre Le
Maître perdit ainsi[j] le fruit de ses talents, l'ouvrage de sa
jeunesse, et la ressource de ses vieux jours.

Il ne manqua rien au coup que je reçus pour le rendre
accablant. Mais j'étais dans un âge où les[k] grands chagrins
ont peu de prise, et je me forgeai bientôt des consolations.
Je comptais avoir dans peu des nouvelles de Mme de
Warens, quoique je ne susse pas son adresse et qu'elle
ignorât que j'étais de retour; et quant à ma désertion[l],
tout bien compté, je ne la trouvais pas si coupable. J'avais
été utile à M. Le Maître dans sa retraite, c'était le seul service
qui dépendît de moi. Si j'avais resté avec lui en France, je
ne l'aurais pas guéri de son mal, je n'aurais pas sauvé sa
caisse, je n'aurais fait que doubler sa dépense, sans lui
pouvoir être bon à rien[m]. Voilà comment alors je voyais
la chose : je la vois autrement aujourd'hui. Ce n'est pas
quand une vilaine action vient d'être faite[n] qu'elle nous
tourmente, c'est[o] quand longtemps après on se la rappelle;
car le souvenir ne s'en éteint point[1][p].

1. Sur les effets du remords, voir *supra,* livre II, p. 93, n. 1.

Le seul parti que j'avais à prendre pour avoir des nou-
velles de Maman était d'en attendre; car où l'aller chercher
à Paris, et avec quoi faire le voyage ? Il n'y avait point de
lieu plus sûr qu'Annecy pour[a] savoir tôt ou tard où elle
était[b]. J'y restai donc. Mais je me conduisis assez mal.
Je n'allai[c] pas voir l'évêque qui m'avait protégé et qui[d]
me pouvait protéger encore. Je n'avais plus ma[e] patronne
auprès de lui et je craignais les réprimandes sur notre
évasion. J'allai[f] moins encore au séminaire. M. Gros
n'y était plus[g]. Je ne vis personne de ma connaissance[h];
j'aurais pourtant bien voulu aller voir M^me l'Intendante[i],
mais je n'osai jamais. Je fis plus mal que tout cela. Je
retrouvai M. Venture, auquel, malgré mon[j] enthousiasme,
je n'avais pas même pensé depuis mon départ. Je le[k]
retrouvai brillant et fêté dans tout Annecy; les dames se
l'arrachaient[l]. Ce succès acheva de me tourner la tête.
Je ne vis plus rien que M. Venture, et il me fit presque
oublier M^me de Warens. Pour profiter[m] de ses leçons plus
à mon aise, je lui proposai de partager avec moi son gîte;
il y consentit. Il était logé chez un cordonnier, plaisant
et bouffon personnage, qui[n], dans son patois, n'appelait
pas sa femme autrement que *salopiéré;* nom qu'elle méritait
assez. Il avait avec elle des prises que Venture avait soin de
faire durer en paraissant vouloir faire le contraire. Il leur
disait d'un ton froid et dans son accent provençal des
mots qui faisaient le plus grand effet; c'étaient des scènes à[o]
pâmer de rire. Les matinées se passaient[p] ainsi sans qu'on y
songeât : à deux ou trois heures[q], nous mangions un
morceau; Venture s'en allait dans ses sociétés, où il soupait,
et moi j'allais me promener seul, méditant sur son grand
mérite[r], admirant, convoitant ses[s] rares talents, et maudis-
sant ma maussade étoile qui ne m'appelait point à cette
heureuse vie. Eh ! que je m'y connaissais mal ! la mienne
eût été cent fois plus charmante si[t] j'avais été moins bête,
et si[u] j'en avais su mieux jouir.

M^me de Warens n'avait emmené qu'Anet avec elle; elle
avait laissé Merceret, sa femme de chambre, dont j'ai parlé.
Je la trouvai occupant encore l'appartement de sa maîtresse.
Mademoiselle Merceret était une fille un peu plus âgée que
moi, non pas jolie, mais assez agréable; une bonne Fribour-
geoise sans malice, et à qui je n'ai connu d'autre défaut
que d'être quelquefois un peu mutine avec sa maîtresse.
Je l'allais voir[v] assez souvent; c'était une ancienne connais-

sance, et sa vue m'en rappelait une plus chère qui me la faisait aimer. Elle avait plusieurs amies, entre autres une M^lle Giraud, genevoise, qui pour mes péchés s'avisa de^a prendre du goût pour moi. Elle pressait toujours Merceret de m'amener chez elle; je m'y laissais mener, parce que j'aimais^b assez Merceret, et qu'il y^c avait là d'autres jeunes personnes que je^d voyais volontiers. Pour M^lle Giraud, qui me faisait toutes sortes d'agaceries, on ne peut rien ajouter à^e l'aversion que j'avais pour elle. Quand elle approchait de mon visage son museau sec et noir, barbouillé de tabac d'Espagne^f, j'avais peine à m'abstenir d'y cracher. Mais je prenais patience; à cela près, je me plaisais fort^g au milieu de toutes ces filles, et, soit pour faire leur cour à M^lle Giraud, soit pour moi-même^h, toutes me fêtaient à l'envi. Je ne voyais à tout cela que de l'amitié. J'ai^i pensé depuis qu'il n'eût tenu qu'à moi d'y voir davantage : mais je ne m'en avisais pas^j, je n'y pensais pas.

D'ailleurs des couturières, des filles de chambre, de petites marchandes ne me tentaient guère. Il me fallait des Demoiselles. Chacun a^k ses fantaisies; ç'a toujours été la mienne, et je ne pense pas comme Horace sur ce point-là^1.

1. Rousseau fait allusion à la *Satire* 2 du livre I d'Horace, qui recommande de chercher galante compagnie dans la classe moyenne, mais préfère au besoin la courtisane à la matrone :

> *Nec magis huic inter niveos viridisque lapillos*
> *[...] tenerum est femur aut crus*
> *Rectius, atque etiam melius persæpe togatæ est* (vers 80-82),

« [la matrone, portant la *stola*] n'a pas, parmi l'éclat neigeux des perles et le vert des émeraudes, la cuisse plus tendre ou la jambe plus droite, et même bien souvent l'avantage est à celle qui porte la *toga* [la courtisane] ».

Il n'est pas impossible que l'attention de Rousseau ait été attirée sur cette satire par Montaigne, qui en cite deux vers à l'appui de réflexions opposant la simple nature aux raffinements excessifs du goût :

« ... c'est merveille combien peu il faut à nature pour se contenter, combien peu elle nous a laissé à désirer. Les apprêts de nos cuisines ne touchent pas son ordonnance. Les Stoïciens disent qu'un homme aurait de quoi se sustenter d'une olive par jour. La délicatesse de nos vins n'est pas de sa leçon, ni la recharge que nous ajoutons aux appétits amoureux :

> *neque illa*
> *Magno prognatum deposcit consule cunnum* (vers 69).

Ce n'est pourtant pas[a] du tout la vanité de l'état et du rang qui m'attire; c'est un teint mieux conservé, de plus belles mains, une parure plus gracieuse, un air de délicatesse et de propreté sur toute la personne[b], plus de goût dans la manière de se mettre[c] et de s'exprimer, une robe plus fine et mieux faite, une chaussure plus mignonne, des rubans, de la dentelle, des cheveux mieux ajustés. Je[d] préférerais toujours la moins jolie ayant plus de tout cela. Je trouve moi-même cette préférence[e] très ridicule, mais mon cœur la donne malgré moi.

Hé bien ! cet avantage se présentait encore, et il ne tint[f] encore qu'à moi d'en profiter. Que j'aime à tomber de temps en temps sur les moments agréables de ma jeunesse ! Ils[g] m'étaient si doux; ils ont été si courts[h], si rares, et je les ai goûtés à si bon marché ! Ah ! leur[i] seul souvenir rend encore à mon cœur une volupté pure dont j'ai besoin pour ranimer mon courage et soutenir les ennuis[j] du reste de mes ans.

L'aurore[k] un matin me parut si belle que m'étant habillé précipitamment, je me hâtai de gagner la campagne pour voir lever le soleil. Je goûtai ce plaisir dans tout son charme; c'était la semaine après la Saint-Jean. La terre, dans sa plus grande parure, était couverte d'herbe et de fleurs; les rossignols, presque à la fin de leur ramage, semblaient se plaire à le renforcer; tous les oiseaux, faisant[l] en concert leurs adieux au printemps, chantaient la naissance d'un beau jour d'été, d'un de ces beaux jours qu'on ne voit plus à mon âge[m], et qu'on n'a jamais vus dans le triste sol où j'habite aujourd'hui[1][n].

[Leclerc traduit (éd. Garnier) : « La volupté ne lui semble pas plus vive dans les bras de la fille d'un consul ».]
Ces cupidités étrangères, que l'ignorance du bien et une fausse opinion ont coulées en nous, sont en si grand nombre qu'elles chassent presque toutes les naturelles. »
(*Essais,* II, XII.)

1. Parmi les dates proposées, entre le jeudi 29 juin et le samedi 1er juillet 1730, pour la « journée des cerises », c'est cette dernière qui est la plus vraisemblable; la Saint-Jean, 24 juin, était aussi un samedi. L'épisode a été étudié dans le détail par F. et J. Serand, *Revue savoisienne,* LIII, 1912, pp. 17-51, qui ont identifié les lieux, après l'identification par Mugnier des personnages.
La famille Galley possédait une propriété, La Tour, à proximité

Je m'étais insensiblement éloigné de la ville[a], la chaleur augmentait, et je me promenais sous des ombrages dans un vallon le long d'un ruisseau. J'entends derrière moi des pas de chevaux et[b] des voix de filles qui semblaient embarrassées, mais qui n'en riaient pas de moins bon cœur. Je me retourne, on m'appelle par mon nom [c], je m'approche, je trouve deux jeunes personnes de ma connaissance, Mlle de Graffenried et [d] Mlle Galley, qui, n'étant pas d'excellentes cavalières, ne savaient comment forcer leurs chevaux à passer le ruisseau. Mlle de Graffenried était une jeune Bernoise fort aimable, qui, par quelque folie de son âge, ayant été jetée hors de son pays, avait imité Mme de Warens, chez qui je l'avais vue quelquefois; mais, n'ayant pas eu une pension comme elle, elle avait été trop heureuse de s'attacher à Mlle Galley, qui, l'ayant prise en amitié, avait engagé sa mère à la lui donner pour compagne jusqu'à ce qu'on la pût placer de quelque façon. Mlle Galley, d'un an plus jeune qu'elle, était encore plus jolie; elle avait je ne sais quoi de plus délicat[e], de plus fin; elle était en même temps très mignonne et très formée, ce qui est pour une fille le plus beau moment. Toutes deux s'aimaient tendrement et leur bon caractère à l'une et à l'autre ne pouvait[f] qu'entretenir longtemps[g] cette union, si quelque

de Thônes (Rousseau orthographie Toune), à une quinzaine de kilomètres au sud d'Annecy. Le « ruisseau » traversé est le Fier.

L'étude des variantes fait ressortir le caractère très littéraire de l'épisode. Sans aller jusqu'à suggérer avec H. Beaudouin que Rousseau l'aurait imaginé d'après un des peintres qui ont traité le sujet, bien dans le goût du temps où il écrit, de la cueillette des cerises, on peut se demander si des souvenirs de tableaux, gravures ou estampes ne l'ont pas aidé à embellir certains détails.

Ces pages ont été rédigées ou mises au net pendant le séjour à Wootton, en Staffordshire, comme le confirme une variante du manuscrit de Paris. L'expression « le triste sol où j'habite aujourd'hui » est une exagération dictée par le goût du contraste. Tout près de Wootton, au milieu d'une des plus belles régions touristiques de l'Angleterre, s'ouvre la charmante vallée de la Dove, où Rousseau herborise souvent au cours de l'été 1766 — lequel ne semble pas avoir été particulièrement humide. On peut opposer à Rousseau sa propre description idyllique, mais véridique, de Wootton (C. C., XXIX, 198) et les traditions locales qui témoignent qu'il y travaillait souvent en plein air à ses Confessions (voir mon J.-J. Rousseau en Angleterre à l'époque romantique, Paris, 1956, pp. 38-41).

amant ne[a] venait pas la déranger. Elles me dirent qu'elles allaient à Thônes, vieux château[b] appartenant à M[me] Galley; elles implorèrent mon secours pour faire passer leurs chevaux, n'en pouvant venir à bout elles seules. Je voulus fouetter les chevaux; mais elles craignaient pour moi les ruades et pour elles les haut-le-corps. J'eus[c] recours à un autre expédient. Je pris par la bride le cheval de M[lle] Galley[d], puis, le tirant après moi, je traversai[e] le ruisseau ayant de l'eau jusqu'à mi-jambes[f], et l'autre cheval suivit sans difficulté. Cela fait, je voulus saluer ces demoiselles, et m'en aller comme un benêt : elles se dirent quelques mots[g] tout bas, et M[lle] de Graffenried s'adressant à moi : Non pas, non pas, me dit-elle, on ne nous échappe pas comme cela. Vous vous êtes mouillé pour notre service[h]; et nous devons en conscience avoir soin de vous sécher : il faut, s'il vous plaît, venir avec nous; nous vous arrêtons prisonnier. Le cœur me battait[i], je regardais M[lle] Galley. Oui, oui, ajouta-t-elle en riant de ma mine effarée, prisonnier de guerre[j]; montez en croupe derrière elle; nous voulons rendre compte de vous. — Mais Mademoiselle, je n'ai point l'honneur d'être connu de Madame votre mère; que dira-t-elle en me voyant[k] arriver ? — Sa mère, reprit M[lle] de Graffenried, n'est pas à Thônes[l], nous sommes seules; nous revenons ce soir, et[m] vous reviendrez avec nous.

L'effet de l'électricité n'est pas plus prompt que celui que ces mots firent sur moi. En m'élançant sur le cheval de M[lle] de Graffenried je tremblais de joie[n], et quand il fallut l'embrasser pour me tenir, le cœur me battait si fort qu'elle s'en aperçut; elle me dit que le sien lui battait aussi par la frayeur de tomber; c'était presque, dans ma posture, une invitation de vérifier la chose; je n'osai jamais, et durant tout le trajet mes deux bras lui servirent de ceinture, très serrée à la vérité, mais sans se déplacer un moment. Telle femme qui lira ceci me souffletterait volontiers, et n'aurait pas tort.

La gaieté du voyage et le babil de ces filles aiguisèrent tellement le mien, que jusqu'au soir, et tant que nous fûmes ensemble, nous ne déparlâmes pas un moment. Elles m'avaient mis si bien à mon aise, que ma langue parlait[o] autant que mes yeux, quoiqu'elle ne dît pas les mêmes choses. Quelques instants seulement[p], quand je me trouvais tête-à-tête avec l'une ou[q] l'autre, l'entretien s'em-

barrassait un peu; mais l'absente revenait bien vite, et ne nous laissait pas le temps d'éclaircir cet embarras.

Arrivés à Thônes, et moi bien séché, nous déjeunâmes. Ensuite il fallut procéder à l'importante affaire de préparer le dîner. Les deux demoiselles, tout en cuisinant, baisaient de temps en temps les enfants de la grangère[1] et le pauvre marmiton[a] regardait faire en rongeant son frein. On avait envoyé des provisions de la ville, et il y avait de quoi faire un très bon dîner, surtout en friandises; mais malheureusement on avait oublié du vin. Cet oubli n'était pas étonnant pour des[b] filles qui n'en buvaient guère : mais j'en fus fâché, car j'avais un peu compté sur ce secours pour m'enhardir. Elles en furent fâchées aussi, par la même raison peut-être, mais je n'en crois rien[c]. Leur gaieté vive et charmante était l'innocence même; et d'ailleurs qu'eussent-elles fait de moi entre elles deux ? Elles envoyèrent chercher du vin partout aux environs; on n'en trouva point, tant les paysans de ce canton sont sobres et pauvres. Comme elles m'en marquaient leur chagrin, je leur dis de n'en pas être si fort en peine, qu'elles n'avaient pas besoin de vin pour m'enivrer. Ce fut la seule galanterie que j'osai leur dire de[d] la journée; mais je crois que les friponnes voyaient de reste que cette galanterie était une vérité.

Nous dînâmes dans la cuisine de la grangère, les[e] deux amies assises sur des bancs aux deux côtés de la longue table, et[f] leur hôte entre elles deux sur une escabelle à trois pieds. Quel dîner ! quel souvenir[g] plein de charmes ! Comment, pouvant[h] à si peu de frais goûter des plaisirs si purs et si vrais, vouloir en rechercher d'autres ? Jamais souper des petites maisons de Paris n'approcha de ce repas[i], je ne dis pas seulement pour la gaieté, pour la douce joie, mais je dis pour la sensualité.

Après le dîner nous fîmes une économie. Au lieu de prendre[j] le café qui nous restait du déjeuner, nous le gardâmes pour le goûter avec de la crème et des gâteaux qu'elles avaient apportés; et pour tenir notre appétit en haleine, nous allâmes dans le verger achever notre dessert[k] avec des cerises. Je montai sur l'arbre, et je leur en jetais des bouquets dont elles me rendaient les noyaux à travers

1. *Granger* et *grangère,* en Dauphiné, Savoie et Suisse romande, correspondent à *métayer* et *métayère.*

les branches[a]. Une fois, M[lle] Galley, avançant son tablier et reculant la tête, se présentait[b] si bien, et je visai si juste, que je lui fis tomber un bouquet dans le sein; et de rire. Je me disais en moi-même : Que mes lèvres ne sont-elles des cerises[c]! comme je les leur jetterais ainsi de bon cœur.

La journée se passa[d] de cette sorte à folâtrer avec[e] la plus grande liberté, et toujours avec la plus grande décence. Pas un seul mot équivoque, pas une seule plaisanterie hasardée; et cette décence, nous ne nous l'imposions point du tout, elle venait toute seule, nous prenions le ton que[f] nous donnaient nos cœurs. Enfin ma modestie, d'autres[g] diront ma sottise, fut telle, que la plus grande privauté qui[h] m'échappa fut de baiser une seule fois la main de M[lle] Galley. Il est vrai que la circonstance[i] donnait du prix à cette légère faveur. Nous étions seuls, je respirais avec embarras, elle avait les yeux baissés. Ma bouche, au lieu de trouver des paroles, s'avisa de se coller sur sa main, qu'elle retira doucement après qu'elle fut baisée, en me regardant d'un air qui n'était[j] point irrité. Je ne sais ce que j'aurais pu lui dire : son amie entra, et me parut laide en ce moment.

Enfin elles se souvinrent qu'il ne fallait pas attendre la nuit pour[k] rentrer en ville. Il ne nous restait que le temps qu'il fallait pour arriver de jour, et nous nous hâtâmes de partir en nous distribuant comme nous étions venus. Si j'avais osé, j'aurais transposé cet ordre; car[l] le regard de M[lle] Galley m'avait vivement ému le cœur; mais je n'osai rien dire, et ce n'était pas à elle de le proposer. En marchant nous disions que la journée avait tort de finir, mais, loin de nous plaindre qu'elle eût été courte, nous trouvâmes que nous avions eu le secret de la faire longue, par tous les amusements dont nous avions su la remplir.

Je les quittai à peu près au même endroit où elles m'avaient pris. Avec quel regret nous nous séparâmes ! Avec quel plaisir nous projetâmes de nous revoir ! Douze heures passées ensemble nous valaient des[m] siècles de familiarité. Le doux souvenir de cette journée ne coûtait rien à ces aimables filles; la tendre union qui régnait entre nous trois valait des plaisirs plus vifs, et n'eût pu subsister avec eux : nous nous aimions sans mystère et sans honte, et nous voulions nous aimer toujours ainsi. L'innocence des mœurs a sa volupté, qui vaut bien l'autre, parce qu'elle

n'a point d'intervalle et qu'elle agit continuellement. Pour moi, je sais que[a] la mémoire d'un si beau jour[b] me touche plus, me charme plus, me revient plus au cœur que celle d'aucuns plaisirs que j'aie goûtés en ma vie. Je ne savais pas trop[c] bien ce que je voulais à ces deux[d] charmantes personnes, mais elles m'intéressaient beaucoup toutes deux. Je ne dis pas que, si j'eusse été le maître de mes arrangements, mon cœur se serait partagé; j'y sentais un peu de préférence. J'aurais fait mon[e] bonheur d'avoir pour maîtresse M[lle] de Graffenried; mais[f] à choix, je crois que je l'aurais mieux aimée pour confidente. Quoi qu'il en soit, il me semblait en les quittant que je ne pourrais plus vivre sans l'une et sans l'autre. Qui m'eût dit que je ne les reverrais de ma vie, et que là finiraient nos éphémères amours ?

Ceux qui liront ceci ne manqueront pas de rire de mes aventures galantes[g], en remarquant qu'après beaucoup de préliminaires, les plus avancées finissent par baiser la main. O mes lecteurs ! ne vous y trompez pas. J'ai peut-être[h] eu plus de plaisir dans mes amours, en finissant par cette main baisée, que vous n'en aurez jamais dans les vôtres, en commençant tout au moins par là.

Venture, qui s'était couché fort tard la veille, rentra peu de temps après moi. Pour cette fois, je ne le vis pas avec le même plaisir qu'à l'ordinaire, et je me gardai de lui dire comment j'avais passé ma journée. Ces demoiselles m'avaient parlé de lui avec peu d'estime, et m'avaient paru mécontentes de me savoir en si[i] mauvaises mains : cela lui fit tort dans mon esprit; d'ailleurs tout ce qui me distraisait[1] d'elles ne pouvait que m'être désagréable. Cependant, il me rappela bientôt à lui et à moi en me parlant de ma situation. Elle était trop critique pour pouvoir durer. Quoique je[j] dépensasse très peu de chose, mon petit pécule achevait de s'épuiser; j'étais sans ressource. Point de[k] nouvelle de Maman; je ne savais que devenir, et je sentais un cruel serrement de cœur de voir l'ami de M[lle] Galley réduit à l'aumône.

Venture me dit qu'il avait parlé de moi à M. le Juge-maje[2]; qu'il voulait m'y mener dîner le lendemain; que c'était un homme en état de me rendre service par ses amis,

1. Sur la forme *distraisait,* voir la n. 1, p. 37.
2. *Juge-maje* ou *juge-mage* : voir *Index,* Simon.

d'ailleurs une bonne connaissance à faire, un[a] homme d'esprit et de lettres, d'un commerce fort agréable, qui avait des talents et qui les aimait : puis, mêlant à son ordinaire aux choses[b] les plus sérieuses la plus mince frivolité, il me fit voir un joli couplet, venu de Paris, sur un air d'un opéra de Mouret qu'on jouait alors. Ce couplet avait plu si fort à M. Simon (c'était le nom du Juge-maje), qu'il voulait en faire un autre en réponse sur le même air : il avait dit à Venture d'en faire aussi un; et la folie prit à celui-ci de m'en faire faire un troisième, afin, disait-il, qu'on vît[c] les couplets arriver le lendemain comme les brancards du *Roman comique*[1].

La nuit, ne pouvant dormir, je fis comme je pus mon couplet. Pour les premiers vers que j'eusse faits[d], ils étaient passables, meilleurs[e] même, ou du moins faits avec[f] plus de goût qu'ils n'auraient été la veille, le sujet roulant sur une situation fort tendre, à laquelle mon cœur[g] était déjà tout disposé. Je montrai le matin mon couplet à Venture, qui, le trouvant joli, le mit dans sa poche sans me dire s'il avait fait le sien. Nous allâmes dîner chez M. Simon, qui nous reçut bien. La conversation fut agréable[h] : elle ne pouvait manquer de l'être entre deux hommes d'esprit, à qui la lecture avait profité. Pour moi, je faisais mon rôle, j'écoutais, et je me taisais. Ils ne parlèrent de couplets ni l'un ni l'autre; je n'en parlai point non plus, et jamais, que je sache, il n'a été question du mien.

M. Simon parut content de mon maintien : c'est à peu près tout ce qu'il vit de moi dans cette entrevue. Il m'avait déjà vu plusieurs fois chez Mme de Warens sans faire[i] une grande attention à moi. Ainsi c'est de ce dîner que je puis dater sa connaissance, qui ne me servit de rien pour l'objet qui me l'avait fait faire, mais dont je tirai[j] dans la suite d'autres avantages qui me font rappeler sa mémoire avec plaisir.

J'aurais tort de ne pas parler de sa figure, que, sur sa qualité de magistrat, et sur[k] le bel esprit dont il se piquait, on n'imaginerait[l] pas si je n'en disais rien. M. le Juge-maje Simon n'avait assurément pas[m] deux pieds de

1. Dans le *Roman comique* de Scarron (ch. VII, « L'aventure des brancards ») quatre brancards (chaises dont les porteurs sont remplacés par des chevaux) arrivent à la suite les uns des autres dans une hôtellerie. Un autre incident suscitera la même allusion au livre VI, p. 287.

haut. Ses jambes, droites[a], menues et même assez longues[b], l'auraient agrandi si elles eussent été verticales; mais elles posaient de biais comme celles d'un compas très ouvert. Son corps était non seulement[c] court, mais mince et en tout sens d'une petitesse[d] inconcevable. Il devait[e] paraître une sauterelle quand il était nu. Sa tête, de grandeur naturelle, avec un visage bien formé, l'air noble[f], d'assez beaux yeux, semblait une tête postiche qu'on[g] aurait plantée sur un moignon. Il[h] eût pu s'exempter de faire de la dépense en parure, car sa grande perruque seule l'habillait parfaitement de pied en cap.

Il avait deux voix[i] toutes différentes, qui s'entremêlaient sans cesse dans sa conversation avec un contraste d'abord très plaisant[j], mais bientôt très désagréable. L'une était grave et sonore; c'était, si j'ose ainsi parler, la voix de sa tête. L'autre, claire, aiguë et perçante, était la voix de son corps. Quand il s'écoutait beaucoup, qu'il parlait très posément[k], qu'il ménageait[l] son haleine, il pouvait parler toujours de sa grosse voix; mais pour peu qu'il s'animât et qu'un accent plus vif vînt se présenter, cet accent devenait comme le sifflement d'une clef, et il avait[m] toute la peine du monde à reprendre sa basse[n].

Avec la figure que je viens de peindre, et qui n'est point chargée, M. Simon était galant, grand conteur de fleurettes, et poussait jusqu'à la coquetterie le soin de son ajustement. Comme il cherchait à prendre ses avantages, il donnait volontiers ses audiences du matin dans son lit; car quand on voyait sur[o] l'oreiller une belle tête, personne n'allait s'imaginer que c'était là tout. Cela donnait lieu quelquefois à des scènes dont je suis sûr que tout Annecy se souvient encore. Un matin qu'il attendait dans ce lit, ou plutôt sur ce lit, les plaideurs, en belle coiffe[p] de nuit bien fine et bien blanche, ornée de deux grosses bouffettes de ruban couleur de rose, un paysan arrive, heurte à la porte. La servante était sortie. M. le Juge-maje, entendant[q] redoubler, crie : *entrez ;* et cela, comme dit un peu trop fort, partit de sa voix aiguë[r]. L'homme entre; il cherche d'où vient cette voix de femme, et voyant dans ce lit une cornette, une fontange[1], il veut

1. *Fontange,* nœud de rubans porté sur la coiffure par les femmes; mode lancée par Marie-Angélique, duchesse de Fontanges (1661-1681) maîtresse de Louis XIV.

ressortir, en faisant à Madame de grandes excuses. M. Simon
se fâche, et n'en crie que plus clair. Le paysan, confirmé
dans son idée, et se croyant insulté[a], lui chante pouille[1],
lui dit qu'apparemment elle n'est qu'une coureuse, et que
M. le Juge-maje ne donne guère bon exemple chez lui.
Le Juge-maje, furieux, et n'ayant pour[b] toute arme que
son pot de chambre, allait le jeter à la tête de ce pauvre
homme, quand[c] sa gouvernante arriva.

Ce petit nain, si disgracié[d] dans son corps par la nature,
en avait été dédommagé du côté de l'esprit : il l'avait
naturellement agréable, et il avait pris soin de l'orner.
Quoiqu'il fût, à ce qu'on disait, assez bon jurisconsulte,
il n'aimait pas son métier. Il s'était jeté dans la belle litté-
rature, et il y avait réussi. Il en avait pris surtout cette[e]
brillante superficie, cette fleur qui jette de l'agrément dans[f]
le commerce, même avec les femmes. Il savait par cœur
tous les petits traits des *ana* et autres semblables : il avait[g]
l'art de les faire valoir, en contant[h] avec intérêt, avec mys-
tère, et comme une anecdote[i] de la veille, ce qui s'était
passé il y avait soixante ans. Il savait la musique et chantait[j]
agréablement de sa voix d'homme : enfin il avait beaucoup
de jolis talents pour un magistrat. A force de cajoler les
dames d'Annecy, il s'était mis à la mode parmi elles;
elles l'avaient à leur suite comme un petit sapajou. Il
prétendait même à des bonnes fortunes, et cela les amusait
beaucoup. Une M[me] d'Épagny disait que[k] pour lui la
dernière faveur était de baiser une femme au genou.

Comme il connaissait les bons livres, et qu'il en parlait
volontiers, sa conversation était non seulement amusante,
mais instructive. Dans la suite, lorsque j'eus pris du goût
pour l'étude, je cultivai sa connaissance, et je m'en trouvai[l]
très bien. J'allais quelquefois le voir de Chambéry, où
j'étais alors. Il[m] louait, animait mon émulation, et me
donnait[n] pour mes lectures de bons avis, dont j'ai souvent
fait mon profit. Malheureusement dans ce corps si fluet
logeait une âme très sensible. Quelques années après, il
eut je ne sais quelle mauvaise affaire qui le chagrina, et
il en mourut. Ce fut dommage; c'était assurément un bon
petit homme, dont on commençait par rire, et qu'on finis-

1. *Chanter pouilles, dire pouilles, dire des pouilles* (presque toujours
au pl.), adresser des reproches mêlés d'injures. Mot d'étymologie
contestée, qui n'apparaît pas avant le xvi[e] siècle.

sait par aimer. Quoique sa vie[a] ait été peu liée à la mienne, comme j'ai reçu de lui des[b] leçons utiles, j'ai cru pouvoir[c], par reconnaissance, lui consacrer un petit souvenir.

Sitôt que je fus libre, je courus dans la rue de M[lle] Galley, me flattant de voir entrer ou sortir quelqu'un, ou du moins ouvrir quelque fenêtre[d]. Rien; pas un chat ne parut, et tout le temps que je fus là, la maison demeura aussi close que si elle n'eût point été habitée. La rue était petite et déserte, un homme[e] s'y remarquait : de temps en temps quelqu'un passait, entrait ou sortait[f] au voisinage. J'étais fort embarrassé de ma figure[g]; il me semblait qu'on devinait pourquoi j'étais là, et cette[h] idée me mettait au supplice, car j'ai toujours préféré à mes plaisirs l'honneur et le repos de celles qui m'étaient chères.

Enfin, las de faire[i] l'amant espagnol, et n'ayant point de guitare, je pris le parti d'aller écrire à M[lle] de Graffenried. J'aurais préféré d'écrire à son amie; mais je n'osais[j], et il convenait de commencer par celle à qui je devais la connaissance de l'autre et avec qui j'étais plus familier. Ma lettre faite, j'allai la porter à M[lle] Giraud, comme[k] j'en étais convenu avec ces demoiselles en nous séparant. Ce furent elles qui me donnèrent cet expédient. M[lle] Giraud était contrepointière[1], et travaillant quelquefois chez M[me] Galley, elle avait l'entrée de sa maison. La messagère ne me parut pourtant pas trop bien choisie; mais j'avais peur[l], si je faisais des difficultés sur celle-là, qu'on ne m'en proposât point d'autre. De plus, je[m] n'osais dire qu'elle voulait travailler pour son compte[n]. Je me sentais humilié qu'elle osât se croire pour moi du même sexe que ces demoiselles. Enfin j'aimais mieux cet entrepôt[2] là que point, et je m'y tins à tout risque.

Au premier mot la Giraud me devina[o] : cela n'était pas difficile. Quand une lettre à porter à de jeunes filles[p] n'aurait pas parlé d'elle-même, mon air sot et embarrassé m'aurait seul décelé. On peut croire que cette commission

1. *Contrepointière* : Littré, renvoyant seulement à ce passage de Rousseau, donne le terme comme inusité et le rattache au verbe *contre-pointer,* piquer une étoffe des deux côtés. Le français moderne *courtepointe* serait une déformation, soit de *contre-pointe,* soit de *coulte pointe,* ou *couette pointe* (couette = lit de plume). Le terme genevois désigne une ouvrière en tissus d'ameublement.

2. *Entrepôt* : Dépôt pour les marchandises en transit.

ne lui donna pas grand plaisir à faire; elle s'en chargea
toutefois et l'exécuta fidèlement. Le lendemain matin je
courus chez elle, et j'y trouvai ma réponse. Comme je
me pressai de sortir pour l'aller lire et baiser à mon aise !
Cela n'a pas besoin d'être dit; mais ce qui en a besoin
davantage, c'est le parti que prit M[lle] Giraud, et où j'ai
trouvé plus de délicatesse et de modération que je n'en
aurais attendu d'elle. Ayant assez de bon sens pour voir
qu'avec ses trente-sept ans[a], ses yeux de lièvre, son nez
barbouillé, sa voix aigre et sa peau noire, elle n'avait pas
beau jeu contre deux jeunes[b] personnes pleines de grâces
et dans tout l'éclat de la beauté, elle ne voulut ni les trahir
ni les servir, et aima mieux me perdre[c] que de me ménager
pour elles.

Il y avait déjà quelque temps que la Merceret, n'ayant[d]
aucune nouvelle de sa maîtresse, songeait à s'en retourner
à Fribourg; elle[e] l'y détermina tout à fait. Elle fit plus,
elle lui fit entendre qu'il serait[f] bien que quelqu'un la
conduisît chez son père[g], et me proposa. La[h] petite
Merceret, à qui je ne déplaisais pas non plus, trouva cette
idée fort bonne à exécuter. Elles m'en parlèrent dès le
même jour comme d'une affaire arrangée; et[i] comme
je ne trouvais rien qui me déplût dans cette manière de
disposer de moi, j'y[j] consentis, regardant ce voyage
comme une affaire de huit jours tout au plus. La Giraud,
qui ne[k] pensa pas de même[l], arrangea tout. Il fallut bien
avouer l'état de mes finances. On y pourvut : la Merceret
se chargea de me défrayer; et, pour regagner d'un côté
ce qu'elle dépensait de l'autre, à ma[m] prière on décida
qu'elle enverrait[n] devant son petit bagage, et que nous
irions à pied[o] à petites journées. Ainsi fut fait.

Je suis fâché de faire tant de filles amoureuses de moi.
Mais comme il n'y a pas de quoi être bien vain du parti
que j'ai tiré de[p] toutes ces amours-là, je crois pouvoir
dire la vérité sans[q] scrupule. La Merceret, plus jeune et
moins déniaisée que la Giraud, ne m'a jamais fait des
agaceries aussi vives; mais elle imitait mes tons, mes
accents, redisait mes mots, avait pour moi les attentions
que j'aurais dû avoir pour elle, et prenait toujours grand
soin, comme elle était fort peureuse, que nous couchassions[r]
dans la même chambre : identité qui se borne rarement là
dans un voyage, entre un garçon de vingt ans et une fille
de vingt-cinq.

Elle s'y borna pourtant cette fois. Ma simplicité fut telle, que quoique la Merceret ne fût pas désagréable, il ne me vint pas même à l'esprit durant tout le voyage, je ne dis pas la moindre tentation[a] galante, mais même la moindre idée qui s'y rapportât; et, quand cette idée me serait venue, j'étais trop sot pour en savoir[b] profiter. Je n'imaginais pas comment une fille et un garçon parvenaient à coucher ensemble; je croyais qu'il fallait des[c] siècles pour préparer ce terrible arrangement[d]. Si la pauvre Merceret, en me défrayant, comptait sur quelque équivalent, elle en fut la dupe, et nous arrivâmes à Fribourg exactement comme nous étions partis d'Annecy[1].

En passant à Genève je n'allai voir personne, mais je fus prêt à me trouver mal sur les ponts. Jamais je n'ai vu les murs de cette heureuse ville, jamais je n'y suis entré, sans sentir une certaine défaillance de cœur qui venait d'un excès d'attendrissement. En même temps que la noble image de la liberté m'élevait l'âme, celle de l'égalité[e], de l'union, de la douceur des mœurs, me touchaient jusqu'aux larmes, et m'inspiraient un vif regret d'avoir perdu[f] tous ces biens. Dans quelle erreur j'étais, mais qu'elle était naturelle ! Je croyais voir[g] tout cela dans ma patrie, parce que je le portais dans mon cœur[2].

Il fallait passer à Nyon. Passer sans voir mon[h] bon

1. Le voyage d'Annecy à Fribourg, par Genève et Lausanne, représente environ 160 kilomètres. Accompli « à pied à petites journées », il dut prendre une huitaine de jours comme le pense Courtois, qui le situe en juillet 1730. Le père d'Anne-Marie Merceret avait quitté son poste d'organiste à Annecy en février 1730 pour s'installer à Fribourg, ville natale de sa femme; leur fille se trouvait donc sans ressources à Annecy depuis le départ de Mme de Warens, en avril.

2. Le jugement désabusé de la dernière phrase s'explique par les amères déconvenues de Rousseau à partir de la condamnation à Genève de l'Émile en 1762. La rédaction des Lettres de la Montagne est à peu près contemporaine de celle de ces pages. On sait comment Genève était idéalisée dans la Dédicace du Discours sur l'Inégalité (1755), alors que Rousseau était tout à l'allégresse de son retour à la foi protestante. Une lettre écrite vers le même temps contient un parallèle entre Paris, siège du goût, et Genève, siège de la sagesse et de la raison (C. C., III, 116); un peu plus tard, la Nouvelle Héloïse contient au début de sa 6e partie une présentation par Claire d'Orbe de Genève et de ses habitants. Voir pour plus de détails le livre de J. S. Spink (voir la Bibliographie).

père ! Si j'avais eu ce courage, j'en serais mort de[a] regret.
Je laissai la Merceret[b] à l'auberge, et je l'allai voir à tout
risque. Eh ! que j'avais tort de le craindre ! Son âme[c] à
mon abord s'ouvrit aux sentiments paternels dont elle
était pleine[1]. Que de pleurs nous versâmes en nous
embrassant ! Il crut d'abord que je revenais à lui. Je lui
fis mon histoire, et[d] je lui dis ma résolution. Il la combattit[e]
faiblement. Il me fit voir les dangers auxquels je m'exposais,
me dit que les plus courtes folies étaient les meilleures[f]. Du
reste, il n'eut pas même la tentation de me retenir de force;
et en cela je trouve qu'il eut raison; mais il est certain qu'il
ne fit pas pour me ramener tout ce qu'il aurait pu faire, soit
qu'après le pas que j'avais fait, il[g] jugeât lui-même que je
n'en devais pas revenir, soit qu'il fût embarrassé peut-être
à[h] savoir ce qu'à mon âge il pourrait faire de moi. J'ai su
depuis qu'il eut de ma compagne de voyage une opinion
bien injuste et bien éloignée de la vérité, mais du reste
assez naturelle. Ma belle-mère, bonne femme[i], un peu
mielleuse, fit semblant de vouloir me retenir à souper.
Je ne restai point, mais je leur dis que je comptais m'arrêter[j]
avec eux plus longtemps au retour, et je leur laissai en
dépôt mon petit paquet, que j'avais fait venir par le bateau,
et dont j'étais embarrassé. Le lendemain, je partis de
bon matin, bien content d'avoir vu mon père et d'avoir
osé faire mon devoir.

Nous arrivâmes heureusement à Fribourg. Sur la fin du
voyage les empressements de M[lle] Merceret diminuèrent un
peu. Après notre arrivée, elle ne me marqua plus que de la
froideur, et son père, qui ne nageait pas dans l'opulence, ne
me fit pas non plus un bien grand accueil; j'allai loger au
cabaret[k]. Je les fus voir le lendemain, ils m'offrirent à
dîner, je l'acceptai. Nous nous séparâmes[l] sans pleurs : je[m]
retournai loger à ma gargote, et je repartis le surlendemain
de mon arrivée, sans trop savoir où j'avais dessein d'aller.

Voilà encore une circonstance de ma vie où la provi-
dence m'offrait précisément ce[n] qu'il me fallait pour couler
des jours heureux. La Merceret était une très bonne fille,

1. Version idéalisée des rapports entre le père et le fils; elle est
conforme à l'impression que les premiers livres des *Confessions* veulent
donner d'Isaac Rousseau. La réalité fut autre, comme le laisse voir
une lettre de Rousseau à son père en 1731 (*C. C.*, I, 12). Voir F. Au-
bert, « J.-J. Rousseau et Nyon », *Annales*, XXVI, 1926, 179-92.

point brillante, point belle, mais point laide non plus; peu vive, fort raisonnable, à quelques petites humeurs près, qui se passaient à pleurer, et qui n'avaient[a] jamais de suite orageuse. Elle avait un vrai goût pour moi; j'aurais pu l'épouser sans peine, et suivre le métier de son père. Mon goût pour la musique me l'aurait fait aimer. Je me serais établi à Fribourg, petite ville peu jolie, mais peuplée de très bonnes gens. J'aurais perdu sans doute de grands plaisirs, mais j'aurais vécu en paix jusqu'à ma dernière heure[b]; et je dois savoir mieux que personne qu'il n'y avait pas à balancer sur ce marché.

Je revins non pas à Nyon, mais à Lausanne. Je voulais me rassasier[c] de la vue de ce beau lac qu'on voit là dans sa plus grande étendue. La plupart de mes[d] secrets motifs déterminants n'ont pas été plus solides. Des vues éloignées ont[e] rarement assez de force pour me faire agir. L'incertitude de l'avenir m'a toujours fait regarder les projets de longue exécution comme des leurres de dupe. Je me livre à l'espoir comme un autre, pourvu qu'il ne me coûte[f] rien à nourrir; mais, s'il faut prendre longtemps de la peine, je n'en suis plus. Le moindre petit plaisir qui s'offre à ma portée me tente plus que les[g] joies du Paradis. J'excepte pourtant le plaisir que la peine doit suivre; celui-là ne me tente pas, parce que je n'aime que des jouissances pures, et que jamais on n'en a de telles quand on sait qu'on s'apprête un repentir.

J'avais grand besoin d'arriver où que ce[h] fût, et le plus proche était le mieux; car, m'étant égaré dans ma route, je me trouvai le soir à Moudon, où je dépensai le peu[i] qui me restait, hors dix[j] creutzer, qui partirent le lendemain à la dînée[k] : et, arrivé le soir à un petit village auprès de Lausanne, j'y entrai dans un cabaret sans un sol pour payer ma couchée, et sans savoir que devenir[1][l]. J'avais grand'faim; je fis bonne contenance, et je demandai à souper, comme si j'eusse eu de quoi bien payer. J'allai

1. Revenant vers Lausanne, après un bref arrêt à Fribourg, Rousseau s'est en effet égaré de la route directe pour arriver à Moudon, à 38 kilomètres au sud-ouest de Fribourg et 23 de Lausanne. Il compte en monnaie de Berne, le pays de Vaud étant alors sous la domination bernoise; 10 kreutzers équivalent à peine à 40 centimes or; 7 batz (de 4 kreutzers) valent environ 1,20 franc or. — *Dînée* et *couchée* désignent l'étape où l'on dîne ou couche, et la dépense correspondante à l'auberge.

me coucher sans songer à rien, je dormis tranquillement[a]; et, après avoir déjeûné le matin, et compté avec[b] l'hôte, je voulus, pour[c] sept batz, à quoi montait ma dépense, lui laisser ma veste en[d] gage. Ce brave homme la refusa; il me dit que, grâce au ciel, il n'avait[e] jamais dépouillé personne[f], qu'il ne voulait pas commencer pour sept batz, que je gardasse ma veste, et[g] que je payerais quand je pourrais. Je fus touché de sa bonté, mais moins que je ne devais l'être, et que je ne l'ai été depuis en y repensant. Je ne tardai guère à lui renvoyer son argent[h] avec des remerciements par un homme sûr : mais, quinze ans après, repassant par Lausanne à mon retour d'Italie, j'eus un vrai regret d'avoir oublié[i] le nom du cabaret et de l'hôte. Je l'aurais été voir; je me serais fait un[j] vrai plaisir de lui rappeler sa bonne œuvre, et de lui[k] prouver qu'elle n'avait pas été mal placée. Des services plus importants[l] sans doute, mais rendus avec plus d'ostentation, ne m'ont pas paru si dignes de reconnaissance que l'humanité simple et sans éclat de[m] cet honnête homme.

En approchant de Lausanne, je rêvais à la détresse où je me trouvais, aux moyens de m'en tirer[n] sans aller montrer ma misère à ma belle-mère, et je me comparais dans ce pèlerinage pédestre à mon ami Venture arrivant à Annecy. Je m'échauffai si bien de cette idée, que, sans songer que je n'avais ni sa gentillesse, ni ses talents, je me mis en tête de faire à Lausanne le petit Venture, d'enseigner la musique[o], que je ne savais pas, et de me dire de Paris, où je n'avais jamais été. En conséquence de ce beau projet, comme il n'y avait point[p] là de maîtrise où je pusse vicarier, et que d'ailleurs je n'avais garde[q] d'aller me fourrer parmi[r] les gens de l'art, je commençai par m'informer d'une petite auberge où l'on pût être assez bien et à bon marché. On[s] m'enseigna un nommé Perrotet, qui tenait des pensionnaires. Ce Perrotet se trouva être le meilleur homme du monde, et me reçut[t] fort bien. Je lui contai mes petits mensonges comme je les avais arrangés. Il me promit de parler de moi, et de tâcher de me procurer des écoliers; il[u] me dit qu'il ne me demanderait de l'argent que quand j'en aurais gagné. Sa pension était de cinq écus blancs[1]; ce qui était peu pour la chose, mais beaucoup

1. *Écu blanc,* pièce d'argent valant trois francs (Littré).

pour moi. Il me conseilla de ne me mettre d'abord qu'à la demi-pension, qui consistait pour le dîner en une bonne soupe[a] et rien de plus, mais bien à souper le soir[b]. J'y consentis. Ce pauvre Perrotet me[c] fit toutes ces avances du meilleur cœur du monde, et n'épargnait rien pour m'être utile. Pourquoi faut-il[d] qu'ayant trouvé tant de bonnes gens dans ma jeunesse[e], j'en trouve si peu dans un âge avancé ? Leur race est-elle épuisée ? Non; mais l'ordre[f] où j'ai besoin de les[g] chercher aujourd'hui n'est plus le même[h] où je les trouvais alors. Parmi le peuple[i], où les grandes passions ne parlent que par intervalles, les sentiments de la nature se font plus souvent entendre. Dans les états plus élevés ils sont[j] étouffés absolument, et sous le masque du sentiment il n'y a jamais que l'intérêt ou la vanité qui parle.

J'écrivis de Lausanne à mon père, qui m'envoya mon paquet et me[k] marqua d'excellentes choses, dont j'aurais dû mieux profiter. J'ai[l] déjà noté des moments de délire inconcevables où je n'étais plus moi-même. En voici[m] encore un des plus marqués. Pour comprendre à quel point la tête[n] me tournait alors, à quel point je m'étais pour ainsi dire venturisé, il ne faut que voir combien tout à la fois j'accumulai d'extravagances. Me voilà maître[o] à chanter sans savoir déchiffrer un air; car quand[p] les six mois que j'avais passés avec Le Maître m'auraient profité, jamais ils n'auraient pu suffire; mais outre cela j'apprenais d'un maître : c'en était assez pour[q] apprendre mal. Parisien de Genève, et catholique en pays protestant, je crus devoir changer mon nom ainsi que ma religion et ma patrie. Je m'approchais toujours de mon grand modèle autant qu'il m'était possible. Il s'était appelé Venture de Villeneuve, moi je fis l'anagramme du nom de Rousseau dans celui de Vaussore, et je m'appelai Vaussore de Villeneuve. Venture savait la composition, quoiqu'il n'en eût rien dit[r] ; moi, sans la savoir je m'en vantais[s] à tout le monde, et, sans pouvoir noter[t] le moindre vaudeville[1], je me donnai pour

1. Le sens original de *vaudeville* donné par le *Dictionnaire de l'Académie* de 1762, « chanson qui court par la ville », a été étendu dès le début du siècle à une acception technique : il se dit de paroles composées sur un air connu, de façon à former des couplets parodiques ou satiriques, chantés dans les théâtres de la Foire ou aux « Italiens » (« pièces en vaudevilles ») par les acteurs ou les spectateurs.

compositeur. Ce n'est pas tout : ayant été présenté à M. de
Treytorens, professeur en droit, qui aimait la musique et
faisait des concerts chez lui, je voulus lui donner un échan-
tillon de mon talent, et je me mis à composer une pièce[a]
pour son concert, aussi effrontément que si j'avais su
comment m'y prendre. J'eus la constance de travailler[b]
pendant quinze jours à ce bel ouvrage, de le mettre au net,
d'en tirer les parties et de les distribuer[c] avec autant
d'assurance que si c'eût été un chef-d'œuvre d'harmonie.
Enfin, ce qu'on aura peine à croire, et qui est très vrai,
pour couronner dignement cette[d] sublime production, je
mis à la fin un joli menuet, qui courait les rues, et que tout
le monde se[e] rappelle peut-être encore, sur ces paroles[f]
jadis si connues :

> Quel caprice !
> Quelle injustice !
> Quoi ! ta Clarice
> Trahirait tes feux ? etc.

Venture m'avait appris[g] cet air avec la basse sur[h]
d'autres paroles infâmes, à l'aide desquelles je l'avais[i]
retenu. Je mis donc à la fin de ma composition ce menuet
et sa basse, en supprimant les paroles, et je le donnai pour
être de moi, tout aussi résolument que si j'avais parlé à
des habitants de la lune.

On s'assemble pour exécuter ma pièce. J'explique à
chacun[j] le genre du mouvement, le goût de l'exécution,
les renvois des parties; j'étais fort affairé. On s'accorde
pendant cinq ou six minutes, qui furent pour moi cinq ou
six siècles[k]. Enfin, tout étant prêt, je frappe avec un
beau rouleau de papier sur mon pupitre magistral les[l]
cinq ou six coups du *prenez garde à vous*. On fait silence, je
me mets gravement à battre la mesure; on commence[m]...
Non, depuis qu'il existe des opéras français, de la vie on
n'ouït un semblable charivari. Quoi qu'on eût pu penser
de mon prétendu talent, l'effet fut pire que tout ce qu'on
semblait[n] attendre. Les musiciens étouffaient de rire; les
auditeurs ouvraient de grands yeux, et auraient bien voulu
fermer les oreilles; mais il n'y avait pas moyen. Mes bour-
reaux de symphonistes, qui voulaient s'égayer, raclaient
à percer[o] le tympan d'un quinze-vingt. J'eus la constance
d'aller toujours mon train[p], suant, il est vrai, à grosses
gouttes[q], mais retenu par la honte, n'osant m'enfuir et

tout planter là. Pour ma consolation, j'entendais[a] autour de moi les assistants se dire[b] à leur oreille, ou plutôt à la mienne, l'un : Il n'y a rien là[c] de supportable; un autre : Quelle musique enragée ? un autre : Quel diable de sabbat[d] ? Pauvre Jean-Jacques[e], dans ce cruel moment tu n'espérais guère qu'un jour devant le Roi de France et toute sa cour[f] tes sons exciteraient des murmures de surprise et d'applaudissement, et que, dans toutes les loges autour de toi, les plus aimables femmes se diraient[g] à demi-voix : Quels sons charmants ! quelle musique enchanteresse ! tous ces chants-là vont au cœur[1] !

Mais ce qui mit tout le monde de bonne humeur fut le menuet. A peine en[h] eut-on joué quelques mesures, que j'entendis partir de toutes parts les éclats de rire. Chacun me félicitait sur mon joli goût de chant; on m'assurait que ce menuet ferait[i] parler de moi, et que je méritais d'être chanté partout. Je n'ai pas besoin de[j] dépeindre mon angoisse ni[k] d'avouer que je la méritais bien.

Le lendemain, l'un de mes symphonistes, appelé Lutold, vint me voir, et fut assez bon homme pour ne pas me féliciter sur mon succès. Le profond sentiment de ma[l] sottise, la honte, le regret, le désespoir de l'état où j'étais réduit[m], l'impossibilité de tenir mon cœur fermé dans[n] ses grandes peines, me firent ouvrir à lui; je lâchai la bonde à mes larmes; et, au lieu de me contenter de lui avouer mon ignorance, je lui dis tout[o], en lui demandant le secret, qu'il me promit[p], et qu'il me[q] garda comme on peut[r] le croire. Dès le même soir tout Lausanne sut qui j'étais; et, ce qui est remarquable, personne ne m'en fit[s] semblant, pas même le bon Perrotet, qui pour tout cela ne se rebuta pas de me loger et de me nourrir.

Je vivais, mais[t] bien tristement. Les suites d'un pareil début ne firent pas pour moi de Lausanne un séjour fort agréable. Les écoliers[u] ne se présentaient pas en foule[v]; pas une seule écolière, et personne de la ville. J'eus en tout deux ou trois gros[w] Teutsches, aussi stupides que j'étais ignorants[x], qui m'ennuyaient à mourir, et qui, dans mes mains, ne devinrent pas de grands croque-notes[2]. Je fus

1. Allusion à la première représentation à Fontainebleau du *Devin du village,* relatée au livre VIII (*infra,* p. 448).

2. *Croque-notes* se dit familièrement au xviii[e] siècle d'un bon exécutant sans mérites comme musicien. Diderot emploie le terme dans son

appelé dans une seule maison, où un petit serpent de fille[a] se donna le plaisir de me montrer beaucoup de musique, dont je ne pus pas lire une note, et qu'elle eut la malice[b] de chanter ensuite devant Monsieur le maître, pour lui montrer comment cela s'exécutait. J'étais si peu en état de lire un air de première vue, que, dans le brillant concert dont j'ai parlé, il ne me fut pas possible de suivre un[c] moment l'exécution pour savoir si l'on jouait[d] bien ce que j'avais sous les yeux et que j'avais composée[e] moi-même.

Au milieu de tant d'humiliations j'avais[f] des consolations très douces dans les nouvelles que je recevais de temps en temps des deux charmantes amies. J'ai toujours trouvé dans le sexe une grande vertu consolatrice[g], et rien n'adoucit plus[h] mes afflictions dans mes disgrâces que de sentir qu'une personne aimable y prend intérêt. Cette correspondance cessa pourtant bientôt après, et ne[i] fut jamais renouée; mais ce fut ma faute. En changeant de lieu je négligeai de leur donner mon adresse, et, forcé par la nécessité de songer[j] continuellement à moi-même, je les oubliai bientôt entièrement.

Il y a longtemps que je n'ai parlé de ma pauvre Maman : mais si l'on croit que je[k] l'oubliais aussi, l'on se trompe fort. Je ne cessais de penser à elle, et de désirer[l] de la retrouver, non seulement pour le besoin de ma subsistance, mais[m] bien plus pour le besoin de mon cœur. Mon attachement pour elle, quelque vif, quelque tendre qu'il fût, ne m'empêchait pas d'en aimer d'autres; mais ce n'était pas de la même façon. Toutes devaient[n] également ma tendresse à[o] leurs charmes, et ne leur eût pas survécu; au lieu que Maman pouvait devenir vieille et laide sans que je[p] l'aimasse moins tendrement. Mon cœur avait[q] pleinement transmis à sa personne l'hommage qu'il[r] fit d'abord à sa beauté; et, quelque changement[s] qu'elle éprouvât, pourvu que ce fût toujours elle, mes sentiments ne pouvaient changer. Je sais bien que je lui devais de la reconnaissance; mais en vérité je n'y songeais pas. Quoi qu'elle eût fait ou n'eût pas fait pour moi[t], c'eût été toujours

Neveu de Rameau. Rousseau emploie *croque-note* (au singulier) au livre VIII (p. 453) et dans le même sens au livre VII (p. 331) et dans le 2ᵉ *Dialogue* (édition Osmont, *O. C.*, I, 1959, p. 868) *croque-sol.*

la même chose. Je ne l'aimais ni par devoir, ni par intérêt, ni par convenance : je l'aimais parce que j'étais né pour l'aimer. Quand je devenais amoureux de quelque autre, cela faisait distraction, je l'avoue[a], et je pensais moins souvent à elle; mais j'y pensais avec le même plaisir, et jamais, amoureux ou non, je ne me suis occupé d'elle sans sentir qu'il[b] ne pouvait y avoir pour moi de vrai bonheur dans la vie tant que j'en serais séparé.

N'ayant point de ses nouvelles depuis si longtemps, je[c] ne crus jamais[d] que je l'eusse tout à fait perdue[e], ni qu'elle eût pu m'oublier. Je me disais : Elle saura tôt ou tard que je suis errant, et me[f] donnera quelque signe de vie; je la retrouverai, j'en suis certain. En attendant, c'était une[g] douceur pour moi d'habiter son pays, de passer dans les rues où elle avait passé[h], devant les maisons où elle avait demeuré, et le tout par conjecture, car une de mes[i] ineptes bizarreries était de n'oser m'informer d'elle ni prononcer son nom sans la plus absolue nécessité. Il me semblait qu'en la nommant je disais tout ce qu'elle m'inspirait, que ma bouche révélait le secret de mon cœur, que je la compromettais[j] en quelque sorte. Je crois même qu'il se mêlait à cela quelque frayeur[k] qu'on ne me dît du mal d'elle. On avait parlé beaucoup de sa démarche, et un peu de sa conduite. De peur qu'on n'en dît pas ce que je[l] voulais entendre, j'aimais mieux qu'on n'en parlât point du tout.

Comme mes écoliers ne m'occupaient pas beaucoup, et que sa ville natale n'était qu'à quatre lieues de[m] Lausanne, j'y fis une promenade de deux ou trois jours, durant lesquels la plus douce émotion ne me quitta point. L'aspect du lac de Genève et de ses admirables côtes eut toujours à mes yeux un attrait particulier que je ne saurais expliquer, et qui ne tient pas seulement à la beauté du spectacle, mais à je ne sais quoi de plus intéressant qui m'affecte et m'attendrit. Toutes les fois que j'approche du pays de Vaud, j'éprouve[n] une impression composée[o] du souvenir de M^me de Warens qui y est née[p], de mon père qui y vivait, de M^lle de Vulson qui y eut les prémices de mon cœur, de plusieurs voyages de plaisir que j'y fis dans mon enfance, et, ce me semble, de quelque autre cause[q] encore plus secrète et plus forte que tout cela. Quand l'ardent désir de cette vie heureuse et[r] douce qui me fuit et pour laquelle[s] j'étais né vient enflammer mon imagination, c'est toujours au

pays de Vaud, près du lac, dans des campagnes charmantes, qu'elle se fixe. Il me faut absolument un verger[a] au bord de ce lac[b] et non pas d'un autre; il me faut un ami sûr, une femme aimable, une vache et un petit bateau. Je ne jouirai[c] d'un bonheur parfait[d] sur la terre que quand j'aurai tout cela[e]. Je ris de[f] la simplicité avec laquelle je suis allé plusieurs fois dans ce pays-là uniquement pour y chercher ce bonheur imaginaire. J'étais toujours surpris d'y trouver les habitants, surtout les femmes, d'un tout autre caractère que celui que j'y cherchais[g]. Combien cela me semblait disparate ! Le pays et[h] le peuple dont il est couvert ne m'ont jamais paru faits l'un pour l'autre.

Dans ce voyage de Vevey, je me livrais, en suivant ce beau rivage, à la plus[i] douce mélancolie. Mon cœur s'élançait avec[j] ardeur à mille félicités innocentes : je m'attendrissais, je soupirais, et pleurais comme un enfant. Combien de fois, m'arrêtant pour pleurer à mon aise, assis sur une grosse pierre, je me suis amusé à voir tomber mes larmes dans[k] l'eau !

J'allai à Vevey loger à *La Clef*, et pendant deux jours que j'y restai sans voir personne, je pris pour cette[l] ville un amour qui m'a suivi dans tous mes voyages, et qui m'y a fait établir[m] enfin les héros de mon roman. Je dirais volontiers[n] à ceux qui ont du goût et qui sont sensibles : Allez à Vevey, visitez le pays, examinez les sites[o], promenez-vous sur le lac, et dites si la nature n'a pas fait[p] ce beau pays pour une Julie, pour une Claire, et pour un Saint-Preux; mais ne les y cherchez pas[1]. Je reviens à mon histoire.

Comme j'étais catholique et que je me donnais pour

1. Ritter remarque que Rousseau, qui a parlé avec tant d'émotion du lac de Genève, n'a jamais mentionné le lac d'Annecy. On sait comment il développe, dans une page célèbre de l'*Émile,* le rêve de retraite esquissé ici. Sur le choix du décor de Vevey (Rousseau orthographie Vevai) comme cadre de *la Nouvelle Héloïse,* voir au livre IX (p. 510); sur la façon dont ce choix favorise l'identification entre les couples Saint-Preux - Julie et Rousseau - M[me] de Warens, voir *supra,* livre III, p. 113, n. 1 — L'excursion à Vevey est fixée par Courtois en août ou septembre 1730. Une plaque commémorative signale à Vevey, 2, rue de Lausanne, l'emplacement de l'auberge de la Clef. Le village d'Assens, où Rousseau se rendait à la messe, est à 11 kilomètres au nord de Lausanne; il possédait une église utilisée par les deux confessions.

tel, je suivais sans mystère et sans scrupule le culte que j'avais embrassé. Les dimanches, quand il faisait beau, j'allais à la messe à Assens, à deux lieues de Lausanne. Je faisais ordinairement cette course avec d'autres catholiques, surtout avec un brodeur[a] parisien dont j'ai oublié le nom. Ce n'était pas un Parisien comme moi, c'était un vrai Parisien de Paris, un archi-Parisien du bon Dieu, bon[b] homme comme un Champenois. Il aimait si fort son pays, qu'il ne voulut jamais douter que j'en fusse[c] de peur de perdre cette occasion d'en parler. M. de Crousaz, lieutenant-baillival, avait un jardinier de Paris aussi, mais moins complaisant, et qui trouvait la gloire de son pays[d] compromise à ce qu'on[e] osât se donner pour en être[f] lorsqu'on n'avait pas cet honneur. Il me questionnait de l'air d'un homme sûr de me prendre en faute, et puis souriait malignement. Il me demanda une fois ce qu'il y avait de remarquable au Marché-Neuf[1]. Je battis la campagne[g] comme on peut croire. Après avoir passé vingt ans à Paris, je dois[h] à présent connaître cette ville; cependant, si l'on me faisait aujourd'hui[i] pareille question, je ne serais pas moins embarrassé d'y répondre; et de cet embarras on pourrait aussi bien conclure que je n'ai jamais été à Paris : tant, lors même[j] qu'on rencontre la vérité, l'on est sujet à se fonder sur des principes trompeurs !

Je ne saurais dire exactement combien de temps je[k] demeurai à Lausanne. Je n'apportai pas de cette ville des souvenirs bien rappelants. Je sais seulement que[l], n'y trouvant pas à vivre, j'allai de là à Neufchâtel, et

1. *Lieutenant-baillival* (Rousseau orthographie *ballival*) : le pays de Vaud est divisé au XVIIIe siècle en dix bailliages, dont celui de Lausanne, et les baillis gardent en Suisse des pouvoirs administratifs, militaires et judiciaires considérables, alors qu'en France les pouvoirs du bailli sont à l'époque très affaiblis. Le lieutenant baillival siège avec le bailli, trois assesseurs et un secrétaire, en *cour baillivale,* pour juger en première instance les causes entre communes et vassaux, ministres et ressortissants de l'Académie, ainsi que celles intéressant des étrangers de maison souveraine. Il siège aussi à la *cour féodale* et à la *cour d'examen des criminels* (Bachelet et Dezobry, *Dictionnaire historique et biographique de la Suisse*).

Le *Marché-Neuf* à Paris était situé sur la rive sud de l'île de la Cité, entre le pont Saint-Michel et le Petit-Pont, où le quai actuel porte encore ce nom. La Morgue y était encore située au début du XIXe siècle.

que j'y passai l'hiver[1]. Je réussis mieux dans cette dernière ville; j'y eus des écolières, et j'y gagnai de quoi m'acquitter avec mon bon ami Perrotet, qui m'avait fidèlement envoyé mon petit bagage, quoique je lui redusse assez d'argent.

J'apprenais insensiblement la musique en l'enseignant. Ma vie était assez douce; un homme raisonnable eût pu s'en contenter : mais mon cœur inquiet me demandait autre chose. Les dimanches et les jours où j'étais libre, j'allais courir les campagnes et les bois des environs, toujours errant, rêvant, soupirant; et quand[a] j'étais une fois sorti de la ville, je n'y rentrais plus que le soir. Un jour, étant à Boudry, j'entrai pour dîner dans un cabaret : j'y vis un homme à grande barbe avec un habit violet à la grecque, un bonnet fourré, l'équipage et l'air assez nobles, et qui souvent avait peine à se faire entendre, ne parlant qu'un jargon[b] presque indéchiffrable, mais plus ressemblant à l'italien qu'à nulle autre langue. J'entendais presque tout ce qu'il disait, et j'étais le seul[c]; il ne pouvait s'énoncer que par signes avec l'hôte et les gens du pays. Je lui dis quelques mots en italien qu'il entendit parfaitement[d] : il se leva, et vint m'embrasser avec transport. La liaison fut bientôt faite, et dès ce moment je lui servis de truchement. Son dîner était bon, le mien était moins que médiocre. Il m'invita de prendre[e] part au sien; je fis peu de façons. En buvant et baragouinant nous achevâmes de nous familiariser, et dès la fin du repas nous devînmes inséparables. Il me conta qu'il était prélat grec et archimandrite[f] de

1. *Rappelants :* Rousseau orthographie *rapellans,* forme qui n'a rien de surprenant en un temps où la récente réforme de l'Académie, supprimant dans certains cas seulement les lettres doubles, — ainsi *percevoir,* mais *apparaître,* — désorientait les usagers; très peu d'écrivains, écrit d'Alembert en 1787, ont adopté la réforme. Pour le sens = vifs, frappants), cet emploi comme adjectif semble bien comme le dit Littré un *hapax.* C'est un néologisme comme Rousseau en a enté quelques-uns dans *les Confessions.* Il ne s'agit pas d'un helvétisme.

La durée du séjour à Lausanne dut être de quelque trois mois (fin juillet-fin octobre ?). Une lettre de M[lle] Giraud datée du 21 novembre trouva Rousseau à Neuchâtel, où il resta jusqu'au début d'avril 1731, date de la rencontre de l' « archimandrite » à Boudry, sur la rive du lac de Neuchâtel, à quelques kilomètres au sud-ouest de cette ville.

Le manuscrit de Neuchâtel (voir variante *l*, p. 170) s'arrête brusquement après les mots « Je sais seulement que ».

Jérusalem; qu'il était chargé de faire une quête en Europe
pour le rétablissement du Saint-Sépulcre. Il me montra
de belles patentes de la Czarine et de l'Empereur; il en avait
de beaucoup d'autres souverains. Il était assez content
de ce qu'il avait amassé jusqu'alors; mais il avait eu
des peines incroyables en Allemagne, n'entendant pas
un mot d'allemand, de latin ni de français, et réduit à
son grec, au turc et à la langue franque pour toute res-
source; ce qui ne lui en procurait pas beaucoup dans le
pays où il s'était enfourné. Il me proposa de l'accompa-
gner pour lui servir[a] de secrétaire et d'interprète. Malgré
mon petit habit violet, nouvellement acheté, et qui ne
cadrait pas mal avec mon nouveau poste, j'avais l'air si
peu étoffé, qu'il ne me crut pas difficile à gagner, et il ne se
trompa point. Notre accord fut bientôt fait; je ne demandai
rien, et il promettait beaucoup. Sans caution, sans sûreté,
sans connaissance, je me livre à sa conduite, et dès le len-
demain me voilà parti pour Jérusalem[1].

Nous commençâmes notre tournée par le canton
de Fribourg, où il ne fit pas grand'chose. La dignité
épiscopale ne permettait pas de faire le mendiant, et de
quêter aux particuliers; mais nous présentâmes sa com-
mission au Sénat, qui lui donna une petite somme. De là
nous fûmes à Berne. Il fallut ici plus de façon, et l'examen
de ses titres ne fut pas l'affaire d'un jour. Nous logions
au *Faucon*, bonne auberge alors, où l'on trouvait bonne
compagnie. La table était nombreuse et bien servie. Il y
avait longtemps que je faisais mauvaise chère; j'avais
grand besoin de me refaire, j'en avais l'occasion, et j'en
profitai. Monseigneur l'archimandrite était lui-même un
homme de bonne[b] compagnie, aimant assez à tenir table,
gai, parlant bien pour ceux qui l'entendaient, ne manquant

1. *Si peu étoffé :* si mal vêtu; sens courant alors. Le même participe
est employé au figuré par Rousseau comme terme du vocabulaire
musical, voir *infra*, livre V, p. 245 et livre IX, p. 549.
 La trace du passage du « R. P. Athanasius Paulus, de l'ordre de
SS. Pierre et Paul de Jérusalem », est conservée dans les archives de
Fribourg (réunion du Conseil du lundi 16 avril 1731), de Berne
(première visite le 15 mars, avant la rencontre de Rousseau; don du
Conseil enregistré à la date du 25 avril : 10 écus, soit environ 45 francs
or, qui seraient donc le fruit de l'éloquence de Rousseau !) et de
Soleure (registre du Conseil, 27 avril 1731).

as de certaines connaissances, et plaçant son érudition
grecque avec assez d'agrément. Un jour, cassant au dessert
les noisettes, il se coupa le doigt fort avant; et comme
le sang sortait avec abondance, il montra son doigt à la
compagnie, et dit en riant : *Mirate, signori ; questo è sangue
pelasgo*[1].

A Berne mes fonctions ne lui furent pas inutiles, et je
ne m'en tirai pas aussi mal que j'avais craint. J'étais bien
plus hardi et mieux parlant que je n'aurais été pour moi-
même[a]. [Les choses ne se passèrent pas aussi simplement
qu'à Fribourg. Il fallut de longues et fréquentes confé-
ences avec les premiers de l'État, et l'examen de ses[b]
itres ne fut pas l'affaire d'un jour[2].] Enfin, tout étant en
ègle, il fut admis à l'audience du Sénat. J'entrai avec lui
comme son interprète, et l'on me dit de parler. Je ne m'at-
endais à rien moins, et il ne m'était pas venu dans l'esprit
qu'après avoir longuement conféré avec les membres,
l fallût s'adresser au corps comme si rien n'eût été dit.
Qu'on juge de mon embarras ! Pour un homme aussi
honteux, parler non seulement en public, mais devant le
Sénat de Berne, et parler impromptu sans avoir une seule
minute pour me préparer, il y avait là de quoi m'anéantir.
Je ne fus pas même intimidé. J'exposai succinctement
et nettement la commission de l'archimandrite. Je louai[c]
a piété des Princes qui avaient contribué à la collecte qu'il
était venu faire. Piquant d'émulation celle de leurs
Excellences, je dis qu'il n'y avait pas moins à espérer de
leur munificence accoutumée; et puis, tâchant de prouver
que cette bonne œuvre en était également une pour tous
les chrétiens sans distinction de secte, je finis par promettre
les bénédictions du Ciel à ceux qui voudraient y prendre
part. Je ne dirai pas que mon discours fit effet; mais il est
sûr qu'il fut goûté, et qu'au sortir de l'audience l'Archi-

1. « Voyez, Messieurs, c'est là du sang de Pélage. » L'allusion,
qui n'est pas claire, porte peut-être sur une des nombreuses
légendes édifiées par les Grecs, et à leur suite par les archéologues
modernes, sur les Pélages, qui passent pour être les habitants primitifs
de la Grèce. C'est peut-être une simple revendication d'antique
noblesse, avec un jeu possible sur le nom de Pélage, chef de l'hérésie
qui porte son nom.

2. Cette répétition est évidemment une erreur de copie; voir
variante *a*.

mandrite[a] reçut un présent fort honnête, et de plus, sur
l'esprit de son secrétaire, des compliments dont j'eus l'agréable
emploi d'être le truchement, mais que je n'osai lui rendre
à la lettre. Voilà la seule fois dans ma vie que j'aie parlé en
public et devant un souverain, et la seule fois aussi[b] peut-
être que j'aie parlé hardiment et bien. Quelle différence dans
les dispositions du même homme ! Il y a trois ans qu'étant
allé voir à Yverdon mon vieux ami M. Roguin, je reçus
une députation pour me remercier de quelques livres que
j'avais donnés à la bibliothèque de cette ville. Les Suisses
sont grands harangueurs; ces messieurs me haranguèrent.
Je me crus obligé de répondre; mais je[c] m'embarrassai
tellement dans ma réponse, et ma tête se brouilla si bien,
que je restai court et me fis moquer de moi. Quoique
timide naturellement, j'ai été hardi quelquefois dans ma
jeunesse, jamais dans mon âge avancé. Plus j'ai vu le monde,
moins j'ai pu me faire à son ton[1].

Partis de Berne, nous allâmes à Soleure; car le dessein
de l'Archimandrite était de reprendre la route d'Allemagne
et de s'en retourner par la Hongrie ou par la Pologne,
ce qui faisait une route immense : mais, comme chemin
faisant, sa bourse s'emplissait plus qu'elle ne se vidait
il craignait peu les détours. Pour moi, qui me plaisais pres-
que autant à cheval qu'à pied[d], je n'aurais pas mieux deman-
dé que de voyager ainsi toute ma vie : mais il était écrit que
je n'irais pas si loin.

La première chose que nous fîmes, arrivant à Soleure,
fut d'aller saluer M. l'Ambassadeur de France[2]. Malheureu-

1. Les « quelques livres » (une édition en 10 vol. des *Œuvres* de
Rousseau) sont remis par Roguin à la bibliothèque d'Yverdon le
16 juin 1764. Quelques jours plus tard, Rousseau fait un bref séjour
en cette ville. Mais c'est en juin 1765 qu'il y passe quelques jours chez
Roguin. Les formes *mon vieux ami* et plus loin (p. 181) un *vilain vieux
avare* sont courantes au XVIIe siècle, où l'on emploie *vieux* devant
une voyelle de préférence à *vieil,* peu usité au masculin, sauf dans
quelques locutions traditionnelles. L'usage actuel fut imposé, non sans
résistances, par l'Académie au cours du XVIIIe siècle.
2. Soleure pratiquait plus qu'aucune ville de Suisse la *capitulation*
c'est-à-dire la fourniture à la France de mercenaires. De ce fait, les
rapports militaires et diplomatiques avec la France y sont étroits dès
le XVIe siècle, à tel point que la France devint l'arbitre de la politique
extérieure de Soleure. Cette prépondérance française déclina après la
crise financière qui suivit l'affaire de Law.

sement pour mon évêque, cet ambassadeur était le marquis
de Bonac, qui avait été ambassadeur à la Porte, et qui
devait être au fait de tout ce qui[a] regardait le Saint-
Sépulcre. L'Archimandrite eut une audience d'un quart
d'heure[b], où je ne fus pas admis, parce que M. l'Ambas-
sadeur entendait la langue franque, et parlait l'italien[c]
du moins aussi bien que moi. A la sortie de mon Grec
je voulus le suivre; on me retint : ce fut mon tour. M'étant
donné pour parisien, j'étais comme tel sous la juridiction
de Son Excellence. Elle me demanda qui j'étais, m'exhorta
de lui dire la vérité; je le lui promis en lui demandant une
audience particulière qui me fut accordée. M. l'Ambas-
sadeur m'emmena dans son cabinet, dont il ferma sur
nous la porte, et là, me jetant à ses pieds, je lui tins parole.
Je n'aurais pas moins dit quand je n'aurais rien promis,
car un continuel besoin d'épanchement met à tout moment
mon cœur sur mes lèvres; et, après m'être ouvert sans
réserve au musicien Lutold, je n'avais garde de faire le
mystérieux avec le marquis de Bonac. Il fut si content de
ma petite histoire et de l'effusion de cœur avec laquelle
il vit que je l'avais contée, qu'il me prit par la main, entra
chez M[me] l'Ambassadrice, et me présenta à elle en lui
faisant un abrégé de mon récit. M[me] de Bonac m'accueillit
avec bonté, et dit qu'il ne fallait pas me laisser aller avec
ce moine grec. Il fut résolu que je resterais à l'hôtel en
attendant qu'on vît ce qu'on pourrait faire de moi. Je
voulais aller faire mes adieux à mon pauvre Archimandrite,
pour lequel j'avais conçu de l'attachement : on ne me le
permit pas. On envoya lui signifier mes arrêts, et un quart
d'heure après je vis arriver mon petit sac. M. de la Marti-
nière, secrétaire d'ambassade, fut en quelque façon chargé
de moi. En me conduisant dans la chambre qui m'était
destinée, il me dit : Cette chambre a été occupée sous le
comte Du Luc par un homme célèbre[d] du même nom que
vous : il ne tient qu'à vous de le remplacer de toutes
manières, et de faire dire un jour, Rousseau premier,
Rousseau second. Cette conformité, qu'alors je n'espérais
guère, eût moins flatté mes désirs si j'avais pu prévoir
à quel prix je l'achèterais un jour[1].

1. Rousseau veut dire que les deux Rousseau se sont rendus
célèbres non seulement par leur génie, mais par leurs malheurs. Son
admiration pour Jean-Baptiste Rousseau (voir *Index*) se changea en

Ce que m'avait dit M. de la Martinière me donna de la curiosité. Je lus les ouvrages de[a] celui dont j'occupais la chambre, et sur le compliment qu'on m'avait fait, croyant avoir du goût pour la poésie, je fis pour mon coup d'essai une cantate à la louange de M^me de Bonac. Ce goût ne se soutint pas. J'ai fait de temps en temps quelques médiocres vers; c'est un exercice assez bon pour se rompre aux inversions élégantes, et apprendre à mieux écrire en prose; mais je n'ai jamais trouvé dans la poésie française assez d'attrait pour m'y livrer[b] tout à fait[1].

M. de la Martinière voulut voir du mon style, et me demanda par écrit le même détail que j'avais fait à M. l'Ambassadeur. Je lui écrivis une longue lettre, que j'apprends avoir été conservée par M. de Marianne, qui était attaché depuis longtemps au marquis de Bonac, et qui depuis a succédé à M. de la Martinière sous l'ambassade de M. de Courteilles. J'ai prié M. de Malesherbes

jalousie assez dure : voir un des fragments réunis par Dufour sous le titre *Mon Portrait* et de date incertaine (vers 1760 ?) :

« Jamais Homère ni Virgile ne furent appelés de grands hommes quoiqu'ils soient de très grands poètes. Quelques auteurs se tuent d'appeler le poète Rousseau le grand Rousseau pendant ma vie. Quand je serai mort le poète Rousseau sera un grand poète. Mais il ne sera plus le grand Rousseau. Car s'il n'est pas impossible qu'un auteur soit un grand homme, ce n'est pas en faisant des livres ni en vers ni en prose qu'il deviendra tel. » (*O. C.*, I, 1959, p. 1129, frag. 38.)

1. *Ce goût ne se soutint pas* = ne dura pas. Signalé par Littré en ce sens (art. *Soutenir*, n° 32), voisin du sens « maintenir sa puissance », sa dignité, son rang (Littré, *ibid.*, n^os 33 et 35), attesté chez Voltaire et Marivaux, et employé par Rousseau pp. 384 et 652.

La cantate à M^me de Bonac est peut-être celle dont des fragments ont été publiés par Dufour, *Annales*, II, 192-198. Le choix du genre de la *cantate* (pièce de vers destinée à être mise en musique) s'explique évidemment par la lecture toute fraîche de J.-B. Rousseau, qui en a composé beaucoup. C'est l'une de ces cantates (la 12^e du livre III, *les Bains de Thomery*), mise en musique par Batistin, que chante Rousseau lorsque quelques mois plus tard il est remarqué par M. Rolichon (p. 192). Les essais en vers de Rousseau (*le Verger de M^me de Warens* (1739 ?), l'*Épître à Parisot* (1742), l'*Allée de Sylvie* (1746), etc.), antérieurs à sa réputation comme écrivain, sont très conventionnels. Le peu d'intérêt qu'il avoue ici pour la poésie française est confirmé par de nombreuses déclarations dans l'œuvre et la correspondance sur la langue française, « peu propre à la poésie, et point du tout à la musique ».

de tâcher de me procurer une copie de cette lettre[a]. Si je puis l'avoir par lui ou par d'autres, on la trouvera dans le recueil qui doit accompagner mes confessions[1].

L'expérience que je commençais d'avoir modérait peu à peu mes projets romanesques, et par exemple, non seulement je ne devins point amoureux de M[me] de Bonac, mais je sentis d'abord que je ne pouvais faire un grand chemin dans la maison de son mari. M. de la Martinière en place, et M. de Marianne pour ainsi dire en survivance, ne me laissaient espérer pour toute fortune qu'un emploi de sous-secrétaire qui ne me tentait pas infiniment. Cela fit que, quand on me consulta sur ce que je voulais faire, je marquai beaucoup d'envie d'aller à Paris. M. l'Ambassadeur goûta cette idée, qui tendait[b] au moins à le débarrasser de moi. M. de Merveilleux, secrétaire interprète de l'ambassade, dit que son ami M. Gaudard[c], colonel suisse au service de la France, cherchait quelqu'un pour mettre auprès de son neveu, qui entrait fort jeune au service, et pensa que je pourrais lui convenir. Sur cette idée assez légèrement prise, mon départ fut résolu; et moi, qui voyais un voyage à faire et Paris au bout, j'en fus dans la joie de mon cœur. On me donna quelques lettres, cent francs[d] pour mon voyage, accompagnés de force bonnes leçons, et je partis[2].

1. Un texte, que les éditeurs modernes, dont Dufour et Leigh, considèrent comme apocryphe, de la lettre à La Martinière est reproduit dans la *C. C.*, I, 325. Est-ce le même texte auquel fait allusion en 1793 la grande édition Mercier, Brizard, Letourneur et de l'Aulnaye des *Œuvres complètes* de Rousseau (t. XXX, pp. 462 et 465)? Les éditeurs y parlent d'une « Vie » de Rousseau manuscrite et inédite, qui aurait été vers 1780 en la possession d'un certain « M.D.L.B. » (probablement Delaborde, ou De La Borde, auteur d'un *Essai sur la musique ancienne et moderne*), et reproduisent une déclaration de Du Peyrou selon laquelle cette « Vie » ne serait autre que la lettre à La Martinière.

2. Ce ne fut vraisemblablement pas sur sa bonne mine que Rousseau fut envoyé à Paris par l'ambassadeur ou ses collaborateurs, mais plutôt sur la recommandation de quelque haut personnage, peut-être l'évêque d'Annecy. On a conservé en effet des lettres de Rousseau écrites au cours du printemps ou de l'été 1731 (*C. C.*, I, 7-sqq., et n. de la p. 9), lesquelles prouvent qu'il revint quelque temps à Neuchâtel avant de partir pour Paris. On place généralement ce voyage en juin 1731, en supposant, soit que Rousseau s'est trompé en croyant

Je mis à ce voyage une quinzaine de jours, que je peux
compter parmi les heureux de ma vie. J'étais jeune, je me
portais bien, j'avais assez d'argent, beaucoup d'espérance,
je voyageais, je voyageais à pied, et je voyageais seul.
On serait étonné de me voir compter un pareil avantage,
si déjà l'on n'avait dû se familiariser avec mon humeur.
Mes[a] douces chimères me tenaient compagnie, et jamais[b]
la chaleur de mon imagination n'en enfanta de plus magni-
fiques. Quand on m'offrait quelque place vide dans une
voiture, ou que quelqu'un m'accostait en route, je rechi-
gnais de voir renverser la fortune dont je bâtissais l'édifice
en marchant. Cette fois mes idées étaient martiales. J'allais
m'attacher à un militaire et devenir militaire moi-même;
car on avait arrangé que je commencerais par être cadet.
Je croyais déjà me voir en habit d'officier avec un beau
plumet blanc. Mon cœur s'enflait à cette noble idée. J'avais
quelque teinture de géométrie et de fortifications; j'avais
un oncle ingénieur; j'étais en quelque sorte enfant de la
balle[1]. Ma vue courte offrait un peu d'obstacle[c], mais qui
ne m'embarrassait pas; et je comptais bien à force de sang-
froid et d'intrépidité suppléer à ce défaut. J'avais lu que
le maréchal Schomberg avait la vue[d] très courte; pourquoi

que Mme de Warens était partie de Paris depuis « plus de deux mois »
(en fait depuis juillet 1730), soit qu'elle y serait revenue après son
voyage à Turin.

Sur le colonel Gaudard (Rousseau orthographie *Godard*), voir
Index. Qui est le « neveu » auquel Rousseau donna des leçons ? Il y
a de nombreux Gaudard dans les Gardes suisses à cette date. Il ne peut
s'agir des neveux du colonel, ni de Jean-Henry Gaudard qui sert comme
officier depuis 1713, ni sans doute de son frère Louis-César, « le cadet »,
dont l'ancienneté de service n'est pas connue, mais doit être à peu près
analogue, puisqu'au début de 1734 ils sont tous deux « seconds lieu-
tenants » d'une compagnie des Gardes suisses. Il s'agit vraisembla-
blement de Pierre-François Villemain (voir *Index*), *petit-neveu,* et non
neveu, du colonel, et fils de François-Abraham Villemain. Ce dernier,
autre neveu du colonel Jean-François, est décédé en 1721 après avoir
succédé à son oncle dans le commandement de la compagnie Gaudard.
Un mémoire du 17 mai 1737 donne Pierre-François Villemain comme
étant « dans sa 19e année » et sous-lieutenant aux Gardes. Il aurait
donc eu douze ou treize ans en 1731, et aurait pu à cette date être
l'élève de Rousseau (Archives du Service historique de l'Armée).

1. « Enfant d'un maître de jeu de paume, et, par extension, toute
personne élevée dans la profession de sa famille. » (Littré.) Sur l' « oncle
ingénieur », voir *Index,* Bernard, Gabriel.

le maréchal Rousseau ne l'aurait-il pas ? Je m'échauffais tellement sur ces folies, que je ne voyais plus que troupes, remparts, gabions, batteries, et moi, au milieu du feu et de la fumée, donnant tranquillement mes ordres, la lorgnette à la main. Cependant, quand je passais dans des campagnes agréables, que je voyais des bocages et des ruisseaux, ce touchant aspect me faisait soupirer de regret; je sentais au milieu de ma gloire que mon cœur n'était pas fait pour tant de fracas, et bientôt, sans savoir comment, je me retrouvais au milieu de mes chères bergeries, renonçant pour jamais aux travaux de Mars.

Combien l'abord de Paris démentit l'idée que j'en avais ! La décoration extérieure que j'avais vue à Turin, la beauté des rues [a], la symétrie et l'alignement des maisons, me faisaient chercher à Paris autre chose encore. Je m'étais figuré une ville aussi belle que grande, de l'aspect le plus imposant, où l'on ne voyait que de superbes rues, des palais de marbre et d'or. En entrant par le faubourg Saint-Marceau, je ne vis que de petites rues sales et puantes, de vilaines maisons noires, l'air de la malpropreté, de la pauvreté, des mendiants, des charretiers, des ravaudeuses, des crieuses de tisanes et de vieux chapeaux. Tout cela me frappa d'abord à tel point, que tout ce que j'ai vu depuis à Paris de magnificence réelle n'a pu détruire cette première impression, et qu'il m'en est resté toujours un secret dégoût pour l'habitation de cette capitale. Je puis dire que tout le temps que j'y ai vécu dans la suite ne fut employé qu'à y chercher des ressources pour me mettre en état d'en vivre éloigné [1]. Tel est le fruit d'une imagi-

1. On pense que Rousseau, après être retourné de Soleure à Neuchâtel, d'où il écrit à son père (*C. C.*, I, 12-15) qu'il ne retrouve plus ses écolières, regagna Soleure, cette fois avec des recommandations. Les quelque 500 kilomètres du voyage de Soleure à Paris durent prendre une quinzaine de jours, en juin 1731. Il dut rester à Paris deux ou trois mois (juillet-août).

— Le jugement sur Paris doit être complété par le jugement sur les Français, à la page 181. S'agit-il bien là d'une première impression ? Ce jugement défavorable ne se ressent-il pas des opinions ultérieures de Rousseau, notamment la « réforme » contemporaine du 1er *Discours* (voir l'*Épître* [en vers] *au Vicaire de Marcoussis* [sur les défauts de Paris], en 1749), et de la décision prise en 1756 de quitter Paris pour Montmorency malgré les instances ou les railleries de ses amis les philosophes ? Même sévérité tranchante dans les adieux à

nation trop active, qui exagère par-dessus l'exagération des hommes, et voit toujours plus que ce qu'on lui dit. On m'avait tant vanté Paris, que je me l'étais figuré comme l'ancienne Babylone, dont je trouverais peut-être autant à rabattre[a], si je l'avais vue, du portrait que je m'en suis fait. La même chose m'arriva à l'Opéra, où je me pressai d'aller le lendemain de mon arrivée; la même chose m'arriva dans la suite à Versailles; dans la suite encore en voyant la mer[1]; et la même chose m'arrivera toujours en voyant des spectacles qu'on m'aura trop annoncés : car il est impossible aux hommes et difficile à la nature elle-même de passer en richesse mon imagination.

A la manière dont je fus reçus de tous ceux pour qui j'avais des lettres, je crus ma fortune faite. Celui à qui j'étais le plus recommandé, et qui me caressa le moins, était M. de Surbeck, retiré du service et vivant philosophiquement à Bagneux, où je fus le voir plusieurs fois, et où jamais il ne m'offrit un verre d'eau. J'eus plus d'accueil de M[me] de Merveilleux, belle-sœur de l'interprète, et de son neveu, officier aux gardes : non seulement la mère et le fils me reçurent bien, mais ils m'offrirent leur table, dont je profitai souvent durant mon séjour à Paris.

Paris, à la fin du livre IV de l'*Émile* (« ville de bruit, de fumée et de boue »); ce dernier texte est rapproché par P. Citron (*la Poésie de Paris dans la littérature française de Rousseau à Baudelaire,* Paris, 1961, I, pp. 99 sqq.) du poème du P. Le Moyne, *Vue de Paris* (1659) qu'il ne croit pas cependant connu de Rousseau. Le même critique attribue à la description de Paris dans *les Confessions* une influence importante : ce serait la première d'une longue série de « premières impressions de Paris » en littérature.

Les observations sur Paris, dans la 2e partie de *la Nouvelle Héloïse,* portent sur les manières, le théâtre et l'opéra, mais ne contiennent à peu près rien sur la ville elle-même. Saint-Preux, comme ici Rousseau, s'y présente en vertueux Suisse, choqué de la légèreté parisienne. Mais au livre V (pp.210-211), Rousseau fera état de sa partialité en faveur de ces mêmes Français qu'il critique ailleurs volontiers; encore au livre X il s'émeut des « délicatesses » des « cœurs français » (p. 590). Ses sentiments sur la France, comme ceux sur Genève, sont complexes et ses jugements varient selon les circonstances, l'humeur et les besoins de l'argumentation. On trouvera les citations essentielles rassemblées par G. May dans un article des *Yale French Studies,* no 28 (1962).

1. *La mer :* à Marseille, en 1743, en route pour Venise, et plus tard à Calais, en janvier 1766, en route pour l'Angleterre.

M^me de Merveilleux me parut avoir été belle; ses cheveux étaient^a d'un beau noir, et faisaient, à la vieille mode, le crochet sur ses tempes. Il lui restait ce qui ne périt point avec les attraits, un^b esprit très agréable. Elle me parut goûter le mien, et fit tout ce qu'elle put pour me rendre service; mais personne ne la seconda, et je fus bientôt désabusé de tout ce grand intérêt qu'on avait paru prendre à moi. Il faut pourtant rendre justice aux Français; ils ne s'épuisent point tant qu'on dit en protestations, et celles qu'ils font sont presque toujours sincères; mais ils ont une manière de paraître s'intéresser à vous qui trompe plus que des paroles. Les gros compliments des Suisses n'en peuvent imposer qu'à des sots : les manières des Français sont plus séduisantes en cela même qu'elles sont plus simples; on croirait qu'ils ne vous disent pas tout ce qu'ils veulent faire, pour vous surprendre plus agréablement. Je dirai plus; ils ne sont point faux dans leurs démonstrations; ils sont naturellement officieux, humains, bienveillants, et même, quoi qu'on en dise, plus vrais qu'aucune autre nation; mais ils sont légers et volages. Ils ont en effet le sentiment qu'ils vous^c témoignent, mais ce sentiment s'en va comme il est venu. En vous parlant, ils sont pleins de vous; ne vous voient-ils plus, ils vous oublient. Rien n'est permanent dans leur cœur : tout est chez eux l'œuvre du moment.

Je fus donc beaucoup flatté et peu servi. Ce colonel Gaudard au neveu duquel on m'avait donné, se trouva être un vilain vieux avare, qui, quoique tout cousu d'or, voyant ma détresse, me voulut avoir pour rien. Il prétendait que je fusse auprès de son neveu une espèce de valet sans gages plutôt qu'un vrai gouverneur. Attaché continuellement à lui, et par là dispensé du service, il fallait que je vécusse de ma paye de cadet, c'est-à-dire de soldat; et à peine consentait-il à me donner l'uniforme; il aurait voulu que je me contentasse de celui du régiment. M^me de Merveilleux, indignée de ses propositions, me détourna elle-même de les accepter; son fils fut du même sentiment. On cherchait autre chose, et l'on ne trouvait rien. Cependant je commençais d'être pressé, et cent francs, sur lesquels j'avais fait mon voyage, ne pouvaient me mener^d bien loin. Heureusement je reçus, de la part de^e M. l'Ambassadeur, encore une petite remise qui me fit grand bien, et je crois qu'il ne m'aurait pas abandonné

si j'eusse eu plus de patience : mais languir, attendre, solliciter, sont pour moi choses impossibles. Je me rebutai, je ne parus plus, et tout fut fini. Je n'avais pas oublié ma pauvre Maman; mais comment la trouver ? où la chercher ? Mᵐᵉ de Merveilleux, qui savait mon histoire, m'avait aidé dans cette recherche[a], et longtemps inutilement. Enfin elle m'apprit que Mᵐᵉ de Warens était repartie il y avait plus de deux mois, mais qu'on ne savait si elle était[b] allée en Savoie ou à Turin, et que quelques personnes la disaient retournée en Suisse[1]. Il ne m'en fallut pas davantage pour me déterminer à la suivre, bien sûr qu'en quelque lieu qu'elle fût, je la trouverais plus aisément en province que je n'avais pu faire à Paris.

Avant de partir j'exerçai mon nouveau talent poétique dans une épître au colonel Gaudard, où je le drapai de mon mieux. Je montrai ce barbouillage à Mᵐᵉ de Merveilleux, qui, au lieu de me censurer comme elle aurait dû faire, rit beaucoup de mes sarcasmes, de même que son fils, qui, je crois, n'aimait pas[c] M. Gaudard, et il faut avouer qu'il n'était pas aimable. J'étais tenté de lui envoyer mes vers; ils m'y encouragèrent : j'en fis un paquet à son adresse, et comme il n'y avait point alors à Paris de petite poste, je le mis dans ma poche, et je le lui envoyai d'Auxerre en passant. Je ris quelquefois encore en songeant aux grimaces qu'il dut faire en lisant ce panégyrique, où il était peint trait pour trait. Il commençait ainsi :

> Tu croyais, vieux pénard, qu'une folle manie
> D'élever ton neveu m'inspirerait l'envie.

Cette petite pièce, mal faite à la vérité, mais qui ne manquait pas de sel, et qui annonçait du talent pour la satire, est cependant le seul écrit satirique qui soit sorti de ma plume. J'ai le cœur trop peu haineux pour me prévaloir d'un pareil talent : mais je crois qu'on peut juger par quelques écrits polémiques faits de temps à autre pour ma défense, que, si j'avais été d'humeur batailleuse, mes

1. Mᵐᵉ de Warens a quitté Paris le 24 juillet de l'année précédente pour Lyon, Chambéry et Turin; elle est de retour en Savoie en septembre 1730, mais il n'est pas impossible qu'elle ait fait depuis un autre séjour à Paris, que rien cependant ne laisse supposer.

agresseurs[a] auraient eu rarement les rieurs de leur côté[1].

La chose que je regrette le plus dans les détails de ma vie dont j'ai perdu la mémoire est de n'avoir pas fait des journaux de mes voyages. Jamais je n'ai tant pensé, tant existé, tant vécu, tant été moi, si j'ose ainsi dire, que dans ceux que j'ai faits seul et à pied. La marche a quelque chose qui anime et avive mes idées : je ne puis presque penser quand je reste en place ; il faut que mon corps soit en branle pour y mettre mon esprit[2]. La vue de la campagne, la succession des aspects agréables, le grand air, le grand appétit, la bonne santé que je gagne en marchant, la liberté du cabaret, l'éloignement de tout ce qui me fait sentir ma dépendance, de tout ce qui me rappelle à ma situation, tout cela dégage mon âme, me donne une plus grande audace de penser, me jette en quelque sorte dans l'immensité des êtres pour les combiner, les choisir, me les appro- prier[b] à mon gré, sans gêne et sans crainte. Je dispose[c] en maître de la nature entière ; mon cœur, errant d'objet en objet, s'unit, s'identifie à ceux qui le flattent, s'entoure d'images charmantes, s'enivre de sentiments délicieux.

1. *Draper* = dire du mal de, fréquent chez Régnier et Boileau, appartient au vocabulaire de la satire et de la critique littéraire.

— *Pénard*, généralement précédé de *vieux*, se dit par raillerie d'un vieillard décrépit. Né en 1649, Gaudard avait 81 ou 82 ans.

— La *petite poste*, établie en 1759 par Silhouette (voir *Index*), servira la ville et la banlieue, la grande poste étant alors réservée à la province et à l'étranger.

— La verve satirique de Rousseau s'est exercée dans ses écrits polémiques *(Lettre à Christophe de Beaumont, Lettres de la Montagne)*. Du même ton relève l'ironie amère des *Dialogues* à l'égard de ses ennemis. Elle se manifeste aussi à l'occasion dans les caricatures, particulière- ment nombreuses dans les livres II à IV, tantôt poussées au noir (le Maure de l'hospice de Turin, le « maudit lazariste » du séminaire d'Annecy), tantôt sympathiques (le juge-maje Simon). Cette notation du narrateur s'ajoute à celles qui témoignent, dans les premiers livres, de la gaieté naturelle de son caractère (voir aussi livre VIII, p. 422). Rousseau se réfère souvent à son « cœur trop peu haineux », notam- ment au plus fort des querelles de l'Ermitage, comme le montre la correspondance dans la 2e moitié de 1757.

2. Sur les voyages à pied, outre la page célèbre de l'*Émile,* voir *supra,* livre II, p. 63, et *infra,* p. 195. Plusieurs critiques mo- dernes, principalement Marcel Raymond, ont étudié l'impulsion du rythme physique dans l'imagination et la création intellectuelle chez Rousseau.

Si pour les fixer je m'amuse à les décrire en moi-même, quelle vigueur de pinceau, quelle fraîcheur de coloris, quelle énergie d'expression je leur donne ! On a, dit-on, trouvé de tout cela dans mes ouvrages, quoique écrits vers le déclin de mes ans. Oh ! si l'on eût vu ceux de ma première jeunesse, ceux que j'ai faits durant mes voyages, ceux que j'ai composés et que je n'ai jamais écrits... Pourquoi, direz-vous, ne les pas écrire[a] ? Et pourquoi les écrire ? vous répondrai-je : pourquoi m'ôter le charme actuel de la jouissance, pour dire à d'autres que j'avais joui ? Que m'importaient des lecteurs, un public, et toute la terre, tandis que je planais dans le ciel ? D'ailleurs, portais-je avec moi du papier, des plumes ? Si j'avais pensé à tout cela, rien ne me serait venu. Je ne prévoyais pas que j'aurais des idées; elles viennent quand il leur plaît, non quand il me plaît[1]. Elles ne viennent point, ou elles viennent en foule, elles m'accablent de leur nombre et de leur force. Dix volumes par jour n'auraient pas suffi. Où prendre du temps pour les écrire ? En arrivant je ne songeais qu'à bien dîner. En partant je ne songeais qu'à bien marcher. Je sentais qu'un nouveau paradis m'attendait à la porte. Je ne songeais qu'à l'aller chercher.

Jamais je n'ai si bien senti tout cela que dans le retour dont je parle. En venant à Paris, je m'étais borné aux idées relatives à ce que j'y allais faire. Je m'étais élancé dans la carrière où j'allais entrer, et je l'avais parcourue avec assez de gloire : mais cette carrière n'était pas celle où mon cœur m'appelait et les êtres réels nuisaient aux êtres imaginaires. Le colonel Gaudard et son neveu figuraient mal avec un héros tel que moi. Grâce au ciel, j'étais maintenant délivré de tous ces obstacles : je pouvais m'enfoncer à mon gré dans le pays des chimères, car il ne restait que cela devant moi. Aussi je m'y égarai si bien, que je perdis réellement plusieurs fois ma route; et j'eusse été fort fâché d'aller plus droit, car, sentant qu'à Lyon j'allais me retrouver sur la terre, j'aurais voulu n'y jamais arriver.

1. Ici encore, comme *supra*, livre III, p. 125 et n. 1, on peut songer à rapprocher cette esquisse de portrait intellectuel de celle à laquelle se complaît Diderot au début du *Neveu de Rameau* :

« J'abandonne mon esprit à tout son libertinage. Je le laisse maître de suivre la première idée sage ou folle qui se présente [...]. Mes pensées, ce sont mes catins. » (Édition Fabre, p. 3.)

Un jour entre autres, m'étant à dessein détourné pour voir de près un[a] lieu qui me parut admirable, je m'y plus si fort et j'y fis tant de tours que je me perdis enfin tout à fait. Après plusieurs heures de course inutile, las et mourant de soif et de faim, j'entrai chez un paysan dont la maison n'avait pas belle apparence, mais c'était la seule que je visse aux environs. Je croyais que c'était comme à Genève ou en Suisse où tous les habitants à leur aise sont en état d'exercer l'hospitalité. Je priai celui-ci de me donner à dîner en payant. Il m'offrit du lait écrémé et de gros pain d'orge, en me disant que c'était tout ce qu'il avait. Je buvais ce lait avec délices, et je mangeais ce pain, paille et tout; mais cela n'était pas fort restaurant pour un homme épuisé de fatigue. Ce paysan, qui m'examinait, jugea de la vérité de mon histoire par celle de mon appétit. Tout de suite, après m'avoir dit qu'il voyait bien* que j'étais un bon jeune honnête homme qui n'était pas là pour le vendre, il ouvrit une petite trappe à côté de sa cuisine, descendit, et revint un moment après avec un bon pain bis de pur froment, un jambon très appétissant quoique entamé, et une bouteille de vin dont l'aspect me réjouit le cœur plus que tout le reste. On joignit à cela une omelette assez épaisse, et je fis un dîner tel qu'autre qu'un piéton n'en connut jamais. Quand ce vint à payer, voilà son inquiétude et ses craintes qui le reprennent; il ne voulait point de mon argent, il le repoussait avec un trouble extraordinaire; et ce qu'il y avait de plaisant était que je ne pouvais imaginer de quoi il avait peur. Enfin, il prononça en frémissant ces mots terribles de Commis et de Rats-de-Cave[2]. Il me fit entendre qu'il cachait son vin à cause

* Apparemment, je n'avais pas encore alors la physionomie qu'on m'a donné[e] depuis dans mes portraits[1 b].

1. Cette addition de Rousseau, postérieure au texte, est probablement contemporaine de ce passage du 2e *Dialogue* où il se plaint que « Vos Messieurs » aient répandu dans le public des portraits où il apparaît conforme au personnage « abject, ridicule et méprisable » sous les traits duquel le représentent leurs écrits et leurs propos (édition Osmont, *O. C.*, I, 1959, pp. 781-782). Il s'en prend surtout à la gravure de Ficquet (d'après La Tour) mise en vente à la fin de 1771.

2. *Commis* [aux aides] = « personne préposée par les fermiers des impôts à la perception des droits sur diverses marchandises » (Littré). C'est

des aides, qu'il cachait son pain à cause de la taille, et qu'il
serait un homme perdu si l'on pouvait se douter qu'il ne
mourût pas de faim. Tout ce qu'il me dit à ce sujet, et dont
je n'avais pas la moindre idée, me fit une impression qui
ne s'effacera jamais. Ce fut là le germe de cette haine inextin-
guible qui se développa depuis dans mon cœur contre les
vexations qu'éprouve le malheureux peuple et contre ses
oppresseurs. Cet homme, quoique aisé, n'osait manger
le pain qu'il avait gagné à la sueur de son front, et ne pouvait
éviter sa ruine qu'en montrant la même misère qui régnait
autour de lui. Je sortis de sa maison aussi indigné qu'atten-
dri, et déplorant le sort de ces belles contrées à qui la
nature n'a prodigué ses dons que pour en faire la proie des
barbares publicains.

Voilà le seul souvenir bien distinct qui me reste de ce
qui m'est arrivé durant ce voyage. Je me rappelle seulement
qu'en approchant de Lyon je fus tenté de prolonger ma
route pour aller voir les bords du Lignon; car, parmi les
romans que j'avais lus avec mon père l'*Astrée* n'avait pas
été oubliée, et c'était celui[a] qui me revenait au cœur le plus
fréquemment[1]. Je demandai la route du Forez; et tout en
causant avec une hôtesse, elle m'apprit que c'était un bon
pays de ressource pour les ouvriers, qu'il y avait beaucoup
de forges, et qu'on y travaillait fort bien en fer. Cet éloge
calma tout à coup ma curiosité romanesque, et je ne jugeai
pas à propos d'aller chercher des Dianes et des Sylvandres
chez un peuple de forgerons. La bonne femme qui m'encou-
rageait de la sorte m'avait sûrement pris pour un garçon
serrurier.

Je n'allais pas tout à fait à Lyon sans vues. En arrivant,
j'allai voir aux Chasottes M[lle] du Châtelet, amie de

à eux que s'applique l'appellation familière et injurieuse de *rat-de-cave,*
parce qu'ils visitent les caves des particuliers. La taille n'est pas perçue
par les *commis.*
 1. Le goût de Rousseau pour l'*Astrée* a pu être ravivé par la publi-
cation en 1733 d'une nouvelle édition du roman. Il n'est pas impos-
sible, vu l'incertitude de la chronologie de ces premiers livres, que
le pèlerinage manqué au Lignon se place un peu plus tard. De toute
façon, le livre lui a toujours été cher. Maurice Magendie (*Du nouveau
sur l'Astrée,* Paris, 1927, p. 459) voit des analogies entre *la Nouvelle
Héloïse* et un épisode du roman de d'Urfé, l'histoire de Célion et de
Bellinde.

M^me de Warens, et pour laquelle elle m'avait donné une lettre quand je vins avec M. Le Maître : ainsi c'était une connaissance déjà faite. M^lle du Châtelet m'apprit qu'en effet son amie avait passé à Lyon, mais qu'elle ignorait si elle avait poussé sa route jusqu'en^a Piémont, et qu'elle était incertaine elle-même en partant si elle ne s'arrêterait point en Savoie; que si je voulais, elle écrirait pour en avoir des nouvelles, et que le meilleur parti que j'eusse à prendre était de les attendre à Lyon. J'acceptai l'offre : mais je n'osai dire à M^lle du Châtelet que j'étais pressé de la réponse, et que ma petite bourse épuisée ne me laissait pas en état de l'attendre longtemps. Ce qui me retint n'était pas qu'elle m'eût mal reçu. Au contraire, elle m'avait fait beaucoup de caresses, et me traitait sur un pied d'égalité qui m'ôtait le courage de lui laisser voir mon état, et de descendre du rôle de bonne compagnie à celui d'un malheureux mendiant.

Il me semble de voir assez clairement la suite de tout ce que j'ai marqué dans ce livre. Cependant je crois me rappeler, dans le même intervalle, un autre voyage de Lyon, dont je ne puis marquer la place, et où je me trouvai déjà fort à l'étroit[1]. Une petite anecdote assez difficile

1. On pense que Rousseau put en effet faire plus d'un séjour à Lyon en 1731-1732 : il a pu être, après sa sortie du cadastre à Chambéry, chargé par M^me de Warens de diverses commissions à faire à Lyon. — Le couvent des Chazeaux ou Chazottes, sur la colline de Fourvière (actuellement Montée Saint-Barthélemy) tire son nom d'un hameau du Forez où fut fondé au xiv^e siècle un prieuré de l'ordre de sainte Claire, lequel passa sous la règle de saint Benoît en se transportant à Lyon au xvii^e siècle (Aurenche). Un document de 1736 atteste la présence en ce couvent d'une M^lle du Châtelet, non autrement connue, qui dut recevoir au début d'août 1730 la visite de M^me de Warens. Rousseau, arrivant à Lyon en septembre 1731, descendit vraisemblablement, comme l'année précédente, à Notre-Dame-de-la-Pitié, rue Sirène : on accédait en effet à cette rue par la rue Saint-Dominique (aujourd'hui rue Émile-Zola), aboutissant place Bellecour — ce qui est conforme à la topographie que supposent ces pages.

Mugnier pense que le récit de Rousseau contient ici une confession, et laisse entendre qu'elle est peut-être délibérée. Rousseau *savait* depuis la fin de 1730 par sa correspondante d'Annecy (M^lle Giraud ?) que M^me de Warens était de retour en Savoie. Si M^lle du Châtelet écrivit « pour en avoir des nouvelles », c'était donc moins pour connaître son adresse que pour savoir si elle voulait encore s'occuper de Rousseau.

à dire ne me permettra jamais de l'oublier. J'étais un soir assis en Bellecour, après un très mince souper, rêvant aux moyens de me tirer d'affaire, quand un homme en bonnet vint s'asseoir à côté de moi; cet homme avait l'air d'un de ces ouvriers en soie qu'on appelle à Lyon des taffetatiers. Il m'adresse la parole ; je lui réponds : voilà la conversation liée. A peine avions-nous causé un quart d'heure, que, toujours avec le même sang-froid et sans changer de ton, il me propose de nous amuser de compagnie. J'attendais qu'il m'expliquât quel était cet amusement; mais, sans rien ajouter, il se mit en devoir de m'en donner l'exemple. Nous nous touchions presque, et la nuit n'était pas assez obscure pour m'empêcher de voir à quel exercice il se préparait. Il n'en voulait point à ma personne; du moins rien[a] n'annonçait cette intention, et le lieu ne l'eût pas favorisée. Il ne voulait exactement, comme il me l'avait dit, que s'amuser et que je m'amusasse, chacun pour son compte; et cela lui paraissait si simple, qu'il n'avait même pas supposé qu'il ne me le parût pas comme à lui. Je fus si effrayé de cette impudence que, sans lui répondre, je me levai précipitamment et me mis à fuir à toutes jambes, croyant avoir ce misérable à mes trousses. J'étais si troublé, qu'au lieu de gagner mon logis par la rue Saint-Dominique, je courus du côté du quai, et ne m'arrêtai qu'au delà du pont de bois, aussi tremblant que si je venais de commettre un crime. J'étais sujet au même vice; ce souvenir m'en guérit pour longtemps.

A ce voyage-ci j'eus[b] une autre aventure à peu près du même genre, mais qui me mit en plus grand danger. Sentant mes espèces tirer à leur fin, j'en ménageais le chétif reste. Je prenais moins souvent des repas à mon auberge, et bientôt je n'en pris plus du tout, pouvant pour cinq ou six sols, à la taverne, me rassasier tout aussi bien que je faisais là pour mes vingt-cinq. N'y mangeant plus, je ne savais comment y aller coucher, non que j'y dusse grand'chose, mais j'avais honte d'occuper une chambre sans rien faire gagner à mon hôtesse. La saison était belle. Un soir qu'il faisait fort chaud, je me déterminai à passer la nuit dans la place, et déjà je m'étais établi sur un banc, quand un abbé qui passait, me voyant ainsi couché s'approcha et me demanda si je n'avais point de gîte. Je lui avouai mon cas, il en parut touché; il s'assit à côté de moi, et nous causâmes. Il parlait agréablement;

tout ce qu'il me dit me donna de lui la meilleure opinion du monde. Quand il me vit bien disposé, il me dit qu'il n'était pas logé fort au large, qu'il n'avait qu'une seule chambre, mais qu'assurément il ne me laisserait pas coucher ainsi dans la place; qu'il était tard pour[a] me trouver un gîte, et qu'il m'offrait pour cette nuit la moitié de son lit. J'accepte l'offre, espérant déjà me faire un ami qui pourrait m'être utile. Nous allons; il bat le fusil. Sa chambre me parut[b] propre dans sa petitesse : il m'en fit les honneurs fort poliment. Il tira[c] d'une armoire un pot de verre où étaient des cerises à l'eau-de-vie; nous en mangeâmes chacun deux, et nous fûmes nous coucher.

Cet homme avait les mêmes goûts que mon Juif de l'hospice, mais il ne les manifestait pas si brutalement. Soit que, sachant que je pouvais être entendu, il craignît de me forcer à me défendre, soit qu'en effet il fût moins confirmé dans ses projets, il n'[d]osa m'en proposer ouvertement l'exécution, et cherchait à m'émouvoir sans m'inquiéter. Plus instruit que la première fois, je compris bientôt son dessein, et j'en frémis; ne sachant ni dans quelle maison, ni entre les mains de qui j'étais, je craignis, en faisant du bruit, de le payer de ma vie. Je feignis d'ignorer ce qu'il me voulait; mais paraissant très importuné de ses caresses et très décidé à n'en pas endurer le progrès, je fis si bien qu'il fut obligé de se contenir. Alors je lui parlai avec toute la douceur et toute la fermeté dont j'étais capable; et, sans paraître rien soupçonner, je m'excusai de l'inquiétude que je lui avais montrée, sur mon ancienne aventure, que j'affectai de lui conter en termes si pleins de dégoût et d'horreur, que je lui fis, je crois, mal au cœur à lui-même, et qu'il renonça tout à fait à son sale dessein. Nous passâmes tranquillement le reste de la nuit. Il me dit même beaucoup de choses très bonnes, très sensées, et ce n'était assurément pas un homme sans mérite, quoique ce fût un grand vilain.

Le matin, M. l'Abbé, qui ne voulait pas avoir l'air mécontent, parla de déjeuner, et pria une des filles de son hôtesse, qui était fort jolie, d'en faire apporter. Elle lui dit qu'elle n'avait pas le temps : il s'adressa à sa sœur, qui ne daigna pas lui répondre. Nous attendions toujours : point de déjeuner. Enfin nous passâmes dans la chambre de ces demoiselles. Elles reçurent M. l'Abbé d'un air très peu caressant; j'eus encore moins à me louer de leur

accueil. L'aînée, en se retournant, m'appuya son talon
pointu sur le bout du pied, où un cor fort douloureux
m'avait forcé de couper mon soulier; l'autre vint ôter
brusquement de derrière moi une chaise sur laquelle j'étais
prêt à m'asseoir; leur mère, en jetant de l'eau par la fenêtre,
m'en aspergea le visage : en quelque place que je me misse,
on m'en faisait ôter pour[a] chercher quelque chose; je
n'avais été de ma vie à pareille fête. Je voyais dans leurs
regards insultants et moqueurs une fureur cachée, à laquelle
j'avais la stupidité de ne rien comprendre. Ébahi, stupéfait,
prêt à les croire toutes possédées, je commençais[b] tout
de bon à m'effrayer, quand l'Abbé, qui ne faisait semblant
de voir ni d'entendre, jugeant bien qu'il n'y avait point
de déjeuner à espérer, prit le parti de sortir, et je me hâtai
de le suivre, fort content d'échapper à ces trois furies.
En marchant il me proposa d'aller déjeuner au café.
Quoique j'eusse grand'faim, je n'acceptai[c] pas cette offre,
sur laquelle il n'insista pas beaucoup non plus, et nous
nous séparâmes au trois ou quatrième coin de rue; moi,
charmé de perdre de vue tout ce qui appartenait à cette
maudite maison; et lui fort aise, à ce que je crois, de
m'en avoir assez éloigné pour qu'elle ne me fût pas[d]
facile à reconnaître. Comme à Paris, ni dans aucune autre
ville, jamais rien ne m'est arrivé de semblable à ces deux
aventures, il m'en est resté une impression peu avanta-
geuse au peuple de Lyon, et j'ai toujours regardé cette
ville comme[e] celle de l'Europe où règne la plus affreuse
corruption.

Le souvenir des extrémités où j'y fus réduit ne contribue
pas non plus à m'en rappeler agréablement la mémoire.
Si j'avais été fait comme un autre, que j'eusse eu le talent
d'emprunter et de m'endetter à mon cabaret, je me serais
aisément tiré d'affaire; mais c'est à quoi mon inaptitude
égalait ma répugnance; et pour imaginer à quel point
vont l'une et l'autre, il suffit de savoir qu'après avoir passé
presque toute ma vie dans le mal-être, et souvent prêt à
manquer de pain, il ne m'est jamais arrivé une seule fois
de me faire demander de l'argent par un créancier sans lui
en donner à l'instant même[f]. Je n'ai jamais su faire des
dettes criardes, et j'ai toujours mieux aimé souffrir que
devoir.

C'était souffrir assurément que d'être réduit à passer la
nuit dans la rue, et c'est ce qui m'est arrivé plusieurs fois

à Lyon. J'aimais mieux employer quelques sols qui me restaient à payer mon pain que mon gîte; parce qu'après tout je risquais moins de mourir de sommeil que de faim. Ce qu'il y a d'étonnant, c'est que dans ce cruel état je n'étais ni inquiet ni triste. Je n'avais pas le moindre souci sur l'avenir, et j'attendais les réponses que devait recevoir Mlle du Châtelet, couchant à la belle étoile[a], et dormant étendu par terre ou sur un banc aussi tranquillement que sur un lit de roses. Je me souviens même d'avoir passé une nuit délicieuse hors de la ville, dans un chemin qui côtoyait le Rhône ou la Saône, car je ne me rappelle pas lequel des deux. Des jardins élevés en terrasse bordaient le chemin du côté opposé. Il avait fait très chaud ce jour-là, la soirée était charmante; la rosée humectait l'herbe flétrie; point de vent, une nuit tranquille; l'air était frais, sans être froid; le soleil, après son coucher, avait laissé dans le ciel des vapeurs rouges dont la réflexion rendait l'eau couleur de rose; les arbres des terrasses étaient chargés de rossignols qui se répondaient de l'un à l'autre. Je me promenais dans une sorte d'extase, livrant[b] mes sens et mon cœur à la jouissance de tout cela, et soupirant seulement un peu du regret d'en jouir seul. Absorbé dans ma douce rêverie, je prolongeai fort avant dans la nuit ma promenade, sans m'apercevoir que j'étais las. Je m'en aperçus enfin. Je me couchai voluptueusement sur la tablette d'une espèce de niche ou[c] de fausse porte enfoncée dans un mur de terrasse; le ciel de mon lit était formé par les têtes des arbres; un rossignol était précisément au-dessus de moi; je m'endormis à son chant : mon sommeil fut doux, mon réveil le fut davantage[1]. Il était grand jour : mes yeux en s'ouvrant virent[d] l'eau, la verdure, un paysage admirable. Je me levai, me secouai, la faim me prit, je m'acheminai gaiement vers la ville, résolu de mettre à un bon déjeuner deux pièces de six blancs qui me restaient encore. J'étais de si bonne humeur, que j'allais chantant tout le long du chemin, et je me souviens même que je chantais une cantate de Batistin,

1. On croit avoir identifié l'emplacement où dormit Rousseau : ce serait au n° 22 du quai des Étroits. Le confluent du Rhône et de la Saône n'était pas fixé alors; il sera reporté 2 kilomètres plus loin par des digues à la fin du siècle. Les souvenirs de ce séjour à Lyon (nuit à la belle étoile, copie de musique) sont rapportés par Bernardin de Saint-Pierre dans son livre sur Rousseau (édition Souriau, p. 41).

intitulée *Les bains de Thomery,* que je savais par cœur[1]. Que béni soit le bon Batistin et sa bonne cantate, qui m'a valu un meilleur déjeuner que celui sur lequel je comptais et un dîner bien meilleur encore, sur lequel je n'avais point compté du tout. Dans mon meilleur train d'aller et de chanter, j'entends quelqu'un derrière moi, je me retourne, je vois un Antonin[2] qui me suivait et qui paraissait m'écouter avec plaisir. Il m'accoste, me salue, me demande si je sais la musique. Je réponds, *un peu,* pour faire entendre *beaucoup.* Il continue à me questionner; je lui conte une partie de mon histoire. Il me demande si je n'ai jamais copié de la musique. Souvent, lui dis-je. Et cela était vrai; ma meilleure manière de l'apprendre était d'en copier. Eh bien ! me dit-il, venez avec moi; je pourrai vous occuper quelques jours, durant lesquels rien ne vous manquera, pourvu que vous consentiez à ne pas sortir de la chambre. J'acquiesçai très volontiers et je le suivis.

Cet Antonin s'appelait M. Rolichon; il aimait la musique, il la savait, et chantait dans de petits concerts qu'il faisait avec ses amis. Il n'y avait rien là que d'innocent et d'honnête; mais ce goût dégénérait apparemment en fureur, dont il était obligé de cacher une partie. Il me conduisit dans une petite chambre que j'occupai, et où je trouvai beaucoup de musique qu'il avait copiée. Il m'en donna d'autre à copier, particulièrement la cantate que j'avais chantée, et qu'il devait chanter lui-même dans quelques jours. J'en demeurai là trois ou quatre à copier tout le temps où je ne mangeais pas; car de ma vie je ne fus si affamé ni mieux nourri. Il apportait mes repas lui-même de leur cuisine, et il fallait qu'elle fût bonne si leur ordinaire valait le mien. De mes jours je n'eus tant de plaisir à manger, et il faut avouer aussi que ces lippées me venaient fort à propos, car j'étais sec comme du bois. Je travaillais presque d'aussi bon cœur que je mangeais, et ce n'est pas peu dire. Il est vrai que je n'étais pas aussi correct que diligent. Quelques jours après, M. Rolichon, que je rencontrai dans la rue, m'apprit que

1. *Six blancs :* le *blanc* (sg. inus. au XVIIIe siècle) est une pièce de 5 deniers.

— Sur Batistin, voir *Index.* — La musique des *Bains de Thomery* a été composée pour une pièce de J.-B. Rousseau (voir *supra,* notes pp. 175 et 176).

2. Voir la n. 1 de la p.134.

mes parties avaient rendu la musique inexécutable, tant
elles s'étaient trouvées[a] pleines d'omissions, de duplica-
tions et de transpositions. Il faut avouer que j'ai choisi là
dans la suite le métier du monde auquel j'étais le moins
propre. Non que ma note ne fût belle et que je ne copiasse fort
nettement; mais l'ennui d'un long travail me donne des
distractions si grandes, que je passe plus de temps à gratter
qu'à noter, et que si je n'apporte la plus grande attention
à collationner[b] mes parties, elles font toujours manquer
l'exécution. Je fis donc très mal en voulant bien faire, et
pour aller vite j'allais tout de travers. Cela n'empêcha pas
M. Rolichon de me bien traiter jusqu'à la fin, et de me don-
ner encore en sortant un petit écu que je ne méritais guère,
et qui me remit tout à fait en pied; car peu de jours[c] après
je reçus des nouvelles de Maman qui était à Chambéry,
et de l'argent pour l'aller joindre, ce que je fis avec trans-
port. Depuis lors mes finances ont souvent été fort courtes,
mais jamais assez pour[d] être obligé de jeûner. Je marque
cette époque avec un cœur sensible aux soins de la provi-
dence. C'est la dernière fois de ma vie que j'ai senti la misère
et la faim.

Je restai à Lyon sept ou huit jours encore pour attendre
les commissions dont Maman avait chargé Mlle du Châ-
telet, que je vis durant ce temps-là plus assidûment qu'aupa-
ravant, ayant le plaisir de parler avec elle de son amie, et
n'étant plus distrait par ces cruels retours sur ma situation,
qui me forçaient de la cacher. Mlle du Châtelet n'était ni
jeune ni jolie, mais elle ne manquait pas de grâce; elle était
liante et familière, et son esprit donnait du prix à cette fami-
liarité. Elle avait ce goût de morale observatrice qui porte
à étudier les hommes; et c'est d'elle, en première origine,
que ce[e] même goût m'est venu. Elle aimait les romans de
Le Sage, et particulièrement *Gil Blas ;* elle m'en parla, me
le prêta, je le lus avec plaisir; mais je n'étais pas mûr encore
pour ces sortes de lectures; il me fallait des romans à grands
sentiments. Je passais ainsi mon temps à la grille de
Mlle du Châtelet avec autant de plaisir que de profit, et
il est certain que les entretiens intéressants et sensés d'une
femme de mérite sont plus propres à former un jeune
homme que toute la pédantesque philosophie des livres.
Je fis connaissance aux Chasottes avec d'autres pension-
naires et de leurs amies; entre autres avec une jeune personne
de quatorze ans, appelée Mlle Serre, à laquelle je ne fis pas

alors une grande attention, mais dont je me passionnai huit ou neuf ans après, et avec raison, car c'était une charmante fille.

Occupé de l'attente de revoir bientôt ma bonne Maman, je fis un peu de trêve à mes chimères, et le bonheur réel qui m'attendait me dispensa d'en chercher dans mes visions. Non seulement je la retrouvais, mais je retrouvais près d'elle et par elle un état agréable; car elle marquait m'avoir trouvé une occupation qu'elle espérait qui me conviendrait, et qui ne m'éloignerait pas d'elle. Je m'épuisais en conjectures pour deviner quelle pouvait être cette occupation, et il aurait fallu deviner en effet pour rencontrer juste. J'avais[a] suffisamment d'argent pour faire commodément la route. M[lle] du Châtelet voulait que je prisse un cheval; je n'y pus consentir, et j'eus raison : j'aurais perdu le plaisir du dernier voyage pédestre que j'ai fait en ma vie; car je ne peux donner ce nom aux excursions que je faisais souvent à mon voisinage, tandis que je demeurais à Môtiers[1].

C'est une chose bien singulière que mon imagination ne se monte jamais plus agréablement que quand mon état est le moins agréable, et qu'au contraire elle est moins riante lorsque tout rit autour de moi. Ma mauvaise tête ne peut s'assujettir aux choses[2]. Elle ne saurait embellir, elle veut créer. Les objets réels s'y peignent tout au plus tels qu'ils sont; elle ne sait parer que les objets imaginaires. Si je veux peindre le printemps, il faut que je sois en hiver; si je veux décrire un beau paysage, il faut que je sois dans des murs; et j'ai dit cent fois que si j'étais mis à la Bastille, j'y ferais le tableau de la liberté. Je ne voyais en partant de Lyon qu'un avenir agréable; j'étais aussi content, et j'avais tout lieu de l'être, que je l'étais peu quand je partis de Paris. Cependant je n'eus point durant ce voyage ces rêveries délicieuses qui m'avaient suivi dans l'autre. J'avais le cœur serein, mais c'était tout. Je me rapprochais avec attendrissement de l'excellente amie que j'allais revoir. Je goûtais d'avance, mais sans ivresse, le plaisir de vivre auprès d'elle : je m'y étais toujours attendu; c'était comme

1. Ces excursions autour de Môtiers sont évoquées au livre XII.
2. Sur les inconséquences et contradictions de son tempérament, Rousseau s'est déjà exprimé au livre III (voir n. 1, p. 125). Il revient au livre VII sur le pouvoir de son imagination, à propos de la visite aux *Scuole* de Venise (pp. 371-373).

s'il ne m'était rien arrivé de nouveau. Je m'inquiétais de ce que j'allais faire comme si cela eût été fort inquiétant. Mes idées étaient paisibles et douces, non célestes[a] et ravissantes. Tous les objets que je passais frappaient ma vue; je donnais de l'attention aux paysages; je remarquais les arbres, les maisons, les ruisseaux; je délibérais aux croisées des chemins, j'avais peur de me perdre, et je ne me perdais point. En un mot, je n'étais plus dans l'empyrée, j'étais tantôt où j'étais, tantôt où j'allais, jamais plus loin.

Je suis[b], en racontant mes voyages, comme j'étais en les faisant; je ne saurais arriver. Le cœur me battait de joie en approchant de ma chère Maman, et je n'en allais pas plus vite. J'aime à marcher à mon aise, et m'arrêter quand il me plaît. La vie ambulante est celle qu'il me faut. Faire route à pied par un beau temps, dans un beau pays, sans être pressé, et avoir pour terme de ma course un objet agréable : voilà de toutes les manières de vivre celle qui est le plus de mon goût. Au reste, on sait déjà ce que j'entends par un beau pays. Jamais pays de plaine, quelque beau qu'il fût, ne parut tel à mes yeux. Il me faut des torrents, des rochers[c], des sapins, des bois noirs, des montagnes, des chemins raboteux à monter et à descendre, des précipices à mes côtés qui me fassent bien peur. J'eus ce plaisir, et je le goûtai dans tout son charme en approchant de Chambéry. Non loin d'une montagne coupée qu'on appelle le Pas-de-l'Échelle, au-dessous du grand chemin taillé dans le roc à l'endroit appelé Chailles, court et bouillonne dans des gouffres affreux une petite rivière qui paraît avoir mis à les creuser des milliers de siècles[1]. On a bordé le chemin

1. Pour ce voyage de Lyon à Chambéry (110 à 120 km, soit quatre à cinq jours), Courtois propose la date de septembre 1731, confirmée depuis par celle, récemment découverte, de l'entrée de Rousseau au cadastre de Savoie (oct. 1731). — Rousseau a évidemment confondu deux lieux-dits lorsqu'il a écrit « le Pas-de-l'Échelle » : ce nom s'applique en effet au sentier du Salève, près de Bossey, qu'il dut gravir souvent. Sur la route de Lyon à Chambéry, il dut traverser Bourgoin (où il se réfugiera en 1768) et Le-Pont-de-Beauvoisin où l'on entrait en Savoie. De là, la route suit les gorges du Guiers (la « petite rivière » de Rousseau), passant au hameau de *Chailles,* puis au village des *Échelles,* où l'on quitte la vallée du Guiers pour se diriger au nord-est vers Chambéry. C'est à quelques kilomètres seulement de Chambéry que l'on passe au pied de la Cascade de Coux, décrite dans la page suivante. Ce paysage de montagne est à comparer avec ceux de *la Nouvelle*

d'un parapet pour prévenir les malheurs : cela faisait que je pouvais contempler au fond et gagner des vertiges tout à mon aise ; car ce qu'il y a de plaisant dans mon goût pour les lieux escarpés, est qu'ils me font tourner la tête, et j'aime beaucoup ce tournoiement, pourvu que je sois en sûreté. Bien appuyé sur le parapet, j'avançais le nez, et je restais là des heures entières, entrevoyant de temps en temps cette écume et cette eau bleue dont j'entendais le mugissement à travers les cris des corbeaux et des[a] oiseaux de proie qui volaient de roche en roche et de broussaille en broussaille à cent toises au-dessous de moi. Dans les endroits où la pente était assez unie et la broussaille assez claire pour laisser[b] passer des cailloux, j'en allais chercher au loin d'aussi gros que je les pouvais porter; je les rassemblais sur le parapet en pile; puis, les lançant l'un après l'autre, je me délectais à les voir rouler, bondir et voler en mille éclats, avant que d'atteindre le fond du précipice.

Plus près de Chambéry j'eus un spectacle semblable, en sens contraire. Le chemin passe au pied de la plus belle cascade que je vis de[c] mes jours. La montagne est tellement escarpée, que l'eau se détache net et tombe en arcade, assez loin pour qu'on puisse passer entre la cascade et la roche quelquefois sans être mouillé. Mais si l'on ne prend bien ses mesures, on y est aisément trompé, comme je le fus : car, à cause de l'extrême hauteur, l'eau se divise et tombe en poussière, et lorsqu'on approche un peu trop de ce nuage, sans s'apercevoir d'abord qu'on se mouille[d], à l'instant on est tout trempé.

J'arrive enfin, je la revois. Elle n'était pas seule. M. l'Intendant général[1] était[e] chez elle au moment que j'entrai.

Héloïse (*Lettres sur le Valais,* I[re] Partie, XXIII et XXVI) et de la 7[e] Promenade des *Rêveries* (l'herborisation à la Robaïla). On y remarquera, à côté de précisions qui sont alors nouvelles dans la littérature descriptive naissante, des exagérations *(gouffres affreux, milliers de siècles, cent toises)* qui sont à mi-chemin entre la convention et une légère ironie (« des précipices [...] qui me fassent bien peur [...] j'aime beaucoup ce tournoiement, pourvu que je sois en sûreté »).

1. *M. l'Intendant général* : voir *Index,* Petitti. — G. Daumas (voir la *Bibliographie*) a expliqué les conditions dans lesquelles travaillait le service de la « Péréquation générale de la Savoie », créé en 1728. Rousseau fut employé comme secrétaire, sous les ordres de l'avocat Cocelli, d'octobre 1731 au 7 juin 1732.

Sans me parler, elle me prend par la main, et me présente
à lui avec cette grâce qui lui ouvrait tous les cœurs : Le
voilà, monsieur, ce pauvre jeune homme; daignez le proté-
ger aussi longtemps qu'il le méritera, je ne suis plus en
peine de lui pour le reste de sa vie. Puis, m'adressant la
parole : Mon enfant, me dit-elle, vous appartenez au Roi;
remerciez M. l'Intendant qui vous donne du pain. J'ouvrais
de grands yeux sans rien dire, sans[a] savoir trop qu'ima-
giner; il s'en fallut peu que l'ambition naissante ne me
tournât la tête, et que je ne fisse déjà le petit Intendant.
Ma fortune se trouva moins brillante que sur ce début je
ne l'avais imaginée; mais quant à présent, c'était assez pour
vivre, et pour moi c'était beaucoup. Voici de quoi il
s'agissait.

Le roi Victor-Amédée, jugeant, par le sort des guerres
précédentes et par la position de l'ancien patrimoine de ses
pères, qu'il lui échapperait quelque jour, ne cherchait qu'à
l'épuiser. Il y avait peu d'années qu'ayant résolu d'en mettre
la noblesse à la taille, il avait ordonné un cadastre général
de tout le pays, afin que, rendant l'imposition réelle, on
pût la répartir avec plus[b] d'équité. Ce travail, commencé
sous le père, fut achevé sous le fils[1][c]. Deux ou trois cents
hommes, tant arpenteurs qu'on appelait géomètres, qu'écri-
vains qu'on appelait secrétaires, furent employés à cet
ouvrage, et c'était parmi ces derniers que Maman m'avait
fait inscrire. Le poste, sans être fort lucratif, donnait de
quoi vivre au large dans ce pays-là. Le mal était que cet
emploi n'était qu'à temps, mais il mettait en état de chercher
et d'attendre, et c'était par prévoyance qu'elle tâchait de
m'obtenir de l'Intendant une protection particulière pour
pouvoir passer à quelque emploi plus solide quand le temps
de celui-là serait fini.

J'entrai en fonction peu de jours après mon arrivée. Il
n'y avait à ce travail rien de difficile, et je fus bientôt au
fait. C'est ainsi qu'après quatre ou cinq ans de courses, de

1. Le père, Victor-Amédée II, avait abdiqué le 3 septembre 1730,
mais conservait le titre de roi. Venu s'installer en Savoie, où son fils
lui rendit visite en avril 1731, il s'y intéressa beaucoup au cadastre.
Peu avant l'arrivée de Rousseau à Chambéry, Victor-Amédée II,
revenu en Piémont pour tenter de reprendre le pouvoir, avait été arrêté
sur ordre de son fils, le nouveau roi Charles-Emmanuel. Sur ces deux
rois, et les guerres auxquelles fut mêlé le père, voir *Index*.

folies et de souffrances depuis ma sortie de Genève, je commençai pour la première fois de gagner mon pain avec honneur.

Ces longs détails de ma première jeunesse auront paru bien puérils, et j'en suis fâché: quoique né homme à certains égards, j'ai été longtemps enfant, et je le suis encore à beaucoup d'autres. Je n'ai pas promis d'offrir au[a] public un grand personnage; j'ai promis de me peindre tel que je suis; et, pour me[b] connaître dans mon âge avancé, il faut m'avoir bien connu dans ma jeunesse. Comme en général les objets font moins d'impression sur moi que leurs souvenirs, et que toutes mes idées sont en images, les premiers traits qui se sont gravés dans ma tête y sont demeurés, et ceux qui s'y sont empreints dans la suite se sont plutôt combinés avec eux qu'ils ne les ont effacés. Il y a une certaine succession d'affections et d'idées qui modifient celles qui les suivent, et qu'il faut connaître pour en bien juger. Je m'applique à bien développer partout les premières causes pour faire sentir l'enchaînement des effets. Je voudrais pouvoir[c] en quelque façon rendre mon âme transparente aux yeux[d] du lecteur, et pour cela je cherche à la lui montrer sous tous les points de vue, à l'éclairer par tous les jours, à faire en sorte qu'il ne s'y passe pas un mouvement qu'il n'aperçoive, afin qu'il puisse juger par lui-même du principe qui les produit.

Si je me chargeais du résultat et que je lui disse : Tel est mon caractère, il pourrait croire sinon que je le trompe, au moins que je me trompe. Mais en lui détaillant avec simplicité tout ce qui m'est arrivé, tout ce que j'ai fait, tout ce que j'ai pensé, tout ce que j'ai senti, je ne puis l'induire en erreur, à moins que je ne le veuille; encore même en le voulant, n'y parviendrais-je pas aisément de cette façon. C'est à lui d'assembler ces éléments et de déterminer l'être qu'ils composent : le résultat doit être son ouvrage; et s'il se trompe alors, toute l'erreur sera de son fait. Or, il ne suffit pas pour cette fin que mes récits soient fidèles, il faut aussi qu'ils soient exacts. Ce n'est pas[e] à moi de juger de l'importance des faits, je les dois tous dire, et lui laisser le soin de choisir. C'est à quoi je me suis appliqué jusqu'ici de tout mon courage, et je ne me relâcherai pas dans la suite. Mais les souvenirs de l'âge moyen sont toujours moins vifs que ceux de la première jeunesse. J'ai commencé par tirer de ceux-ci le meilleur parti qu'il m'était

possible. Si les autres me reviennent avec la même force, des lecteurs impatients s'ennuieront peut-être, mais moi je ne serai pas mécontent de mon travail. Je n'ai qu'une chose à craindre dans cette entreprise : ce n'est pas de trop dire ou de dire des mensonges, mais c'est de ne pas tout dire, et de taire des vérités[a].

LIVRE V[a]

CE fut, ce me semble, en 1732[1] que j'arrivai à Chambéry, comme je viens de le dire, et que je commençai[b] d'être employé au cadastre pour le service du Roi. J'avais vingt ans passés, près de vingt-et-un. J'étais assez formé pour mon âge, du côté de l'esprit, mais le jugement ne l'était guère, et j'avais grand besoin des mains dans lesquelles je tombai pour apprendre à me conduire : car quelques années d'expérience n'avaient pu me guérir encore radicalement de mes visions romanesques, et malgré tous les maux que j'avais soufferts, je connaissais aussi peu le monde et les hommes que si je n'avais pas[c] acheté ces instructions.

Je logeai chez moi, c'est-à-dire chez Maman; mais je ne retrouvai pas ma chambre d'Annecy. Plus de jardin, plus de ruisseau, plus de paysage. La maison qu'elle occupait[2] était sombre et triste, et ma chambre était la plus sombre et la plus triste de la maison. Un mur pour vue, un cul-de-sac pour rue, peu d'air, peu de jour, peu d'espace, des grillons, des rats, des planches pourries; tout cela ne faisait pas une plaisante habitation. Mais j'étais chez elle, auprès d'elle; sans cesse à mon bureau ou dans sa chambre, je m'apercevais peu de la laideur de la mienne; je n'avais pas le temps d'y rêver. Il paraîtra bizarre qu'elle s'était fixée à Chambéry tout exprès pour habiter cette vilaine maison : ce fut même un trait d'habileté de sa part que je ne dois pas taire. Elle allait à Turin avec répugnance, sentant bien qu'après des révolutions encore toutes récentes, et dans l'agitation où l'on était encore à la cour, ce n'était pas le moment de s'y présenter. Cependant ses affaires demandaient qu'elle s'y montrât; elle craignait d'être oubliée ou desservie. Elle savait surtout que le comte de Saint-Laurent, intendant général des finances, ne la favorisait pas. Il avait à Chambéry une maison vieille, mal bâtie, et dans une si

1. En fait, fin septembre ou début octobre 1731.
2. On accède encore à cette maison par le n° 13 de l'actuelle rue de Boigne (déformation du nom de Leborgne), ancienne rue des Portiques.

17. Royaume de Sardaigne vers 1730

vilaine position, qu'elle restait toujours vide ; elle la loua
et s'y établit. Cela lui réussit mieux qu'un voyage ; sa
pension ne fut point supprimée, et depuis lors le comte
de Saint-Laurent fut toujours de ses amis.

J'y trouvai son ménage à peu près monté comme aupa-
ravant, et le fidèle Claude Anet toujours avec elle. C'était,
comme je crois l'avoir dit, un paysan de Montru[1], qui, dans
son enfance, herborisait dans le Jura, pour faire du thé
de Suisse[2], et qu'elle avait pris à son service à cause de ses
drogues, trouvant commode d'avoir un herboriste dans
son laquais. Il se passionna si[a] bien pour l'étude des plantes,
et elle favorisa si bien son goût, qu'il devint un vrai bota-
niste, et que, s'il ne fût mort jeune, il se[b] serait fait un nom
dans cette science, comme il en méritait un parmi les
honnêtes gens. Comme il était sérieux, même grave, et
que j'étais plus jeune que lui, il devint pour moi une espèce
de gouverneur, qui me sauva beaucoup de folies : car il
m'en imposait, et je n'osais m'oublier devant lui. Il en
imposait même à sa maîtresse, qui connaissait son grand
sens, sa droiture, son inviolable attachement pour elle,
et qui le lui rendait bien. Claude Anet était sans contredit
un homme rare, et le seul même de son espèce que j'aie
jamais vu. Lent, posé, réfléchi, circonspect dans sa conduite,
froid dans ses manières, laconique et sentencieux dans ses
propos, il était dans ses passions d'une impétuosité qu'il
ne laissait jamais paraître, mais qui le dévorait en dedans,
et qui ne lui a fait faire en sa vie qu'une sottise, mais terrible,
c'est de s'être empoisonné. Cette scène tragique se passa
peu après mon arrivée, et il la fallait pour m'apprendre
l'intimité de ce garçon avec sa maîtresse ; car si elle ne me
l'eût dit elle-même, jamais je ne m'en serais douté. Assu-
rément, si l'attachement, le zèle et la fidélité peuvent mériter
une pareille récompense, elle lui était bien due, et ce qui
prouve qu'il en était digne, il n'en abusa jamais. Ils avaient
rarement des querelles, et elles finissaient toujours bien.
Il en vint pourtant une qui finit mal : sa maîtresse lui dit
dans la colère un mot outrageant qu'il ne put digérer.
Il ne consulta que son désespoir, et trouvant sous sa main

1. *Montru*, orthographe usuelle alors de *Montreux*.
2. *Thé de Suisse* : « mélange de plusieurs espèces de plantes aroma-
tiques recueillies dans les Alpes, et dont on fait des infusions médici-
nales » (Littré).

une fiole de laudanum, il l'avala, puis fut se coucher tranquillement, comptant ne se réveiller jamais. Heureusement M^me de Warens, inquiète, agitée elle-même, errant dans sa maison, trouva la fiole vide et devina le reste. En volant à son secours, elle poussa des cris qui m'attirèrent; elle m'avoua tout, implora mon assistance, et parvint avec beaucoup de peine à lui faire vomir l'opium. Témoin de cette scène, j'admirai ma bêtise de n'avoir jamais eu le moindre soupçon des liaisons qu'elle m'apprenait. Mais Claude Anet était si discret, que de plus clairvoyants auraient pu s'y méprendre. Le raccommodement fut tel que j'en fus vivement touché moi-même[a], et depuis ce temps, ajoutant pour lui le respect à l'estime, je devins en quelque façon son élève, et ne m'en trouvai pas plus mal.

Je n'appris[b] pourtant pas sans peine que quelqu'un pouvait vivre avec elle dans une plus grande intimité que moi. Je n'avais pas songé même à désirer pour moi cette place, mais il m'était dur de la voir[c] remplir par un autre; cela était fort naturel. Cependant, au lieu de prendre en aversion celui qui me l'avait soufflée, je sentis réellement s'étendre à lui l'attachement que j'avais pour elle. Je désirais sur toute chose qu'elle fût heureuse : et, puisqu'elle avait besoin de lui pour l'être, j'étais content qu'il fût heureux aussi. De son côté, il entrait parfaitement dans les vues de sa maîtresse, et prit en sincère amitié l'ami qu'elle s'était choisi. Sans affecter avec moi l'autorité que son poste le mettait en droit de prendre, il prit naturellement celle que son jugement lui donnait sur le mien. Je n'osais rien faire qu'il parût désapprouver, et il ne désapprouvait que ce qui était mal. Nous vivions ainsi dans une union qui nous rendait tous heureux, et que la mort seule a pu détruire[1]. Une des preuves de l'excellence du caractère de cette aimable femme est que tous ceux qui l'aimaient s'aimaient entre eux. La jalousie, la rivalité même cédait au sentiment dominant qu'elle inspirait, et je n'ai vu jamais aucun de ceux qui l'entouraient se vouloir du mal l'un à l'autre. Que ceux qui me lisent suspendent un moment

1. Ici comme plus loin, p. 231, évidente idéalisation des rapports entre Rousseau et Anet, qui dut difficilement accepter de se voir supplanté auprès de sa maîtresse par le nouveau venu. Ce tableau idyllique s'accorde mal avec la tentative de suicide qui vient d'être rapportée (p. 201) et dont le motif apparaît bien léger, s'il ne s'agit que d'un incident isolé. Voir *infra*, n. 1, p. 235.

leur lecture à cet éloge, et s'ils trouvent en y pensant quelque autre femme dont ils puissent en dire autant, qu'ils s'attachent à elle pour le repos de leur vie, fût-elle au reste la dernière des catins.

Ici commence, depuis mon arrivée à Chambéry jusqu'à mon départ pour Paris en 1741[1] un intervalle de huit ou neuf ans, durant lequel j'aurai peu d'événements à dire, parce que ma vie a été aussi simple que douce, et cette uniformité était précisément ce dont j'avais le plus grand besoin pour achever de former mon caractère, que des troubles continuels empêchaient de se fixer. C'est durant ce précieux intervalle que mon éducation, mêlée et sans suite, ayant pris de la consistance, m'a fait ce que je n'ai plus cessé d'être à travers les orages qui m'attendaient. Ce progrès fut insensible et lent, chargé de peu d'événements mémorables; mais il mérite cependant d'être suivi et développé.

Au commencement je n'étais guère occupé que de mon travail; la gêne du bureau ne me faisait pas songer à autre chose. Le peu de temps que j'avais de libre se passait auprès de la bonne maman, et n'ayant pas même celui de lire, la fantaisie ne m'en prenait pas. Mais quand ma besogne, devenue une espèce de routine, occupa moins mon esprit, il reprit ses inquiétudes; la lecture me redevint nécessaire, et comme si ce goût se fût toujours irrité par la difficulté de m'y livrer, il serait redevenu passion comme chez mon maître, si d'autres goûts venus à la traverse n'eussent fait diversion à celui-là.

Quoiqu'il ne fallût pas à nos opérations une arithmétique bien transcendante, il en fallait assez pour m'embarrasser quelquefois. Pour vaincre cette difficulté, j'achetai des livres d'arithmétique, et je l'appris bien, car je l'appris seul. L'arithmétique pratique s'étend plus loin qu'on ne pense quand on y veut mettre l'exacte précision. Il y a des opérations d'une longueur extrême, au milieu desquelles j'ai vu quelquefois de bons géomètres s'égarer. La réflexion jointe à l'usage donne des idées nettes, et alors on trouve des méthodes abrégées, dont l'invention flatte l'amour-propre, dont la justesse satisfait l'esprit, et qui font faire avec plaisir un travail ingrat par lui-même. Je m'y enfonçai si bien, qu'il n'y avait point de question soluble par les

1. Sur cette date, voir *infra*, p. 328, n. 2.

seuls chiffres qui m'embarrassât, et maintenant que tout ce
que j'ai su s'efface[a] journellement de ma mémoire, cet
acquis y demeure encore en partie au bout de trente ans
d'interruption. Il y a quelques jours que, dans un voyage
que j'ai fait à Davenport[1], chez mon hôte, assistant à la
leçon d'arithmétique de ses enfants, j'ai fait sans faute, avec
un plaisir incroyable, une opération des plus composées.
Il me semblait[b], en posant mes chiffres, que j'étais encore
à Chambéry dans mes heureux jours. C'était revenir de
loin sur mes pas.

Le lavis des mappes de nos géomètres m'avait aussi
rendu le goût du dessin. J'achetai des couleurs, et je me
mis à faire des fleurs et des paysages. C'est dommage que
je me sois trouvé peu de talent pour cet art; l'inclination
y était tout entière[2][c]. Au milieu de mes crayons et de mes
pinceaux j'aurais passé des mois entiers sans sortir. Cette
occupation devenant pour moi trop attachante, on était
obligé de m'en arracher. Il en est ainsi de tous les goûts
auxquels je commence à me livrer; ils augmentent, devien-
nent passion, et bientôt je ne vois plus rien au monde que
l'amusement dont je suis occupé. L'âge ne m'a pas guéri
de ce défaut, et ne l'a pas diminué même, et maintenant
que j'écris ceci, me voilà comme un vieux radoteur engoué
d'une autre étude inutile où je n'entends rien[3], et que ceux

1. Ce voyage de Wootton (Staffordshire) à Davenport Park (Che-
shire) est daté de fin août 1766 dans le livre de comptes de Rousseau
(O. C., I, 1959, p. 1204).

2. *Mappes :* cartes, plans (vieilli); mais dans la région savoyarde =
plans cadastraux (Littré, *supplément*). — Dans la construction *c'est
dommage que,* Rousseau suit l'usage archaïsant, recommandé par Ménage,
de préférence à la règle adoptée généralement dès le xviie siècle et
substituant au démonstratif le pronom *il* quand un adjectif suit le verbe
dans une proposition impersonnelle.

3. Au livre XII, Rousseau datera de son séjour à Môtiers l'origine
de son goût pour la botanique, sur lequel il s'étend dans la 7e Prome-
nade des *Rêveries.* Une lettre à Malesherbes datée de Môtiers, 11 no-
vembre 1764, annonce effectivement l'intention de l'« écolier à barbe
grise » de se mettre à cette étude, qui deviendra après 1770 le sujet
principal de la correspondance avec Malesherbes, et a valu à Rousseau
d'innombrables amis en France et à l'étranger. Plusieurs fois aban-
donnée, puis reprise, elle est inséparable de sa réputation d' « homme
de la nature ». Il se dira plus loin (p. 235) né pour la botanique, et
dira d'ailleurs la même chose de la musique (p. 205, voir n. 1).

mêmes qui s'y sont livrés dans leur jeunesse sont forcés
d'abandonner à l'âge où je la veux commencer.

C'était alors qu'elle eût été à sa place. L'occasion était
belle, et j'eus quelque tentation d'en profiter. Le conten-
tement que je voyais dans les yeux d'Anet, revenant
chargé de plantes nouvelles, me mit deux ou trois fois sur
le point d'aller herboriser avec lui. Je suis presque assuré
que si j'y avais été une seule fois, cela m'aurait gagné, et je
serais peut-être aujourd'hui un grand botaniste : car
je connais point d'étude au monde qui s'associe mieux
avec mes goûts naturels que celle des plantes, et la vie
que je mène depuis dix ans à la campagne n'est guère
qu'une herborisation continuelle, à la vérité sans objet
et sans progrès; mais n'ayant alors aucune idée de la bota-
nique, je l'avais prise en une sorte de mépris et[a] même de
dégoût; je ne la regardais que comme une étude d'apothi-
caire. Maman, qui l'aimait, n'en faisait pas elle-même
un autre usage; elle ne recherchait que les plantes usuelles,
pour les appliquer à ses drogues. Ainsi la botanique, la
chimie et l'anatomie, confondues dans mon esprit sous le
nom de médecine, ne servaient qu'à me fournir des sar-
casmes plaisants toute la journée, et à m'attirer des soufflets
de temps en temps. D'ailleurs, un goût différent et trop
contraire à celui-là croissait par degrés, et bientôt absorba
tous les autres. Je parle de la musique[1]. Il faut assurément

1. Au livre I, Rousseau attribuait à la tante Suzon l'origine de
son goût pour la musique (p. 11). — « Jean-Jacques était né pour la
musique; non pour y payer de sa personne dans l'exécution, mais pour
en hâter les progrès et y faire des découvertes. » Ainsi s'ouvre un
développement du 2e *Dialogue* (O. C., I, 1959, p. 872), écrit consacré
en partie à la réfutation des calomnies accusant Rousseau de n'être
pas l'auteur des compositions musicales publiées sous son nom, dont
le Devin du village. Le 1er *Dialogue* reprenait l'allégation selon laquelle
d'Alembert musicologue aurait plagié Rousseau (voir *infra*, livre XII,
p. 720, note*). Que penser de la haute idée que se fait Rousseau de
ses talents et comme compositeur et comme théoricien ?

Son système de notation, qu'il continuera à défendre, n'a jamais
été jugé pratique et n'est pas pris plus au sérieux aujourd'hui qu'en
son temps. Par contre Julien Tiersot, dans le livre bien informé qu'il
a consacré à Rousseau dans la collection « Les Maîtres de la Musique »
(Paris, 1912), ne voit pas de raison de douter de l'authenticité des
compositions musicales signées de Rousseau, et lui reconnaît un rôle
original et important dans l'histoire de la musique, estimant d'ailleurs
que dans la querelle avec Rameau, ce n'est pas ce dernier qui eut le

que je sois né pour cet art, puisque j'ai commencé de l'aimer dès mon enfance, et qu'il est le seul que j'aie aimé constamment dans tous les temps. Ce qu'il y a d'étonnant est qu'un art pour lequel j'étais né m'ait néanmoins[a] tant coûté de peine à apprendre, et avec des succès si lents, qu'après une pratique de toute ma vie, jamais je n'ai pu parvenir à chanter sûrement tout à livre ouvert. Ce qui me rendait surtout alors cette étude agréable était que je la pouvais faire avec Maman. Ayant des goûts d'ailleurs fort différents, la musique était pour nous un point de réunion dont j'aimais à faire usage. Elle ne s'y refusait pas ; j'étais alors à peu près aussi avancé qu'elle ; en deux ou trois fois nous déchiffrions un air. Quelquefois, la voyant empressée autour d'un fourneau, je lui disais : Maman, voici un[b] duo charmant qui m'a bien l'air de faire sentir l'empyreume[1] à vos drogues. Ah ! par ma foi, me disait-elle, si tu me les fais brûler, je te les ferai manger. Tout en disputant, je l'entraînais à son clavecin : on s'y oubliait ; l'extrait de genièvre ou d'absinthe était calciné : elle m'en barbouillait le visage, et tout cela était délicieux.

On voit qu'avec peu de temps de reste j'avais beaucoup[c] de choses à quoi l'employer. Il me vint pourtant encore un amusement de plus qui fit bien valoir tous les autres.

beau rôle. *Pygmalion,* « scène lyrique » où l'orchestre commente l'action *intérieure,* est une tentative nouvelle et moderne qui exerça une influence indiscutable (confirmée par les récents historiens du rousseauisme à l'étranger) sur le développement du théâtre lyrique. La musique du *Devin,* toujours selon J. Tiersot, est quoi qu'en en dise Rousseau plus française qu'italienne ; la mélodie de Rousseau (Rameau était un harmoniste) est très proche de la mélodie populaire (ici encore, le genre de la romance, associé au renouvellement poétique du Romantisme, doit beaucoup aux compositions rassemblées dans le recueil posthume *Consolations des misères de ma vie*). « Jean-Jacques Rousseau représente en musique l'idée qui domine essentiellement l'ensemble de sa conception générale : il est l'homme de la nature. » (Tiersot.)

La même constatation s'impose donc et pour la musique et pour la botanique ; et elle est déjà suggérée par le chiffre des éditions et traductions attestant l'immense succès à la fin du XVIII[e] siècle d'écrits de Rousseau comme le *Dictionnaire de Musique* et les *Lettres élémentaires sur la Botanique.*

On trouvera une autre allusion à l'amour de la musique dans ce même livre, p. 253.

1. Odeur de brûlé ; terme de chimie dont Littré cite des exemples au XVI[e] siècle.

Nous occupions un cachot si étouffé, qu'on avait besoin quelquefois d'aller prendre l'air sur la terre. Anet engagea Maman à louer, dans un faubourg, un jardin pour y mettre des plantes. A ce jardin était jointe une guinguette assez jolie qu'on meubla suivant l'ordonnance[1]. On y mit un lit; nous allions souvent y dîner, et j'y couchais quelquefois. Insensiblement je m'engouai de cette petite retraite; j'y mis quelques livres, beaucoup d'estampes; je passais une partie de mon temps à l'orner et à y préparer à Maman quelque surprise agréable lorsqu'elle s'y venait promener. Je la quittais pour venir m'occuper d'elle, pour y penser avec plus de plaisir; autre caprice que je n'excuse ni n'explique, mais que j'avoue parce que la chose était ainsi. Je me souviens[a] qu'une fois M[me] de Luxembourg me parlait en raillant d'un homme qui quittait sa maîtresse pour lui écrire. Je lui dis que j'aurais bien été cet homme-là, et j'aurais pu ajouter que je l'avais été quelquefois. Je n'ai pourtant jamais senti près de Maman ce besoin de m'éloigner d'elle pour l'aimer davantage : car tête-à-tête avec elle j'étais aussi parfaitement à mon aise que si j'eusse été seul, et cela ne m'est jamais arrivé près de personne autre, ni homme ni femme, quelque attachement que j'aie eu pour eux. Mais elle était si souvent entourée, et de gens qui me convenaient si peu, que le dépit et l'ennui me chassaient dans mon asile, où je l'avais comme je la voulais, sans crainte que les importuns vinssent nous y suivre.

Tandis qu'ainsi partagé entre le travail, le plaisir et l'instruction, je vivais dans le plus doux repos, l'Europe n'était pas si tranquille que moi. La France et l'Empereur venaient de s'entre-déclarer la guerre; le roi de Sardaigne était entré dans la querelle, et l'armée française filait en Piémont pour entrer dans le Milanais. Il en passa une colonne par Chambéry, et entre autres le régiment de Champagne, dont était colonel M. le duc de la Trimouille, auquel je fus présenté, qui me promit beaucoup de choses,

1. *Guinguette* : ici, petite maison de campagne, sans doute très rudimentaire (c'est le jardin qui est ici l'essentiel). On verra p. 257 qu'il ne faut pas confondre ce modeste établissement avec les locations aux Charmettes, postérieures à la mort d'Anet (1734). — Rousseau emploie ailleurs *guinguette* (p. 420) dans le sens qui a seul survécu, de cabaret hors de la ville, fréquenté par le peuple les jours de fête. — *Suivant l'ordonnance* : avec pour seuls meubles ceux que la loi défend de saisir (Littré).

et qui sûrement n'a jamais repensé à moi[1]. Notre petit
jardin était précisément au haut du faubourg par lequel
entraient les troupes, de sorte que je me rassasiais du plaisir
d'aller les voir passer, et je me passionnais pour le succès
de cette guerre comme s'il m'eût beaucoup intéressé.
Jusque-là je ne m'étais pas encore avisé de songer aux
affaires publiques, et je me mis à lire les gazettes, pour la
première fois, mais avec une telle partialité pour la France,
que le cœur me battait de joie à ses moindres avantages et
que ses revers m'affligeaient comme s'ils fussent tombés
sur moi. Si cette folie n'eût été que passagère, je ne
daignerais pas en parler; mais elle s'est tellement enracinée
dans mon cœur sans aucune raison, que lorsque j'ai fait
dans la suite, à Paris, l'anti-despote et le fier républicain,
je sentais en dépit de moi-même une prédilection secrète
pour cette même nation que je trouvais servile et pour ce
gouvernement que j'affectais de fronder. Ce qu'il y avait
de plaisant était qu'ayant honte d'un penchant si contraire
à mes maximes, je n'osais l'avouer à personne, et je raillais
les Français de leurs défaites, tandis que le cœur m'en sai-
gnait plus qu'à eux. Je suis sûrement le seul qui, vivant chez
une nation qui le traitait bien, et qu'il adorait, se soit fait
chez elle un[a] faux air de la dédaigner. Enfin, ce penchant
s'est trouvé si désintéressé de ma part, si fort, si constant,
si invincible, que même depuis ma sortie du royaume,
depuis que le gouvernement, les magistrats, les auteurs,
s'y sont à l'envi déchaînés contre moi, depuis qu'il est
devenu de bon air de m'accabler d'injustices[b] et d'outrages,

1. Contre la candidature au trône de Pologne de l'Électeur de Saxe
Auguste (voir *Index*), neveu de l'Empereur, la France soutenait celle
de Stanislas Leczinski, beau-père de Louis XV, et s'était assuré
l'alliance du roi de Sardaigne, à qui le Milanais était promis en cas
de victoire sur l'Autriche, la France devant en échange annexer la
Savoie selon une convention à laquelle Rousseau fait allusion p. 212.
En fait, le cardinal Fleury négociera sur des conditions moins ambi-
tieuses. — La déclaration de guerre est du 8 octobre 1733; l'armée
française d'Italie passe aussitôt les Alpes pour faire sa jonction avec
les forces sardes. Est-ce alors, ou au deuxième passage des troupes
une fois la guerre terminée, — ou les deux fois, — que Rousseau fut
présenté à des officiers supérieurs français ? Ce passage est complémen-
taire d'un autre, soulevant également un problème de date, et rappro-
chant dans le temps la présentation à Lautrec et un voyage à Besançon
(voir pp. 242-243 et n. 1 de la p. 242).

je n'ai pu me guérir de ma folie. Je les aime en dépit de moi, quoiqu'ils me maltraitent. En voyant déjà commencer la décadence de l'Angleterre que j'ai prédite au milieu de ses triomphes, je me laisse bercer au fol espoir que la nation française, à son tour victorieuse, viendra peut-être un jour me[a] délivrer de la triste captivité où je vis[1].

1. Passage écrit à Wootton vers la fin de 1766 : l'idée du complot a pris naissance quelques mois plus tôt, et Rousseau se convainc, à la suite de sa rupture avec Hume, que ses ennemis, après l'avoir attiré en Angleterre, veulent l'y retenir prisonnier. On comprendra comment cette idée fixe a pu s'imposer à lui si l'on se reporte au livre XII : Rousseau, sur qui les îles ont toujours exercé une sorte de fascination (voir livre VII, p. 348, n. 1), songe à assurer sa tranquillité en se constituant lui-même prisonnier à vie dans l'île de Bienne (pp. 767, 769). Il n'est pas surprenant que moins d'un an plus tard, il ait prêté à ses ennemis l'intention dont il pouvait croire leur avoir donné l'idée. Mais il ne s'agit plus cette fois d'une captivité choisie et désirée; aussi s'enfuit-il brusquement en mai 1767, et écrit-il au général Conway, secrétaire d'État à l'Intérieur de George III, pour demander un sauf-conduit lui permettant de sortir sans être inquiété du pays !

Parlant de la « décadence de l'Angleterre », qu'il voit commencer, Rousseau fait sans doute allusion aux difficultés suscitées au gouvernement par l'affaire Wilkes, contemporaine de traité de Paris, et par l'agitation des colons américains à la suite de l'impôt sur le timbre.

Ses jugements sur l'Angleterre et les Anglais ont varié selon les vicissitudes de la politique européenne et ses malheurs personnels. La 2e partie des *Confessions* a été écrite à la suite du désastreux séjour en Angleterre. Avant l'exil de 1762, Rousseau est partagé entre les clichés anglophiles de son temps et des préjugés contre le caractère et les mœurs des Anglais. Il admet dans *le Contrat social* que les Anglais sont « plus près de la liberté que tous les autres [*peuples*] » (livre I, chapitre 6 en note, édition Garnier p. 244, n. 1); mais c'est peut-être l'admirateur de Montesquieu qui parle ici. *La Nouvelle Héloïse* met en scène le traditionnel Anglais de roman, sensible et vertueux, et Saint-Preux, dans sa navigation avec une escadre anglaise, a « vu dans [*ses*] compagnons de voyage un peuple intrépide et fier, dont l'exemple et la liberté rétablissaient à [*ses*] yeux l'honneur de [*son*] espèce, pour lequel la douleur et la mort ne sont rien, et qui ne craint au monde que la faim et l'ennui » (IVe partie, lett. 3, Garnier p. 397). Cette dernière formule laisse transparaître la critique : pour l'auteur de l'*Émile*, l'Anglais est un sauvage vorace; et vers la fin du second livre, un couplet végétarien tiré de Plutarque est précédé d'allusions à la férocité des « grands mangeurs de viande » : l'observation « la barbarie anglaise est connue » est commentée par cette note : « Je sais que les Anglais vantent beaucoup leur humanité et le bon naturel de leur nation, qu'ils appellent *good-natured people ;* mais ils ont beau crier cela

J'ai cherché longtemps la cause de cette partialité, et je
n'ai pu la trouver que dans l'occasion qui la vit naître.
Un goût croissant pour la littérature m'attachait aux livres
français, aux auteurs de ces livres, et au pays de ces auteurs.
Au moment même que défilait sous mes yeux l'armée
française, je lisais les grands capitaines de Brantôme.
J'avais la tête pleine des Clisson, des Bayard, des Lautrec,
des Coligny, des Montmorency, des la Trimouille, et je
m'affectionnais à leurs descendants comme aux héritiers de

tant qu'ils peuvent, personne ne le répète après eux. » Une allusion
analogue aux « repas des sauvages, j'ai failli dire ceux des Anglais »,
se trouve dans l'*Essai sur l'origine des langues,* de la même époque,
et la *Lettre à d'Alembert* oppose aux Anglaises « douces et timides »
les Anglais « durs et féroces » (édition Fuchs, p. 109).

Les événements de juin 1762 durent amener Rousseau à modifier
ses vues : victime de la France et de Genève, il tend peut-être à idéaliser
maintenant par contraste cette Angleterre qu'il ne connaît pas. Tout
en écartant pour diverses raisons, dans une lettre à la comtesse de
Boufflers du 20 août 1762, l'idée d'un refuge en Angleterre, il écrit :
« J'ai cent fois désiré et désire encore voir l'Angleterre soit pour
elle-même, soit pour y converser avec celui qui en est maintenant
l'honneur [*Hume*]... » (*C. C.,* XII, 217). Arrivé en Angleterre, où
l'espoir de retrouver peut-être un jour Milord Maréchal a dû contribuer
à le pousser finalement, il écrit à Du Peyrou (27 janvier 1766) : « Les
manières anglaises sont fort de mon goût... » Après une nouvelle phase
d'hostilité au lendemain de la querelle avec Hume, Rousseau traverse,
au début de la rédaction des *Dialogues,* une période d'anglophilie, au
cours de laquelle il remet à Brooke Boothby (1776), qui le publiera en
Angleterre, le manuscrit du premier des *Dialogues.* On y trouve cette
note — qui disparaît d'un autre manuscrit de l'ouvrage, conservé
jusqu'en 1778 par Rousseau et remis alors à Moultou qui le publiera
à Genève :
« Choisir un Anglais pour mon dépositaire et mon confident, serait
ce me semble réparer d'une manière bien authentique le mal que j'ai
pu penser et dire de sa nation. On l'a trop abusée sur mon compte
pour que j'aie pu ne pas m'abuser sur le sien. » (*O. C.,* I, 1959, p. 1640,
variante de la p. 710.) — En 1778, non seulement la note a disparu
mais l'*Histoire du précédent écrit,* en P. S. aux *Dialogues,* dénonce comme
une coupable imprudence cet acte de confiance passé : « Je m'accusais
de folie d'avoir été me confier à un Anglais, nation personnellement
animée contre moi, et dont on n'a jamais cité aucun acte de justice
contre son propre intérêt » (*ibid.,* p. 983). On notera que la pension
du roi George III — qui avait été un des prétextes de la rupture avec
Hume — fut versée à Rousseau après son retour en France, et que le
portrait de ce roi décorait l'appartement de la rue Plâtrière (v. l'art. de
R. A. Leigh dans *Mélanges Niklaus,* Exeter, 1975).

leur mérite et de leur courage. A chaque régiment[a] qui
passait, je croyais revoir ces fameuses bandes noires qui
jadis avaient tant fait d'exploits en Piémont. Enfin j'appli-
quais à ce que je voyais les idées que je puisais dans les
livres ; mes lectures continuées et toujours tirées de la
même nation nourrissaient mon affection pour elle, et
m'en firent enfin une passion aveugle que rien n'a pu
surmonter. J'ai eu dans la suite occasion de remarquer
dans mes voyages que cette impression ne m'était pas
particulière, et qu'agissant plus ou moins dans tous les
pays sur la partie de la nation qui aimait la lecture et qui
cultivait les lettres, elle balançait la haine générale qu'inspire
l'air avantageux des Français. Les romans plus que les
hommes leur attachent les femmes de tous les pays, leurs
chefs-d'œuvre dramatiques affectionnent la jeunesse à
leurs théâtres. La célébrité de celui de Paris y attire des
foules d'étrangers qui en reviennent enthousiastes : enfin
l'excellent goût de leur littérature leur soumet tous les
esprits qui en ont, et dans la guerre si malheureuse dont
ils sortent, j'ai vu leurs auteurs et leurs philosophes[b] sou-
tenir la gloire du nom français ternie par leurs guerriers[1].

J'étais donc Français ardent, et cela me rendit nouvel-
liste. J'allais avec la foule des gobe-mouches attendre
sur la place l'arrivée des courriers, et, plus bête que l'âne
de la fable, je m'inquiétais beaucoup pour savoir de quel

1. Il ne saurait être question d'aborder ici l'histoire des sentiments
de Rousseau à l'égard de la France (voir *supra*, p. 179, n. 1). Il suffira
d'indiquer que la francophilie du jeune Genevois lors des années de
Chambéry, telle qu'elle est analysée ici dans sa relative complexité, est
attestée par ses écrits du temps. Dans *les Prisonniers de guerre,* l'officier
hongrois Frédéric défend chaleureusement les Français contre les
préjugés de son père :
« Que n'avez-vous connu cet aimable peuple que vous haïssez, et
qui n'aurait peut-être aucun défaut s'il avait moins de vertus. Je l'ai
vue de près cette heureuse et brillante nation, je l'ai vue paisible au
milieu de la guerre, cultivant les sciences et les beaux-arts et livrée à
cette charmante douceur de caractère qui en tous temps lui fait rece-
voir également bien tous les peuples du monde, et rend la France en
quelque manière la patrie commune du genre humain. Tous les
hommes sont les frères des Français. La guerre anime leur valeur sans
exciter leur colère. Une brutale fureur ne leur fait point haïr leurs
ennemis, un sot orgueil ne les leur fait point mépriser... » (*O. C.*, II,
1961, p. 870.)

maître j'aurais l'honneur de porter le bât; car on préten-
dait alors que nous appartiendrions à la France, et l'on
faisait de la Savoie un échange[a] pour le Milanais. Il faut
pourtant convenir que j'avais quelques sujets de crainte;
car si cette guerre eût mal tourné pour les alliés, la pension
de Maman courait[b] un grand risque. Mais j'étais plein de
confiance[c] dans mes bons amis, et pour le coup, malgré
la surprise de M. de Broglie, cette confiance ne fut pas
trompée, grâce au roi de Sardaigne, à qui je n'avais pas
pensé[1].

Tandis qu'on se battait en Italie, on chantait en France.
Les opéras de Rameau commençaient à faire du bruit,
et relevèrent ses ouvrages théoriques que leur obscurité[d]
laissait à la portée de peu de gens. Par hasard, j'entendis
parler de son *Traité de l'harmonie*, et je n'eus point de repos
que je n'eusse acquis ce livre. Par un autre hasard, je tombai
malade. La maladie était inflammatoire[e]; elle fut vive et
courte, mais ma convalescence fut longue, et je ne fus
d'un mois en état de sortir. Durant ce temps, j'ébauchai,
je dévorai mon *Traité de l'harmonie ;* mais il était si long,
si diffus, si mal arrangé, que je sentis qu'il me fallait un
temps considérable pour l'étudier et le débrouiller. Je
suspendais mon application et je récréais mes yeux avec
de la musique. Les cantates de Bernier, sur lesquelles je
m'exerçais, ne me sortaient pas de l'esprit. J'en appris par
cœur quatre ou cinq, entre autres celle des *Amours dormants,*
que je n'ai pas revue depuis[f] ce temps-là, et que je sais
encore presque tout entière, de même que l'*Amour piqué
par une abeille,* très jolie cantate de Clérambault, que j'appris
à peu près dans le même temps.

Pour m'achever, il arriva[g] du Val-d'Aoste un jeune
organiste appelé l'abbé Palais, bon musicien, bon homme,
et qui accompagnait très bien du clavecin. Je fais connais-
sance avec lui; nous voilà inséparables. Il était élève d'un

1. *L'âne de la fable :* La Fontaine, *Fables,* VI, 8.

Grâce au roi de Sardaigne : Mugnier (*M^{me} de Warens* [...], pp. 116-117)
explique comment Charles-Emmanuel de Savoie, roi de Sardaigne,
sauva l'armée franco-piémontaise après que le comte de Broglie, sur-
pris en pleine nuit dans son sommeil par les Impériaux, eut évité de
justesse d'être fait prisonnier (14-15 sept. 1734). Le jeune Jean-Jacques
composa huit ans plus tard des vers satiriques sur Broglie, où il semble
faire allusion à cet épisode (*O. C.,* II, 1961, p. 1136).

moine italien, grand organiste. Il me parlait de ses principes; je les comparais avec ceux de mon Rameau; je remplissais ma tête d'accompagnements, d'accords, d'harmonie. Il[a] fallait se former l'oreille à tout cela : je proposai à Maman un petit concert tous les mois; elle y consentit. Me voilà si plein de ce concert, que ni jour ni nuit, je ne[b] m'occupais d'autre chose; et réellement cela m'occupait, et beaucoup, pour rassembler la musique, les concertants, les instruments[c], tirer les parties, etc. Maman chantait; le P. Caton, dont j'ai parlé, et dont j'ai à parler encore, chantait aussi; un maître à danser appelé Roche et son fils jouaient du violon; Canavas[d], musicien piémontais qui travaillait au cadastre, et qui depuis s'est marié à Paris, jouait du violoncelle; l'abbé Palais accompagnait du clavecin : j'avais l'honneur de conduire la musique, sans oublier le bâton du bûcheron[1]. On peut juger combien tout cela était beau ! pas tout à fait comme chez M. de Treytorens; mais il ne s'en fallait guère[e].

Le petit concert de M[me] de Warens, nouvelle convertie, et vivant, disait-on, des charités du Roi, faisait murmurer la séquelle dévote; mais c'était un amusement agréable pour plusieurs honnêtes gens. On ne devinerait pas qui je mets à leur tête en cette occasion ? Un moine, mais un moine homme de mérite, et même aimable, dont les infortunes m'ont dans la suite bien vivement affecté, et dont la mémoire, liée à celle de mes beaux jours, m'est encore chère. Il s'agit du P. Caton, cordelier, qui, conjointement avec le comte Dortan, avait fait saisir à Lyon la musique du pauvre *petit chat ;* ce qui n'est pas le plus beau trait de sa vie. Il était bachelier de Sorbonne : il avait vécu longtemps à Paris dans le plus grand monde et très faufilé surtout chez le marquis d'Entremont, alors ambassadeur de Sardaigne. C'était un grand homme, bien fait, le visage plein, les yeux à fleur de tête, des cheveux noirs qui faisaient sans affectation le crochet[f] à côté du front; l'air à la fois noble, ouvert, modeste, se présentant simplement et bien; n'ayant ni le maintien cafard ou effronté des moines, ni l'abord cavalier d'un homme à la mode, quoiqu'il le fût, mais l'assurance d'un honnête homme qui, sans rougir de sa

1. Cette plaisanterie est empruntée, signalent Gagnebin et Raymond, au pamphlet de Grimm, *Le Petit Prophète de Bœhmischbroda* (voir livre VII).

robe, s'honore lui-même et se sent toujours à sa place parmi les honnêtes gens. Quoique le P. Caton n'eût pas beaucoup d'étude pour un docteur, il en avait beaucoup pour un homme du monde; et n'étant point pressé de montrer son acquis, il le plaçait si à propos qu'il en paraissait davantage. Ayant beaucoup vécu dans la société, il s'était plus attaché aux talents agréables qu'à un solide savoir. Il avait de l'esprit, faisait des vers, parlait bien, chantait mieux, avait la voix belle, touchait l'orgue et le clavecin. Il n'en fallait pas tant pour être recherché; aussi l'était-il; mais cela lui fit si peu négliger les soins de son état, qu'il parvint, malgré des concurrents très jaloux, à être élu définiteur de sa province, ou, comme on dit, un des grands colliers de l'ordre[1].

Ce P. Caton fit connaissance avec Maman chez le marquis d'Entremont. Il entendit parler de nos concerts, il en voulut être; il en fut, et les rendit brillants. Nous fûmes bientôt liés par notre goût commun pour la musique, qui chez l'un et chez l'autre était une passion très vive; avec cette différence qu'il était vraiment musicien, et que je n'étais qu'un barbouillon. Nous allions avec Canavas et l'abbé Palais faire de la musique dans sa chambre, et quelquefois à son orgue les jours de fête. Nous dînions souvent à son petit couvert; car ce qu'il avait encore d'étonnant pour un moine est qu'il était généreux, magnifique, et sensuel sans grossièreté. Les jours de nos concerts il soupait chez Maman. Ces soupers étaient très gais, très agréables; on y disait le mot et la chose; on y chantait des duos; j'étais à mon aise, j'avais de l'esprit, des saillies : le P. Caton était charmant, Maman était adorable, l'abbé Palais, avec sa voix de bœuf, était le plastron[2]. Moments si doux de la folâtre jeunesse, qu'il y a de temps que vous êtes partis !

Comme je n'aurai plus à parler de ce pauvre P. Caton, que j'achève ici en deux mots sa triste histoire. Les autres moines, jaloux ou plutôt furieux de lui voir un mérite, une élégance de mœurs qui n'avait rien de la crapule monastique, le prirent en haine, parce qu'il n'était pas aussi haïssable qu'eux. Les chefs se liguèrent[a] contre lui, et ameutèrent les moinillons envieux de sa place, et qui n'osaient auparavant le regarder. On lui fit mille affronts,

1. *Définiteur :* adjoint ou conseiller du Général ou d'un Provincial. — Le *collier* est la chaîne d'or que portent au cou les chevaliers de l'ordre du Saint-Esprit, et de quelques autres.

2. *Le plastron :* la victime des railleries de l'assistance.

on le destitua, on lui ôta sa chambre, qu'il avait meublée avec goût, quoique avec simplicité, on le relégua je ne sais où; enfin ces misérables l'accablèrent de tant d'outrages, que son âme honnête et fière avec justice n'y put résister, et après avoir fait les délices des sociétés les plus aimables, il mourut de douleur sur un vil grabat, dans quelque fond de cellule ou de cachot, regretté, pleuré de tous les honnêtes gens dont il fut connu, et qui ne lui ont trouvé d'autre défaut que d'être moine.

Avec ce petit train de vie, je fis si bien en très peu de temps, qu'absorbé tout entier par la musique, je me trouvai hors d'état de penser à autre chose. Je n'allais plus à mon bureau qu'à contre-cœur; la gêne et l'assiduité au travail m'en firent un supplice insupportable, et j'en vins enfin à vouloir quitter mon emploi pour me livrer totalement à la musique. On peut croire que cette folie ne passa pas sans opposition. Quitter un poste honnête et d'un revenu fixe pour courir après des écoliers incertains, était un parti trop peu sensé pour plaire à Maman. Même en supposant mes progrès futurs aussi grands que je me les figurais, c'était borner bien modestement mon ambition que de me réduire pour[a] la vie à l'état de musicien. Elle qui ne formait que des projets magnifiques, et qui ne[b] me prenait plus tout à fait au mot de M. d'Aubonne, me voyait avec peine occupé sérieusement d'un talent qu'elle trouvait si frivole, et me répétait souvent ce proverbe de province, un peu moins juste à Paris, que *qui bien chante et bien danse fait un métier qui peu avance*[1]. Elle me voyait d'un autre côté entraîné par un goût irrésistible; ma passion de musique devenait une fureur, et il était à craindre que mon travail, se sentant de mes distractions, ne m'attirât un congé qu'il valait beaucoup mieux prendre de moi-même. Je lui représentais encore que cet emploi n'avait pas longtemps à durer, qu'il me fallait un talent pour vivre, et qu'il était plus sûr[c] d'achever d'acquérir par la pratique celui auquel mon goût me portait, et qu'elle m'avait choisi, que de me mettre à la merci des protections, ou de faire de nouveaux essais qui pouvaient mal réussir, et me laisser, après avoir passé l'âge d'apprendre, sans ressource pour gagner mon pain. Enfin j'extorquai son consentement[d] plus à force

1. Proverbe du pays de Vaud (Mugnier, p. 138). — Sur le juge-ment méprisant de M. d'Aubonne sur Rousseau, voir livre III, p. 124.

d'importunités et de caresses que de raisons dont elle se contentât. Aussitôt je courus remercier fièrement M. Coccelli, directeur général du cadastre, comme si j'avais fait l'acte le plus héroïque, et je quittai volontairement mon emploi, sans sujet, sans raison, sans prétexte, avec autant et plus de joie que je n'en avais eu à le prendre il n'y avait pas deux ans[1].

Cette démarche, toute folle qu'elle était, m'attira dans le pays une sorte de considération qui me fut utile. Les uns me supposèrent des ressources que je n'avais pas; d'autres, me voyant livré tout à fait à la musique, jugèrent de mon talent par mon sacrifice, et crurent qu'avec tant de passion pour cet art je devais le posséder supérieurement. Dans le royaume des aveugles les borgnes sont rois; je passai là pour un bon maître, parce qu'il n'y en avait que de mauvais. Ne manquant pas, au reste, d'un certain goût de chant, favorisé d'ailleurs par mon âge et par ma figure, j'eus bientôt plus d'écolières qu'il ne m'en fallait pour remplacer ma paye de secrétaire.

Il est certain que pour l'agrément de la vie on ne pouvait passer plus rapidement d'une extrémité à l'autre. Au cadastre, occupé huit heures par jour du plus maussade travail, avec des gens encore plus maussades, enfermé dans un[a] triste bureau empuanti de l'haleine[b] et de la sueur de tous ces manants, la plupart fort mal peignés et fort malpropres, je me sentais quelquefois accablé jusqu'au vertige par l'attention[c], l'odeur, la gêne et l'ennui. Au lieu de cela, me voilà tout à coup jeté parmi le beau monde, admis, recherché dans les meilleures maisons; partout un accueil gracieux, caressant, un air de fête : d'aimables demoiselles bien parées m'attendent, me reçoivent avec empressement; je ne vois que des objets charmants, je ne sens que la rose et la fleur d'orange; on chante, on cause, on rit, on s'amuse; je ne sors de là que pour aller ailleurs en faire autant. On conviendra qu'à égalité dans les avantages il n'y avait pas à balancer dans le choix. Aussi me trouvai-je si bien du mien, qu'il ne m'est arrivé jamais de m'en repentir, et je ne m'en repens pas même en ce moment, où je pèse au poids de la raison les actions de

1. Non pas deux ans mais huit mois, d'après la date de licenciement (7 juin 1732) retrouvée par G. Daumas.

ma vie, et où je suis délivré des motifs peu sensés qui m'ont entraîné.

Voilà presque[a] l'unique fois qu'en n'écoutant que mes penchants je n'ai pas vu tromper mon attente. L'accueil aisé, l'esprit liant, l'humeur facile des habitants du pays, me rendirent le commerce du monde aimable, et le goût que j'y pris alors m'a bien prouvé que si je n'aime pas à vivre parmi les hommes, c'est moins ma faute que la leur.

C'est dommage que les Savoyards ne soient pas riches, ou peut-être serait-ce dommage qu'ils le fussent; car tels qu'ils sont, c'est le[b] meilleur et le plus[c] sociable peuple que je connaisse. S'il est une petite ville au monde où l'on goûte la douceur de la vie dans un commerce agréable et sûr, c'est Chambéry. La noblesse de la province, qui s'y rassemble, n'a que ce qu'il faut de bien pour vivre; elle n'en a pas assez pour parvenir; et ne pouvant se livrer à l'ambition, elle suit par nécessité le conseil de Cinéas[1]. Elle dévoue sa jeunesse à l'état militaire, puis revient vieillir paisiblement chez soi. L'honneur et la raison président à ce partage. Les femmes sont belles, et pourraient se passer de l'être; elles ont tout ce qui peut faire valoir la beauté, et même y suppléer. Il est singulier qu'appelé par mon état à voir beaucoup de[d] jeunes filles, je ne me rappelle pas d'en avoir vu à Chambéry une seule qui ne fût pas charmante. On dira que j'étais disposé à les trouver telles, et l'on peut avoir raison; mais je n'avais pas besoin d'y mettre du mien pour cela. Je ne puis, en vérité, me rappeler sans plaisir le souvenir de mes jeunes écolières. Que ne puis-je, en nommant ici les plus aimables, les rappeler de même, et moi avec elles, à l'âge heureux où nous étions lors des moments aussi doux qu'innocents que j'ai passés auprès d'elles ! La première fut Mademoiselle de Mellarède, ma voisine, sœur de l'élève de M. Gaime. C'était une brune très vive, mais d'une vivacité caressante, pleine de grâces, et sans étourderie. Elle était un peu maigre, comme sont la plupart des filles à son âge; mais ses yeux brillants, sa taille fine et son air attirant n'avaient pas besoin d'embonpoint pour plaire. J'y allais le matin, et elle était encore ordinairement en déshabillé, sans autre coiffure que ses cheveux

1. Cinéas, dans la *Vie de Pyrrhus* de Plutarque — une des lectures favorites de Rousseau — met le roi d'Épire en garde contre l'ambition.

négligemment relevés, ornés de quelques fleurs qu'on mettait à mon arrivée, et qu'on ôtait à mon départ pour se coiffer. Je ne crains rien tant[a] dans le monde qu'une jolie personne en déshabillé; je la redouterais cent fois moins parée. Mademoiselle de Menthon, chez qui j'allais l'après-midi, l'était toujours, et me faisait une impression tout aussi douce, mais différente[b]. Ses cheveux étaient d'un blond cendré : elle était très mignonne, très timide et très blanche; une voix nette[c], juste et flûtée, mais qui n'osait se développer. Elle avait au sein la cicatrice d'une brûlure d'eau bouillante, qu'un fichu de chenille bleue ne cachait pas extrêmement. Cette marque attirait quelquefois[d] de ce côté mon attention, qui bientôt n'était plus pour la cicatrice. Mademoiselle de Challes, une autre de mes voisines, était une fille faite; grande, belle carrure, de l'embonpoint; elle avait été très bien. Ce n'était plus une beauté, mais c'était une personne à citer[e] pour la bonne grâce, pour l'humeur égale, pour le bon naturel. Sa sœur, Madame de Charly, la plus belle femme de Chambéry, n'apprenait plus la musique, mais elle la faisait apprendre à sa fille, toute jeune encore, mais dont la beauté naissante eût promis d'égaler celle de sa mère, si malheureusement elle n'eût[f] été un peu rousse. J'avais à la Visitation une petite demoiselle française, dont j'ai oublié le nom, mais qui mérite une place dans la liste de mes préférences. Elle avait pris le ton lent et traînant des religieuses, et sur ce ton[g] traînant elle disait des choses très saillantes qui ne semblaient pas aller avec son maintien. Au reste, elle était paresseuse, n'aimait pas à prendre la peine de montrer son esprit, et c'était une faveur qu'elle n'accordait pas à tout le monde. Ce ne fut qu'après un mois ou deux de leçons et de négligence qu'elle s'avisa de cet expédient pour me rendre plus[h] assidu; car je n'ai jamais pu prendre sur moi de l'être. Je me plaisais à mes leçons quand j'y étais, mais je n'aimais pas être obligé de m'y rendre ni que l'heure me commandât. En toute chose la gêne et l'assujettissement me sont insupportables; ils me feraient prendre en haine le plaisir même. On dit que chez les mahométans un homme passe au point du jour dans les rues pour ordonner aux maris de rendre le devoir à leurs femmes. Je serais un mauvais Turc à ces heures-là.

J'avais quelques écolières aussi dans la bourgeoisie, et une entre autres qui fut la cause indirecte d'un changement de relation dont j'ai à parler, puisque enfin je dois

tout dire. Elle était fille d'un épicier, et se nommait Mademoiselle Lard, vrai modèle d'une statue grecque, et que je citerais pour la plus belle fille que j'aie jamais vue, s'il y avait quelque véritable beauté sans vie et sans âme. Son indolence, sa froideur, son insensibilité, allaient à un point incroyable. Il était également impossible de lui plaire et de la fâcher, et je suis persuadé que, si on eût fait sur elle quelque entreprise, elle[a] aurait laissé faire, non par goût, mais par stupidité. Sa mère, qui n'en voulait pas courir le risque, ne la quittait pas d'un pas. En lui faisant apprendre à chanter, en lui donnant un jeune maître, elle faisait tout de son mieux pour l'émoustiller; mais cela ne réussit point. Tandis que le maître agaçait la fille, la mère agaçait le maître, et cela ne réussissait pas beaucoup mieux. Madame Lard ajoutait à sa vivacité naturelle toute celle que sa fille aurait dû avoir. C'était un petit minois éveillé, chiffonné, marqué de petite vérole. Elle avait de petits yeux très ardents, et un peu rouges, parce qu'elle y avait presque toujours mal. Tous les matins, quand j'arrivais, je trouvais[b] prêt mon café à la crème, et la mère ne manquait jamais de m'accueillir par un baiser bien appliqué sur la bouche, et que par curiosité j'aurais voulu rendre à la fille, pour voir comment elle l'aurait pris. Au reste, tout cela se faisait si simplement et si fort sans conséquence, que, quand M. Lard était là[c], les agaceries et les baisers n'en allaient pas moins leur train. C'était une bonne pâte d'homme, le vrai père de sa fille, et que sa femme ne trompait pas, parce qu'il n'en était pas besoin.

Je me prêtais à toutes ces caresses avec ma balourdise ordinaire, les prenant[d] tout bonnement pour des marques de pure amitié. J'en étais pourtant importuné quelquefois; car la vive M^me Lard ne laissait pas d'être exigeante, et si dans la journée j'avais passé devant la boutique sans m'arrêter, il y aurait eu du bruit. Il fallait, quand j'étais pressé, que je prisse un détour pour passer dans une autre rue, sachant bien qu'il n'était pas[e] aussi aisé de sortir de chez elle que d'y entrer.

M^me Lard s'occupait trop de moi pour que je ne m'occupasse point d'elle. Ses attentions me touchaient beaucoup; j'en parlais à Maman comme d'une chose sans mystère, et quand il y en aurait eu, je ne lui en aurais pas moins parlé; car lui faire un secret de quoi que ce fût ne m'eût pas été possible : mon cœur était ouvert devant elle comme

devant Dieu. Elle ne prit pas tout à fait la chose avec la même simplicité que moi. Elle vit des avances où je n'avais vu que des amitiés; elle jugea que M^{me} Lard, se faisant un point d'honneur de me laisser moins sot qu'elle ne m'avait trouvé, parviendrait de manière ou d'autre à se faire entendre, et outre qu'il n'était pas juste qu'une autre femme se chargeât de l'instruction de son élève, elle avait des motifs plus dignes d'elle pour me garantir des pièges auxquels mon âge et mon état m'exposaient. Dans le même temps, on m'en tendit un d'une espèce plus dangereuse, auquel j'échappai, mais qui lui fit sentir que les dangers qui me menaçaient sans cesse rendaient nécessaires tous les préservatifs qu'elle y pouvait apporter.

Madame la comtesse de Menthon, mère d'une de[a] mes écolières, était une femme de beaucoup d'esprit, et passait pour n'avoir pas moins de méchanceté. Elle avait été cause, à ce qu'on disait, de bien des brouilleries, et d'une entre autres qui avait eu des suites fatales à la maison d'Entremont. Maman avait été assez liée avec elle pour connaître son caractère; ayant très innocemment inspiré du goût à quelqu'un sur qui M^{me} de Menthon avait des prétentions, elle resta chargée auprès d'elle du crime de cette préférence, quoiqu'elle n'eût été ni recherchée ni acceptée; et M^{me} de Menthon chercha depuis lors à jouer à sa rivale[b] plusieurs tours, dont aucun ne réussit. J'en rapporterai un des plus comiques, par manière d'échantillon. Elles étaient ensemble à la campagne avec plusieurs gentilshommes du voisinage, et entre autres l'aspirant en question. M^{me} de Menthon dit un jour à un de ces messieurs que M^{me} de Warens n'était qu'une précieuse; qu'elle n'avait point de goût, qu'elle se mettait mal, qu'elle couvrait sa gorge comme une bourgeoise. Quant à ce dernier article, lui dit l'homme, qui était un plaisant, elle a ses raisons, et je sais qu'elle a un gros vilain rat empreint sur le sein, mais si ressemblant qu'on dirait qu'il court. La haine ainsi que l'amour rend crédule. M^{me} de Menthon[c] résolut de tirer parti de cette découverte, et un jour que Maman était au jeu avec l'ingrat favori de la dame, celle-ci prit son temps pour passer derrière sa rivale, puis renversant à demi sa chaise, elle découvrit adroitement son mouchoir. Mais au lieu du gros rat, le Monsieur ne vit qu'un objet fort différent, qu'il n'était pas plus aisé d'oublier que de voir, et cela ne fit pas le compte de la dame.

Je n'étais[a] pas un personnage à occuper M[me] de Menthon, qui ne voulait que des gens brillants autour d'elle. Cependant elle fit quelque attention à moi, non pour ma figure, dont assurément elle ne se souciait point du tout, mais pour l'esprit qu'on me supposait, et qui m'eût pu rendre utile[b] à ses goûts. Elle en avait un assez vif pour la satire. Elle aimait à faire des chansons et des vers sur les gens qui lui déplaisaient. Si elle m'eût trouvé assez de talent pour lui aider à tourner ses vers, et assez de complaisance pour les écrire[c], entre elle et moi nous aurions bientôt mis Chambéry sens dessus dessous. On serait remonté à la source de ces libelles : M[me] de Menthon se serait tirée d'affaire en me sacrifiant, et j'aurais été enfermé le reste de mes jours peut-être, pour m'apprendre à faire le Phébus avec les dames.

Heureusement rien de tout cela n'arriva. M[me] de Menthon me retint à dîner deux ou trois fois[d] pour me faire causer, et trouva que je n'étais qu'un sot. Je le sentais moi-même, et j'en gémissais, enviant les talents de mon ami Venture, tandis que j'aurais dû remercier ma bêtise des périls dont elle me sauvait. Je demeurai pour M[me] de Menthon le maître à chanter de sa fille, et rien de plus : mais je vécus tranquille et toujours bien voulu dans Chambéry. Cela valait mieux que d'être un bel esprit pour elle et un serpent pour le reste du pays.

Quoi qu'il en soit, Maman vit que, pour m'arracher au péril de ma jeunesse, il était temps de me traiter en homme, et c'est ce qu'elle fit, mais de la façon la plus singulière dont jamais femme se soit avisée en pareille occasion. Je lui trouvai[e] l'air plus grave, et le propos plus moral qu'à son ordinaire. A la gaieté folâtre dont elle entremêlait ordinairement ses instructions succéda tout à coup un ton toujours soutenu, qui n'était ni familier, ni sévère, mais qui semblait préparer une explication. Après avoir cherché vainement en moi-même la raison de ce changement, je la lui demandai; c'était ce qu'elle attendait. Elle me proposa une promenade au petit jardin pour le lendemain : nous y fûmes dès le matin. Elle avait pris ses mesures pour qu'on nous laissât seuls toute la journée; elle l'employa à me préparer aux bontés qu'elle voulait avoir pour moi, non, comme une autre femme, par du manège et des agaceries; mais par des entretiens pleins de[f] sentiment et de raison, plus faits pour m'instruire que pour me séduire,

et qui parlaient plus à mon cœur qu'à mes sens. Cependant, quelque excellents et utiles que fussent les discours qu'elle me tint, et quoiqu'ils ne fussent rien moins que froids et tristes, je n'y fis pas toute l'attention qu'ils méritaient, et je ne les gravai pas dans ma mémoire comme j'aurais fait dans tout autre temps. Son début, cet air de préparatif m'avait donné de l'inquiétude : tandis qu'elle parlait, rêveur et distrait malgré moi, j'étais moins occupé de ce qu'elle disait que de chercher à quoi elle en voulait venir, et sitôt que je l'eus compris, ce qui ne me fut pas facile, la nouveauté de cette idée, qui depuis que je vivais auprès d'elle ne m'était pas venue une seule fois dans l'esprit, m'occupant alors tout entier, ne me[a] laissa plus le maître de penser à ce qu'elle me disait. Je ne pensais qu'à elle et je ne l'écoutais pas.

Vouloir rendre les jeunes gens attentifs à ce qu'on leur veut dire, en leur montrant au bout un objet très intéressant pour eux, est un contre-sens très ordinaire aux instituteurs, et que je n'ai pas évité moi-même dans mon *Émile*. Le jeune homme, frappé de l'objet qu'on lui présente, s'en occupe uniquement, et saute à pieds joints par-dessus vos discours préliminaires pour aller d'abord où vous le menez trop lentement à son gré. Quand on veut le rendre attentif, il ne faut pas se laisser pénétrer d'avance, et c'est en quoi Maman fut maladroite. Par une singularité qui tenait à son esprit systématique, elle prit la précaution très vaine de faire ses conditions; mais sitôt que j'en vis le prix, je ne les écoutai pas même, et je me dépêchai de consentir à tout. Je doute même qu'en pareil cas il y ait sur la terre entière un homme assez franc ou assez courageux pour oser marchander, et une seule femme qui pût pardonner de l'avoir fait. Par une suite de[b] la même bizarrerie, elle mit à[c] cet accord les formalités les plus graves, et me donna pour y penser huit jours, dont je l'assurai faussement que je n'avais pas besoin : car pour comble de singularité, je fus très aise de les avoir, tant la nouveauté de ces idées m'avait frappé, et tant je sentais un bouleversement dans les miennes qui me demandait du temps pour les arranger !

On croira que ces huit jours me durèrent huit siècles. Tout au contraire; j'aurais voulu qu'ils les eussent duré en effet. Je ne sais comment décrire l'état où je me trouvais, plein d'un certain effroi mêlé d'impatience, redoutant ce que

je désirais, jusqu'à chercher quelquefois tout de bon dans[a]
ma tête quelque honnête moyen d'éviter d'être heureux.
Qu'on se représente mon tempérament ardent et lascif,
mon sang enflammé, mon cœur enivré d'amour, ma vigueur,
ma santé, mon âge; qu'on pense que dans cet état altéré de[b]
la soif des femmes, je n'avais encore approché d'aucune;
que l'imagination, le besoin, la vanité, la curiosité, se
réunissaient pour me dévorer de l'ardent désir d'être
homme et de le paraître. Qu'on ajoute surtout, car c'est
ce qu'il ne faut pas qu'on oublie, que mon vif et tendre
attachement pour elle, loin de s'attiédir, n'avait fait
qu'augmenter de jour en jour; que je n'étais bien qu'auprès
d'elle; que je ne m'en éloignais que pour y penser; que
j'avais le cœur plein, non seulement de ses bontés, de son
caractère aimable, mais de son sexe, de sa figure, de sa
personne, d'elle, en un mot, par tous les rapports sous
lesquels elle pouvait m'être chère; et qu'on n'imagine
pas que pour dix ou douze ans[c] que j'avais de moins
qu'elle, elle fût vieillie ou me parût l'être. Depuis cinq
ou six ans que j'avais éprouvé des transports si doux à sa
première vue, elle était réellement très peu changée, et ne
me le paraissait point du tout. Elle a toujours été charmante
pour moi, et l'était encore[d] pour tout le monde. Sa taille
seule avait pris un peu plus de rondeur. Du reste, c'était
le même œil, le même teint, le même sein, les mêmes
traits, les mêmes beaux cheveux blonds, la même gaieté,
tout jusqu'à la même voix, cette voix argentée de la jeu-
nesse, qui fit toujours sur moi tant d'impression, qu'encore
aujourd'hui je ne puis entendre sans émotion le son d'une
jolie voix de fille[1].

Naturellement, ce que j'avais à craindre dans l'attente
de la possession d'une personne si chérie était de l'anticiper,

1. Rousseau a voulu dans ce portrait donner un pendant à celui
qu'il traçait au livre II (*supra*, pp. 52-54). L'impression qui s'en dégage
est confirmée, dans ce qu'elle a de moins flatteur, par le portrait qu'a
laissé de son amie M. de Conzié (cité par Mugnier, p. 139), qui l'a
connue en 1734 :
« Sa taille était moyenne mais point avantageuse, eu égard qu'elle
avait beaucoup et beaucoup d'embonpoint, ce qui lui avait arrondi
un peu les épaules et rendu sa gorge trop volumineuse, mais elle
faisait oublier ces défauts par une physionomie de franchise et de
gaieté intéressante. »

et de ne pouvoir assez gouverner mes désirs et mon imagi-
nation pour rester maître de moi-même. On verra que,
dans un âge avancé, la seule idée de quelques[a] légères
faveurs qui m'attendaient près de la personne aimée,
allumait mon sang à tel point, qu'il m'était impossible de
faire impunément le court trajet qui me séparait d'elle[1].
Comment, par quel prodige, dans la fleur de ma jeunesse,
eus-je si peu d'empressement pour la première jouissance ?
Comment pus-je en voir approcher l'heure avec plus
de peine que de plaisir ? Comment, au lieu des délices
qui devaient m'enivrer, sentais-je presque de la répu-
gnance et des craintes ? Il n'y a point à douter que, si
j'avais pu me dérober à mon bonheur avec bienséance,
je ne l'eusse fait de tout mon cœur. J'ai promis des bizar-
reries dans l'histoire de mon attachement pour elle; en
voilà sûrement une à laquelle on ne s'attendait pas.

Le lecteur, déjà révolté, juge qu'étant[b] possédée par
un autre homme, elle se dégradait à mes yeux en se parta-
geant, et qu'un sentiment de mésestime attiédissait ceux
qu'elle m'avait inspirés : il se trompe. Ce partage, il est
vrai, me faisait une cruelle peine, tant par une délicatesse
fort naturelle, que parce qu'en effet je le trouvais peu digne[c]
d'elle et de moi; mais quant à mes sentiments pour elle,
il ne les altérait point, et je peux jurer que jamais je ne
l'aimai[d] plus tendrement que quand je désirais si peu de
la posséder. Je connaissais[e] trop son cœur chaste et son
tempérament de glace pour croire un moment que le
plaisir des sens eût aucune part à cet[f] abandon d'elle-
même : j'étais parfaitement sûr que le seul soin de m'arra-
cher à des dangers autrement presque inévitables, et de
me conserver tout entier à moi et à mes devoirs, lui en
faisait enfreindre un qu'elle ne regardait pas du même œil
que les autres femmes, comme il sera dit ci-après. Je
la plaignais et je me plaignais. J'aurais voulu lui dire :
Non, Maman, il n'est pas nécessaire; je vous réponds de
moi sans cela. Mais je n'osais; premièrement parce que ce
n'était pas une chose à dire, et puis parce qu'au fond je
sentais que cela n'était pas vrai, et qu'en effet il n'y avait
qu'une femme qui pût me garantir des autres femmes et

1. Sur l'incident en question, et le sens de l'adverbe *impunément*,
voir p. 526 et n. 1 p. 527.

me mettre à l'épreuve des tentations. Sans désirer de la
posséder, j'étais bien aise qu'elle m'ôtât le désir d'en
posséder d'autres; tant je regardais tout ce qui pouvait me
distraire d'elle comme un malheur.

La longue habitude de vivre ensemble et d'y vivre
innocemment, loin d'affaiblir mes sentiments pour elle,
les avait renforcés, mais leur avait en même temps donné
une autre tournure qui les rendait plus affectueux, plus
tendres peut-être, mais moins sensuels. A force de l'appeler
Maman, à force d'user avec elle de la familiarité d'un fils,
je m'étais accoutumé à me regarder comme tel. Je crois
que voilà la véritable cause du peu d'empressement que
j'eus de la posséder, quoiqu'elle me fût si chère. Je me sou-
viens très bien que mes premiers sentiments, sans être plus
vifs, étaient plus voluptueux. A Annecy, j'étais dans
l'ivresse; à Chambéry, je n'y étais plus. Je l'aimais aussi
passionnément qu'il fût possible; mais je l'aimais plus
pour elle et moins pour moi, ou du moins je cherchais
plus mon bonheur que mon plaisir auprès d'elle : elle était
pour moi plus qu'une sœur, plus qu'une mère, plus qu'une
amie, plus même qu'une maîtresse[a], et c'était pour cela
qu'elle n'était pas une maîtresse. Enfin, je l'aimais trop
pour la convoiter : voilà ce qu'il y a de plus clair dans mes
idées.

Ce jour, plutôt redouté qu'attendu, vint enfin. Je
promis tout, et je ne mentis pas. Mon cœur confirmait
mes engagements sans en désirer le prix. Je l'obtins
pourtant. Je me vis pour la première fois dans les bras
d'une femme, et d'une femme que j'adorais. Fus-je heu-
reux ? Non, je goûtai le plaisir. Je ne sais quelle invincible
tristesse en empoisonnait le charme. J'étais comme si
j'avais commis un inceste. Deux ou trois fois, en la pressant
avec transport dans mes bras, j'inondai son sein de mes
larmes. Pour elle, elle n'était ni triste ni vive; elle était
caressante et tranquille. Comme elle était peu sensuelle
et n'avait point recherché la volupté, elle n'en eut pas les
délices et n'en a jamais eu les remords.

Je le répète : toutes ses fautes lui vinrent de ses erreurs,
jamais de ses passions. Elle était bien née, son cœur était
pur, elle aimait les choses honnêtes, ses penchants étaient
droits et vertueux, son goût était délicat; elle était faite
pour une élégance de mœurs qu'elle a toujours aimée, et
qu'elle n'a jamais suivie, parce qu'au lieu d'écouter son

cœur, qui la menait bien, elle écouta sa raison, qui la menait mal. Quand des principes faux l'ont égarée, ses vrais sentiments les ont toujours démentis : mais malheureusement elle se piquait de philosophie, et la morale qu'elle s'était faite gâta celle que son cœur lui dictait[1].

M. de Tavel, son premier amant, fut son maître de philosophie, et les principes qu'il lui donna furent ceux dont il avait besoin pour la séduire. La trouvant attachée[a] à son mari, à ses devoirs, toujours froide, raisonnante, et inattaquable par les sens, il l'attaqua par des sophismes, et parvint à lui montrer ses devoirs auxquels elle était si attachée comme un bavardage de catéchisme fait uniquement pour amuser les enfants, l'union des sexes comme l'acte le plus indifférent en soi, la fidélité conjugale comme une apparence obligatoire dont toute la moralité regardait l'opinion, le repos des maris comme la seule règle du devoir des femmes, en sorte que des infidélités ignorées, nulles pour celui qu'elles offensaient, l'étaient aussi pour la conscience; enfin il lui persuada que la chose en elle-même

1. Historiens, critiques et psychiatres se sont emparés de cet épisode, qu'on date généralement de l'automne 1733. Mugnier se demande si Rousseau ne l'aurait pas provoqué délibérément en faisant état avec une feinte naïveté des « agaceries » de M[me] Lard. D'autres interprètes (Faguet, Guéhenno) laissent l'initiative à M[me] de Warens, pensant que son tempérament et ses motifs étaient différents de ceux que lui prête Rousseau — ce qui ne serait d'ailleurs pas absolument inconciliable avec le jugement favorable porté par Conzié sur le caractère de M[me] de Warens. De toute façon, il n'est pas impossible que ces nouvelles relations entre « Maman » et « Petit » aient été pour quelque chose dans la tentative de suicide d'Anet (p. 201) et sa mort (p. 235 et n. 1). Le coup de patte à la « philosophie » dans la dernière phrase, la doctrine prêtée dans l'alinéa suivant à Tavel (à rapprocher de la défense du mariage dans les préfaces de la Nouvelle Héloïse) portent la marque du Rousseau d'après 1760, aigri contre les « philosophes ». Cette disposition d'esprit rend plus délicate encore, et peut-être suspecte, la reconstitution psychologique qu'il tente, à trente ans de distance, de la conduite de sa bienfaitrice; reconstitution qui risque d'être également faussée par des réactions naturelles en pareil cas : gratitude du protégé, gêne qu'il aurait à jouer un rôle assez peu galant, respect devant la mort : car le décès de « Maman » (1762) était encore récent lorsqu'il écrivait ces pages (1765 ?).

Il se rend d'ailleurs compte du caractère paradoxal de sa thèse lorsqu'il écrit un peu plus loin (p. 229) : « Je sais d'avance qu'en lui donnant un caractère sensible et un tempérament froid, je serai accusé de contradiction comme à l'ordinaire. »

n'était rien, qu'elle ne prenait d'existence que par le scandale, et que toute femme qui paraissait sage, par cela seul l'était en effet. C'est ainsi que le malheureux parvint à son but en corrompant la raison d'un enfant dont il n'avait pu corrompre le cœur. Il en fut puni par la plus dévorante jalousie, persuadé qu'elle le traitait lui-même comme il lui avait appris à traiter son mari. Je ne sais s'il se trompait sur ce point[a]. Le ministre Perret passa pour son successeur. Ce que je sais, c'est que le tempérament froid de cette jeune femme, qui l'aurait dû garantir de ce système, fut ce qui l'empêcha[b] dans la suite d'y renoncer. Elle ne pouvait concevoir qu'on donnât tant d'importance à ce qui n'en avait point pour elle. Elle n'honora jamais du nom de vertu une abstinence qui lui coûtait si peu.

Elle n'eût donc guère abusé de ce faux principe pour elle-même; mais elle en abusa pour autrui, et cela par une autre maxime presque aussi fausse, mais plus d'accord avec la bonté de son cœur. Elle a toujours cru que rien n'attachait tant un homme à une femme que la possession, et quoiqu'elle n'aimât ses amis que d'amitié, c'était d'une amitié si tendre, qu'elle employait tous les moyens qui dépendaient d'elle pour se les attacher plus fortement. Ce qu'il y a d'extraordinaire est qu'elle a presque toujours réussi. Elle était si réellement aimable que plus l'intimité dans laquelle on vivait avec elle était grande, plus on y trouvait de nouveaux sujets de l'aimer. Une autre chose digne de remarque est qu'après sa première faiblesse elle n'a guère favorisé que des malheureux; les gens brillants ont[c] tous perdu leur peine auprès d'elle : mais il fallait qu'un homme qu'elle commençait par plaindre fût bien peu aimable si elle ne finissait par l'aimer. Quand elle se fit des choix peu dignes d'elle, bien loin que ce fût par des inclinations basses, qui n'approchèrent jamais de son noble cœur, ce fut uniquement par son cœur trop généreux, trop humain, trop compatissant, trop sensible, qu'elle ne gouverna pas toujours avec assez de discernement.

Si quelques principes faux l'ont égarée, combien n'en avait-elle pas d'admirables dont elle ne se départait jamais ! Par combien de vertus ne rachetait-elle pas ses faiblesses, si l'on peut appeler de ce nom des[d] erreurs où les sens avaient si peu de part ! Ce même homme qui la trompa sur un point l'instruisit excellemment sur mille autres; et ses passions, qui n'étaient pas fougueuses, lui permettant de

suivre toujours ses lumières, elle allait bien quand ses sophismes ne l'égaraient pas. Ses motifs étaient louables jusque dans ses fautes; en s'abusant elle pouvait mal faire, mais elle ne pouvait vouloir rien qui fût mal. Elle abhorrait la duplicité, le mensonge; elle était juste, équitable, humaine, désintéressée, fidèle à sa parole, à ses amis, à ses devoirs qu'elle reconnaissait pour tels, incapable de vengeance et de haine, et ne concevant pas même qu'il y eût le moindre mérite à pardonner. Enfin, pour revenir à ce qu'elle avait de moins excusable, sans estimer ses faveurs ce qu'elles valaient, elle n'en fit jamais un vil commerce; elle les prodiguait, mais elle ne les vendait pas, quoiqu'elle fût sans cesse aux expédients pour vivre; et j'ose dire que si Socrate put estimer Aspasie, il eût respecté Madame de Warens[1].

1. Sur les expédients et les entreprises, le plus souvent aussi malheureuses qu'ambitieuses, auxquels Mme de Warens avait recours pour satisfaire ses incessants besoins d'argent, voir *infra,* pp. 233, 247, et le livre de Mugnier.

A deux reprises, Rousseau, expliquant son comportement à l'égard des femmes, se compare implicitement à Socrate; la courtisane Aspasie correspondant ici à Mme de Warens, et plus loin Xanthippe (livre VII, p. 326, n. *) à Thérèse Levasseur — cette dernière comparaison étant reprise plus tard par Girardin et d'autres. Il est curieux de noter que les noms de Jean-Jacques et de Socrate sont souvent associés par les défenseurs de Rousseau dès son vivant (à partir de l'exil de 1762), et surtout au lendemain de sa mort, la légende d'un suicide par empoisonnement facilitant l'assimilation. Les propos prêtés à Socrate dans le 1er *Discours,* l'éloge de ce sage dans la Profession de foi du vicaire savoyard, ont beaucoup contribué à cette association; mais on retrouve ici l'irritant problème de la communauté intellectuelle Rousseau-Diderot: dans ce siècle qui s'est beaucoup intéressé à Socrate, Diderot a fait preuve d'une curiosité particulière et pas entièrement désintéressée (voir J. Seznec, *Essais sur Diderot et l'Antiquité,* Oxford, 1957). Sur R. et Socrate, v. J. Voisine dans *Mélanges Vinaver,* Manchester, 1969; R. Trousson, *Socrate devant Voltaire, Diderot et R.,* Paris, 1969; Cl. Pichois et R. Pintard, *J.-J. entre Socrate et Caton,* 1972.

Quant à l'épisode de la vie de Socrate auquel fait allusion Jean-Jacques, il est tiré de la *Vie de Périclès* de Plutarque:

« Socrates même allait voir Aspasie [...] pour l'ouïr deviser, combien qu'elle menât un train qui n'estoit guères beau ni honneste, par ce qu'elle tenoit en sa maison de jeunes garces qui faisoient gain de leur corps. » (Traduction d'Amyot.)

Je sais d'avance qu'en lui donnant un caractère sensible et un tempérament froid, je serai accusé de contradiction comme à l'ordinaire, et avec autant de raison. Il se peut que la nature ait eu tort et que cette combinaison n'ait pas dû être; je sais seulement qu'elle a été. Tous ceux qui ont connu Mme de Warens, et dont un si grand nombre existe encore, ont pu savoir qu'elle était ainsi. J'ose même ajouter qu'elle n'a connu qu'un seul vrai plaisir au monde; c'était d'en faire à ceux qu'elle aimait. Toutefois, permis à chacun d'argumenter là-dessus tout à son aise, et de prouver doctement que cela n'est pas vrai. Ma fonction est de dire la vérité, mais non pas de la faire croire.

J'appris peu à peu tout ce que je viens de dire dans les entretiens qui suivirent notre union, et qui seuls la rendirent délicieuse. Elle avait eu raison d'espérer que sa complaisance me serait utile; j'en tirai pour mon instruction de grands avantages. Elle m'avait jusqu'alors parlé de moi seul comme à un enfant. Elle commença de me traiter en homme, et me parla d'elle. Tout ce qu'elle me disait m'était si intéressant, je m'en sentais si touché, que, me repliant sur moi-même, j'appliquai à mon profit ses confidences plus que je n'avais fait ses leçons. Quand on sent vraiment que le cœur parle, le nôtre s'ouvre pour recevoir ses épanchements; et jamais toute la morale d'un pédagogue ne vaudra le bavardage affectueux et tendre d'une femme sensée pour qui l'on a de l'attachement.

L'intimité dans laquelle je vivais avec elle l'ayant mise à portée de m'apprécier plus avantageusement qu'elle n'avait fait, elle jugea que, malgré mon air gauche, je valais la peine d'être cultivé pour le monde, et que, si je m'y montrais un jour sur un certain pied, je serais en état d'y faire mon chemin. Sur cette idée, elle s'attachait non seulement à former mon jugement, mais mon extérieur, mes manières, à me rendre aimable autant[a] qu'estimable, et s'il est vrai qu'on puisse allier les succès dans le monde avec la vertu, ce que pour moi je ne crois pas, je suis sûr au moins qu'il n'y a pour cela d'autre route que celle qu'elle avait prise, et qu'elle voulait m'enseigner. Car Mme de Warens connaissait les hommes et savait supérieurement l'art de traiter avec eux sans mensonge et sans imprudence, sans les tromper et sans les fâcher. Mais cet art était dans son caractère bien plus que dans ses leçons; elle savait mieux le mettre en pratique que l'enseigner, et

j'étais l'homme du monde le moins propre à l'apprendre.
Aussi tout ce qu'elle fit à cet égard fut-il, peu s'en faut,
peine perdue, de même que le soin qu'elle prit de me
donner des maîtres pour la danse et pour les armes. Quoique
leste et bien pris dans ma taille, je ne pus apprendre à
danser un menuet. J'avais tellement pris, à cause de mes
cors, l'habitude de marcher du talon, que Roche ne put
me la faire perdre, et jamais avec l'air assez ingambe, je
n'ai pu sauter un médiocre fossé. Ce fut encore pis à la
salle d'armes. Après trois mois de leçons je tirais encore
à la muraille, hors d'état de faire assaut, et jamais je n'eus
le poignet assez souple, ou le bras assez ferme, pour retenir
mon fleuret quand il plaisait au maître de le faire sauter.
Ajoutez que j'avais un dégoût mortel pour cet exercice et
pour le maître qui tâchait de me l'enseigner. Je n'aurais
jamais cru qu'on pût être si fier de l'art de tuer un homme.
Pour mettre son vaste génie à ma portée, il ne s'exprimait
que par des comparaisons tirées de la musique qu'il ne
savait[a] point. Il trouvait des analogies frappantes entre les
bottes de tierce et de quarte et les intervalles musicaux du
même nom. Quand il voulait faire une feinte, il me disait
de prendre garde à ce dièse, parce qu'anciennement les
dièses s'appelaient *des feintes ;* quand il m'avait fait sauter
de la main mon fleuret, il disait en ricanant que c'était *une*
pause. Enfin je ne vis de[b] ma vie un pédant plus insuppor-
table que ce pauvre homme avec son plumet et son plastron.

Je fis donc peu de progrès dans mes exercices, que je
quittai bientôt par pur dégoût; mais j'en fis davantage dans
un art plus utile, celui d'être content de mon sort, et de
n'en pas désirer un plus brillant pour lequel je commençais
à sentir que je n'étais pas né. Livré tout entier au désir de
rendre à Maman la vie heureuse, je me plaisais toujours
auprès d'elle, et quand il fallait m'en éloigner pour courir
en ville, malgré ma passion pour la musique, je commen-
çais à sentir la gêne de mes leçons.

J'ignore si Claude Anet s'aperçut de[c] l'intimité de notre
commerce. J'ai lieu de croire qu'il ne lui fut pas caché.
C'était un garçon très clairvoyant, mais très discret, qui ne
parlait jamais contre sa pensée, mais qui ne la disait pas
toujours. Sans me faire le moindre semblant qu'il fût
instruit, par sa conduite il paraissait l'être, et cette conduite
ne venait[d] sûrement pas de bassesse d'âme, mais de ce
qu'étant entré dans les principes de sa maîtresse, il ne pou-

vait désapprouver qu'elle agît conséquemment. Quoique aussi jeune qu'elle, il était si mûr et si grave, qu'il nous regardait presque comme deux enfants dignes d'indulgence, et nous le regardions l'un et l'autre comme un homme respectable dont nous avions l'estime à ménager. Ce ne fut qu'après qu'elle lui fut infidèle que je connus bien tout l'attachement qu'elle avait pour lui. Comme elle savait que je ne pensais, ne sentais, ne respirais que par elle, elle me montrait combien elle l'aimait, afin que je l'aimasse de même, et elle appuyait encore moins sur son amitié pour lui que sur son estime, parce que c'était le sentiment que je pouvais partager le plus pleinement. Combien. de fois elle attendrit nos cœurs et nous fit embrasser avec des larmes, en nous disant que nous étions nécessaires tous deux au bonheur de sa vie ! Et que les femmes qui liront ceci ne sourient pas malignement. Avec le tempérament qu'elle avait, ce besoin n'était pas équivoque : c'était uniquement celui de son cœur.

Ainsi s'établit entre nous trois une société sans autre exemple peut-être sur la terre[1]. Tous nos vœux, nos soins, nos cœurs, étaient en commun. Rien n'en passait au delà de ce petit cercle. L'habitude de vivre ensemble et d'y vivre exclusivement devint si grande, que si dans nos repas un des trois manquait ou qu'il vînt un quatrième, tout était dérangé, et, malgré nos liaisons particulières, les tête-à-tête nous étaient moins doux que la réunion. Ce qui prévenait entre nous la gêne était une extrême confiance réciproque, et ce qui prévenait l'ennui était que nous étions tous fort occupés. Maman, toujours projetante [2] et toujours agissante, ne nous laissait guère oisifs ni l'un ni l'autre, et nous avions encore chacun pour notre compte de quoi bien remplir notre temps. Selon moi, le désœuvre-

1. Voir p. 202 et n. 1. — On sait comment Rousseau a voulu revivre cette situation « exceptionnelle » avec Sophie d'Houdetot et Saint-Lambert (*infra*, livre IX), et à travers les personnages de la *Nouvelle Héloïse*. Il eut quelque difficulté à en faire admettre le caractère chaste aux plus cyniques de ses contemporains, comme le prouve par exemple dans la première préface de *la Nouvelle Héloïse* son commentaire sur l'estampe du roman pour laquelle il avait choisi la légende « Les belles âmes ». Pourtant elle devient vite après lui une situation-type de la littérature préromantique (cf. Werther entre Lotte et Albert).

2. *Projetante* : même formation néologique d'adjectif sur un participe présent que plus haut *rappelant* p. 171 (v. n. 1).

ment n'est pas moins le fléau de la société que celui de la solitude. Rien ne rétrécit plus l'esprit, rien n'engendre plus de riens, de rapports, de paquets, de tracasseries, de mensonges, que d'être éternellement renfermés[a] vis-à-vis les uns des autres dans une chambre, réduits pour tout ouvrage à la nécessité de babiller continuellement. Quand tout le monde[b] est occupé, l'on ne parle que quand on a quelque chose à dire; mais quand on ne fait rien, il faut absolument parler toujours, et voilà de toutes les gênes la plus incommode et la plus dangereuse. J'ose même aller plus loin, et je soutiens que pour rendre un cercle vraiment agréable, il faut non seulement que chacun y fasse quelque chose, mais quelque chose qui demande un peu d'attention. Faire des nœuds, c'est ne rien faire, et il faut tout autant de soin pour amuser une femme qui fait des nœuds que celle qui tient les bras croisés. Mais quand elle brode, c'est autre chose; elle s'occupe assez pour remplir les intervalles du silence. Ce qu'il y a de choquant, de ridicule, est de voir pendant ce temps une douzaine de flandrins se lever, s'asseoir, aller, venir, pirouetter sur leurs talons, retourner deux cents fois les magots de la cheminée, et fatiguer leur minerve à maintenir un intarissable flux de paroles : la belle occupation[1] ! Ces gens-là, quoi qu'ils fassent, seront toujours à charge aux autres et à eux-mêmes. Quand j'étais à Môtiers, j'allais faire des lacets chez mes voisines; si je retournais dans le monde, j'aurais toujours dans ma poche un bilboquet, et j'en jouerais toute la journée pour me dispenser de parler quand je n'aurais rien à dire. Si chacun en faisait autant, les hommes deviendraient moins méchants, leur commerce deviendrait plus sûr, et je pense, plus agréable. Enfin, que les plaisants rient, s'ils veulent, mais

1. Des *paquets* sont des « propos désobligeants et faux » (Littré, qui cite cet exemple, et un autre de Mᵐᵉ de Genlis). — Les *nœuds* formés à l'aide d'une navette sur un cordon de fil ou de soie (Littré), futile occupation de salon pour laquelle Rousseau exprimera encore son mépris au livre IX (p. 489 et n. 2). — A partir d'expressions comme « rimer malgré *Minerve* » (Boileau, qui traduit Horace, *A. P.*, 385), susceptibles de variantes, le mot a pu facilement devenir nom commun dans ce sens, courant en italien (= le cerveau, l'imagination). Cf. autre emploi, proche de celui de Boileau, livre VII, p. 336, et « ils fatiguaient leur Minerve » (le manuscrit porte cette fois une majuscule), 2ᵉ *Dialogue* (*O. C.*, I, 1959, p. 817).

e soutiens que la seule morale à la portée du présent siècle
est la morale du bilboquet.

Au reste, on ne nous laissait guère le soin d'éviter l'ennui
par nous-mêmes; et les importuns nous en donnaient trop
par leur influence, pour nous en laisser quand nous restions
seuls. L'impatience qu'ils m'avaient donnée autrefois n'était
pas diminuée, et toute la différence était que j'avais moins
de temps pour m'y livrer. La pauvre Maman n'avait point
perdu son ancienne fantaisie d'entreprises et de systèmes.
Au contraire, plus ses besoins domestiques devenaient
pressants, plus, pour y pourvoir, elle se livrait à ses visions.
Moins elle avait de ressources présentes, plus elle s'en for-
geait dans l'avenir. Le progrès des ans ne faisait qu'aug-
menter en elle cette manie; et à mesure qu'elle perdait le
goût des plaisirs du monde et de la jeunesse, elle le rempla-
çait par celui des secrets et des projets. La maison ne désem-
plissait pas de charlatans, de fabricants, de souffleurs[1], d'en-
trepreneurs de toute espèce, qui, distribuant par millions la
fortune[a], finissaient par avoir besoin d'un écu. Aucun ne
sortait de chez elle à vide, et l'un de mes étonnements est
qu'elle ait pu suffire aussi longtemps à tant de profusions
sans en épuiser la source, et sans lasser ses créanciers.

Le projet dont elle était le plus occupée au temps dont
je parle, et qui n'était pas le plus déraisonnable qu'elle eût
formé, était de faire établir à Chambéry un Jardin royal de
plantes, avec un démonstrateur appointé, et l'on comprend
d'avance à qui cette place était destinée. La position de
cette ville au milieu des Alpes était très favorable à la
botanique, et Maman, qui[b] facilitait toujours un projet par
un autre, y joignit celui d'un Collège de pharmacie, qui
véritablement paraissait[c] très utile dans un pays aussi
pauvre, où les apothicaires sont presque les seuls médecins.
La retraite du protomédecin Grossi à Chambéry, après la
mort du roi Victor, lui parut favoriser beaucoup cette idée,
et la lui suggéra peut-être. Quoi qu'il en soit, elle se mit
à cajoler Grossi, qui pourtant n'était pas trop cajolable;
car c'était bien le plus caustique et le plus brutal monsieur
que j'aie jamais connu. On en jugera par deux ou trois
traits que je vais citer pour échantillon.

1. *Souffleurs* : chercheurs de « pierre philosophale » (Littré). Sur
toutes ces activités de M^{me} de Warens, surtout après le départ de
Rousseau, voir Mugnier.

Un jour il était en consultation avec d'autres médecins,
un entre autres qu'on avait fait venir d'Annecy, et qui
était le médecin ordinaire du malade. Ce jeune homme,
encore mal appris pour un médecin, osa n'être pas de l'avis
de Monsieur le proto. Celui-ci, pour toute réponse, lui
demanda, quand il s'en retournait, par où il passait, et
quelle voiture il prenait. L'autre, après l'avoir satisfait, lui[a]
demande à son tour s'il y a quelque chose pour son service.
Rien, rien, dit Grossi, sinon que je veux m'aller mettre à
une fenêtre, sur votre passage, pour avoir le plaisir de voir
passer un âne à cheval. Il était aussi avare que riche et dur.
Un de ses amis lui voulut un jour emprunter de l'argent
avec de bonnes sûretés : Mon ami, lui dit-il, en lui serrant
le bras et grinçant les dents, quand saint Pierre descendrait
du Ciel pour m'emprunter dix pistoles, et qu'il me donne-
rait la Trinité pour caution, je ne les lui prêterais pas.
Un jour, invité à dîner chez M. le comte Picon, gouver-
neur de Savoie, et très dévot, il arrive avant l'heure, et
S. E.[b], alors occupée à dire le rosaire, lui en propose l'amu-
sement. Ne sachant trop que répondre, il fait une grimace
affreuse, et se met à genoux. Mais à peine avait-il récité
deux *Ave,* que, n'y pouvant plus tenir, il se lève brusque-
ment, prend sa canne et s'en va sans mot dire. Le comte
Picon court après[c], et lui crie : M. Grossi ! M. Grossi !
restez donc, vous avez là-bas à la broche une excellente
bartavelle. — M. le comte ! lui répond l'autre en se retour-
nant, vous me donneriez un ange rôti que je ne resterais
pas. Voilà quel était M. le protomédecin Grossi, que
Maman entreprit et vint à bout d'apprivoiser. Quoique
extrêmement occupé, il s'accoutuma à venir très souvent
chez elle, prit Anet en amitié, marqua faire cas de ses con-
naissances, en parlait avec estime, et, ce qu'on n'aurait pas
attendu d'un pareil ours, affectait de le traiter avec consi-
dération, pour effacer les impressions du passé. Car,
quoique Anet ne fût plus sur le pied d'un domestique, on
savait qu'il l'avait été, et il ne fallait pas moins que l'exemple
et l'autorité de M. le Protomédecin pour donner à son
égard le ton qu'on n'aurait pas pris de tout autre. Claude
Anet avec un habit noir, une perruque bien peignée, un
maintien grave et décent, une conduite sage et circonspecte
des connaissances assez étendues en matière médicale et
en botanique, et la faveur du chef de la faculté, pouvait
raisonnablement espérer de remplir avec applaudissement

la place de démonstrateur royal des plantes, si l'établisse-
ment projeté avait lieu, et réellement Grossi en avait goûté
le plan, l'avait adopté, et n'attendait, pour le proposer à la
cour, que le moment où la paix permettrait de songer aux
choses utiles, et laisserait disposer de quelque argent pour
y pourvoir.

Mais ce projet, dont l'exécution m'eût probablement
jeté dans la botanique, pour laquelle il[a] me semble que
j'étais né, manqua par un de ces coups inattendus qui
renversent les desseins les mieux concertés. J'étais destiné
à devenir, par degrés, un exemple des misères humaines.
On dirait que la Providence, qui m'appelait à ces grandes
épreuves, écartait de la main tout ce qui m'eût empêché
d'y[b] arriver. Dans une course qu'Anet[c] avait faite au haut
des montagnes, pour aller chercher du *Génipi*, plante
rare qui ne croît que sur les Alpes, et dont M. Grossi
avait besoin, ce pauvre garçon s'échauffa tellement, qu'il
gagna une pleurésie, dont le génipi ne put le sauver,
quoiqu'il y soit, dit-on, spécifique, et malgré tout l'art de
Grossi, qui certainement était un[d] très habile homme,
malgré les soins infinis que nous prîmes de lui, sa bonne
maîtresse et moi, il mourut le cinquième jour[1] entre nos[e]
mains après la plus cruelle agonie, durant laquelle il n'eut
d'autres exhortations que les miennes; et je les lui prodiguai
avec des élans de douleur et de zèle qui, s'il était en état
de m'entendre, devaient être de quelque consolation pour
lui. Voilà comment je perdis le plus solide ami que j'eus
en toute ma vie, homme estimable et rare[f], en qui la nature

1. L'inhumation est datée du 14 mars 1734. A la suite de Mugnier,
qui ne croit pas à une très improbable cueillette de *génipi* (ou *génépi*,
plante médicinale mentionnée par Littré) en montagne dans les neiges
du début de mars, les critiques et biographes tendent à attribuer à un
désespoir amoureux la mort de Claude Anet, et rapprochent ce pas-
sage de la tentative de suicide intervenue « peu après mon arrivée »,
dit Rousseau (p. 201) — tentative sur laquelle il se montre assez réti-
cent. Sans pouvoir rien affirmer, on est en droit de se demander si
l'ordre de succession de trois événements qui dans ce livre se trouvent
— peut-être à dessein — séparés par plusieurs pages ne devrait pas
être rétabli ainsi : 1º initiation sexuelle de « Petit » par Maman et début
de leur liaison (p. 225); 2º tentative de suicide du rival réduit à un
partage humiliant, surtout pour un homme plus âgé (p. 201); 3º mort
(suicide réussi cette fois ?) du rival devenu *terzo incommodo* (p. 235).
Mais des présomptions ne constituent pas des preuves.

tint lieu d'éducation, qui nourrit dans la servitude toutes les vertus des grands hommes, et à qui, peut-être, il ne manqua, pour se montrer tel à tout le monde, que de vivre et d'être placé.

Le lendemain j'en parlais avec Maman dans l'affliction la plus vive et la plus sincère, et tout d'un coup, au milieu de l'entretien, j'eus la vile et indigne pensée que j'héritais de ses nippes, et surtout d'un bel habit noir qui m'avait donné dans la vue. Je le pensai, par conséquent je le dis; car près d'elle c'était pour moi la même chose. Rien ne lui fit mieux sentir la perte qu'elle avait faite que ce lâche et odieux mot, le désintéressement et la noblesse d'âme étant des qualités que le défunt avait éminemment possédées. La pauvre femme, sans rien répondre, se tourna de l'autre côté et se mit à pleurer. Chères et précieuses larmes ! Elles furent entendues et coulèrent toutes dans mon cœur; elles y lavèrent jusqu'aux dernières traces d'un sentiment bas et malhonnête; il n'y en est jamais entré depuis[a] ce temps-là[1].

Cette perte causa à Maman autant de préjudice que de douleur. Depuis ce moment ses affaires ne cessèrent d'aller en décadence. Anet était un garçon exact et rangé, qui maintenait l'ordre dans la maison de sa maîtresse. On craignait sa vigilance, et le gaspillage était moindre. Elle-même craignait sa censure, et se contenait davantage dans ses dissipations. Ce n'était pas assez pour elle de son attachement, elle voulait conserver son estime, et elle redoutait le juste reproche qu'il osait quelquefois lui faire qu'elle prodiguait le bien d'autrui autant que le sien. Je pensais comme lui, je le disais même; mais je n'avais pas le même ascendant sur elle, et mes discours n'en imposaient pas comme les siens. Quand il ne fut plus, je fus bien forcé de prendre sa place, pour laquelle j'avais aussi peu d'aptitude que de goût; je la remplis mal. J'étais peu soigneux, j'étais fort timide; tout en grondant à part moi, je laissais tout aller comme il allait. D'ailleurs j'avais bien obtenu la même confiance, mais non pas la même autorité. Je voyais le désordre, j'en gémissais, je m'en plaignais, et je n'étais

1. On rapprochera cette affirmation du souvenir que lui ont laissé les larmes de Marion après l'accusation calomnieuse dont il l'avait chargée (fin du livre II, p. 94) : « [*ce souvenir*] m'a même fait ce bien de me garantir pour le reste de ma vie de tout acte tendant au crime ».

as écouté. J'étais trop jeune et trop vif pour avoir le
droit d'être raisonnable, et quand je voulais me mêler
de faire le censeur, Maman me donnait de petits soufflets
de caresses[a], m'appelait son petit Mentor, et me forçait
à reprendre le rôle qui me convenait.

Le sentiment profond de la détresse où ses dépenses
peu mesurées devaient nécessairement la jeter tôt ou
tard me fit une impression d'autant plus forte, qu'étant
devenu l'inspecteur de sa maison, je jugeais par moi-
même de l'inégalité de la balance entre le *doit* et l'*avoir*. Je
date de cette époque le penchant à l'avarice que je me suis
toujours senti depuis ce temps-là. Je n'ai jamais été folle-
ment prodigue que par bourrasques; mais jusqu'alors je
ne m'étais jamais beaucoup inquiété si j'avais peu ou
beaucoup d'argent. Je commençai à faire cette attention
et à prendre du souci de ma bourse. Je devenais vilain par
un motif très noble; car, en vérité, je ne songeais qu'à
ménager à Maman quelque ressource dans la catastrophe
que je prévoyais. Je craignais que ses créanciers ne fissent
saisir sa pension, qu'elle ne fût tout à fait supprimée, et
je m'imaginais, selon mes vues étroites, que mon petit
magot lui serait alors d'un grand secours. Mais pour le
faire, et surtout pour le conserver, il fallait me cacher
d'elle; car il n'eût pas convenu, tandis qu'elle était aux
expédients, qu'elle eût su que j'avais de l'argent mignon[1].
J'allais donc cherchant par-ci par-là de petites caches où
je fourrais quelques louis en dépôt, comptant augmenter
ce dépôt sans cesse jusqu'au moment de le mettre à ses
pieds. Mais j'étais si maladroit dans le choix de mes
cachettes, qu'elle les éventait toujours; puis, pour m'appren-
dre qu'elle les avait trouvées, elle ôtait[b] l'or que j'y avais
mis, et en mettait davantage en autres espèces. Je venais
tout honteux rapporter à la bourse commune mon petit
trésor, et jamais elle ne manquait de l'employer en nippes
ou meubles à mon profit, comme épée d'argent, montre,
ou autre chose pareille.

Bien convaincu qu'accumuler ne me réussirait jamais,
et serait pour elle une mince ressource, je sentis enfin que
je n'en avais point d'autre contre le malheur que je[c]

1. « Somme d'argent comptant dont on peut disposer à son
gré » (Littré, qui donne cet exemple de Rousseau).

craignais que de me mettre en état de pourvoir[a] par moi même à sa subsistance, quand, cessant de pourvoir à la mienne, elle verrait le pain prêt à lui manquer. Malheureusement, jetant mes projets du côté de mes goûts, je m'obstinais à chercher follement ma fortune dans la musique, et sentant naître des idées et des chants dans ma tête, je crus qu'aussitôt que je serais en état d'en tirer parti j'allais devenir un homme célèbre, un Orphée moderne dont les sons devaient attirer tout l'argent du Pérou. Ce dont il s'agissait pour moi, commençant à lire passablement la musique, était d'apprendre la composition. La difficulté était de trouver quelqu'un pour me l'enseigner; car avec mon Rameau seul, je n'espérais pas y parvenir par moi même, et depuis le départ de M. Le Maître, il n'y avait personne en Savoie qui entendît rien à l'harmonie.

Ici l'on va voir encore une de ces inconséquences dont ma vie est remplie, et qui m'ont fait si souvent aller contre mon but, lors même que j'y pensais tendre directement. Venture m'avait beaucoup parlé de l'abbé Blanchard, son maître de composition, homme de mérite et d'un grand talent, qui pour lors était maître de musique de la cathédrale de Besançon, et qui l'est maintenant de la chapelle de Versailles. Je me mis en tête d'aller à Besançon prendre leçon de l'abbé Blanchard, et cette idée me parut si raisonnable, que je parvins à la faire trouver telle à Maman. La voilà travaillant à mon petit équipage, et cela avec la profusion qu'elle mettait à toute chose. Ainsi, toujours avec le projet de prévenir une banqueroute et de réparer dans l'avenir l'ouvrage de sa dissipation, je commençai dans le moment même par lui causer une dépense de huit cents francs : j'accélérais sa ruine pour me mettre en état d'y remédier. Quelque folle que fût cette conduite, l'illusion était entière de ma part, et même de la sienne. Nous étions persuadés l'un et l'autre, moi que je travaillais utilement pour elle, elle que je travaillais utilement pour moi.

J'avais compté trouver Venture encore à Annecy, et lui demander une lettre pour l'abbé Blanchard. Il n'y était plus. Il fallut, pour tout renseignement, me contenter d'une messe à quatre parties de sa composition et de sa main, qu'il m'avait laissée. Avec cette recommandation je vais à Besançon, passant par Genève, où je fus voir mes parents, et par Nyon, où je fus voir mon père, qui me reçut comme à son ordinaire et se chargea de me faire parvenir

ma malle, qui ne venait qu'après moi, parce que j'étais à cheval. J'arrive à Besançon. L'abbé Blanchard me reçoit bien, me promet ses instructions, et m'offre ses services[1].

1. Cet accueil est décrit en termes enthousiastes dans une lettre du « 29 juin » de Rousseau à Mme de Warens, pour laquelle on a proposé les dates de 1732 (Daumas, Leigh), 1733 (Monglond, Mugnier, Tiersot), 1734 (Courtois) et 1735. Blanchard perd son poste à Besançon à la fin de 1732; il est nommé maître de musique à Amiens le 31 mars 1734. On s'est demandé si le voyage de Besançon n'était pas un prétexte cachant quelque négociation dont Rousseau aurait été chargé par Mme de Warens. Cela dut lui arriver plus d'une fois, puisqu'il écrit (pp. 247-248) : « Je faisais de petits voyages à Nyon, à Genève, à Lyon [...]. Les prétextes ne me manquaient pas pour tous ces voyages, et Maman seule m'en eût fourni de reste, tant elle avait partout de liaisons, de négociations, d'affaires, de commissions à donner à quelqu'un de sûr... » Dans une lettre à Mme de Warens du 3 mars 1739, lui soumettant le brouillon d'une supplique au gouverneur de Savoie (voir *Index*, Picon), il s'exprime ainsi :

« Il y a ce maudit voyage à Besançon, dont pour mon bonheur, j'ai jugé à propos de déguiser un peu ce motif [*dans la supplique*], voyage éternel et malencontreux... »

Sa correspondante lui aura fait supprimer toute référence au voyage, puisqu'il n'en est pas question dans le mémoire lui-même (*C. C.*, I, 93).

M. B. Ellis, dans un article de la *Romanic Review*, April 1947 (« J.-J. Rousseau : Biographical Problems, 1732-1742 »), accepte comme seule satisfaisante l'explication donnée dans *les Confessions* de ce voyage, et présente une interprétation simple et plausible en rapprochant les raisons données du départ du cadastre (p. 215), le ton de la lettre du 29 juin écrite de Besançon, et le ton de celle du 3 mars 1739. Les ambitions musicales de Rousseau, jointes aux conseils de Venture, l'ont déterminé contre l'avis de Mme de Warens à quitter le cadastre dans l'espoir d'obtenir par Blanchard un poste de maître de musique. Le ton triomphant de la première lettre semble impliquer une querelle avec Mme de Warens au départ d'Annecy et des promesses extravagantes de Blanchard. S'il en est ainsi, on s'explique l'embarras qu'éprouve Rousseau, écrivant au gouverneur de Savoie en 1739, à justifier l'abandon de son contrat au cadastre sept ans plus tôt, alors que la carrière musicale n'a abouti à rien. M. B. Ellis, puis G. Daumas, placent donc le voyage en 1732, aussitôt après le départ du cadastre (1er juin). La seule raison qui pourrait faire hésiter est que Rousseau, après avoir parlé du voyage de Besançon, place « à peu près dans ce temps-là » la fin des hostilités en Italie et sa présentation à des officiers français (p. 242). Mais sa mémoire semble bien ici confondre les deux passages des troupes françaises, avant et après la campagne (*supra*, p. 208, n.1 et *infra* p. 242, n.1). Je ne vois pas d'objection sérieuse, en conclusion, à la date de 1732 pour ce voyage; mais 1733

Nous étions prêts à commencer quand j'apprends par une lettre de mon père que ma malle a été saisie et confisquée aux *Rousses*, bureau de France sur les frontières de Suisse. Effrayé de cette nouvelle, j'emploie les connaissances que je m'étais faites à Besançon pour savoir le motif de cette confiscation; car, bien sûr de n'avoir[a] point de contrebande, je ne pouvais concevoir sur quel prétexte on l'avait pu fonder. Je l'apprends enfin : il faut le dire, car c'est un fait curieux.

Je voyais à Chambéry un vieux Lyonnais, fort bon homme, appelé M. Duvivier, qui avait travaillé au *visa*[1] sous la Régence, et qui, faute d'emploi, était venu travailler au cadastre. Il avait vécu dans le monde; il avait des talents, quelque savoir, de la douceur, de la politesse; il savait la musique, et comme j'étais de chambrée avec lui, nous nous étions liés de préférence au milieu des ours mal léchés qui nous entouraient. Il avait à Paris des correspondances qui lui fournissaient ces petits riens, ces nouveautés éphémères, qui courent on ne sait pourquoi, qui meurent on ne sait comment, sans que jamais personne y repense quand on a cessé d'en parler. Comme je le menais quelquefois dîner chez Maman, il me faisait sa cour en quelque sorte, et, pour se rendre agréable, il tâchait de me faire aimer ces fadaises pour lesquelles j'eus toujours un tel dégoût, qu'il ne m'est arrivé de la vie d'en lire une à moi seul. Pour lui complaire, je prenais ces précieux torche-culs, je les mettais dans ma poche, et je n'y songeais plus que pour le seul usage auquel ils étaient bons. Malheureusement un de ces maudits papiers resta dans la poche de veste d'un habit neuf que[b] j'avais porté deux ou trois fois pour être en règle avec les commis. Ce papier était une parodie[c] jansé-

me paraît aussi acceptable, car les leçons de musique données par Rousseau dans Chambéry semblent se placer entre le départ du cadastre et le voyage de Besançon. Le fait qu'en 1733 Blanchard n'était plus maître de musique de la cathédrale de Besançon n'est pas nécessairement un obstacle; Rousseau et Venture pouvaient encore ignorer ce fait lorsque le voyage fut décidé, et le premier indice du départ de Blanchard de Besançon est un motet conservé à la Bibliothèque du Conservatoire de Paris et daté *Paris, février* 1734 (voir Tiersot, qui place le voyage en 1733).

1. S'agit-il du *visa* de 1715, contrôlant les papiers émis par Law ou de celui qui suit la banqueroute de 1720?

niste, assez plate, de la belle scène du *Mithridate* de Racine[1].
Je n'en avais pas lu dix vers, et l'avais laissé par oubli dans
ma poche. Voilà ce qui fit confisquer mon équipage. Les
commis firent à la tête de l'inventaire de cette malle un
magnifique procès-verbal, où, supposant que cet écrit
venait de Genève pour être imprimé et distribué en France,
ils s'étendaient en saintes invectives contre les ennemis
de Dieu et de l'Église, et en éloges de leur pieuse vigilance,
qui avait arrêté l'exécution de ce projet infernal. Ils trou-
vèrent sans doute que mes chemises sentaient aussi l'hérésie;
car, en vertu de ce terrible papier, tout fut confisqué, sans
que jamais, comme que j'aie pu m'y prendre, j'aie eu[a] ni
raison ni nouvelle de ma pauvre pacotille. Les gens des
fermes à qui l'on s'adressa demandaient tant d'instructions,
de renseignements, de certificats, de mémoires, que, me
perdant mille fois dans ce labyrinthe, je fus contraint
de tout abandonner. J'ai un vrai regret de n'avoir pas
conservé le procès-verbal du bureau des Rousses. C'était
une pièce à figurer[b] avec distinction parmi celles dont le
recueil doit accompagner cet écrit.

Cette perte me fit revenir à Chambéry, tout de suite,
sans avoir rien fait avec l'abbé Blanchard, et, tout bien
pesé, voyant le malheur me suivre dans toutes mes entre-
prises, je résolus de m'attacher uniquement à Maman, de
courir sa fortune, et de ne plus m'inquiéter inutilement
d'un avenir auquel je ne pouvais rien. Elle me reçut comme
si j'avais rapporté des trésors, remonta peu à peu ma petite
garde-robe, et mon malheur, assez grand pour l'un et pour
l'autre, fut presque aussitôt oublié qu'arrivé.

Quoique ce malheur m'eût refroidi sur mes projets
de musique, je ne laissais pas d'étudier toujours mon
Rameau[c]; et à force d'efforts je parvins enfin à l'entendre
et à faire quelques petits essais de composition dont le
succès m'encouragea. Le comte de Bellegarde, fils du
marquis d'Entremont, était revenu de Dresde, après la
mort du roi Auguste. Il avait vécu longtemps à Paris : il
aimait extrêmement la musique, et avait pris en passion
celle de Rameau. Son frère, le comte de Nangis, jouait du

1. Un extrait de cette pièce, retrouvée par Ritter, est publié par
Mugnier, p. 146, qui fait remarquer qu'elle est plutôt *anti*-janséniste.
Sur l'évolution de Rousseau à l'égard du jansénisme, voir *infra*, p. 282,
fin de la note 1 de la p. 281.

violon, Madame la comtesse de la Tour, leur sœur, chantait un peu. Tout cela mit à Chambéry la musique à la mode, et l'on établit une manière de concert public, dont on voulut d'abord me donner la direction; mais on s'aperçut bientôt qu'elle passait mes forces, et l'on s'arrangea autrement. Je ne laissais pas d'y donner[a] quelques petits morceaux de ma façon, et entre autres une cantate qui plut beaucoup. Ce n'était pas une pièce bien faite, mais elle était pleine de chants nouveaux et de choses d'effet que l'on n'attendait pas de moi. Ces messieurs ne purent croire que, lisant si mal la musique, je fusse en état d'en composer de passable, et ils ne doutèrent pas que je ne me fusse fait honneur du travail d'autrui. Pour vérifier la chose, un matin M. de Nangis vint me trouver avec une cantate de Clérambault, qu'il[b] avait transposée, disait-il, pour la commodité de la voix, et à laquelle[c] il fallait faire une autre basse, la transposition rendant celle de Clérambault impraticable sur l'instrument. Je répondis que c'était un travail considérable, et qui ne pouvait[d] être fait sur-le-champ. Il crut que je cherchais une défaite, et me pressa de lui faire au moins la basse d'un récitatif. Je la fis donc, mal sans doute, parce qu'en toute chose il me faut, pour bien faire, mes aises et la liberté; mais je la fis du moins dans les règles, et comme il était présent, il ne put douter que je ne susse les éléments de la composition. Ainsi je ne perdis pas mes écolières, mais je me refroidis un peu sur la musique, voyant qu'on faisait un concert et que l'on s'y passait de moi.

Ce fut à peu près dans ce temps-là que, la paix étant faite, l'armée française repassa les monts. Plusieurs officiers vinrent voir Maman, entre autres M. le comte de Lautrec, colonel du régiment d'Orléans, depuis plénipotentiaire à Genève, et enfin maréchal de France, auquel elle me présenta[1]. Sur ce qu'elle lui dit, il parut s'intéresser[e] beaucoup

1. L'épisode de la présentation à Lautrec, liée plus ou moins dans le temps au voyage à Besançon (voir n. 1, p. 208 et n. 1, p. 239), repose certainement sur des souvenirs assez confus; de façon générale la chronologie de Rousseau est incertaine dans les livres V et VI. Ici les difficultés ont été accrues du fait que les commentateurs, à la suite de Courtois, ont interprété l'expression « la paix étant faite » comme une allusion aux préliminaires de paix signés en octobre 1735. Le traité de paix ne fut signé à Vienne qu'en 1738, et de nombreux régiments

à moi, et me promit beaucoup de choses, dont il ne s'est souvenu que la dernière année de sa vie, lorsque je n'avais plus besoin de lui. Le jeune marquis de Sennecterre, dont le père était alors ambassadeur à Turin, passa dans le même temps[a] à Chambéry. Il dîna chez Madame de Menthon; j'y dînais aussi ce jour-là. Après le dîner il fut question de musique; il la savait très bien. L'opéra de *Jephté* était alors dans sa nouveauté; il en parla, on le fit apporter. Il me fit frémir, en me proposant d'exécuter à nous deux cet opéra, et tout en ouvrant le livre, il tomba sur ce morceau célèbre, à deux chœurs :

> La terre, l'enfer, le Ciel même,
> Tout tremble devant le Seigneur[1].

français, dont celui d'Orléans mentionné ici, ne repassèrent les monts qu'à la fin de 1736.

D'autre part le comte ou plutôt vicomte de Lautrec *(Index)* n'a jamais commandé le régiment d'Orléans. En 1733 il prend part à la campagne d'Italie comme colonel du Régiment de la Reine, jusqu'à sa promotion en août 1734 au grade de maréchal de camp. Chargé, après la cessation des hostilités, d'assurer l'évacuation de divers territoires par les troupes impériales, il est en octobre-novembre 1735 dans la région de Mantoue, en 1736 à Vérone.

Il n'était donc plus colonel en octobre 1735, et n'a guère pu repasser par Chambéry avant la fin de 1736. Cette date est trop tardive, on l'a vu, pour le voyage à Besançon qui aurait eu lieu « à peu près dans ce temps-là ». Il est donc logique de placer en 1733, au *premier* passage des troupes, la présentation à Lautrec qui était bien alors colonel (quoique pas du régiment d'Orléans). Rousseau fut-il aussi présenté (il parle de « plusieurs officiers ») à un autre officier, commandant le régiment d'Orléans ? Dans ce cas, ce dut être aussi en 1733, car cette unité ne rentra en France qu'en septembre 1736. Son chef était en 1733 le colonel de Juigné (voir *Index*) qui fut tué en 1734 à Guastalla, et eut pour successeur le comte de Clermont-Gallerande (Archives de l'Armée, Château de Vincennes).

1. Ces deux vers constituent le refrain du Chœur des Guerriers dans l'opéra *Jephté* (1732) de l'abbé Pellegrin, musique de Montéclair (acte I, scène 4). Le refrain alterne avec le duo entre Jephté et le grand-prêtre Phinée. Musset-Pathay (*Œuvres complètes* de Rousseau 1819-20, I, pp. 464-465) précise que cet opéra fut bientôt interdit sur l'intervention du cardinal de Noailles, opposé à la présentation de sujets sacrés à la scène. Croyant que la visite de Sennectère se place en 1735 ou 1736, il est embarrassé par l'expression « l'opéra de *Jephté... alors dans sa nouveauté* ». En fait, elle confirme que nous sommes bien en 1733.

Il me dit : Combien voulez-vous faire de parties ? j
ferai pour ma part ces six-là. Je n'étais pas encore accoutum
à cette pétulance française; et quoique j'eusse quelquefoi
ânonné des partitions, je ne comprenais pas comment l
même homme pouvait faire en même temps six parties
ni même deux. Rien ne m'a plus coûté dans[a] l'exercice d
la musique que de sauter aussi légèrement d'une partie
l'autre, et d'avoir l'œil à la fois sur toute une partition. A
la manière dont je me tirai de cette entreprise, M. de Sennec
terre dut être tenté de croire que je ne savais pas la musique
Ce fut peut-être pour vérifier ce doute qu'il me proposa d
noter une chanson qu'il voulait donner à M[lle] de Menthon
Je ne pouvais m'en défendre. Il chanta la chanson ; je
l'écrivis, même sans le faire beaucoup répéter. Il la lu
ensuite, et trouva, comme il était vrai, qu'elle était très
correctement notée. Il avait vu mon embarras, il pri
plaisir à faire valoir ce petit succès. C'était pourtant une
chose[b] très simple. Au fond, je savais fort bien la musique
je ne manquais que de cette vivacité du premier coup d'œi
que je n'eus jamais sur rien, et qui ne s'acquiert en musique
que par une pratique consommée. Quoi qu'il en soit, je
fus sensible à l'honnête soin qu'il prit d'effacer dans l'espri
des autres, et dans le mien, la petite honte que j'avais eue
et douze ou quinze ans après, me[c] rencontrant avec lui
dans diverses maisons de Paris, je fus tenté plusieurs fois
de lui rappeler cette anecdote, et de lui montrer que j'en
gardais le souvenir. Mais il avait perdu les yeux depuis ce
temps-là : je craignis de renouveler ses regrets en lui rappe-
lant l'usage qu'il en avait su faire, et je me tus.

Je touche au moment qui commence à lier mon existence
passée avec la présente. Quelques amitiés de ce temps-là,
prolongées jusqu'à celui-ci, me sont devenues bien pré-
cieuses. Elles m'ont souvent fait regretter cette heureuse
obscurité où ceux qui se disaient mes amis l'étaient et m'ai-
maient pour moi, par pure bienveillance, non par la vanité
d'avoir des liaisons avec un homme connu, ou par le désir
secret de trouver ainsi plus d'occasions de lui nuire. C'est
d'ici que je date ma première connaissance avec mon
vieux ami Gauffecourt, qui m'est toujours resté, malgré
les efforts qu'on a faits pour me l'ôter. Toujours resté !
non. Hélas ! je viens de le perdre. Mais il n'a cessé
de m'aimer qu'en cessant de vivre, et notre amitié n'a fini
qu'avec lui. M. de Gauffecourt était un des hommes les

plus aimables qui aient existé. Il était impossible de le voir sans l'aimer, et de vivre avec lui sans s'y attacher tout à fait. Je n'ai vu de ma vie une physionomie plus ouverte, plus caressante, qui eût plus de sérénité, qui marquât plus de sentiment et d'esprit, qui inspirât plus de confiance. Quelque réservé qu'on pût être, on ne pouvait, dès la première vue, se défendre d'être aussi familier avec lui que si on l'eût connu depuis vingt ans, et moi qui avais tant de peine d'être à mon aise avec les nouveaux visages, j'y fus avec lui du premier moment. Son ton, son accent, son propos, accompagnaient parfaitement sa physionomie. Le son de sa voix était net, plein, bien timbré, une belle voix de basse, étoffée et mordante, qui remplissait l'oreille et sonnait au cœur. Il est impossible d'avoir une gaieté plus égale et plus douce, des grâces plus vraies et plus simples, des talents plus naturels et cultivés avec plus de goût. Joignez à cela un cœur aimant, mais aimant un peu trop tout le monde, un caractère officieux avec peu de choix, servant ses amis avec zèle, ou plutôt se faisant l'ami des gens qu'il pouvait servir, et sachant faire très adroitement ses propres affaires en faisant très chaudement celles d'autrui. Gauffecourt était fils d'un simple horloger, et avait été horloger lui-même. Mais sa figure et son mérite l'appelaient dans une autre sphère, où il ne tarda pas d'entrer. Il fit connaissance avec M. de La Closure, résident de France[a] à Genève, qui le prit en amitié. Il lui procura à Paris d'autres connaissances qui lui furent utiles, et par lesquelles il parvint à avoir la fourniture des sels du Valais, qui lui valait vingt mille livres de rente. Sa fortune, assez belle, se borna là du côté des hommes; mais du côté des femmes la presse y était : il eut à choisir[b], et fit ce qu'il voulut. Ce qu'il y eut de plus rare et de plus honorable pour lui fut qu'ayant des liaisons dans tous les états, il fut partout chéri, recherché de tout le monde, sans jamais être envié ni haï de personne, et je crois qu'il est mort sans avoir[c] eu de sa vie un seul ennemi. Heureux homme ! Il venait tous les ans aux bains d'Aix, où se rassemble la bonne compagnie des pays voisins. Lié avec toute la noblesse de Savoie, il venait d'Aix à Chambéry voir le comte de Bellegarde, et son père le marquis d'Entremont, chez qui Maman fit et me fit faire connaissance avec lui. Cette connaissance, qui semblait devoir n'aboutir à rien, et fut nombre d'années interrompue, se renouvela dans l'occasion que je dirai et devint un véri-

table attachement. C'est assez pour m'autoriser à parler
d'un ami avec[a] qui j'ai été si étroitement lié; mais, quand
je ne prendrais aucun intérêt[b] personnel à sa mémoire,
c'était un homme si aimable et si heureusement né, que,
pour l'honneur de l'espèce humaine, je la croirais toujours
bonne à conserver. Cet homme si charmant avait pour-
tant ses défauts, ainsi que les autres, comme on pourra
voir ci-après; mais s'il ne les eût pas eus, peut-être
eût-il été moins aimable. Pour le rendre intéressant autant
qu'il pouvait l'être, il fallait qu'on eût quelque chose à
lui pardonner.

Une autre liaison du même temps n'est pas éteinte, et
me leurre encore de cet espoir du bonheur temporel, qui
meurt si difficilement dans le cœur de l'homme. M. de
Conzié, gentilhomme savoyard, alors jeune et aimable, eut
la fantaisie d'apprendre la musique, ou plutôt de faire
connaissance avec celui qui l'enseignait. Avec de l'esprit
et du goût pour les belles connaissances, M. de Conzié
avait une douceur de caractère qui le rendait très liant, et je
l'étais beaucoup moi-même pour les gens en qui je la trou-
vais. La liaison fut bientôt faite[c]. Le germe de littérature
et de philosophie qui commençait à fermenter dans ma
tête, et qui n'attendait qu'un peu de culture et d'émulation
pour se développer tout à fait, les trouvait en lui. M. de
Conzié avait peu de disposition pour la musique; ce fut
un bien pour moi; les heures des leçons se passaient à tout
autre chose qu'à solfier. Nous déjeunions, nous causions,
nous lisions quelques nouveautés, et pas un mot de musique.
La correspondance de Voltaire avec le[d] Prince royal de
Prusse faisait du bruit alors : nous nous entretenions
souvent de ces deux hommes célèbres, dont l'un, depuis peu
sur le trône, s'annonçait déjà tel qu'il devait dans peu se
montrer, et dont l'autre, aussi décrié qu'il est admiré main-
tenant, nous faisait plaindre sincèrement le malheur qui
semblait le poursuivre, et qu'on voit si souvent être l'apa-
nage des grands talents. Le Prince de Prusse avait été peu
heureux dans sa jeunesse, et Voltaire semblait fait pour ne
l'être jamais. L'intérêt que nous prenions à l'un et à l'autre
s'étendait à tout ce qui s'y rapportait. Rien de tout ce qu'écri-
vait Voltaire ne nous échappait. Le goût que je pris à ces
lectures m'inspira le désir d'apprendre à écrire avec élégance,
et de tâcher d'imiter le beau coloris de cet auteur, dont
j'étais enchanté. Quelque temps après parurent ses *Lettres*

philosophiques[1]. Quoiqu'elles ne soient assurément pas son meilleur ouvrage, ce fut celui qui m'attira le plus vers l'étude, et ce goût naissant ne s'éteignit plus depuis ce temps-là.

Mais le moment n'était pas venu de m'y livrer tout de bon. Il me restait encore[a] une humeur un peu volage, un désir d'aller et venir, qui s'était plutôt borné qu'éteint, et que nourrissait le train de la maison de Madame de Warens, trop bruyant pour mon humeur solitaire. Ce tas d'inconnus qui lui affluaient journellement de toutes parts, et la persuasion où j'étais que ces gens-là ne cherchaient qu'à la duper chacun à sa manière, me faisaient un vrai tourment de mon habitation. Depuis[b] qu'ayant succédé à Claude Anet dans la confidence de sa maîtresse je suivais de plus près l'état de ses affaires, j'y voyais un progrès en mal dont j'étais effrayé. J'avais cent fois remontré, prié, pressé, conjuré, et toujours inutilement. Je m'étais jeté à ses pieds, je lui avais représenté fortement la catastrophe qui la menaçait, je l'avais vivement exhortée à réformer sa dépense, à commencer par moi, à souffrir plutôt un peu tandis qu'elle était encore jeune que, multipliant toujours ses dettes et ses créanciers, de s'exposer sur ses vieux jours à leurs vexations et à la misère. Sensible[c] à la sincérité de mon zèle, elle s'attendrissait avec moi, et me promettait les plus belles choses du monde. Un croquant arrivait-il, à l'instant tout était oublié. Après mille épreuves de l'inutilité de mes remontrances, que me restait-il à faire que de détourner les yeux du mal que je ne pouvais prévenir ? Je m'éloignais de la maison dont je ne pouvais garder la porte; je faisais de petits voyages à Nyon, à Genève, à Lyon, qui, m'étourdissant sur ma peine secrète, en augmentaient en même temps le sujet par ma dépense. Je puis jurer que j'en aurais souffert tous les retranchements avec joie si Maman eût vraiment profité de cette épargne; mais certain que ce que je me refusais passait à des fripons, j'abusais de sa facilité pour partager avec eux, et, comme le chien qui revient de la boucherie, j'emportais mon lopin du morceau que je n'avais pu sauver.

Les prétextes ne me manquaient pas pour tous ces

1. Nouvelles erreurs de dates de Rousseau dans ce passage; voir *Index,* Frédéric.

voyages, et Maman seule m'en eût fourni de reste, tant elle avait partout de liaisons, de négociations, d'affaires, de commissions à donner à quelqu'un de sûr. Elle ne demandait qu'à m'envoyer, je ne demandais qu'à aller; cela ne pouvait manquer de faire une vie assez ambulante. Ces voyages me mirent à portée de faire quelques bonnes connaissances, qui m'ont été dans la suite agréables ou utiles; entre autres, à Lyon, celle de M. Perrichon, que je me reproche de n'avoir pas assez cultivée, vu les bontés qu'il a eues pour moi; celle du bon Parisot, dont je parlerai dans son temps; à Grenoble, celles de Madame Deybens et de Madame la présidente de Bardonanche, femme[a] de beaucoup d'esprit, et qui m'eût pris en amitié si j'avais été à portée de la voir plus souvent; à Genève, celle de M. de La Closure, résident de France, qui me parlait souvent de ma mère, dont malgré la mort et le temps son cœur n'avait pu se déprendre; celle des deux Barillot, dont le père, qui m'appelait son petit-fils, était d'une société très aimable, et l'un des plus dignes hommes que j'aie jamais connus. Durant les troubles de la République, ces deux citoyens se jetèrent dans les deux partis contraires : le fils dans celui de la bourgeoisie, le père dans celui[b] des magistrats, et lorsqu'on prit les armes en 1737, je vis, étant à Genève, le père et le fils sortir[c] armés de la même maison, l'un pour monter à l'hôtel de ville, l'autre pour se rendre à son quartier, sûrs de se trouver deux heures après, l'un vis-à-vis de l'autre, exposés à s'entr'égorger. Ce spectacle affreux me fit une impression si vive, que je jurai de ne tremper jamais dans aucune guerre civile[d], et de ne soutenir jamais au dedans la liberté par les armes, ni de ma personne, ni de mon aveu, si jamais je rentrais dans mes droits de citoyen. Je me rends le témoignage d'avoir tenu ce serment dans une occasion délicate, et l'on trouvera, du moins je le pense, que cette modération fut de quelque prix[1].

1. Les troubles de 1737 à Genève provoquèrent la médiation de la France (représentée par Lautrec) et des cantons suisses. L' « occasion délicate » à laquelle fait allusion Rousseau se présenta lorsqu'il eut à prendre parti en 1763-1764 dans les luttes intérieures de Genève (v. p. 721). La rédaction primitive des *Lettres de la Montagne* (1764) offre une première ébauche de ce passage des *Confessions* :

« Je vis le père et le fils de partis opposés s'armer tous deux dans la même maison, presque dans la même chambre, sortir ensemble,

Mais je n'en étais pas encore à cette première fermentation de patriotisme que Genève en armes excita dans mon cœur. On jugera combien j'en étais loin par un fait très grave à ma charge, que j'ai oublié de mettre à sa place, et qui ne doit pas être omis.

Mon oncle Bernard était, depuis quelques années, passé dans la Caroline pour y faire bâtir la ville de Charlestown dont il avait donné le plan. Il y mourut peu après ; mon pauvre cousin était aussi mort au service du roi de Prusse, et ma tante perdait ainsi son fils et son mari presque en même temps[1]. Ces pertes réchauffèrent un peu son amitié pour le plus proche parent qui lui restât et qui était moi. Quand j'allais à Genève, je logeais chez elle, et je m'amusais[a] à fureter et feuilleter les livres et papiers que mon oncle avait laissés. J'y trouvai beaucoup de pièces curieuses, et[b] des lettres dont assurément on ne se douterait pas. Ma tante, qui faisait peu de cas de ces paperasses, m'eût laissé tout emporter si j'avais voulu. Je me contentai de deux ou trois livres commentés de la main de mon grand-père Bernard, le ministre, et entre autres les *Œuvres posthumes* de Rohault in-quarto, dont les marges étaient pleines d'excellentes scholies qui me firent aimer les mathématiques. Ce livre est resté parmi ceux de Madame de Warens ; j'ai

s'embrasser, se séparer, pour se trouver peut-être dans une heure vis-à-vis l'un de l'autre et réduits à s'entr'égorger. J'étais jeune ; ce spectacle affreux porta dans mon âme une impression qui n'a pu s'effacer. Je jurai que, si jamais je pouvais me faire entendre, je témoignerais l'horreur qu'il m'avait inspirée. Genevois, j'accomplis aujourd'hui mon serment. S'il se peut, redevenez libres ; mais soyez plutôt esclaves que parricides. Versez en gémissant le sang ennemi, s'il est nécessaire, jamais celui de vos concitoyens. »

Ce texte publié dans les *Annales, t.* XXI, par J.-S. Spink, est reproduit dans son *J.-J. Rousseau et Genève,* p. 33 ; cet érudit fait observer que Rousseau, sans doute à cause de la hardiesse de l'alternative proposée dans l'avant-dernière phrase (à rapprocher d'un passage analogue dans le *Contrat social*), supprime le passage dans la rédaction définitive des *Lettres de la Montagne.*

1. E. Ritter (*Annales,* III, 188) a montré que la ville de Charleston (Caroline du Sud) était bâtie depuis cinquante ans quand Gabriel Bernard débarqua en Amérique en 1734. A. Schinz (*Annales,* XXII, 1933, pp. 204 sqq.) a établi que Bernard avait seulement été chargé en 1736 de surveiller la construction et la réparation des fortifications de la ville, où il mourut en juillet 1737.

— Sur le « pauvre cousin », Abraham Bernard, voir *Index.*

toujours été fâché de ne l'avoir pas gardé. A ces livres je joignis cinq ou six mémoires manuscrits, et un seul imprimé qui était du fameux Micheli Ducret, homme d'un grand talent, savant éclairé, mais trop remuant, traité bien cruellement par les magistrats de Genève, et mort dernièrement[a] dans la forteresse d'Arberg, où il était enfermé depuis[b] [de] longues années pour avoir, disait-on, trempé dans la conspiration de Berne.

Ce mémoire était une critique assez judicieuse de ce grand et ridicule plan de fortification qu'on a exécuté en partie à Genève, à la grande risée des gens du métier, qui ne savent pas le but secret qu'avait le Conseil dans l'exécution de cette magnifique entreprise. M. Micheli, ayant été exclu de la Chambre des fortifications pour avoir blâmé ce plan, avait cru, comme membre des Deux Cents, et même comme citoyen, pouvoir en dire son avis plus au long, et c'était ce qu'il avait fait par ce mémoire, qu'il eut l'imprudence de faire imprimer, mais non pas publier; car il n'en fit tirer que le nombre d'exemplaires qu'il envoyait aux Deux Cents, et qui furent tous interceptés à la poste par ordre du Petit Conseil. Je trouvai ce mémoire parmi les papiers de mon oncle, avec la réponse qu'il avait été chargé d'y faire, et j'emportai l'un et l'autre. J'avais fait ce voyage peu après ma sortie du cadastre, et j'étais demeuré en quelque liaison avec l'avocat Coccelli, qui en était le chef. Quelque temps après, le directeur de la Douane s'avisa de me prier de lui tenir un enfant, et me donna Madame Coccelli pour commère. Les honneurs me tournaient la tête; et, fier d'appartenir de si près à Monsieur l'Avocat, je tâchais de faire l'important pour me montrer digne de cette gloire[1].

Dans cette idée je crus ne pouvoir rien faire de mieux

1. Cette circonstance mise en doute par Mugnier (p. 131) a été confirmée par G. Daumas. Le 23 avril 1737 fut baptisé à la paroisse Saint-Léger, à Chambéry, Jean-Jacques Rateri, fils d'un employé des douanes, avec pour parrain « Jean-Jacques Roussaud » et pour marraine « Demoiselle Marie-Christine Lingua ». Nicola Rateri, Ratery ou Rattery (Rousseau ne mentionne pas le nom), né à Turin, est « receveur » au bureau de la douane de Chambéry depuis 1723 environ. Il a épousé en 1728 Anne Vespre, de Chambéry. Il n'est qu'un petit fonctionnaire, « semblable à tout prendre à ces employés piémontais qui pullulaient dans l'administration savoyarde et qui, ambitieux et diligents, faisaient carrière en s'aidant de l'efficace protection de leurs

que de lui[a] faire voir mon mémoire imprimé de M. Micheli,
qui réellement était une pièce rare, pour lui prouver que
j'appartenais à des notables de Genève qui savaient les
secrets de l'État. Cependant, par une demi-réserve dont
j'aurais peine à rendre raison, je ne lui montrai point la
réponse de mon oncle à ce mémoire, peut-être parce qu'elle
était manuscrite, et qu'il ne fallait à Monsieur l'Avocat
que du moulé. Il sentit pourtant si bien le prix de l'écrit
que j'eus la bêtise de lui confier, que je ne pus jamais le
ravoir ni le revoir, et que, bien convaincu de l'inutilité de
mes efforts, je me fis un mérite de la chose et transformai
ce vol en présent. Je ne doute pas un moment qu'il n'ait
bien fait valoir à la cour de Turin cette pièce, plus curieuse
cependant qu'utile, et qu'il n'ait eu grand soin de se faire
rembourser de manière ou d'autre de l'argent qu'il lui en
avait dû coûter pour l'acquérir. Heureusement, de tous les
futurs contingents, un des moins probables est qu'un jour
le roi de Sardaigne assiégera Genève. Mais comme il n'y a
pas d'impossibilité à la chose, j'aurai toujours à reprocher
à ma sotte vanité d'avoir montré les plus grands défauts
de cette place à son plus ancien ennemi.

Je passai deux ou trois ans de cette façon entre la mu-
sique, les magistères[1], les projets, les voyages, flottant
incessamment d'une chose à l'autre, cherchant à me fixer
sans savoir à quoi, mais entraîné pourtant par degrés vers
l'étude, voyant des gens de lettres, entendant parler de
littérature, me mêlant quelquefois d'en parler moi-même,
et prenant plutôt le jargon des livres que la connaissance
de leur contenu. Dans mes voyages de Genève j'allais de
temps en temps voir en passant mon ancien bon ami
M. Simon, qui fomentait beaucoup mon émulation nais-
sante par des nouvelles toutes fraîches de la république des
lettres, tirées de Baillet ou de Colomiès[2]. Je voyais aussi
beaucoup à Chambéry un jacobin, professeur de physique,

concitoyens en place » (Daumas). — Le baptême est antérieur à
l'accident de Rousseau (juin 1737) mentionné un peu plus loin. Rous-
seau place ces événements *bien avant* les incidents de la guerre civile
à Genève, qui sont pourtant presque contemporains (été 1737)
(Daumas, *Revue des Sc. Hum.*, 1952).

1. Voir *supra*, p, 54, n. 1.
2. L'expression *république des lettres* désigne au xviii[e] siècle « l'inter-
nationale » des érudits. C'est en ce sens que l'emploie Rousseau.

bonhomme de moine, dont j'ai oublié le nom, et qui faisait souvent de petites expériences qui m'amusaient[a] extrêmement. Je voulus à son exemple[b] faire de l'encre de sympathie. Pour cet effet, après avoir rempli une bouteille plus qu'à demi de chaux vive, d'orpiment et d'eau, je la bouchai bien. L'effervescence commença presque à l'instant très violemment. Je courus à la bouteille pour la déboucher, mais je n'y fus pas à temps; elle me sauta au visage comme une bombe. J'avalai de l'orpiment, de la chaux; j'en faillis mourir. Je restai aveugle plus de six semaines, et j'appris ainsi à ne pas me mêler de physique expérimentale sans en savoir les éléments[1].

Cette aventure m'arriva mal à propos pour ma santé, qui depuis quelque temps s'altérait sensiblement. Je ne sais d'où venait qu'étant bien conformé par le coffre et ne faisant[c] d'excès d'aucune espèce, je déclinais à vue d'œil. J'ai[d] une assez bonne carrure, la poitrine large, mes poumons doivent y jouer à l'aise; cependant j'avais la courte haleine, je me sentais oppressé, je soupirais involontairement, j'avais des palpitations, je crachais du sang; la fièvre[e] lente survint, et je n'en ai jamais été bien quitte. Comment peut-on tomber dans cet état à la fleur de l'âge, sans avoir aucun viscère vicié, sans avoir rien fait pour détruire sa santé ?

L'épée use le fourreau, dit-on quelquefois. Voilà mon histoire. Mes passions m'ont fait vivre, et mes passions m'ont tué. Quelles passions ? dira-t-on. Des riens : les choses du monde les plus puériles, mais qui m'affectaient comme s'il se fût agi de la possession d'Hélène ou du trône de l'univers. D'abord les femmes. Quand j'en eus une, mes sens furent tranquilles, mais mon cœur ne le fut jamais. Les besoins de l'amour me dévoraient[f] au sein de la jouissance. J'avais une tendre mère, une amie chérie; mais il me fallait une maîtresse. Je me la figurais à sa place; je me

1. L'accident de laboratoire eut' lieu le 27 juin 1737, et Rousseau crut si bien en mourir qu'il fit appeler un notaire et dicta un testament qu'il ne put signer, comme l'atteste le document (publié par Mugnier, pp. 149-152). Deux semaines plus tard, et non pas six, il avait suffisamment recouvré la vue, bien qu'encore alité, pour signer un autre acte notarié (12 juillet 1737; *ibid.*, p. 153 et n. 1). Il est bientôt assez rétabli pour faire le voyage de Genève, où il se trouve au plus tard le 31 juillet (voir livre VI, p. 284, n. 2).

la créais de mille façons pour me donner le change à moi-même. Si j'avais cru tenir Maman dans mes bras quand je l'y tenais, mes étreintes n'auraient pas été moins vives, mais tous mes désirs se seraient éteints, j'aurais sangloté de tendresse, mais je n'aurais pas joui. Jouir ! Ce sort est-il fait pour l'homme ? Ah ! si jamais une seule fois dans ma vie j'avais goûté[a] dans leur plénitude toutes les délices de l'amour, je n'imagine pas que ma frêle existence y eût pu suffire; je serais mort sur le fait.

J'étais donc brûlant d'amour sans objet, et c'est peut-être ainsi qu'il épuise le plus. J'étais inquiet, tourmenté du mauvais état des affaires de ma pauvre Maman, et de son imprudente conduite, qui ne pouvait manquer d'opérer sa ruine totale en peu de temps. Ma cruelle imagination, qui va toujours au-devant des malheurs, me montrait celui-là sans cesse dans tout son excès et dans toutes ses suites. Je me voyais d'avance forcément séparé par la misère de celle à qui j'avais consacré ma vie, et sans qui je n'en pouvais jouir. Voilà comment j'avais toujours l'âme agitée. Les désirs et les craintes me dévoraient alternativement.

La musique était pour moi une autre passion, moins fougueuse, mais non moins consumante par l'ardeur avec laquelle je m'y livrais, par l'étude opiniâtre des obscurs livres de Rameau, par mon invincible obstination à vouloir en charger ma mémoire, qui s'y refusait toujours, par mes courses continuelles, par les compilations immenses que j'entassais, passant[b] très souvent à copier les nuits entières. Et pourquoi m'arrêter aux choses permanentes, tandis que toutes les folies qui passaient dans mon inconstante tête, les goûts fugitifs d'un seul jour, un voyage, un concert, un souper, une promenade à faire, un roman à lire, une comédie à voir, tout ce qui était le moins du monde prémé-dité dans mes plaisirs ou dans mes affaires, devenait pour moi tout autant de passions violentes qui, dans leur impé-tuosité ridicule, me donnaient le plus vrai tourment ? La lecture des malheurs imaginaires de Cléveland[1], faite avec

1. *Le Philosophe anglais ou Histoire de Monsieur Cleveland, fils naturel de Cromwell, écrite par lui-même et traduite de l'anglais.* Œuvre de l'abbé Prévost, ce roman prétendument traduit, publié de 1732 à 1739, connut une continuation apocryphe, figurant ainsi que les *Récréations mathématiques* d'Ozanam (mentionnées p. 252, var. *b*) dans une com-mande de librairie faite par Rousseau aux Charmettes (*C. C.,* I, 37).

fureur et souvent interrompue, m'a fait faire, je crois, plus
de mauvais sang que les miens.

Il y avait un Genevois nommé M. Bagueret, lequel avait
été employé sous Pierre le Grand à la cour de Russie; un
des plus vilains hommes[a] et des plus grands fous que j'aie
jamais vus, toujours plein de projets aussi fous que lui,
qui faisait tomber les millions comme la pluie, et à qui les
zéros ne coûtaient rien. Cet homme, étant venu à Cham-
béry pour quelque procès au Sénat[b], s'empara de Maman
comme de raison, et, pour ses trésors de zéros qu'il lui
prodiguait généreusement[c], lui tirait ses pauvres écus pièce
à pièce. Je ne l'aimais point, il le voyait; avec moi cela[d]
n'est pas difficile : il n'y avait sorte de bassesse qu'il n'em-
ployât pour me cajoler. Il s'avisa de[e] me proposer d'ap-
prendre les échecs, qu'il jouait un peu. J'essayai presque
malgré moi, et après avoir tant bien que mal appris la
marche, mon progrès fut si rapide, qu'avant la fin de la
première séance je lui donnai la tour qu'il m'avait donnée
en commençant. Il ne m'en fallut pas davantage : me voilà
forcené des échecs. J'achète un échiquier; j'achète le
Calabrais[1]; je m'enferme dans ma chambre; j'y passe les
jours et les nuits à vouloir apprendre par cœur toutes les
parties, à les fourrer dans ma tête bon gré, mal gré, à jouer
seul sans relâche et sans fin. Après deux ou trois mois de
ce beau travail et d'efforts inimaginables, je vais au café,
maigre, jaune et presque hébété. Je m'essaye, je rejoue avec
M. Bagueret : il me bat[f] une fois, deux fois, vingt fois;
tant de combinaisons s'étaient brouillées dans ma tête, et
mon imagination s'était si bien amortie, que je ne voyais
plus qu'un nuage devant moi. Toutes les fois qu'avec le
livre de Philidor ou celui de Stamma j'ai voulu m'exercer
à étudier des parties, la même chose m'est arrivée, et, après
m'être épuisé de fatigue, je me suis trouvé plus faible qu'au-
paravant. Du reste, que j'aie abandonné les échecs, ou qu'en
jouant je me sois remis en haleine, je n'ai jamais avancé d'un
cran depuis cette première séance, et je me suis toujours
retrouvé au même point où j'étais en la finissant. Je m'exer-
cerais des milliers de siècles, que je finirais par pouvoir
donner la tour à Bagueret, et rien de plus. Voilà du temps

1. Sur le *Calabrais,* voir *Index,* Greco. I. Grünberg a étudié
dans les *Annales,* III, 1907, « Rousseau joueur d'échecs », et donne
des renseignements sur les auteurs cités ici.

bien employé ! direz-vous. Et je n'y en ai pas employé
peu. Je ne finis ce premier essai que quand je n'eus plus la
force de continuer. Quand j'allai me montrer sortant de ma
chambre, j'avais l'air d'un déterré, et, suivant le même train,
je n'aurais pas resté déterré longtemps[1]. On conviendra
qu'il est difficile, et surtout dans l'ardeur de la jeunesse,
qu'une pareille tête laisse[a] toujours le corps en santé.

L'altération de la mienne agit sur mon humeur, et
tempéra[b] l'ardeur de mes fantaisies. Me sentant affaiblir,
je devins plus tranquille et perdis un peu la fureur des
voyages. Plus sédentaire, je fus pris non de l'ennui, mais
de la mélancolie; les vapeurs succédèrent aux passions;
ma langueur devint tristesse; je pleurais et soupirais à pro-
pos de rien; je sentais la vie m'échapper sans l'avoir goûtée;
je gémissais sur l'état où je laissais ma pauvre Maman,
sur celui où je la voyais prête à tomber; je puis dire que la
quitter et la laisser à plaindre était mon unique regret.
Enfin je tombai tout à fait malade. Elle me soigna comme
jamais mère n'a soigné son enfant, et cela lui fit du bien à
elle-même, en faisant diversion aux projets et tenant écartés
les projeteurs. Quelle douce mort si alors elle fût venue !
Si j'avais peu goûté les biens de la vie, j'en avais peu senti
les malheurs. Mon âme paisible pouvait partir sans le senti-
ment cruel de l'injustice des hommes, qui empoisonne la
vie et la mort. J'avais la consolation de me survivre dans
la meilleure moitié de moi-même; c'était à peine mourir.
Sans les inquiétudes que j'avais sur son sort, je serais mort
comme j'aurais pu m'endormir, et ces inquiétudes mêmes
avaient un objet affectueux et tendre qui en tempérait l'amer-
tume. Je lui disais : Vous voilà dépositaire de tout mon
être; faites en sorte qu'il soit heureux. Deux ou trois fois,
quand j'étais le plus mal, il m'arriva de me lever dans la
nuit, et de me traîner à sa chambre pour lui donner, sur sa
conduite, des conseils, j'ose dire pleins de justesse et de
sens, mais où l'intérêt que je prenais à son sort se marquait
mieux que toute autre chose. Comme si les pleurs étaient
ma nourriture et mon remède, je me fortifiais de ceux

1. *Je n'aurais pas resté* : les discussions ouvertes au xviiie siècle
sur l'emploi des auxiliaires ne sont pas closes. Les grammairiens
modernes ne sont pas tous d'accord sur l'obligation de conjuguer
rester avec l'auxiliaire *être*, et l'on fait état de l'emploi de l'auxiliaire
avoir avec ce verbe chez Montesquieu et Rousseau.

que je versais auprès d'elle, avec elle, assis sur son lit, et tenant ses mains dans les miennes. Les heures coulaient dans ces entretiens nocturnes, et je m'en retournais en meilleur état que je n'étais venu; content et calme dans les promesses qu'elle m'avait faites, dans les espérances qu'elle m'avait données, je m'endormais là-dessus avec la paix du cœur et la résignation à la Providence. Plaise à Dieu[a] qu'après tant de sujets de haïr la vie, après tant d'orages qui ont agité la mienne et qui ne m'en font plus qu'un fardeau, la mort qui doit la terminer me soit aussi peu cruelle qu'elle me l'eût été dans ce moment-là.

A force de soins, de vigilance et d'incroyables peines, elle me sauva, et[b] il est certain qu'elle seule pouvait me sauver. J'ai peu de foi à la médecine des médecins, mais j'en ai beaucoup à celle des vrais amis; les choses dont notre bonheur dépend se font toujours beaucoup mieux que toutes les autres. S'il y a dans la vie un sentiment délicieux, c'est celui que nous éprouvâmes[c] d'être rendus l'un à l'autre. Notre attachement mutuel n'en augmenta pas, cela n'était pas possible; mais il prit je ne sais quoi de plus intime, de plus touchant dans sa grande simplicité. Je devenais tout à fait son œuvre, tout à fait son enfant, et plus que si elle eût été ma vraie mère. Nous commençâmes, sans y songer, à ne plus nous séparer l'un de l'autre, à mettre en quelque sorte notre existence en commun, et sentant que réciproquement nous nous étions non seulement nécessaires, mais suffisants, nous nous accoutumâmes à ne plus penser à rien d'étranger à nous, à borner absolument notre bonheur et tous nos désirs à cette possession mutuelle, et peut-être unique parmi les humains, qui n'était point, comme je l'ai dit, celle de l'amour, mais une possession plus essentielle, qui, sans tenir aux sens, au sexe, à l'âge, à la figure, tenait à tout ce par quoi l'on est soi, et qu'on ne peut perdre qu'en cessant d'être.

A quoi tint-il que cette précieuse crise n'amenât le bonheur du reste de ses jours et des miens ? Ce ne fut pas à moi, je m'en rends le consolant témoignage. Ce ne fut pas non plus à elle, du moins à sa volonté. Il était écrit que bientôt l'invincible[d] naturel reprendrait son empire. Mais ce fatal retour ne se fit pas tout d'un coup. Il y eut, grâce au ciel, un intervalle[e] ; court et précieux intervalle, qui n'a pas fini par ma faute, et dont je ne me reprocherai pas d'avoir mal profité !

Quoique guéri de ma grande maladie, je n'avais pas repris ma vigueur. Ma poitrine n'était pas rétablie; un reste de fièvre durait toujours, et me tenait en langueur. Je n'avais plus de goût à rien qu'à finir mes jours près de celle qui m'était chère, à la maintenir dans ses bonnes résolutions, à lui faire sentir en quoi consistait le vrai charme d'une vie heureuse, à rendre la sienne telle, autant qu'il dépendait de moi. Mais je voyais, je sentais même que dans une maison sombre et triste la continuelle solitude du tête-à-tête deviendrait à la fin triste aussi. Le remède à cela se présenta comme de lui-même. Maman m'avait ordonné le lait, et voulait que j'allasse le prendre à la campagne. J'y consentis, pourvu qu'elle y vînt avec moi. Il n'en fallut pas davantage pour la déterminer; il ne s'agit plus que du choix du lieu. Le jardin du faubourg n'était pas proprement à la campagne; entouré de maisons et d'autres jardins, il n'avait point les attraits d'une retraite champêtre. D'ailleurs, après la mort d'Anet, nous avions quitté ce jardin pour raison d'économie, n'ayant plus à cœur d'y tenir des plantes, et d'autres vues nous faisant peu regretter ce réduit.

Profitant[a] maintenant du dégoût que je lui trouvai pour la ville, je lui proposai de l'abandonner tout à fait, et de nous établir dans une solitude agréable, dans quelque petite maison assez éloignée pour dérouter les importuns. Elle l'eût fait, et ce parti que son bon ange et le mien me suggérait nous eût vraisemblablement assuré des jours heureux et tranquilles jusqu'au moment où la mort[b] devait nous séparer. Mais cet état n'était pas celui où nous étions appelés. Maman devait éprouver toutes les peines de l'indigence et du mal-être, après avoir passé sa vie dans l'abondance, pour la lui faire quitter avec moins de regret; et moi, par un assemblage de maux de toute espèce, je devais être un jour un exemple à quiconque, inspiré du seul amour du bien public et de la justice, ose, fort de sa seule innocence, dire ouvertement la vérité aux hommes sans s'étayer par des cabales, sans s'être fait des partis pour le protéger.

Une malheureuse crainte la retint. Elle n'osa quitter sa vilaine maison, de peur de fâcher le propriétaire. Ton projet de retraite[c] est charmant, me dit-elle, et fort de mon goût; mais dans cette retraite il faut vivre. En quittant ma prison, je risque de perdre mon pain, et quand nous n'en aurons plus dans les bois, il en faudra bien retourner

chercher à la ville. Pour avoir moins besoin d'y venir, ne
la quittons pas tout à fait. Payons cette petite pension
au Comte de Saint-Laurent, pour qu'il me laisse la mienne.
Cherchons quelque réduit assez loin de la ville pour vivre
en paix et assez près pour y revenir toutes les fois qu'il sera
nécessaire. Ainsi fut fait. Après avoir un peu cherché,
nous nous fixâmes aux Charmettes, une terre de M. de
Conzié, à la porte de Chambéry, mais retirée et solitaire
comme si l'on était à cent lieues. Entre deux coteaux[a]
assez élevés est un petit vallon nord et sud au fond duquel
coule une rigole entre des cailloux et des arbres. Le long
de ce vallon, à mi-côte, sont quelques maisons éparses,
fort agréables pour quiconque aime un asile un peu
sauvage et retiré. Après avoir essayé deux ou trois de ces
maisons, nous choisîmes enfin la plus jolie, appartenant
à un gentilhomme qui était au service, appelé M. Noëray.
La maison était très logeable. Au-devant était un jardin
en terrasse, une vigne au-dessus, un verger au-dessous,
vis-à-vis un petit bois de châtaigniers, une fontaine à
portée; plus haut dans la montagne, des prés pour l'entre-
tien du bétail; enfin tout ce qu'il fallait pour le petit ménage
champêtre que nous y voulions établir. Autant que je puis
me rappeler les temps et les dates, nous en prîmes posses-
sion vers la fin de l'été de 1736[1]. J'étais transporté le pre-
mier jour que nous y couchâmes. O Maman ! dis-je à cette
chère amie en l'embrassant et l'inondant de larmes d'atten-
drissement et de joie, ce séjour est celui du bonheur et
de l'innocence. Si nous ne les trouvons pas ici l'un avec
l'autre, il ne les faut chercher nulle part[b].

1. La date de la location des Charmettes a suscité beaucoup de
recherches et fait l'objet de polémiques. Il est établi depuis les travaux
de M[me] de Saussure et de G. Daumas que M[me] de Warens et Rousseau
ont occupé dans le fief des Charmettes, appartenant à M. de Conzié,
non pas une mais deux maisons (maison Noëray et maison Revil),
peut-être dès l'été de 1735. Une cause de malentendus pour les cher-
cheurs était la découverte et la publication par Mugnier du bail ou
plus précisément de l'acte d'acensement de la maison Noëray, daté
du 6 juillet 1738. On a longtemps pris à tort cette date pour celle de
l'installation aux Charmettes. Rousseau dit bien (10e Promenade) que
la vie aux Charmettes constitua un « espace de quatre ou cinq ans »,
et, ici même, qu'on essaya, avant de fixer son choix « deux ou trois
de ces maisons » du vallon.

Hoc erat in votis : modus agri non ita magnus,
Hortus ubi et tecto vicinus [jugis] aquæ fons,
Et paululum sylvæ super his foret...

J E ne puis pas ajouter : *auctius atque Di melius fecere*[1];
mais n'importe, il ne m'en fallait pas davantage ; il
ne m'en fallait pas même la propriété, c'était assez pour
moi de la jouissance : et il y a longtemps que j'ai dit et
senti que le propriétaire et le possesseur sont souvent deux
personnes très différentes, même en laissant à part les maris
et les amants.

Ici commence le court bonheur de ma vie; ici viennent
les paisibles, mais rapides moments qui m'ont donné le
droit de dire que j'ai vécu. Moments précieux et si
regrettés ! ah ! recommencez pour moi votre aimable
cours, coulez plus lentement dans mon souvenir, s'il est
possible, que vous ne fîtes réellement dans votre fugitive
succession. Comment ferai-je pour prolonger à mon gré
ce récit si touchant et si simple, pour redire toujours les
mêmes choses, et n'ennuyer pas plus mes lecteurs en les
répétant que je ne m'ennuyais moi-même en les recommen-
çant sans cesse ? Encore si tout cela consistait en faits, en
actions, en paroles, je pourrais le décrire et le rendre en
quelque façon; mais comment dire ce qui n'était ni dit, ni
fait, ni pensé même[b], mais goûté, mais senti, sans que je
puisse[c] énoncer d'autre objet de mon bonheur que ce
sentiment même ? Je me levais avec le soleil et j'étais
heureux; je me promenais et j'étais heureux; je voyais
Maman et j'étais heureux[d]; je la quittais et j'étais heureux;

1. « C'était là l'objet de mes vœux : un domaine pas trop grand,
avec un jardin, et près de la maison une source d'eau vive; ajoutez-y
un petit bois. Les Dieux m'ont donné plus et mieux. » (Horace, *Sat.*,
II, 6.) Le texte comporte *jugis*, oublié par Rousseau, et *paulum*.

je parcourais les bois, les coteaux, j'errais dans les vallons, je lisais, j'étais oisif; je travaillais au jardin, je cueillais les fruits, j'aidais au ménage, et le bonheur me suivait partout : il n'était dans aucune chose assignable, il était tout en moi-même, il ne pouvait me quitter un seul instant.

Rien de tout ce qui m'est arrivé durant cette époque chérie, rien de ce que j'ai fait, dit et pensé tout le temps qu'elle a duré, n'est échappé de ma mémoire. Les temps qui précèdent et qui suivent me reviennent par intervalles; je me les rappelle inégalement et confusément : mais je me rappelle celui-là tout entier comme s'il durait encore. Mon imagination, qui dans ma jeunesse allait toujours en avant, et maintenant rétrograde, compense par ces doux souvenirs l'espoir que j'ai pour jamais perdu. Je ne vois plus rien dans l'avenir qui me tente; les seuls retours du passé peuvent me flatter, et ces retours si vifs et si vrais dans l'époque dont je parle me font souvent vivre heureux malgré mes malheurs [1].

Je donnerai de ces souvenirs un seul exemple qui pourra faire juger de leur force et de leur vérité. Le premier jour que nous allâmes coucher aux Charmettes, Maman était en chaise à porteurs, et je la suivais à pied. Le chemin monte : elle était assez pesante, et craignant de trop fatiguer ses porteurs, elle voulut descendre à peu près à moitié chemin pour faire le reste à pied. En marchant elle vit quelque chose de bleu dans la haie, et me dit : Voilà de la pervenche encore en fleur. Je n'avais jamais vu de la pervenche, je ne me baissai pas pour l'examiner, et

1. Comparer avec le début de la 1re Promenade des *Rêveries,* où Rousseau se dit « délivré de l'inquiétude de l'espérance » et décrit un état intérieur où la résignation (sur laquelle il s'illusionne peut-être...) est devenue sérénité. Il est remarquable que quelques pages plus loin (p. 266) il attribue une disposition d'esprit analogue au jeune homme qu'il était (à peine trente ans) dans la période qu'il évoque :
« .. de la persuasion qu'il me restait peu de temps à vivre, de ma profonde sécurité sur mon sort à venir, résultait un état habituel très calme, et sensuel même, en ce qu'amortissant toutes les passions qui portent au loin nos craintes et nos espérances, il me laissait jouir sans inquiétude et sans trouble du peu de jours qui m'étaient laissés. »
Le thème de l'approche de la mort, qui a fait ici son apparition p. 255, il revient à plusieurs reprises dans la Correspondance, avec le même effet rassérénant. — Voir J. Voisine, « Du nouveau sur les *Rêveries* », *Information littéraire,* janv.-fév. 1962.

j'ai la vue trop courte pour distinguer à terre les plantes de ma hauteur. Je jetai seulement en passant un coup d'œil sur celle-là, et près de trente ans se sont passés sans que j'aie revu de la pervenche ou que j'y aie fait attention. En 1764, étant à Cressier avec mon ami M. Du Peyrou, nous montions[a] une petite montagne au sommet de laquelle il a un joli salon qu'il appelle avec raison Belle-Vue[1]. Je commençais alors d'herboriser un peu. En montant et regardant parmi les buissons, je pousse un cri de joie : *Ah ! voilà de la pervenche !* et c'en était en effet. Du Peyrou s'aperçut du transport, mais il en ignorait la cause; il l'apprendra, je l'espère, lorsqu'un jour il lira ceci. Le lecteur peut juger par l'impression d'un si petit objet, de celle que m'ont faite tous ceux qui se rapportent à la même époque.

Cependant l'air de la campagne ne me rendit point ma première santé. J'étais languissant; je le devins davantage. Je ne pus supporter le lait; il fallut le quitter. C'était alors la mode de l'eau pour tout remède; je me mis à l'eau, et si peu discrètement, qu'elle[b] faillit me guérir, non de mes maux, mais de la vie. Tous les matins, en me levant, j'allais à la fontaine avec un grand gobelet, et j'en buvais

1. Sur l'herborisation à Cressier, voir n. 1 de la p. 757 . Courtois observe que, la pervenche fleurissant dans les environs de Cressier entre fin avril et début juin, Rousseau se trompe sur la date de cet épisode, car la promenade à Cressier en 1764 se situe en septembre. — Le mot *salon,* dans le sens de « salle de verdure » dans un jardin, n'est pas dans Littré, qui par contre donne à l'article *Salle,* 12º, « lieu entouré d'arbres qui forment un couvert ».

L'épisode de la pervenche, popularisé par l'iconographie, est un des plus célèbres des *Confessions.* De nos jours, le développement des études proustiennes, en le rapprochant de la célèbre page sur la *madeleine,* lui a donné un nouvel intérêt. Rousseau s'inscrit en effet parmi les premiers poètes de la mémoire affective. La veine est particulièrement riche en Angleterre, où elle se rattache à une tradition de la poésie psychologique du XVIIIe siècle. Rousseau a pu influencer Wordsworth et a été commenté avec émotion et finesse par le critique W. Hazlitt, contemporain de Wordsworth (voir mon livre sur *J.-J. Rousseau en Angleterre* [...]); George Eliot est un des maillons de la chaîne qui va de Rousseau à Proust (M. J.-C. Pintiaux, dans un mémoire inédit pour le Diplôme d'Études supérieures, Lille, 1961, a amorcé l'étude de l'influence de Rousseau sur G. Eliot). Parmi les études suscitées par cet aspect de l'imagination poétique de Rousseau, voir celle de M. Raymond, *Annales,* XXIX, pp. 36 sqq.

successivement, en me promenant, la valeur de deux bouteilles. Je quittai tout à fait le vin à mes repas. L'eau que je buvais était un peu crue et difficile à passer, comme sont la plupart des eaux des montagnes. Bref, je fis si bien, qu'en moins de deux mois je me détruisis totalement l'estomac, que j'avais eu très bon jusqu'alors. Ne digérant plus, je compris qu'il ne fallait plus espérer de guérir. Dans ce même temps il m'arriva un accident aussi singulier par lui-même que par ses suites, qui ne finiront qu'avec moi.

Un matin que je n'étais pas plus mal qu'à l'ordinaire, en dressant une petite table sur son pied, je sentis dans tout mon corps une révolution subite et presque inconcevable. Je ne saurais mieux la comparer qu'à une espèce de tempête qui s'éleva dans mon sang, et gagna dans l'instant tous mes membres. Mes artères se mirent à battre d'une si grande force, que non seulement je sentais leur battement, mais que je l'entendais même, et surtout celui des carotides. Un grand bruit d'oreilles se joignit à cela, et ce bruit était triple ou plutôt quadruple, savoir : un bourdonnement grave et sourd, un murmure plus clair comme d'une eau courante, un sifflement très aigu et le battement que je viens de dire[a], et dont je pouvais aisément compter les coups sans me tâter le pouls ni toucher mon corps de mes mains. Ce bruit interne était si grand, qu'il m'ôta la finesse d'ouïe que j'avais auparavant, et me rendit non tout à fait sourd mais dur d'oreille, comme je le suis depuis ce temps-là.

On peut juger de ma surprise et de mon effroi. Je me crus mort; je me mis au lit : le médecin fut appelé; je lui contai mon cas en frémissant et le jugeant sans remède. Je crois qu'il en pensa de même; mais il fit son métier. Il m'enfila de longs raisonnements où je ne compris rien du tout; puis en conséquence de sa sublime théorie, il commença *in anima vili* la cure expérimentale qu'il lui plut de tenter. Elle était si pénible, si dégoûtante, et opérait si peu, que je m'en lassai bientôt; et au bout de quelques semaines, voyant que je n'étais ni mieux ni pis, je quittai le lit et repris ma vie ordinaire avec mon battement d'artères et mes bourdonnements, qui, depuis ce temps-là, c'est-à-dire depuis trente ans, ne m'ont pas quitté une minute.

J'avais été jusqu'alors grand dormeur. La totale privation du sommeil qui se joignit à tous ces symptômes, et qui les a constamment accompagnés jusqu'ici, acheva de

me persuader qu'il me restait peu de temps à vivre. Cette persuasion me tranquillisa pour un temps sur le soin de guérir. Ne pouvant prolonger ma vie, je résolus de tirer du peu qu'il m'en restait tout le parti qu'il était possible; et cela se pouvait par une singulière faveur de la ª nature, qui, dans un état si funeste, m'exemptait des douleurs qu'il semblait devoir m'attirer. J'étais importuné de ce bruit, mais je n'en souffrais pas : il n'était accompagné d'aucune autre incommodité habituelle que de l'insomnie durant les nuits, et en tout temps d'une courte haleine qui n'allait pas jusqu'à l'asthme et ne se faisait sentir que quand je voulais courir ou agir un peu fortement.

Cet accident qui devait tuer mon corps, ne tua que mes passions, et j'en bénis le ciel chaque jour par l'heureux effet qu'il produisit sur mon âme. Je puis bien dire que je ne commençai de vivre que quand je me regardai comme un homme mort. Donnant leur véritable prix aux choses que j'allais quitter, je commençai de m'occuper de soins plus nobles, comme par anticipation sur ceux que j'aurais bientôt à remplir et que j'avais fort négligés jusqu'alors. J'avais souvent travesti la religion à ma mode, mais je n'avais jamais été tout à fait sans religion. Il m'en coûta moins de revenir à ce sujet, si triste pour tant de gens, mais si doux pour qui s'en fait un objet de consolation et d'espoir. Maman me fut, en cette occasion, beaucoup plus utile que tous les théologiens ne me l'auraient été.

Elle qui mettait toute chose en système, n'avait pas manqué d'y mettre aussi la religion; et ce système était composé d'idées très disparates, les unes très saines, les autres très folles, de sentiments relatifs à son caractère et de préjugés venus de son éducation. En général, les croyants font Dieu comme ils sont eux-mêmes; les bons le font bon, les méchants le font méchant; les dévots, haineux et bilieux, ne voient que l'enfer, parce qu'ils voudraient damner tout le monde; les âmes aimantes et douces n'y croient guère; et l'un des étonnements dont je ne reviens point est de voir le bon Fénelon en parler dans son *Télémaque* comme s'il y croyait tout de bon : mais j'espère qu'il mentait alors; car enfin, quelque véridique qu'on soit, il faut bien mentir quelquefois quand on est évêque. Maman ne mentait pas avec moi; et cette âme sans fiel, qui ne pouvait imaginer un Dieu vindicatif et toujours courroucé, ne voyait que clémence et miséricorde

où les dévots ne voient que justice et punition. Elle disait souvent qu'il n'y aurait point de justice en Dieu d'être juste envers nous, parce que, ne nous ayant pas donné ce qu'il faut pour l'être, ce serait redemander plus qu'il n'a donné. Ce qu'il y avait de bizarre était que, sans croire à l'enfer, elle ne laissait pas de croire au purgatoire. Cela venait de ce qu'elle ne savait que faire des âmes des méchants, ne pouvant ni les damner ni les mettre avec les bons jusqu'à ce qu'ils le fussent devenus, et il faut avouer qu'en effet, et dans ce monde et dans l'autre, les méchants sont toujours bien embarrassants[1].

Autre bizarrerie. On voit que toute la doctrine du péché originel et de la rédemption est détruite par ce système, que la base du christianisme vulgaire en est ébranlée, et que le catholicisme au moins ne peut subsister. Maman, cependant, était bonne catholique, ou prétendait l'être, et il est sûr qu'elle le prétendait de très bonne foi. Il lui semblait qu'on expliquait trop littéralement et trop durement[a] l'Écriture. Tout ce qu'on y lit des tourments éternels lui paraissait comminatoire ou figuré. La mort de Jésus-Christ lui paraissait un exemple de charité vraiment divine pour apprendre aux hommes à aimer Dieu et à[b]

1. Rousseau dira plus loin (pp. 279-280) ce que fut dans ces années sa crainte de l'enfer. Sa religion et celle de M^me de Warens ont fait l'objet de nombreuses études, dont la principale reste celle de P.-M. Masson (voir *Bibliographie*) complétant son importante édition critique de la Profession de foi. Le Vicaire savoyard doute que l'existence d'un Dieu bon soit conciliable avec l'éternité des peines, et ajoute : « Qu'est-il besoin d'aller chercher l'enfer dans l'autre vie ? Il est déjà dès celle-ci dans le cœur des méchants. » Cette dernière formule est proche d'un argument de saint Augustin, que devait connaître Rousseau (voir *Introduction,* p. VI). Masson et plusieurs autres interprètes ont insisté sur le piétisme de M^me de Warens (Rousseau y fait allusion en parlant de « préjugés venus de son éducation »). A. Ferrazzini (*Béat de Muralt et J.-J. Rousseau,* La Neuveville, Suisse, 1951) fait le point sur cette question du piétisme, considérant qu'on en a surestimé l'influence chez Rousseau, lequel lui apparaît en conclusion comme « un chrétien en marge du calvinisme et en marge du piétisme ».

Quant à l'influence de Fénelon sur Rousseau, considérable, mais encore mal délimitée (elle ne se limite pas à la pensée religieuse), on admettra volontiers avec MM. Gagnebin et Raymond (I, 1959, pp. 1346-1347) qu'elle mériterait, même après le livre déjà ancien d'A. Chérel sur *Fénelon au* XVIII^e *siècle en France,* d'être étudiée de plus près.

'aimer entre eux de même. En un mot, fidèle à la religion qu'elle avait embrassée, elle en admettait sincèrement toute la profession de foi; mais quand on venait à la discussion de chaque article, il se trouvait qu'elle croyait tout autrement que l'Église, toujours en s'y soumettant.

Elle avait là-dessus une simplicité de cœur, une franchise plus éloquente que des ergoteries, et qui souvent embarrassait jusqu'à son confesseur[1], car elle ne lui déguisait rien. Je suis bonne catholique, lui disait-elle, je veux toujours l'être; j'adopte de toutes les puissances de mon âme les décisions de Sainte mère Église. Je ne suis pas maîtresse de ma foi, mais je le suis de ma volonté. Je la soumets sans réserve, et je veux tout croire. Que me demandez-vous de plus ?

Quand il n'y aurait point eu de morale chrétienne, je crois qu'elle l'aurait suivie, tant elle s'adaptait bien à son caractère. Elle faisait tout ce qui était ordonné; mais elle l'eût fait de même quand il n'aurait pas été ordonné. Dans les choses indifférentes elle aimait à obéir, et s'il ne lui eût pas été permis, prescrit même, de faire gras, elle aurait fait maigre entre Dieu et elle, sans que la prudence eût eu besoin d'y entrer pour rien. Mais toute cette morale était subordonnée aux principes de M. de Tavel, ou plutôt elle prétendait n'y rien voir de contraire. Elle eût couché tous les jours avec vingt hommes en repos de conscience, et même sans en avoir plus de scrupule que le désir. Je sais que force dévotes ne sont pas sur ce point[a] plus scrupuleuses; mais la différence est qu'elles sont séduites par leurs passions, et qu'elle ne l'était que par ses sophismes. Dans les conversations les plus touchantes, et j'ose dire les plus édifiantes, elle fût tombée sur ce point sans changer ni d'air ni de ton, sans se croire en contradiction avec elle-même. Elle l'eût même interrompue au besoin pour le fait, et puis l'eût reprise avec la même sérénité qu'auparavant : tant elle était intimement[b] persuadée que tout cela n'était qu'une maxime de police sociale, dont toute personne sensée pouvait faire l'interprétation, l'application, l'exception, selon l'esprit de la chose, sans le moindre risque d'offenser Dieu. Quoique sur ce point je ne fusse assurément pas de son avis, j'avoue

1. Sur ce confesseur, voir *infra*, p. 279, et *Index*, Hemet.

que je n'osais le combattre, honteux du rôle peu galant
qu'il[a] m'eût fallu faire pour cela. J'aurais bien[b] cherché
d'établir la règle pour les autres, en tâchant de m'en[c]
excepter; mais, outre que son tempérament prévenait assez
l'abus de ses principes, je sais qu'elle n'était pas femme à
prendre le change, et que réclamer[d] l'exception pour moi
c'était la lui laisser pour tous ceux qu'il lui plairait. Au reste,
je compte ici par occasion cette inconséquence avec les
autres, quoiqu'elle ait eu toujours peu d'effet dans sa
conduite, et qu'alors elle n'en eût point du tout : mais j'ai
promis d'exposer fidèlement ses principes, et je veux
tenir cet engagement. Je reviens à moi.

Trouvant en elle toutes les maximes dont j'avais besoin
pour garantir mon âme des terreurs de la mort et de ses
suites, je puisais avec sécurité dans cette source de confiance.
Je m'attachais à elle plus que je n'avais jamais fait; j'aurais
voulu transporter tout en elle ma vie que je sentais prête à
m'abandonner. De ce redoublement d'attachement pour
elle, de la persuasion qu'il me restait peu de temps à vivre,
de ma profonde sécurité sur mon sort à venir, résultait
un état habituel très calme, et sensuel même, en ce qu'amor-
tissant toutes les passions qui portent au loin nos craintes
et nos espérances, il me laissait jouir sans inquiétude et
sans trouble du peu de jours qui m'étaient laissés[1]. Une
chose contribuait à les rendre plus agréables, c'était le
soin de nourrir son goût pour la campagne par tous les
amusements que j'y pouvais rassembler. En lui faisant
aimer son jardin, sa basse-cour, ses pigeons, ses vaches, je
m'affectionnais moi-même à tout cela; et ces petites occu-
pations, qui remplissaient ma journée sans[e] troubler ma
tranquillité, me valurent mieux que le lait et tous les
remèdes pour conserver ma pauvre machine, et la rétablir
même autant que cela se pouvait.

Les vendanges, la récolte des fruits, nous amusèrent le
reste de cette année, et nous attachèrent de plus en plus
à la vie rustique, au milieu des bonnes gens dont nous
étions entourés. Nous vîmes[f] arriver l'hiver avec grand
regret, et nous retournâmes à la ville comme nous serions
allés en exil; moi surtout, qui, doutant de revoir le prin-
temps, croyais dire adieu pour toujours aux Charmettes

1. Sur cette disposition d'esprit, voir *supra*, p. 260, n. 1.

Je ne les quittai pas sans baiser la terre[1] et les arbres, et sans me retourner plusieurs fois en m'en éloignant. Ayant quitté depuis longtemps mes écolières, ayant perdu le goût des amusements et des sociétés de la ville, je ne sortais plus, je ne voyais plus personne, excepté Maman, et M. Salomon, devenu depuis peu son médecin et le mien; honnête homme, homme d'esprit, grand cartésien, qui parlait assez bien du système du monde, et dont les entretiens agréables et instructifs me valurent mieux que toutes ses ordonnances. Je n'ai jamais[a] pu supporter ce sot et niais remplissage des conversations ordinaires; mais des conversations utiles et solides m'ont toujours fait grand plaisir, et je ne m'y suis jamais refusé. Je pris beaucoup de goût à celle de M. Salomon; il me semblait que j'anticipais avec lui sur ces hautes connaissances que mon âme allait acquérir quand elle aurait perdu ses entraves. Ce goût que j'avais pour lui s'étendit aux sujets qu'il traitait, et je commençai de rechercher les livres qui pouvaient m'aider à[b] le mieux entendre. Ceux qui mêlaient la dévotion aux sciences m'étaient les plus convenables, tels étaient particulièrement ceux de l'Oratoire et de Port-Royal. Je me mis à les lire, ou plutôt à les dévorer. Il m'en tomba dans les mains un du P. Lamy, intitulé : *Entretiens sur les sciences*. C'était une espèce d'introduction à la connaissance des livres qui en traitent. Je le lus et relus cent fois; je résolus d'en faire mon guide. Enfin je me sentis entraîné peu à peu, malgré mon état, ou plutôt par mon état, vers l'étude avec une force irrésistible, et tout en regardant chaque jour comme le dernier de mes jours, j'étudiais avec autant d'ardeur que si j'avais dû toujours vivre. On disait que cela me faisait du mal; je crois, moi, que cela me fit du bien, et non seulement à mon âme, mais à mon corps; car cette application pour laquelle je me passionnais me devint si délicieuse, que, ne pensant plus à mes maux, j'en étais beaucoup moins affecté. Il est pourtant vrai que rien ne me procurait un soulagement réel; mais, n'ayant pas de douleurs vives, je m'accoutumais à languir, à ne pas dormir, à penser au lieu d'agir, et enfin à regarder le dépérissement successif et lent de ma machine comme

1. Même démonstration, en 1762, à l'entrée du territoire suisse, où Rousseau se réfugie après avoir été « décrété » à Paris (fin du livre XI, p. 692 et n. 1).

un progrès inévitable que la mort seule pouvait arrêter.

Non seulement cette opinion me détacha de tous les vains soins de la vie, mais elle me délivra de l'importunité des remèdes auxquels on m'avait jusqu'alors soumis malgré moi. Salomon, convaincu que ses drogues ne pouvaient me sauver, m'en épargna le déboire, et se contenta d'amuser la douleur de ma pauvre Maman avec quelques-unes de ces ordonnances indifférentes qui[a] leurrent l'espoir du malade et maintiennent le crédit du médecin. Je quittai l'étroit régime; je repris l'usage du vin et tout le train de vie d'un homme en santé, selon la mesure de mes forces, sobre sur toute chose, mais ne m'abstenant de rien. Je sortis même, et recommençai d'aller voir mes connaissances, surtout M. de Conzié, dont le commerce me plaisait fort. Enfin, soit qu'il me parût beau d'apprendre jusqu'à ma dernière heure, soit qu'un reste d'espoir de vivre se cachât au fond de mon cœur, l'attente de la mort, loin[b] de ralentir mon goût pour l'étude, semblait l'animer, et je me[c] pressais d'amasser un peu d'acquis pour l'autre monde comme si j'avais cru n'y avoir que celui que j'aurais emporté. Je pris en affection la boutique d'un[d] libraire appelé Bouchard, où se rendaient quelques gens de lettres; et le printemps que j'avais cru ne pas revoir étant proche, je m'assortis de quelques livres pour les Charmettes, en cas que j'eusse le bonheur d'y retourner.

J'eus ce bonheur, et j'en profitai[e] de mon mieux. La joie avec laquelle je vis les premiers bourgeons est inexprimable. Revoir le printemps était pour moi ressusciter en paradis. A peine les neiges commençaient à fondre que nous quittâmes notre cachot, et nous fûmes assez tôt aux Charmettes pour y avoir les prémices du rossignol. Dès lors je ne crus plus mourir, et réellement il est singulier que je n'ai jamais[f] fait de grandes maladies à la campagne. J'y ai beaucoup souffert, mais je n'y ai jamais été alité. Souvent, j'ai dit, me sentant plus mal qu'à l'ordinaire : Quand vous me verrez prêt à mourir, portez-moi[g] à l'ombre d'un chêne, je vous promets que j'en reviendrai[1].

Quoique faible, je repris mes fonctions champêtres

1. Cf. le propos de Rousseau rapporté par Bernardin de Saint-Pierre *op. cit.*, p. 54 : « J'ai dit à ma femme, me disait-il : quand tu me verra bien malade et sans espérance d'en revenir, fais-moi porter au milieu d'une prairie, sa vue me guérira. »

mais d'une manière proportionnée à mes forces. J'eus un vrai chagrin de ne pouvoir faire le jardin tout seul; mais quand j'avais donné six coups de bêche, j'étais hors d'haleine, la sueur me ruisselait, je n'en pouvais plus. Quand j'étais baissé, mes battements redoublaient, et le sang me montait à la tête avec tant de force, qu'il fallait bien vite me redresser. Contraint de me borner à des soins moins fatigants, je pris entre autres celui du colombier, et je m'y affectionnai si fort, que j'y passais souvent plusieurs heures de suite sans m'ennuyer un moment. Le pigeon est fort timide et difficile à apprivoiser. Cependant je vins à bout d'inspirer aux miens tant de confiance, qu'ils me suivaient partout, et se laissaient prendre quand je voulais. Je ne pouvais paraître au jardin ni dans la cour sans en avoir à l'instant deux ou trois sur les bras, sur la tête, et enfin, malgré le plaisir que j'y prenais, ce cortège me devint si incommode, que je fus obligé de leur ôter cette familiarité. J'ai toujours pris un singulier plaisir à apprivoiser les animaux, surtout ceux qui sont craintifs et sauvages. Il me paraissait charmant de leur inspirer une confiance que je n'ai jamais trompée. Je voulais qu'ils m'aimassent en liberté.

J'ai dit que j'avais apporté des livres; j'en fis usage, mais d'une manière moins propre à m'instruire qu'à m'accabler. La fausse idée que j'avais des choses me persuadait que pour lire un livre avec fruit il fallait avoir toutes les connaissances qu'il supposait, bien éloigné de penser que souvent[a] l'auteur ne les[b] avait pas lui-même, et qu'il les[c] puisait dans d'autres livres à mesure qu'il en avait besoin. Avec cette folle idée, j'étais arrêté à chaque instant, forcé de courir incessamment d'un livre à l'autre, et[d] quelquefois avant d'être à la dixième page de celui que je voulais étudier, il m'eût fallu[e] épuiser des bibliothèques. Cependant je m'obstinai si bien à cette extravagante méthode, que j'y perdis un temps infini, et faillis à me brouiller la tête au point de ne pouvoir plus ni rien voir ni rien savoir. Heureusement je m'aperçus que j'enfilais une fausse route qui m'égarait dans un labyrinthe immense, et j'en sortis avant d'y être tout à fait perdu.

Pour peu qu'on ait un vrai goût pour les sciences, la première chose qu'on sent en s'y livrant, c'est leur liaison, qui fait qu'elle s'attirent, s'aident, s'éclairent mutuellement, et que l'une ne peut se passer de l'autre. Quoique l'esprit humain ne puisse[f] suffire à toutes, et qu'il en faille toujours

préférer une comme la principale, si l'on n'a quelque
notion des autres, dans la sienne même on se trouve sou-
vent dans l'obscurité. Je sentis que ce que j'avais entrepris
était bon et utile en lui-même, qu'il n'y avait que la méthode
à changer. Prenant d'abord l'encyclopédie[1], j'allais la divi-
sant dans ses branches. Je vis qu'il fallait faire tout le
contraire, les prendre chacune séparément, et les poursuivre[a]
chacune à part jusqu'au point où elles se réunissent. Ainsi
je revins à la synthèse ordinaire, mais j'y revins en homme
qui sait ce qu'il fait. La méditation me tenait en cela lieu
de connaissance et une réflexion très naturelle aidait à
me bien guider. Soit que je vécusse ou que je mourusse,
je n'avais point de temps à perdre. Ne rien savoir à près
de vingt-cinq ans, et vouloir tout apprendre, c'est s'engager
à bien mettre le temps à profit. Ne sachant à quel point
le sort ou la mort pouvait arrêter mon zèle, je voulais
à tout événement acquérir des idées de toutes choses, tant
pour sonder mes dispositions naturelles que pour juger
par moi-même de ce qui méritait le mieux d'être cultivé.
 Je trouvai dans l'exécution de ce plan un autre avantage
auquel je n'avais pas pensé, celui de mettre beaucoup de
temps à profit. Il faut que je ne sois pas né pour l'étude,
car une longue application me fatigue à tel point qu'il
m'est impossible de m'occuper[b] demi-heure de suite avec
force du même sujet, surtout en suivant les idées d'autrui;
car il m'est arrivé quelquefois de me livrer plus longtemps
aux miennes, et même avec assez de succès. Quand j'ai
suivi durant quelques pages un auteur qu'il faut lire avec
application, mon esprit l'abandonne et se perd dans les
nuages. Si je m'obstine, je m'épuise inutilement; les éblouis-
sements me prennent, je ne vois plus rien. Mais que des
sujets différents se succèdent, même sans interruption,
l'un me délasse de l'autre, et sans avoir besoin de relâche,
je les suis plus aisément. Je mis à profit cette observation
dans mon plan d'études, et je les entremêlai tellement,

 1. Encyclopédie : ensemble ou enchaînement de toutes les sciences
selon l'idée que Rousseau vient de développer. Ce sens est courant
alors, et l'on voit par cet exemple qu'il n'a pas encore été remplacé
à la date où écrit Rousseau (vers 1765), par le sens actuel (ouvrage
réunissant l'ensemble des connaissances humaines), lequel s'est imposé
à la suite de l'entreprise de Diderot (commencée en 1751, achevée
en 1772).

que je m'occupais tout le jour, et ne me fatiguais[a] jamais. Il est vrai que les soins champêtres et domestiques faisaient des diversions utiles; mais dans ma ferveur croissante, je[b] trouvai bientôt le moyen d'en ménager encore le temps pour l'étude, et de m'occuper à la fois de deux choses, sans songer que chacune en allait moins bien.

Dans tant de menus détails qui me charment et dont j'excède souvent mon lecteur, je mets pourtant une discrétion dont il ne se douterait guère, si je n'avais soin de l'en avertir. Ici, par exemple, je me rappelle avec[c] délices tous les différents essais que je fis pour distribuer mon temps de façon que j'y trouvasse à la fois autant d'agrément et d'utilité qu'il était possible; et je puis dire que ce temps où je vivais dans la retraite, et toujours malade, fut celui de ma vie où je fus le moins oisif et le moins ennuyé. Deux ou trois mois se passèrent ainsi à tâter la pente de mon esprit, et à jouir, dans la plus belle saison de l'année, et dans un lieu qu'elle rendait enchanté, du charme de la vie dont je sentais si bien le prix, de celui d'une société aussi libre que douce, si l'on peut donner le nom de société à une aussi parfaite union, et de celui des belles connaissances que je me proposais d'acquérir; car c'était pour moi comme si je les avais déjà possédées, ou plutôt c'était mieux encore, puisque le plaisir d'apprendre entrait pour beaucoup dans mon bonheur.

Il faut passer sur ces essais, qui tous étaient pour moi des jouissances, mais trop simples pour pouvoir être expliquées. Encore un coup, le vrai bonheur ne se décrit pas, il se sent, et se sent d'autant mieux qu'il peut le moins se décrire, parce qu'il ne résulte pas d'un recueil de faits, mais qu'il est un état permanent. Je me répète souvent, mais je me répéterais bien davantage si je disais la même chose autant de fois qu'elle me vient dans l'esprit. Quand enfin mon train de vie, souvent changé, eut pris un cours uniforme, voici à peu près quelle en fut la distribution.

Je me levais tous les matins avant le soleil. Je montais par un verger voisin dans un très joli chemin qui était au-dessus de la vigne, et suivait la côte jusqu'à Chambéry. Là, tout en me promenant, je faisais ma prière qui ne consistait pas en un vain balbutiement de lèvres, mais dans une sincère élévation de cœur à l'auteur de cette aimable nature dont les beautés étaient sous mes yeux. Je n'ai jamais aimé à prier dans la chambre; il me semble que les

murs et tous ces petits ouvrages des hommes s'interposent
entre Dieu et moi. J'aime à le contempler dans ses œuvres
tandis que mon cœur s'élève à lui. Mes prières étaient pures,
je puis le dire, et dignes[a] par là d'être exaucées. Je ne de-
mandais pour moi, et pour celle dont mes vœux ne me
séparaient jamais, qu'une vie innocente et tranquille,
exempte du vice, de la douleur, des pénibles besoins, la
mort des justes et leur sort dans l'avenir. Du reste cet
acte se passait plus en admiration et en contemplation
qu'en demandes, et je savais qu'auprès du dispensateur
des vrais biens le meilleur moyen d'obtenir ceux qui nous
sont nécessaires est moins de les demander que de les méri-
ter[1]. Je revenais en me promenant par un assez grand tour,
occupé à considérer avec intérêt et volupté les objets cham-
pêtres dont j'étais environné, les seuls dont l'œil et le cœur
ne se lassent jamais. Je regardais de loin s'il était jour chez
Maman : quand je voyais son contrevent ouvert, je tres-
saillais[b] de joie et j'accourais. S'il était fermé, j'entrais au
jardin en attendant qu'elle fût éveillée, m'amusant à repas-
ser ce que j'avais appris la veille, ou à jardiner. Le contre-
vent s'ouvrait, j'allais l'embrasser dans son lit, souvent
encore à moitié endormie, et cet embrassement aussi pur

1. Th. Dufour a publié dans les *Annales,* I, pp. 222-229, et P.-M. Mas-
son a commenté, deux prières composées par Rousseau aux Char-
mettres, et conçues dans l'esprit qu'indique ici Rousseau. On peut les
comparer avec la prière de Julie dans *la Nouvelle Héloïse,* III, lett.
XVIII. Rousseau s'est lui-même amusé à pousser à la limite sa concep-
tion de la prière-adoration, par opposition à la prière de demande,
en citant l'anecdote de la vieille femme qui avait pour toute prière « O »
(*infra,* livre XII, p. 764). Saint-Preux dans *la Nouvelle Héloïse* s'exprime
hardiment (VI, lett. VII) :
« Ce n'est pas [*Dieu*] qui nous change, c'est nous qui nous changeons
en nous élevant à lui. Tout ce qu'on demande comme il faut, on se
le donne... » Rousseau, qui se donne pour simple « éditeur » de ce
roman par lettres et affecte de ne pas prendre à son compte les propos
des personnages, ajoute à ce passage une note mi-sérieuse mi-ironique
constatant — sans la désapprouver — l' « hérésie » du nouvel Abélard.
Le Vicaire savoyard va plus loin encore :
« Je médite sur l'ordre de l'univers [...] pour adorer le sage auteur
qui s'y fait sentir. Je converse avec lui, je pénètre toutes mes facultés
de sa divine essence; je m'attendris à ses bienfaits, je le bénis de
ses dons; mais je ne le prie pas. Que lui demanderais-je ? Qu'il
changeât pour moi le cours des choses, qu'il fît des miracles en ma
faveur ? »

que tendre tirait de son innocence même un charme qui n'est jamais joint à la volupté des sens.

Nous déjeunions ordinairement avec du café au lait. C'était le temps de la journée où nous étions le plus tranquilles, où nous causions le plus à notre aise. Ces séances, pour l'ordinaire assez longues, m'ont laissé un goût vif pour les déjeuners, et je préfère infiniment l'usage d'Angleterre et de Suisse, où le déjeuner est un vrai repas qui rassemble tout le monde, à celui de France, où chacun déjeune seul dans sa chambre, ou le plus souvent ne déjeune point du tout. Après une heure ou deux de causerie, j'allais à mes livres jusqu'au dîner. Je commençais par quelque livre de philosophie, comme la *Logique* de Port-Royal, l'*Essai* de Locke, Malebranche, Leibnitz, Descartes, etc. Je m'aperçus bientôt que tous ces auteurs étaient entre eux en contradiction presque perpétuelle, et je formai le chimérique projet de les accorder, qui me fatigua beaucoup et me fit perdre bien du temps. Je me brouillais la tête, et je n'avançais point[1]. Enfin, renonçant encore à cette méthode, j'en pris une infiniment meilleure, et à laquelle j'attribue tout le progrès que je puis avoir fait, malgré mon défaut de

1. Sur le *déjeuner* (premier repas du matin) tel que l'aime Rousseau, voir la « matinée à l'anglaise » dans *la Nouvelle Héloïse,* V, lett. III, et l'estampe qui porte cette légende dans les premières éditions.
— Locke, Descartes, Leibniz, Malebranche, et le P. Reyneau cité plus bas, sont mentionnés, parmi d'autres auteurs, dans *le Verger de Mme de Warens,* écrit entre 1736 et 1739 :

> « Avec Locke je fais l'histoire des idées;
> ...
> Je tâtonne Descartes et ses égarements,
> Sublimes, il est vrai, mais frivoles romans... »

Ce sévère jugement vise sans doute la physique de Descartes, périmée depuis la révélation, par Voltaire et d'autres, de Newton (les *Lettres philosophiques* ont paru quelques années plus tôt), mais aussi l'ensemble de sa philosophie, qu'il serait imprudent pour un nouveau converti d'approuver, dans un ouvrage imprimé en 1739. On trouvera la liste des ouvrages de la bibliothèque de M. de Conzié, dans C. Bouvier, *la Bibliothèque des Charmettes.* Le n° 13 du catalogue est la *Fable des Abeilles* de Mandeville (traduite en 1740) qui a pu influencer les 1er et 2e *Discours.*
— On remarquera la formule « projet [...] qui me fatigua beaucoup et me fit perdre bien du temps. Je me brouillais la tête, et je n'avançais point. » Elle répète presque textuellement le texte de la p. 269,

capacité; car il est certain que j'en eus toujours fort peu pour l'étude. En lisant chaque auteur, je me fis une loi d'adopter et suivre[a] toutes ses idées sans y mêler les miennes ni celles d'un autre, et sans[b] jamais disputer avec lui. Je me dis : Commençons par me faire un magasin d'idées, vraies ou fausses, mais nettes, en attendant que ma tête en soit assez fournie pour pouvoir les comparer et choisir. Cette méthode n'est pas sans inconvénient, je le sais, mais elle m'a réussi dans l'objet de m'instruire. Au bout de quelques années passées[c] à ne penser exactement que d'après autrui, sans réfléchir pour ainsi dire et presque sans raisonner, je me suis trouvé un assez grand fonds d'acquis pour me suffire à moi-même, et penser sans le secours d'autrui. Alors, quand les voyages et les affaires m'ont ôté les moyens de consulter les livres, je me suis amusé à repasser et comparer ce que j'avais lu, à peser chaque chose à la balance de la raison, et à juger quelquefois mes maîtres. Pour avoir commencé tard à mettre en exercice ma faculté judiciaire, je n'ai pas trouvé qu'elle eût perdu sa vigueur; et quand j'ai publié mes propres idées, on ne m'a pas accusé d'être un disciple servile et de jurer *in verba magistri*.

Je passais de là à la géométrie élémentaire; car je n'ai jamais été plus loin, m'obstinant à vouloir vaincre mon peu de mémoire, à force de revenir cent et cent fois sur mes pas et de recommencer incessamment la même marche. Je ne goûtai pas celle d'Euclide, qui cherche plutôt la chaîne des démonstrations que la liaison des idées; je préférai la géométrie du P. Lami, qui dès lors devint un de mes auteurs favoris, et dont je relis encore avec plaisir les ouvrages. L'algèbre suivait, et ce fut toujours le P. Lami que je pris pour guide. Quand je fus plus avancé, je pris la *Science du calcul* du P. Reynaud, puis son *Analyse démontrée*, que je n'ai fait qu'effleurer. Je n'ai jamais été assez loin pour bien sentir l'application de l'algèbre à la géométrie. Je n'aimais point cette manière d'opérer sans voir ce qu'on fait, et il me semblait que résoudre un problème de géométrie par les équations, c'était jouer un air en tournant une manivelle. La première fois que je trouvai par le calcul que

« Je m'obstinai si bien à cette extravagante méthode, que j'y perdis un temps infini, et faillis à me brouiller la tête. » Cette répétition, s'ajoutant aux incertitudes de la chronologie de l'auteur, révèle le flottement qui règne dans le récit de cette partie de sa vie.

le carré d'un binôme était composé du carré de chacune
de ses parties, et du double produit de l'une par l'autre,
malgré la justesse de ma multiplication, je n'en voulus rien
croire[a] jusqu'à ce que j'eusse fait la figure. Ce n'était pas
que je n'eusse un grand goût pour l'algèbre en n'y consi-
dérant que la quantité abstraite; mais appliquée à l'étendue,
je voulais voir l'opération[b] sur les lignes, autrement je n'y
comprenais plus rien.

Après cela venait le latin. C'était mon étude la plus pénible
et dans laquelle je n'ai jamais fait de grands progrès. Je
me mis d'abord à la méthode latine de Port-Royal, mais
sans fruit. Ces vers ostrogoths me faisaient mal au cœur,
et ne pouvaient entrer dans mon oreille. Je me perdais
dans ces foules de règles, et en apprenant la dernière
j'oubliais tout ce qui avait précédé. Une étude de mots
n'est pas ce qu'il faut à un homme sans mémoire, et c'était
précisément pour forcer ma mémoire à prendre de la capa-
cité que je m'obstinais à cette étude. Il fallut l'abandonner
à la fin. J'entendais assez la construction pour pouvoir lire
un auteur facile, à l'aide d'un dictionnaire. Je suivis cette
route, et je m'en trouvai bien. Je m'appliquai à la traduction,
non par écrit, mais mentale, et je m'en tins là. A force de
temps et d'exercice, je suis parvenu à lire assez couramment
les auteurs latins, mais jamais à pouvoir ni parler ni écrire
dans cette langue; ce qui m'a souvent mis dans l'embarras
quand je me suis trouvé, je ne sais comment, enrôlé parmi
les gens de lettres. Un autre inconvénient, conséquent à
cette manière d'apprendre, est que je n'ai jamais su la pro-
sodie, encore moins les règles de la versification[1]. Désirant
pourtant de sentir l'harmonie de la langue en vers et en
prose, j'ai fait bien des efforts pour y parvenir; mais je suis
convaincu que sans maître[c] cela est presque impossible.
Ayant appris la composition du plus facile de tous les vers,
qui est l'hexamètre, j'eus la patience de scander presque tout
Virgile, et d'y marquer les pieds et la quantité; puis, quand

1. Rousseau mentionne déjà au livre II les difficultés que présenta
longtemps pour lui l'étude du latin. Il arriva pourtant non seulement
à lire les auteurs, mais à traduire honorablement (« pour apprendre
à écrire », déclare-t-il) Tacite et Sénèque (voir L. Herrmann, « J.-J. Rous-
seau traducteur de Tacite », *Annales*, XIII, 215-224, et J. von Stackelberg,
La citation de la p. 259 pourrait témoigner d'une ignorance de la
versification. V. aussi *Studi Francesi*, sept.-déc. 1958.

j'étais en doute si une syllabe était longue ou brève, c'était mon Virgile que j'allais consulter. On sent que cela me faisait faire bien des fautes, à cause des altérations permises par les règles de la versification. Mais s'il y a de l'avantage à étudier seul, il y a aussi de grands inconvénients, et surtout une peine incroyable. Je sais cela mieux que qui que ce soit.

Avant midi je quittais mes livres, et si le dîner n'était pas prêt, j'allais faire visite à mes amis les pigeons, ou travailler au jardin en attendant l'heure.

Quand je m'entendais appeler, j'accourais fort content et muni d'un grand appétit; car, c'est encore une chose à noter, que, quelque malade que je puisse être, l'appétit ne me manque jamais. Nous dînions très agréablement, en causant de nos affaires, en attendant que Maman pût manger. Deux ou trois fois la semaine, quand il faisait beau, nous allions derrière la maison prendre le café dans un cabinet frais et touffu, que j'avais garni de houblon, et qui nous faisait grand plaisir durant la chaleur; nous passions là une petite heure à visiter nos légumes, nos fleurs, à des entretiens relatifs à notre manière de vivre, et qui nous en faisaient mieux[a] goûter la douceur. J'avais une autre petite famille au bout du jardin : c'étaient des abeilles. Je ne manquais guère, et souvent Maman avec moi, d'aller leur rendre visite; je m'intéressais beaucoup à leur ouvrage, je m'amusais infiniment[b] à les voir revenir de la picorée[1], leurs petites cuisses quelquefois si chargées qu'elles avaient peine à marcher. Les premiers jours[c] la curiosité me rendit indiscret, et elles me piquèrent deux ou trois fois; mais ensuite nous fîmes si bien connaissance, que quelque près que je vinsse, elles me laissaient faire, et quelque pleines que fussent les ruches prêtes à jeter leur essaim, j'en étais quelquefois entouré, j'en avais sur les mains, sur le visage sans qu'aucune me piquât jamais. Tous les animaux se défient de l'homme, et n'ont pas tort : mais sont-ils sûrs une fois qu'il ne leur veut pas nuire, leur confiance devient si grande qu'il faut être plus que barbare pour en abuser.

Je retournais à mes livres : mais mes[d] occupations de l'après-midi devaient moins porter le nom de travail et d'étude que de récréation et d'amusement. Je n'ai jamais pu supporter l'application du cabinet après mon dîner, et

1. Le mot n'est employé au XVIIIe siècle que dans son sens figuré de *maraude, pillage*.

en général toute peine me coûte durant la chaleur du jour. Je m'occupais pourtant, mais sans gêne et presque sans règle, à lire sans étudier. La chose que je suivais le plus exactement était l'histoire et la géographie, et comme cela ne demandait point de contention d'esprit, j'y fis autant de progrès que le permettait mon peu de mémoire. Je voulus étudier le P. Pétau, et je m'enfonçai dans les ténèbres de la chronologie[1]; mais je me dégoûtai de la partie critique qui n'a ni fond ni rive, et je m'affectionnai par préférence à l'exacte mesure des temps et à la marche des corps célestes. J'aurais même pris du goût pour l'astronomie si j'avais eu des instruments, mais il fallut me contenter de quelques éléments pris dans des livres, et de quelques observations grossières faites avec une lunette d'approche, seulement pour connaître la situation générale du ciel : car ma vue courte ne me permet pas de distinguer, à yeux nus, assez[a] nettement les astres. Je me rappelle à ce sujet une aventure dont le souvenir m'a souvent fait rire. J'avais acheté un planisphère céleste pour étudier les constellations. J'avais attaché ce planisphère sur un châssis, et les nuits où le ciel était serein, j'allais dans le jardin poser mon châssis sur quatre piquets de ma hauteur, le planisphère tourné en dessous, et pour l'éclairer sans que le vent soufflât ma chandelle, je la mis dans un seau à terre entre les quatre piquets; puis, regardant alternativement le planisphère avec mes yeux et[b] les astres avec ma lunette, je m'exerçais à connaître les étoiles et à discerner les constellations. Je crois avoir dit que le jardin de M. Noëray était en terrasse; on voyait du[c] chemin tout ce qui s'y faisait. Un soir, des paysans passant assez tard me virent dans un grotesque équipage occupé à mon opération. La lueur qui donnait sur mon planisphère, et dont ils ne voyaient pas la cause parce que la lumière était cachée à leurs yeux par les bords du seau, ces quatre piquets, ce grand papier barbouillé de figures, ce cadre, et le jeu de ma lunette, qu'ils voyaient aller et venir, donnaient à cet objet un air de grimoire qui les effraya. Ma parure n'était pas propre à les rassurer; un chapeau clabaud par-dessus mon bonnet, et un pet-en-l'air ouaté[2] de

1. Sur le P. Pétau, voir *Index*. — Les *Annales* (I, 213-220) ont publié avec d'autres pages inédites de la même période (vers 1737) une *Chronologie universelle* [...] *composée et dressée par Rousseau pour son usage*.

2. *Clabaud* se dit en vénerie d'un chien qui aboie mal à propos

Maman qu'elle m'avait obligé de mettre, offraient à leurs yeux l'image d'un vrai sorcier, et comme il était près de minuit, ils ne doutèrent point que ce ne fût le commencement du sabbat. Peu curieux d'en voir davantage, ils se sauvèrent très alarmés, éveillèrent leurs voisins pour leur conter leur vision, et l'histoire courut si bien, que[a] dès le lendemain chacun sut dans le voisinage que le sabbat se tenait chez M. Noëray. Je ne sais ce qu'eût produit enfin cette rumeur, si l'un des paysans, témoin de mes conjurations, n'en eût le même jour porté sa plainte à deux Jésuites qui venaient nous voir[1], et qui[b] sans savoir de quoi il s'agissait, les désabusèrent par provision. Ils nous contèrent l'histoire; je leur en dis la cause, et nous rîmes beaucoup. Cependant il fut résolu, crainte de récidive, que j'observerais désormais sans lumière, et que j'irais consulter le planisphère dans la maison. Ceux qui ont lu, dans[c] les *Lettres de la Montagne,* ma magie de Venise[2] trouveront, je m'assure, que j'avais de longue main une grande vocation pour être sorcier.

(*clabauder* : être sur les voies), et garde les oreilles pendantes; un chapeau clabaud, par analogie, a les bords rabattus. — Un *pet-en-l'air* est une « robe de chambre qui ne descend que jusqu'au bas des reins et qui est en étoffe légère » (Littré, qui cite des exemples du xviiie siècle). Le mot pouvait désigner un vêtement de femme ou d'homme. Bertin qui avait employé le mot dans une poésie publiée en 1772 par l'*Almanach des Muses* le supprime dans ses éditions postérieures, approuvé par son éditeur; Laharpe en 1774 donne le mot comme démodé et remplacé par *caraco.* — Le participe-adjectif *ouaté* est orthographié *ouetté* dans le manuscrit de Paris, conformément à une ancienne prononciation du mot *ouate,* donnée comme désuète par Littré.

1. Sur ces deux jésuites, voir *infra*, pp. 279-280 et *Index.*
2. Allusion à un passage des *Lettres écrites de la Montagne,* I, lett. 3 : « Tout ce qu'on peut dire de celui qui se vante de faire des miracles est qu'il fait des choses fort extraordinaires; mais qui est-ce qui nie qu'il se fasse des choses fort extraordinaires ? J'en ai vu, moi, de ces choses-là, et même j'en ai fait. »
Ici Rousseau continue dans une note :
« J'ai vu à Venise en 1743 une manière de sorts assez nouvelle, et plus étrange que ceux de Préneste. Celui qui la voulait consulter entrait dans une chambre et y restait seul s'il le désirait. Là, d'un livre plein de feuillets blancs il en tirait un à son choix; puis tenant cette feuille il demandait, non à voix haute mais mentalement, ce qu'il voulait savoir. Ensuite il pliait la feuille blanche, l'enveloppait, la cachetait, la plaçait dans un livre ainsi cachetée : enfin après avoir récité certaines

Tel était mon train de vie aux Charmettes quand je n'étais occupé d'aucuns soins champêtres; car ils avaient toujours la préférence, et dans ce qui n'excédait pas mes forces, je travaillais comme un paysan; mais il est vrai que mon extrême faiblesse ne me laissait guère[a] alors sur cet article que le mérite de la bonne volonté. D'ailleurs je voulais faire à la fois deux ouvrages, et par cette raison je n'en faisais bien aucun. Je m'étais mis[b] dans la tête de me donner par force de la mémoire; je m'obstinais à vouloir beaucoup apprendre par cœur. Pour cela je portais toujours avec moi quelque livre qu'avec une peine incroyable j'étudiais et repassais tout en travaillant. Je ne sais pas comment l'opiniâtreté de ces vains[c] et continuels efforts ne m'a pas enfin rendu stupide. Il faut que j'aie appris et rappris bien vingt fois les églogues de Virgile, dont je ne sais pas un[d] seul mot. J'ai perdu ou dépareillé des multitudes de livres par l'habitude que j'avais d'en porter partout avec moi, au colombier, au jardin, au verger, à la vigne. Occupé d'autre chose, je posais mon livre au pied d'un arbre ou sur la haie; partout j'oubliais de le reprendre, et souvent au bout de quinze jours, je le retrouvais pourri ou rongé des fourmis et des limaçons. Cette ardeur d'apprendre devint une manie qui me rendait comme hébété, tout occupé que j'étais sans cesse à marmotter quelque chose entre[e] mes dents.

Les écrits de Port-Royal et de l'Oratoire, étant ceux que je lisais le plus fréquemment, m'avaient rendu demi-janséniste, et, malgré toute ma confiance, leur dure théologie m'épouvantait quelquefois. La terreur de l'enfer, que jusque-là j'avais très peu craint, troublait peu à peu ma sécurité, et si Maman ne m'eût tranquillisé l'âme, cette effrayante doctrine m'eût enfin tout à fait bouleversé. Mon confesseur, qui était aussi le sien[f], contribuait pour sa part à me maintenir dans une bonne assiette. C'était le P. Hemet, jésuite, bon et sage vieillard dont la mémoire me sera toujours en vénération. Quoique jésuite, il avait la simplicité d'un enfant, et sa morale,

formules fort baroques sans perdre son livre de vue, il en allait tirer le papier, reconnaître le cachet, l'ouvrir, et il trouvait là sa réponse écrite.

Le magicien qui faisait ces sorts était le premier secrétaire de l'ambassadeur de France et il s'appelait Jean-Jacques Rousseau. »

moins relâchée que douce, était précisément ce qu'il me
fallait pour balancer les tristes impressions du jansé-
nisme. Ce bonhomme et son compagnon, le P. Coppier
venaient souvent nous voir aux Charmettes, quoique le
chemin fût fort rude et assez long pour des gens de leur
âge. Leurs visites me faisaient grand bien : que Dieu
veuille le rendre à leurs âmes, car ils étaient trop vieux
alors pour que je les présume[a] en vie encore aujourd'hui.
J'allais aussi les voir à Chambéry; je me familiarisais peu
à peu avec leur maison; leur bibliothèque était à mon
service; le souvenir de cet heureux temps se lie avec celui
des Jésuites au point de me faire aimer l'un par l'autre, et
quoique leur doctrine m'ait toujours paru dangereuse, je
n'ai jamais pu trouver en moi le pouvoir de les haïr sin-
cèrement.

Je voudrais savoir s'il passe quelquefois dans les cœurs
des autres hommes des puérilités pareilles à celles qui
passent quelquefois dans le mien. Au milieu de mes études
et d'une vie innocente autant qu'on la puisse mener, et
malgré tout ce qu'on m'avait pu dire, la peur de l'enfer
m'agitait encore. Souvent je me demandais : En quel état
suis-je ? Si je mourais à l'instant même, serais-je damné ?
Selon mes jansénistes la chose[b] était indubitable, mais selon
ma conscience il me[c] paraissait que non. Toujours craintif,
et flottant dans cette cruelle incertitude, j'avais recours,
pour en sortir, aux expédients les plus risibles, et pour
lesquels je ferais volontiers enfermer un homme si je lui
en voyais faire autant. Un jour, rêvant à ce triste sujet, je
m'exerçais machinalement à lancer des pierres contre les
troncs des arbres, et cela avec mon adresse ordinaire,
c'est-à-dire sans presque[d] en toucher aucun. Tout au
milieu de ce bel exercice, je m'avisai de m'en faire une
espèce de pronostic pour calmer mon inquiétude. Je me
dis : Je m'en vais jeter cette pierre contre l'arbre qui est
vis-à-vis de moi; si je le touche, signe de salut; si je le
manque, signe de damnation. Tout en disant ainsi, je jette
ma pierre d'une main tremblante et avec un horrible batte-
ment de cœur, mais si heureusement, qu'elle va frapper au
beau milieu de l'arbre; ce qui véritablement n'était pas
difficile, car j'avais eu soin de le choisir fort gros et fort
près. Depuis lors je n'ai plus douté de mon salut. Je ne
sais, en me rappelant ce trait, si je dois rire ou gémir sur
moi-même. Vous autres grands hommes, qui riez sûrement,

félicitez-vous; mais n'insultez pas à ma misère, car je vous jure que je la sens bien[1].

Au reste, ces troubles, ces alarmes, inséparables peut-être de la dévotion, n'étaient pas un état permanent. Communément j'étais assez tranquille, et l'impression que l'idée d'une mort prochaine faisait sur mon âme était moins de la tristesse qu'une langueur paisible, et qui même avait ses douceurs. Je viens de retrouver parmi de vieux papiers une espèce d'exhortation que je me faisais à moi-même, et où je me félicitais de mourir à l'âge où l'on trouve assez de courage en soi pour envisager la mort, et sans avoir éprouvé de grands maux, ni de corps ni d'esprit, durant ma vie. Que j'avais bien raison ! Un pressentiment me faisait craindre de vivre pour souffrir. Il semblait que je prévoyais le sort qui m'attendait sur mes vieux jours. Je n'ai jamais été si près de la sagesse que durant cette heureuse époque. Sans grands remords sur le passé, délivré des soucis de l'avenir, le sentiment qui dominait constamment dans mon âme était de jouir du présent. Les dévots ont pour l'ordinaire une petite sensualité très vive qui leur fait savourer avec délices les plaisirs innocents qui leur sont permis. Les mondains leur en font un crime, je ne sais pourquoi, ou plutôt je le sais bien, c'est qu'ils envient aux autres la jouissance des plaisirs simples dont eux-mêmes ont perdu le goût. Je l'avais ce goût, et je trouvais charmant de le satisfaire en sûreté de conscience. Mon cœur, neuf encore, se livrait à tout avec un plaisir d'enfant, ou plutôt, si[a] je l'ose dire, avec une volupté d'ange, car en vérité ces tranquilles jouissances ont la sérénité de celles du paradis. Des dîners faits sur l'herbe, à Montagnole, des soupers sous le berceau, la récolte des fruits, les vendanges, les veillées

1. Cet épisode a attiré l'attention de ceux parmi les critiques qui s'intéressent particulièrement à la psychologie et à la psychopathologie de Jean-Jacques (dont P. Janet, et plus récemment J. Starobinski). Il avait déjà frappé Byron, qui le cite à Medwin (*Conversations of Lord Byron* [...], Paris, 1824, p. 107) lors d'un entretien sur la superstition chez les grands hommes. Gœthe, âgé d'une vingtaine d'années, se livre à une consultation du sort analogue — mais dans un esprit moins grave ! — lorsqu'il jette son couteau neuf dans la rivière pour savoir si son ambition d'une carrière de peintre sera ou non réalisée; l'incident est rapporté au début du livre XIII de *Poésie et Vérité,* et il n'est pas impossible que le récit soit influencé par une réminiscence, consciente ou non, de Rousseau. — L'influence de M^me de Warens (v. p. 264)

à teiller avec nos gens, tout cela faisait pour nous autant
de fêtes auxquelles Maman prenait le même plaisir que
moi[1]. Des promenades plus solitaires avaient un charme
plus grand encore, parce que le cœur s'épanchait plus en
liberté. Nous en fîmes une entre autres qui fait époque dans
ma mémoire, un jour de Saint-Louis dont Maman portait
le nom. Nous partîmes ensemble et seuls de bon matin,
après la messe qu'un carme était venu dire à la pointe du
jour, dans une chapelle[a] attenante à la maison[2]. J'avais
proposé d'aller parcourir la côte opposée à celle où nous
étions, et que nous n'avions point visitée encore. Nous
avions envoyé nos provisions d'avance, car la course devait
durer tout le jour. Maman, quoique un peu ronde et grasse,
ne marchait pas mal : nous allions de colline en colline et
de bois en bois, quelquefois au soleil et souvent à l'ombre,
nous reposant de temps en temps, et nous oubliant des
heures entières; causant de nous, de notre union, de la
douceur de notre sort, et faisant pour sa durée des vœux
qui ne furent pas exaucés. Tout semblait conspirer au
bonheur de cette journée. Il avait plu depuis peu; point
de poussière, et des ruisseaux bien courants; un petit vent
frais agitait les feuilles, l'air était pur, l'horizon sans nuage,
la sérénité régnait au ciel comme dans nos cœurs. Notre
dîner fut fait chez un paysan, et partagé avec sa famille
qui nous bénissait de bon cœur. Ces pauvres Savoyards
sont si bonnes gens ! Après le dîner nous gagnâmes
l'ombre sous de grands arbres, où, tandis que j'amassais
des brins de bois sec pour faire notre café, Maman s'amu-
sait à herboriser parmi les broussailles, et avec les fleurs du
bouquet que, chemin faisant, je lui avais ramassé, elle me
fit remarquer dans leur structure mille choses curieuses qui
m'amusèrent beaucoup, et qui devaient me donner du goût

prévalut : la réaction antijanséniste par laquelle passa Rousseau
est attestée par une curieuse diatribe contre le « sombre Janséniste »
et « ses erreurs austères » dans une copie de l'*Épître à Bordes*
(1741 ?) exécutée par Coindet (*O. C.,* II, 1961, p. 1894).

 1. Idéalisation de la vie rustique dans une atmosphère patriarcale :
cf. le tableau de la vie à Clarens dans le domaine des Wolmar, *Nouvelle
Héloïse,* V, lett. VII, où l'on teille le chanvre à la veillée avec les domes-
tiques, après avoir aidé dans la journée à la vendange.

 2. Cette chapelle existe encore, l'édition Gagnebin-Raymond
(I, 1959, p. 1354) la décrit d'après A. Metzger.

pour la botanique; mais le moment n'était pas venu, j'étais distrait par trop d'autres études. Une idée qui vint me frapper fit diversion aux fleurs et aux plantes. La situation d'âme où je me trouvais, tout ce que nous avions dit et fait ce jour-là, tous les objets qui m'avaient frappé me rappelèrent l'espèce de rêve que tout éveillé j'avais fait à Annecy sept ou huit ans auparavant, et dont j'ai rendu compte en son lieu[1]. Les rapports en étaient si frappants, qu'en y pensant j'en fus ému jusqu'aux larmes. Dans un transport d'attendrissement j'embrassai cette chère amie : Maman, Maman, lui dis-je avec passion, ce jour m'a été promis depuis longtemps, et je ne vois rien au delà. Mon bonheur, grâce à vous, est à son comble; puisse-t-il ne pas décliner désormais ! puisse-t-il durer aussi longtemps que j'en conserverai le goût ! il ne finira qu'avec moi.

Ainsi coulèrent mes jours heureux, et d'autant plus heureux que, n'apercevant rien qui les dût troubler, je n'envisageais en effet leur fin qu'avec la mienne. Ce n'était pas que la source de mes soucis fût absolument tarie; mais je lui voyais prendre un autre cours que je dirigeais de mon mieux sur des objets utiles, afin qu'elle portât son remède avec elle. Maman aimait naturellement la campagne, et ce goût ne s'attiédissait pas avec moi. Peu à peu elle prit celui des soins champêtres; elle aimait à faire valoir les terres; et elle avait sur cela des connaissances[a] dont elle faisait usage avec plaisir. Non contente de ce qui dépendait de la maison qu'elle avait prise, elle louait tantôt un champ, tantôt un pré. Enfin, portant son humeur entreprenante sur des objets d'agriculture, au lieu de rester oisive dans sa maison, elle prenait le train de devenir bientôt une grosse fermière[2]. Je n'aimais pas trop à la voir ainsi s'étendre,

1. On remarquera la syntaxe très libre de la phrase « avec les fleurs du bouquet que, chemin faisant, je lui avais ramassé, elle me fit remarquer dans leur structure... » Les grammairiens considèrent Rousseau comme un écrivain sacrifiant au besoin la correction à l'expressivité. — Cette excursion se place vraisemblablement lors d'un des premiers séjours aux Charmettes puisque les promeneurs ne connaissaient pas encore la pente opposée du vallon. Courtois la date du 25 août (saint Louis) 1736. — La « vision prophétique » dont cette promenade est l'accomplissement a été exposée au livre III (p. 118 et n. 1).

2. Ces activités agricoles de M[me] de Warens (achat de bétail, etc.) suivent l'installation définitive aux Charmettes : voir livre V, p. 258,

et je m'y opposais tant que je pouvais, bien sûr qu'elle serait toujours trompée, et que son humeur libérale et prodigue porterait toujours la dépense au delà du produit. Toutefois je me consolais en pensant que ce produit du moins ne serait pas nul, et lui aiderait à vivre. De toutes les entreprises qu'elle pouvait former, celle-là me paraissait la moins ruineuse, et, sans y envisager comme elle un objet de profit, j'y envisageais une occupation continuelle, qui la garantirait des mauvaises affaires et des escrocs. Dans cette idée je désirais ardemment de recouvrer autant de force et de santé qu'il m'en fallait pour veiller à ses affaires, pour être piqueur de ses ouvriers, ou son premier ouvrier, et naturellement l'exercice que cela me faisait faire, m'arrachant souvent à mes livres et me distraisant[1] sur mon état, devait le rendre meilleur.

L'hiver suivant, Barillot revenant d'Italie m'apporta quelques livres, entre autres le Bontempi et la *Cartella per musica* du P. Banchieri, qui me donnèrent du goût pour l'histoire de la musique et pour les recherches théoriques de ce bel art. Barillot resta quelque temps avec nous, et comme j'étais majeur depuis[a] plusieurs mois, il fut convenu que j'irais le printemps suivant à Genève redemander le bien de ma mère, ou du moins la part qui m'en revenait, en attendant qu'on sût ce que mon frère était devenu. Cela s'exécuta comme il avait été résolu. J'allai à Genève, mon père y vint de son côté[2]. Depuis longtemps il y revenait sans qu'on lui cherchât querelle, quoiqu'il n'eût jamais purgé son décret : mais comme on avait de l'estime pour son courage et du respect pour sa probité, on feignait d'avoir oublié son affaire, et les magistrats, occupés du grand projet qui éclata peu après, ne voulaient pas effaroucher

n. 1. M^me de Saussure a établi (*op. cit*, p. 371) que M^me de Warens exploita le domaine Revil depuis le printemps 1737, et les domaines Noëray et Revil simultanément — ce dernier par l'intermédiaire d'un métayer — en 1738. Ses ambitions de « grosse fermière » durent toutefois être ralenties par les difficultés financières (v. les documents publiés par R. A. Leigh en appendice du t. I de la *C. C.*).

1. Sur le provincialisme *distraisant,* voir livre I, p. 37, n. 1, et livre IV, p. 154.

2. Rousseau devint majeur à *vingt-cinq* ans, soit le 28 juin 1737. Malade alors (voir p. 252, n. 1) il dut partir pour Genève dès son rétablissement, et l'on a pu établir que le règlement de la succession avait été conclu le 31 juillet. Il ne pouvait donc pas, comme il le dit

avant le temps la bourgeoisie, en lui rappelant mal à propos leur ancienne partialité[1].

Je craignais qu'on ne me fît des difficultés sur mon changement de religion; l'on n'en fit aucune. Les lois de Genève sont à cet égard moins dures que celles de Berne, où quiconque change de religion perd non seulement son état, mais son bien. Le mien ne me fut donc pas disputé, mais se trouva, je ne sais comment, réduit à[a] fort peu de chose. Quoiqu'on fût à peu près sûr que mon frère était mort, on n'en avait[b] point de preuve juridique. Je manquais de titres suffisants pour réclamer sa part, et je la laissai sans regret pour aider à vivre à mon père qui en a joui tant qu'il a vécu. Sitôt que les formalités de justice furent faites et que j'eus reçu mon argent, j'en mis quelque partie en livres, et je volai porter le reste aux pieds de Maman[2]. Le cœur me battait de joie durant la route, et le moment où je déposai cet argent dans ses mains me fut mille fois plus doux que celui où il entra dans les miennes. Elle le reçut avec cette simplicité des belles âmes, qui, faisant ces choses-là sans effort, les voient sans admiration. Cet argent fut employé presque tout[c] entier à mon usage, et cela avec une égale simplicité. L'emploi en eût[d] exactement été le même s'il lui fût venu d'autre part.

Cependant ma santé ne se rétablissait point; je dépérissais au contraire à vue d'œil; j'étais pâle comme un mort et maigre comme un squelette : mes battements d'artères étaient terribles, mes palpitations plus fréquentes; j'étais continuellement oppressé, et ma faiblesse enfin devint telle que j'avais peine à me mouvoir; je ne pouvais presser le

ici, être « majeur depuis plusieurs mois », l'hiver précédant ce voyage (hiver 1736-1737).

1. Il est fait allusion aux troubles armés qui éclatèrent ce même été de 1737 à la suite d'une tension croissante entre le parti aristocratique et très francisé, dans les rangs duquel se recrutaient les magistrats, et la bourgeoisie de tendances républicaines et démocratiques, dont se réclame Rousseau dans ses phases d'hostilité à l'égard de la France. C'est alors qu'il assista à l'épisode de guerre civile relaté au livre V (p. 248 et n. 1).

2. Rousseau toucha 6 500 florins, soit environ 3 000 livres de France. L'héritage s'était trouvé réduit « à fort peu de chose » par les dettes du père, qui en avait l'usufruit jusqu'à la majorité de ses enfants; mais Rousseau, qui, dans les *Confessions,* tient à ne parler qu'en bien de son père, feint ici d'en ignorer la raison. Voir aussi p. 398.

pas sans étouffer, je ne pouvais me baisser sans avoir de
vertiges, je ne pouvais soulever le plus léger fardeau ; j'étais
réduit à l'inaction la plus tourmentante pour un homme
aussi remuant que moi. Il est certain qu'il se mêlait à tout
cela beaucoup de vapeurs. Les vapeurs sont les maladies
des gens heureux, c'était la mienne : les pleurs que je versais
souvent sans raison de pleurer, les frayeurs vives au bruit
d'une feuille ou d'un oiseau, l'inégalité d'humeur dans le
calme de la plus douce vie, tout cela marquait cet ennui
du bien-être qui fait pour ainsi dire extravaguer la sensi-
bilité[1]. Nous sommes si peu faits pour être heureux ici-bas,
qu'il faut nécessairement que l'âme ou le corps souffre
quand ils ne souffrent pas tous[a] les deux, et que le bon état
de l'un[b] fait presque toujours tort à l'autre. Quand j'aurais
pu jouir délicieusement de la vie, ma machine en décadence
m'en empêchait, sans qu'on pût dire où la cause du mal
avait son vrai siège. Dans la suite, malgré le déclin des ans,
et[c] des maux très réels et très graves, mon corps[d] semble
avoir repris des forces pour mieux sentir mes malheurs, et
maintenant que j'écris ceci, infirme et presque sexagénaire,
accablé de douleurs de toute espèce, je me sens pour souffrir
plus de vigueur et de vie que je n'en eus pour jouir à la
fleur de mon âge et dans le sein du plus vrai bonheur.

Pour m'achever, ayant fait entrer un peu de physiologie
dans mes lectures, je m'étais mis à étudier l'anatomie, et
passant en revue la multitude et le jeu des pièces qui compo-
saient ma machine, je m'attendais à[e] sentir détraquer tout
cela vingt fois le jour : loin d'être étonné de me trouver
mourant je l'étais que je pusse encore vivre, et je ne lisais
pas la description d'une maladie que je ne crusse être la
mienne. Je suis sûr que si je n'avais pas été malade, je le
serais devenu par cette fatale étude. Trouvant dans chaque
maladie des symptômes de la mienne, je croyais les avoir
toutes, et j'en gagnai par-dessus une plus cruelle encore
dont je m'étais cru délivré : la fantaisie de guérir ; c'en est
une difficile à éviter quand on se met à lire des livres de
médecine. A force de chercher, de réfléchir, de comparer,

1. Peu de temps avant sa mort accidentelle, Julie écrit de même
à Saint-Preux (*Nouvelle Héloïse,* VI, lett. VIII) : « Une langueur secrète
s'insinue au fond de mon cœur [...]; mon ami, je suis trop heureuse;
le bonheur m'ennuie. Concevez-vous quelque remède à ce dégoût
du bien-être ?... »

j'allai m'imaginer que la base de mon mal était un polype
au cœur, et Salomon lui-même parut frappé de cette idée.
Raisonnablement je devais partir de cette opinion pour me
confirmer dans ma résolution précédente. Je ne fis point
ainsi. Je tendis tous les ressorts de mon esprit pour chercher
comment on pouvait guérir d'un polype au cœur, résolu
d'entreprendre cette merveilleuse cure. Dans un voyage
qu'Anet avait fait à Montpellier, pour aller voir le Jardin
des Plantes et le démonstrateur, M. Sauvages, on lui avait
dit que M. Fizes avait guéri un pareil polype[1a]. Maman
s'en souvint et m'en parla. Il n'en fallut pas davantage pour
m'inspirer le désir d'aller consulter M. Fizes. L'espoir de
guérir me fait retrouver du courage et des forces pour entre-
prendre ce voyage. L'argent venu de Genève en fournit le
moyen. Maman, loin de m'en détourner, m'y[b] exhorte, et
me voilà parti pour Montpellier.

Je n'eus pas besoin d'aller si loin pour trouver le médecin
qu'il me fallait. Le cheval me fatiguant trop, j'avais pris
une chaise à Grenoble. A Moirans, cinq ou six chaises
arrivèrent à la file après la mienne. Pour le coup c'était
vraiment l'aventure des brancards[2]. La plupart de ces
chaises étaient le cortège d'une nouvelle mariée appelée
M[me] du Colombier[c]. Avec elle était une autre femme,
appelée M[me] de Larnage, moins jeune et moins belle que
M[me] du Colombier, mais non moins aimable, et qui de
Romans, où s'arrêtait celle-ci, devait poursuivre sa route
jusqu'au Bourg[d] Saint-Andéol, près le Pont du Saint-
Esprit. Avec la timidité qu'on me connaît, on s'attend que
la connaissance ne fût pas sitôt faite avec des femmes
brillantes et la suite qui les entourait; mais enfin, suivant
la même route, logeant dans les mêmes auberges, et, sous
peine de passer pour un loup-garou, forcé de me présenter
à la même table, il fallait bien que cette connaissance se fît.
Elle se fit donc, et même plus tôt que je n'aurais voulu[e];
car tout ce fracas ne[f] convenait guère à un malade, et surtout
à un malade de mon humeur. Mais la curiosité rend ces
coquines de femmes si insinuantes, que pour parvenir à

1. Voyage sans doute en relation avec le projet caressé par
M[me] de Warens d'établir à Chambéry un Jardin des plantes : voir
livre V, p. 233. — Sur Sauvages et Fizes, voir *Index*.
2. Sur « l'aventure des brancards » dans Scarron, voir livre IV,
p. 155 et n. 1.

connaître un homme, elles commencent par lui faire tourner
la tête. Ainsi arriva de moi. M^me du Colombier, trop
entourée de ses jeunes roquets, n'avait guère le temps de
m'agacer, et d'ailleurs ce n'en était pas la peine, puisque
nous allions nous quitter; mais M^me de Larnage, moins
obsédée, avait des provisions à faire pour^a sa route. Voilà
M^me de Larnage qui m'entreprend, et adieu le pauvre
Jean-Jacques, ou plutôt adieu la fièvre, les vapeurs, le
polype; tout part auprès d'elle, hors certaines palpitations
qui me restèrent et dont elle ne voulait pas me guérir. Le
mauvais état de ma santé fut le premier texte de notre
connaissance. On voyait que j'étais malade, on savait que
j'allais à Montpellier, et il faut que mon air et mes manières
n'annonçassent pas un débauché, car il fut clair dans la
suite qu'on ne m'avait pas soupçonné^b d'aller y faire un
tour de casserole[1]. Quoique l'état de maladie ne soit pas
pour un homme une grande recommandation près des
dames, il me rendit toutefois intéressant pour celles-ci.
Le matin elles envoyaient savoir de mes nouvelles et
m'inviter à prendre le chocolat avec elles; elles s'informaient
comment j'avais passé la nuit. Une fois, selon ma louable
coutume de parler sans penser, je répondis que je ne savais
pas. Cette réponse leur fit croire que j'étais fou; elles
m'examinèrent davantage, et cet examen ne me nuisit pas.
J'entendis une fois M^me du Colombier dire à son amie :
Il manque de monde, mais il est aimable. Ce mot me rassura
beaucoup, et fit que je le devins en effet.

En se familiarisant, il fallait parler de soi, dire^c d'où
l'on venait, qui l'on était. Cela m'embarrassait; car je
sentais très bien que, parmi la bonne compagnie, et avec
des femmes galantes, ce mot de nouveau converti m'allait
tuer. Je ne sais par quelle bizarrerie je m'avisai de passer
pour Anglais, je me donnai pour Jacobite, on me prit pour
tel; je m'appelai Dudding, et l'on m'appela M. Dudding.
Un maudit marquis de Torignan qui était là, malade ainsi
que moi, vieux au par-dessus et d'assez mauvaise humeur,
s'avisa de lier conversation avec M. Dudding. Il me parla
du roi Jacques, du prétendant, de l'ancienne cour de Saint-
Germain. J'étais sur les épines : je ne savais de tout cela
que le peu que j'en avais lu dans le comte Hamilton et dans

1. *Faire un tour de casserole* : « subir un traitement antivénérien »
(Littré).

les gazettes; cependant je fis de ce peu si bon usage que je me tirai d'affaire : heureux qu'on ne se fût pas avisé de me questionner sur la langue anglaise, dont je ne savais pas un seul mot[1].

Toute la compagnie se convenait et voyait à regret le moment de se quitter. Nous faisions des journées de limaçon. Nous nous trouvâmes un dimanche à Saint-Marcellin. M^me de Larnage voulut aller à la messe, j'y fus avec elle[a] : cela faillit à gâter[b] mes affaires. Je me comportai comme j'ai toujours fait[c]. Sur ma contenance modeste et recueillie elle me crut dévot, et prit de moi la plus mauvaise opinion du monde, comme elle me l'avoua deux jours après. Il me fallut ensuite beaucoup de galanterie pour effacer cette mauvaise impression; ou plutôt M^me de Larnage, en femme d'expérience et qui ne se rebutait pas aisément, voulut bien courir les risques de ses avances pour voir comment je m'en tirerais. Elle m'en fit beaucoup et de telles, que bien éloigné de présumer de ma figure, je crus qu'elle se moquait de moi. Sur cette folie il n'y eut sorte de bêtises que je ne fisse; c'était pis que le marquis du Legs[2]. M^me de Larnage tint bon, me fit tant d'agaceries

1. Depuis la révolution anglaise de 1688 les *Jacobites,* ou partisans du roi exilé Jacques II Stuart, jouent un rôle important dans la politique anglaise, voire européenne. Ils constituent sur le continent des foyers d'intrigue, où les Écossais et Irlandais catholiques sont particulièrement actifs. Après 1715, le prétendant Stuart, fils de Jacques II, est chassé de Saint-Germain par un accord franco-britannique et transporte sa cour à Rome. Avignon, en terre pontificale, constitue dès lors un commode relais sur la route de Rome; de nombreux Jacobites s'y établissent, ainsi qu'à Montpellier. La présence d'un voyageur jacobite sur la route d'Avignon et de Montpellier est donc à cette date chose courante (voir J. Voisine, « Les Anglais en Provence au XVIII^e siècle », *R.L.C.,* janv.-mars 1956). Comment les compagnons de voyage de Rousseau ne s'étonnèrent-ils pas de ne pas lui trouver une trace d'accent anglais ? La chose pouvait paraître moins surprenante à l'époque, vu la profonde culture française de la bonne société britannique du temps (surtout les exilés de Saint-Germain et leurs descendants immédiats) et l'ignorance générale de la langue anglaise chez les Français d'avant 1740, où Prévost et Voltaire sont de remarquables exceptions.

2. Dans *Le Legs,* comédie en un acte et en prose de Marivaux (1736), le Marquis doit recevoir en héritage 600 000 F, à condition d'épouser Hortense, pour qui il n'a pas d'inclination, ou de lui en donner le tiers. Le comique vient des hésitations et de la timidité du Marquis, « homme

et me dit des choses si tendres, qu'un homme beaucoup moins sot eût eu bien de la peine à prendre tout cela sérieusement. Plus elle en faisait, plus elle me confirmait dans mon idée, et ce qui me tourmentait davantage était qu'à bon compte je me prenais d'amour[a] tout de bon. Je me disais, et je lui disais en soupirant : Ah ! que tout cela n'est-il vrai ! je serais le plus heureux des hommes. Je crois que ma simplicité de novice ne fit qu'irriter sa fantaisie; elle n'en voulut pas avoir le démenti.

Nous avions laissé à Romans Mme du Colombier et sa suite. Nous continuions notre route le plus lentement et le plus agréablement du monde, Mme de Larnage, le marquis de Torignan et moi[b]. Le marquis, quoique malade et grondeur, était un assez bon homme, mais qui n'aimait pas trop à manger son pain à la fumée du rôti. Mme de Larnage cachait si peu le goût qu'elle avait pour moi, qu'il s'en aperçut plus tôt que moi-même; et ses sarcasmes malins auraient dû me donner au moins la confiance que je n'osais prendre aux bontés de la dame, si, par un travers d'esprit dont moi seul étais capable, je ne m'étais imaginé qu'ils s'entendaient pour me persifler. Cette sotte idée acheva de me renverser la tête, et me fit faire le plus plat personnage dans une situation où mon cœur, étant réellement pris, m'en pouvait dicter un assez brillant. Je ne conçois pas comment Mme de Larnage ne se rebuta pas de ma maussaderie, et ne me congédia pas avec le dernier mépris. Mais c'était une femme d'esprit qui savait discerner son monde, et qui voyait bien qu'il y avait plus de bêtise que de tiédeur dans mes procédés.

Elle parvint enfin à se faire entendre, et ce ne fut pas sans peine. A Valence, nous étions arrivés pour dîner, et, selon notre louable coutume, nous y passâmes le reste du jour. Nous étions logés hors de la ville, à Saint-Jacques; je me souviendrai toujours de cette auberge, ainsi que de

doux, paisible, aisé à conduire », qui, séjournant avec Hortense chez une Comtesse qui l'aime et dont il est aimé, n'arrive pas à se déclarer pour l'une ou pour l'autre. « Depuis deux mois que nous sommes à cette campagne chez la Comtesse, il ne me dit rien », constate Hortense, tandis que la Comtesse déclare : « Je suis quelquefois, par impatience, tentée de lui dire que je l'aime, pour lui montrer qu'il n'est qu'un idiot ». Le Marquis finira par se convaincre que la Comtesse veut bien de lui, et par donner à Hortense les 200 000 F.

la chambre que M^me de Larnage y occupait. Après le dîner elle voulut se promener : elle savait que[a] M. de Torignan n'était pas allant; c'était le moyen de se ménager un tête-à-tête dont elle avait bien résolu de tirer parti, car il n'y avait plus de temps à perdre pour en avoir à mettre à profit. Nous nous promenions autour de la ville le long des fossés. Là je repris la longue histoire de mes complaintes, auxquelles elle répondait[b] d'un ton si tendre, me pressant quelquefois contre son cœur le bras qu'elle tenait, qu'il fallait une stupidité pareille à la mienne pour m'empêcher de vérifier si elle parlait sérieusement. Ce qu'il y avait d'impayable était que j'étais moi-même excessivement ému. J'ai dit qu'elle était aimable : l'amour la rendait charmante; il lui rendait tout l'éclat de la première jeunesse, et elle ménageait ses agaceries avec tant d'art, qu'elle aurait séduit un homme à l'épreuve. J'étais donc fort mal à mon aise et toujours sur le point de m'émanciper; mais la crainte d'offenser ou de déplaire, la frayeur plus grande encore d'être hué, sifflé, berné, de fournir une histoire à table, et d'être complimenté sur mes entreprises par l'impitoyable Torignan, me retinrent au point d'être indigné moi-même de ma sotte honte, et de ne la pouvoir vaincre en me la reprochant. J'étais au supplice : j'avais déjà quitté mes propos de Céladon[1], dont je sentais tout le ridicule en si beau chemin : ne sachant plus quelle contenance tenir ni que dire, je me taisais; j'avais l'air boudeur, enfin je faisais tout ce qu'il fallait pour m'attirer le traitement que j'avais redouté. Heureusement M^me de Larnage prit un parti plus humain. Elle interrompit[c] brusquement ce silence en passant un bras autour de mon cou, et dans l'instant sa bouche parla trop clairement sur la mienne pour me laisser mon erreur. La crise ne pouvait se faire plus à propos. Je devins aimable. Il en était temps. Elle m'avait donné cette confiance dont le défaut m'a[d] presque toujours empêché d'être moi. Je le fus alors. Jamais mes yeux, mes sens, mon cœur et ma bouche n'ont si bien parlé; jamais je n'ai si pleinement réparé mes torts; et si cette petite conquête

1. Le roman de d'Urfé, *l'Astrée,* dont Céladon est un des héros, était sans doute un de ceux que lisait avec son père Jean-Jacques enfant; il figurait en effet dans la bibliothèque de l'arrière-grand-père Samuel Bernard. Sur le goût durable de Rousseau pour *l'Astrée,* voir *supra,* livre IV, p. 186 et n. 1.

avait coûté des soins à M^{me} de Larnage, j'eus lieu de croire qu'elle n'y avait pas regret.

Quand je vivrais cent ans, je ne me rappellerais jamais sans plaisir le souvenir de cette charmante femme. Je dis charmante, quoiqu'elle ne fût ni belle ni jeune; mais n'étant non plus ni laide ni vieille, elle n'avait rien dans sa figure qui empêchât son esprit et ses grâces de faire tout leur effet. Tout au contraire des autres femmes, ce qu'elle avait de moins frais était le visage, et je crois que le rouge le lui avait gâté. Elle avait ses raisons pour être facile, c'était le moyen de valoir tout son prix. On pouvait la voir sans l'aimer, mais non pas la posséder sans l'adorer. Et cela prouve, ce me semble, qu'elle n'était pas toujours aussi prodigue de ses bontés qu'elle le fut avec moi. Elle s'était prise d'un goût trop prompt et trop vif pour être excusable, mais où le cœur entrait du moins autant que les sens; et durant le temps court et délicieux que je passai auprès d'elle j'eus lieu de croire, aux ménagements forcés qu'elle m'imposait, que, quoique sensuelle et voluptueuse, elle aimait encore mieux ma santé que ses plaisirs.

Notre intelligence n'échappa pas au marquis de Torignan. Il n'en tirait pas moins sur moi; au contraire, il me traitait plus que jamais en pauvre amoureux transi, martyr des rigueurs de sa dame. Il ne lui échappa jamais un mot, un sourire, un regard qui pût me faire soupçonner qu'il nous eût devinés, et je l'aurais cru notre dupe, si M^{me} de Larnage, qui voyait mieux que moi, ne m'eût dit qu'il ne l'était pas, mais qu'il était galant homme; et en effet on ne saurait avoir des intentions plus honnêtes, ni se comporter plus poliment qu'il fit toujours, même envers moi, sauf ses plaisanteries, surtout depuis mon succès. Il m'en attribuait l'honneur peut-être, et me supposait moins sot que je ne l'avais paru. Il se trompait, comme on a vu : mais n'importe, je profitais de son erreur, et il est vrai qu'alors les rieurs étant pour moi, je prêtais le flanc de bon cœur et d'assez bonne grâce à ses^a épigrammes, et j'y ripostais^b quelquefois, même assez heureusement, tout fier de me faire honneur auprès de M^{me} de Larnage de l'esprit qu'elle m'avait donné. Je n'étais plus le même homme.

Nous étions dans un pays et dans une saison de bonne chère; nous la faisions partout excellente, grâce aux bons soins de M. de Torignan. Je me serais pourtant passé qu'il

les étendît jusqu'à nos chambres, mais il envoyait devant son laquais pour les retenir, et le coquin, soit de son chef, soit par l'ordre de son maître, le logeait toujours à côté de M^me de Larnage, et me fourrait à l'autre bout de la maison. Mais cela ne m'embarrassait guère, et nos rendez-vous n'en étaient que plus piquants. Cette vie délicieuse dura quatre ou cinq jours, pendant lesquels je me gorgeai, je m'enivrai des plus douces voluptés. Je les goûtai pures, vives, sans aucun mélange de peine : ce sont les premières et les seules que j'aie ainsi goûtées, et je puis dire que je dois à M^me de Larnage de ne pas mourir sans avoir connu le plaisir.

Si ce que je sentais pour elle n'était pas précisément de l'amour, c'était du moins un retour si tendre pour celui qu'elle me témoignait, c'était une sensualité si brûlante dans le plaisir, et une intimité si douce dans les entretiens, qu'elle avait tout le charme de la passion sans en avoir le délire qui tourne la tête et fait qu'on ne sait pas jouir. Je n'ai senti l'amour vrai qu'une seule fois en ma vie, et ce ne fut pas auprès d'elle. Je ne l'aimais pas non plus comme j'avais aimé et comme j'aimais M^me de Warens; mais c'était pour cela même que je la possédais cent fois mieux. Près de Maman mon plaisir était toujours troublé par un sentiment de tristesse, par un secret serrement de cœur que je^a ne surmontais pas sans peine; au lieu de me féliciter de la posséder, je me reprochais de l'avilir. Près de M^me de Larnage, au contraire, fier d'être homme et d'être heureux, je me livrais à mes sens avec joie, avec confiance : je partageais l'impression que je faisais sur les siens : j'étais assez à moi pour contempler avec autant de vanité que de volupté mon triomphe et pour tirer de là de quoi le redoubler.

Je ne me souviens pas de l'endroit où nous quitta le marquis de Torignan, qui était du pays, mais nous nous trouvâmes seuls avant d'arriver à Montélimar, et dès lors M^me de Larnage établit sa femme de chambre dans ma chaise et je passai dans la sienne avec elle. Je puis assurer que la route ne nous ennuyait pas de cette manière, et j'aurais eu bien de la peine à dire comment le pays que nous parcourions était fait. A Montélimar, elle eut des affaires qui l'y retinrent trois jours, durant lesquels elle ne me quitta pourtant qu'un quart d'heure pour une visite qui lui attira des importunités désolantes et des invitations qu'elle n'eut garde d'accepter. Elle prétexta des incommodités,

qui ne nous empêchèrent pourtant pas d'aller nous promener tous les[a] jours tête-à-tête dans le plus beau pays et sous le plus beau ciel du monde. Oh ! ces trois jours ! j'ai dû les regretter quelquefois, il n'en est plus revenu de semblables.

Des amours de voyage ne sont pas faits pour durer. Il fallut nous séparer, et j'avoue qu'il en était temps, non que je fusse rassasié ni prêt à l'être, je m'attachais chaque jour davantage; mais, malgré toute la discrétion de la dame, il ne me restait guère que[b] la bonne volonté, et avant de nous séparer, je voulus jouir de ce reste, ce qu'elle endura par précaution contre les filles de Montpellier. Nous donnâmes le change à nos regrets par des projets pour notre réunion. Il fut décidé que, puisque ce régime me faisait du bien, j'en userais et que j'irais passer l'hiver au Bourg Saint-Andéol, sous la direction de M[me] de Larnage. Je devais seulement rester à Montpellier cinq ou six semaines, pour lui laisser le temps de préparer les choses de manière à prévenir les caquets. Elle me donna d'amples instructions sur ce que je devais savoir, sur ce que je devais dire, sur la manière dont je devais me comporter. En attendant nous devions nous écrire. Elle me parla beaucoup et sérieusement du soin de ma santé; m'exhorta de consulter d'habiles gens, d'être[c] très attentif à tout ce qu'ils me prescriraient, et se chargea, quelque sévère que pût être leur ordonnance, de me la faire exécuter tandis que je serais auprès d'elle. Je crois qu'elle parlait sincèrement, car elle m'aimait : elle m'en donna mille preuves plus sûres que des faveurs. Elle jugea par mon équipage que je ne nageais pas dans l'opulence; quoiqu'elle ne fût pas riche elle-même, elle voulut, à notre séparation, me forcer de partager sa bourse, qu'elle apportait de Grenoble assez bien garnie, et j'eus beaucoup de peine à m'en défendre. Enfin je la quittai le cœur tout plein d'elle, et lui laissant, ce me semble, un véritable attachement pour moi.

J'achevai ma route en la recommençant dans mes souvenirs, et pour le coup très content d'être dans une bonne chaise pour y rêver plus à mon aise aux plaisirs que[d] j'avais goûtés et à ceux qui[e] m'étaient promis. Je ne pensais qu'au Bourg Saint-Andéol et à la charmante vie qui m'y attendait; je ne voyais que M[me] de Larnage et ses entours : tout le reste de l'univers n'était rien pour moi, Maman

même était oubliée. Je m'occupais à combiner dans ma tête
tous les détails dans lesquels M^me de Larnage était entrée,
pour me faire d'avance une idée de sa demeure, de son
voisinage, de ses sociétés, de toute sa manière de vivre.
Elle avait une fille dont elle m'avait parlé^a très souvent
en mère idolâtre. Cette fille avait quinze ans passés; elle
était vive, charmante et d'un caractère aimable. On m'avait
promis que j'en serais caressé : je n'avais pas oublié cette
promesse, et j'étais fort curieux d'imaginer comment
Mademoiselle de Larnage traiterait le bon ami de sa maman.
Tels furent les sujets de mes rêveries depuis le Pont-Saint-
Esprit jusqu'à Remoulin. On m'avait dit d'aller voir le
Pont du Gard; je n'y manquai pas. Après un déjeuner
d'excellentes figues, je pris un guide, et j'allai voir le Pont
du Gard. C'était le premier ouvrage des Romains que
j'eusse vu. Je m'attendais à voir un monument digne des
mains qui l'avaient construit. Pour le coup l'objet passa
mon attente; et ce fut la seule fois en ma vie[1]. Il n'appar-
tenait qu'aux Romains de produire cet effet. L'aspect de
ce simple et noble ouvrage me frappa d'autant plus qu'il
est au milieu d'un désert où le silence et la solitude rendent
l'objet plus frappant et l'admiration plus vive, car
ce^b prétendu pont n'était qu'un aqueduc. On se demande
quelle force a transporté ces pierres énormes si loin
de toute carrière, et a réuni les bras de tant de milliers
d'hommes dans un lieu où il n'en habite aucun. Je parcou-
rus les trois étages de ce superbe édifice, que le respect
m'empêchait presque d'oser fouler sous mes pieds. Le
retentissement de mes pas sous ces^c immenses voûtes me
faisait croire entendre la forte voix de ceux qui les avaient
bâties. Je me perdais comme un insecte dans cette immen-
sité. Je sentais, tout en me faisant petit, je ne sais quoi qui
m'élevait l'âme, et je me disais en soupirant : Que ne suis-je
né Romain ! Je restai là plusieurs heures dans une contem-
plation ravissante. Je m'en revins distrait^d et rêveur, et
cette rêverie ne fut pas favorable à M^me de Larnage. Elle
avait bien songé à me prémunir contre les filles de Mont-
pellier, mais non pas contre le Pont du Gard. On ne s'avise
jamais de tout.

1. Cette réflexion est expliquée par ce que dit Rousseau au livre IV,
à propos de son arrivée à Paris, des effets de son imagination (pp. 179-
180).

A Nîmes, j'allai voir les Arènes. C'est un ouvrage beaucoup plus magnifique que le Pont du Gard, et qui me fit beaucoup moins d'impression, soit que mon admiration se fût épuisée sur le premier objet, soit que la situation de l'autre au milieu d'une ville fût moins propre à l'exciter. Ce vaste et superbe cirque est entouré de vilaines petites maisons, et d'autres maisons plus petites et plus vilaines encore en remplissent l'arène, de sorte que le tout ne produit qu'un effet disparate et confus où le regret et l'indignation étouffent le plaisir et la surprise. J'ai vu depuis le cirque de Vérone, infiniment plus petit et moins ᵃ beau que celui de Nîmes, mais entretenu et conservé avec toute la décence et la propreté possibles, et qui par cela même me fit une impression plus forte et plus agréable. Les Français n'ont soin de rien et ne respectent aucun monument. Ils sont tout feu pour entreprendre et ne savent rien finir ni rien conserver.

J'étais changé à tel point, et ma sensualité mise en exercice s'était si bien éveillée, que je m'arrêtai un jour au Pont de Lunel pour y faire bonne chère avec de la compagnie qui s'y trouva. Ce cabaret, le plus estimé de l'Europe, méritait alors de l'être[1]. Ceux qui le tenaient avaient su tirer parti de son heureuse situation pour le tenir abondamment approvisionné et avec choix. C'était réellement une chose curieuse de trouver dans une maison seule et isolée au milieu de la campagne une table fournie en poisson de mer et d'eau douce, en gibier excellent, en vins fins, servie avec ces attentions et ces soins qu'on ne trouve que chez les grands et les riches, et tout cela pour vos trente-cinq sols. Mais le Pont de Lunel ne resta pas longtemps sur ce pied, et à force d'user sa réputation, la perdit enfin tout à fait.

J'avais oublié, durant ma route, que j'étais malade;

1. Lunel est entre Nîmes et Montpellier. Cf. le souvenir de voyage rapporté par Rousseau à Bernardin de Saint-Pierre, et publié *op. cit.* p. 52 :

« Un jour que j'étais dans le carrosse de Montpellier, quelques lieues avant d'arriver, on nous servit à l'auberge un dîner excellent en gibier, en poisson et en fruits; nous crûmes qu'il nous en coûterait beaucoup; on nous demanda 30 s. par tête. Le bon marché, la société qui se convenait, la beauté du paysage et de la saison me firent prendre le parti de laisser aller le carrosse. Nous restâmes là trois jours, à nous réjouir. Je n'ai jamais fait meilleure chère. »

e m'en souvins en arrivant à Montpellier. Mes vapeurs étaient bien guéries, mais tous mes autres maux me restaient et quoique l'habitude m'y rendît moins sensible, c'en serait assez pour se croire mort à qui s'en trouverait attaqué tout d'un coup. En effet, ils étaient moins douloureux qu'effrayants, et faisaient plus souffrir l'esprit que le corps dont ils semblaient annoncer la destruction. Cela faisait que, distrait par des passions vives, je ne songeais plus à mon état; mais comme il n'était pas imaginaire, je le sentais sitôt que j'étais de sang-froid. Je songeai donc sérieusement aux conseils de M^me de Larnage et au but de mon voyage. J'allai consulter les praticiens les plus illustres, surtout M. Fizes, et, pour surabondance de précaution, je me mis en pension chez un médecin[1]. C'était un Irlandais appelé Fitz-Moris, qui tenait une table assez nombreuse d'étudiants en médecine, et il y avait cela de commode pour un malade à s'y mettre, que M. Fitz-Moris se contentait d'une pension honnête pour la nourriture, et ne prenait rien de ses pensionnaires pour ses soins comme médecin. Il se chargea de l'exécution des ordonnances de M. Fizes, et de veiller sur ma santé. Il s'acquitta fort bien de cet emploi quant au régime; on ne gagnait pas d'indigestion à cette pension-là, et, quoique je ne sois pas fort sensible aux privations de cette espèce, les objets de comparaison étaient si proches, que je ne pouvais m'empêcher de trouver quelquefois en moi-même que M. de Torignan était un meilleur pourvoyeur que M. Fitz-Moris. Cependant, comme on ne mourait pas de faim non plus, et que toute cette jeunesse était fort gaie, cette manière de vivre me fit du bien réellement, et m'empêcha de retomber dans mes langueurs. Je passais la matinée à prendre des drogues, surtout je ne sais quelles eaux, je crois les eaux de Vals[2], et à écrire à M^me de Lar-

1. Les lettres écrites de Montpellier par Rousseau — sévères sur la ville et la région — font état d'autres adresses (*C. C.*, I, 51-64). C'est sans doute après le décès de son hôte, mentionné dans la lettre du 4 novembre, qu'il s'installe chez Fitz-Moris (voir *Index*).

2. Des recherches qu'a bien voulu faire pour moi le D^r F.-L. Mars sur la consommation des eaux de Vals (Ardèche) au xviii^e siècle, j'extrais les détails qui éclairent le traitement suivi par Rousseau :

Ces eaux, renommées pour leurs vertus curatives au moins depuis le début du xvii^e siècle, étaient couramment expédiées en bouteilles au xviii^e, mais se vendaient très cher : la bouteille de 4 pintes coûtait

nage; car la correspondance allait son train, et Rousseau se
chargeait de retirer les lettres de son ami Dudding. A midi,
j'allais faire un tour à la Canourgue, avec quelqu'un de
nos jeunes commensaux, qui tous étaient de très bons
enfants; on se rassemblait, on allait dîner. Après dîner une
importante affaire occupait[a] la plupart d'entre nous
jusqu'au soir, c'était d'aller hors de la ville jouer le goûter
en deux ou trois parties de mail. Je ne jouais pas, je n'en
avais ni la force ni l'adresse; mais je pariais, et suivant,
avec l'intérêt du pari, nos joueurs et leurs boules à travers
des chemins raboteux et pleins de pierres, je faisais un
exercice[b] agréable et salutaire qui me convenait tout à
fait. On goûtait dans un cabaret hors la ville. Je n'ai pas
besoin de dire que ces goûters étaient gais; mais j'ajouterai
qu'ils étaient assez décents, quoique les filles du cabaret
fussent jolies. M. Fitz-Moris, grand joueur de mail, était
notre président, et je puis dire, malgré la mauvaise répu-
tation des étudiants, que je trouvai plus de mœurs et d'hon-
nêteté parmi toute cette jeunesse qu'il ne serait aisé d'en
trouver dans le même nombre d'hommes faits. Ils étaient
plus bruyants que crapuleux[c], plus gais que libertins, et
je me monte si aisément à un train de vie quand il est
volontaire, que je n'aurais pas mieux demandé que de voir
durer celui-là toujours. Il y avait parmi ces étudiants[d]
plusieurs Irlandais avec lesquels je tâchais d'apprendre
quelques mots d'anglais par précaution pour le Bourg-
Saint-Andéol, car le temps approchait de m'y rendre.
Mme de Larnage m'en pressait chaque ordinaire, et je me
préparais à lui obéir. Il était clair que mes médecins, qui
n'avaient rien compris à mon mal, me regardaient comme
un malade imaginaire, et me traitaient sur ce pied avec
leur squine[1], leurs eaux, et leur petit lait. Tout au contraire

à Paris, en 1770, 12 livres, contre 6 pour celle de Vichy. A Montpellier,
le médecin François Chicoyneau détenait depuis 1732, et conserva
jusqu'à sa mort en 1752, la surintendance des eaux minérales pour
tout le royaume; il avait probablement un intérêt personnel dans la
ferme des eaux de Vals et dut pousser à leur consommation dans sa
ville (voir *Revue d'Histoire de la Pharmacie,* Paris, janv.-mars 1960,
n° 164, pp. 296-298; A. Le Sourd, « La vie de famille en Vivarais
au xviiie siècle », *Revue du Vivarais,* t. XL, 1933, et XLI, 1934).
 1. Les dictionnaires du temps mentionnent une plante de l'Orient
(Chine ?) appelée *squine* ayant pour effet de purifier le sang. Bernardin

des théologiens, les médecins et les philosophes n'admet-
tent pour vrai que ce qu'ils peuvent expliquer, et font de
leur intelligence la mesure des possibles. Ces messieurs
ne connaissaient rien à mon mal, donc je n'étais pas malade :
car comment supposer que des docteurs ne sussent pas
tout ? Je vis qu'ils ne cherchaient qu'à m'amuser et me
faire manger mon argent, et jugeant que leur substitut du
Bourg-Saint-Andéol ferait cela tout aussi bien qu'eux,
mais plus agréablement, je[a] résolus de lui donner la préfé-
rence, et je quittai Montpellier dans cette sage[b] intention.

Je partis vers la fin de novembre, après six semaines
ou deux mois de séjour dans cette ville[1], où je laissai une
douzaine de louis sans aucun profit pour ma santé ni pour
mon instruction, si ce n'est un cours d'anatomie commencé
sous M. Fitz-Moris, et que je fus obligé d'abandonner par
l'horrible puanteur des cadavres qu'on disséquait[c], et qu'il
me fut impossible de supporter.

Mal à mon aise au dedans de moi sur la résolution que
j'avais prise, j'y réfléchissais en[d] m'avançant toujours
vers le Pont-Saint-Esprit, qui était également la route
du Bourg-Saint-Andéol et de Chambéry. Les souvenirs
de Maman, et[e] ses lettres, quoique moins fréquentes que
celles de M[me] de Larnage, réveillaient dans mon cœur
des remords que j'avais étouffés[f] durant ma première route.
Ils devinrent si vifs au retour, que, balançant l'amour du
plaisir, ils me mirent en état d'écouter la raison seule.
D'abord, dans le rôle d'aventurier que j'allais recommen-
cer, je pouvais être moins heureux que la première fois; il
ne fallait, dans tout le Bourg-Saint-Andéol, qu'une seule
personne qui eût été en Angleterre, qui connût les Anglais[g],
ou qui sût leur langue, pour me démasquer. La famille
de M[me] de Larnage pouvait se prendre de mauvaise humeur

de Saint-Pierre, *Voyage à l'Ile de France,* 1773, t. I, p. 207, en men-
tionne une autre qu'il distingue de celle de Chine, et qu'il présente
comme « un gramen de la grandeur des beaux seigles », vert cinq mois
de l'année en l'Ile de France (Ile Maurice), parasite qui étouffe les autres
herbes et qu'on détruit par le feu. Il ne mentionne pas ses propriétés.

1. Arrivé vraisemblablement le 22 septembre, Rousseau est encore
à Montpellier le 4 décembre et annonce dans une lettre de cette date
à M[me] de Warens (*C. C.,* I, 63) son intention d'y rester jusqu'en
février. La date de son départ et celle de son arrivée à Chambéry
« exactement à l'heure » ne sont pas connues (février 1738?).

contre moi et me traiter peu honnêtement. Sa fille, à laquelle malgré moi je pensais plus qu'il n'eût fallu, m'inquiétait encore : je tremblais d'en devenir amoureux, et cette peur faisait déjà la moitié de l'ouvrage. Allais-je donc, pour prix des bontés de la mère, chercher à corrompre[a] sa fille, à lier le plus détestable commerce, à mettre la dissension[b], le déshonneur, le scandale et l'enfer dans sa maison? Cette idée me fit horreur; je pris bien la ferme résolution de me combattre et de me vaincre si ce malheureux penchant venait à se déclarer. Mais pourquoi m'exposer à ce combat ? Quel misérable état de vivre avec la mère, dont je serais rassasié, et de brûler pour la fille sans oser lui montrer mon cœur ! Quelle nécessité d'aller chercher cet état, et m'exposer aux malheurs, aux affronts, aux remords, pour des plaisirs dont j'avais d'avance épuisé le plus grand charme ? Car il est certain que ma fantaisie avait perdu sa première vivacité; le goût du plaisir y était encore, mais la passion n'y était plus. A cela se mêlaient des réflexions relatives à ma situation, à mes devoirs, à cette Maman si bonne, si généreuse, qui, déjà chargée de dettes, l'était encore de mes folles dépenses, qui s'épuisait pour moi, et que je trompais si indignement. Ce reproche devint si vif qu'il l'emporta à la fin. En approchant du Saint-Esprit, je pris la résolution de brûler l'étape du Bourg-Saint-Andéol, et de passer tout droit[c]. Je l'exécutai courageusement, avec quelques soupirs, je l'avoue, mais aussi avec cette satisfaction intérieure, que je goûtais pour la première fois de ma vie, de me dire: Je mérite ma propre estime : je sais préférer mon devoir à mon plaisir. Voilà la première obligation[d] véritable que j'aie à l'étude. C'était elle qui m'avait appris à réfléchir, à comparer. Après les principes si purs que j'avais adoptés il y avait peu de temps, après les règles de sagesse et de vertu que je m'étais faites et que je m'étais senti si fier de suivre, la honte d'être si peu conséquent à moi-même, de démentir si tôt et si haut mes propres maximes, l'emporta sur la volupté. L'orgueil eut peut-être autant de part à ma résolution que la vertu; mais si cet orgueil n'est pas la vertu même, il a des effets si semblables, qu'il est pardonnable de s'y tromper.

L'un des avantages des bonnes actions est d'élever l'âme et de la disposer à en faire de meilleures : car telle est la faiblesse humaine, qu'on doit mettre au nombre des bonnes actions l'abstinence du mal qu'on est tenté de com-

mettre. Sitôt que j'eus pris ma résolution je devins un autre homme, ou plutôt je redevins celui que j'étais auparavant, et que ce moment d'ivresse avait fait disparaître. Plein de bons sentiments et de bonnes résolutions, je continuai ma route dans la[a] bonne intention d'expier[b] ma faute, ne pensant qu'à[c] régler désormais ma conduite sur les lois de la vertu, à me consacrer sans réserve au service de la meilleure des mères, à lui vouer autant de fidélité que j'avais d'attachement pour elle, et à n'écouter plus d'autre amour que celui de mes devoirs. Hélas ! la sincérité de mon retour au bien semblait me promettre une autre destinée; mais la mienne était écrite et déjà commencée et quand mon cœur, plein d'amour pour les choses bonnes et honnêtes, ne voyait plus qu'innocence et bonheur dans la vie, je touchais au moment funeste qui devait traîner à sa suite la longue chaîne de mes malheurs.

L'empressement d'arriver me fit faire plus de diligence que je n'avais compté. Je lui avais annoncé de Valence le jour et l'heure de mon arrivée. Ayant gagné une demi-journée sur mon calcul, je restai autant de temps à Chaparillan, afin d'arriver juste au moment que j'avais marqué. Je voulais goûter dans tout son charme le plaisir de la revoir. J'aimais mieux le différer un peu pour y joindre celui d'être attendu. Cette précaution m'avait toujours réussi. J'avais vu[d] toujours marquer mon arrivée par une espèce de petite fête : je n'en attendais pas moins cette fois; et ces empressements, qui m'étaient si sensibles, valaient bien la peine d'être ménagés.

J'arrivai donc exactement à l'heure. De tout loin je regardais si je ne la verrais point sur le chemin; le cœur me battait de plus en plus à mesure que j'approchais. J'arrive essoufflé, car j'avais quitté ma voiture en ville; je ne vois personne dans la cour, sur la porte, à la fenêtre : je commence à me troubler, je redoute quelque accident. J'entre; tout est tranquille; des ouvriers goûtaient dans la cuisine; du reste aucun apprêt. La servante parut surprise de me voir; elle ignorait que je dusse arriver. Je monte, je la vois enfin cette chère Maman, si tendrement, si vivement, si purement aimée; j'accours, je m'élance à ses pieds. Ah ! te voilà, petit, me dit-elle en m'embrassant; as-tu fait bon voyage ? comment te portes-tu ? Cet accueil m'interdit un peu. Je lui demandai si elle n'avait pas reçu ma lettre. Elle me dit que oui. J'aurais cru que non, lui dis-je, et

l'éclaircissement finit là. Un jeune homme était avec elle.
Je le connaissais pour l'avoir vu déjà dans la maison avant
mon départ; mais cette fois il y paraissait établi; il l'était.
Bref, je trouvai ma place prise[1].

1. L'accueil réservé à Rousseau ne surprend guère si l'on se
reporte aux lettres qu'il écrivait de Montpellier, se plaignant de ne
recevoir ni nouvelles ni argent. Il ressort de ces lettres que Mme de Wa-
rens, qui l'avait encouragé à se rendre à Montpellier, n'était pas pressée
de le voir de retour, et ne l'attendait pas avant la Saint-Jean. L'instal-
lation chez elle de Wintzenried est antérieure au départ de Rousseau
et peut contribuer à l'expliquer, bien que le texte des *Confessions*
(« Je le connaissais pour l'avoir vu déjà dans la maison avant mon
départ; mais cette fois il y paraissait établi... ») soit ambigu sur ce
point. Un *post-scriptum* implorant à la fin d'une lettre écrite de Mont-
pellier fait certainement allusion à la situation nouvelle, dans laquelle
Rousseau joue le rôle de rival évincé dévolu quelques années plus tôt
à Claude Anet :

« O ma chère Maman ! J'aime mieux être auprès de D. [= *De Courtil-
les, c'est-à-dire Wintzenried ? — Mugnier propose de lire* Vs = *vous*] et être
employé aux plus rudes travaux de la terre que de posséder la plus
grande fortune dans tout autre cas; car il est inutile de penser que je
puisse vivre autrement [...] Au nom de Dieu, rangez les choses de
sorte que je ne meure pas de désespoir. J'approuve tout, je me soumets
à tout, excepté ce seul article [*quitter la maison de Mme de Warens ?*]
auquel je me sens hors d'état de consentir, dussé-je être la proie du
plus misérable sort. Ah, ma chère Maman ! N'êtes-vous donc plus
ma chère Maman? Ai-je vécu quelques mois de trop? Vous savez
qu'il y a un cas où j'accepterais la chose dans toute la joie de mon
cœur, mais ce cas est unique. Vous m'entendez. » (*C. C.*, I, 64).

Des raisons littéraires, aussi bien que psychologiques, peuvent
expliquer que le rival soit présenté au lecteur au retour de Mont-
pellier plutôt qu'avant le voyage. Présentation dramatique et même
tragique. Comme l'observent MM. Gagnebin et Raymond, rappelant
la formule « Maman même était oubliée » (pp. 294-295) : « les deux
infidélités sont symétriques ».

Combien de temps dura la cohabitation des deux jeunes gens sous
le toit de leur protectrice après le retour de Rousseau ? Elle est attestée
par des actes notariés des 5 juin et 3 juillet 1738. Wintzenried n'a pas
signé le bail du domaine Noëray (6 juillet 1738); par contre en jan-
vier 1739 il signe seul comme témoin un autre acte passé à Chambéry
pour Mme de Warens (« il fut tout dans la maison, et moi rien » : p.
307). On pense que désormais Rousseau vit « exilé » aux Charmettes.—
Ainsi prend fin l'« idylle » sentimentale commencée en 1735 ou 1736,
sinon l'idylle studieuse de l'autodidacte aux champs : « Pour m'épargner
de continuels déchirements, je m'enfermais avec mes livres, ou bien
j'allais soupirer et pleurer à mon aise au milieu des bois », p. 308 ;

Ce jeune homme était du pays de Vaud; son père, appelé Wintzenried, était concierge ou soi-disant capitaine du château de Chillon. Le fils de M. le capitaine était garçon perruquier, et courait le monde en cette qualité quand il vint se présenter à M^{me} de Warens, qui le reçut bien, comme elle faisait tous les passants, et surtout ceux de son pays. C'était un grand fade blondin, assez bien fait, le visage plat, l'esprit de même, parlant comme le beau Liandre[1]; mêlant tous les tons, tous les goûts de son état avec la longue histoire de ses bonnes fortunes; ne nommant que la moitié des marquises avec lesquelles il avait couché, et prétendant n'avoir point coiffé de jolies femmes dont il n'eût aussi coiffé les maris; vain, sot, ignorant, insolent, au demeurant le meilleur fils du monde. Tel fut le substitut qui me fut donné durant mon absence, et l'associé qui me fut offert après mon retour.

Oh ! si les âmes dégagées de leurs terrestres entraves voient encore du sein de l'éternelle lumière ce qui se passe chez les mortels, pardonnez, ombre chère et respectable, si je ne[a] fais pas plus de grâce à vos fautes qu'aux miennes, si je dévoile également les unes et les autres aux yeux des lecteurs. Je dois, je veux être vrai pour vous comme pour moi-même : vous y perdrez toujours beaucoup

la situation conviendrait d'ailleurs à un berger d'églogue, ce qui ne signifie pas que les sentiments ne soient pas sincères. Cette dernière idylle put se prolonger jusqu'en 1740; Rousseau les a associées étroitement au début du livre VI dans une présentation littéraire préférée, consciemment ou non, à la présentation chronologique. Les années 1738-1740, marquées par la publication dans le *Mercure de France* d'une *Lettre* de Rousseau sur une question scientifique, et par la publication du *Verger de M^{me} de Warens,* sont pratiquement escamotées dans les pages qui suivent.

Le personnage de Wintzenried (voir *Index*) a-t-il été noirci dans *les Confessions ?* La correspondance manifeste en tout cas des sentiments « fraternels » à son égard : réaction spontanée, flatterie à l'égard de « Maman », ou effet des généreuses intentions que Rousseau s'attribue p. 306 ?

1. Il y a un jeune premier du nom de Léandre dans *Narcisse,* mais ce nom n'est pas celui d'un personnage traditionnel de la comédie italienne. Il s'agit sans doute, comme le pense J. Scherer (*O. C.,* II, 1961, p. LXXXII), qui fait remarquer l'épithète et l'orthographe *Liandre,* conforme à une prononciation paysanne, d'un « héros traditionnel des parades » de la Foire, à l'«élégance campagnarde ».

moins que moi. Eh ! combien votre aimable et doux
caractère, votre inépuisable bonté de cœur, votre franchise
et toutes vos excellentes vertus ne rachètent-elles pas de
faiblesses, si l'on peut appeler ainsi les torts de votre seule
raison ! Vous eûtes des erreurs et non pas des vices ; votre
conduite fut répréhensible, mais votre cœur fut toujours
pur. Qu'on mette le bien et le mal dans la balance, et qu'on
soit équitable : quelle autre femme, si sa vie secrète était
manifestée ainsi que la vôtre, s'oserait jamais comparer
à vous ?

Le nouveau venu s'était montré zélé, diligent, exact
pour toutes ses petites commissions, qui étaient toujours
en grand nombre ; il s'était fait le piqueur de ses ouvriers.
Aussi bruyant que je l'étais peu, il se faisait voir et surtout
entendre à la fois à la charrue, aux foins, au bois, à l'écurie,
à la basse-cour. Il n'y avait que le jardin qu'il négligeait,
parce que c'était un travail trop paisible[a] et qui ne faisait
point de bruit. Son grand plaisir était de charger et charrier,
de scier ou fendre du bois ; on le voyait toujours la hache ou
la pioche à la main ; on l'entendait courir, cogner, crier à
pleine tête. Je ne sais de combien d'hommes il faisait
le travail, mais il faisait toujours le bruit de dix ou douze.
Tout ce tintamarre en imposa à ma pauvre Maman ; elle
crut ce jeune homme un trésor pour[b] ses affaires. Voulant
se l'attacher, elle employa pour cela tous les moyens
qu'elle y crut propres, et n'oublia pas celui sur lequel elle
comptait le plus.

On a dû connaître mon cœur, ses sentiments les plus
constants, les plus vrais, ceux surtout qui me ramenaient[c]
en ce moment auprès d'elle. Quel prompt et plein boule-
versement dans tout mon être ! qu'on se mette à ma place
pour en juger. En un moment je vis évanouir pour jamais
tout l'avenir de félicité que je m'étais peint. Toutes les
douces idées que je caressais si affectueusement disparurent,
et moi, qui depuis mon enfance ne savais voir mon exis-
tence qu'avec la sienne, je me vis seul pour la première fois.
Ce moment fut affreux : ceux qui le suivirent furent tou-
jours sombres. J'étais jeune encore, mais ce doux sentiment
de jouissance et d'espérance qui vivifie la jeunesse me quitta
pour jamais. Dès lors, l'être sensible fut mort à demi.
Je ne vis plus devant moi que les tristes restes d'une
vie insipide, et si quelquefois encore une image de bonheur
effleura mes désirs, ce bonheur n'était plus celui qui

m'était propre; je sentais qu'en l'obtenant je ne serais pas vraiment heureux.

J'étais si bête et ma confiance était si pleine, que malgré le ton familier du nouveau venu, que je regardais comme un effet de cette facilité d'humeur de Maman qui rapprochait tout le monde d'elle, je ne me serais pas avisé d'en soupçonner la véritable cause si elle ne me l'eût dit elle-même; mais elle se pressa de me faire cet aveu avec une franchise capable d'ajouter à ma rage, si mon cœur eût pu se tourner de ce[a] côté-là; trouvant quant à elle la chose toute simple, me reprochant ma négligence dans la maison, et m'alléguant mes fréquentes absences, comme si elle eût été d'un tempérament fort pressé d'en remplir les vides. Ah ! Maman, lui dis-je, le cœur serré de douleur, qu'osez-vous m'apprendre ! quel prix d'un attachement pareil au mien ! Ne m'avez-vous tant de fois conservé la vie que pour m'ôter tout ce qui me la rendait chère ? J'en mourrai, mais vous me regretterez. Elle me répondit d'un ton tranquille à me rendre fou, que j'étais un enfant, qu'on ne mourait point de ces choses-là; que je ne[b] perdrais rien; que nous n'en serions pas moins bons amis, pas moins intimes dans tous les sens; que[c] son tendre attachement pour moi ne pouvait ni diminuer ni finir qu'avec elle. Elle me fit entendre, en un mot, que tous mes droits demeuraient les mêmes, et qu'en les partageant avec un autre, je n'en étais pas privé pour cela.

Jamais la pureté, la vérité, la force de mes sentiments pour elle, jamais la sincérité, l'honnêteté de mon âme ne se firent mieux sentir à moi que dans ce moment. Je me précipitai à ses pieds, j'embrassai ses genoux en versant des torrents de larmes. Non, Maman, lui dis-je avec transport, je vous aime trop pour vous avilir; votre possession m'est trop chère pour la partager; les regrets qui l'accompagnèrent quand je l'acquis se sont accrus avec mon amour; non, je ne la puis conserver au même prix. Vous aurez toujours mes adorations, soyez-en toujours digne : il m'est plus nécessaire encore de vous honorer que de vous posséder. C'est à vous, ô Maman ! que je vous cède; c'est à l'union de nos cœurs que je sacrifie tous mes plaisirs. Puissé-je périr mille fois avant d'en goûter qui dégradent ce que j'aime !

Je tins cette résolution avec une constance digne, j'ose le dire, du sentiment qui me l'avait fait former. Dès ce

moment je ne vis plus cette Maman si chérie que des yeux
d'un véritable fils; et il est à noter que[a], bien que ma réso-
lution n'eût point son approbation secrète, comme je m'en
suis trop aperçu, elle n'employa jamais pour m'y faire
renoncer ni propos insinuants, ni caresses, ni aucune de
ces adroites agaceries dont les femmes savent user sans se
commettre et qui manquent rarement de leur réussir.
Réduit à me chercher un sort indépendant d'elle, et n'en
pouvant même imaginer, je passai bientôt à l'autre extré-
mité, et le cherchai tout en elle. Je l'y cherchai si parfai-
tement que je parvins presque à m'oublier moi-même.
L'ardent désir de la voir heureuse, à quelque prix que ce
fût, absorbait toutes mes affections : elle avait beau séparer
son bonheur du mien, je le voyais mien en dépit d'elle.

Ainsi commencèrent à germer avec mes malheurs les
vertus dont la semence était au fond de mon âme, que
l'étude avait cultivées, et qui n'attendaient pour éclore que
le ferment de l'adversité. Le premier fruit de cette dispo-
sition si désintéressée fut d'écarter de mon cœur tout
sentiment de haine et d'envie contre celui qui m'avait
supplanté. Je voulus, au contraire, et je voulus sincèrement,
m'attacher à ce jeune homme, le former, travailler à son
éducation, lui faire sentir son bonheur, l'en rendre digne,
s'il était possible, et faire en un mot pour lui tout ce
qu'Anet avait fait pour moi dans une occasion pareille.
Mais la parité manquait entre les personnes. Avec plus de
douceur et de lumières, je n'avais pas[b] le sang-froid et la
fermeté d'Anet, ni cette force de caractère qui en imposait,
et[c] dont j'aurais eu besoin pour réussir. Je trouvai encore
moins dans le jeune homme les qualités qu'Anet avait
trouvées en moi : la docilité, l'attachement, la recon-
naissance, surtout le sentiment du besoin que j'avais de
ses soins, et l'ardent désir de les rendre utiles. Tout cela
manquait ici. Celui que je voulais former ne voyait en
moi qu'un pédant importun qui n'avait que du babil. Au
contraire, il s'admirait lui-même comme un homme impor-
tant dans la maison, et mesurant les services qu'il y croyait
rendre sur le bruit qu'il y faisait, il regardait ses haches et
ses pioches comme infiniment plus utiles que tous mes
bouquins. A quelque égard il n'avait pas tort; mais il
partait de là pour se donner des airs à faire mourir de rire.
Il tranchait avec les paysans du gentilhomme campagnard;
bientôt il[d] en fit autant avec moi, et enfin avec Maman elle-

même. Son nom de Wintzenried ne lui paraissant pas assez noble, il le quitta pour celui de M. de Courtilles, et c'est sous ce dernier nom qu'il a été connu depuis à Chambéry et en Maurienne, où il s'est marié.

Enfin, tant fit l'illustre personnage qu'il fut tout dans la maison, et moi rien. Comme, lorsque j'avais le malheur de lui déplaire, c'était Maman et non pas moi qu'il grondait, la crainte de l'exposer à ses brutalités me rendait docile à tout ce qu'il désirait, et chaque fois qu'il fendait du bois, emploi qu'il remplissait avec une fierté sans égale, il fallait que je fusse là spectateur oisif et tranquille admirateur de[a] sa prouesse. Ce garçon n'était pourtant pas absolument d'un mauvais naturel; il aimait Maman, parce qu'il était impossible de ne la pas aimer; il n'avait même pas pour moi de l'aversion, et quand les intervalles de ses fougues permettaient de lui parler, il nous écoutait quelquefois assez docilement, convenant franchement qu'il n'était qu'un sot : après quoi il n'en faisait pas moins de nouvelles sottises. Il avait d'ailleurs une intelligence si bornée et des goûts si bas, qu'il était difficile de lui parler raison et presque impossible de se plaire avec lui. A la possession d'une femme[b] pleine de charmes, il ajouta le ragoût d'une femme de chambre vieille, rousse, édentée, dont Maman avait la patience d'endurer le dégoûtant service, quoiqu'elle lui fît mal au cœur. Je m'aperçus de ce nouveau ménage, et j'en fus outré d'indignation : mais je m'aperçus d'une autre chose qui m'affecta bien plus vivement encore, et qui me jeta dans un plus profond découragement que tout ce qui[c] s'était passé jusqu'alors; ce fut le refroidissement de Maman envers moi.

La privation que je m'étais imposée et qu'elle avait fait semblant d'approuver est une de ces choses que les femmes ne pardonnent point, quelque mine qu'elles fassent, moins par la privation qui en résulte pour elles-mêmes, que par l'indifférence qu'elles y voient pour leur possession. Prenez la femme la plus sensée, la plus philosophe, la moins attachée à ses sens; le crime le plus irrémissible que l'homme dont au reste elle se soucie le moins, puisse commettre envers elle, est d'en pouvoir jouir et de n'en rien faire. Il faut bien que ceci soit sans exception, puisqu'une sympathie si naturelle et si forte fut altérée en elle par une abstinence qui n'avait que des motifs de vertu[d], d'attachement et d'estime. Dès lors je cessai de trouver en elle

cette intimité des cœurs qui fit toujours la plus douce jouissance du mien. Elle ne s'épanchait plus avec moi que quand elle avait à se plaindre du nouveau venu; quand ils étaient bien ensemble, j'entrais peu dans ses confidences. Enfin elle prenait peu à peu une manière d'être dont je ne faisais plus partie. Ma présence lui faisait plaisir encore, mais elle ne lui faisait plus besoin, et j'aurais passé des jours entiers sans la voir, qu'elle ne s'en serait pas aperçue.

Insensiblement je me sentis isolé et seul dans cette même maison dont auparavant j'étais l'âme, et où je vivais pour ainsi dire à double. Je m'accoutumai peu à peu à me séparer de tout ce qui s'y faisait, de ceux mêmes qui l'habitaient, et pour m'épargner de continuels déchirements, je m'enfermais avec mes livres, ou bien j'allais soupirer et pleurer à mon aise au milieu des bois. Cette vie me devint bientôt tout à fait insupportable. Je sentis que la présence personnelle et l'éloignement de cœur d'une femme qui m'était si chère irritaient ma douleur, et qu'en cessant de la voir je m'en sentirais moins cruellement séparé. Je formai le projet de quitter sa maison; je le lui dis, et, loin de s'y opposer, elle le favorisa. Elle avait à Grenoble une amie appelée Mᵐᵉ Deybens, dont le mari était ami de M. de Mably, grand-prévôtᵃ à Lyon. M. Deybens me proposa l'éducation des enfants de M. de Mably : j'acceptai, et je partis pour Lyon[1] sans laisser ni presque sentir le moindre regret d'une séparation dont auparavant la seule idée nous eût donné les angoisses de la mort.

J'avais à peu près les connaissances nécessaires pour un précepteur, et j'en croyais avoir le talent. Durant un an que je passai chez M. de Mably, j'eus le temps de me désabuser. La douceur de mon naturel m'eût rendu propre à ce métier, si l'emportement n'y eût mêlé ses orages. Tant

1. Les dates du préceptorat chez Mably ont été discutées par Dufour, *Annales,* II, 1906, pp. 177-179. Via Grenoble, Rousseau arrive à Lyon fin avril 1740, et s'installe chez Mably rue Saint-Dominique (actuellement rue Émile-Zola, dans une maison aujourd'hui disparue) aux appointements de « 350 livres de fixe » et cinquante d'étrennes (= pourboire) (Mugnier, p. 190). Il quittera cet emploi en mai 1741, comme il le dit p. 311. Le sentiment de son échec comme précepteur lui inspirera une déclaration au début de l'*Émile* sur son inaptitude à cet emploi. Voir sur cette période le livre de L. Aurenche *(Bibliographie).*

que tout allait bien, et que je voyais réussir mes soins et mes peines, qu'alors je n'épargnais point, j'étais un ange; j'étais un diable quand les choses allaient de travers. Quand mes élèves ne m'entendaient pas, j'extravaguais, et, quand ils marquaient de la méchanceté, je les aurais tués : ce n'était pas le moyen de les rendre savants et sages. J'en avais deux; ils étaient d'humeurs très différentes. L'un de huit à neuf ans, appelé Sainte-Marie, était d'une jolie figure, l'esprit assez ouvert, assez vif, étourdi, badin, malin, mais d'une malignité gaie. Le cadet, appelé Condillac[a], paraissait presque stupide, musard, têtu comme une mule, et ne pouvant rien apprendre. On peut juger qu'entre ces deux sujets je n'avais pas besogne faite. Avec de la patience et du sang-froid peut-être aurais-je pu réussir; mais, faute de l'une et de l'autre, je ne fis rien qui vaille, et mes élèves tournaient très mal. Je ne manquais pas d'assiduité, mais je manquais d'égalité, surtout de prudence. Je ne savais employer auprès d'eux que trois instruments toujours inutiles et souvent pernicieux auprès des enfants : le sentiment, le raisonnement, la colère. Tantôt je m'attendrissais avec Sainte-Marie jusqu'à pleurer; je[b] voulais l'attendrir lui-même, comme si l'enfant était susceptible d'une véritable émotion de cœur; tantôt je[c] m'épuisais à lui parler raison, comme s'il avait pu m'entendre; et comme il me faisait quelquefois des arguments très subtils, je le prenais tout de bon pour raisonnable, parce qu'il était raisonneur. Le petit Condillac était encore plus embarrassant[d], parce que, n'entendant rien, ne répondant rien, ne s'émouvant de rien, et d'une opiniâtreté à toute épreuve, il ne triomphait jamais mieux de moi que quand il m'avait mis en fureur; alors c'était lui qui était le sage, et c'était moi qui étais l'enfant. Je voyais toutes mes fautes, je les sentais; j'étudiais l'esprit de mes élèves, je les pénétrais très bien, et je ne crois pas que jamais une seule fois j'aie été la dupe de leurs ruses. Mais que me servait de voir le mal sans savoir appliquer le remède ? En pénétrant tout je n'empêchais rien, je ne réussissais à rien, et tout ce que je faisais était précisément ce qu'il ne fallait pas faire.

Je ne réussissais guère mieux pour moi que pour mes élèves. J'avais été recommandé par M[me] Deybens à M[me] de Mably. Elle l'avait priée de former mes manières et de me donner le ton du monde. Elle y prit quelques soins, et voulut que j'apprisse à faire les honneurs de sa

maison; mais je m'y pris si gauchement, j'étais si honteux, si sot, qu'elle se rebuta, et me planta là. Cela ne m'empêcha pas de devenir, selon ma coutume, amoureux d'elle. J'en fis assez pour qu'elle s'en aperçût; mais je n'osai jamais me déclarer. Elle ne se trouva pas d'humeur à faire les avances, et j'en fus pour mes lorgneries et mes soupirs, dont même je[a] m'ennuyai bientôt, voyant qu'ils n'aboutissaient à rien.

J'avais tout à fait perdu chez Maman le goût des petites friponneries, parce que, tout étant à moi, je n'avais rien à voler. D'ailleurs les principes élevés que je m'étais faits devaient me rendre désormais bien supérieur à de telles bassesses, et il est certain que depuis lors je l'ai d'ordinaire été : mais c'est moins pour avoir appris à vaincre mes tentations que pour en avoir coupé la racine, et j'aurais grand'peur de voler comme dans mon enfance si j'étais sujet aux mêmes désirs. J'eus la preuve de cela chez M. de Mably. Environné de petites choses volables que je ne regardais même pas, je m'avisai de convoiter un certain petit vin blanc d'Arbois très joli, dont quelques verres que par-ci par-là je buvais à table m'avaient fort affriandé. Il était un peu louche; je croyais savoir bien coller le vin, je m'en vantai, on me confia celui-là; je le collai et le gâtai, mais aux yeux seulement; il resta toujours agréable à boire, et l'occasion fit que je m'en accommodai[b] de temps en temps de quelques bouteilles pour boire à mon aise en mon petit particulier. Malheureusement je n'ai jamais pu boire sans manger. Comment faire pour avoir du pain ? Il m'était impossible d'en mettre en réserve. En faire acheter par les laquais, c'était me déceler, et presque insulter le maître de la maison. En acheter moi-même, je n'osai jamais. Un beau monsieur, l'épée au côté, aller[c] chez un boulanger acheter un morceau de pain, cela se pouvait-il ? Enfin je me rappelai le pis-aller d'une grande princesse à qui l'on disait que les paysans n'avaient pas de pain, et qui répondit : Qu'ils mangent de la brioche[1]. J'achetai

1. *Qu'ils mangent de la brioche :* le mot a été couramment attribué par la suite à Marie-Antoinette (Carlyle, Dickens, etc.). Les dictionnaires de citations font tous remarquer que le mot était déjà dans Rousseau, et citent ce passage. Il est en relation avec des locutions proverbiales françaises et étrangères, et aurait été attribué aussi à Victoire, fille de Louis XV et tante de Louis XVI.

de la brioche. Encore que de façons pour en venir là ! Sorti seul à ce dessein, je parcourais quelquefois toute la ville, et passais devant trente pâtissiers avant d'entrer chez aucun. Il fallait qu'il n'y eût qu'une seule personne dans la boutique, et que sa physionomie m'attirât beaucoup, pour que j'osasse franchir le pas. Mais aussi quand[a] j'avais une fois ma chère petite brioche, et que, bien enfermé dans ma chambre, j'allais trouver ma bouteille au fond d'une armoire, quelles bonnes petites buvettes je faisais là tout seul, en lisant quelques pages de roman ! Car lire en mangeant fut toujours ma fantaisie, au défaut d'un tête-à-tête. C'est le supplément[1] de la société qui me manque. Je dévore alternativement une page et un morceau : c'est comme si mon livre dînait avec moi.

Je n'ai jamais été dissolu ni crapuleux, et ne me suis enivré de ma vie. Ainsi mes petits vols n'étaient pas fort indiscrets : cependant ils se découvrirent; les bouteilles me décelèrent. On ne m'en fit pas semblant, mais je n'eus plus la direction de la cave. En tout cela, M. de Mably se conduisit honnêtement et prudemment. C'était un très galant homme, qui, sous un air aussi dur que son emploi, avait une véritable douceur de caractère et une rare bonté de cœur. Il était judicieux, équitable, et, ce qu'on n'attendrait pas d'un officier de maréchaussée, même très humain. En sentant son indulgence, je lui en devins plus attaché, et cela me fit prolonger mon séjour dans sa maison plus que je n'aurais fait sans cela. Mais enfin, dégoûté d'un métier auquel je n'étais pas propre et d'une situation très gênante qui n'avait rien d'agréable pour moi, après un an d'essai, durant lequel je n'épargnai point mes soins, je me déterminai à quitter mes disciples, bien convaincu que je ne parviendrais jamais à les bien élever. M. de Mably lui-même voyait cela tout aussi bien que moi. Cependant je crois qu'il n'eût jamais pris sur lui de me renvoyer si je ne lui en eusse épargné la peine; et cet excès de condescendance en pareil cas n'est assurément pas ce que j'approuve.

Ce qui me rendait mon état plus insupportable était la comparaison continuelle que j'en faisais avec celui que j'avais quitté; c'était le souvenir de mes chères Charmettes,

1. *Supplément* : v. p. 119, n. 1.

de mon jardin, de mes arbres, de ma fontaine, de mon verger, et surtout de celle pour qui j'étais né, qui donnait de l'âme à tout cela. En repensant à elle, à nos plaisirs, à notre innocente vie, il me prenait des serrements de cœur, des étouffements qui m'ôtaient le courage de rien faire. Cent fois j'ai été violemment tenté de partir à l'instant et à pied pour retourner auprès d'elle; pourvu que je la revisse encore une fois, j'aurais été content de mourir à l'instant même[a]. Enfin je ne pus résister à ces souvenirs si tendres, qui me rappelaient auprès d'elle à quelque prix que ce fût. Je me disais que je n'avais pas été assez patient, assez complaisant, assez caressant, que je pouvais encore vivre heureux dans une amitié très douce, en y mettant du mien plus que je n'avais fait. Je forme les plus beaux projets du monde, je brûle de les exécuter. Je quitte tout, je renonce à tout, je pars, je vole, j'arrive dans tous les mêmes transports de ma première jeunesse, et je me[b] retrouve à ses pieds. Ah ! j'y serais mort de joie si j'avais retrouvé dans son accueil[c], dans ses caresses, dans son cœur enfin, le quart de ce que j'y retrouvais[d] autrefois et que j'y reportais encore.

Affreuse illusion des choses humaines ! Elle me reçut toujours avec son excellent cœur, qui ne pouvait mourir qu'avec elle; mais je venais rechercher le passé qui n'était plus et qui ne pouvait renaître. A peine eus-je resté[1] une demi-heure avec elle, que je sentis mon ancien bonheur mort pour toujours. Je me retrouvai dans la même situation désolante que j'avais été forcé de fuir, et cela sans que je pusse dire qu'il y[e] eût de la faute de personne; car au fond Courtilles n'était pas mauvais, et parut me revoir avec plus de plaisir que de[f] chagrin. Mais comment me souffrir surnuméraire près de celle pour qui j'avais été tout, et qui ne pouvait cesser d'être tout pour moi ? Comment vivre étranger dans la maison dont j'étais l'enfant ? L'aspect des objets[g] témoins de mon bonheur passé me rendait la comparaison plus cruelle. J'aurais moins souffert dans une autre habitation. Mais me voir rappeler incessamment tant de[h] doux souvenirs, c'était irriter le sentiment de mes pertes. Consumé de vains regrets, livré à la plus noire

1. *Eus-je resté* : sur l'auxiliaire employé, voir p. 255, n. 1.

mélancolie, je^a repris le train de rester seul hors les heures des repas. Enfermé avec mes livres, j'y cherchais des distractions utiles, et sentant le péril imminent que j'avais tant craint autrefois, je me tourmentais derechef^b à chercher en moi-même les moyens d'y pourvoir quand Maman n'aurait plus de ressources. J'avais mis les choses dans sa maison sur le pied d'aller sans empirer; mais depuis moi tout était changé. Son économe était un dissipateur. Il voulait briller : bon cheval, bon équipage; il aimait à s'étaler noblement aux yeux des voisins; il faisait des entreprises continuelles en choses où il n'entendait rien. La pension se mangeait d'avance, les quartiers en étaient engagés, les loyers étaient arriérés, et les dettes allaient leur train. Je prévoyais que cette pension ne^c tarderait pas d'être saisie et^d peut-être supprimée. Enfin je n'envisageais que ruine et désastres, et le moment m'en semblait si proche, que j'en sentais d'avance toutes les horreurs.

Mon cher cabinet était ma seule distraction. A force d'y chercher des^e remèdes contre le trouble de mon âme, je m'avisai d'y en chercher contre les maux que je prévoyais, et revenant à mes anciennes idées, me voilà bâtissant de nouveaux châteaux en Espagne pour tirer cette pauvre Maman des extrémités cruelles où je la voyais prête à tomber. Je ne me sentais pas assez savant et ne me croyais pas assez d'esprit pour briller dans la république des lettres et faire une fortune par cette voie. Une nouvelle idée qui se présenta m'inspira la confiance que la médiocrité de mes talents ne pouvait me donner. Je n'avais pas abandonné la musique en cessant de l'enseigner; au contraire, j'en avais assez étudié la théorie pour pouvoir me regarder au moins comme savant en cette partie. En réfléchissant à la peine que j'avais eue d'apprendre à déchiffrer la note, et à celle que j'avais encore à chanter à livre ouvert, je vins à penser que cette difficulté pouvait bien venir de la chose autant que de moi, sachant surtout qu'en général apprendre la musique n'était pour personne une chose aisée. En examinant la constitution des signes, je les trouvais souvent fort mal inventés. Il y avait longtemps que j'avais pensé à noter l'échelle par chiffres, pour éviter d'avoir toujours à tracer des lignes et portées lorsqu'il fallait noter le moindre petit air. J'avais été arrêté par les difficultés des octaves et par celles de la mesure et des valeurs. Cette ancienne idée me revint dans l'esprit, et je vis, en y repensant, que ces

difficultés n'étaient pas insurmontables. J'y rêvai avec succès, et je parvins à noter quelque musique que ce fût par mes chiffres avec la plus grande exactitude, et je puis dire avec la plus grande simplicité. Dès ce moment je crus ma fortune faite, et dans l'ardeur de la partager avec celle à qui je devais tout, je ne songeai qu'à partir pour Paris, ne doutant pas qu'en présentant mon projet à l'Académie je ne fisse une révolution. J'avais rapporté de Lyon quelque argent; je vendis mes livres. En quinze jours ma résolution fut prise et exécutée. Enfin, plein des idées magnifiques qui me l'avaient inspirée, et toujours le même dans tous les temps, je partis de Savoie avec mon système de musique comme autrefois j'étais parti de Turin avec ma fontaine de Héron.

Telles ont été les erreurs et les fautes de ma jeunesse. J'en ai narré l'histoire avec une fidélité dont mon cœur est content. Si dans la suite, j'honorai mon âge mûr de quelques vertus, je les aurais dites avec la même franchise, et c'était mon dessein. Mais il faut m'arrêter ici. Le temps peut lever bien des voiles. Si ma mémoire parvient à la postérité, peut-être un jour elle apprendra ce que j'avais à dire. Alors on saura pourquoi je me tais[1].

FIN[a]

1. C'est en novembre 1767, après l'incident Du Peyrou au château de Trye (*Index,* Du Peyrou), que Rousseau avait renoncé à poursuivre ses Mémoires. Il se contente dès lors de terminer la rédaction de la Première Partie, travail achevé à Monquin vraisemblablement, au printemps 1769. Plusieurs critiques ont remarqué la brusquerie de cette fin du livre VI. M[me] de Saussure l'explique, de même que ce qu'elle appelle « les erreurs relatives dans la séquence des paragraphes », par la hâte d'un écrivain fatigué qui a joint sans beaucoup soigner les liaisons des fragments déjà rédigés. Elle croit que le livre VI devait

primitivement se terminer par le tableau d'une « idylle » avec la jeune Lyonnaise M^lle Serre, lors du dernier séjour de Rousseau à Lyon avant l'installation à Paris. L'hypothèse de M^me de Saussure (pp. 113-114 et 202-203 de son livre) s'appuie seulement sur une lettre de Hume à Adam Smith (17 oct. 1767) rapportant les projets de Mémoires de Rousseau d'après les confidences de ce dernier à son hôte Davenport, à Wootton. Rien ne prouve qu'il s'agisse de M^lle Serre dans le passage auquel fait allusion Hume, ni que Davenport, qui parlait mal français, ait bien compris le plan exposé par Rousseau, plan présenté de façon peu claire dans la lettre de Hume.

Modifiant ce plan initial, Rousseau aurait ensuite réduit cette idylle à une page dans la rédaction actuelle, au début du livre VII (p. 327). — Il est en effet assez apparent que Rousseau a hésité, sinon sur la coupure entre les livres VI et VII, du moins sur celle entre Première et Deuxième Partie (voir la n. 1 de la p. 321). Du point de vue littéraire, la disposition à laquelle il s'est arrêté est heureuse : la justice poétique voulait que l'exposé des « erreurs » et des « fautes » de sa jeunesse prît fin sur le départ définitif des Charmettes : cette période révolue de sa vie ne représente plus désormais que le rêve du bonheur perdu. La division entre Première et Deuxième Partie correspond ainsi, bien que sans aucune rigueur déplaisante, à la composition en diptyque du 2^e *Discours* : l'homme dans l'état de nature, l'homme après la « chute » (j'emploie ce terme à la suite de M. Raymond, en me référant à son analyse de la structure du 1^er livre des *Confessions* signalée dans la *Bibliographie*, p. CXXXI).

Ces cahiers pleins de faute[s] de toute espèce, et que je n'ai pas même le temps de relire, suffisent pour mettre tout ami de la vérité sur sa trace, et lui donner les moyens de s'en assurer par ses propres informations. Malheureusement, il me paraît difficile et même impossible qu'ils échappent à la vigilance de mes ennemis. S'ils tombent entre les mains d'un honnête homme[1] [*ou des amis de M. de Choiseul, s'ils parviennent à M. de Choiseul lui-même, je ne crois pas l'honneur de ma mémoire encore sans ressource. Mais, ô ciel, protecteur de l'innocence, garantis ces derniers renseignements de la mienne des mains des Dames de Boufflers, de Verdelin, et de celles de leurs amis. Dérobe du moins à ces deux furies la mémoire d'un infortuné que tu leur as abandonné de son vivant*][a].

1. Cette note figure sur une page de garde du second volume du manuscrit de Genève, contenant les livres VII à XII. Elle ne se trouve pas dans le manuscrit de Paris (dont le premier volume comprend aussi le livre VII). Toute la seconde moitié de la note (passage mis ici entre crochets et imprimé en italique), à partir de « ou des amis de M. de Choiseul », a été raturée, mais reste lisible. La note a dû être rédigée entre la fin de 1768, où Rousseau croit tenir la preuve de la réalité du « complot », et la disgrâce de Choiseul (24 déc. 1770). Une lettre aimable reçue de M[me] de Verdelin en août 1771 (*D. P.,* XX, 88) a pu le faire revenir sur ses préventions à l égard de cette « furie » et l'amener à raturer les dernières lignes qui en ce qui concerne Choiseul n'avaient plus la même signification à partir du moment où ce dernier n'était plus au pouvoir (voir *Index,* Choiseul, et *infra,* pp. 653-654).

LES

CONFESSIONS

DE J.-J.ROUSSEAU

Intus, et in cute

SECONDE PARTIE

LIVRE SEPTIÈME[a]

[I.] 1. Après deux ans de silence et de patience, malgré mes résolutions, je reprends la plume[1]. Lecteur, suspendez votre jugement sur les raisons qui m'y forcent. Vous n'en pouvez juger qu'après m'avoir lu.

2. On a vu s'écouler ma paisible jeunesse dans une vie égale, assez douce, sans de grandes traverses ni de grandes prospérités. Cette médiocrité fut en grande partie l'ouvrage de mon naturel ardent, mais faible, moins prompt encore à entreprendre que facile à décourager; sortant du repos par secousses, mais y rentrant par lassitude et par goût, et qui, me ramenant toujours, loin des grandes vertus et plus loin des grands vices, à la vie oiseuse et tranquille pour laquelle je me sentais né, ne m'a jamais permis d'aller à rien de grand, soit en bien, soit en mal.

3. Quel tableau différent j'aurai bientôt à[b] développer ! Le sort, qui durant trente ans favorisa mes penchants, les contraria durant les trente autres, et, de cette opposition continuelle[c] entre ma situation et mes inclinations, on verra naître des fautes énormes, des malheurs inouïs, et toutes les vertus, excepté la force, qui peuvent honorer l'adversité.

1. Rousseau avait décidé en novembre 1767 de ne pas poursuivre la rédaction des *Confessions*. Le premier des deux volumes (de format différent) du manuscrit de Genève se termine sur le mot « Fin » tout court. Au contraire, dans le manuscrit de Paris, le début de la Deuxième Partie, soit tout le livre VII, est transcrit dans le premier volume, et commence immédiatement à la p. 144 du manuscrit, à la suite de la fin du livre VI, lequel se termine (p. 143) sur une formule différente (voir p. 321, variante *a*). C'est à Monquin, en novembre 1769, donc en effet après « deux ans de silence », que Rousseau décide de reprendre *les Confessions*, dans l'espoir de faire éclater la vérité, car il croit maintenant, sinon avoir percé le voile du « complot », du moins en avoir établi la réalité matérielle.

4. Ma première partie a été toute écrite de mémoire et j'y ai dû faire beaucoup d'erreurs. Forcé d'écrire la seconde de mémoire aussi, j'y en ferai probablement beaucoup davantage. Les doux souvenirs de mes beaux ans passés avec autant de[a] tranquillité que d'innocence, m'ont laissé mille impressions charmantes que j'aime sans cesse à me rappeler. On verra bientôt combien sont différents ceux du reste de ma vie. Les rappeler, c'est en renouveler l'amertume. Loin d'aigrir celle de ma situation par ces tristes[b] retours, je les écarte autant qu'il m'est possible, et souvent j'y réussis au point de ne les pouvoir plus retrouver au besoin. Cette facilité d'oublier les maux est une consolation que le ciel m'a ménagée dans ceux que le[c] sort devait un jour accumuler sur moi. Ma mémoire, qui[d] me retrace uniquement les objets agréables, est l'heureux contrepoids de mon imagination effarouchée, qui ne me fait prévoir que de[e] cruels avenirs.

5. Tous les papiers que j'avais rassemblés pour suppléer à ma mémoire et me guider dans cette entreprise, passés en d'autres mains, ne rentreront plus dans les miennes[1]. Je n'ai qu'un guide fidèle sur lequel je puisse compter, c'est la chaîne des sentiments qui ont marqué la succession de mon être[f], et par eux celle des événements qui en ont été la cause ou l'effet. J'oublie aisément mes malheurs ; mais je ne puis oublier mes fautes, et j'oublie encore moins mes bons sentiments. Leur souvenir m'est trop cher pour s'effacer jamais de mon cœur. Je puis faire des omissions dans les faits, des transpositions, des erreurs de dates ; mais je ne puis me tromper sur ce que j'ai senti, ni sur ce que mes sentiments m'ont fait faire ; et voilà de quoi principalement il s'agit. L'objet propre de mes confessions est de faire connaître exactement mon intérieur dans toutes les situations de ma vie. C'est l'histoire de mon âme que j'ai promise, et pour l'écrire fidèlement je n'ai pas besoin d'autres mémoires ; il me suffit, comme j'ai fait jusqu'ici, de rentrer au dedans de moi.

6. Il y a cependant, et très heureusement, un intervalle de six à sept ans dont j'ai des renseignements sûrs dans un recueil transcrit de lettres dont les originaux sont[g] dans

1. Ces « autres mains » peuvent désigner soit les ennemis de Rousseau, qui, croit-il, ont subtilisé certaines de ses lettres ou copies de lettres (pp. 673, 718-719), soit des dépositaires comme Du Peyrou.

les mains de M. Du Peyrou. Ce recueil, qui finit en 1760,
comprend tout le temps de mon séjour à l'Ermitage et de
ma grande brouillerie avec mes soi-disants amis[1] : époque
mémorable dans ma vie et qui fut la source de tous mes
autres malheurs. A l'égard des lettres originales plus
récentes qui peuvent me rester, et qui sont en très petit
nombre, au lieu de les transcrire à la suite du recueil, trop
volumineux pour que je puisse espérer de le soustraire à la
vigilance de mes Argus, je les transcrirai dans cet écrit
même, lorsqu'elles me paraîtront fournir quelque éclair-
cissement[a] soit à mon avantage, soit à ma charge : car je
n'ai pas peur que le lecteur oublie[b] jamais que je fais mes
confessions pour croire que je fais mon apologie; mais[c] il
ne doit pas s'attendre non plus que je taise la vérité lors-
qu'elle parle en ma faveur.

7. Au reste, cette seconde partie n'a que cette même
vérité de commune avec la première, ni d'avantage sur
elle que par l'importance des choses. A cela près, elle ne
peut que lui être inférieure en tout. J'écrivais la première
avec plaisir, avec complaisance, à mon aise, à Wootton,
ou dans le château de Trye; tous les souvenirs que j'avais
à me rappeler étaient autant[d] de nouvelles[e] jouissances.
J'y revenais sans cesse avec un nouveau plaisir, et je pou-
vais tourner mes descriptions sans gêne jusqu'à ce que
j'en fusse content. Aujourd'hui, ma mémoire et ma tête
affaiblies me rendent presque incapable de tout travail;
je ne m'occupe de celui-ci que par force et le cœur serré
de détresse. Il ne m'offre que malheurs, trahisons, perfidies,
que souvenirs attristants et déchirants. Je voudrais pour

1. Ce « recueil, qui finit en 1760 » et composé d'*originaux,* ne figure
pas parmi les papiers de Rousseau légués par Du Peyrou à la biblio-
thèque de Neuchâtel. A l'exception des lettres originales de Du Peyrou
lui-même à Rousseau, on trouve dans ces deux albums (n[os] 7885 et
7886) les seules *transcriptions,* d'après lesquelles ont été publiées les
lettres recueillies dans la *Correspondance.* L'article d'H. Guillemin sur
« Les affaires de l'Ermitage », *Annales,* XXIX, 1941-1942, pp. 59-258,
inventorie méthodiquement, pour la période 1756-1757, ces trans-
criptions, et rectifie en plusieurs cas leur datation. On aura intérêt, pour
les lettres de la période considérée, à se reporter, toutes les fois que ce
sera possible, à l'étude d'H. Guillemin en même temps qu'à la *C. C.,*
t. IV, où sont reproduites aussi les lettres « truquées » extraites
des Mémoires de M[me] de Montbrillant (pseudo- « Mémoires de
M[me] d'Épinay »).

tout au monde pouvoir ensevelir dans la nuit des temps ce que j'ai à dire, et, forcé de parler malgré moi, je suis réduit encore à me cacher, à ruser, à tâcher de donner le change, à m'avilir aux choses pour lesquelles j'étais le moins né; les planchers sous lesquels je suis ont des yeux, les murs qui m'entourent ont des oreilles; environné d'espions et de surveillants malveillants et vigilants, inquiet et distrait, je jette à la hâte[a] sur le papier quelques mots interrompus qu'à peine j'ai le temps de relire, encore moins de corriger. Je sais que, malgré les barrières immenses qu'on entasse[b] sans cesse autour de moi, l'on craint toujours que la vérité ne s'échappe par quelque fissure. Comment m'y prendre pour la faire percer ? Je le tente avec peu d'espoir de succès. Qu'on juge si c'est là de quoi faire des tableaux agréables et leur donner un coloris bien attrayant. J'avertis donc ceux qui voudront commencer cette lecture, que rien, en la poursuivant, ne peut les garantir de l'ennui, si ce n'est le désir d'achever de connaître un homme, et l'amour[c] sincère de la justice et de la vérité[1].

[2. 1.][d] Je me suis laissé, dans ma première partie, partant à regret pour Paris[e], déposant mon cœur aux Charmettes, y fondant mon dernier château en Espagne, projetant d'y rapporter un jour aux pieds de Maman, rendue à elle-même, les trésors que j'aurais acquis, et comptant sur mon système de musique comme sur une fortune assurée.

1. La longue lettre à M. de Saint-Germain (voir sur ce personnage et ses rapports avec Rousseau l'étude de L. Aurenche, *Annales*, XXX, 1943-1945) datée du 26 février 1770, mais probablement, comme le suggère M[me] de Saussure, commencée beaucoup plus tôt, reproduit plusieurs des allégations contenues dans ce passage des *Confessions*, rédigé vers la fin de 1769; on y retrouve « les espions malveillants et vigilants », les « planchers qui ont des yeux », les « murs qui ont des oreilles ». Les « barrières immenses » y sont devenues un « impénétrable édifice de ténèbres ». Un peu plus tard Rousseau écrit dans le I[er] *Dialogue* : « Dès qu'il s'établit quelque part, ce qu'on sait toujours d'avance, les murs, les planchers, les serrures, tout est disposé autour de lui pour la fin qu'on se propose ». (*O. C.,* I, 1959, p. 712.) Il parle dans le 2[e] *Dialogue* de « triples murs de ténèbres » (*ibid.,* p. 753). L'expression « l'amour sincère de la justice et de la vérité », à la fin du paragraphe, se retrouve peu modifiée dans le titre du billet que mentionne, à la fin des *Dialogues,* l'*Histoire du précédent écrit* (*ibid.,* p. 990).

[2.] Je m'arrêtai quelque temps à Lyon pour y voir mes connaissances, pour m'y procurer quelques recommandations pour Paris, et pour vendre mes livres de géométrie que j'avais apportés avec moi. Tout le monde m'y fit accueil. M. et M^me de Mably marquèrent du plaisir à me revoir, et me donnèrent à dîner plusieurs fois. Je fis chez eux connaissance avec l'abbé de Mably, comme je l'avais faite déjà avec l'abbé de Condillac, qui tous deux étaient venus voir leur frère. L'abbé de Mably me donna des lettres pour Paris, entre autres une pour M. de Fontenelle et une pour le comte de Caylus. L'un et l'autre me furent des connaissances très agréables, surtout le premier, qui jusqu'à sa mort n'a point cessé de me marquer[a] de l'amitié et de me donner dans nos tête-à-tête des conseils dont j'aurais dû mieux profiter.

[3.] Je revis M. Bordes, avec lequel j'avais depuis longtemps fait connaissance, et qui m'avait souvent obligé de[b] grand cœur et avec le plus vrai plaisir. En cette occasion je le retrouvai toujours le même. Ce fut lui qui me fit vendre mes livres, et il me donna[c] par lui-même ou me procura de bonnes recommandations pour Paris.

[4.] Je revis M. l'Intendant, dont je devais la connaissance à M. Bordes, et à qui je dus celle de M. le duc de Richelieu, qui passa à Lyon dans ce temps-là. M. Pallu me présenta à lui. M. de Richelieu me reçut bien et me dit de l'aller voir à Paris; ce que je fis plusieurs fois[d], sans pourtant que cette haute connaissance[e], dont j'aurai souvent à parler dans la suite, m'ait été jamais utile à rien.

[5.] Je revis le musicien David, qui[f] m'avait rendu service dans ma détresse à un de mes précédents voyages. Il m'avait prêté[g] ou donné un bonnet et des bas[h], que je ne lui ai jamais rendus, et qu'il ne m'a jamais redemandés, quoique nous nous soyons revus souvent depuis ce temps-là. Je lui ai pourtant fait dans la suite un présent à peu près équivalent. Je dirais mieux[i] que cela s'il s'agissait ici de ce que j'ai dû ; mais il s'agit de ce que j'ai fait, et malheureusement ce n'est pas la même chose.

[6.] Je revis le noble et généreux Perrichon, et ce ne fut pas sans me ressentir de sa magnificence ordinaire; car il me fit le même cadeau qu'il avait fait auparavant au Gentil Bernard, en me défrayant de ma place à la diligence. Je revis le chirurgien Parisot, le meilleur et le mieux

faisant des hommes; je revis sa chère Godefroi, qu'il
entretenait depuis dix ans, et dont la douceur de caractère
et la bonté[a] de cœur faisaient à peu près tout le mérite,
mais qu'on ne pouvait aborder sans intérêt ni quitter sans
attendrissement; car elle était au dernier terme d'une étisie
dont elle mourut peu après. Rien ne montre mieux les vrais
penchants d'un homme que l'espèce de ses attachements*.
Quand on avait vu la douce Godefroi, on connaissait le
bon[d] Parisot.

[7.] J'avais obligation à tous ces honnêtes gens. Dans
la suite je les négligeai tous, non certainement par ingrati-
tude, mais par cette invincible paresse qui m'en a souvent
donné l'air. Jamais le sentiment de leurs services n'est sorti
de mon cœur; mais il m'en eût moins coûté de leur prouver
ma reconnaissance que de la leur témoigner[e] assidûment.
L'exactitude à écrire a toujours été au-dessus de mes
forces[f]; sitôt que je commence à me relâcher, la honte et
l'embarras de réparer ma faute me la font aggraver, et je

* A moins qu'il ne se soit d'abord trompé dans son choix
ou que celle à laquelle il s'était attaché n'ait ensuite changé
de caractère par un concours de causes extraordinaires; ce
qui n'est pas impossible absolument. Si l'on voulait admettre
sans modification[b] cette conséquence, il faudrait donc juger
de Socrate par sa femme Xantippe, et de Dion par son ami
Calippus : ce qui serait le plus inique et le plus faux jugement
qu'on ait jamais porté. Au reste, qu'on écarte ici toute appli-
cation injurieuse à ma femme. Elle est, il est vrai, plus bornée
et plus facile à tromper que je[c] ne l'avais cru; mais pour son
caractère, pur, excellent, sans malice, il est digne de toute
mon estime, et l'aura tant que je vivrai [1].

1. Cette note de Rousseau figure dans le manuscrit de Genève au
bas d'une page où l'usure en a rendu la fin illisible (elle reste entière-
ment lisible dans le manuscrit de Paris). Le caractère acariâtre de
Xantippe, épouse de Socrate, est mentionné par Xénophon et Platon.
Sur l'assimilation implicite entre Rousseau et Socrate, voir *supra*,
p. 228, n. 1.
— Rousseau a pu lire dans Plutarque la vie de Dion de Syracuse,
assassiné par son ami Callippe. Thérèse est devenue en 1768 la
« femme » de Rousseau; voir *Index* et le livre de Ch. Guyot *(Biblio-
graphie)*.

n'écris plus du tout. J'ai donc gardé le silence, et j'ai paru les oublier. Parisot et Perrichon n'y ont même pas fait attention, et je les ai toujours trouvés les mêmes; mais on verra vingt ans après, dans M. Bordes, jusqu'où l'amour-propre d'un bel esprit peut porter la vengeance lorsqu'il se croit négligé.

[8.] Avant de quitter Lyon, je ne dois pas oublier une aimable personne que j'y revis avec plus de plaisir que jamais, et qui laissa dans mon cœur des souvenirs bien tendres. C'est M^{lle} Serre, dont j'ai parlé dans ma première partie, et avec laquelle j'avais renouvelé connaissance tandis que j'étais chez M. de Mably. A ce voyage, ayant plus de loisir, je la vis davantage; mon cœur se prit et très vivement. J'eus quelque lieu de penser que le sien ne m'était pas contraire, mais elle m'accorda une confiance qui m'ôta la tentation d'en abuser. Elle n'avait rien, ni moi non plus; nos situations étaient trop semblables pour que nous pussions nous unir, et, dans les vues qui m'occupaient, j'étais bien éloigné de songer au mariage. Elle m'apprit qu'un jeune[a] négociant appelé M. Genève paraissait vouloir s'attacher à elle. Je le vis chez elle une fois ou deux; il me parut honnête homme, il passait pour l'être. Persuadé qu'elle serait heureuse avec lui, je désirai qu'il l'épousât, comme il a fait dans la suite, et, pour ne pas troubler leurs innocentes amours, je me hâtai de partir, faisant pour le bonheur de cette charmante personne des vœux qui n'ont été exaucés ici-bas que pour un temps, hélas! bien court, car j'appris dans la suite qu'elle était morte au bout de deux ou trois ans de mariage. Occupé de mes tendres regrets durant toute ma route, je sentis et j'ai souvent senti depuis lors, en y repensant, que si les sacrifices qu'on fait au devoir et à la vertu coûtent à faire, on en est bien payé par les[b] doux souvenirs qu'ils laissent au fond du cœur.

[3.] 1[c]. Autant à mon précédent voyage j'avais vu Paris par son côté défavorable, autant à celui-ci je le vis par son côté brillant; non pas toutefois quant à mon loge-ment; car, sur une adresse que m'avait donnée M. Bordes, j'allai loger à l'hôtel Saint-Quentin, rue des Cordiers, proche la Sorbonne, vilaine rue, vilain hôtel, vilaine chambre, mais où cependant avaient logé des hommes de mérite, tels que Gresset, Bordes, les abbés de Mably, de Condillac, et plusieurs autres dont malheureusement je

n'y trouvai plus aucun[1]. Mais j'y trouvai un M. de Bonne-fond, hobereau boiteux, plaideur, faisant le puriste, auquel je dus la connaissance de M. Roguin, maintenant le doyen de mes amis, et par lui celle du philosophe Diderot, dont j'aurai beaucoup à parler dans la suite.

2. J'arrivai à Paris dans l'automne de 1741[2], avec quinze louis[a] d'argent comptant, ma comédie de *Narcisse*, et mon projet de musique pour toute ressource, et ayant par conséquent peu de temps à perdre pour tâcher d'en tirer parti. Je me pressai de faire valoir mes recommandations. Un jeune homme qui arrive à Paris avec une figure passable, et qui s'annonce par des talents, est toujours[b] sûr d'être accueilli. Je le fus; cela me procura des agréments sans me mener à grand'chose. De toutes les personnes à qui je fus recommandé[c], trois seules me furent utiles : M. Damesin,

1. La rue des Cordiers, qui a disparu, se trouvait sur l'emplacement de la place de la Sorbonne actuelle.

2. La date de 1741 donnée ici par Rousseau comme celle de son arrivée à Paris, est confirmée par lui au début du livre V (p. 203) et dans un billet (*C. C.*, XXVII, 165), cité ci-dessous, 775 n. 1. A la suite de Courtois, qui adopte dans sa *Chronologie* les hypothèses de plusieurs critiques contestant cette date, on a généralement admis que l'arrivée à Paris n'eut lieu qu'en fin juillet ou début août 1742, trois ou quatre semaines avant la présentation à l'Académie du système de notation musicale. Il faudrait alors admettre que Rousseau se trompe non seulement sur l'année, mais sur la saison, lorsqu'il déclare être arrivé dans l'*automne* de 1741. Il faudrait aussi supposer que la présentation à Richelieu n'a pas eu lieu, comme le dit Rousseau, à la veille du départ pour Paris, mais lors d'un séjour antérieur à Lyon.

Mme de Saussure a repris la question (*op. cit.*, pp. 349-355) et montré : 1° qu'aucun des documents donnés comme preuve de la présence aux Charmettes de Rousseau au début de 1742 n'est concluant; 2° que rien — y compris la présentation à Richelieu, qui put avoir lieu à Lyon entre la fin de novembre et le début de décembre 1741 — ne s'oppose à ce que Rousseau soit arrivé à Paris, à la lettre, dans l'*automne* de 1741, c'est-à-dire avant le 21 décembre.

Mme de Saussure doute également qu'un jeune étranger inconnu à Paris ait pu en moins d'un mois se procurer les introductions nécessaires pour faire lire son mémoire à l'Académie; cet argument n'est pas négligeable, mais il est discutable.

R. A. Leigh, partisan de la date de 1742, produit un inédit qui lui paraît la confirmer (*C. C.*, I, 160-161), mais ne constitue pas une preuve décisive.

gentilhomme savoyard, alors écuyer, et, je crois, favori de Mme la princesse de Carignan; M. de Boze, secrétaire de l'Académie des inscriptions, et garde des médailles du cabinet du roi; et le P. Castel, jésuite, auteur du Clavecin oculaire[1a]. Toutes ces recommandations, excepté celle de M. Damesin, me venaient de l'abbé de Mably.

3. M. Damesin pourvut au plus pressé par deux connaissances qu'il me procura : l'une de M. de Gasc, président à mortier au parlement de Bordeaux, et qui jouait très bien du violon; l'autre, de M. l'abbé de Léon, qui logeait alors en Sorbonne, jeune seigneur très aimable, qui mourut à la fleur de son âge après avoir brillé quelques instants dans le monde sous le nom de chevalier de Rohan. L'un et l'autre eurent la fantaisie d'apprendre la composition. Je leur en donnai quelques mois de leçon qui soutinrent un peu ma bourse tarissante. L'abbé de Léon me prit en amitié, et voulait m'avoir pour son secrétaire; mais il n'était pas riche, et ne put m'offrir en tout que huit cents francs, que je refusai bien à regret, mais qui ne pouvaient me suffire pour[b] mon logement, ma nourriture et mon entretien.

4. M. de Boze me reçut fort bien. Il aimait le savoir, il en avait; mais il était un peu pédant. Mme de Boze aurait été sa fille; elle était brillante et petite-maîtresse. J'y dînais quelquefois. On ne saurait avoir l'air plus gauche et plus sot que je l'avais vis-à-vis d'elle. Son maintien dégagé m'intimidait et rendait le mien plus plaisant.

1. Le *clavecin oculaire* est décrit de façon à peine fantaisiste dans les *Bijoux indiscrets* de Diderot (ch. de la toilette des femmes) : sur « un certain clavecin », un « certain brame noir » [...] avait diapasonné les couleurs selon l'échelle des sons, et [...] prétendait exécuter pour les yeux une sonate, un allegro, un presto, un adagio, un cantabile, aussi agréables que ces pièces bien faites le sont pour les oreilles ». (Éd. Assézat, IV, 203.) — Mme E. Noulet a consacré à la question son article « Le P. Castel et le Clavecin oculaire » dans la *N.N.R.F.*, septembre 1953. Selon cet article, Castel (voir *Index*) attaque les idées de Newton, que propage Voltaire. Dès 1735 il a envoyé au *Journal de Trévoux* le plan et la théorie de son invention. Ses articles sont complétés dans son *Optique des couleurs*, 1740, dont l'appendice décrit dans une lettre prétendue d'un musicien allemand « l'orgue ou clavecin oculaire » construit par l'inventeur, et que ce musicien a pu admirer à Paris, « quoiqu'il ne fût pas achevé ». En fait le clavecin oculaire ne fonctionna jamais.

Quand elle me présentait une assiette, j'avançais ma four-
chette pour piquer modestement un petit morceau de ce
qu'elle[a] m'offrait; de sorte qu'elle rendait à son laquais
l'assiette qu'elle m'avait destinée, en se tournant pour que
je ne la visse pas rire. Elle ne se doutait guère que dans la
tête de ce[b] campagnard il ne laissait pas d'y avoir quelque
esprit. M. de Boze me présenta à M. de Réaumur, son ami,
qui venait dîner chez lui tous les vendredis, jours d'Aca-
démie des sciences. Il lui parla de mon projet, et du désir
que j'avais de le[c] soumettre à l'examen de l'Académie.
M. de Réaumur se chargea de la proposition, qui fut
agréée; le jour donné, je fus introduit et présenté par M. de
Réaumur, et le même jour, 22 août 1742, j'eus l'honneur
de lire à l'Académie le Mémoire que j'avais préparé pour
cela[1]. Quoique cette illustre assemblée fût assurément
très imposante, j'y fus[d] bien moins intimidé que devant
M[me] de Boze, et je me tirai passablement de[e] mes lectures
et de mes réponses. Le Mémoire réussit, et m'attira des
compliments, qui me surprirent autant qu'ils me flattèrent,
imaginant à peine que devant une Académie, quiconque
n'en était pas pût avoir le sens commun. Les commissaires
qu'on me donna furent : MM. de Mairan, Hellot et de
Fouchy : tous trois gens de mérite assurément, mais dont
pas un ne savait la musique, assez du moins pour être en
état de juger de mon projet.

5. Durant mes conférences avec ces Messieurs, je me
convainquis, avec autant de certitude que de surprise,
que si quelquefois les savants ont moins de préjugés que
les autres hommes, ils tiennent, en revanche, encore plus
fortement à ceux qu'ils ont. Quelque faibles, quelque
fausses que fussent la plupart de leurs objections, et

1. Le 22 août 1742 est un mercredi; date confirmée par P.-P. Plan,
D. P., I, 379. Courtois fait remarquer (Chronologie, p. 37, n. 1), à propos
des visites de Réaumur chez Deboze, mentionnées quelques lignes
plus haut, que depuis 1666 l'Académie des sciences se réunissait les
mercredi et samedi, et non le vendredi.

Le mémoire, intitulé Projet concernant de nouveaux signes pour la
musique, fut imprimé dans les Œuvres complètes en 1781, dans un texte
qui présente quelques différences avec l'original manuscrit (Archives
de l'Académie des sciences). Le rapport de l'Académie publié par
P.-P. Plan (D. P., I, 380) fait état de la délivrance du certificat que
mentionne plus loin Rousseau.

quoique j'y répondisse timidement, je l'avoue, et en mau-
vais termes, mais par des raisons péremptoires, je ne vins
pas une seule fois à bout de me faire entendre et de les
contenter. J'étais toujours ébahi de[a] la facilité avec laquelle,
à l'aide de quelques phrases sonores, ils me réfutaient
sans m'avoir compris. Ils déterrèrent, je ne sais où, qu'un
moine appelé le P. Souhaitti avait jadis imaginé de noter
la gamme par chiffres; c'en fut assez pour prétendre que
mon système n'était pas neuf, et passe pour cela; car bien
que je n'eusse jamais ouï parler du P. Souhaitti, et bien
que sa manière[b] d'écrire les sept notes du plain-chant sans
même songer aux octaves ne méritât en aucune sorte
d'entrer en parallèle avec ma simple et commode invention
pour[c] noter aisément par chiffres toute musique imaginable,
clefs, silences, octaves, mesures, temps, et valeurs des
notes, choses auxquelles Souhaitti n'avait pas même songé;
il était néanmoins très vrai de dire que, quant à l'élémen-
taire expression des sept notes, il en était le premier inven-
teur. Mais outre qu'ils donnèrent à cette invention primi-
tive plus d'importance qu'elle n'en avait, ils ne s'en tinrent
pas là, et sitôt qu'ils voulurent parler du fond du système,
ils ne firent plus que déraisonner. Le plus grand avantage
du mien était d'abroger les transpositions et les clefs, en
sorte que le même morceau se trouvait noté et transposé à
volonté, dans quelque ton qu'on voulût, au moyen
du changement supposé d'une seule lettre initiale à la tête
de l'air. Ces Messieurs avaient ouï dire aux croque-sol[1]
de Paris que la méthode d'exécuter par transposition ne
valait rien. Ils partirent de là pour tourner en invincible
objection contre mon système son avantage le plus marqué,
et ils décidèrent que ma note était bonne pour la vocale,
et mauvaise pour l'instrumentale; au lieu de décider, comme
ils l'auraient dû, qu'elle était bonne pour la vocale, et meil-
leure pour l'instrumentale. Sur leur rapport, l'Académie
m'accorda un certificat plein de très beaux compliments
à travers lesquels on démêlait, pour le fond, qu'elle ne
jugeait mon système ni neuf ni utile. Je ne crus pas devoir
orner d'une pareille pièce l'ouvrage intitulé *Dissertation
sur la musique moderne*, par lequel j'en appelais au public.

6. J'eus lieu de remarquer en cette occasion combien,

1. Sur *croque-sol*, voir p. 166, n. 2.

même avec un esprit borné, la connaissance unique, mais profonde, de la chose[a] est préférable, pour en bien juger, à toutes les lumières que donne la culture des sciences, lorsqu'on n'y a pas joint l'étude particulière de celle dont il s'agit. La seule objection solide qu'il y eût à faire à mon système y fut faite par Rameau. A peine le lui eus-je expliqué, qu'il en vit le côté[b] faible. Vos signes, me[c] dit-il, sont très bons en ce qu'ils déterminent simplement et clairement les valeurs, en ce qu'ils représentent[d] nettement les intervalles et montrent toujours le simple dans le redoublé,[e] toutes choses que ne fait pas la note ordinaire; mais ils sont mauvais en ce qu'ils exigent[f] une opération de l'esprit qui ne[g] peut toujours suivre la rapidité de l'exécution. La position de nos notes, continua-t-il, se peint à l'œil sans le concours de cette opération. Si deux notes, l'une très haute, l'autre très basse, sont jointes par une tirade de notes intermédiaires, je vois du premier coup d'œil[h] le progrès de l'une à l'autre par degrés conjoints; mais pour m'assurer chez vous de cette tirade, il faut nécessairement que j'épelle tous vos chiffres l'un après l'autre : le coup d'œil ne peut suppléer à rien. L'objection me parut sans réplique, et j'en convins à l'instant : quoiqu'elle soit simple et frappante, il n'y a qu'une grande pratique de l'art qui puisse la suggérer, et il n'est pas étonnant qu'elle ne soit venue à aucun académicien; mais il l'est que tous ces grands savants, qui savent tant de choses, sachent si peu que chacun ne devrait juger que de son métier.

7. Mes fréquentes visites à mes commissaires et à d'autres académiciens me mirent à portée de faire connaissance avec tout ce qu'il y avait à Paris de plus distingué dans la littérature, et par là cette connaissance se trouva toute faite lorsque je me[i] vis, dans la suite, inscrit tout d'un coup parmi eux. Quant à présent, concentré dans mon système de musique, je m'obstinai à vouloir par lui faire une révolution dans cet art, et parvenir de la sorte à une célébrité qui, dans les beaux-arts, se conjoint toujours à Paris avec la fortune. Je m'enfermai dans ma chambre et travaillai deux ou trois mois avec une ardeur inexprimable à refondre, dans un ouvrage destiné pour le public, le mémoire que j'avais lu à l'Académie. La difficulté fut de trouver un libraire qui voulût se charger de mon manuscrit, vu qu'il y avait quelque dépense à faire pour les

nouveaux caractères, que les libraires ne jettent pas leurs écus à la tête des débutants, et qu'il me semblait cependant bien juste que mon ouvrage me rendît le pain que j'avais mangé en l'écrivant.

8. Bonnefond me procura Quillau le père, qui fit avec moi un traité à moitié profit, sans compter le privilège que je payai seul. Tant fut opéré par ledit Quillau, que j'en fus pour mon privilège, et n'ai tiré jamais un liard de cette édition, qui vraisemblablement eut un débit médiocre, quoique l'abbé Desfontaines m'eût promis de la faire aller, et que les autres journalistes en eussent dit assez de bien.

9. Le plus grand obstacle à l'essai de mon système était la crainte que, s'il n'était pas admis, on ne perdît le temps qu'on mettrait à l'apprendre. Je disais à cela que la pratique de ma note rendait[a] les idées si claires, que pour apprendre la musique par les caractères ordinaires on gagnerait encore[b] du temps à commencer par les miens. Pour en donner la preuve par l'expérience, j'enseignai gratuitement la musique à une jeune Américaine appelée M[lle] Desroulins, dont M. Roguin m'avait procuré la connaissance; en trois mois elle fut en état de déchiffrer sur ma note quelque musique que ce fût, et même de chanter à livre ouvert mieux que moi-même toute celle qui n'était pas[c] chargée de difficultés[1]. Ce succès fut frappant, mais ignoré. Un autre en aurait rempli les journaux; mais avec quelque talent pour trouver des choses utiles, je n'en eus jamais pour les faire valoir.

10. Voilà comment ma fontaine de Héron fut encore cassée : mais cette seconde fois j'avais trente ans[d], et je me trouvais sur le pavé de Paris, où l'on ne vit pas pour rien. Le parti que je pris dans cette extrémité n'étonnera que ceux qui n'auront pas bien lu ma première partie. Je venais de me donner des mouvements aussi grands qu'inutiles; j'avais besoin de reprendre haleine. Au lieu de me

1. Dans une note autographe de Rousseau sur un exemplaire de la *Dissertation sur la Musique moderne,* note publiée dans *Annales,* II, 268, Rousseau allonge à six mois le délai : « L'année où je publiai cette dissertation, je fis un essai de mes nouveaux caractères et j'enseignai à lire la musique ainsi notée à M[lle] Desroulins, Américaine, qui ne connaissait pas une seule note de la musique ordinaire. Au bout de six mois, elle déchiffrait et chantait toute sorte de musique notée par mes chiffres... »

livrer au désespoir, je me livrai tranquillement à ma paresse
et aux soins de la Providence, et, pour lui donner le temps
de faire son œuvre, je me mis à manger, sans me presser,
quelques louis qui me restaient encore, réglant la dépense
de mes nonchalants plaisirs sans la retrancher, n'allant plus
au café que de deux jours l'un, et au spectacle que deux fois
la semaine. A l'égard de la dépense des filles, je n'eus aucune
réforme à y faire, n'ayant mis de ma vie un sol à cet usage,
si ce n'est une seule fois, dont j'aurai bientôt à parler.

11. La sécurité, la volupté, la confiance avec laquelle
je me livrais à cette vie indolente et solitaire, que je n'avais
pas de quoi faire durer trois mois, est une des singularités
de ma vie et une des bizarreries de mon humeur. L'extrême
besoin que j'avais[a] qu'on pensât à moi était précisément
ce qui m'ôtait le courage de me montrer, et la nécessité
de faire des visites me les rendit insupportables, au point
que je cessai même de voir les académiciens et autres gens
de lettres avec lesquels j'étais déjà faufilé. Marivaux,
l'abbé de Mably, Fontenelle, furent[b] presque les seuls
chez qui je continuai d'aller quelquefois. Je montrai même
au premier ma comédie de *Narcisse*. Elle lui plut, et il eut la
complaisance de la retoucher. Diderot, plus jeune qu'eux,
était à peu près de mon âge. Il aimait la musique; il en
savait la théorie; nous en parlions ensemble; il me parlait
aussi de ses projets d'ouvrages. Cela forma bientôt entre
nous des liaisons plus intimes, qui ont duré quinze ans, et
qui probablement dureraient encore si malheureusement, et
bien par sa faute, je n'eusse été jeté dans son même métier[1].

12. On n'imaginerait pas à quoi[c] j'employais ce court
et précieux intervalle qui me restait encore avant d'être
forcé de mendier mon pain : à étudier par cœur des pas-
sages de poètes, que j'avais appris cent fois et autant de
fois oubliés. Tous les matins, vers les dix heures, j'allais
me promener au Luxembourg, un Virgile[d] ou un Rousseau
dans ma poche, et là, jusqu'à l'heure du dîner, je remémorais
tantôt une ode sacrée et tantôt une bucolique, sans me
rebuter de ce qu'en repassant celle du jour je ne manquais
point d'oublier celle de la veille. Je me rappelais qu'après
la défaite de Nicias à Syracuse, les Athéniens[e] captifs

1. Allusion au rôle joué par Diderot dans la genèse du *Discours sur
les Sciences et les Arts* selon la version présentée par Rousseau, *infra,*
livre VIII, p. 416.

gagnaient leur vie à réciter les poèmes d'Homère[1]. Le
parti que je tirai de ce trait d'érudition, pour me prémunir
contre la misère, fut d'exercer mon heureuse mémoire à
retenir tous les poètes par cœur.

13. J'avais un autre expédient non moins solide dans
les échecs, auxquels je consacrais régulièrement[a], chez
Maugis, les après-midi des jours que je n'allais pas au
spectacle. Je fis là connaissance avec M. de Légal, avec un
M. Husson, avec Philidor, avec tous les grands joueurs
d'échecs de ce temps-là, et n'en devins pas plus habile. Je
ne doutais pas cependant que je ne devinsse à la fin plus
fort qu'eux tous, et c'en était assez, selon moi, pour me
servir de ressource. De quelque folie que je m'engouasse,
j'y portais toujours la même manière de raisonner. Je me
disais : Quiconque prime en quelque chose est toujours
sûr d'être recherché. Primons donc, n'importe en quoi;
je serai recherché, les occasions se présenteront, et mon
mérite fera le reste. Cet enfantillage n'était pas le sophisme
de ma raison, c'était celui de mon indolence. Effrayé
des grands et rapides efforts qu'il aurait fallu faire pour
m'évertuer, je tâchais de flatter ma paresse, et je m'en voilais
la honte par des arguments dignes d'elle.

1.[b] J'attendais ainsi tranquillement la fin de mon argent,
et je crois que je serais arrivé au dernier sou sans m'en
émouvoir davantage, si le P. Castel, que j'allais voir quel-
quefois en allant au café, ne m'eût arraché de ma léthargie.
Le P. Castel était fou, mais bon homme au demeurant : il
était fâché de me voir consumer ainsi sans rien faire. Puis-
que les musiciens, me dit-il, puisque les savants ne chantent
pas à votre unisson, changez de corde et voyez les femmes[c].
Vous réussirez peut-être mieux de ce côté-là. J'ai parlé de
vous à Mme de Bezenval; allez la voir de ma part. C'est
une bonne femme qui verra avec plaisir un pays de son
fils et de son mari. Vous verrez chez elle Mme de Broglie,
sa fille, qui est une femme d'esprit. Mme Dupin en est une
autre à qui j'ai aussi parlé de vous : portez-lui votre
ouvrage; elle a envie de vous voir, et vous recevra bien.
On ne fait rien dans Paris que par les femmes : ce sont
comme des courbes dont les sages sont les asymptotes; ils

1. Détail que Rousseau a pu lire dans la *Vie de Nicias* de Plutarque
— où toutefois il est question des vers d'Euripide et non de ceux
d'Homère.

s'en approchent sans cesse, mais ils n'y touchent jamais.

2.[a] Après avoir[b] remis d'un jour à l'autre ces terribles corvées, je pris enfin courage, et j'allai voir M[me] de Bezenval. Elle me reçut avec bonté[c]. M[me] de Broglie étant entrée dans sa chambre, elle lui dit : Ma fille, voilà M. Rousseau dont le P. Castel nous a parlé. M[me] de Broglie me fit compliment sur mon ouvrage, et me menant à son clavecin, me fit voir qu'elle s'en était occupée. Voyant à sa pendule qu'il était près d'une heure, je voulus m'en aller. M[me] de Bezenval me dit : Vous êtes loin de votre quartier, restez, vous dînerez ici. Je ne me fis pas prier. Un quart d'heure après je compris par quelques mots que le dîner auquel elle m'invitait était celui de son office. M[me] de Bezenval était une très bonne femme, mais bornée, et trop pleine de son illustre noblesse polonaise; elle avait peu d'idées des égards qu'on doit aux talents. Elle me jugeait même en cette occasion sur mon maintien plus que sur mon équipage, qui, quoique très simple, était fort propre, et[d] n'annonçait point du tout un homme fait pour dîner à l'office. J'en avais oublié le chemin depuis trop longtemps pour vouloir le rapprendre. Sans laisser voir tout mon dépit, je dis à M[me] de Bezenval qu'une petite affaire, qui me revenait en mémoire, me rappelait dans mon quartier, et je voulus partir. M[me] de Broglie s'approcha de sa mère, et lui dit à l'oreille quelques mots qui firent effet. M[me] de Bezenval se leva pour me retenir et me dit : Je compte que c'est avec nous que vous nous ferez l'honneur de dîner. Je crus que faire le fier[e] serait faire le sot, et je restai. D'ailleurs la bonté de M[me] de Broglie m'avait touché et me la rendait intéressante. Je fus fort aise de dîner avec elle et j'espérai qu'en me connaissant davantage elle n'aurait pas regret à m'avoir procuré cet honneur. M. le président de Lamoignon, grand ami de la maison, y dîna aussi. Il avait, ainsi que M[me] de Broglie, ce petit jargon de Paris, tout en petits mots, tout en petites allusions fines. Il n'y avait pas là de quoi briller pour le pauvre Jean-Jacques. J'eus le bon sens de ne vouloir pas faire le gentil malgré Minerve, et je me tus. Heureux si j'eusse été toujours aussi sage ! je ne serais pas dans l'abîme où je suis aujourd'hui.

3.[f] J'étais désolé de ma lourdise[1], et de ne pouvoir

1. Sur *Minerve,* voir livre V, p. 232, n. 1. — *Lourdise :* « faute lourde contre le bon sens, la bienséance, etc. » (Littré.) A. François donne

justifier aux yeux de M^me de Broglie ce qu'elle avait fait
en ma faveur. Après le dîner, je m'avisai de ma ressource
ordinaire. J'avais dans ma poche une épître en vers, écrite
à Parisot pendant mon séjour à Lyon[1]. Ce morceau ne
manquait pas de chaleur; j'en mis dans la façon de le
réciter, et je les fis pleurer tous trois. Soit vanité, soit
vérité dans mes interprétations, je crus voir que les regards
de M^me de Broglie disaient à sa mère : Eh bien, maman,
avais-je tort de vous dire que cet homme était plus fait
pour dîner avec vous qu'avec vos femmes ? Jusqu'à ce
moment j'avais eu le cœur un peu gros; mais après m'être
ainsi vengé, je fus content. M^me de Broglie, poussant un
peu trop loin le jugement[a] avantageux qu'elle avait porté
de moi, crut que j'allais faire sensation dans Paris et
devenir un homme à bonnes fortunes. Pour guider mon
inexpérience, elle me donna les *Confessions du Comte de****[2].

comme d'origine vaudoise ce mot, que Rousseau a pu trouver aussi
dans le Plutarque d'Amyot. Rousseau emploie également son synonyme
balourdise (employé par ex. p. 651), et le mot genevois *platise* (p. 678
et n. 2).

1. L'*Épître à Parisot* (voir *Index,* Parisot), intéressant document
autobiographique, est connu par une copie qui la donne comme
« achevée le 10 juillet 1742 », mais cette date n'est pas sûre. On doute
généralement qu'elle ait été, comme Rousseau le dit ici, écrite à Lyon,
et M^me de Saussure (p. 352, n. 2) pense qu'il peut y avoir dans ce
passage une confusion avec l'*Épître à Bordes*. L'*Épître à Parisot* expose
les difficultés d'un jeune homme qui veut « briller dans le monde » en
en termes assez proches de ceux employés dans *les Confessions* au
livre VII.

2. Ce livre de Duclos *(Index)* venait de paraître. C'est l'histoire
d'un « homme à bonnes fortunes », et en ce sens il pouvait guider
l'« inexpérience » du jeune provincial à Paris. Mais le héros, après bien
des liaisons frivoles, finit bien : il épouse une veuve belle mais sage
qui lui pardonne une trahison, et avec laquelle il se retire à la cam-
pagne. Ce livre que Rousseau a « gardé plus de vingt ans » a pu fournir
l'amorce de quelques thèmes rousseauistes : on songe à M. de Wolmar,
qui pardonne à Julie sa faute passée, et vit heureux avec elle à la cam-
pagne. Un épisode du roman peut faire penser à la bienfaisance de Julie
envers Fanchon Regard, dans *la Nouvelle Héloïse*. C'est surtout la thèse
même soutenue dans la fin du roman — défense du mariage, critique
de la mauvaise éducation que reçoivent les femmes dans la société
moderne — qui semble annoncer la thèse et les préfaces de *la Nouvelle
Héloïse*. La façon dont, au début du roman, la retraite du héros à la
campagne est présentée un peu comme un défi à ses anciens amis

Ce livre, me dit-elle, est un Mentor dont vous aurez besoin dans le monde : vous ferez bien de le consulter quelquefois. J'ai gardé plus de vingt ans cet exemplaire avec reconnaissance pour la main dont il me venait, mais riant[a] souvent de l'opinion que paraissait avoir cette dame de mon mérite galant. Du moment que j'eus lu cet ouvrage, je désirai d'obtenir l'amitié de l'auteur. Mon penchant m'inspirait très bien : c'est le seul ami vrai que j'aie eu parmi les gens de lettres*.

Dès lors j'osai compter que Mme la baronne de Bezenval et Mme la marquise de Broglie, prenant intérêt à moi, ne me laisseraient pas longtemps sans ressource, et je ne me trompai pas. Parlons maintenant de mon entrée chez Mme Dupin, qui a eu de plus longues suites.

Mme Dupin était, comme on sait, fille de Samuel Bernard et de Mme Fontaine. Elles étaient trois sœurs qu'on pouvait appeler les trois Grâces. Mme de la Touche qui fit une escapade en Angleterre avec le duc de Kingston;

* Je l'ai cru si longtemps et si parfaitement, que c'est à lui que, depuis mon retour à Paris, je confiai le manuscrit de mes confessions. Le défiant Jean-Jacques n'a jamais pu croire à la perfidie et à la fausseté qu'après en avoir été la victime[b].

« mondains » fait penser au ton sur lequel Rousseau évoque, au livre IX, sa retraite à l'Ermitage. Comme dans d'autres rencontres, la « fiction » aurait-elle, chez Rousseau, modelé la « réalité » (voir *infra*, à propos de l'amour pour Mme d'Houdetot, pp. 510-511, n. 1) ? Le héros de Duclos s'écrie en effet : « Pourquoi voulez-vous m'arracher à ma solitude et troubler ma tranquillité ? Vous ne pouvez pas vous persuader que je sois absolument déterminé à vivre à la campagne. Je n'y suis que depuis un an et ma persévérance vous étonne... » Enfin l'emploi dans le titre du terme *Confessions* invite aussi à la comparaison. Le héros présente son histoire comme « une confession fidèle des travers et des erreurs de ma jeunesse ». A la différence de ce roman, les *Mémoires* de Duclos, emplis d'aventures amoureuses, n'offrent aucune ressemblance avec les *Confessions* de Rousseau.

On trouverait sans doute ailleurs dans les écrits de Duclos des traces d'une influence probable sur les idées de Rousseau; ainsi dans l'*Essai sur l'Origine des langues* (chapitre VII) l'affirmation selon laquelle la langue française serait dépourvue de tout accent musical est une idée de Duclos.

M^me a d'Arty, la maîtresse, et, bien plus l'amie^b, l'unique
et sincère amie de M. le prince de Conti, femme adorable
autant par la douceur, par la bonté de son charmant carac-
tère, que par l'agrément de son esprit et par l'inaltérable
gaieté de son humeur; enfin, M^me Dupin, la plus belle des
trois, et la seule à qui l'on n'ait point reproché d'écart
dans sa conduite. Elle fut le prix de l'hospitalité de M. Du-
pin, à qui sa mère la donna avec une place de fermier
général et une fortune immense, en reconnaissance du bon
accueil qu'il lui avait fait dans sa province. Elle était
encore, quand je la vis pour la première fois, une des plus
belles femmes de Paris. Elle me reçut à sa toilette. Elle
avait les bras nus, les cheveux épars, son peignoir mal
arrangé. Cet abord m'était très nouveau; ma pauvre tête
n'y tint pas; je me trouble, je m'égare, et bref me voilà
épris de M^me Dupin.

Mon trouble ne parut^c pas me nuire auprès d'elle, elle
ne s'en aperçut point. Elle accueillit le livre et l'auteur, me
parla de mon projet en personne instruite, chanta, s'accom-
pagna du clavecin, me retint à dîner, me fit mettre à table
à côté d'elle; il n'en fallait pas tant pour me rendre fou, je
le devins. Elle me permit de la venir voir : j'usai, j'abusai
de la permission. J'y allais presque tous les jours, j'y dînais
deux ou trois fois^d la semaine. Je mourais d'envie de
parler; je n'osais jamais. Plusieurs raisons renforçaient
ma timidité naturelle. L'entrée d'une maison opulente
était une porte ouverte à la fortune; je ne voulais pas, dans
ma situation, risquer de me la fermer. M^me Dupin, tout
aimable qu'elle était, était sérieuse et froide; je ne trouvais
rien dans ses manières d'assez agaçant pour m'enhardir^e.
Sa maison, aussi brillante alors qu'aucune autre dans
Paris, rassemblait des sociétés auxquelles il ne manquait
que d'être un peu moins nombreuses pour être d'élite dans
tous les genres. Elle aimait à voir tous les gens qui jetaient
de l'éclat, les grands, les gens de lettres, les belles femmes.
On ne voyait chez elle que ducs, ambassadeurs, cordons-
bleus[1]. M^me la princesse de Rohan, M^me la comtesse de
Forcalquier, M^me de Mirepoix, M^me de Brignole, milady
Hervey, pouvaient passer pour ses amies^f. M. de Fonte-
nelle, l'abbé de Saint-Pierre, l'abbé Sallier, M. de Fourmont,

1. Le cordon bleu est l'insigne de l'ordre des chevaliers du Saint-
Esprit.

M. de Bernis, M. de Buffon, M. de Voltaire étaient de son cercle et de ses dîners. Si son maintien réservé n'attirait pas beaucoup les jeunes gens, sa société, d'autant mieux composée, n'en était que plus imposante, et le pauvre Jean-Jacques n'avait pas de quoi se flatter de briller beaucoup au milieu de tout cela. Je n'osai donc parler; mais, ne pouvant plus me taire, j'osai écrire. Elle garda[a] deux jours ma lettre sans m'en parler. Le troisième jour elle me la rendit[b], m'adressant verbalement quelques mots d'exhortation d'un ton froid qui me glaça. Je voulus parler, la parole expira sur mes lèvres; ma subite passion s'éteignit avec l'espérance, et, après une déclaration dans les formes, je continuai[c] de vivre avec elle comme auparavant, sans plus lui parler de rien, même des yeux[1].

Je crus ma sottise oubliée; je me trompai. M. de Francueil, fils de M. Dupin et beau-fils de madame, était à peu près de son âge et du mien. Il avait de l'esprit, de la figure; il pouvait avoir des prétentions; on disait qu'il en avait auprès d'elle, uniquement peut-être parce qu'elle lui avait donné une femme bien laide, bien douce, et qu'elle vivait parfaitement bien avec tous les deux. M. de Francueil aimait et cultivait les talents. La musique, qu'il savait[d] fort bien, fut entre nous un moyen de liaison. Je le vis beau-

1. A défaut de « déclaration dans les formes », on possède les lettres d'excuses adressées ensuite par Rousseau à Mme Dupin et à son mari respectivement (*C. C.,* I, 182 et 185). La première, datée du 9 avril, commence ainsi :

« Madame, j'aperçois avec la plus vive douleur que j'ai mérité votre disgrâce; j'en sens les effets, même en éprouvant votre bonté et je vois à n'en pouvoir douter qu'il n'y a qu'un sentiment de générosité qui m'ait pu garantir du traitement qui m'était dû. Votre indulgence, Madame, m'a fait rentrer en moi-même autant que votre mépris m'a touché... »

Dans la seconde lettre, le futur auteur des *Confessions* accuse déjà son destin et présente son repentir comme lui assurant des droits au pardon :

« ... Je connais trop la triste fatalité qui me poursuit pour compter sur un bien [*la faveur de M. Dupin*] capable de me rendre heureux. Un triste penchant à prévoir tous les malheurs que je crains, et une cruelle exactitude du sort à justifier toutes mes craintes, me rend le mien comme assuré [...]. Rempli de travers et de défauts, je sais du moins les haïr. Il est des retours sur nos fautes qui valent mieux que de n'en avoir point commis. »

coup ; je m'attachais à lui : tout d'un coup il me fit entendre que M^me Dupin trouvait mes visites trop fréquentes, et me priait de les discontinuer. Ce compliment aurait pu être à sa place quand elle me rendit ma lettre ; mais huit ou dix jours après, et sans aucune autre cause, il venait, ce me semble, hors de propos. Cela faisait une position d'autant plus bizarre, que je n'en étais pas moins bien venu qu'auparavant chez M. et M^me de Francueil. J'y allai cependant plus rarement, et j'aurais cessé d'y aller tout à fait, si, par un autre caprice imprévu, M^me Dupin ne m'avait fait prier de veiller pendant huit^a ou dix jours à son fils, qui, changeant de gouverneur, restait seul durant cet intervalle. Je passai ces huit jours dans un supplice que le^b plaisir d'obéir à M^me Dupin pouvait seul me rendre souffrable[1]; car le pauvre Chenonceaux avait dès lors cette mauvaise tête qui a failli déshonorer sa famille, et qui l'a fait mourir à l'île de Bourbon. Pendant que je fus auprès de lui, je l'empêchai de faire du mal à lui-même ou à d'autres, et voilà tout : encore ne fut-ce pas une médiocre peine ; je ne m'en serais pas chargé huit autres jours de plus, quand M^me Dupin se serait donnée à moi pour récompense.

M. de Francueil me prenait en amitié, je travaillais avec lui : nous commençâmes ensemble un cours de chimie chez Rouelle. Pour me rapprocher de lui, je quittai mon hôtel Saint-Quentin et vins me loger au jeu de Paume de la rue Verdelet, qui donne dans la rue Plâtrière, où logeait M. Dupin. Là, par la suite d'un rhume négligé, je gagnai une fluxion de poitrine dont je faillis mourir[2]. J'ai eu souvent^c dans ma jeunesse de ces maladies inflammatoires, pleurésies, et surtout des esquinancies auxquelles j'étais très sujet, dont je ne tiens pas ici le registre, et qui toutes m'ont fait voir la mort d'assez près pour me fami-

1. Littré donne *souffrable* (= tolérable) comme un néologisme. Rousseau l'emploie de nouveau au livre VII (p. 364) au livre IX (p. 522). Ce n'est pas un « provincialisme » suisse.

2. D'après la date de la première représentation de l'opéra *Le Pouvoir de l'Amour* de Royer *(Index)*, auquel Rousseau fait allusion plus loin, Courtois date de mai 1743 ce déménagement et cette maladie *(Chronologie,* p. 40). La rue Plâtrière, où habitera Rousseau lui-même de 1747 à 1750, puis dans les dernières années de sa vie, est dans le quartier des Halles, près de Saint-Eustache (rue J.-J.-Rousseau actuelle).

liariser avec son image. Durant ma convalescence, j'eus le temps de réfléchir sur mon état, et de déplorer ma timidité, ma faiblesse, et mon indolence qui, malgré le feu dont je me sentais embrasé, me laissait languir dans l'oisiveté d'esprit toujours à la porte de la misère. La veille du jour où j'étais tombé malade, j'étais allé à un opéra de Royer, qu'on donnait alors, et dont j'ai oublié le titre. Malgré ma prévention pour les talents des autres, qui m'a toujours fait défier des miens, je ne pouvais m'empêcher de trouver cette musique faible, sans chaleur, sans invention. J'osais quelquefois me dire : Il me semble que je ferais mieux que cela. Mais la terrible idée que j'avais de la composition d'un opéra, et l'importance que j'entendais donner par les gens de l'art à cette entreprise, m'en rebutaient à l'instant même, et me faisaient rougir d'oser y[a] penser. D'ailleurs où trouver quelqu'un qui voulût me fournir des paroles et prendre la peine de les tourner à mon gré ? Ces idées de musique et d'opéra me revinrent durant ma maladie, et dans le transport de ma fièvre, je composais[b] des chants, des duos, des chœurs. Je suis certain d'avoir fait deux ou trois morceaux *di prima intenzione*[1] dignes peut-être de l'admiration des maîtres s'ils avaient pu les entendre exécuter. Oh ! si l'on pouvait tenir registre des rêves d'un fiévreux, quelles grandes et sublimes choses on verrait sortir quelquefois de son délire[2] !

Ces sujets de musique et d'opéra m'occupèrent encore pendant ma convalescence, mais plus tranquillement. A force d'y penser, et même malgré moi, je voulus en avoir le cœur net, et tenter de faire à moi seul un opéra, paroles et musique. Ce n'était pas tout à fait mon coup d'essai. J'avais fait[c] à Chambéry un opéra-tragédie, intitulé *Iphis et Anaxarète*, que j'avais eu le bon sens de jeter au feu. J'en

1. *Di prima intenzione* : ici = de premier jet. L'expression (définie par Rousseau dans son *Dictionnaire de Musique*) est archaïque : le dictionnaire italien Tommaseo-Bellini n'en mentionne pas d'exemples postérieurs au xviie siècle.

2. Anticipation sur les découvertes et les méthodes de la psychologie et de la psychanalyse. Cette réflexion est du type de celles que pouvaient échanger Diderot et Rousseau dans leurs entretiens. On sait comment Diderot exploita l'idée à des fins scientifiques dans *le Rêve de d'Alembert* — où l'auteur « tient registre » des propos du personnage qui rêve — tandis que Coleridge, De Quincey ou Baudelaire l'appliqueront sur eux-mêmes à la création poétique.

avais fait à Lyon un autre intitulé *La découverte du nouveau monde* dont, après l'avoir lu à M. Bordes, à l'abbé de Mably, à l'abbé Trublet et à d'autres, j'avais fini par faire le même usage, quoique j'eusse déjà fait la musique du prologue et du premier acte, et que David m'eût dit, en voyant cette musique, qu'il y avait des morceaux dignes du Buononcini.

Cette fois, avant[a] de mettre la main à l'œuvre, je me donnai le temps de méditer mon plan. Je projetai dans un ballet héroïque trois sujets différents en trois actes détachés, chacun dans un différent caractère de musique; et, prenant pour chaque sujet les amours d'un poète, j'intitulai cet opéra *Les Muses galantes*[1]. Mon premier acte, en genre de musique forte, était le Tasse; le second, en genre de musique tendre, était Ovide[b]; et le troisième, intitulé *Anacréon*, devait respirer la gaieté du dithyrambe. Je m'essayai d'abord sur le premier acte, et je m'y livrai avec une ardeur qui, pour la première fois, me fit goûter les délices de la verve dans la composition. Un soir, près d'entrer à l'Opéra, me sentant tourmenté, maîtrisé par mes idées, je remets mon argent dans ma poche, je cours m'enfermer chez moi, je me mets au lit, après avoir bien fermé tous mes rideaux pour empêcher le jour d'y pénétrer, et là, me livrant à tout l'œstre[2] poétique et musical, je composai rapidement en sept ou huit heures la meilleure partie de mon acte. Je puis dire que mes amours pour la princesse de Ferrare (car j'étais le Tasse pour lors[3]) et mes nobles et fiers sentiments

1. Il subsiste quelques fragments d'*Iphis*, « tragédie pour l'Académie royale de Musique », composés entre 1737 et 1740 pense-t-on, et publiés pour la première fois en 1776 (*Œuvres mêlées,* Londres) ainsi que *la Découverte du Nouveau Monde,* dont le Prologue, retrouvé par Dufour, a été publié dans les *Annales* (I, 1905, p. 229). — Le titre des *Muses galantes* n'a rien d'original, après le ballet *l'Europe galante* de La Motte-Houdard et Campra (1697), l'opéra-ballet de Rameau *les Indes galantes* (1735). L'épithète est à la mode : en 1747 sera monté le ballet *l'Année galante.*

2. *Œstre :* au propre, insecte du genre taon. Le passage au sens figuré (encore courant dans l'ital. *estro*) d'excitation, impulsion, enthousiasme poétique, s'explique par la vogue depuis la Renaissance de la théorie platonicienne de l'inspiration poétique.

3. On rejette maintenant comme une légende l'amour prétendu du Tasse pour la princesse Lucrèce, et la prétendue vengeance du duc qui aurait accusé le poète de folie pour se débarrasser de lui. Les

vis-à-vis de son injuste frère, me donnèrent une nuit cent fois plus délicieuse que je ne l'aurais trouvée dans les bras de la[a] princesse elle-même. Il ne resta le matin dans ma tête qu'une bien petite partie de ce que j'avais fait; mais ce peu, presque effacé par la lassitude et le sommeil, ne laissait pas de marquer encore l'énergie des morceaux dont il offrait les débris.

Pour cette fois, je ne poussai pas fort loin ce travail, en ayant été détourné par d'autres affaires. Tandis que je m'attachais à la maison Dupin, Mme de Bezenval et Mme de

malheurs et la folie de l'auteur de *la Jérusalem délivrée* auraient suffi, même sans ces embellissements, à faire de lui une des figures tragiques de prédilection à l'époque où prennent forme les théories romantiques sur la nature du génie artistique. Mais plus encore que Gœthe (*Torquato Tasso,* tragédie, 1790) ou Byron (*The Lament of Tasso,* poème, 1817), Rousseau, accusé de folie dès son vivant, se sent proche du grand poète italien avec lequel il s'identifie dans *les Muses galantes* (première version). Parmi les anecdotes recueillies sous le titre *De J.-J. Rousseau* par O. Corancez, directeur du *Journal de Paris,* dans un article de son périodique (an VI = 1798), figure une curieuse déclaration de Rousseau expliquant son goût pour le Tasse par une strophe qui se détache du reste de *la Jérusalem,* et que Vinet traduit en l'identifiant comme la 77e du chant XII (*O.C.,* I, 1959, p. 1386) :

> *Seul avec mes pensées, implacables Furies,*
> *Je traînerai partout leur cortège abhorré,*
> *J'aurai peur de la nuit ; ses ombres ennemies*
> *Représentent ma faute à mon cœur déchiré...*
> *J'aurai peur de moi-même ; et toujours, ô misère,*
> *A moi-même enchaîné, je fuirai, mais en vain.*

L'étude parallèle, chez le Tasse et chez Rousseau, des effets de la maladie de la persécution chez un écrivain de génie a été esquissée par L. Proal dans *la Psychologie de J.-J. Rousseau,* Paris, 1923, p. 327.

De nombreuses citations du Tasse, en italien, se rencontrent dans *la Nouvelle Héloïse,* avec la traduction qu'en donne Rousseau. Son exemplaire du Tasse fut après sa mort donné par Thérèse (ou par Girardin) à un admirateur anglais, George Simon Harcourt — le « milord Nuneham » de Rousseau — et doit être encore à présent propriété de la famille Harcourt (voir mon *J.-J. Rousseau en Angleterre,* p. 37 et n. 30). Une traduction d'*Olinde et Sophronie,* épisode du second chant de *la Jérusalem délivrée,* fut publiée dans l'édition de Genève des *Œuvres posthumes* en 1781. En 1774, le public et la critique, encouragés par une habile préface de l'éditeur, attribuent à Rousseau une traduction anonyme du Tasse qui vient de paraître; Rousseau proteste contre le procédé dans sa correspondance (*D. P.,* XX, 303) et y fait allusion dans les 1er et 3e *Dialogues.*

Broglie, que je continuais de voir quelquefois, ne m'avaient pas oublié. M. le comte de Montaigu, capitaine aux Gardes, venait d'être nommé ambassadeur à Venise. C'était un ambassadeur de la façon de Barjac, auquel il faisait[a] assidûment sa cour[1]. Son frère, le chevalier de Montaigu, gentilhomme de la manche[2] de M. le Dauphin, était de la connaissance de ces deux dames et de celle de M. l'abbé Alary, de l'Académie française, que je voyais aussi quelquefois. M[me] de Broglie, sachant que[b] l'ambassadeur cherchait un secrétaire, me proposa. Nous entrâmes en pourparlers. Je demandai cinquante louis d'appointement, ce qui était bien peu dans une place où l'on est obligé de figurer. Il ne voulait me donner que cent pistoles, et que je fisse le voyage à mes frais. La proposition était ridicule. Nous ne pûmes nous accorder. M. de Francueil, qui faisait[c] ses efforts pour me retenir, l'emporta. Je restai, et M. de Montaigu partit, emmenant un autre secrétaire[d] appelé M. Follau, qu'on lui avait donné au bureau des Affaires étrangères. A peine furent-ils arrivés à Venise qu'ils se brouillèrent. Follau, voyant qu'il avait affaire à un fou, le planta là; et M. de Montaigu n'ayant qu'un[e] jeune abbé appelé de Binis, qui écrivait sous le secrétaire et n'était pas en état d'en remplir la place, eut recours à moi. Le chevalier son frère, homme d'esprit, me tourna si bien, me faisant entendre qu'il y avait des droits attachés à la place de secrétaire, qu'il me fit accepter les mille francs. J'eus vingt louis pour mon voyage, et je partis[3].

1. Littré ne donne pas d'exemples postérieurs au xviii[e] siècle de l'expression *de la façon de,* qui appartient au style familier. Rousseau ne calomnie pas Montaigu en l'accusant de devoir son poste à l'influent premier valet de chambre du cardinal de Fleury; il ressort de plusieurs lettres de Barjac *(Index)* conservées dans la famille Montaigu que Barjac a bien été sollicité à plusieurs reprises.

2. Les *gentilshommes de la manche* accompagnaient les princes de la maison royale française dans leur jeunesse. Ils doivent leur nom au fait que l'étiquette leur interdisait de les tenir par la main. On appelait de même *gardes de la manche* deux gardes du corps attachés à la personne du roi dans certaines cérémonies. Rousseau désigne de ce nom à la fin de la 8[e] Promenade le Dauphinois Bovier, qu'il accuse de l'espionner.

3. Les détails donnés ici par Rousseau sont confirmés à peu de chose près par la correspondance du chevalier de Montaigu (voir *Index* sur cette famille). Les cinquante louis réclamés d'abord par Rousseau (en plus des frais de voyage) équivalent à 1 200 livres ou francs, les

A Lyon, j'aurais bien voulu prendre[a] la route du Mont Cenis pour voir en passant ma pauvre Maman. Mais je descendis le Rhône et fus m'embarquer à Toulon[b], tant à cause de la guerre et par raison d'économie, que pour prendre[c] un passeport de M. de Mirepoix, qui commandait alors en Provence, et à qui j'étais adressé[1]. M. de Montaigu,

cent pistoles offertes par l'ambassadeur à 1 000 francs. Rousseau accepte finalement cette somme augmentée de vingt louis, ou 480 francs, pour les frais de voyage. Le secrétaire engagé d'abord, Follau, fut congédié avant même l'arrivée à Venise.

1. Voici une des rares occasions où le texte des *Confessions* présente une version inexacte des faits qui ne puisse guère s'expliquer par une défaillance de mémoire — à moins que Rousseau n'ait fait une fausse déclaration à Montaigu en présentant son mémoire à l'appui des frais de voyage. Son compte, conservé dans les archives de la famille Montaigu et publié par Auguste de Montaigu, fait état d'un crochet de Lyon à Chambéry, avec retour à Lyon; excursion datée par Courtois du 15 au 23 juillet 1743. On ignore si Mme de Warens était alors à Chambéry et si Rousseau l'y vit (v. *C. C.*, I, 181, 195).

— Jusqu'à l'extrême fin du siècle — où une route côtière permettra aux chaises de gagner l'Italie en traversant les Alpes-Maritimes — trois routes s'offraient au voyageur : la route du Mont-Cenis, par Chambéry; la route du Simplon, par Genève et le Valais (c'est celle que Rousseau empruntera au retour de Venise, et dont il a décrit une partie dans *la Nouvelle Héloïse*); la route de la vallée du Rhône, généralement préférée, surtout dans la première moitié du siècle, à la traversée des Alpes, impraticable en hiver. Le coche d'eau descendait commodément le Rhône de Lyon à Pont-Saint-Esprit; à Marseille on s'embarquait pour Gênes, qu'on atteignait en plusieurs escales si le temps le rendait nécessaire. C'est cet itinéraire que suit Rousseau. Il s'embarque à Marseille après y avoir séjourné cinq jours au début d'août, et prend son passeport du duc de Mirepoix à l'escale de Toulon.

Les raisons données par Rousseau du choix de cette route, économie et sécurité, sont incontestables. Le coche d'eau et la *felouque* (voir n. suivante) revenaient beaucoup moins cher que la diligence, et, à plus forte raison, que les chaises. D'autre part, la Savoie et la Lombardie étaient atteintes par la guerre. Après la mort de Fleury, en janvier 1743, la France s'écartait de sa politique pacifique, et soutenait contre l'Angleterre le prétendant Stuart, Charles-Édouard. Bien qu'elle ne fût entrée officiellement qu'en mars 1744 dans la guerre de Succession d'Autriche, qui voit la tentative de cette puissance pour reconquérir sur les Bourbons d'Espagne le royaume de Naples, des troupes françaises, sous Broglie, avaient opéré en Bohême en 1742; en 1743 les Autrichiens occupaient toute la Bavière, alliée de la France; et dès janvier 1743 les Espagnols, venus de Toscane, occupaient Chambéry.

ne pouvant se passer de moi, m'écrivait lettre sur lettre, pour presser mon voyage. Un incident le retarda.

C'était le temps de la peste de Messine. La flotte anglaise y avait mouillé et visita la felouque sur laquelle j'étais. Cela nous assujettit en arrivant à Gênes, après une longue et[a] pénible traversée, à une quarantaine de vingt [et] un jours[1]. On donna le choix aux passagers de la faire à bord ou au lazaret, dans lequel on nous prévint que nous ne trouverions que les quatre murs, parce qu'on n'avait pas encore eu le temps de le meubler. Tous choisirent la felouque. L'insupportable chaleur, l'espace étroit, l'impossibilité d'y marcher, la vermine, me firent préférer le lazaret, à tout risque. Je fus conduit dans un grand bâtiment à deux étages absolument nu, où je ne trouvai ni fenêtre, ni lit, ni table, ni chaise, pas même un escabeau pour m'asseoir, ni une botte de paille pour me coucher. On m'apporta mon manteau, mon sac de nuit, mes deux malles; on ferma sur moi de grosses portes à grosses serrures, et je restai là, maître de me promener à mon aise de chambre en chambre et

Le roi de Sardaigne Charles-Emmanuel III, inquiet des visées espagnoles sur la Lombardie et le Milanais, était cette fois — à la différence de ce qui s'était passé dix ans plus tôt (voir p. 208, n. 1) — aux côtés des Autrichiens et des Anglais contre la France, dont les troupes avaient subi depuis le printemps 1743 de sérieux revers.

1. La peste, apportée à Messine le 23 mars 1743 par un bateau génois venant du Levant, fit 40 000 morts, réduisant de moitié la population de la ville. Vingt ans plus tôt, le fléau avait ravagé Marseille, et l'émotion causée en Europe laissait encore des traces en 1733 dans l'*Essai sur l'Homme* de Pope. — La flotte anglaise opérait en Méditerranée contre la marine espagnole, avec laquelle coopéraient depuis août 1740 deux escadres françaises. La visite par les Anglais d'un bâtiment venant d'un port français s'explique donc aisément, bien que l'état de guerre entre les deux puissances ne soit pas encore déclaré à cette date. La traversée de Toulon à Gênes dura cinq jours, l'arrivée étant datée du dimanche 11 août (Courtois, p. 42). Les conditions de ce voyage, effectué couramment en felouque (petit bâtiment à voiles et à rames), étaient pénibles même en temps de paix en raison de l'inconfort décrit un peu plus loin par Rousseau, des tempêtes fréquentes, et des incursions toujours possibles, même si près des côtes, des pirates barbaresques. L'enlèvement « en Alger », épisode fréquent dans la littérature romanesque du temps, n'appartient pas à la seule fiction. Dans le roman inachevé *Émile et Sophie, ou les Solitaires,* écrit par Rousseau vers 1765, le héros, qui s'est embarqué à Marseille pour Naples, est ainsi emmené en captivité avec l'équipage de la barque sur laquelle il voyageait.

d'étage en étage, trouvant partout la même solitude et la même nudité.

Tout cela ne me fit pas repentir d'avoir choisi le lazaret plutôt que la felouque, et, comme un[a] nouveau Robinson, je me mis à m'arranger pour mes vingt [et] un jours comme j'aurais[b] fait pour toute ma vie. J'eus d'abord l'amusement d'aller à la chasse aux poux que j'avais gagnés dans la felouque. Quand, à force de changer de linge et hardes, je me fus enfin rendu net, je procédai à l'ameublement de la chambre que je m'étais choisie[c]. Je me fis un bon matelas de[d] mes vestes et de mes chemises, des draps de plusieurs serviettes que je cousis, une couverture de ma robe de chambre, un oreiller de mon manteau[e] roulé. Je me fis un siège d'une malle posée à plat, et une table[f] de l'autre posée de champ[1]. Je tirai du papier, une écritoire, j'arrangeai en manière de bibliothèque une douzaine de livres que j'avais. Bref, je m'accommodai si bien, qu'à l'exception des rideaux et des fenêtres, j'étais presque aussi commodément à ce lazaret[g] absolument nu qu'à mon jeu de paume de la rue Verdelet. Mes repas étaient servis avec beaucoup de pompe; deux grenadiers, la baïonnette au bout du fusil, les escortaient[h]; l'escalier était ma salle à

1. La conjugaison de *coudre* est discutée aux XVIe et XVIIe siècles, où les grammairiens préfèrent généralement *cousis* à *cousus*. L'hésitation entre les deux formes subsiste au XVIIIe, où Rousseau emploie *cousus*, peut-être par souci de recherche. — Sur l'expression « de champ », voir livre I, p. 24, n. 1. — L'expression « comme un nouveau Robinson » (manuscrit de Genève), « comme un autre Robinson » (manuscrit de Paris) se retrouvera au livre XII à propos du séjour à l'île Saint-Pierre. Le roman de Defoe a été traduit en français en 1720. On connaît l'admiration de Rousseau pour ce livre (voir l'étude de G. Pire, *R.L.C.*, oct.-déc. 1956, pp. 479-496), qu'il donne d'abord comme seule lecture à son élève idéal (*Émile*, livre III). Elle s'explique à la fois par des raisons psychologiques — le goût de la solitude, si souvent affirmé dans sa vie et dans ses derniers écrits (outre le passage signalé plus haut du livre XII, voir 2e *Dialogue*, *O. C.*, I, 1959, p. 812 : « Son affection pour le roman de *Robinson* m'a fait juger qu'il ne se fût pas cru si malheureux que lui, confiné dans son île déserte », et p. 826) — et par des raisons intellectuelles. Robinson organisant lui-même sa vie, offre une illustration des constructions *a priori* auxquelles se complaît la pensée d'un Condillac ou d'un Rousseau. Il illustre la notion d'homme de la nature au même titre — bien que sur un plan différent — que les primitifs présentés par Diderot dans son *Supplément au Voyage de Bougainville*.

manger[a], le palier me servait de table, la marche inférieure me servait de siège, et quand mon dîner était servi[b], l'on sonnait en se retirant une clochette pour m'avertir de me mettre à table. Entre mes repas, quand je ne lisais ni n'écrivais, ou que je ne travaillais pas à mon ameublement, j'allais me promener dans le cimetière des protestants, qui me servait de cour, ou je montais dans une lanterne qui donnait sur le port et d'où je pouvais voir entrer et sortir les navires. Je passai de la sorte quatorze jours, et j'y aurais passé la vingtaine entière sans m'ennuyer un moment si M. de Jonville, envoyé de France, à qui je fis parvenir une lettre vinaigrée, parfumée et demi-brûlée, n'eût fait abréger mon temps de huit jours : je les allai passer chez lui, et je me trouvai mieux, je l'avoue, du gîte de sa maison que de celui du lazaret. Il me fit force caresses. Dupont, son secrétaire, était un bon garçon, qui me mena, tant à Gênes qu'à la campagne, dans plusieurs maisons où l'on s'amusait assez, et je liai avec lui connaissance et correspondance, que nous entretînmes fort longtemps. Je poursuivis agréablement ma route à travers la Lombardie. Je vis Milan, Vérone, Bresse [*Brescia*], Padoue, et j'arrivai enfin à Venise, impatiemment attendu par M. l'ambassadeur[1].

Je trouvai des tas de dépêches, tant de la cour que des autres ambassadeurs, dont il n'avait pu lire ce qui était chiffré, quoiqu'il eût tous les chiffres nécessaires pour cela. N'ayant jamais travaillé dans aucun bureau ni vu de ma vie un chiffre de ministre, je craignis d'abord d'être embarrassé; mais je trouvai que rien n'était plus simple, et en moins de huit jours j'eus déchiffré le tout, qui assurément n'en valait pas la peine; car, outre que l'ambassade de Venise est toujours assez oisive, ce n'était pas à[c] un pareil homme qu'on eût voulu confier la moindre négociation. Il s'était trouvé dans un grand embarras jusqu'à mon arri-

1. La durée du séjour à Gênes, du 11 au 23 août, est attestée par le compte de frais de voyage de Rousseau, qui mentionne à la suite de la quarantaine « huit jours de séjour à Gênes ». La date d'arrivée à Venise (le 4 septembre, selon le même document) rend peu vraisemblable que ces huit jours aient pu s'ajouter aux douze précédents. J. D. Candaux (*Studi Francesi*, 1964) place le départ au 29.

On n'a pas de confirmation que Rousseau ait effectivement logé chez l'envoyé de France; son compte parle seulement du « transport des hardes du lazaret à l'auberge ».

vée, ne sachant ni dicter, ni écrire lisiblement. Je lui étais très utile; il le[a] sentait, et me traita bien. Un autre motif l'y portait encore. Depuis M. de Froulay, son prédécesseur, dont la tête s'était dérangée, le consul de France, appelé M. le Blond, était resté chargé des affaires de l'ambassade, et, depuis l'arrivée de M. de Montaigu, il continuait de les faire jusqu'à ce qu'il l'eût mis au fait. M. de Montaigu, jaloux qu'un autre fît son métier, quoique lui-même[b] en fût incapable, prit en guignon[1] le consul, et sitôt que je fus arrivé[c], il lui ôta les fonctions de secrétaire d'ambassade pour me les donner. Elles étaient inséparables du titre; il me dit de le prendre. Tant que je restai près de lui, jamais il n'envoya que moi sous ce titre au Sénat et[d] à son conférent; et dans le fond il était fort naturel qu'il aimât mieux avoir pour secrétaire d'ambassade un homme à lui, qu'un consul ou un commis des bureaux nommé par la cour[2].

1. L'expression *prendre en guignon* (= prendre en grippe) n'est pas dans Littré, qui donne comme discutée l'étymologie de *guignon* (*Supplément*) et atteste son emploi dans le sens de mauvaise chance depuis le xvi[e] siècle. On sait qu'une pièce de Baudelaire et surtout une de Mallarmé feront de *guignon* un mot-clé du vocabulaire des « poètes maudits ».

2. Le terme de *conférent* n'est pas une création de Rousseau. Courant dans la langue diplomatique du temps, il apparaît dans le *Dictionnaire critique de la langue française* (Marseille 1787) de l'abbé Féraud. Pourtant Littré (*Supplément*) ne connaît d'emploi du mot que chez Rousseau, dans le passage de la *C. C.*,où Rousseau le définit lui-même :

« ... Quand les ambassadeurs sont chargés, par leurs principaux, de quelque négociation particulière et d'une certaine importance auprès de la République [*de Venise*], on leur nomme, à leur réquisition, un sénateur pour conférer tête-à-tête avec eux; et ce sénateur est toujours un homme qui a passé par des ambassades, un procurateur de St Marc, un Chevalier de l'Étole d'Or, un sage grand, en un mot, une des premières têtes de l'État par le rang et le génie [...]. Quand le conférent est nommé, il en fait donner avis à l'ambassadeur, en y joignant un compliment, et lui propose en même temps un couvent, ou autre lieu neutre, pour leurs entrevues. »

Cette lettre à Dupont, à Gênes est datée du 25 juillet 1744 sur la copie conservée à Neuchâtel, et surchargée par Rousseau 1743, (v. *C. C.*, II, 108-9 et n. 1). La date est bien 1744.

Le « conférent » serait donc un personnage de haute distinction. Faut-il voir ici une naïve vanité de Rousseau? La pratique qu'il décrit ne semble pas attestée dans les usages diplomatiques de la Venise du temps. La politique extérieure relevait bien du Sénat, mais l'activité

Cela rendit ma situation[a] assez agréable, et empêcha ses gentilshommes, qui étaient Italiens, ainsi que ses pages et la plupart de ses gens, de me disputer la primauté dans sa maison. Je me servis avec succès de l'autorité qui y était attachée pour maintenir son droit de liste[1], c'est-à-dire la franchise de son quartier contre les tentatives qu'on fit plusieurs fois pour l'enfreindre, et auxquelles ses officiers vénitiens n'avaient garde de résister. Mais aussi je ne souffris jamais qu'il s'y réfugiât des bandits,

diplomatique est alors fort réduite en regard de celle dont Venise était jadis le centre.

La décadence politique et commerciale de la République, enfermée au xviii[e] siècle dans une neutralité qu'elle n'est plus capable de défendre, aboutira à sa chute et au partage de ses territoires entre l'Autriche et la France de Bonaparte (Campo Formio, 1797). Au temps où l'a connue Rousseau, Venise conserve auprès des riches étrangers, Anglais surtout, sa réputation de ville de plaisir; la place qu'y tiennent dans la société les courtisanes est attestée par les Mémoires et récits de voyages, dont ceux de Casanova et du président de Brosses (ce dernier voyage en Italie en 1739-1740, mais ses *Lettres sur l'Italie* ne seront publiées qu'au siècle suivant). La vie intellectuelle et artistique, par compensation, est plus active et plus brillante alors à Venise et dans les villes environnantes que partout ailleurs en Italie. Cette circonstance n'a pas été sans effet sur la formation poétique et musicale de Rousseau, de même que son séjour est à l'origine de son intérêt pour la science politique. Maffei, dont la tragédie de *Mérope* jouit alors d'une réputation européenne, et qui a fondé le *Giornale dei Letterati d'Italia* avec l'ambition de rivaliser avec le *Journal des Savants* français, vit encore non loin de Venise, à Vérone, où sa maison est le siège d'une véritable académie littéraire. Des Vénitiens cosmopolites comme l'abbé Conti et le comte Algarotti sont en relations avec les lettrés et savants de France et d'Angleterre (la correspondance d'Algarotti avec Voltaire a commencé en 1738). La rénovation du théâtre italien est en train de s'opérer grâce à deux Vénitiens : Goldoni qui vient de quitter pour quelques années sa ville, où il était consul de Gênes, n'est encore en 1743 qu'à ses débuts d'auteur comique (il connaîtra plus tard Rousseau à Paris); Apostolo Zeno, ancien collaborateur de Maffei, devenu directeur de l'Opéra à Vienne, y a appelé en 1730 Métastase pour lui succéder. Galuppi, Canaletto, Tiepolo, sont aussi contemporains de Rousseau (qui, il est vrai, s'intéresse peu à la peinture).

— La médiocrité que reproche Rousseau à l'ambassadeur Montaigu (et dont ses propos recueillis par Bernardin de Saint-Pierre donnent d'autres exemples) est confirmée par la correspondance diplomatique, étudiée par A. Monglond.

1. Le mot *liste* au sens d'*exterritorialité* traduit le mot vénitien *lista*.

quoiqu'il m'en eût pu revenir des avantages dont Son Excellence n'aurait pas dédaigné sa part.

Elle osa même la réclamer sur les droits du secrétariat qu'on appelait la chancellerie. On était en guerre; il ne laissait pas d'y avoir bien des expéditions de passeports. Chacun de ces[a] passeports payait un sequin au secrétaire qui l'expédiait et le contresignait. Tous mes prédécesseurs s'étaient fait payer indistinctement ce sequin, tant des Français que des étrangers[b]. Je trouvai cet usage injuste; et, sans être Français, je l'abrogeai pour les Français; mais j'exigeai si rigoureusement mon droit de tout autre, que le marquis Scotti, frère du favori de la reine d'Espagne, m'ayant fait demander un passeport sans m'envoyer le sequin, je le lui fis demander, hardiesse que le vindicatif Italien n'oublia pas. Dès qu'on sut la réforme que j'avais faite dans la taxe des passeports, il ne se présenta plus, pour en avoir, que des foules de prétendus Français, qui, dans des baragouins abominables, se disaient l'un Provençal, l'autre Picard, l'autre Bourguignon. Comme j'ai l'oreille assez fine, je n'en fus guère la dupe, et je doute qu'un seul Italien m'ait soufflé mon sequin[c] et qu'un seul Français l'ait payé. J'eus la bêtise de dire à M. de Montaigu, qui ne savait rien de rien, ce que j'avais fait. Ce mot de sequin lui fit ouvrir les oreilles, et sans me dire son avis sur la suppression de ceux des Français, il prétendit que j'entrasse en compte avec lui sur les autres, me promettant des avantages équivalents. Plus indigné de cette bassesse qu'affecté par mon[d] propre intérêt, je rejetai hautement sa proposition; il insista, je m'échauffai : Non, monsieur, lui dis-je très vivement; que Votre Excellence garde ce qui est à elle et me laisse ce qui est à moi; je ne lui en céderai jamais un sol. Voyant qu'il ne[e] gagnait rien par cette voie, il en prit une autre, et n'eut pas honte de me dire que, puisque j'avais les profits de sa chancellerie, il était juste que j'en fisse les frais. Je ne voulus pas chicaner sur cet article, et depuis lors j'ai fourni de mon argent encre, papier, cire, bougie, nonpareille[1f], jusqu'au sceau, que je fis refaire, sans qu'il m'en ait remboursé jamais un liard. Cela ne m'empêcha pas de faire une petite part du produit des passeports à l'abbé de Binis, bon garçon, et bien

1. *Nonpareille,* ruban très étroit utilisé alors pour attacher les feuillets d'un manuscrit.

éloigné de prétendre à rien de semblable. S'il était complaisant envers moi, je n'étais pas moins honnête envers lui, et nous avons toujours bien vécu ensemble.

Sur l'essai de ma besogne, je[a] la trouvai moins embarrassante que je n'avais craint pour un homme sans expérience, auprès d'un ambassadeur qui n'en avait pas davantage, et dont, pour surcroît, l'ignorance et l'entêtement contrariaient comme à plaisir tout ce que le bon sens et quelques lumières m'inspiraient de bien pour son service et celui du roi. Ce qu'il fit de plus raisonnable fut de se lier avec le marquis Mari, ambassadeur d'Espagne, homme adroit et fin, qui l'eût mené par le nez s'il l'eût voulu, mais qui, vu l'union d'intérêt des deux couronnes, le conseillait[b] d'ordinaire assez bien, si l'autre n'eût gâté ses conseils en fourrant toujours du sien dans leur exécution. La seule chose qu'ils[c] eussent à faire de concert était d'engager les Vénitiens à maintenir la neutralité. Ceux-ci ne manquaient pas de protester de leur fidélité à l'observer, tandis qu'ils fournissaient publiquement des munitions aux troupes autrichiennes, et même des recrues, sous prétexte de désertion. M. de Montaigu, qui, je crois, voulait plaire à la République, ne manquait pas[d] aussi, malgré mes représentations, de me faire assurer[e] dans toutes ses dépêches qu'elle n'enfreindrait jamais la neutralité. L'entêtement et la stupidité de ce pauvre homme me faisai[en]t écrire et faire à tout moment des extravagances dont j'étais bien forcé d'être l'agent, puisqu'il le voulait, mais qui me rendaient quelquefois mon métier insupportable et même presque impraticable. Il voulait absolument[f], par exemple, que la plus grande partie de sa dépêche au roi et de celle au ministre[g] fût en chiffres, quoique l'une et l'autre ne continssent absolument rien qui demandât cette précaution. Je lui représentai qu'entre le vendredi qu'arrivaient les dépêches de la cour et le samedi que partaient les nôtres, il n'y avait pas assez de temps pour l'employer à tant de chiffres et à la forte correspondance dont j'étais chargé[h] pour le même courrier. Il trouva à cela un expédient admirable, ce fut de faire dès le jeudi la réponse aux dépêches qui devaient arriver le lendemain. Cette idée lui parut[i] même si heureusement trouvée, quoi que je pusse lui dire sur l'impossibilité, sur l'absurdité de son exécution, qu'il en fallut passer par là; et tout le temps que j'ai demeuré chez lui, après avoir tenu note de quelques mots qu'il me disait dans la

semaine à la volée, et de quelques nouvelles triviales que
j'allais écumant par-ci par-là, muni de ces uniques maté-
riaux, je ne manquais jamais le jeudi matin[a] de lui porter
le brouillon des dépêches qui devaient partir le samedi,
sauf quelques additions ou corrections[b] que je faisais à la
hâte sur celles qui devaient venir le vendredi, et auxquelles
les nôtres servaient de réponses[1]. Il avait un autre tic fort
plaisant et qui donnait à sa correspondance un ridicule
difficile à imaginer. C'était de renvoyer chaque nouvelle
à sa source, au lieu de lui faire suivre son cours. Il marquait
à M. Amelot les nouvelles de la cour, à M. de Maurepas
celles de Paris, à M. d'Havrincourt celles de Suède, à M. de
La Chétardie celles de Pétersbourg, et quelquefois à chacun
celles qui venaient de lui-même[c], et que j'habillais en
termes un peu différents. Comme de tout ce que je lui
portais à signer il ne parcourait que les dépêches de la
cour et signait[d] celles des autres ambassadeurs sans les
lire, cela me rendait un peu plus le maître de tourner ces
dernières à ma mode, et j'y fis au moins croiser les nou-
velles. Mais il me fut impossible de donner un tour raison-
nable aux[e] dépêches essentielles : heureux encore quand il
ne s'avisait pas d'y larder impromptu quelques lignes de
son estoc[2], qui me forçaient de retourner transcrire en
hâte toute la dépêche ornée de cette nouvelle impertinence,
à laquelle il fallait donner l'honneur du chiffre, sans quoi
il ne l'aurait pas signée. Je fus tenté vingt fois, pour l'amour
de sa gloire[f], de chiffrer autre chose que ce qu'il avait dit;
mais sentant que rien ne pouvait autoriser une pareille
infidélité, je le laissai délirer à ses risques, content de lui
parler avec franchise, et de remplir aux miens mon devoir
auprès de lui.

C'est ce que je fis toujours avec une droiture, un zèle
et un courage qui méritaient de sa part une autre récom-
pense que celle que j'en reçus à la fin. Il était temps que je
fusse une fois ce que le ciel qui m'avait doué d'un heureux
naturel, ce que l'éducation que j'avais reçue de la meil-
leure des femmes, ce que celle que je m'étais donnée à

1. Le journal inédit du voyageur allemand Nicolay, dans des extraits
publiés dans la *R.L.C.*, oct.-déc. 1962, mentionne cette anecdote, ainsi
que celle du sequin, parmi des propos de Rousseau recueillis en 1765.

2. L'expression *de son estoc* (originales, de sa propre inspiration),
attestée par Littré, s'explique par le premier sens d'*estoc* : souche,
d'où origine.

moi-même m'avait fait être[a]; et je le fus. Livré à moi seul, sans ami, sans conseil, sans expérience, en pays étranger, servant une nation étrangère, au milieu d'une foule de fripons, qui, pour leur intérêt et pour écarter le scandale du bon exemple[b], m'excitaient à les imiter, loin d'en rien faire, je servis bien la France, à qui je ne devais rien, et mieux l'ambassadeur, comme il était juste, en tout ce qui dépendit de moi. Irréprochable dans un poste assez en vue, je méritai, j'obtins l'estime de la République, celle de tous les ambassadeurs avec qui nous étions en correspondance, et l'affection de tous les Français établis à Venise, sans en excepter le consul même, que je supplantais à regret dans des fonctions que je savais lui être dues, et qui me donnaient plus d'embarras que de plaisir.

M. de Montaigu, livré sans réserve au marquis Mari, qui n'entrait pas dans les détails de ses devoirs, les négligeait à tel point que, sans moi, les Français qui étaient à Venise ne se seraient pas aperçus qu'il y eût un ambassadeur de leur nation. Toujours éconduits sans qu'il voulût les entendre lorsqu'ils avaient besoin de sa protection, ils se rebutèrent, et l'on n'en voyait plus aucun ni à sa suite ni à sa table, où il ne les invita jamais. Je fis souvent de mon chef ce qu'il aurait dû faire : je rendis aux Français qui avaient recours à lui, ou à moi, tous les services qui étaient en mon pouvoir[c]. En tout autre pays j'aurais fait davantage; mais, ne pouvant voir personne en place à cause de la mienne, j'étais forcé de recourir souvent au consul, et le consul, établi dans le pays où il avait sa famille, avait des ménagements à garder qui l'empêchaient de faire ce qu'il aurait voulu. Quelquefois cependant, le voyant mollir et n'oser parler, je m'aventurais à des démarches hasardeuses dont plusieurs m'ont réussi. Je m'en rappelle une dont le souvenir me fait encore rire. On ne se douterait guère que c'est à moi que les amateurs du spectacle à Paris ont dû Coralline et sa sœur Camille : rien cependant n'est plus vrai. Véronèse, leur père, s'était engagé avec ses enfants pour la troupe italienne; et après avoir reçu deux mille francs pour son voyage, au lieu de partir, il s'était tranquillement mis à Venise au théâtre de Saint-Luc*, où Coralline, tout enfant qu'elle était encore, attirait beau-

* Note. Je suis en doute si ce n'était point S[t] *Samuel*. Les noms propres m'échappent absolument[d].

coup de monde. M. le duc de Gesvres, comme premier gentilhomme de la chambre, écrivit à l'ambassadeur pour réclamer le père et la fille. M. de Montaigu[a], me donnant la lettre, me dit pour toute instruction : *Voyez cela.* J'allai chez M. Le Blond le prier de parler au patricien à qui appartenait le théâtre de Saint-Luc, et qui était, je crois, un Zustinian, afin qu'il renvoyât Véronèse, qui était engagé au service du roi. Le Blond, qui ne se souciait pas trop de la commission, la fit mal. Zustinian battit la campagne, et Véronèse ne fut point renvoyé. J'étais piqué. L'on était en carnaval. Ayant pris la bahute et le masque, je me fis mener au palais Zustiniani. Tous ceux qui virent entrer ma gondole avec la livrée de l'ambassadeur furent frappés; Venise n'avait jamais vu pareille chose. J'entre, je me fais annoncer sous le nom d'*una Siora* [sic] *Maschera.* Sitôt que je fus introduit[b], j'ôte mon masque et je me nomme. Le sénateur pâlit et reste stupéfait. Monsieur[c], lui dis-je en vénitien, c'est à regret que j'importune Votre Excellence de ma visite; mais vous avez à votre théâtre de Saint-Luc un homme nommé Véronèse qui est engagé au service du Roi, et qu'on vous a fait demander inutilement : je viens le réclamer au nom de Sa Majesté. Ma courte harangue fit effet. A peine étais-je parti, que mon homme courut rendre compte de son aventure aux Inquisiteurs d'État, qui lui lavèrent la tête. Véronèse fut congédié le jour même. Je lui fis dire que s'il ne partait[d] dans la huitaine je le ferais arrêter; et il partit[1].

1. Rousseau a-t-il grossi son rôle dans cet épisode relaté sur un ton solennel (« Venise n'avait jamais vu pareille chose... ») qui s'accorde avec celui du paragraphe précédent ? L'ambassadeur Montaigu, dans la minute de la main de Rousseau d'une lettre du 7 décembre 1743 au duc de Gesvres, déclare avoir envoyé « son secrétaire en masque », non pas auprès d'un Zustiniani, mais auprès de « M. Grimani, qui promit une réponse que je n'ai point encore reçue ».

Grimani est le nom de la famille patricienne propriétaire des théâtres Saint-Jean-Chrysostome et Saint-Samuel. Il n'existe pas de théâtre Saint-Luc.

Si Veronese quitte Venise aussi rapidement que le dit Rousseau, on peut s'étonner, la saison de Carnaval se terminant vers la mi-février, qu'il ne paraisse qu'en mai 1744 sur la scène de la Comédie italienne de Paris (voir *Index*, Veronese, et sur toute cette affaire mon article dans la *Revue des Sciences humaines*, avril-juin 1963).

Dans une autre occasion, je tirai de peine un capitaine de vaisseau marchand par moi seul et presque sans le secours de personne. Il s'appelait le capitaine Olivet, de Marseille[a]; j'ai oublié le nom du vaisseau. Son équipage avait pris querelle avec des Esclavons au service de la République : il y avait eu des voies de fait, et le vaisseau avait été mis aux arrêts avec une telle sévérité, que personne, excepté le seul capitaine, n'y pouvait aborder ni en sortir sans permission. Il eut recours à l'ambassadeur, qui l'envoya promener; il fut au consul, qui lui dit que ce n'était pas une affaire de commerce et qu'il ne pouvait s'en mêler; ne sachant plus que faire, il revint à moi. Je représentai à M. de Montaigu qu'il devait me permettre de donner sur cette affaire un mémoire au Sénat; je ne me rappelle pas s'il y consentit et si je présentai le mémoire; mais je me rappelle bien que mes démarches n'aboutissant à rien, et l'embargo durant toujours, je pris un parti qui me réussit. J'insérai la relation de cette affaire dans une dépêche à M. de Maurepas, et j'eus même assez de peine à faire consentir M. de Montaigu à passer cet article. Je savais que nos dépêches, sans valoir trop la peine d'être ouvertes, l'étaient à Venise. J'en avais la preuve dans les articles que j'en trouvais mot pour mot dans la gazette : infidélité dont j'avais inutilement[b] voulu porter l'ambassadeur à se plaindre. Mon objet, en parlant de cette vexation dans la dépêche, était de tirer parti de leur curiosité pour leur faire peur et les engager à délivrer le vaisseau; car s'il eût fallu attendre pour cela la réponse de la Cour, le capitaine était ruiné avant qu'elle fût venue. Je fis plus, je me rendis au vaisseau pour interroger l'équipage. Je pris avec moi l'abbé Patizel, chancelier du consulat, qui ne vint qu'à contre-cœur; tant tous ces pauvres gens craignaient[c] de déplaire au Sénat. Ne pouvant monter à bord à cause de la défense, je restai dans ma gondole, et j'y dressai mon verbal, interrogeant à haute voix et successivement tous les gens de l'équipage, et dirigeant mes questions de manière à tirer des réponses qui leur fussent avantageuses. Je voulus

Il n'est pas impossible que Rousseau, aidé par les souvenirs de son séjour à Turin, ait été en mesure, en quelque quatre mois de séjour, de parler correctement le dialecte vénitien. *Una Siora Maschera,* formule d'introduction courante, = un masque, sans précision de sexe. — *Bahute* est une transcription propre à Rousseau de l'italien *bautta* = domino, sorte de robe portée pour un bal masqué.

engager Patizel à faire les interrogations et le verbal lui-même, ce qui en effet était plus de son métier que du mien. Il n'y voulut jamais consentir[a], ne dit pas un seul mot[b], et voulut à peine signer le verbal après moi. Cette démarche un peu hardie eut cependant un heureux succès, et le vaisseau fut délivré longtemps avant la réponse du ministre[1]. Le capitaine voulut me faire un présent. Sans me fâcher, je lui dis, en lui frappant sur l'épaule : Capitaine Olivet, crois-tu que celui qui ne reçoit pas des Français un droit de passeport qu'il trouve établi, soit homme à leur vendre la protection du Roi ? Il voulut au moins me donner sur son bord un dîner, que j'acceptai, et où je menai le secrétaire d'ambassade d'Espagne, nommé Carrio, homme[c] d'esprit et très aimable, qu'on a vu depuis secrétaire d'ambassade à Paris et chargé des affaires, avec lequel je m'étais intimement lié, à l'exemple de nos ambassadeurs.

Heureux si, lorsque je faisais avec le plus parfait désintéressement tout le bien que je pouvais faire, j'avais su mettre assez d'ordre et d'attention dans tous ces menus détails pour n'en[d] pas être la dupe et servir les autres à mes dépens ! Mais dans des places comme celle que j'occupais, où les moindres fautes ne sont point sans conséquence, j'épuisais toute mon attention pour n'en point faire contre mon service; je fus jusqu'à la fin du plus grand ordre et de la plus grande exactitude en tout ce qui regardait mon devoir essentiel. Hors quelques erreurs qu'une précipitation forcée me fit faire en chiffrant, et dont les commis de M. Amelot se plaignirent une fois[2], ni l'ambassadeur ni personne n'eut jamais à me reprocher une seule négli-

1. L'exactitude de la version donnée par Rousseau de l'incident est généralement confirmée par les documents retrouvés au ministères des Affaires étrangères, notamment la copie du mémoire au Sénat, effectivement établi par Rousseau, et le procès-verbal de l'interrogatoire, signé du seul Patizel. Un billet à Montaigu (*C. C.,* II, 104) du 15 juillet 1744 atteste que Rousseau participa à l'interrogatoire. L'incident entre le bâtiment français *La Sainte-Barbe,* capitaine Antoine Olivet, et une barque esclavonne, c'est-à-dire de Slavonie ou Croatie, battant pavillon de Saint-Marc, eut lieu le 6 juillet 1744. — On verra plus loin l'explication que donne Rousseau (p. 366) du fait que le procès-verbal est signé de Patizel (v. documents, *C. C.,* II, 1-25).

2. Cet incident, sans gravité, est attesté par la correspondance diplomatique de l'ambassadeur Montaigu (lettre au ministre datée du 14 déc. 1743, *C. C.,* I, 220).

gence dans aucune de mes fonctions[a], ce qui est à noter pour un homme aussi négligent et aussi étourdi que moi; mais je manquais parfois de mémoire et de soin dans les affaires particulières dont je me chargeais, et l'amour de la justice m'en a toujours fait supporter le préjudice de mon propre mouvement avant que personne songeât à se plaindre. Je n'en citerai qu'un seul trait, qui se rapporte à mon départ de Venise, et dont j'ai senti le contre-coup dans la suite à Paris.

Notre cuisinier, appelé Rousselot, avait apporté de France un ancien billet de deux cents francs, qu'un perruquier de ses amis avait d'un noble vénitien appelé Zanetto Nani, pour fournitures de perruques. Rousselot m'apporta ce billet, me priant de tâcher d'en tirer quelque chose par accommodement. Je savais, il savait aussi que l'usage constant des nobles vénitiens est[b] de ne jamais payer, de retour dans leur patrie, les dettes qu'ils ont contractées en pays étranger; quand on les y veut contraindre, ils consument en tant de longueurs et de frais le malheureux créancier, qu'il se rebute, et finit par tout abandonner, ou s'accommoder presque pour rien. Je priai M. Le Blond de parler à Zanetto; celui-ci convint du billet, non du paiement. A force de batailler, il promit enfin trois sequins. Quand Le Blond lui porta le billet, les trois sequins ne se trouvèrent pas prêts; il fallut attendre. Durant cette attente survint ma querelle avec l'ambassadeur et ma sortie de chez lui. Je laissai[c] les papiers de l'ambassade dans le plus grand ordre, mais le billet de Rousselot ne se trouva point. M. Le Blond m'assura me l'avoir rendu; je le connaissais trop honnête homme pour en douter; mais il me fut impossible de me rappeler ce qu'était devenu ce billet. Comme Zanetto avait avoué la dette, je priai M. Le Blond de tâcher d'en tirer les trois sequins[d] sur un reçu, ou de l'engager à renouveler le billet par duplicata. Zanetto, sachant le billet perdu, ne voulut faire ni l'un ni l'autre. J'offris à Rousselot les trois sequins de ma bourse pour l'acquit du billet. Il les refusa, et me dit que je m'accommoderais à Paris avec le créancier, dont il me donna l'adresse. Le perruquier, sachant ce qui s'était passé, voulut son billet ou son argent en entier. Que n'aurais-je point donné dans mon indignation pour retrouver ce maudit billet ! Je payai les deux cents francs, et cela dans ma plus grande détresse. Voilà comment la perte du billet valut au créancier le paiement

de la somme entière, tandis que si, malheureusement pour lui, ce billet se fût retrouvé, il en aurait difficilement tiré les dix écus promis par Son Excellence Zanetto Nani[1].

Le talent que je crus me sentir pour mon emploi me le fit remplir avec goût, et hors la société de mon ami de Carrio, celle du vertueux Altuna, dont j'aurai bientôt à parler, hors les récréations bien innocentes de la place Saint-Marc, du spectacle, et de quelques visites que nous faisions[a] presque toujours ensemble, je fis mes seuls plaisirs de mes devoirs. Quoique mon travail ne fût pas fort pénible, surtout avec l'aide de l'abbé de Binis, comme la correspondance était très étendue et[b] qu'on était en temps de guerre, je ne laissais pas d'être occupé raisonnablement. Je travaillais tous les jours une bonne partie de la matinée, et les jours de courrier quelquefois jusqu'à minuit. Je consacrais le reste du temps à l'étude du métier que je commençais, et dans lequel je comptais bien, par le succès de mon début, être employé plus avantageusement dans la suite. En effet, il n'y avait qu'une voix sur mon compte, à commencer par celle de l'ambassadeur, qui se louait hautement de mon service, qui ne s'en est jamais plaint, et dont toute la fureur ne vint dans la suite que de ce que, m'étant plaint inutilement moi-même, je voulus[c] enfin avoir mon congé. Les ambassadeurs et ministres du roi, avec qui nous étions en correspondance, lui faisaient, sur le mérite de son secrétaire, des compliments qui devaient le flatter, et qui, dans sa mauvaise tête, produisirent un effet tout[d] contraire. Il en reçut un surtout dans une circonstance essentielle, qu'il ne m'a jamais pardonné. Ceci vaut la peine d'être expliqué.

Il pouvait si peu se gêner, que le samedi même, jour de presque tous les courriers, il ne pouvait attendre pour sortir que le travail fût achevé; et me talonnant sans cesse pour expédier les dépêches du roi et des ministres, il[e] les signait en hâte, et puis courait je ne sais où, laissant la plupart des autres lettres sans signature : ce qui me forçait, quand ce n'étaient que des nouvelles, de les tourner en bulle-

1. Autre incident attesté par la correspondance diplomatique de Montaigu (édition Souchon, p. 382). Le règlement n'intervint qu'après que Rousseau eut touché de Montaigu, à la fin de 1749 (!) le solde de son compte (*D. P.,* I, 238). Les trois sequins vénitiens représentent environ 40 francs sur les 200 auxquels s'élevait la dette.

tins; mais lorsqu'il s'agissait d'affaires qui regardaient le service du roi, il fallait bien que quelqu'un signât, et je signais. J'en usai ainsi pour un avis important que nous venions de recevoir de M. Vincent, chargé des affaires du roi à Vienne. C'était dans le temps que le prince de Lobkowitz marchait à Naples, et que le comte de Gages fit cette mémorable retraite, la plus belle manœuvre de guerre de tout le siècle, et dont l'Europe a trop peu parlé. L'avis portait qu'un homme dont M. Vincent nous envoyait le signalement partait de Vienne, et devait passer à Venise, allant furtivement dans l'Abruzze, chargé d'y faire soulever le peuple à l'approche des Autrichiens. En l'absence de M. le comte de Montaigu, qui ne s'intéressait à rien, je fis passer à M. le marquis de l'Hôpital cet avis si à propos, que c'est peut-être à ce pauvre Jean-Jacques si bafoué que la maison de Bourbon doit la conservation du royaume de Naples[1].

Le marquis de l'Hôpital, en remerciant son[a] collègue

1. La correspondance officielle de Venise conservée aux Archives des Affaires étrangères ne contient aucune pièce signée de Rousseau; mais la Bibliothèque de Genève possède une lettre de Montaigu à son collègue de Constantinople écrite et signée par Rousseau (elle est publiée dans le *Complément,* en tête de la *Table* de *D. P.,* pp. XI-XII).

On trouvera le texte des dépêches envoyées de Venise par l'Ambassade de France du temps où Rousseau y était secrétaire, dans *O. C.,* II, 1045-1234, et on se reportera aux vol. I-II de la *C. C.*

Montaigu, effectivement informé par son collègue de Vienne de l'envoi en Italie d'un espion à la solde de l'Autriche, en avisa L'Hôpital, ambassadeur de France à Naples (possession des Espagnols alliés de la France contre l'Autriche). Le nom de Rousseau ne figure pas dans l'accusé de réception de ce dernier à Montaigu, daté du 19 novembre 1743. Cette date ne cadre pas d'ailleurs avec les événements mentionnés par Rousseau, lesquels se placent au printemps de 1744 : l'Autriche tentait de reprendre aux Bourbons d'Espagne le royaume de Naples qu'elle avait dû leur céder en 1738 au traité de Vienne. L'armée autrichienne commandée par Lobkowitz *(Index)* oblige les Hispano-Napolitains commandés par Gages *(Index)* à battre en retraite sur Naples (mars 1744). En mai, Gages arrête Lobkowitz, et en août il le bat à Velletri (Rousseau fait allusion à ce redressement de la situation dans des billets datés de Venise les 16 et 20 juin 1744, *C. C.,* , 245, 249). On se demande comment Rousseau, s'il ne grossit pas ici son rôle, — comme semble l'indiquer le ton de la fin du paragraphe, — peut se flatter d'avoir fait passer son avis « si à propos ».

comme il était juste, lui parla de son secrétaire et du service
qu'il venait de rendre à la cause commune. Le comte de
Montaigu, qui avait à se reprocher sa négligence dans cette
affaire, crut[a] entrevoir dans ce compliment un reproche
et m'en parla avec humeur. J'avais été dans le cas d'en
user avec le comte de Castellane, ambassadeur à Constan-
tinople, comme avec le marquis de l'Hôpital, quoique
en chose moins importante. Comme il n'y avait point
d'autre poste pour Constantinople que les courriers que
le Sénat envoyait de temps en temps à son Bayle[1], on don-
nait avis du départ de ces courriers à l'ambassadeur de
France, pour qu'il pût écrire par cette voie à son collègue,
s'il le jugeait à propos. Cet avis venait d'ordinaire un jour
ou deux à l'avance : mais on faisait si peu de cas de M. de
Montaigu, qu'on se contentait d'envoyer chez lui pour
la forme, une heure ou deux avant le départ du courrier;
ce qui me mit plusieurs fois dans[b] le cas de faire la dépêche
en son absence. M. de Castellane, en y répondant, faisait
mention de moi en termes honnêtes; autant en faisait à
Gênes M. de Jonville[c]; autant de nouveaux griefs.

J'avoue que je ne fuyais pas l'occasion de me faire
connaître, mais je ne la cherchais pas non plus hors de
propos; et il me paraissait fort juste, en servant bien,
d'aspirer au prix naturel des bons services, qui est l'estime
de ceux qui sont en état d'en juger et de les récompenser.
Je ne dirai pas si mon exactitude à remplir mes fonctions[d]
était de la part de l'ambassadeur un légitime sujet de plainte,
mais je dirai bien que c'est le seul qu'il ait articulé jusqu'au
jour de notre séparation.

Sa maison, qu'il n'avait jamais mise sur un trop bon
pied, se remplissait de canaille; les Français y étaient
maltraités, les Italiens y prenaient l'ascendant; et même,
parmi eux, les bons serviteurs attachés depuis longtemps
à l'ambassade furent tous malhonnêtement chassés, entre
autres son premier gentilhomme, qui l'avait été du comte
de Froulay, et qu'on appelait, je crois, le comte Peati,

1. A défaut de Littré, le *Dictionnaire de l'Académie* de 1762 men-
tionne sous sa forme française, telle que l'écrit Rousseau, ce titre
donné par la République de Venise à son ambassadeur auprès de la
Porte. La forme italienne *bailo* (cf. *balia* et *bailia* = puissance, pouvoir)
s'explique par le fait que ce personnage avait à l'origine juridiction
sur tous les citoyens vénitiens à l'étranger.

ou d'un nom très approchant. Le second gentilhomme du choix de M. de Montaigu était un bandit de Mantoue, appelé Dominique Vitali, à qui l'ambassadeur confia le soin de sa maison, et qui, à force de patelinage et de basse lésine, obtint sa confiance et devint son favori, au grand préjudice du peu d'honnêtes gens qui y étaient encore, et du secrétaire qui était à leur tête. L'œil intègre d'un honnête homme est toujours inquiétant pour les fripons. Il n'en aurait pas fallu davantage pour que celui-ci me prît en haine; mais cette haine avait une autre cause encore qui la rendit bien plus cruelle. Il faut dire cette cause, afin qu'on me condamne si j'avais tort.

L'ambassadeur avait, selon l'usage, une loge à chacun des cinq spectacles[1]. Tous les jours à dîner il nommait le théâtre où il voulait aller ce jour-là; je choisissais après lui, et les gentilshommes disposaient des autres loges. Je prenais en sortant la clef de[a] la loge que j'avais choisie. Un jour, Vitali[b] n'étant pas là, je chargeai le valet de pied qui me servait de m'apporter la mienne dans une maison que je lui indiquai. Vitali, au lieu de m'envoyer ma clef, dit qu'il en avait disposé[c]. J'étais d'autant plus outré, que le valet de pied m'avait rendu compte de ma commission devant tout le monde. Le soir, Vitali voulut me dire quelques mots d'excuse que je ne reçus point : Demain, monsieur[d], lui dis-je, vous viendrez me les faire à telle heure dans la maison où j'ai reçu l'affront et devant les gens qui en ont été[e] témoins, ou après-demain, quoi qu'il arrive, je vous déclare que vous ou moi sortirons d'ici. Ce ton décidé lui en imposa. Il vint au lieu et à l'heure

1. Les « cinq théâtres » de Venise sont selon Tiersot S. Moisè, Sant'Angelo, S. Giovanni Grisostomo, S. Samuele, S. Cassiano. En fait, il y eut à diverses dates jusqu'à 14 théâtres à Venise au XVIIIe siècle, tirant leur nom de la paroisse dans laquelle ils étaient situés et appartenant presque tous à une famille patricienne, qui souvent les avait construits. Les Grimani possédaient, comme il a été dit plus haut, S. Samuele, et S. Giovanni Grisostomo qui est alors le plus célèbre. T. Wiel, *I teatri musicali veneziani del Settecento* [...], Venezia, 1897, donne la liste et l'histoire de ces théâtres ainsi que le calendrier, année par année, des représentations musicales. On peut ainsi dresser la liste des spectacles donnés à Venise en 1743-1744 et auxquels *a pu* assister Rousseau; dans ces deux années, le seul théâtre Saint-Jean-Chrysostome ne monta pas moins de 5 *mélodrames* (au sens italien du mot) de Métastase.

me faire des excuses publiques avec une bassesse digne de lui; mais il prit à loisir ses mesures, et, tout en[a] me faisant de grandes courbettes, il travailla tellement à l'italienne que, ne pouvant porter l'ambassadeur à me donner mon congé, il me mit dans la nécessité de le prendre.

Un pareil misérable n'était assurément pas fait pour me connaître; mais il connaissait de moi ce qui servait à ses vues. Il me connaissait bon et doux à l'excès pour supporter des torts involontaires, fier et peu endurant pour des offenses préméditées, aimant la décence et la dignité dans les choses convenables, et non moins exigeant pour l'honneur qui m'était dû qu'attentif[b] à rendre celui que je devais aux autres. C'est par là qu'il entreprit et vint à bout de me rebuter. Il mit la maison sens dessus dessous; il en ôta ce que j'avais tâché d'y maintenir de règle, de subordination, de propreté, d'ordre. Une maison sans femme[1] a besoin d'une discipline un peu sévère pour y faire régner la modestie inséparable de la dignité. Il fit bientôt de la nôtre un lieu de crapule et de licence, un repaire de fripons et de débauchés. Il donna pour second gentilhomme à Son Excellence, à la place de celui qu'il avait fait chasser, un autre maquereau comme lui qui tenait bordel public à la Croix-de-Malte[2]; et ces deux coquins bien d'accord étaient d'une indécence égale à leur insolence. Hors la seule chambre de l'ambassadeur, qui même n'était pas trop en règle, il n'y avait pas un seul coin dans la maison souffrable[3] pour un honnête homme.

Comme Son Excellence ne soupait pas, nous avions le soir, les gentilshommes et moi, une table particulière, où mangeaient aussi l'abbé de Binis et les pages. Dans la plus vilaine gargote on est servi plus proprement, plus décemment, en linge moins sale, et l'on a mieux à manger. On nous donnait une seule petite chandelle bien noire,

1. M[me] de Montaigu *(Index)* n'a rejoint son mari à Venise qu'après le départ de Rousseau. La *C. C.* (I, 212-3) contient une curieuse lettre dans laquelle Rousseau, chargé par l'ambassadeur de donner de ses nouvelles à sa femme, parle beaucoup plus de lui-même que de son maître!

2. Non loin du *Palazzo della Ricietta di Malta,* siège de l'ordre qui existe encore aujourd'hui, dans le quartier Saint-Antonin, entre les églises Saint-Jean et Saint-Georges. On y voit toujours la croix de l'ordre.

3. *Souffrable :* v. p. 341, n. 1.

des assiettes d'étain, des fourchettes de fer. Passe encore pour ce qui se faisait en secret; mais on m'ôta ma gondole; seul de tous les secrétaires d'ambassadeurs, j'étais forcé d'en louer une, ou d'aller à pied, et je n'avais plus la livrée de Son Excellence que quand j'allais au Sénat. D'ailleurs, rien de ce qui se passait au dedans n'était ignoré dans la ville. Tous les officiers de l'ambassadeur[a] jetaient les hauts cris. Dominique, la seule cause de tout, criait le plus haut, sachant bien que l'indécence avec laquelle nous étions traités m'était plus sensible qu'à tous les autres. Seul de la maison, je ne disais rien au dehors, mais je me plaignais vivement à l'ambassadeur et du reste et[b] de lui-même, qui, secrètement excité par son âme damnée, me faisait chaque jour quelque nouvel affront. Forcé de dépenser beaucoup pour me tenir au pair de mes confrères, et convenablement à mon poste, je ne pouvais arracher un sol de mes appointements, et quand je lui demandais de l'argent, il me parlait de son estime et de sa confiance, comme si elle eût dû remplir ma bourse et[c] pourvoir à tout.

Ces deux[d] bandits finirent par faire tourner tout à fait la tête à leur maître, qui ne l'avait déjà pas trop[e] droite, et le ruinaient dans un brocantage continuel par des marchés de dupe, qu'ils lui persuadaient être des marchés d'escroc. Ils lui firent louer sur la Brenta un Palazzo le double de sa valeur, dont ils partagèrent le surplus avec le propriétaire. Les appartements en étaient incrustés en mosaïque et garnis de colonnes et de pilastres de très beaux marbres, à la mode du pays. M. de Montaigu fit superbement masquer tout cela d'une boiserie de sapin, par l'unique raison qu'à Paris les appartements sont ainsi boisés. Ce fut par une raison semblable que, seul de tous les ambassadeurs qui étaient à Venise, il ôta l'épée à ses pages et la canne à ses valets de pied. Voilà quel était l'homme qui, toujours par le même motif peut-être, me prit en grippe, uniquement sur ce que je[f] le servais fidèlement.

J'endurai patiemment ses dédains, sa brutalité, ses mauvais traitements, tant qu'en y voyant de l'humeur je crus n'y pas voir de la haine : mais dès que je vis le dessein formé de me priver de l'honneur que je méritais par mon bon service, je résolus d'y renoncer. La première marque que je reçus de sa mauvaise volonté fut à l'occasion d'un dîner qu'il devait donner à M. le duc de Modène et à sa famille, qui étaient[g] alors à Venise, et dans lequel il me signifia

que je n'aurais pas place à sa table. Je lui répondis piqué,
mais sans me fâcher, qu'ayant l'honneur d'y dîner jour-
nellement, si M. le duc de Modène exigeait que je m'en[a]
abstinsse quand il y viendrait, il était de la dignité de Son
Excellence et de mon devoir de n'y pas consentir.
Comment ![b] dit-il avec emportement, mon secrétaire, qui
même n'est pas gentilhomme, prétend dîner avec un sou-
verain quand mes gentilshommes n'y dînent pas ? Oui,
monsieur, lui répliquai-je, le poste dont m'a honoré Votre
Excellence m'anoblit[1] si bien tant que je le remplis, que
j'ai même le pas sur vos gentilshommes[c], ou soi-disant
tels, et suis admis où ils ne peuvent l'être. Vous n'ignorez
pas que, le jour que vous ferez votre entrée publique,
je suis appelé par l'étiquette, et par un usage immémorial,
à vous y suivre en habit de cérémonie et à l'honneur d'y
dîner avec vous au palais de Saint-Marc; et je ne vois pas
pourquoi un homme qui peut et doit manger en public
avec le doge et[d] le Sénat de Venise, ne pourrait pas manger
en particulier avec M. le duc de Modène. Quoique l'argu-
ment fût sans réplique, l'ambassadeur ne s'y rendit point :
mais nous n'eûmes pas occasion de renouveler la dispute,
M. le duc de Modène n'étant point venu dîner chez lui.

Dès lors il ne cessa de me donner des désagréments, de
me faire des passe-droits, s'efforçant de m'ôter les petites
prérogatives attachées à mon poste pour les transmettre à
son cher Vitali; et je suis sûr que s'il eût[e] osé l'envoyer au
Sénat à ma place, il l'aurait fait. Il employait ordinairement
l'abbé de Binis pour écrire dans son cabinet ses lettres par-
ticulières : il se servit de lui pour écrire à M. de Maurepas
une relation de l'affaire du capitaine Olivet, dans laquelle,
loin de[f] lui faire aucune mention de moi qui seul m'en étais
mêlé, il m'ôtait même l'honneur du verbal, dont il lui en-
voyait un double, pour l'attribuer à Patizel, qui n'avait pas
dit un seul mot[2]. Il voulait me mortifier et complaire à son
favori; mais non pas se défaire de moi. Il sentait qu'il ne

1. L'orthographe de Rousseau dans les deux manuscrits est
annoblit ; dans la Copie Luxembourg (la plus soignée) de *la Nouvelle
Héloïse,* employant le verbe dans le même sens (V, lett. XIII), il écrit
anoblir. La différence actuelle entre *anoblir* (sens propre) et *ennoblir*
(sens figuré) n'existe pas chez Rousseau, qui suit en cela l'usage de
son temps. Littré cite des emplois d'*anoblir* (au sens du moderne
ennoblir) chez Molière et Bossuet.

2. Sur ce procès-verbal attribué à Patizel, voir *supra,* p. 358.

lui serait plus aussi aisé de me trouver un successeur qu'à
M. Follau, qui l'avait déjà fait connaître. Il lui fallait absolu-
ment un secrétaire qui sût l'italien à cause des réponses
du Sénat; qui fît toutes ses dépêches, toutes ses affaires,
sans qu'il se mêlât de rien; qui joignît au mérite de le bien
servir la bassesse d'être le complaisant de messieurs ses
faquins de gentilshommes. Il voulait donc me garder et me
mater, en me tenant loin de mon pays et du sien, sans
argent pour y retourner : et il aurait réussi, peut-être, s'il
s'y fût pris[a] modérément : mais Vitali, qui avait d'autres
vues, et qui voulait me forcer de prendre mon parti, en
vint à bout. Dès que je vis que je perdais toutes mes
peines, que l'ambassadeur me faisait des crimes de mes
services au lieu de m'en savoir gré, que je n'avais plus à
espérer chez lui que désagréments au dedans, injustice
au dehors, et que dans le décri général où il s'était mis, ses
mauvais offices pouvaient me nuire sans que les bons
pussent me servir, je pris mon parti et lui demandai mon
congé, lui laissant le temps de se pourvoir d'un secrétaire.
Sans me dire ni oui, ni non, il alla toujours son train. Voyant
que rien n'allait mieux et qu'il ne se mettait en devoir de
chercher personne, j'écrivis à son frère, et, lui détaillant
mes motifs, je le priai[b] d'obtenir mon congé de Son Excel-
lence, ajoutant que de manière ou d'autre il m'était impos-
sible de rester. J'attendis longtemps et n'eus point de
réponse. Je commençais d'être fort embarrassé[c], mais
l'ambassadeur reçut enfin une lettre de son frère. Il fallait
qu'elle fût vive, car, quoiqu'il fût sujet à des emportements
très féroces, je ne lui en vis[d] jamais un pareil. Après des
torrents d'injures abominables, ne sachant plus que dire,
il m'accusa d'avoir vendu ses chiffres. Je me mis à rire et
lui demandai d'un ton moqueur s'il croyait qu'il y eût
dans tout Venise un homme assez sot pour en donner
un écu. Cette réponse le fit écumer de rage. Il fit mine
d'appeler ses gens pour me faire, dit-il, jeter par la fenêtre.
Jusque-là j'avais été fort tranquille; mais à cette menace la
colère et l'indignation me transportèrent à mon tour.
Je m'élançai vers la porte; et après avoir tiré un bouton
qui la fermait en dedans : Non pas, monsieur le comte,
lui dis-je en revenant à lui d'un pas grave; vos gens ne se
mêleront pas de cette affaire, trouvez bon qu'elle se passe
entre[e] nous. Mon action, mon air, le calmèrent à l'instant
même : la surprise et l'effroi se marquèrent dans son main-

tien. Quand je le vis revenu de sa furie, je lui fis mes adieux en peu de mots ; puis, sans attendre sa réponse, j'allai rouvrir la porte, je sortis, et passai posément dans l'antichambre au milieu de ses gens, qui se levèrent à l'ordinaire, et qui, je crois, m'auraient plutôt prêté main-forte contre lui qu'à lui contre moi. Sans remonter chez moi, je descendis l'escalier tout de suite, et sortis sur-le-champ du palais pour n'y plus rentrer.

J'allai droit chez M. Le Blond lui conter l'aventure. Il en fut peu surpris ; il connaissait l'homme. Il me retint à dîner. Ce dîner, quoique impromptu, fut brillant. Tous les Français de considération qui étaient à Venise s'y trouvèrent. L'ambassadeur n'eut pas un chat. Le consul conta mon cas à la compagnie. A ce récit, il n'y eut qu'un cri, qui ne fut pas en faveur de Son Excellence. Elle n'avait point réglé mon compte, ne m'avait pas donné un sol, et réduit pour toute ressource à quelques louis que j'avais sur moi, j'étais dans l'embarras pour mon retour. Toutes les bourses me furent ouvertes. Je pris une vingtaine de sequins dans celle de M. Le Blond, autant dans celle de M. de Saint-Cyr, avec lequel, après lui, j'avais le plus de liaison ; je remerciai tous les autres, et en attendant mon départ, j'allai loger chez le chancelier du consulat, pour bien prouver au public que la nation n'était pas complice des injustices de l'ambassadeur. Celui-ci, furieux de me voir fêté dans mon infortune, et lui délaissé, tout ambassadeur qu'il était, perdit tout à fait la tête, et se comporta comme un forcené. Il s'oublia jusqu'à présenter un mémoire au Sénat pour me faire arrêter. Sur l'avis que m'en donna l'abbé de Binis, je résolus de rester encore quinze jours, au lieu de partir le surlendemain, comme j'avais compté. On avait vu et approuvé ma conduite ; j'étais universellement estimé. La Seigneurie ne daigna pas même répondre[a] à l'extravagant mémoire de l'ambassadeur, et me fit dire par le consul que je pouvais rester à Venise aussi longtemps qu'il me plairait, sans m'inquiéter des démarches d'un fou. Je continuai de voir mes amis : j'allai prendre congé de M. l'ambassadeur d'Espagne, qui me reçut très bien, et du comte de Finochietti, ministre de Naples, que je ne trouvai pas, mais à qui j'écrivis, et qui me répondit la lettre du monde la plus obligeante. Je partis enfin, ne laissant, malgré mes embarras, d'autres dettes que les emprunts dont je viens de parler et une cinquantaine d'écus chez un marchand

nommé Morandi, que Carrio se chargea de payer, et que je ne lui ai jamais rendus, quoique nous nous soyons souvent revus depuis ce temps-là : mais quant aux deux emprunts dont j'ai parlé, je les remboursai très exactement sitôt que la chose me fut possible[1].

Ne quittons pas Venise sans dire un mot des célèbres amusements de cette ville, ou du moins de la très petite part que j'y pris durant mon séjour. On a vu dans le cours de ma jeunesse combien peu j'ai couru les plaisirs de[a] cet âge, ou du moins ceux qu'on nomme ainsi. Je ne changeai pas de goût à Venise; mais mes occupations, qui d'ailleurs m'en auraient empêché, rendirent plus piquantes les récréations[b] simples que je me permettais. La première et la plus douce était la société des gens de mérite, MM. Le Blond, de Saint-Cyr, Carrio, Altuna et un gentilhomme forlan[2], dont j'ai[c] grand regret d'avoir oublié le nom, et dont je ne me rappelle point sans émotion l'aimable souvenir : c'était, de tous les hommes que j'ai connus dans ma vie, celui dont le cœur ressemblait le plus au mien. Nous étions liés aussi avec deux ou trois Anglais pleins d'esprit

1. La correspondance de Montaigu, celle de Rousseau, et les recherches faites dans les archives vénitiennes, notamment par V. Ceresole, permettent de reconstituer l'histoire de la querelle entre l'ambassadeur et son secrétaire. Montaigu se plaint dès novembre 1743 des exigences de Rousseau. Les relations deviennent tendues à partir de février 1744. La démarche de Rousseau auprès du chevalier de Montaigu — il s'agit vraisemblablement de la lettre dont on a le brouillon (*C. C.*, I, 233) daté du 30 avril — dut irriter l'ambassadeur et provoquer une première explication violente dans le courant de mai. Il ressort des lettres de Rousseau datées de Venise les 1er et 4 août (*C. C.*, II, 37 et 39) qu'il n'exerçait plus à cette date les fonctions de secrétaire. Il quitte l'ambassade le 6 août après une scène au cours de laquelle Montaigu le menaça effectivement de le faire jeter par la fenêtre. Le grief principal de Rousseau était évidemment le retard apporté dans le paiement de ses appointements et le règlement de ses frais de voyage. L'ambassadeur, de son côté, se plaignait constamment dans sa correspondance d'être lui-même payé avec beaucoup de retard : mais son traitement est trente fois celui de Rousseau. Il est exact que Montaigu fit demander au Sénat, le 24 et le 31 août, l'expulsion de Rousseau; le Sénat fit traîner l'affaire en longueur et ne répondit que pour confirmer après coup le départ de l'intéressé. — Sur les démêlés relatifs au « compte » de Rousseau, voir *infra*, p. 382, n. 1.

2. *Forlani* : habitants du Frioul, au nord-est de Venise (sur l'actuelle frontière yougoslave).

et de connaissances, passionnés de la musique ainsi que nous[1]. Tous ces messieurs avaient leurs femmes, ou leurs amies, ou leurs maîtresses; ces dernières, presque toutes filles à talents, chez lesquelles on faisait de la musique ou des bals. On y jouait aussi, mais très peu; les goûts vifs, les talents, les spectacles, nous rendaient cet amusement insipide. Le jeu n'est que la ressource des gens ennuyés. J'avais apporté de Paris le[a] préjugé qu'on a dans ce pays-là contre la musique italienne; mais j'avais aussi reçu de la nature cette sensibilité de tact contre laquelle les préjugés ne tiennent pas. J'eus bientôt pour cette musique la passion qu'elle inspire à ceux qui sont faits pour en juger. En écoutant des barcarolles[2], je trouvais que je n'avais pas ouï chanter jusqu'alors, et bientôt je m'engouai tellement de l'opéra, qu'ennuyé de babiller, manger et jouer dans les loges, quand je n'aurais voulu qu'écouter, je me dérobais souvent à la compagnie pour aller d'un autre côté. Là, tout seul, enfermé dans ma loge, je me livrais, malgré la lon-

1. Les Anglais sont nombreux en Italie au xviiie siècle, le *Grand Tour* de France et d'Italie constituant le complément obligé de l'éducation du jeune noble, lequel est généralement accompagné d'un précepteur parlant français, souvent un Français ou un Suisse. Venise jouit d'une faveur particulière auprès des voyageurs anglais de tout âge, non seulement à cause de ses « célèbres amusements », mais aussi parce que les moins jeunes y échappent aux servitudes inhérentes, en toute autre grande ville d'Italie, à la vie de cour. Les fréquentations anglaises de Rousseau à Venise lui ont inspiré, au livre V de l'*Émile,* l'anecdote édifiante de « Lord John », le jeune Anglais amoureux que le souvenir de sa fiancée arrache aux distractions galantes de Venise; et dans *la Nouvelle Héloïse* le personnage de Milord Édouard. Dans l'épisode de l'initiation de Saint-Preux à la musique italienne par Milord Édouard, dans la première partie du roman, Rousseau se souvient de ces « deux ou trois Anglais [...] passionnés de la musique » qu'il fréquentait à Venise. Le personnage très conventionnel d'Édouard allie dans les *Amours de Milord Édouard en Italie (infra,* p. 618, n. 2), les traits traditionnels de l'Anglais débauché, du type Wilkes, bien connu des Italiens du temps (*Inglese italianato è un diavolo incarnato,* dit le proverbe) et la belle âme qui le fera, avec le secours de Saint-Preux, triompher des tentations.

2. Le *Dictionnaire de Musique,* article *Barcarolles,* donne la définition : « sorte de chanson, en langue vénitienne, que chantent les gondoliers à Venise », et explique que « l'entrée gratuite qu'ont tous les gondoliers à tous les théâtres les met à portée de se former sans frais l'oreille et le goût ». L'italien *barcarolo* signifie *gondolier.*

gueur[a] du spectacle, au plaisir d'en jouir à mon aise et jusqu'à la fin. Un jour, au théâtre de Saint-Chrysostome, je m'endormis, et bien plus profondément que je n'aurais fait dans mon lit. Les airs bruyants et brillants ne me réveillèrent point. Mais qui pourrait exprimer la sensation délicieuse que me firent la douce harmonie et les chants angéliques de celui qui me réveilla ? Quel réveil, quel ravissement, quelle extase quand j'ouvris au même instant les oreilles et les yeux ! Ma première idée fut de me croire en paradis. Ce morceau ravissant, que je me rappelle encore et que je n'oublierai de ma vie, commençait ainsi :

> *Conservami la bella*
> *Che si m'accende il cor*[1].

Je voulus avoir ce morceau : je l'eus, et je l'ai gardé longtemps; mais il n'était pas sur mon papier comme dans ma mémoire. C'était bien la même note, mais ce n'était pas la même chose. Jamais cet air divin ne peut être exécuté que dans ma tête, comme il le fut en effet le jour qu'il me réveilla.

Une musique à mon gré bien supérieure à celle des opéras, et qui n'a pas sa semblable en Italie ni dans le reste du monde, est celle des *scuole*. Les *scuole* sont des maisons de charité établies pour donner l'éducation à de jeunes filles sans bien, et que la république dote ensuite, soit pour le mariage, soit pour le cloître. Parmi les talents qu'on cultive dans les jeunes filles, la musique est au premier rang. Tous les dimanches, à l'église de chacune de ces quatre *scuole*, on a durant les vêpres des motets à grand chœur et en grand orchestre, composés et dirigés par les plus grands maîtres de l'Italie, exécutés dans des tribunes grillées uniquement par des filles dont la plus vieille n'a pas vingt ans. Je n'ai l'idée de rien d'aussi voluptueux, d'aussi touchant que cette musique : les richesses de l'art, le goût exquis des chants, la beauté des voix, la justesse de l'exécution, tout dans ces délicieux concerts concourt à produire une impression qui n'est assurément pas du

1. « Garde-moi la beauté pour qui mon cœur brûle tant. » (*Plutôt que* « La beauté me garde... ») Mes recherches pour identifier l'œuvre dont ces vers seraient extraits n'ont pas abouti jusqu'ici.

bon costume, mais dont je doute qu'aucun cœur d'homme soit à l'abri. Jamais Carrio ni moi ne manquions ces vêpres aux *Mendicanti*, et nous n'étions pas les seuls[1]. L'église était toujours pleine d'amateurs : les acteurs mêmes de l'Opéra venaient se former au vrai goût du chant sur ces excellents modèles. Ce qui me désolait était ces maudites grilles, qui ne laissaient passer que des sons, et me cachaient les anges de beauté dont ils étaient dignes. Je ne parlais d'autre chose. Un jour que j'en parlais[a] chez M. Le Blond : Si vous êtes si curieux, me dit-il, de voir ces petites filles, il est aisé de vous contenter. Je suis un des administrateurs de la maison. Je veux vous y donner à goûter avec elles. Je ne le laissai pas en repos qu'il ne m'eût tenu parole. En entrant dans le salon qui renfermait ces beautés si convoitées, je sentis un frémissement d'amour que je n'avais jamais éprouvé. M. Le Blond me présenta l'une après l'autre ces chanteuses célèbres, dont[b] la voix et le nom étaient tout ce qui m'était connu. *Venez, Sophie...* Elle était horrible. *Venez, Cattina...* Elle était borgne. *Venez, Bettina...* La petite vérole l'avait défigurée. Presque pas une n'était sans quelque notable défaut. Le bourreau riait de ma cruelle surprise. Deux ou trois cependant me parurent passables : elles ne chantaient que dans les chœurs. J'étais désolé. Durant le goûter on les agaça; elles s'égayèrent. La laideur[c] n'exclut pas les grâces; je leur en trouvai. Je me disais : On ne chante pas ainsi sans âme; elles en

1. *Costume,* italianisme, est déjà employé dans la critique d'art et la critique littéraire française du XVIIe siècle. Le mot désigne à la fois ce que la rhétorique classique appelait les *convenances* ou *bienséances* et un peu ce que le XIXe siècle appellera *couleur locale.* Rousseau veut dire ici que cette « volupté » n'est guère à sa place dans le lieu saint.

Les *Mendicanti* (voir le *Dictionnaire de Musique* de Rousseau à cet article) sont un des quatre *ospitali (Incurabili, Mendicanti, Ospedaletto, Pietà).* Ces établissements comportaient des *scuole* où l'on enseignait aux jeunes filles la musique et le chant. T. Wiel (*op. cit.,* p. 363, n. 1) explique que des concerts qu'on y donnait étaient souvent le prétexte, pour des hommes attirés par la chair fraîche plus que par la musique, d'introduire dans ces maisons le libertinage et le scandale. « Toutes ces jeunes filles à la voix d'ange n'avaient pas des mœurs angéliques. » Pendant la seconde moitié du siècle la mauvaise administration amena un déclin. De Brosses en 1739 exprimait la même admiration pour la musique des *Ospitali,* mais celle de Gœthe, en 1786, sera plus nuancée.

ont. Enfin ma façon de les voir changea si bien, que je sortis presque amoureux de tous ces laiderons. J'osais à peine retourner à leurs vêpres. J'eus de quoi me rassurer. Je continuai de trouver leurs chants délicieux, et leurs voix fardaient si bien leurs visages, que tant qu'elles chantaient je m'obstinais, en dépit de mes yeux, à les trouver belles.

La musique en Italie coûte si peu de chose, que ce n'est pas la peine de s'en faire faute quand on a du goût pour elle. Je louai un clavecin, et pour un petit écu j'avais chez moi quatre ou cinq symphonistes, avec lesquels je m'exerçais une fois la semaine à exécuter les morceaux qui m'avaient fait le plus de plaisir à l'Opéra. J'y fis essayer aussi quelques symphonies de mes *Muses galantes*. Soit qu'elles plussent, ou qu'on me voulût cajoler, le maître des ballets de[a] St Jean Chrysostome m'en fit demander deux, que j'eus le plaisir d'entendre exécuter par cet admirable orchestre, et qui furent dansées par une petite Bettina, jolie et surtout aimable fille, entretenue par un Espagnol de nos amis appelé Fagoaga, et chez laquelle nous allions passer la soirée assez souvent[b].

Mais, à propos de filles, ce n'est pas dans une ville comme Venise qu'on s'en abstient; n'avez-vous rien, pourrait-on me dire, à confesser sur cet article ? Oui, j'ai quelque chose à dire en effet, et je vais procéder à cette confession avec la même naïveté que j'ai mise à toutes les autres.

J'ai toujours eu[c] du dégoût pour les filles publiques, et je n'avais pas à Venise autre chose à ma portée, l'entrée[d] de la plupart des maisons du pays m'étant interdite à cause de ma place. Les filles de M. Le Blond étaient très aimables, mais d'un difficile abord, et je considérais trop le père et la mère pour penser même à les convoiter. J'aurais eu plus de goût pour une jeune personne appelée M[lle] de Cataneo, fille de l'agent du roi de Prusse : mais Carrio était amoureux d'elle, il a même été question de mariage. Il était à son aise, et je n'avais rien; il avait cent louis d'appointements, je n'avais que cent pistoles; et, outre que je ne voulais pas aller sur les brisées d'un ami, je savais que[e] partout, et surtout à Venise, avec une bourse aussi mal garnie on ne doit pas se mêler de faire le galant. Je n'avais pas perdu la[f] funeste habitude de donner le change à mes besoins; trop occupé pour sentir[g] vivement ceux que le climat donne, je vécus près d'un an dans cette ville aussi

sage que j'avais fait à Paris, et j'en ᵃ suis reparti au bout de dix-huit mois sans avoir approché du sexe que deux seules fois par les singulières occasions que je vais dire.

La première me fut procurée par l'honnête gentilhomme Vitali, quelque temps après l'excuse que je l'obligeai de me demander dans toutes les formes ᵇ. On parlait à table des amusements de Venise. Ces messieurs me ᶜ reprochaient mon indifférence pour le plus piquant de tous ᵈ, vantant la gentillesse des courtisanes vénitiennes, et ᵉ disant qu'il n'y en avait point au monde qui les valussent. Dominique ᶠ dit qu'il fallait que je fisse connaissance avec la plus aimable de toutes; qu'il voulait m'y mener, et que j'en serais content. Je me mis à rire de cette offre obligeante; et le comte Piati, homme déjà vieux et vénérable, dit avec plus de franchise que je n'en aurais attendu d'un Italien qu'il me croyait trop ᵍ sage pour me laisser mener chez des filles par mon ennemi. Je n'en avais en effet ni l'intention ni la tentation, et malgré cela, par une de ces inconséquences que ʰ j'ai peine à comprendre moi-même, je finis par me laisser entraîner, contre mon goût, mon cœur, ma raison, ma volonté même, uniquement par faiblesse, par honte de marquer de la défiance, et, comme on dit dans ce pays-là, *per non parer troppo coglione*. La Padoana ᶦ, chez qui nous allâmes, était d'une assez jolie figure, belle même, mais non pas d'une beauté qui me plût. Dominique me laissa chez elle; je fis venir des *sorbetti*, je la fis chanter, et au bout d'une demi-heure je voulus m'en aller, en laissant sur la table un ducat; mais elle eut le singulier scrupule de n'en vouloir point qu'elle ne l'eût gagné, et moi la singulière bêtise de lever son scrupule. Je m'en revins ʲ au palais si persuadé que j'étais poivré, que la première chose que je fis en ᵏ arrivant fut d'envoyer chercher le chirurgien pour lui demander des tisanes. Rien ne peut égaler le malaise d'esprit que ˡ je souffris durant trois semaines, sans qu'aucune incommodité réelle, aucun signe apparent ᵐ le justifiât. Je ne pouvais concevoir qu'on pût sortir impunément des bras de la Padoana. Le chirurgien ⁿ lui-même eut toute la peine imaginable à me rassurer. Il n'en put venir à bout qu'en me persuadant que j'étais conformé d'une façon particulière à ne pouvoir pas ᵒ aisément être infecté, et quoique je me sois moins exposé peut-être qu'aucun autre homme à cette expérience, ma santé de ce côté n'ayant jamais reçu d'atteinte m'est une preuve que le chirurgien

avait raison. Cette opinion[a] cependant ne m'a jamais rendu téméraire, et, si je tiens en effet cet avantage de la nature, je puis dire que je n'en ai pas abusé.

Mon autre aventure, quoique avec une fille aussi, fut d'une espèce bien différente, et quant à son origine, et quant à ses effets. J'ai dit que le capitaine Olivet m'avait donné à dîner sur son bord, et que j'y avais mené le secrétaire d'Espagne. Je m'attendais au salut du canon. L'équipage nous reçut en haie; mais il n'y eut pas une amorce brûlée, ce qui me mortifia beaucoup à cause de Carrio, que je vis en être un peu piqué; et il était vrai que sur les vaisseaux marchands on accordait le salut du canon à des gens qui[b] ne nous valaient certainement pas : d'ailleurs je croyais avoir mérité quelque distinction du capitaine. Je ne pus me déguiser, parce que cela m'est toujours impossible; et quoique le dîner fût très bon et qu'Olivet en fît[c] très bien les honneurs, je le commençai de mauvaise humeur, mangeant peu et parlant encore moins. A la première santé, du moins, j'attendais une salve : rien. Carrio, qui me lisait dans l'âme, riait de me voir grogner comme un enfant. Au tiers du dîner je vois approcher une gondole. Ma foi, Monsieur, me dit le capitaine, prenez garde à vous, voici l'ennemi. Je lui demande ce qu'il veut dire; il répond en plaisantant. La gondole aborde, et j'en vois sortir une jeune personne éblouissante, fort coquettement mise et fort leste, qui dans trois sauts fut dans la chambre; et je la vis établie à côté de moi avant que j'eusse[d] aperçu qu'on y avait mis un couvert. Elle était aussi charmante que vive, une brunette de vingt ans au plus. Elle ne parlait qu'italien; son accent seul eût suffi pour me tourner la tête. Tout en mangeant, tout en causant, elle me regarde, me fixe un moment, puis s'écriant : Bonne Vierge ! Ah ! mon cher Brémond, qu'il y a de temps que je ne t'ai vu ! se jette entre mes bras, colle sa bouche contre la mienne, et me serre à m'étouffer. Ses grands yeux noirs à l'orientale lançaient dans mon cœur des traits de feu; et, quoique la surprise fît d'abord quelque diversion, la volupté me gagna très rapidement, au point que, malgré les spectateurs, il fallut bientôt que cette belle me contînt elle-même; car j'étais ivre ou plutôt furieux. Quand elle me vit au point où elle me voulait, elle mit plus de modération dans ses caresses, mais non dans sa vivacité; et quand il lui plut de nous expliquer la cause vraie ou fausse de toute cette

pétulance, elle nous dit que je ressemblais, à s'y tromper,
à M. de Brémond, directeur des douanes de Toscane;
qu'elle avait raffolé de ce M. de Brémond; qu'elle en raffo-
lait encore; qu'elle l'avait quitté parce qu'elle était une
sotte; qu'elle me prenait à sa place; qu'elle voulait m'aimer
parce que cela lui convenait; qu'il fallait, par la même
raison, que je l'aimasse tant que cela lui conviendrait; et
que, quand elle me planterait là, je prendrais patience
comme avait fait son cher Brémond. Ce qui fut dit fut fait.
Elle prit possession de moi comme d'un homme à elle,
me donnait à garder ses gants, son éventail, son *cinda*[1],
sa coiffe; m'ordonnait d'aller ici ou là, de faire ceci ou cela,
et j'obéissais. Elle me dit d'aller renvoyer sa gondole,
parce qu'elle voulait se servir de la mienne, et j'y fus; elle
me dit de m'ôter de ma place, et de prier Carrio de s'y
mettre, parce qu'elle avait à lui parler, et je le fis. Ils causè-
rent très longtemps ensemble et tout bas; je les laissai faire.
Elle m'appela, je revins. Écoute, Zanetto, me dit-elle, je ne
veux point être aimée à la française, et même il n'y ferait pas
bon. Au premier moment d'ennui, va-t'en; mais ne reste
pas à demi, je t'en avertis. Nous allâmes après le dîner
voir la verrerie à Murano. Elle acheta beaucoup de petites
breloques qu'elle nous laissa payer sans façon; mais elle
donna partout des tringueltes[2] beaucoup plus forts que
tout ce que nous avions dépensé. Par l'indifférence avec
laquelle elle jetait son argent et nous laissait jeter le nôtre,
on voyait qu'il n'était d'aucun prix pour elle. Quand elle
se faisait payer, je crois que c'était par vanité[a] plus que par
avarice. Elle s'applaudissait du prix qu'on mettait à ses
faveurs.

Le soir nous la ramenâmes chez elle. Tout en causant,
je vis deux pistolets sur sa toilette. Ah! ah! dis-je en en
prenant un, voici une boîte à mouches de nouvelle fabrique;
pourrait-on savoir quel en est l'usage? Je vous connais
d'autres armes qui font feu mieux que celles-là. Après
quelques plaisanteries sur le même ton, elle nous dit, avec
une naïve fierté qui la rendait encore plus charmante :
Quand j'ai des bontés pour des gens que je n'aime point,

1. *Cinda (Zendà)* : voile porté par les Vénitiennes élégantes.

2. *Tringueltes* : pourboires (allemand *Trinkgeld*). Ce passage constitue
le seul emploi du mot attesté par Littré. Il est usité en Suisse au XVIIIᵉ
siècle, comme *étrennes* (cf. p. 42, n. 1) dans le sens indiqué.

je leur fais payer l'ennui qu'ils me donnent; rien n'est plus juste : mais en endurant leurs caresses, je ne veux pas endurer leurs insultes, et je ne manquerai pas le premier qui me manquera.

En la quittant j'avais pris son heure pour le lendemain. Je ne la fis pas attendre. Je la trouvai *in vestito di confidenza,* dans un déshabillé plus que galant, qu'on ne connaît que dans les pays méridionaux, et que je ne m'amuserai pas à décrire, quoique je me le rappelle trop bien[1]. Je dirai seulement que ses manchettes et son tour de gorge étaient bordés d'un fil de soie garni de pompons couleur de rose. Cela me parut animer fort une belle peau. Je vis ensuite que c'était la mode à Venise; et l'effet en est si charmant, que je suis surpris que cette mode n'ait jamais passé en France. Je n'avais point d'idée des voluptés qui m'attendaient. J'ai parlé de M[me] de Larnage, dans les transports que son souvenir me rend quelquefois encore; mais qu'elle était vieille, et laide, et froide auprès de ma Zulietta ! Ne tâchez pas d'imaginer les charmes et les grâces de cette fille enchanteresse, vous resteriez trop loin de la vérité. Les jeunes vierges des cloîtres sont moins fraîches, les beautés du sérail sont moins vives, les houris du paradis sont moins piquantes. Jamais si douce jouissance ne s'offrit[a] au cœur et aux sens d'un mortel. Ah ! du moins, si je l'avais su goûter pleine et entière un seul moment !... Je la goûtai, mais sans charme. J'en émoussai toutes les délices, je les tuai comme à plaisir. Non, la nature ne m'a point fait pour jouir. Elle a mis dans ma mauvaise tête le poison de ce bonheur ineffable dont elle a mis l'appétit dans mon cœur.

S'il est une circonstance de ma vie qui peigne bien mon[b] naturel, c'est celle que je vais raconter. La force avec

1. *Vestito di confidenza.* Cette tenue d'intimité est décrite en ces termes par lady Montagu, la voyageuse anglaise, qui séjourne vers le même temps à Lovere, au nord de Brescia (voir sa biographie par R. Halsband, Oxford U.P., 1958); je traduis :

[dans les *conversazioni* ou *salons* du village] « les Messieurs sont tous en bonnet de nuit, robe de chambre et pantoufles, les dames en corset *(stay),* blouse ornée de rubans, et jupon : pas un chapeau, pas une crinoline. Cette toilette, il est vrai, s'appelle *vestimento di confidenza,* et on ne la porte pas en ville, mais seulement chez soi, et cela seulement pendant les mois d'été. » (Les deux formes *vestito* et *vestimento* existent également, la première semblant plus ancienne.)

laquelle je me rappelle en ce moment l'objet de mon livre me fera mépriser ici la fausse bienséance qui m'empêcherait de le remplir. Qui que vous soyez, qui voulez connaître un homme, osez lire les deux ou trois pages qui suivent; vous allez connaître à plein J.-J. Rousseau.

J'entrai dans la chambre d'une courtisane comme dans le sanctuaire de l'amour et de la beauté; j'en crus voir la divinité dans sa personne. Je n'aurais jamais cru que, sans respect et sans estime, on pût rien sentir de pareil à ce qu'elle me fit éprouver. A peine eus-je[a] connu, dans les premières familiarités, le prix de ses charmes et de ses caresses, que, de peur d'en perdre le fruit d'avance, je voulus me hâter de le cueillir. Tout à coup, au lieu des flammes qui me dévoraient, je sens un froid mortel courir dans mes veines, les jambes me flageolent, et prêt à me trouver mal, je m'assieds, et je pleure comme un enfant.

Qui pourrait deviner la cause de[b] mes larmes, et ce qui me passait par la tête en ce moment ? Je me disais : Cet objet dont je dispose est le chef-d'œuvre de la nature et de l'amour; l'esprit, le corps, tout en est parfait; elle est aussi bonne et généreuse qu'elle est aimable et belle. Les grands, les princes, devraient être ses esclaves; les sceptres devraient être à ses pieds. Cependant la voilà, misérable coureuse, livrée au public; un capitaine de vaisseau marchand dispose d'elle; elle vient se jeter à ma tête, à moi qu'elle sait qui n'ai rien, à moi dont le mérite, qu'elle ne peut connaître, doit être nul à ses yeux. Il y a là quelque chose d'inconcevable. Ou mon cœur me trompe, fascine mes sens et me rend la dupe d'une indigne salope, ou il faut que quelque défaut secret que j'ignore détruise l'effet de ses charmes et la rende odieuse à ceux qui devraient se la disputer. Je me mis à chercher ce défaut avec une contention d'esprit singulière, et il ne me vint pas même à l'esprit que la vérole pût y avoir part. La fraîcheur de ses chairs, l'éclat de son coloris, la blancheur de ses dents, la douceur de son haleine, l'air de propreté répandu sur toute sa personne, éloignaient de moi si parfaitement cette idée, qu'en doute encore sur mon état depuis la Padoana, je me faisais plutôt un scrupule de n'être pas assez sain pour elle, et je suis très persuadé qu'en cela ma confiance ne me trompait pas.

Ces réflexions, si bien placées, m'agitèrent au point d'en pleurer. Zulietta, pour qui cela faisait sûrement un

spectacle tout nouveau dans la circonstance, fut un moment interdite. Mais ayant fait un tour de chambre et passé devant son miroir, elle comprit, et mes yeux lui confirmèrent que le dégoût n'avait point de part à ce rat[1]. Il ne lui fut pas difficile de m'en guérir et d'effacer cette petite honte. Mais, au moment que j'étais prêt à me pâmer sur une gorge qui semblait pour la première fois souffrir la bouche et la main d'un homme, je m'aperçus qu'elle avait un téton borgne. Je me frappe, j'examine, je crois voir que ce téton n'est pas conformé comme l'autre. Me voilà cherchant dans ma tête comment on peut avoir un téton borgne; et, persuadé que cela tenait à quelque notable vice naturel, à force de tourner et retourner cette idée[a], je vis clair comme le jour que dans la plus charmante personne dont je pusse me former l'image, je ne tenais dans mes bras qu'une espèce de monstre, le rebut de la nature, des hommes et de l'amour. Je poussai la stupidité jusqu'à lui parler de ce téton borgne. Elle prit d'abord la chose en[b] plaisantant, et, dans son humeur folâtre, dit et fit des choses à me faire mourir d'amour. Mais gardant un fond d'inquiétude que je ne pus lui cacher, je la vis enfin rougir, se rajuster, se redresser, et, sans dire un seul mot, s'aller mettre à sa fenêtre[c]. Je voulus m'y mettre à côté d'elle; elle s'en ôta, fut s'asseoir sur un lit de repos, se leva le moment d'après, et se promenant par la chambre en s'éventant, me dit d'un ton froid et dédaigneux : *Zanetto, lascia le donne, e studia la matamatica* [*sic*].

Avant de la quitter, je lui demandai pour le lendemain un autre rendez-vous, qu'elle remit au troisième jour, en ajoutant, avec un sourire ironique, que je devais avoir besoin de repos. Je passai ce temps mal à[d] mon aise, le cœur plein de ses charmes et de ses grâces, sentant mon extravagance, me la reprochant, regrettant les moments si mal employés, qu'il n'avait tenu qu'à moi de rendre les plus doux de ma vie, attendant avec la plus vive impatience celui d'en réparer la perte, et néanmoins inquiet encore, malgré que j'en eusse, de concilier les perfections de cette adorable fille avec l'indignité de son état. Je courus, je volai chez elle à l'heure dite. Je ne sais si son tempérament ardent eût été plus content de cette visite. Son orgueil

1. *Rat,* au sens de caprice, lubie, est courant au xviii[e] siècle, comme l'attestent plusieurs exemples de Littré.

l'eût été du moins, et je me faisais d'avance une jouissance délicieuse de lui montrer de toutes manières comment je savais réparer mes torts. Elle m'épargna cette épreuve. Le gondolier qu'en abordant j'envoyai chez elle me rapporta qu'elle était[a] partie la veille pour Florence. Si je n'avais pas senti tout mon amour en la possédant, je le sentis bien cruellement en la perdant. Mon regret insensé ne m'a point quitté. Tout aimable, toute charmante qu'elle était à mes yeux, je pouvais me consoler de la perdre; mais de quoi je n'ai pu me consoler, je l'avoue, c'est qu'elle n'ait emporté de moi qu'un souvenir méprisant.

Voilà mes deux histoires. Les dix-huit mois que j'ai passés à Venise[1] ne m'ont fourni de plus à dire qu'un simple projet tout au plus. Carrio était galant. Ennuyé de n'aller toujours que chez des filles engagées[b] à d'autres, il eut la fantaisie d'en avoir une à son tour; et, comme nous étions inséparables, il me proposa l'arrangement, peu rare à Venise, d'en avoir une à nous deux. J'y consentis. Il s'agissait de la trouver sûre. Il chercha tant qu'il déterra une petite fille d'onze à douze ans, que son indigne mère cherchait à vendre[2]. Nous fûmes la voir ensemble. Mes entrailles s'émurent en voyant cette enfant. Elle était blonde et douce comme un agneau[c] : on ne l'aurait jamais crue italienne. On vit pour très peu de chose à Venise. Nous donnâmes quelque argent à la mère, et pourvûmes à l'entretien de la fille. Elle avait de la voix : pour lui procurer un talent de ressource, nous lui donnâmes une épinette et un maître à chanter. Tout cela nous coûtait à peine[d] à chacun deux sequins par mois, et nous en épargnait davantage en autres dépenses; mais comme il fallait attendre qu'elle fût mûre, c'était semer beaucoup avant que de recueillir. Cependant, contents d'aller là passer les soirées, causer et jouer très innocemment avec cette enfant, nous nous amusions plus agréablement peut-être que si nous l'avions possédée : tant il est vrai que ce qui nous attache le plus aux femmes est moins la débauche qu'un certain agrément de vivre auprès d'elles. Insensiblement mon cœur s'attachait à la petite Anzoletta, mais d'un attachement paternel, auquel les sens avaient si peu de part, qu'à mesure qu'il augmentait il[e] m'aurait été moins possible

1. Moins d'un an : du 4 septembre 1743 au 22 août 1744.
2. Pratique vénitienne déjà attestée par Misson, en 1691.

de les y faire entrer; et je sentais que j'aurais eu horreur d'approcher de cette fille devenue nubile comme d'un inceste abominable. Je voyais les sentiments du bon Carrio prendre, à son insu, le même tour. Nous nous ménagions, sans y penser, des plaisirs non moins doux, mais bien différents de ceux dont nous avions d'abord eu l'idée; et je suis certain que, quelque belle qu'eût pu devenir cette pauvre enfant, loin d'être jamais les corrupteurs de son innocence, nous en aurions été les protecteurs. Ma catastrophe, arrivée peu[a] de temps après, ne me laissa pas[b] celui d'avoir part à cette bonne œuvre; et je n'ai à me louer dans cette affaire que du penchant de mon cœur. Revenons à mon voyage.

Mon premier projet en sortant de chez M. de Montaigu était de me retirer à Genève, en attendant qu'un meilleur sort, écartant les obstacles, pût me réunir à ma pauvre Maman; mais l'éclat qu'avait fait notre querelle, et la sottise qu'il[c] fit d'en écrire à la cour, me fit prendre le parti d'aller moi-même y rendre compte de ma conduite, et[d] me plaindre de celle d'un forcené. Je marquai de Venise ma résolution à M. du Theil, chargé par intérim des Affaires étrangères après la mort de M. Amelot. Je partis aussitôt que ma lettre : je pris ma route par Bergame, Côme et Domodossola; je traversai le Simplon[1]. À Sion, M. de Chaignon, chargé des affaires de France, me fit mille amitiés; à Genève, M. de la Closure m'en fit autant[2]. J'y renouvelai connaissance avec M. de Gauffecourt, dont j'avais quelque argent à recevoir. J'avais traversé Nyon sans voir mon père, non qu'il ne m'en coûtât extrêmement; mais je n'avais pu me résoudre à me montrer à ma belle-mère après mon désastre, certain qu'elle me jugerait sans vouloir m'écouter. Le libraire Duvillard, ancien ami de mon père, me reprocha vivement ce tort. Je lui en dis la cause; et, pour le réparer sans m'exposer[e] à voir ma belle-mère, je pris une chaise,

1. Sur cette route, voir *supra*, p. 346, n. 1.

Quatre lettres de Rousseau à Du Theil ont été publiées dans la *C. C.* (II, 43, 48, 61, 66). Il fait évidemment allusion ici aux deux premières, datées de Venise, les 8 et 15 août, dans lesquelles la querelle avec Montaigu est rapportée dans les mêmes termes que dans les *Confessions*. Il ne partit pas de Venise « aussitôt », mais seulement le 22 août.

2. La Closure n'était plus résident de France à Genève depuis 1739. Y vivait-il encore?

et nous fûmes ensemble à Nyon descendre au cabaret. Duvillard s'en fut chercher mon pauvre père qui vint tout courant m'embrasser. Nous soupâmes ensemble, et, après avoir passé une soirée bien[a] douce à mon cœur, je retournai le lendemain matin à Genève avec Duvillard, pour qui j'ai toujours conservé de la reconnaissance du bien qu'il me fit en cette occasion.

Mon plus court chemin n'était pas par Lyon; mais j'y voulus passer pour vérifier une friponnerie bien basse de M. de Montaigu. J'avais fait venir de Paris une petite caisse contenant une veste brodée en or, quelques paires de manchettes et six paires de bas de soie blancs[b]; rien de plus. Sur la proposition qu'il m'en fit lui-même, je fis ajouter cette caisse, ou plutôt cette boîte, à son bagage. Dans le mémoire d'apothicaire qu'il voulut me donner en payement[c] de mes appointements, et qu'il avait écrit de sa main, il avait mis que cette boîte, qu'il appelait ballot, pesait onze quintaux, et il m'en avait passé le port à un prix énorme[1]. Par les soins de M. Boy de La Tour, auquel j'étais recommandé par M. Roguin, son oncle, il fut vérifié sur les registres des douanes de Lyon et de Marseille que ledit ballot ne pesait que quarante-cinq livres, et n'avait payé le port qu'à raison de ce poids. Je joignis cet extrait authentique au mémoire de M. de Montaigu; et, muni de ces pièces et de plusieurs autres de la même force, je me rendis à Paris, très impatient d'en faire usage. J'eus, durant toute cette longue route, de petites aventures à Côme, en Valais et ailleurs. Je vis plusieurs choses, entre autres les îles Borromées, qui[d] mériteraient d'être décrites. Mais le temps me gagne, les espions m'obsèdent; je suis forcé de faire à la hâte et mal un travail qui demanderait le loisir et la tranquillité qui me manquent. Si jamais la Providence, jetant les yeux sur moi, me procure enfin des jours plus calmes, je les destine à refondre, si je puis, cet ouvrage, ou à y faire au moins un supplément dont je sens qu'il a grand besoin*.

* J'ai renoncé à ce projet[e].

1. Le « mémoire d'apothicaire » déduit en effet 138 livres pour le port, de Paris à Marseille, de cet article, donné comme pesant 1 150 livres. Littré ne cite que cet exemple de *passer* au sens de : vendre un certain prix. Mémoire reproduit *C. C.,* II, 275-8.

Le bruit de mon histoire m'avait devancé, et en arrivant je trouvai que dans les bureaux et dans le public tout le monde était scandalisé des folies de l'ambassadeur. Malgré cela, malgré le cri public dans Venise, malgré les preuves sans réplique que j'exhibais, je ne pus obtenir aucune justice. Loin d'avoir ni satisfaction ni réparation, je fus même laissé à la discrétion de l'ambassadeur pour mes appointements, et cela par l'unique raison que, n'étant pas Français, je n'avais pas droit à la protection nationale, et que c'était une affaire particulière entre lui et moi. Tout le monde[a] convint avec moi que j'étais offensé, lésé, malheureux; que l'ambassadeur était un extravagant cruel, inique, et que toute cette affaire le déshonorait à jamais. Mais quoi ! il était l'ambassadeur; je n'étais, moi, que le secrétaire. Le bon ordre, ou ce qu'on appelle ainsi, voulait que je n'obtinsse aucune justice, et je n'en obtins aucune. Je m'imaginai qu'à force de crier et de traiter publiquement ce fou comme il le méritait, on me dirait à la fin de me taire; et c'était ce que j'attendais, bien résolu de n'obéir qu'après qu'on aurait prononcé. Mais il n'y avait point alors de ministre des Affaires étrangères. On me laissa clabauder, on m'encouragea même, on faisait *chorus ;* mais l'affaire en resta toujours là, jusqu'à ce que, las d'avoir toujours raison et jamais justice, je perdis enfin courage, et plantai là tout.

La seule personne qui me reçut mal et dont j'aurais le moins attendu cette injustice, fut M[me] de Bezenval. Toute pleine des prérogatives du rang et de la noblesse, elle ne put jamais se mettre dans la tête qu'un ambassadeur pût avoir tort[b] avec son secrétaire. L'accueil qu'elle me fit fut conforme à ce préjugé. J'en fus si piqué, qu'en sortant de chez elle je lui écrivis une des fortes et vives lettres que j'aie peut-être écrites[1], et[c] n'y suis jamais retourné. Le P. Castel me reçut mieux; mais, à travers le patelinage jésuitique, je le vis suivre assez fidèlement une des grandes maximes de la Société, qui est d'immoler toujours le plus faible au plus puissant. Le vif sentiment de la justice de ma cause et ma fierté naturelle ne me laissèrent pas endurer patiemment cette partialité. Je cessai[d] de voir le P. Castel,

1. Lettre perdue, car Musset-Pathay faisait déjà des réserves sur l'authenticité d'une « lettre de Rousseau à M[me] de Bezenval, datée Paris, novembre 1744 », qu'il publiait dans le t. I, p. 15, de ses *Œuvres inédites* de Rousseau (voir *C. C.,* II, 376).

et par là d'aller aux Jésuites, où je ne connaissais que lui seul.
D'ailleurs, l'esprit tyrannique et intrigant de ses confrères,
si différent de la bonhomie du bon P. Hemet, me donnait
tant d'éloignement pour leur commerce, que je n'en ai
vu aucun depuis ce temps-là, si ce n'est le P. Berthier, que
je vis deux ou trois fois chez M. Dupin, avec lequel il tra
vaillait de toute sa force à la réfutation de Montesquieu.

Achevons, pour n'y plus revenir, ce qui me reste à
dire de M. de Montaigu. Je lui avais dit dans nos démêlés
qu'il ne lui fallait pas un secrétaire, mais un clerc de pro
cureur. Il suivit cet avis et me donna réellement[a] pour
successeur un vrai procureur, qui dans moins d'un an
lui vola vingt ou trente mille livres. Il le chassa, le fit
mettre en prison, chassa ses gentilshommes avec esclandre
et scandale; se fit partout des querelles, reçut des affronts
qu'un valet n'endurerait pas et finit, à force de folies, par
se faire rappeler et renvoyer planter ses choux[1]. Appa
remment que, parmi les réprimandes qu'il reçut à la cour,
son affaire avec moi ne fut pas oubliée. Du moins, peu de
temps après son retour, il m'envoya son maître d'hôtel
pour solder mon compte et me donner de l'argent. J'en
manquais dans ce moment-là; mes dettes de Venise, dettes
d'honneur si jamais il en fut, me pesaient sur le cœur.
Je saisis le moyen qui se présentait de les acquitter, de
même que le billet de Zanetto Nani. Je reçus ce qu'on
voulut me donner; je payai toutes mes dettes, et je restai
sans un sol, comme auparavant, mais soulagé d'un poids
qui m'était insupportable. Depuis lors, je n'ai plus entendu
parler de M. de Montaigu qu'à sa mort, que j'appris par
la voix publique. Que Dieu fasse paix à ce pauvre homme !
Il était aussi propre au métier d'ambassadeur que je l'avais
été dans mon enfance à celui de grapignan[2]. Cependant
il n'avait tenu qu'à lui de se soutenir[3] honorablement
par mes services, et de me faire avancer rapidement

1. L'exactitude des faits est attestée par la correspondance diplo
matique du comte de Montaigu. Le successeur de Rousseau, arrivé
en octobre 1744, s'enfuit en 1747 après avoir dilapidé des sommes
énormes. Montaigu lui-même, rappelé à Paris en 1746, quitta définiti
vement son poste en 1749, et mourut en 1764.
2. Sur ce mot et l'épisode auquel fait allusion Rousseau, voir
supra, livre I, p. 32 et n. 1.
3. Sur *se soutenir,* voir p. 176, n. 1.

dans l'état auquel le comte de Gouvon m'avait destiné dans ma jeunesse, et dont par moi seul je m'étais rendu capable dans un âge plus avancé.

La justice et l'inutilité de mes plaintes me laissèrent dans l'âme un germe d'indignation contre nos sottes institutions civiles, où le vrai bien public et la véritable justice sont toujours sacrifiés à je ne sais quel ordre apparent, destructif en effet de tout ordre, et qui ne fait qu'ajouter la sanction de l'autorité publique à l'oppression du faible et à l'iniquité du fort. Deux choses empêchèrent ce germe de se développer pour lors comme il a fait dans la suite : l'une, qu'il s'agissait de moi dans cette affaire, et que l'intérêt privé, qui n'a jamais rien produit de grand et de noble, ne saurait tirer de mon cœur les divins élans qu'il n'appatient qu'au plus pur amour[a] du juste et du beau d'y produire. L'autre fut le charme de l'amitié, qui tempérait[b] et calmait ma colère par l'ascendant d'un sentiment plus doux. J'avais fait connaissance à Venise avec un Biscayen, ami de mon ami de Carrio, et digne de l'être de tout homme de bien. Cet aimable jeune homme, né pour tous les talents et pour toutes les vertus, venait de faire le tour de l'Italie pour prendre le goût des beaux-arts; et, n'imaginant rien de plus à acquérir, il voulait s'en retourner en droiture dans sa patrie. Je lui dis que les arts n'étaient que le délassement d'un génie comme le sien, fait pour cultiver les sciences; et je lui conseillai, pour en prendre le goût, un voyage et six mois de séjour à Paris. Il me crut et fut à Paris. Il y était et m'attendait quand j'y arrivai. Son logement était trop grand pour lui, il m'en offrit la moitié; je l'acceptai. Je le trouvai dans la ferveur des hautes[c] connaissances. Rien n'était au-dessus de sa portée; il dévorait et digérait tout avec une prodigieuse rapidité[d]. Comme il me remercia d'avoir procuré cet aliment à son esprit, que le besoin de savoir tourmentait sans qu'il s'en doutât lui-même ! quels trésors de lumières et de vertus je trouvai dans cette âme forte ! Je sentis que c'était l'ami qu'il me fallait : nous devînmes intimes. Nos goûts n'étaient pas les mêmes; nous disputions toujours. Tous deux opiniâtres, nous n'étions jamais d'accord sur rien. Avec cela nous ne pouvions nous quitter; et, tout en nous contrariant sans cesse, aucun des deux n'eût voulu que l'autre fût autrement.

Ignacio Emanuel de Altuna était un de ces hommes rares que l'Espagne seule produit, et dont elle produit trop peu

pour sa gloire. Il n'avait pas ces violentes passions nationales, communes dans son pays. L'idée de la vengeance ne pouvait pas plus entrer dans son esprit que le désir dans son cœur. Il était trop fier pour être vindicatif, et je lui ai souvent ouï dire avec beaucoup de sang-froid qu'un mortel ne pouvait pas offenser son âme. Il était galant sans être tendre[a]. Il jouait avec les femmes comme avec de jolis enfants. Il se plaisait avec les maîtresses de ses amis; mais je ne lui en ai jamais vu aucune, ni aucun désir d'en avoir. Les flammes de la vertu dont son cœur était dévoré ne permirent jamais à celles de ses sens de naître. Après ses voyages, il s'est marié; il est mort jeune; il a laissé des enfants, et je suis persuadé, comme de mon existence, que sa femme est la première et la seule qui lui ait fait connaître les plaisirs de l'amour. A l'extérieur, il était dévot comme un Espagnol, mais en dedans était la piété d'un ange[b]. Hors moi, je n'ai vu que lui seul de[c] tolérant depuis que j'existe. Il ne s'est jamais informé d'aucun homme comment il pensait en matière de religion. Que son ami fût juif, protestant, turc[d], bigot, athée, peu lui importait, pourvu qu'il fût honnête homme. Obstiné, têtu pour des opinions indifférentes, dès qu'il s'agissait de religion, même de morale, il se recueillait, se taisait, ou disait simplement : Je ne suis chargé que de moi. Il est incroyable qu'on puisse associer autant d'élévation d'âme avec un esprit de détail porté jusqu'à la minutie. Il partageait et fixait d'avance l'emploi de sa journée par heures, quarts d'heure et minutes, et suivait cette distribution avec un tel scrupule, que si l'heure eût sonné tandis qu'il lisait sa phrase, il eût fermé le livre sans achever. De toutes ces mesures de temps ainsi rompues, il y en avait pour telle étude, il y en avait pour telle autre; il y en avait pour la réflexion, pour la conversation, pour l'office, pour Locke, pour le rosaire, pour les visites, pour la musique, pour la peinture; et il n'y avait ni plaisir, ni tentation, ni complaisance qui pût intervertir cet ordre. Un devoir à remplir seul l'aurait pu. Quand il me faisait la liste de ses distributions, afin que je m'y conformasse, je commençais par rire et je finissais par pleurer d'admiration. Jamais il ne gênait personne[e], ni ne supportait la gêne; il brusquait les gens qui, par politesse, voulaient le gêner. Il était emporté sans être boudeur. Je l'ai vu souvent en colère, mais je ne l'ai jamais vu fâché. Rien n'était si gai que son

humeur : il entendait raillerie et il aimait à railler. Il y brillait même[a], et il avait le talent de l'épigramme. Quand on l'animait, il était bruyant et tapageur en paroles, sa voix s'entendait de loin[b]. Mais, tandis qu'il criait, on le voyait sourire, et tout à travers ses emportements, il lui venait quelque mot plaisant qui faisait éclater tout le monde. Il n'avait pas plus le teint espagnol que le flegme. Il avait la peau blanche, les joues colorées, les cheveux d'un châtain presque blond. Il était grand et bien fait. Son corps fut formé pour loger son âme.

Ce sage de[c] cœur ainsi que de tête se connaissait en hommes et fut mon ami. C'est toute ma réponse à quiconque ne l'est pas. Nous nous liâmes si bien, que nous fîmes le projet de passer nos jours ensemble. Je devais, dans quelques années[d], aller à Azcoytia pour vivre avec lui dans sa terre. Toutes les parties de ce projet furent arrangées entre nous la veille de son départ. Il n'y manqua que ce qui ne dépend pas des hommes dans les projets les mieux concertés. Les événements postérieurs, mes désastres, son mariage, sa mort enfin, nous ont séparés pour toujours.

On dirait qu'il n'y a que les noirs complots des méchants qui réussissent[e]; les projets innocents des bons n'ont presque jamais d'accomplissement.

Ayant senti l'inconvénient de la dépendance, je me promis bien de ne m'y plus exposer. Ayant vu renverser dès leur naissance[f] des projets d'ambition que l'occasion m'avait fait former, rebuté de rentrer dans la carrière que j'avais si bien commencée, et dont néanmoins je venais d'être expulsé, je résolus de ne plus m'attacher à personne, mais de rester dans l'indépendance en tirant parti de mes talents, dont enfin je commençais à sentir la mesure, et dont j'avais trop modestement pensé jusqu'alors. Je repris le travail de mon opéra, que j'avais interrompu pour aller à Venise; et pour m'y livrer plus tranquillement, après le départ d'Altuna, je retournai loger[g] à mon ancien hôtel Saint-Quentin, qui, dans un quartier solitaire et peu loin du Luxembourg, m'était plus commode pour travailler à mon aise que la bruyante rue Saint-Honoré. Là m'attendait la seule consolation réelle que le ciel m'ait fait goûter dans ma misère, et qui seule me la rend supportable. Ceci n'est pas une connaissance passagère; je dois entrer dans quelque détail sur la manière dont elle se fit.

Nous avions une nouvelle hôtesse qui était d'Orléans. Elle prit pour travailler en linge une fille de son pays, d'environ vingt-deux à vingt-trois ans, qui mangeait avec nous ainsi que l'hôtesse. Cette fille, appelée Thérèse Le Vasseur, était de bonne famille; son père était officier de la Monnaie d'Orléans; sa mère était marchande. Ils avaient beaucoup d'enfants. La Monnaie d'Orléans n'allant plus, le père se trouva sur le pavé; la mère, ayant essuyé des banqueroutes, fit mal ses affaires, quitta le commerce, et vint à Paris avec son mari et sa fille, qui les nourrissait tous trois de son travail.

La première fois que je vis paraître cette fille à table, je fus frappé de son maintien modeste, et plus encore de son regard vif et doux, qui pour moi n'eut jamais son semblable. La table était composée, outre M. de Bonnefond, de plusieurs abbés irlandais, gascons, et autres gens de pareille étoffe. Notre hôtesse elle-même avait rôti le balai : il n'y avait là que moi seul qui parlât et se comportât décemment. On agaça la petite; je pris sa défense. Aussitôt les lardons tombèrent sur moi[1]. Quand je n'aurais eu naturellement aucun goût pour cette pauvre fille, la compassion, la contradiction m'en auraient donné. J'ai toujours aimé l'honnêteté dans les manières et dans les propos[a], surtout avec le sexe. Je devins hautement son champion[b]. Je la vis sensible à mes soins, et ses regards, animés par la reconnaissance, qu'elle n'osait exprimer de bouche, n'en devenaient que plus pénétrants.

Elle était très timide; je l'étais aussi. La liaison que cette disposition commune semblait éloigner se fit pourtant très rapidement. L'hôtesse, qui s'en aperçut, devint furieuse, et ses brutalités avancèrent encore mes affaires auprès de la petite, qui, n'ayant d'appui que moi seul dans la maison, me voyait sortir avec peine et soupirait après le retour de son protecteur. Le rapport de nos cœurs, le concours de nos dispositions eut bientôt son effet ordinaire[c]. Elle crut voir en moi un honnête homme; elle ne se trompa pas. Je crus voir en elle une fille sensible, simple et sans coquetterie; je ne me trompai pas non plus.

1. Le XVIIe siècle employait la locution *rôtir le balai* tantôt dans le sens de « se morfondre », tantôt dans celui, utilisé ici par Rousseau, de « mener une vie de folles dissipations ». — *Lardons,* brocards satiriques (sens attesté dès le XVIe siècle).

Je lui déclarai d'avance que je ne l'abandonnerais ni ne l'épouserais jamais. L'amour, l'estime, la sincérité naïve, furent les ministres de mon triomphe ; et c'était parce que son cœur était tendre et honnête que je fus heureux sans être entreprenant.

La crainte qu'elle eut que je ne me fâchasse de ne pas trouver en elle ce qu'elle croyait que j'y cherchais recula mon bonheur plus que toute autre chose. Je la vis interdite et confuse avant[a] de se rendre, vouloir se faire entendre, et n'oser s'expliquer. Loin d'imaginer la véritable cause de son embarras, j'en imaginai une bien fausse et bien insultante pour ses mœurs, et croyant qu'elle m'avertissait que ma santé courait des risques, je tombai dans des perplexités qui ne me retinrent pas, mais qui durant plusieurs jours empoisonnèrent mon bonheur. Comme nous ne nous entendions point l'un l'autre, nos entretiens à ce sujet étaient autant d'énigmes et d'amphigouris plus que risibles. Elle fut prête à me croire absolument fou[b] ; je fus prêt à ne savoir plus que penser d'elle. Enfin nous nous expliquâmes : elle me fit, en pleurant, l'aveu d'une faute unique au sortir de l'enfance, fruit de son ignorance et de l'adresse d'un séducteur. Sitôt que je la compris, je fis un cri[c] de joie : Pucelage ! m'écriai-je ; c'est bien à Paris, c'est bien à vingt ans qu'on en cherche ! Ah ! ma Thérèse, je suis trop heureux de te posséder sage et saine, et de ne pas trouver ce que je ne cherchais pas.

Je n'avais cherché d'abord qu'à me donner un amusement. Je vis que j'avais plus fait, et que je m'étais donné une compagne. Un peu d'habitude avec cette excellente fille, un peu de réflexion sur ma situation, me firent sentir qu'en ne songeant qu'à mes plaisirs j'avais beaucoup fait pour mon bonheur. Il me fallait à la place de l'ambition éteinte un sentiment vif qui remplît mon cœur. Il fallait, pour tout dire, un successeur à Maman : puisque je ne devais plus vivre avec elle, il me fallait quelqu'un qui vécût avec son élève, et en qui je trouvasse la simplicité, la docilité de cœur qu'elle avait trouvée en moi. Il fallait que la douceur de la vie privée et domestique me dédommageât du sort brillant auquel je renonçais. Quand j'étais absolument seul, mon cœur était vide ; mais il n'en fallait qu'un pour le remplir. Le sort m'avait ôté, m'avait aliéné, du moins en partie, celui pour lequel la nature m'avait fait. Dès lors j'étais seul ; car il n'y eut jamais pour moi d'inter-

médiaire entre tout et rien. Je trouvai dans Thérèse le supplément[1] dont j'avais besoin; par elle je vécus heureux autant que je pouvais l'être selon le cours des événements.

Je voulus d'abord former son esprit. J'y perdis ma peine. Son esprit est ce que l'a fait la nature; la culture et les soins n'y prennent pas. Je ne rougis point d'avouer qu'elle n'a jamais bien[a] su lire, quoiqu'elle écrive passablement. Quand j'allai loger dans la rue Neuve-des-Petits-Champs, j'avais à l'hôtel de Pontchartrain, vis-à-vis[b] mes fenêtres, un cadran sur lequel je m'efforçai durant plus d'un mois à lui faire connaître les heures. A peine les connaît-elle encore à présent. Elle n'a jamais pu suivre l'ordre des douze mois de l'année, et ne connaît pas un seul chiffre, malgré tous les soins que j'ai pris pour les lui montrer. Elle ne sait ni compter l'argent ni le prix d'aucune chose. Le mot qui lui vient en parlant est[c] souvent l'opposé de celui qu'elle veut dire. Autrefois j'avais fait un dictionnaire de ses phrases pour amuser M[me] de Luxembourg, et ses quiproquos sont devenus célèbres dans les sociétés où j'ai vécu. Mais cette personne si bornée, et, si l'on veut, si stupide, est d'un conseil excellent dans les occasions difficiles. Souvent, en Suisse, en Angleterre, en France, dans les catastrophes où je me trouvais, elle a vu ce que je ne voyais pas moi-même; elle m'a donné les avis les meilleurs à suivre; elle m'a tiré des dangers où je me précipitais aveuglément; et devant les dames du plus haut rang, devant les grands et les princes, ses sentiments, son bon sens, ses réponses et sa conduite lui ont attiré l'estime universelle, et à moi, sur son mérite, des compliments dont je sentais la sincérité.

Auprès des personnes qu'on aime, le sentiment nourrit l'esprit ainsi que le cœur, et l'on a peu besoin de chercher ailleurs des idées. Je vivais avec ma Thérèse aussi agréablement qu'avec le plus beau génie de l'univers. Sa mère, fière d'avoir été jadis élevée auprès de la marquise de Monpipeau, faisait le bel esprit, voulait diriger le sien, et gâtait, par son astuce, la simplicité de notre commerce. L'ennui de cette importunité me fit un peu surmonter la sotte honte de n'oser me montrer avec Thérèse en public, et nous faisions tête-à-tête de petites promenades champêtres et de petits goûters qui m'étaient délicieux. Je voyais

1. *Supplément* : voir *supra*, n. 1 de la p. 119.

qu'elle m'aimait sincèrement, et cela redoublait ma ten-
dresse[a]. Cette douce intimité me tenait lieu de tout; l'avenir
ne me touchait plus, ou ne me touchait que comme le
présent prolongé : je ne désirais rien que d'en assurer la
durée.

Cet attachement me rendit toute autre dissipation super-
flue et insipide. Je ne sortais plus que pour aller chez
Thérèse; sa demeure devint presque la mienne. Cette vie
retirée[b] devint si avantageuse à mon travail, qu'en moins
de trois mois mon opéra tout entier fut fait, paroles et
musique. Il restait seulement quelques accompagnements
et remplissages à faire. Ce travail de manœuvre[1] m'ennuyait
fort. Je proposai à Philidor de s'en charger, en lui donnant
part au bénéfice. Il vint deux fois, et fit quelques remplis-
sages dans l'acte d'Ovide, mais il ne put se captiver à ce
travail assidu pour un profit éloigné et même incertain.
Il ne revint plus, et j'achevai ma besogne moi-même.

Mon opéra fait, il s'agit d'en tirer parti : c'était un
autre opéra bien plus difficile. On ne vient à bout de rien
à Paris quand on[c] y vit isolé. Je pensai à me faire jour[d]
par M. de la Poplinière, chez qui Gauffecourt, de retour
de Genève, m'avait introduit[2]. M. de la Poplinière était
le Mécène de Rameau : M[me] de la Poplinière était sa très
humble écolière. Rameau faisait, comme on dit, la pluie
et le beau temps dans cette maison. Jugeant qu'il proté-
gerait avec plaisir l'ouvrage d'un de ses disciples, je voulus
lui montrer le mien. Il refusa de le voir, disant qu'il ne
pouvait lire des partitions, et que cela le fatiguait trop. La
Poplinière dit là-dessus qu'on pouvait le lui faire entendre,
et m'offrit de rassembler des musiciens pour en exécuter
des morceaux; je ne demandais pas mieux. Rameau consen-
tit en grommelant, et répétant sans cesse que ce devait être

1. *Manœuvre* s'emploie au figuré, au XVIII[e] siècle, au sens qu'a
nègre dans l'argot littéraire moderne. Voltaire parle des *manœuvres* de
Port-Royal qui fournissaient à Pascal les citations dont il avait besoin
pour attaquer les jésuites dans *les Provinciales*.

2. Courtois (*Chronologie, Annales*, XV, 48, n. 5) date approxima-
tivement cette présentation de l'hiver 1745, en notant que Gauffe-
court est rentré de Genève en septembre-octobre 1744, et en rappro-
chant ce passage de celui du livre XI (p. 653) où Rousseau dit avoir
rencontré la Pompadour chez La Poplinière avant qu'elle ne fût
distinguée par le roi (c'est-à-dire avant février 1745).

une belle chose que[a] de la composition d'un homme qui
n'était pas enfant de la balle, et qui avait appris la musique
tout seul. Je me hâtai de tirer en parties cinq ou six mor-
ceaux choisis. On me donna une dizaine de symphonistes,
et pour chanteurs[b] Albert, Bérard et Mlle Bourbonnois.
Rameau commença, dès l'ouverture, à faire entendre, par
ses éloges outrés, qu'elle ne pouvait être de moi. Il ne
laissa passer aucun morceau sans donner des signes d'impa-
tience; mais à un air de haute-contre, dont le chant était
mâle et sonore et l'accompagnement très brillant, il ne
put plus se contenir; il m'apostropha avec une brutalité
qui scandalisa tout le monde, soutenant qu'une partie de
ce qu'il venait d'entendre était d'un homme consommé
dans l'art, et le reste d'un ignorant qui ne savait pas même
la musique; et il est vrai que mon travail, inégal et sans
règle, était tantôt sublime et tantôt très plat, comme doit
être celui de quiconque ne s'élève que par quelques élans
de génie, et que la science ne soutient point. Rameau pré-
tendit ne voir en moi qu'un petit pillard sans talent et sans
goût. Les assistants, et surtout le maître de la maison,
ne pensèrent pas de même. M. de Richelieu, qui, dans ce
temps-là, voyait beaucoup M., et, comme on sait, Mme de
la Poplinière, ouït parler de mon ouvrage, et voulut l'en-
tendre[c] en entier, avec le projet de le faire donner à la
cour s'il en était content. Il fut exécuté à grand chœur et
en grand orchestre, aux frais du roi, chez M. de Bonneval,
intendant des Menus. Francœur dirigeait l'exécution.
L'effet en fut surprenant. M. le Duc ne cessait de s'écrier
et d'applaudir, et à la fin d'un chœur, dans l'acte du Tasse,
il se leva, vint à moi, et me serrant la main : Monsieur Rous-
seau, me dit-il, voilà de l'harmonie qui transporte. Je n'ai
jamais rien entendu de plus beau : je veux faire donner cet
ouvrage à Versailles. Mme de la Poplinière, qui était là,
ne dit pas un mot. Rameau, quoique invité, n'y avait pas
voulu venir. Le lendemain, Mme de la Poplinière me fit
à sa toilette un accueil fort dur, affecta de rabaisser ma
pièce, et me dit que, quoique un peu de clinquant eût
d'abord ébloui M. de Richelieu, il en était bien revenu,
et qu'elle ne me conseillait pas de compter sur[d] mon opéra.
M. le Duc arriva peu après et me tint un tout autre langage,
me dit des choses flatteuses sur mes talents, et me parut
toujours disposé à faire donner ma pièce devant le Roi. Il
n'y a, dit-il, que l'acte du Tasse qui ne peut passer à la

cour : il en faut faire un autre. Sur ce seul mot j'allai m'enfermer chez moi, et dans trois semaines j'eus fait à la place du Tasse un autre acte dont le sujet était Hésiode inspiré par une muse. Je trouvai le secret de faire[a] passer dans cet acte une partie de l'histoire de mes talents, et de la jalousie dont Rameau voulait bien les honorer. Il y avait dans ce nouvel acte une élévation moins gigantesque et mieux soutenue que celle du Tasse. La musique en était aussi noble et beaucoup mieux faite[1], et si les deux autres actes avaient valu celui-là, la pièce entière eût avantageusement soutenu la représentation : mais tandis que j'achevais de la mettre en état, une autre entreprise suspendit[b] l'exécution de celle-là.

L'hiver qui suivit la bataille de Fontenoy, il y eut beaucoup de fêtes à Versailles, entre autres plusieurs opéras au théâtre des Petites-Écuries. De ce nombre fut le drame de Voltaire intitulé *La Princesse de Navarre*, dont Rameau avait fait la musique, et qui venait d'être changé et réformé sous le nom des *Fêtes de Ramire*. Ce nouveau sujet demandait plusieurs changements aux divertissements de l'ancien, tant dans les vers que dans la musique. Il s'agissait de trouver quelqu'un qui pût remplir ce double objet, Voltaire, alors en Lorraine, et Rameau, tous deux occupés[c]

1. J. Scherer (*O. C.*, II, 1961, p. 1061) signale ce couplet chanté par Hésiode, 1re entrée, scène 4 :

> *Je n'ai point fait de l'art une étude servile,*
> [...]
> *Mais dans le succès que j'espère,*
> *J'attends tout du feu qui m'éclaire*
> *Et rien de mes faibles travaux.*

Dans l'*Avertissement* (qui, pas plus que le reste de l'ouvrage, ne fut imprimé du vivant de Rousseau), on lit :

« ... Ce fut même sur l'exécution de quelques morceaux que j'en avais fait répéter chez M. de La Popelinière, que M. Rameau, qui les entendit, conçut contre moi cette violente haine dont il n'a cessé de donner des marques jusqu'à sa mort. »

Rappelons que J. Tiersot, auteur d'une des plus sérieuses études sur Rousseau musicien, critique l'attitude de Rameau en cette affaire (voir n. 1 de la p. 205).

La musique de « l'acte d'Hésiode », retrouvée au Musée de Châalis, a fait l'objet d'une étude de M. A. Bruyère dans la *Revue musicale*, Paris, 1952, n° 218, pp. 5-31 ; elle a été exécutée à Genève en 1957 (*Annales*, XXXIV, 1956-1958, pp. 252-254).

pour lors à l'opéra du *Temple de la Gloire*, ne pouvan
donner des soins à celui-là. M. de Richelieu pensa à moi
me fit proposer de m'en charger, et pour que je pusse
examiner[a] mieux ce qu'il y avait à faire, il m'envoya sépa
rément le poème et la musique. Avant toute chose, je ne
voulus toucher aux paroles que de l'aveu de l'auteur; je lui
écrivis à ce sujet une lettre très honnête, et même respec-
tueuse, comme il convenait[1]. Voici sa réponse, dont l'ori-
ginal est dans la liasse A, n⁰ 1[2].

 15 *décembre* 1745.

*Vous réunissez, monsieur, deux talents qui ont toujours été
séparés jusqu'à présent. Voilà déjà deux bonnes raisons pour
moi de vous estimer et de chercher à vous aimer. Je suis fâché
pour vous que vous employiez ces deux talents à un ouvrage qui
n'en est pas trop digne. Il y a quelques mois que M. le duc de
Richelieu m'ordonna absolument de faire en un clin d'œil une*

1. Après *la Princesse de Navarre* (comédie-ballet et non drame),
représentée à Versailles le 23 février 1745, *les Fêtes de Ramire* furent
données, toujours à Versailles, le 22 décembre 1745. Sur l'état des
gratifications accordées à cette occasion, un « Sieur Rousseau, musi-
cien », figure pour la somme considérable de 792 livres, mais on ne
sait pas si Rousseau les toucha ou non. Ch. Malherbe, archiviste de
l'Opéra, a cru pouvoir établir que le travail de Rousseau se réduisait
à fort peu de chose — interprétation contestée par A. François,
Annales, III, 1907, pp. 275-279.
 Il ressort du texte que nous possédons de la lettre de Rousseau à
Voltaire, en date du 11 décembre, que, contrairement à ce qu'il dit
ici, il se contenta de demander l'approbation de Voltaire aux change-
ments déjà apportés au texte, s'abritant pour s'excuser derrière l'auto-
rité de Richelieu. La lettre est en effet très respectueuse, sans flagor-
nerie. Mais il apparaît que Rousseau a refait la lettre assez librement,
après avoir détruit le texte original, dont seuls subsistent les derniers
mots (Biblioth. de Genève). Voir *Correspondance* de Voltaire, éd. Bes-
terman, XIV, 271, et *C. C.*, II, 92.
 2. Conservé aujourd'hui à la Bibliothèque de Neuchâtel, l'original
de la lettre de Voltaire est reproduit dans l'édition Besterman, XV,
269. Il s'écarte du texte donné ici par Rousseau en quatre endroits :
P. 395, l. 5 : comptant *ou* qu'il ne servirait pas...
 — l. 10 : que vous *n'ayez rempli les vides, et* suppléé...
 — l. 20 : elle. Je *sens* très bien...
 — l. 21 : est *assez* au-dessous d'un être pensant de *se faire*...
Selon Besterman (*ibid.*, 270, n. *a*), Voltaire était alors à Paris (déc.
1745) et non en Lorraine comme le dit Rousseau.

petite et mauvaise esquisse de quelques scènes insipides et tron-
quées, qui devaient s'ajouter à des divertissements qui ne sont
point faits pour elles. J'obéis avec la plus grande exactitude ; je
fis très vite et très mal. J'envoyai ce misérable croquis à M. le
duc de Richelieu, comptant qu'il ne servirait pas, ou que je
le corrigerais. Heureusement il est entre vos mains, vous en êtes
le maître absolu ; j'ai perdu entièrement tout cela de vue. Je ne
doute pas que vous n'ayez rectifié toutes les fautes échappées
nécessairement dans une composition si rapide d'une simple
esquisse, que vous n'ayez[a] *suppléé à tout.*

Je me souviens qu'entre autres balourdises il n'est pas dit, dans
ces scènes qui lient les divertissements, comment la princesse
Grenadine passe tout d'un coup d'une prison dans un jardin
ou dans un palais. Comme ce n'est point un magicien qui lui donne
des fêtes, mais un seigneur espagnol, il me semble que rien
ne doit se faire par enchantement. Je vous prie, Monsieur, de
vouloir bien revoir cet endroit, dont je n'ai qu'une idée confuse.
Voyez s'il est nécessaire que la prison s'ouvre et qu'on fasse
passer notre princesse de cette prison dans un beau palais
doré et verni, préparé pour elle. Je sais très bien que tout cela
est fort misérable, et qu'il est au-dessous d'un être pensant de
faire une affaire sérieuse de ces bagatelles ; mais enfin, puis-
qu'il s'agit de déplaire le moins qu'on pourra, il faut mettre le
plus de raison qu'on peut, même dans un mauvais divertissement
d'opéra.

Je me rapporte de tout à vous et à M. Ballod, et je compte
avoir bientôt l'honneur de vous faire mes remerciements, et de
vous assurer, Monsieur, à quel point j'ai celui d'être, etc.

Qu'on ne soit pas surpris de la grande politesse de cette
lettre comparée aux autres lettres demi-cavalières qu'il
m'a écrites depuis ce temps-là. Il me crut en grande faveur
auprès de M. de Richelieu, et la souplesse courtisane qu'on
lui connaît l'obligeait à beaucoup d'égards pour un nou-
veau venu, jusqu'à ce qu'il connût mieux la mesure de son
crédit.

Autorisé par M. de Voltaire et dispensé de tous égards
pour Rameau, qui ne cherchait qu'à me nuire, je me mis[b]
au travail, et en deux mois ma besogne fut[c] faite. Elle se
borna, quant aux vers, à très peu de chose. Je tâchai seule-
ment qu'on n'y sentît pas la différence des styles, et j'eus
la présomption de croire avoir réussi. Mon travail en musique
fut plus long et plus pénible. Outre que j'eus à faire plu-

sieurs morceaux d'appareil[1], et entre autres l'ouverture, tout le récitatif dont j'étais chargé se trouva d'une difficulté extrême, en ce qu'il fallait lier, souvent en peu de vers et par des modulations très rapides, des symphonies et des chœurs dans des tons fort éloignés; car, pour que Rameau ne m'accusât pas d'avoir défiguré ses airs, je n'en voulus changer ni transposer aucun. Je réussis à ce récitatif. Il était bien accentué, plein d'énergie, et surtout excellemment modulé. L'idée des deux hommes supérieurs auxquels on daignait m'associer m'avait élevé le génie, et je puis dire que dans ce travail ingrat et sans gloire, dont le public ne pouvait pas même être informé, je me tins presque toujours à côté de mes modèles.

La pièce, dans l'état où je l'avais mise, fut répétée au grand théâtre de l'Opéra. Des trois auteurs, je m'y trouvai seul. Voltaire était absent, et Rameau n'y vint pas, ou se cacha.

Les paroles du premier monologue étaient très lugubres. En voici le début :

O mort ! vien[s] terminer les malheurs de ma vie.

Il avait bien fallu faire une musique assortissante. Ce fut pourtant là-dessus que M^me de la Poplinière fonda sa censure, en m'accusant, avec beaucoup d'aigreur, d'avoir fait une musique d'enterrement. M. de Richelieu commença judicieusement par s'informer de qui étaient les[a] vers de ce monologue. Je lui présentai le manuscrit qu'il m'avait envoyé, et qui faisait foi qu'ils étaient de Voltaire. En ce cas, dit-il, c'est Voltaire seul qui a tort. Durant la répétition, tout ce qui était de moi fut successivement improuvé par M^me de la Poplinière, et justifié par M. de Richelieu. Mais enfin j'avais affaire à trop forte partie, et il me fut signifié qu'il y avait à refaire à mon travail plusieurs choses sur lesquelles il fallait consulter M. Rameau. Navré d'une conclusion pareille, au lieu des éloges que[b] j'attendais, et qui certainement m'étaient dus, je rentrai chez moi, la mort dans le cœur. J'y tombai malade, épuisé de fatigue, dévoré de chagrin, et de six semaines je ne fus en état de sortir.

Rameau, qui fut chargé des changements indiqués par

1. *Appareil :* Disposition de ce qui a grandeur ou pompe (Littré). Aujourd'hui : apparat.

M^me de la Poplinière, m'envoya demander l'ouverture de mon grand opéra pour la substituer à celle que je venais de faire. Heureusement je sentis le croc-en-jambe, et je la refusai. Comme il n'y avait plus que cinq ou six jours jusqu'à la représentation[a] il n'eut pas le temps d'en faire une, et il fallut laisser la mienne. Elle était à l'italienne, et d'un style très nouveau pour lors en France. Cependant, elle fut goûtée, et j'appris par M. de Valmalette, maître d'hôtel du roi, et gendre de M. Mussard, mon parent et mon ami, que les[b] amateurs avaient été très contents de mon ouvrage, et que le public ne l'avait pas distingué de celui de Rameau. Mais celui-ci, de concert avec M^me de la Poplinière[c], prit des mesures pour qu'on ne sût pas même que j'y avais travaillé. Sur les livres qu'on distribue aux spectateurs, et où les auteurs sont toujours nommés, il n'y eut de nommé que Voltaire, et Rameau aima mieux que son nom fût supprimé que d'y voir associer le mien[1].

Sitôt que je fus en état de sortir, je voulus aller chez M.[d] de Richelieu. Il n'était plus temps. Il venait de partir pour Dunkerque, où il devait commander le débarquement destiné pour l'Écosse[2]. A son retour, je me dis, pour auto-

1. Le nom de Voltaire ne figure sur aucun des deux exemplaires connus du livret des *Fêtes de Ramire*, et conservés à la Bibliothèque Nationale (reproduit par Ritter, *Annales*, I, 246) et à celle de l'Arsenal. Contrairement à ce que dit Rousseau, toutefois, ce n'est pas sa partition, mais celle de Rameau, qui fut exécutée (*Annales*, III, 277).

2. Le prétendant Charles-Édouard, débarqué en Écosse en 1745, maître d'Édimbourg et vainqueur en octobre d'une armée anglaise, avait reçu de la France une promesse d'assistance militaire (traité de Fontainebleau, 24 oct. 1745). Richelieu, muni d'un manifeste au peuple anglais rédigé par Voltaire, devait commander un corps expéditionnaire composé de troupes détachées de l'armée de Flandre. Ses indiscrétions firent abandonner le projet; mais il quitta effectivement Paris pour la côte du Pas-de-Calais, au plus tard dans les premiers jours de janvier 1746 puisque son départ est mentionné comme ayant déjà eu lieu dans une lettre de Voltaire à Cideville du 7 janvier. On voit que la chronologie de Rousseau est inacceptable : s'il s'était mis au travail après réception de la lettre de Voltaire du 15 décembre, les deux mois de travail, suivis des répétitions, puis des six semaines de la maladie de Rousseau, nous mettraient au plus tôt vers la fin avril 1746 : comment pourrait-il alors écrire que Richelieu « venait de partir pour Dunkerque » ? D'ailleurs la représentation des *Fêtes de Ramire* eut lieu à Versailles le 22 décembre 1745, comme en témoigne le livret, reproduit par E. Ritter, *Annales*, I, 1905, p. 248.

riser ma paresse, qu'il était trop tard. Ne l'ayant plus revu depuis lors, j'ai perdu l'honneur que méritait mon ouvrage, l'honoraire qu'il devait me produire, et mon temps, mon travail, mon chagrin, ma maladie et l'argent qu'elle me coûta, tout cela fut à mes frais, sans me rendre un sol de bénéfice, ou plutôt de dédommagement. Il m'a cependant toujours paru que M. de Richelieu avait naturellement de l'inclination pour moi et pensait avantageusement de mes talents. Mais mon malheur et M^me de la Poplinière empêchèrent tout l'effet de sa bonne volonté.

Je ne pouvais rien comprendre à l'aversion de cette femme à qui je m'étais efforcé de plaire et à qui je faisais assez régulièrement ma cour. Gauffecourt m'en expliqua les causes. D'abord, me dit-il, son amitié pour Rameau, dont elle est la prôneuse en titre et qui ne veut souffrir aucun concurrent, et de plus un péché originel qui vous damne auprès d'elle, et qu'elle ne vous pardonnera jamais[a], c'est d'être Genevois. Là-dessus, il m'expliqua que l'abbé Hubert, qui l'était, et sincère ami de M. de la Poplinière, avait fait ses efforts pour l'empêcher d'épouser cette femme qu'il connaissait bien, et qu'après le mariage elle lui avait voué une haine implacable, ainsi qu'à tous les Genevois. Quoique la Poplinière, ajouta-t-il, ait de l'amitié pour vous, et que je le sache, ne comptez pas sur son appui. Il est amoureux de sa femme; elle vous hait; elle est méchante, elle est adroite; vous ne ferez jamais rien dans cette maison. Je me le tins pour dit.

Ce même Gauffecourt me rendit à peu près dans le même temps un service dont j'avais grand besoin. Je venais de perdre mon vertueux père âgé d'environ soixante ans[1]. Je sentis moins cette perte que je n'aurais fait en d'autres temps, où les embarras de ma situation m'auraient moins occupé. Je n'avais point voulu réclamer de son vivant ce qui restait du bien de ma mère et dont il tirait le petit revenu. Je n'eus plus là-dessus de scrupule après sa mort. Mais le défaut de preuve juridique de la mort de mon frère faisait une difficulté que Gauffecourt se chargea de lever, et qu'il leva en effet par les bons offices de l'avocat Delorme. Comme j'avais le plus grand besoin de cette petite ressource, et que l'événement était douteux, j'en

1. C'est seulement le 9 mai 1747 que meurt à l'âge de soixante-quinze ans, et non soixante, Isaac Rousseau (voir *Index*).

attendais la nouvelle définitive avec[a] le plus vif empresse-
ment. Un soir, en rentrant chez moi, je trouvai la lettre qui
devait contenir cette nouvelle, et je la pris pour l'ouvrir avec
un tremblement d'impatience dont j'eus honte au-dedans
de moi. Eh quoi ! me dis-je avec dédain, Jean-Jacques
se laissera-t-il subjuguer à ce point par l'intérêt et par la
curiosité ? Je remis sur-le-champ la lettre sur ma cheminée.
Je me déshabillai, me couchai tranquillement, dormis
mieux qu'à mon ordinaire, et me levai le lendemain assez
tard, sans plus penser à ma lettre. En m'habillant, je l'aper-
çus; je l'ouvris sans me presser; j'y trouvai une lettre de
change. J'eus bien des plaisirs à la fois, mais je puis jurer
que le plus vif fut celui d'avoir su me vaincre. J'aurais
vingt traits pareils à citer en ma vie, mais je suis trop
pressé pour pouvoir tout dire. J'envoyai une petite partie
de cet argent à ma pauvre Maman, regrettant avec larmes
l'heureux temps où j'aurais mis le tout à ses pieds. Toutes
ses lettres se sentaient de sa détresse. Elle m'envoyait
des tas de recettes et de secrets dont elle prétendait que je
fisse ma fortune et la sienne. Déjà le sentiment de sa misère
lui[b] resserrait le cœur et lui rétrécissait l'esprit. Le peu
que je lui envoyai fut la proie des[c] fripons qui l'obsédaient.
Elle ne profita de rien. Cela me dégoûta de partager mon
nécessaire avec ces misérables, surtout après l'inutile ten-
tative que je fis pour la leur arracher, comme il sera dit
ci-après.

Le temps s'écoulait et l'argent avec lui. Nous étions
deux, même quatre, ou, pour mieux dire, nous étions sept
ou huit. Car, quoique Thérèse fût d'un désintéressement
qui a peu d'exemples, sa mère n'était pas comme elle.
Sitôt qu'elle se vit un peu remontée par mes soins, elle fit
venir toute sa famille pour en partager le fruit. Sœurs,
fils, filles, petites-filles, tout vint, hors sa fille aînée, mariée
au directeur des carrosses d'Angers. Tout ce que je faisais
pour Thérèse était détourné par sa mère en faveur de ces
affamés. Comme je n'avais pas affaire à une personne avide,
et que je n'étais pas subjugué par une passion folle, je ne
faisais pas des folies. Content de tenir Thérèse honnête-
ment, mais sans luxe, à l'abri des pressants besoins, je
consentais que ce qu'elle gagnait par son travail fût tout
entier au profit de sa mère, et je ne me bornais pas à cela.
Mais, par une fatalité qui me poursuivait, tandis que
Maman était en proie à ses croquants, Thérèse était en

proie à sa famille, et je ne pouvais rien faire d'aucun côté qui profitât à celle pour qui je l'avais destiné. Il était singulier que la cadette des enfants de M^me Le Vasseur, la seule qui n'eût point été dotée, était la seule qui nourrissait son père et sa mère, et qu'après avoir été longtemps battue par ses frères, par ses sœurs, même par ses nièces, cette pauvre fille en était maintenant pillée, sans qu'elle pût mieux se défendre de leurs vols que de leurs coups. Une seule de ses nièces, appelée Goton[a] Leduc, était assez aimable et d'un caractère assez doux, quoique gâtée par l'exemple et les leçons des autres. Comme je les voyais souvent ensemble, je leur donnais les noms qu'elles s'entre-donnaient; j'appelais la nièce, *ma nièce*, et la tante, *ma tante*. Toutes deux m'appelaient leur oncle. De là le nom de *tante*, duquel j'ai continué d'appeler Thérèse, et que mes amis répétaient quelquefois en plaisantant.

On sent que, dans une pareille situation, je n'avais pas un moment à perdre pour tâcher de m'en tirer. Jugeant que M. de Richelieu m'avait oublié, et n'espérant plus rien du côté de la cour, je fis quelques tentatives pour faire passer à Paris mon opéra; mais j'éprouvai des difficultés qui demandaient bien du temps pour les vaincre, et j'étais de jour en jour plus pressé. Je m'avisai de présenter ma petite comédie de *Narcisse* aux Italiens; elle y fut reçue, et j'eus les entrées, qui me firent grand plaisir. Mais ce fut tout. Je ne pus jamais parvenir à faire jouer ma pièce; et ennuyé de faire ma cour à des comédiens je les plantai là. Je revins enfin au dernier expédient qui me restait, et le seul que j'aurais dû prendre. En fréquentant la maison de M. de la Poplinière je m'étais éloigné de celle de M. Dupin. Les deux dames, quoique parentes, étaient mal ensemble et ne se voyaient point. Il n'y avait aucune société entre les deux maisons, et Thieriot seul vivait dans l'une et dans l'autre. Il fut chargé de tâcher de me ramener chez M. Dupin. M. de Francueil suivait alors l'histoire naturelle et la chimie, et faisait un cabinet. Je crois qu'il aspirait à l'Académie des sciences; il voulait pour cela faire un livre, et il jugeait que je pouvais lui être utile dans ce travail. M^me Dupin, qui, de son côté, méditait un autre livre, avait[b] sur moi des vues à peu près semblables. Ils auraient voulu m'avoir en commun pour une espèce de secrétaire, et c'était là l'objet des semonces de Thieriot. J'exigeai préalablement que M. de Francueil emploierait son crédit avec celui de

Jelyotte pour faire répéter mon ouvrage à l'Opéra; il y consentit. Les *Muses galantes* furent répétées d'abord plusieurs fois au Magasin[1] puis au grand théâtre. Il y avait beaucoup de monde à la grande répétition, et plusieurs morceaux furent très applaudis. Cependant je sentis moi-même durant l'exécution, fort mal conduite par Rebel, que la pièce ne passerait pas, et même qu'elle n'était pas en état de paraître sans de grandes corrections. Ainsi je la retirai sans mot dire et sans m'exposer au refus; mais je vis clairement par plusieurs indices que l'ouvrage, eût-il été parfait, n'aurait pas passé. Francueil m'avait bien promis de le faire répéter, mais non pas de le faire recevoir. Il me tint exactement parole. J'ai toujours cru voir dans cette occasion et dans beaucoup d'autres que ni lui ni M[me] Dupin ne se souciaient de me laisser acquérir une certaine réputation dans le monde, de peur peut-être qu'on ne supposât, en voyant leurs livres, qu'ils avaient greffé[a] leurs talents sur les miens. Cependant, comme M[me] Dupin m'en a toujours supposé de très médiocres, et qu'elle ne m'a jamais employé qu'à écrire sous sa dictée, ou à des recherches de pure érudition, ce reproche, surtout à son égard, eût été bien injuste[2].

Ce dernier mauvais succès acheva de me décourager. J'abandonnai tout projet d'avancement et de gloire; et, sans plus songer à des talents vrais ou vains qui me prospéraient si peu, je consacrai mon temps et mes soins à me procurer ma subsistance et celle de ma Thérèse, comme il plairait à ceux qui se chargeraient d'y pourvoir. Je m'attachai donc tout à fait à M[me] Dupin et à M. de Francueil. Cela ne me jeta pas dans une grande opulence; car, avec huit à neuf cents francs par an que j'eus les deux premières

1. Le *Magasin* de l'Opéra, établi en 1713 rue Saint-Nicaise — le théâtre lui-même étant au Palais-Royal, rue Saint-Honoré, entre les rues de Valois et des Bons-Enfants — servait de dépôt des costumes et décors, mais il abritait aussi une école de musique, embryon du futur Conservatoire; c'est là qu'on faisait généralement les répétitions.

2. Les travaux « de manœuvre » (*supra*, p. 391, n. 1) ou de secrétaire accomplis ainsi par Rousseau ont été inventoriés avant la vente des archives de M[me] Dupin provenant du château de Chenonceaux. Rousseau a rédigé plusieurs milliers de pages en vue de la préparation des ouvrages, inédits ou publiés, des Dupin. Voir *Annales*, XXXIV, 1956-1958, pp. 255-256.

années, à peine avais-je de quoi fournir à mes premiers besoins, forcé de me loger à leur voisinage, en chambre garnie, dans un quartier assez cher, et payant un autre loyer à l'extrémité de Paris, tout au haut de la rue Saint-Jacques, où, quelque temps qu'il fît, j'allais souper presque tous les soirs. Je pris bientôt le train et même le goût de mes nouvelles occupations. Je m'attachai à la chimie. J'en fis plusieurs cours avec M. de Francueil chez M. Rouelle et nous nous mîmes à barbouiller du papier tant bien que mal sur cette science dont nous possédions à peine les éléments[1]. En 1747 nous allâmes passer l'automne en Touraine, au château de Chenonceaux, maison royale sur le Cher, bâtie par Henri second pour Diane de Poitiers, dont on y voit encore les chiffres, et maintenant possédée par M. Dupin, fermier général. On s'amusa beaucoup dans ce beau lieu; on y faisait très bonne chère; j'y devins gras comme un moine. On y fit beaucoup de musique. J'y composai plusieurs trios à chanter, pleins d'une assez forte harmonie, et dont je reparlerai peut-être dans mon supplément[a], si jamais j'en fais un. On y joua la comédie. J'y en fis, en quinze jours, une en trois actes, intitulée L'Engagement téméraire, qu'on trouvera parmi mes papiers, et qui n'a d'autre mérite que beaucoup de gaieté. J'y composai d'autres petits ouvrages, entre autres une pièce en vers, intitulée L'Allée de Sylvie[2], du nom d'une allée du parc qui bordait le Cher, et tout cela se fit sans discontinuer mon travail sur la chimie, et celui que je faisais auprès de M[me] Dupin.

Tandis que j'engraissais à Chenonceaux, ma pauvre

1. Voir les Institutions chimiques de Rousseau, publ. Annales, XII, 1918-1919, et XIII, 1919-1920, ouvrage inachevé en 4 livres.

2. A la différence de l'Engagement téméraire, qui paraîtra pour la première fois dans les Œuvres posthumes de 1781, l'Allée de Sylvie fut publiée dans le Mercure de septembre 1750, peu après l'obtention par Rousseau du prix de l'Académie de Dijon. La « solitude aimable » du parc de Chenonceaux y sert de cadre à la rêverie amoureuse : cette concession aux conventions de la poésie galante du temps s'accorde assez mal avec l'éloge de l' « état de nature », également esquissé dans cette pièce de vers. Courtois (Chronologie, p. 53) suggère un rapprochement entre ce titre et celui d'un morceau de Diderot, la Promenade des Sceptiques ou les Allées (1747).

Ce séjour de Rousseau à Chenonceaux, à l'automne de 1747, aurait été précédé de deux autres, en 1745 et 1747 (Courtois, 53, n. 1).

Thérèse engraissait à Paris d'une autre manière, et quand j'y revins, je trouvai l'ouvrage que j'avais mis sur le[a] métier plus avancé que je ne l'avais cru. Cela m'eût jeté, vu ma situation, dans un embarras extrême, si des camarades de table ne m'eussent fourni la seule ressource qui pouvait m'en tirer. C'est un de ces récits essentiels que je ne puis faire avec trop de simplicité, parce qu'il faudrait, en les commentant, m'excuser ou me charger, et que je ne dois faire ici ni l'un ni l'autre.

Durant le séjour d'Altuna à Paris, au lieu d'aller manger chez un traiteur, nous mangions ordinairement lui et moi à notre voisinage, presque vis-à-vis le cul-de-sac de l'Opéra, chez une Mme La Selle, femme d'un tailleur, qui donnait assez mal à manger, mais dont la table ne laissait pas d'être recherchée à cause de la bonne et sûre compagnie qui s'y trouvait; car on n'y recevait aucun inconnu, et il fallait être introduit par quelqu'un de ceux qui y mangeaient d'ordinaire. Le commandeur de Graville, vieux débauché, plein de politesse et d'esprit, mais ordurier, y logeait, et y attirait une folle et brillante jeunesse en officiers aux gardes et mousquetaires. Le commandeur de Nonant, chevalier de toutes les filles de l'Opéra, y apportait journellement toutes les[b] nouvelles de ce tripot. M. du Plessis, lieutenant-colonel retiré, bon et sage vieillard, Ancelet *,

* Ce fut à M. Ancelet que je donnai une petite comédie de ma façon, intitulée *Les Prisonniers de guerre* [1], que j'avais faite après les désastres des Français en Bavière et en Bohême, et que je n'osai jamais avouer ni montrer, et cela par la singulière raison que jamais le roi, ni la France, ni les Français, ne furent peut-être mieux loués, ni de meilleur cœur, que dans cette pièce, et que, républicain et frondeur en titre, je n'osais m'avouer panégyriste d'une nation dont toutes les maximes étaient contraires aux miennes. Plus navré des malheurs de la France que les Français mêmes, j'avais peur qu'on ne taxât de flatterie et de lâcheté les marques d'un sincère attachement dont j'ai dit l'époque et la cause dans ma première partie, et que j'étais honteux de montrer[c].

1. *Les Prisonniers de guerre,* qui n'ont sans doute jamais été représentés, auraient été commencés en 1743 peu avant le départ pour Venise; ils furent imprimés en 1782.

officier des mousquetaires, y maintenaient un certain ordre parmi ces jeunes gens. Il y venait aussi des commerçants, des financiers, des vivriers, mais polis, honnêtes, et de ceux qu'on distinguait dans leur métier; M. de Besse, M. de Forcade, et d'autres dont j'ai oublié les noms. Enfin l'on y voyait des gens de mise[1] de tous les états, excepté des abbés et des gens de robe que je n'y ai jamais vus; et c'était une convention de n'y en point introduire. Cette table, assez nombreuse, était très gaie sans être bruyante, et l'on y polissonnait beaucoup sans grossièreté. Le vieux commandeur, avec tous ses contes gras quant à la substance, ne perdait jamais sa politesse de la vieille cour, et jamais un mot de gueule ne sortait de sa bouche qu'il ne fût si plaisant que des femmes l'auraient pardonné. Son ton servait de règle à toute la table : tous ces jeunes gens contaient leurs aventures galantes avec autant de licence que de grâce, et les contes de filles manquaient d'autant moins que le magasin était à la porte; car l'allée[a] par où l'on allait chez M[me] La Selle était la même où donnait la boutique de la Duchapt, célèbre marchande de modes, qui avait alors de très jolies filles avec lesquelles[b] nos messieurs allaient causer avant ou après dîner. Je m'y serais amusé comme les autres si j'eusse été plus hardi. Il ne fallait qu'entrer comme eux; je n'osai jamais. Quant à M[me] La Selle, je continuai d'y aller manger assez souvent après le départ d'Altuna. J'y apprenais des foules d'anecdotes très amusantes, et j'y pris aussi[c] peu à peu, non, grâce au ciel, jamais les mœurs, mais les maximes que j'y vis établies. D'honnêtes[d] personnes mises à mal, des maris trompés, des femmes séduites, des accouchements clandestins, étaient là les textes les plus ordinaires, et celui qui peuplait le mieux les Enfants-Trouvés était toujours le plus applaudi. Cela me gagna; je formai ma façon de penser sur celle que je voyais en règne chez des gens très aimables, et dans le fond très honnêtes gens, et je me dis : Puisque c'est l'usage du pays, quand on y vit on peut le suivre. Voilà l'expédient que je cherchais. Je m'y déterminai gaillardement sans le moindre scrupule, et le seul que j'eus à vaincre

1. *Vivrier,* anciennement, « employé des vivres; fournisseur », selon Littré, qui ne donne pas d'autre référence que ce passage.

De mise : de bonne compagnie, sens courant au xviie et encore au xviiie siècles.

fut celui de Thérèse, à qui j'eus toutes les peines du monde de faire adopter cet unique moyen de sauver son honneur. Sa mère, qui de plus craignait[a] un nouvel embarras de marmaille, étant venue à mon secours, elle se laissa vaincre. On choisit une sage-femme prudente et sûre, appelée M[lle] Gouin[b], qui demeurait à la pointe St-Eustache, pour lui confier ce dépôt, et quand le temps fut venu, Thérèse fut menée par sa mère chez la Gouin[c] pour y faire ses couches[1]. J'allai l'y voir plusieurs fois, et je lui portai un

1. Selon le texte des *Confessions,* cette naissance serait survenue après le séjour de Rousseau à Chenonceaux dans l'automne de 1747; mais Rousseau semble confondre plusieurs séjours à Chenonceaux (*supra,* p. 402, n. 2). La naissance est datée par Courtois de l'hiver 1746-1747, la rencontre de Thérèse remontant au début de l'année 1745.

La double question de la naissance et de l'abandon des enfants est une de celles qui ont suscité le plus de controverses et d'hypothèses. Elle est compliquée par le résultat peu probant des recherches entreprises dans les archives de l'hospice des Enfants-Trouvés tant du vivant de Rousseau par M[me] de Luxembourg (p. 659, n. 1) que de nos jours par les érudits; elle est obscurcie ou parfois faussée par les préventions éventuelles des critiques, tantôt à l'encontre de Rousseau, tantôt à l'encontre de Thérèse, de la famille Levasseur, de la coterie Diderot-Grimm-M[me] d'Épinay.

On trouvera un exposé détaillé de la question dans l'édition Gagnebin-Raymond des *O. C.*, I, 1959, pp. 1416-1422, à compléter par la mise au point personnelle de Ch. Guyot, *Plaidoyer pour Thérèse Levasseur,* Neuchâtel, 1962 (pp. 29-46 : « Des enfants ? Pas d'enfants ? »), qui donne en outre de curieux détails sur les légendes auxquelles ce mystère a donné lieu.

Il convient de distinguer le problème médical de la paternité de Rousseau du problème moral de sa responsabilité dans les abandons, ce second problème lui-même compliqué de celui, psychologique et moral, de sa véracité. On peut ainsi sérier les questions :

1º *Rousseau a-t-il été père ?*

Les doutes sur sa paternité ont été renforcés de bonne heure par ce qu'il dit lui-même de ses infirmités et maladies des voies génito-urinaires. Depuis la fin du xix[e] siècle, des études médicales sérieuses ont assez fréquemment conclu à l'infécondité ou à l'impuissance de Rousseau. Mais il est évident qu'à deux siècles de distance, la science ne peut aboutir qu'à des conjectures plus ou moins probables.

2º *Les enfants nés dans le ménage sont-ils les siens ?*

Si l'on admet l'impuissance ou l'infécondité, la question est résolue d'avance par la négative.

Même si l'on admet que Rousseau pouvait être père, il convient de se demander si les enfants mis au monde par Thérèse avaient

chiffre que j'avais fait à double sur deux cartes, dont une
fut mise dans les langes de l'enfant, et il fut déposé par la
sage-femme au bureau des Enfants-Trouvés, dans la forme
ordinaire. L'année suivante, même inconvénient et même
expédient, au chiffre près qui fut négligé. Pas plus de
réflexion de ma part, pas plus d'approbation de celle de la
mère : elle obéit en gémissant. On verra successivement
toutes les vicissitudes que cette fatale conduite a produites
dans ma façon de penser, ainsi que dans ma destinée.
Quant à présent, tenons-nous à cette première époque.
Ses suites, aussi cruelles qu'imprévues, ne me forceront
que trop d'y revenir.

　　Je marque ici celle de ma première connaissance avec

Rousseau pour père. Une présomption joue contre Thérèse, dont le
tempérament, plus exigeant que ne l'implique Rousseau (voir sur ce
point le livre de Ch. Guyot), pouvait l'entraîner à des infidélités : on
a la preuve au moins d'un « adultère » (rappelons que la liaison avec
Rousseau était irrégulière), d'ailleurs bien postérieur à la période qui
nous intéresse, commis avec James Boswell (voir *infra*, n. 1, p. 491).
J. Pommier, qui a repris la question dans un cours du Collège de
France (résumé dans l'*Annuaire* du collège, 60e année, 1960,
pp. 391-393), fait remarquer que Rousseau, dans le temps des deux
premières naissances, ne vivait pas encore en ménage avec Thérèse.
　　3° *Peut-on croire à la véracité de Rousseau ?*
　　a) *Dans l'hypothèse où les enfants ne seraient pas les siens :*
　　On peut d'abord se demander s'il le savait ou non. A-t-il été dupe
d'une machination de Thérèse ou de la famille Levasseur, le faisant
passer pour père d'un ou plusieurs enfants d'un autre amant de
Thérèse ? On a peine à croire qu'il ait pu être trompé *cinq fois*. Aurait-
il dans chaque cas, ou seulement dans un ou plusieurs de ces cas,
fermé volontairement les yeux sur une infidélité de sa maîtresse ?
S'il se savait ou se croyait impuissant, ce pouvait être là un moyen
de donner le change au monde sur son infirmité sexuelle (J. Pommier).
　　On peut s'interroger sur le nombre des naissances, problème très
secondaire. Rousseau dit « cinq en tout » (p. 424), mais dans le même
passage des *Confessions* ne donne d'indications que sur les dates
approximatives des trois premières, à l'exclusion des « deux [*enfants*]
suivants » (voir *infra*, p. 425, n. 1).
　　Une lettre de Voltaire à Chabanon, du 3 nov. 1766, parle de « la
belle Mlle Le Vasseur, sa blanchisseuse, âgée de 50 ans, à laquelle
il a fait trois enfants », ce qui semble indiquer que les informateurs
qui avaient trahi la confidence de Rousseau n'en connaissaient que
trois. Mais quelle raison aurait eue l'auteur des *Confessions* d'inventer
deux naissances supplémentaires ?

M^me d'Épinay, dont le nom reviendra souvent dans ces Mémoires. Elle s'appelait Mademoiselle d'Esclavelles, et venait d'épouser M. d'Épinay, fils de M. de Lalive de Bellegarde, fermier-général. Son mari était musicien, ainsi que M. de Francueil. Elle était musicienne aussi, et la passion de cet art mit entre ces trois personnes une grande intimité. M. de Francueil m'introduisit chez M^me d'Épinay; j'y soupais quelquefois avec lui. Elle était aimable, avait de l'esprit, des talents; c'était assurément une bonne connaissance à faire. Mais elle avait une amie, appelée M^lle d'Ette, qui passait pour méchante, et qui vivait avec le chevalier de Valory, qui ne passait pas pour bon. Je crois que le

b) *L'histoire de la naissance et de l'abandon serait un mythe :*
Cette thèse n'est guère défendable, mais on ne peut tirer aucun argument, pour la réfuter, des recherches d'archives (sur l'enquête faite aux Enfants-Trouvés sur l'initiative de M^me de Luxembourg, voir *infra*, p. 659 et n. 1) : les indices qui pourraient étayer les déclarations de Rousseau sont bien minces si l'on songe que 3000 à 4 000 enfants étaient alors déposés annuellement aux Enfants-Trouvés, et que le nom de Rousseau est assez répandu.

La thèse du mythe a été présentée dès 1791 par Sébastien Mercier, admirateur de Rousseau (*De Jean-Jacques Rousseau considéré comme l'un des premiers auteurs de la Révolution*, 1791, t. II, p. 265 et n. 1), selon lequel il faudrait voir là une fable à signification morale, analogue aux fictions instructives de l'*Héloïse* et de l'*Émile*.

Une thèse analogue est défendue, pour des motifs différents, par Noëlle Roger, *Jean-Jacques Rousseau le promeneur solitaire*, Paris, 1933; elle s'appuie sur une déclaration du livre IX (p. 535), commentée *supra*, *Introduction*, p. XXIII.

En conclusion, aucune objection décisive n'interdit d'ajouter foi aux déclarations de Rousseau quant à l'aspect capital de la question, celui de sa responsabilité morale. S'il n'est pas possible d'affirmer qu'il ait été effectivement père, il a accepté d'être considéré comme tel; il ne paraît pas douteux que trois enfants au moins, et très probablement cinq, nés dans les premières années de sa liaison avec Thérèse, furent déposés avec son accord, sinon sur son initiative, aux Enfants-Trouvés. Si Rousseau donne l'impression d'esquiver avec une coupable légèreté ses responsabilités lorsqu'il entreprend de justifier son geste au livre VIII (pp. 423-424), les contradictions mêmes de son argumentation témoignent de sa mauvaise conscience, dont les remords ont été assez forts, comme il le dit ailleurs (livre XII, p. 702, n. 1) pour lui inspirer au début de l'*Émile* une semi-confession publique, avec la résolution de réparer son manquement au « plus doux des devoirs » par la composition d'un traité d'éducation (voir *Introduction*, p. XXI).

commerce de ces deux personnes fit tort à M^me d'Épinay, à qui la nature avait donné, avec un tempérament très exigeant, des qualités excellentes pour en régler ou racheter les écarts. M. de Francueil lui communiqua une partie de l'amitié qu'il avait pour moi, et m'avoua ses liaisons avec elle, dont, par cette raison, je ne parlerais pas ici si elles ne fussent devenues publiques au point de n'être pas même cachées à M. d'Épinay. M. de Francueil me fit même sur cette dame des confidences bien singulières[1], qu'elle ne m'a jamais faites elle-même et dont elle ne m'a jamais cru instruit; car je n'en ouvris ni n'en ouvrirai de ma vie la bouche ni à elle ni à qui que ce soit. Toute cette confiance de part et d'autre rendait ma situation très embarrassante, surtout avec M^me de Francueil, qui me connaissait assez pour ne pas se défier de moi, quoique en liaison avec sa rivale. Je consolais de mon mieux cette pauvre femme, à qui son mari ne rendait assurément pas l'amour qu'elle avait pour lui. J'écoutais séparément ces trois personnes; je gardais leurs secrets avec la plus grande fidélité, sans qu'aucune des trois m'en arrachât jamais aucun de ceux des deux autres, et sans dissimuler à chacune des deux femmes mon attachement pour sa rivale. M^me de Francueil, qui voulait se servir de moi pour bien des choses, essuya des refus formels; et M^me d'Épinay, m'ayant voulu charger une fois d'une lettre pour Francueil, non seulement en reçut un pareil, mais encore une déclaration très nette que, si elle voulait me chasser pour jamais de chez elle, elle n'avait qu'à me faire une seconde fois pareille proposition. Il faut rendre justice à M^me d'Épinay : loin que ce procédé parût lui déplaire, elle en parla à Francueil, avec éloge, et ne m'en reçut pas moins bien. C'est ainsi que, dans des relations orageuses entre trois personnes que j'avais à ménager, dont je dépendais en quelque sorte, et pour qui j'avais de l'attachement, je conservai jusqu'à la fin leur amitié, leur estime, leur confiance, en me conduisant avec douceur et complaisance, mais toujours avec droiture et fermeté. Malgré ma bêtise et ma gaucherie, M^me d'Épinay voulut me mettre des amusements de la

1. Il s'agit vraisemblablement de la maladie vénérienne communiquée par M. d'Épinay à sa femme et transmise par elle à son amant (voir l'*Histoire* de M^me de Montbrillant, où Francueil est désigné sous le nom de *Formeuse*). Cf. *supra*, n. 2 de la p. 128.

Chevrette, château près de Saint-Denis, appartenant à M. de Bellegarde. Il y avait un théâtre où l'on jouait souvent des pièces. On me chargea d'un rôle que j'étudiai six mois sans relâche, et qu'il fallut me souffler d'un bout à l'autre à la représentation. Après cette épreuve, on ne me proposa plus de rôle[1].

En faisant la connaissance de M^me d'Épinay, je fis aussi celle de sa belle-sœur, Mademoiselle de Bellegarde, qui devint bientôt comtesse de Houdetot. La première fois que je la vis, elle était à la veille de son mariage[a]; elle me causa longtemps avec cette familiarité charmante qui lui est naturelle. Je la trouvai très aimable; mais j'étais bien éloigné de prévoir que cette jeune personne ferait un jour le destin de ma vie, et m'entraînerait, quoique bien innocemment, dans l'abîme où je suis aujourd'hui.

Quoique je n'aie pas parlé de Diderot depuis mon retour de Venise, non plus que de mon ami M. Roguin, je n'avais pourtant négligé ni l'un ni l'autre, et je m'étais surtout lié de jour en jour plus intimement avec le premier. Il avait une Nanette ainsi que j'avais une Thérèse; c'était entre nous une conformité de plus. Mais la différence était que ma Thérèse, aussi bien[b] de figure que sa Nanette, avait une humeur douce et un caractère aimable, fait pour attacher un honnête homme; au lieu que la sienne, pie-grièche et harengère, ne montrait rien aux yeux des autres qui pût racheter la mauvaise éducation. Il l'épousa toutefois : ce fut fort bien fait, s'il l'avait promis. Pour moi, qui n'avais rien promis de semblable, je ne me pressai pas de l'imiter.

Je m'étais aussi lié avec l'abbé de Condillac, qui n'était rien, non plus que moi, dans la littérature, mais qui était fait pour devenir ce qu'il est aujourd'hui. Je suis le premier peut-être qui ait vu sa portée et qui l'ait estimé ce qu'il valait. Il paraissait aussi se plaire avec moi; et tandis qu'enfermé dans ma chambre, rue Jean St-Denis, près l'Opéra, je faisais mon[c] acte d'Hésiode, il venait quelquefois dîner avec moi tête-à-tête, en pique-nique[2]. Il travaillait alors

1. Cette représentation, à laquelle fait allusion M^me d'Épinay dans son *Histoire* de M^me de Montbrillant, eut lieu le 14 septembre 1748 lors des fêtes de la Chevrette qu'évoquera la 9^e *Promenade* (voir l'article du comte de Zurich, *Annales,* XXIX, p. 261). On donnait *l'Engagement téméraire,* de Rousseau lui-même, qui jouait Carlin.

2. *Pique-nique :* « repas de plaisir où chacun paye son écot » Littré .

à l'*Essai sur l'origine des connaissances humaines,* qui est son premier ouvrage. Quand il fut achevé, l'embarras fut de trouver un libraire qui voulût s'en charger. Les libraires de Paris sont arrogants et durs pour tout homme qui commence, et la métaphysique, alors très peu à la mode, n'offrait pas un sujet bien attrayant. Je parlai à Diderot de Condillac et de son ouvrage; je leur fis faire connaissance. Ils étaient faits pour se convenir; ils se convinrent. Diderot engagea le libraire Durand à prendre le manuscrit de l'abbé, et ce grand métaphysicien eut de son premier livre, et presque par grâce, cent écus qu'il [a] n'aurait peut-être pas trouvés sans moi. Comme nous demeurions dans des quartiers fort éloignés les uns des autres[1], nous nous rassemblions tous trois une fois la semaine au Palais-Royal, et nous allions dîner ensemble à l'hôtel du Panier-Fleuri. Il fallait que ces petits dîners hebdomadaires plussent extrêmement à Diderot, car lui qui manquait presque à tous ses [b] rendez-vous ne manqua jamais aucun de ceux-là. Je formai là le projet d'une feuille périodique, intitulée *Le Persifleur,* que nous devions faire alternativement, Diderot et moi. J'en esquissai la première feuille[2] et cela me fit faire connaissance avec d'Alembert, à qui Diderot en avait parlé. Des événements imprévus nous barrèrent, et ce projet en demeura là.

Ces deux auteurs venaient d'entreprendre le *Dictionnaire Encyclopédique,* qui ne devait d'abord être qu'une espèce de traduction de Chambers, semblable à peu près à celle du *Dictionnaire de Médecine,* de James, que Diderot venait d'achever. Celui-ci voulut me faire entrer pour quelque

qui donne cette définition, et cite plusieurs emplois chez Diderot, signale que le mot n'apparaît pas dans le *Dictionnaire de l'Académie* avant 1740; il le fait venir de l'anglais *picnic,* partie de plaisir : orthographe de Rousseau, qu'on retrouve dans la 4e Promenade des *Rêveries.*

1. Diderot logeait au n° 2 actuel de la rue de l'Estrapade.

2. Ces fragments, dont on a remarqué de bonne heure l'intérêt autobiographique, avaient été publiés par Du Peyrou dans l'édition des *Œuvres posthumes.* Ils sont reproduits dans *O. C.,* I, 1959, pp. 1103-1112. Il est difficile d'en dater la composition avec précision, entre la publication de l'*Essai* de Condillac (1746) — ou peut-être plus tôt encore — et la détention de Diderot à Vincennes (1749). V. l'art. de J.-P. Le Bouler (*R.S.H.,* janv. 1974, p. 145-153), pour qui l'usage de la 1ere personne dans ce morceau n'est pas de caractère autobiographique mais picaresque.

chose dans cette seconde entreprise, et me proposa la partie de la musique, que j'acceptai, et que j'exécutai très à la hâte et très mal, dans les trois mois qu'il m'avait donnés, comme à tous les auteurs qui devaient concourir à cette entreprise; mais je fus le seul qui fut prêt au terme prescrit. Je lui remis mon manuscrit, que j'avais fait mettre au net par un laquais de M. de Francueil, appelé Dupont, qui écrivait très bien, et à qui je payai dix écus[a], tirés de ma poche, qui ne m'ont jamais été remboursés. Diderot m'avait promis, de la part des libraires, une rétribution dont il ne m'a jamais reparlé, ni moi à lui.

Cette entreprise de l'*Encyclopédie* fut interrompue par sa détention. Les *Pensées philosophiques* lui avaient attiré quelques chagrins qui n'eurent point de suite. Il n'en fut pas de même de la *Lettre sur les Aveugles*, qui n'avait rien de répréhensible que quelques traits personnels, dont Mme Dupré de St-Maur et M. de Réaumur furent choqués, et pour lesquels il fut mis au Donjon de Vincennes[1]. Rien ne peindra jamais les[b] angoisses que me fit sentir le malheur de mon ami. Ma funeste imagination, qui porte toujours le mal[c] au pis, s'effaroucha. Je le crus là pour le reste de sa vie. La tête faillit à m'en tourner. J'écrivis à Mme de Pompadour pour la conjurer de le faire relâcher, ou d'obtenir qu'on m'enfermât avec lui. Je n'eus aucune réponse à ma lettre : elle était trop peu raisonnable pour être effi-

1. Un arrêt du Parlement de Paris du 7 juillet 1746 faisait lacérer et brûler les *Pensées philosophiques*. La *Lettre sur les Aveugles à l'usage de ceux qui voient*, également sans nom d'auteur, fut mise en vente au début de juin 1749, et Diderot fut incarcéré à Vincennes du 24 juillet au 3 novembre 1749.

Le point de départ de la *Lettre* était la récente opération de la cataracte pratiquée sur un aveugle-né à l'instigation de Réaumur. Diderot y accusait « cet habile académicien » de n'admettre pour témoins à l'expérience que « quelques yeux sans conséquence », et ajoutait : « Les observations d'un homme aussi célèbre ont moins besoin de spectateurs, quand elles se font, que d'auditeurs, quand elles sont faites ».

Les « yeux sans conséquence » sont ceux de Mme Dupré de Saint-Maur (*Index*), qui, savante de mérite et amie de Réaumur, avait eu le privilège d'assister à l'opération. Elle prit fort mal cette formule injurieuse pour ses talents, prétend Mme de Vandeul, édition d'Assézat des *Œuvres* de Diderot, I, p. XLIII : mais cette version est aujourd'hui mise en doute.

cace, et je ne me flatte pas qu'elle ait contribué aux adoucissements qu'on mit quelque temps après à la captivité du pauvre Diderot. Mais si elle eût duré quelque temps encore avec la même rigueur, je crois que je serais mort de désespoir au pied de ce malheureux Donjon. Au reste, si ma lettre a produit peu d'effet, je ne m'en suis pas, non plus beaucoup fait valoir; car je n'en[a] parlai qu'à très peu de gens, et jamais à Diderot lui-même[b].

LIVRE 8e ᵃ

J'AI dû faire une pause à la fin du précédent livre[1]. Avec celui-ci commence, dans sa première origine, la longue chaîne de mes malheurs.

Ayant vécu dans deux des plus brillantes maisons de Paris, je n'avais pas laissé, malgré mon peu d'entregent, d'y faire quelques connaissances. J'avais fait, entre autres, chez Mᵐᵉ Dupin, celle du jeune prince héréditaire de, Saxe-Gotha, et du baron de Thun, son gouverneur. J'avais fait chez M. de la Poplinière celle de M. Seguy, ami du baron de Thun, et connu dans le monde littéraire par sa belle édition de Rousseau. Le baron nous invita, M. Seguy

1. Un flottement est sensible, de part et d'autre du livre VII (dont la longueur, par rapport aux précédents, était considérable), dans la division entre la première et la seconde partie des *Confessions* — flottement que semble souligner matériellement le fait que, dans le manuscrit de Genève, les deux cahiers, comme on le sait, comprennent chacun 6 livres, tandis que dans le manuscrit de Paris ils comprennent respectivement 7 et 5 livres.

De quelle *pause* s'agit-il ? Deux sens sont possibles : 1º division logique dans l'ordonnance du récit : comme l'indique la phrase suivante, une nouvelle période s'ouvre maintenant; 2º interruption dans le travail matériel de rédaction. Mᵐᵉ de Saussure (*op. cit.*, pp. 221-222 et n.) croit pouvoir concilier les deux sens, et voit ici une allusion possible aux deux ans d'interruption mentionnés au début du livre VII, dont l'introduction a dû être écrite après coup. La phrase « Avec celui-ci commence, dans sa première origine, la longue chaîne de mes malheurs », pourrait en effet figurer dans le début du livre VII, où l'auteur oppose aux « doux souvenirs de [*ses*] beaux ans passés » le tableau qu'il aura maintenant à tracer, plein de « fautes énormes » et de « malheurs inouïs ». Rousseau avait peut-être envisagé primitivement de faire commencer la Deuxième Partie au récit de la visite au donjon de Vincennes, visite qui marque le début de sa carrière d'homme célèbre et malheureux.

et moi, d'aller passer un jour ou deux à[a] Fontenay-sous-
Bois, où le prince avait une maison. Nous y fûmes. En
passant devant Vincennes, je sentis à la vue du Donjon
un déchirement de cœur dont le baron remarqua l'effet
sur mon visage. A souper, le prince parla de la détention
de Diderot. Le baron, pour me faire parler, accusa le pri-
sonnier d'imprudence : j'en mis dans la manière impé-
tueuse dont je le défendis. L'on pardonna cet excès de zèle
à celui qu'inspire un ami malheureux, et l'on parla d'autre
chose. Il y avait là deux Allemands attachés au prince.
L'un, appelé M. Klupffel, homme de beaucoup d'esprit,
était son chapelain, et devint ensuite son gouverneur
après avoir supplanté le baron. L'autre était un jeune
homme appelé M. Grimm, qui lui servait de lecteur en
attendant qu'il trouvât quelque place, et dont l'équipage
très mince annonçait le pressant besoin de la trouver.
Dès ce même soir, Klupffel et moi commençâmes une
liaison qui bientôt devint amitié. Celle avec le sieur Grimm
n'alla pas tout à fait si vite. Il ne se mettait guère en avant,
bien éloigné de ce ton avantageux que la prospérité lui
donna dans la suite. Le lendemain à dîner on parla de
musique : il en parla bien. Je fus transporté d'aise en appre-
nant qu'il accompagnait du clavecin. Après le dîner on fit
apporter de la musique[b]. Nous musiquâmes[1] tout le jour
au clavecin du prince, et ainsi commença cette amitié qui
d'abord me fut si douce, enfin si funeste, et dont j'aurai
tant à parler désormais.

En revenant à Paris, j'y appris l'agréable nouvelle que
Diderot était sorti du Donjon, et qu'on lui avait donné le
château[c] et le parc de Vincennes pour prison, sur sa parole,
avec permission de voir ses amis. Qu'il me fut dur de n'y
pouvoir courir à l'instant même ! Mais retenu deux ou
trois jours chez M[me] Dupin par des soins indispensables,
après trois ou quatre siècles d'impatience je volai dans les
bras de mon ami. Moment inexprimable ! il n'était pas
seul. D'Alembert et le trésorier de la Sainte-Chapelle[2]

1. Rousseau écrit « nous *musicâmes* ». Le verbe *musiquer* est attesté
par Littré, qui le donne comme familier.
2. Non pas la Sainte-Chapelle de Paris, mais celle de Vincennes —
qui existe toujours — dont le trésorier est alors le chanoine Arnault.
Cette visite est datée par Courtois du 25 août approximativement,
Diderot étant prisonnier sur parole depuis le 21.

étaient avec lui. En entrant je ne vis que lui, je ne fis qu'un saut, un cri, je collai mon visage sur le sien, je le serrai étroitement sans lui parler autrement que par mes pleurs et par mes sanglots; j'étouffais de tendresse et de joie. Son premier mouvement[a], sorti de mes bras, fut de se tourner vers l'ecclésiastique, et de lui dire : Vous voyez, monsieur, comment m'aiment mes amis. Tout entier à mon émotion, je ne réfléchis pas alors à cette manière d'en tirer avantage. Mais en y pensant quelquefois depuis ce temps-là, j'ai toujours jugé qu'à la place de Diderot, ce n'eût pas été là la première idée qui me serait venue.

Je[b] le trouvai très affecté de sa prison. Le Donjon lui avait fait une impression terrible, et quoiqu'il fût fort agréablement au château, et maître de ses promenades dans un parc qui n'est pas même fermé de murs, il avait besoin de la société de ses amis pour ne pas se livrer à son humeur noire. Comme j'étais assurément celui qui compatissait le plus à sa peine, je crus être aussi celui dont la vue lui serait la plus consolante, et tous les deux jours au plus tard, malgré des occupations très exigeantes, j'allais, soit seul, soit avec sa femme, passer avec lui les après-midi.

Cette année 1749, l'été fut d'une chaleur excessive. On compte deux lieues de Paris à Vincennes. Peu en état de payer des fiacres, à deux heures après midi j'allais à pied quand j'étais seul, et j'allais vite pour arriver plus tôt. Les arbres de la route toujours élagués à la mode du pays[1], ne donnaient presque aucune ombre, et souvent, rendu de chaleur et de fatigue, je m'étendais par terre n'en pouvant plus. Je m'avisai, pour modérer mon pas, de prendre quelque livre. Je pris un jour le *Mercure de France,* et tout en marchant et le parcourant, je tombai sur cette question proposée par l'Académie de Dijon pour le prix de l'année suivante : *Si le progrès des sciences et des arts a contribué à corrompre ou à épurer les mœurs*[2].

1. C'est le Suisse, critique des usages et goûts français, qui parle ici. Les voyageurs anglais du temps relèvent aussi l'usage français d'élaguer régulièrement les arbres des parcs et des routes.

2. La question posée pour le prix de morale de 1750 par l'Académie fut publiée dans le numéro d'octobre 1749 du *Mercure,* qui reçut l'approbation en date du 28 septembre. L' « illumination de Vincennes » se placerait donc dans les premiers jours d'octobre. Le titre exact de la question était « Si le rétablissement des sciences et des

A l'instant de cette lecture je vis un autre univers et
je devins un autre homme. Quoique j'aie un souvenir vif
de l'impression que j'en reçus, les détails m'en sont échap-
pés depuis que je les ai déposés[a] dans une de mes quatre
lettres à M. de Malesherbes[1]. C'est une des singularités
de ma mémoire qui méritent d'être dites. Quand elle me
sert, ce n'est qu'autant que je me suis reposé sur elle :
sitôt que j'en confie le dépôt au papier, elle m'abandonne;
et dès qu'une fois j'ai écrit une chose, je ne m'en souviens
plus du tout. Cette singularité me suit jusque dans la mu-
sique. Avant de[b] l'apprendre je savais par cœur des multi-
tudes de chansons : sitôt que j'ai su chanter des airs notés,
je n'en ai pu retenir aucun; et je doute que de ceux que j'ai
le plus aimés j'en puisse aujourd'hui redire un seul tout
entier.

Ce que je me rappelle bien distinctement dans cette
occasion, c'est qu'en arrivant à Vincennes j'étais dans une
agitation qui tenait du délire. Diderot l'aperçut : je lui en
dis la cause, et je lui lus la prosopopée de Fabricius, écrite
en crayon sous un[c] chêne. Il m'exhorta de donner l'essor
à mes idées, et de concourir au prix[2]. Je le fis, et dès cet

arts a contribué à épurer les mœurs ». Ce « rétablissement » désignait
alors ce que nous appelons aujourd'hui la Renaissance : c'est bien
d'ailleurs la prise de Constantinople par Mahomet II (1453) qui sert
de point de départ historique à Rousseau (« La chute du trône de
Constantinople porta dans l'Italie les débris de l'ancienne Grèce... »).
Mais dès la première phrase il modifiait la question posée : « Le
rétablissement des sciences et des arts a-t-il contribué à épurer *ou à
corrompre* les Mœurs ? »

La thèse qu'il embrassait ainsi était moins révolutionnaire cependant
qu'il ne paraît. Il pouvait en avoir trouvé l'idée chez un auteur qu'il
connaissait bien, Montesquieu : une discussion sur les arts corrup-
teurs, et destructeurs des vertus guerrières, trouvait place dans la
CVI[e] des *Lettres persanes* (1721) (éd. Vernière, Garnier, p. 221).

1. Dans la 2[e] des quatre lettres adressées par Rousseau à Males-
herbes, en janvier 1762, pour justifier sa vie dans la solitude, l'événe-
ment — antérieur d'une douzaine d'années — est relaté avec force
précisions sur les troubles physiologiques (étourdissements, palpita-
tions, crises de larmes) dont s'accompagna l'inspiration. Rousseau
reviendra encore sur cette émotion qui décide de son sort, dans le
2[e] *Dialogue,* où il fait encore allusion à la vision d' « un autre univers ».

2. On a de bonne heure, à la suite de Marmontel, attribué à Diderot
tout le mérite de la réponse négative à la question de l'Académie de
Dijon. Le témoignage de Diderot lui-même, dans sa *Réfutation de*

instant je fus perdu. Tout le reste de ma vie et de mes malheurs fut l'effet[a] inévitable de cet instant d'égarement.

Mes sentiments se montèrent, avec la plus inconcevable rapidité, au ton de mes idées. Toutes mes petites passions furent étouffées par l'enthousiasme de la vérité, de la liberté, de la vertu, et ce qu'il y a de plus étonnant est que cette effervescence se soutint dans mon cœur, durant plus de quatre ou cinq ans, à un aussi haut degré peut-être qu'elle ait jamais été dans le cœur d'aucun autre homme.

Je travaillai ce discours d'une façon bien singulière, et que j'ai presque toujours suivie dans mes autres ouvrages. Je lui consacrais les insomnies de mes nuits. Je méditais dans mon lit à yeux fermés, et je tournais et retournais[b] mes périodes dans ma tête avec des peines incroyables; puis, quand j'étais parvenu à en être content, je les déposais dans ma mémoire jusqu'à ce que je pusse les mettre sur le papier : mais le temps de me lever et de m'habiller me faisait tout perdre, et quand je m'étais mis à mon papier il ne me venait presque plus rien de ce que j'avais composé. Je m'avisai de prendre pour secrétaire M^me Le Vasseur. Je l'avais logée avec sa fille et son mari plus près de moi, et c'était elle qui, pour m'épargner un domestique, venait tous les matins allumer mon feu et faire mon petit service.

l'ouvrage d'Helvétius intitulé l'Homme, *écrite en 1773-1774, puis dans son* Essai sur les règnes de Claude et de Néron, *ne contient aucune revendication de ce genre. A Rousseau venu le consulter, il aurait dit :* « Vous prendrez le parti que personne ne prendra », *ce à quoi Rousseau aurait simplement répondu :* « Vous avez raison » *(voir le détail de la question dans l'édition G. Havens du 1^er* Discours, *pp. 6-9). Une lettre de Grimm à Gottsched de l'automne 1752 semble confirmer que Diderot reconnaissait à Rousseau l'originalité de sa position :*

« Il est fort singulier que M. Rousseau ait converti ici presque tous les philosophes, qui, avec quelques limitations, conviennent qu'il a raison : je pourrais nommer entre autres M. d'Alembert et M. Diderot » *(cité par R. Mortier,* Diderot en Allemagne, *1954, p. 202, n. 51). V. aussi l'art. de J. Fabre cité* supra *p. CXXXIII.*

J. Seznec a établi en revanche *(Mod. Language Review, April 1959, p. 281, n. 1) que les citations de Platon insérées dans le* Discours *viennent d'une traduction entreprise par Diderot durant sa détention à Vincennes. Il se peut aussi que les deux amis aient trouvé chez Bacon, que lit alors Diderot, une argumentation intéressant directement le débat soulevé par la question de l'Académie de Dijon (voir J. Pommier,* Diderot avant Vincennes).

A son arrivée, je lui dictais de mon lit mon travail de la nuit, et cette pratique, que j'ai longtemps suivie, m'a sauvé bien des oublis.

Quand ce discours fut fait, je le montrai à Diderot, qui en fut content, et m'indiqua quelques corrections. Cependant cet ouvrage, plein de chaleur et de force, manque absolument[a] de logique et d'ordre; de tous ceux qui sont sortis de ma plume, c'est le plus faible de raisonnement et le plus pauvre de nombre et d'harmonie; mais avec quelque talent qu'on puisse être né, l'art d'écrire ne s'apprend pas tout d'un coup.

Je fis partir cette pièce sans en parler à personne autre, si ce n'est, je pense, à Grimm, avec lequel, depuis son entrée chez le comte de Friese, je commençais à vivre dans la plus grande intimité. Il avait un clavecin qui nous servait de point de réunion, et autour duquel je passais avec lui tous les moments que j'avais de libres, à chanter des airs italiens et des barcarolles sans trêve et sans relâche du matin au soir, ou plutôt du soir au matin, et sitôt qu'on ne me trouvait pas chez Mme Dupin, on était sûr de me trouver chez M. Grimm, ou du moins avec lui, soit à la promenade, soit au spectacle. Je cessai d'aller à la Comédie-Italienne, où j'avais mes entrées, mais qu'il n'aimait pas, pour aller avec lui, en payant, à la Comédie-Française, dont il était passionné. Enfin, un attrait si puissant me liait à ce jeune homme, et j'en devins tellement inséparable, que la pauvre tante elle-même[b] en était négligée; c'est-à-dire que je la voyais moins, car jamais un moment de ma vie mon attachement pour elle ne s'est affaibli.

Cette impossibilité de partager à mes inclinations le peu de temps que j'avais de libre, renouvela plus vivement que jamais le désir que j'avais depuis longtemps de ne faire qu'un ménage avec Thérèse : mais l'embarras de sa nombreuse famille, et surtout le défaut d'argent pour acheter des meubles, m'avaient jusqu'alors retenu. L'occasion de faire un effort se présenta, et j'en profitai. M. de Francueil et Mme Dupin, sentant bien que huit à neuf cents francs[c] par an ne pouvaient me suffire, portèrent de leur propre mouvement mon honoraire annuel[d] jusqu'à cinquante louis, et de plus, Mme Dupin, apprenant que je cherchais à me mettre dans mes meubles, m'aida de quelques secours pour cela. Avec les meubles qu'avait déjà Thérèse, nous

nîmes tout en commun, et ayant loué un petit appartement à l'hôtel de Languedoc, rue de Grenelle-Saint-Honoré, chez de très bonnes gens, nous nous y arrangeâmes comme nous pûmes; et nous y avons demeuré paisiblement et agréablement pendant sept ans, jusqu'à mon délogement pour l'Ermitage[1].

Le père de Thérèse était un vieux bonhomme, très doux, qui craignait extrêmement sa femme, et qui lui avait donné pour cela le surnom de Lieutenant-criminel, que Grimm, par plaisanterie, transporta dans la suite à la fille[2]. Mme Le Vasseur ne manquait pas d'esprit[a], c'est-à-dire d'adresse, elle se piquait même de politesse et d'airs du grand monde; mais elle avait un patelinage mystérieux qui m'était insupportable, donnant d'assez mauvais conseils à sa fille, cherchant à la rendre dissimulée avec moi, et cajolant séparément mes amis aux dépens les uns des autres et aux miens; du reste, assez bonne mère, parce qu'elle trouvait son compte à l'être, et couvrant les fautes de sa fille, parce qu'elle en profitait. Cette femme, que je comblais d'attentions, de soins, de petits cadeaux, et dont j'avais extrêmement à cœur de me faire aimer, était, par l'impossibilité que j'éprouvais d'y parvenir, la seule cause de peine que j'eusse dans mon petit ménage, et du reste je puis dire avoir goûté, durant ces six ou sept ans, le plus parfait bonheur domestique que la faiblesse humaine puisse comporter. Le cœur de ma Thérèse était celui d'un ange : notre attachement croissait avec notre intimité, et nous sentions davantage de jour en jour combien nous étions faits l'un pour l'autre. Si nos plaisirs pouvaient se décrire, ils feraient rire par leur simplicité. Nos promenades tête-à-tête hors de la ville, où je dépensais magnifiquement huit

1. Chez un tailleur, au 4e étage, selon Courtois, qui date cet emménagement du début de 1750; les Levasseur s'installèrent au 6e. L'emplacement de l'hôtel du Languedoc est place des Deux-Écus, à l'intersection de la rue du Louvre, qui n'existait pas alors, avec l'actuelle rue Jean-Jacques Rousseau, dont la moitié sud (ancienne rue Grenelle, à ne pas confondre avec la rue de Grenelle sur la rive gauche, quartier Saint-Germain) rejoint la rue Saint-Honoré, tandis que la moitié nord correspond à l'ancienne rue Plâtrière, où habita plus tard Rousseau. L'emploi par Rousseau du vieux mot *délogement* est le dernier en date des exemples qu'en donne Littré.

2. Sur ce surnom v. la note de Rousseau p. 569.

ou dix sols à quelque guinguette. Nos petits soupers à la croisée de ma fenêtre, assis en vis-à-vis sur deux petites chaises posées sur une malle qui tenait la largeur de l'embrasure. Dans cette situation, la fenêtre nous servait de table, nous respirions l'air, nous pouvions voir les environs, les passants, et[a], quoiqu'au quatrième étage, plonger dans la rue tout en mangeant. Qui décrira, qui sentira les charmes de ces repas, composés, pour tous mets, d'un quartier de gros pain, de quelques cerises, d'un petit morceau de fromage et d'un demi-setier [1] de vin que nous buvions à nous deux ? Amitié, confiance, intimité, douceur d'âme, que vos assaisonnements sont délicieux ! Quelquefois nous restions là jusqu'à minuit sans y songer et sans nous douter de l'heure, si la vieille maman ne nous[b] en eût avertis. Mais laissons ces détails qui paraîtront insipides ou risibles. Je l'ai toujours dit et senti, la véritable jouissance ne se décrit point.

J'en eus à peu près dans le même temps une plus grossière, la dernière de cette espèce que j'aie eu à me reprocher. J'ai dit que le ministre Klupffel était aimable : mes liaisons avec lui n'étaient guère moins étroites qu'avec Grimm, et devinrent aussi familières; ils mangeaient quelquefois chez moi. Ces repas, un peu plus que simples, étaient égayés par les fines et folles polissonneries de Klupffel, et par les plaisants germanismes de Grimm, qui n'était pas encore devenu puriste. La sensualité ne présidait pas à nos petites orgies, mais la joie y suppléait, et nous nous trouvions si bien ensemble, que nous ne pouvions plus nous quitter. Klupffel avait mis dans ses meubles une petite fille, qui[c] ne laissait pas d'être à tout le monde, parce qu'il ne pouvait l'entretenir à lui seul. Un soir, en entrant au café, nous le trouvâmes qui en sortait pour aller souper avec elle. Nous le raillâmes; il s'en vengea galamment en nous mettant du même souper, et puis nous raillant à son tour. Cette pauvre créature me parut d'un assez bon naturel, très douce, et peu faite à son métier, auquel une sorcière qu'elle

1. Le demi-setier équivaut à un quart de pinte, soit sensiblement moins d'un quart de litre. Rousseau orthographie *septier*. Cf. le propos de Rousseau rapporté par Bernardin de Saint-Pierre à la date de 1772 : « Autrefois nous buvions, ma femme et moi, un quart de bouteille de vin à notre souper; ensuite est venue la demi-bouteille : à présent nous buvons la bouteille tout entière. Cela nous réchauffe. »

ьvait avec elle la stylait de son mieux. Les propos et le
vin nous égayèrent au point que nous nous oubliâmes.
Le bon Klupffel ne voulut pas faire ses honneurs à demi,
et nous passâmes tous trois successivement dans la chambre
voisine avec la pauvre petite, qui ne savait si elle devait
rire ou pleurer. Grimm a toujours affirmé qu'il ne l'avait
pas touchée : c'était donc pour s'amuser à nous impatienter
qu'il resta si longtemps avec elle, et s'il s'en abstint, il est
peu probable que ce fût par scrupule, puisqu'avant d'entrer
chez le comte de Friese, il logeait chez des filles au même
quartier[a] St-Roch[1].

Je sortis de la rue des Moineaux, où logeait cette fille,
aussi honteux que Saint-Preux sortit de la maison où on
l'avait enivré, et je me rappelai bien mon histoire en écri-
vant la sienne[2]. Thérèse s'aperçut, à quelque signe, et
surtout à mon air confus, que j'avais quelque reproche
à me faire; j'en allégeai le poids par ma franche et prompte
confession. Je fis bien; car dès le lendemain Grimm vint en
triomphe lui raconter mon forfait en l'aggravant, et depuis
lors il n'a jamais manqué de lui en rappeler malignement
le souvenir, en cela d'autant plus coupable que, l'ayant
mis[b] librement et volontairement dans ma confidence,
j'avais droit d'attendre de lui qu'il ne m'en ferait pas repen-
tir. Jamais je ne sentis mieux qu'en cette occasion la bonté
de cœur de ma Thérèse; car elle fut plus choquée du procédé
de Grimm qu'offensée de mon infidélité, et je n'essuyai
de sa part que des reproches touchants et tendres, dans
lesquels je n'aperçus jamais la moindre trace de dépit.

1. Paris était alors divisé en 20 quartiers, Saint-Roch faisant partie
du 4e, Louvre ou Saint-Germain-l'Auxerrois (*État ou Tableau de la
ville de Paris,* nouv. éd., 1765). L'expression « quartier St-Roch »
n'est donc pas officiellement correcte. L'église Saint-Roch avait été
achevée en 1740; le territoire de la paroisse Saint-Roch fut détaché
de celui de Saint-Germain-l'Auxerrois et couvrait en gros la partie
de l'actuel 1er arrondissement comprise entre les rues Cambon et de
Richelieu (voir délimitation exacte dans l'*Histoire des paroisses de Paris*
de l'abbé Lebeuf). Voir la carte p. 439.

2. La rue des Moineaux correspondait approximativement à la section
de l'actuelle avenue de l'Opéra entre la rue Saint-Roch et la rue Sainte-
Anne. Dans la *Nouvelle Héloïse,* IIe partie, lettre XXVI, Saint-Preux,
succombant une seule fois à la corruption parisienne, fait à Julie,
comme ici Rousseau à Thérèse, la « franche et prompte confession »
de sa visite chez des filles.

La simplicité d'esprit de cette excellente fille égalai
sa bonté de cœur, c'est tout dire : mais un exemple qu
se présente mérite[a] pourtant d'être ajouté. Je lui avais di
que Klupffel était ministre et chapelain du prince de Saxe
Gotha. Un ministre était pour elle un homme[b] si singulier
que, confondant comiquement les idées les plus disparates
elle s'avisa de prendre Klupffel pour le pape; je la crus foll
la première fois qu'elle me dit, comme je rentrais, que le
pape m'était venu voir. Je la fis expliquer, je n'eus rier
de plus pressé que d'aller conter cette histoire à Grimm et à
Klupffel, à qui le nom de pape en resta parmi nous. Nous
donnâmes à la fille de la rue des Moineaux le nom de
papesse Jeanne. C'étaient des rires inextinguibles; nous
étouffions. Ceux qui, dans une lettre qu'il leur a plu de
m'attribuer, m'ont fait dire que je n'avais ri que deux fois
en ma vie, ne m'ont pas connu dans ce temps-là, ni dans
ma jeunesse, car assurément cette idée n'aurait jamais pu
leur venir[1].

L'année suivante, 1750, comme je ne songeais plus à
mon *Discours*, j'appris qu'il avait remporté le prix à Dijon.
Cette nouvelle[c] réveilla toutes les idées qui me l'avaient
dicté, les anima d'une nouvelle force, et acheva de mettre
en fermentation dans mon cœur ce premier levain d'héroïsme
et de vertu que mon père, et ma patrie, et Plutarque, y
avaient mis dans mon enfance. Je ne trouvai plus rien de
grand et de beau que d'être libre[d] et vertueux, au-dessus
de la fortune et de l'opinion, et de se suffire à soi-même.
Quoique la mauvaise honte et la crainte des sifflets m'em-
pêchassent de me conduire d'abord sur ces principes et
de rompre brusquement en visière aux maximes de mon
siècle, j'en eus dès lors la volonté décidée, et je ne tardai
à l'exécuter qu'autant de temps qu'il en fallait aux contra-
dictions pour l'irriter et la rendre triomphante.

Tandis que je philosophais sur les devoirs de l'homme,
un événement vint me faire mieux réfléchir sur les miens.
Thérèse devint grosse pour la troisième fois. Trop sincère
avec moi, trop fier en dedans pour vouloir démentir mes
principes par mes œuvres, je me mis à examiner la destina-

1. Je n'ai pu identifier la lettre apocryphe à laquelle fait allusion
Rousseau; mais on a pu remarquer dans les premiers livres plusieurs
allusions à la gaieté dont il faisait preuve dans sa jeunesse.
— Sur la papesse Jeanne, voir *Index*.

ion de mes enfants, et mes liaisons avec leur mère, sur les lois de la nature, de la justice et de la raison, et sur celles de cette religion pure[a], sainte, éternelle comme son auteur, que les hommes ont souillée en feignant de vouloir la purifier, et dont ils n'ont plus fait, par leurs formules, qu'une religion de mots, vu qu'il en coûte peu de prescrire l'impossible quand on se dispense de le pratiquer.

Si je me trompai dans mes résultats, rien n'est plus étonnant que la sécurité d'âme avec laquelle je m'y livrai. Si j'étais de ces hommes mal nés, sourds à la douce voix de la nature, au dedans desquels aucun vrai sentiment de justice et d'humanité ne germa jamais, cet endurcissement serait tout simple. Mais cette chaleur de cœur, cette sensibilité[b] si vive, cette facilité à former des attachements, cette force avec laquelle ils me subjuguent, ces déchirements cruels quand il les faut rompre, cette bienveillance innée pour[c] mes semblables, cet amour ardent du grand, du vrai, du beau, du juste, cette horreur du mal en tout genre, cette impossibilité de haïr, de nuire, et même de le vouloir, cet attendrissement, cette vive et douce émotion que je sens à l'aspect de tout ce qui est vertueux, généreux, aimable : tout cela peut-il jamais s'accorder dans la même âme, avec la dépravation qui fait fouler aux pieds, sans scrupule, le plus doux des devoirs ? Non, je le sens, et le dis hautement, cela n'est pas possible. Jamais un seul instant de sa vie Jean-Jacques n'a pu être un homme[d] sans sentiment, sans entrailles, un père dénaturé. J'ai pu me tromper, mais non m'endurcir. Si je disais mes raisons, j'en dirais trop. Puisqu'elles ont pu me séduire, elles en séduiraient bien d'autres : je ne veux pas exposer les jeunes gens qui pourraient me lire à se laisser abuser par la même erreur. Je me contenterai de dire qu'elle fut telle[e], qu'en livrant mes enfants à l'éducation publique, faute de pouvoir les élever moi-même, en les destinant à devenir ouvriers et paysans, plutôt qu'aventuriers et coureurs de fortunes, je crus faire un acte de citoyen et de père; et je me regardai comme un membre de la république de Platon. Plus d'une fois, depuis lors, les regrets de mon cœur m'ont appris que je m'étais trompé; mais, loin que ma raison m'ait donné[f] le même avertissement, j'ai souvent béni le ciel de les avoir garantis par là du sort de leur père, et de celui qui les menaçait[g] quand j'aurais été forcé de les abandonner. Si je les avais laissés à M^me d'Épinay ou à M^me de

Luxembourg, qui, soit par amitié, soit par générosité[a] soit par quelque autre motif, ont voulu s'en charger dan[s] la suite, auraient-ils été[b] plus heureux, auraient-ils été élevé[s] du moins en honnêtes gens ? Je l'ignore; mais je suis sû[r] qu'on les aurait portés à haïr, peut-être à trahir leur[s] parents : il vaut mieux cent fois qu'ils ne les aient poin[t] connus.

Mon troisième enfant fut donc mis aux Enfants-Trouvé[s] ainsi que les[c] premiers, et il en fut de même des deux sui[-] vants; car j'en ai eu cinq en tout. Cet arrangement me paru[t] si bon, si sensé, si légitime, que si je ne m'en vantai pa[s] ouvertement, ce fut uniquement par égard pour la mère[;] mais je le dis à tous ceux à qui[d] j'avais déclaré nos liaisons[;] je le dis à Diderot, à Grimm; je l'appris dans la suite à[e] M[me] d'Épinay, et dans la suite encore à M[me] de Luxem[-] bourg, et cela librement, franchement, sans aucune espèce[e] de nécessité, et pouvant aisément le cacher à tout le monde[;] car la Gouin était une[e] honnête femme, très discrète[,] et sur laquelle je comptais parfaitement. Le seul de me[s] amis à[f] qui j'eus quelque intérêt de m'ouvrir fut le médeci[n] Thierry, qui soigna ma pauvre tante dans une de ses couche[s] où elle se trouva fort mal. En un mot, je ne mis aucu[n] mystère à ma conduite, non seulement parce que je n'a[i] jamais rien su cacher à mes amis, mais parce qu'en effe[t] je n'y voyais aucun mal. Tout pesé, je choisis pour me[s] enfants le mieux, ou ce que je crus l'être. J'aurais voulu[,] je voudrais encore avoir été élevé et nourri comme il[s] l'ont été.

Tandis que je faisais ainsi mes confidences, M[me] Le[-] Vasseur les faisait aussi de son côté, mais dans des vues[s] moins désintéressées. Je les avais introduites, elle et sa[a] fille, chez M[me] Dupin, qui, par amitié pour moi, avait[t] mille bontés pour elles. La mère la mit dans le secret de sa[a] fille. M[me] Dupin, qui est bonne et généreuse, et à qui[i] elle ne disait pas combien, malgré la modicité de mes res[-] sources, j'étais attentif à pourvoir à tout, y pourvoyait de[e] son côté avec une libéralité que, par l'ordre de la mère[,] la fille m'a toujours cachée durant mon séjour à Paris[,] et dont elle ne me fit l'aveu qu'à l'Ermitage, à la suite de[e] plusieurs autres épanchements de cœur. J'ignorais que[e] M[me] Dupin, qui ne m'en a jamais fait le moindre semblant[,] fût si bien instruite; j'ignore encore si M[me] de Chenonceaux[,] sa[g] bru, le fut aussi : mais M[me] de Francueil[h], sa belle[-]

fille, le fut, et ne put s'en taire. Elle m'en parla l'année suivante lorsque j'avais déjà quitté leur maison. Cela m'engagea à lui écrire à ce sujet une lettre qu'on trouvera dans mes recueils, et dans laquelle j'expose celles de mes raisons que je pouvais dire sans compromettre M^me Le Vasseur et sa famille; car les plus déterminantes venaient de là, et je les tus[1].

Je suis sûr de la discrétion de M^me Dupin et de l'amitié de M^me de Chenonceaux; je l'étais de celle de M^me de Francueil, qui d'ailleurs mourut longtemps avant que mon secret fût ébruité. Jamais il n'a pu l'être que par les gens mêmes à qui je l'avais confié, et ne l'a été en effet qu'après ma rupture avec eux. Par ce seul fait, ils sont jugés : sans vouloir me disculper du blâme que je mérite[a], [j'aime mieux en être chargé] que de celui[b] que mérite leur méchanceté. Ma faute est grande, mais c'est une erreur; j'ai négligé mes devoirs, mais le désir de nuire n'est pas entré dans mon cœur, et les entrailles de père ne sauraient parler bien puissamment pour[c] des enfants qu'on n'a jamais vus : mais trahir la confiance de l'amitié, violer le plus saint de tous les pactes, publier les secrets versés dans notre sein, déshonorer à plaisir l'ami qu'on a trompé[d], et qui nous[e] respecte encore en nous quittant, ce ne sont pas là des fautes, ce sont des bassesses d'âme et des noirceurs.

J'ai promis[f] ma confession, non ma justification; ainsi je m'arrête ici sur ce point. C'est à moi d'être vrai, c'est

1. Sur la naissance et l'abandon des enfants, voir *supra*, pp. 405 sqq., Rousseau eut-il bien cinq enfants ? E. Ritter (*Annales*, XI, 1916-1917, pp. 59 sqq.) se demande si l'enfant né en 1751, dont vient de parler Rousseau, n'était pas plutôt le 4^e; il remarque que de toute façon aucune précision n'est fournie sur deux des cinq mentionnés.
La lettre de Rousseau à M^me de Francueil (*infra*, p. 493), datée de Paris, le 20 avril 1751 (*C. C.*, II, 142), donne pour raisons de l'abandon des enfants l'incompatibilité du métier peu lucratif d'auteur et de l'entretien d'une nombreuse famille; la mauvaise santé de Rousseau qui ne peut espérer vivre longtemps, l'exemple de Platon enfin, qui prescrivait dans *la République* que les enfants restassent inconnus à leur père, « et que tous fussent les enfants de l'État ». — Séb. Mercier, qui ne croit pas (voir p. 407 en n.) à la réalité matérielle de cette paternité de Rousseau, prétend que Rousseau aurait détruit quatre pages supplémentaires des *Confessions* dans lesquelles il donnait d'autres justifications de l'abandon.

au lecteur d'être juste. Je ne lui demanderai jamais rien de
plus.

Le mariage de M. de Chenonceaux me rendit la maison
de sa mère encore plus agréable, par le mérite et l'esprit
de la[a] nouvelle mariée, jeune personne[b] très aimable et
qui parut me distinguer parmi les scribes de M. Dupin.
Elle était fille unique de M[me] la vicomtesse de Rochechouart,
grande amie du comte de Friese, et par contre-coup de
Grimm qui lui était attaché. Ce fut pourtant moi qui l'intro-
duisis chez sa fille : mais leurs humeurs ne se convenant
pas, cette liaison n'eut point de suite; et Grimm, qui dès
lors visait au solide, préféra la mère, femme du grand
monde, à la fille, qui voulait des amis sûrs et qui lui con-
vinssent, sans se mêler d'aucune intrigue ni chercher du
crédit parmi les grands. M[me] Dupin, ne trouvant pas
dans M[me] de Chenonceaux toute la docilité qu'elle en atten-
dait, lui rendit sa maison fort triste, et M[me] de Chenon-
ceaux, fière de son mérite, peut-être de sa naissance, aima
mieux renoncer aux agréments de la société, et rester presque
seule dans son appartement, que de porter un joug pour
lequel elle ne se sentait pas faite. Cette espèce d'exil aug-
menta mon attachement pour elle, par cette pente naturelle
qui m'attire vers les malheureux. Je lui trouvai l'esprit
métaphysique et penseur, quoique parfois un peu sophis-
tique. Sa conversation, qui n'était[c] point du tout celle
d'une jeune femme qui sort du couvent, était pour moi
très attrayante. Cependant elle n'avait pas vingt ans. Son
teint était d'une blancheur éblouissante; sa taille eût été
grande et belle si elle se fût mieux tenue; ses cheveux, d'un
blond cendré et d'une beauté peu commune, me rappelaient
ceux de ma pauvre Maman dans son bel âge, et m'agitaient
vivement le cœur. Mais les principes sévères que je venais
de me faire, et que j'étais résolu de suivre à tout prix, me
garantirent d'elle et de ses charmes. J'ai passé, durant tout
un été, trois ou quatre heures par jour tête-à-tête avec elle,
à lui montrer gravement l'arithmétique, et à l'ennuyer de
mes chiffres éternels, sans lui dire un seul mot galant ni lui
jeter une œillade. Cinq ou six ans plus tard je n'aurais
pas été si sage ou si fou; mais il était écrit que je ne devais
aimer d'amour qu'une[d] fois en ma vie, et qu'une autre
qu'elle aurait les premiers et les derniers soupirs de mon
cœur.

Depuis que je vivais chez M[me] Dupin, je m'étais toujours

contenté de mon sort, sans marquer aucun désir de le voir améliorer. L'augmentation qu'elle avait faite à mes honoraires, conjointement avec M. de Francueil, était venue uniquement de leur propre mouvement. Cette année, M. de Francueil, qui me prenait de jour en jour plus en amitié, songea à me mettre un peu plus au large et dans une situation moins précaire. Il était receveur général des finances. M. Dudoyer, son caissier, était vieux, riche, et voulait se retirer. M. de Francueil m'offrit cette place, et pour me mettre en état de la remplir, j'allai pendant quelques semaines chez M. Dudoyer prendre les instructions nécessaires. Mais, soit que j'eusse peu de talent pour cet emploi, soit que Dudoyer, qui me parut vouloir se donner un autre successeur, ne m'instruisît pas de bonne foi, j'acquis lentement et mal les connaissances dont j'avais besoin, et tout cet ordre de comptes embrouillés à dessein ne put jamais bien m'entrer dans la tête. Cependant, sans avoir saisi le fin du métier, je ne laissai pas d'en prendre la marche courante assez pour pouvoir l'exercer rondement[a]. J'en commençai même les fonctions; je tenais les registres et la caisse; je donnais et recevais de l'argent, des récépissés, et quoique j'eusse aussi peu de goût que de talent pour ce métier, la maturité des ans commençant à me rendre sage, j'étais déterminé à vaincre ma répugnance pour me livrer tout entier à mon emploi. Malheureusement, comme je commençais à me mettre en train, M. de Francueil fit un petit voyage, durant lequel je restai chargé de sa caisse, où il n'y avait cependant pour lors que vingt-cinq à trente mille francs. Les soucis, l'inquiétude d'esprit que me donna ce dépôt me firent sentir que je n'étais point fait pour être caissier, et je ne doute point que le mauvais sang que je fis durant cette absence n'ait contribué à la maladie où je tombai après son retour.

J'ai dit, dans ma première partie, que j'étais né mourant. Un vice de conformation dans la vessie me fit éprouver, durant mes premières années, une rétention d'urine presque continuelle, et ma tante Suzon, qui prit soin de moi, eut des peines incroyables à me conserver. Elle en vint à bout cependant; ma robuste constitution prit enfin le dessus, et ma santé s'affermit tellement, durant ma jeunesse, qu'excepté la maladie de langueur dont j'ai raconté l'histoire, et de fréquents besoins d'uriner, que le moindre échauffement me rendit toujours incommodes, je parvins jusqu'à

l'âge de trente ans sans presque me sentir de ma première infirmité. Le premier ressentiment que j'en eus fut à mon arrivée à Venise. La fatigue du voyage et les terribles chaleurs que j'avais souffertes me donnèrent une ardeur d'urine et des maux de reins que je gardai jusqu'à l'entrée de l'hiver. Après avoir vu la Padoana, je me crus mort, et n'eus pas la moindre incommodité. Après m'être épuisé plus d'imagination que de corps pour ma Zulietta, je me portai mieux que jamais. Ce ne fut qu'après la détention de Diderot, que l'échauffement[a] contracté dans mes courses de Vincennes, durant les terribles chaleurs qu'il faisait alors, me donna une violente néphrétique, depuis laquelle je n'ai jamais recouvré ma première santé.

Au moment dont je parle, m'étant peut-être un peu fatigué au maussade travail de cette maudite caisse, je retombai plus bas qu'auparavant, et je demeurai dans mon lit[b] cinq ou six semaines[1], dans le plus triste état que l'on puisse imaginer. Mme Dupin m'envoya le célèbre Morand, qui, malgré son habileté et la délicatesse de sa main, me fit souffrir des maux incroyables, et ne put jamais venir à bout de me sonder. Il me conseilla de recourir à Daran, dont les bougies plus flexibles parvinrent en effet à s'insinuer[c]; mais, en rendant compte à Mme Dupin de mon état, Morand lui déclara que dans six mois je ne serais pas en vie. Ce discours, qui me parvint, me fit faire de sérieuses réflexions sur mon état et sur la bêtise de sacrifier le repos et l'agrément du peu de jours qui me restaient à vivre, à l'assujettissement d'un emploi pour lequel je ne me sentais que du dégoût. D'ailleurs, comment accorder les sévères principes que je venais d'adopter avec un état qui s'y rapportait si peu, et n'aurais-je pas bonne grâce, caissier d'un receveur général des finances, à prêcher le désintéressement et la pauvreté ? Ces idées fermentèrent si bien dans ma tête, avec la fièvre, elles s'y combinèrent avec tant de force, que rien depuis lors ne les en put arracher, et durant ma convalescence je me confirmai de sens froid dans les résolutions que j'avais prises dans mon délire. Je renonçai pour jamais à tout projet de fortune et d'avancement. Déterminé à passer dans l'indépendance et la pauvreté le peu de temps

1. La maladie dura vraisemblablement plus de six semaines malade fin novembre (*infra,* p. 430 et n. 2), Rousseau l'est encore le 9 janvier 1751, comme l'atteste une lettre de cette date (*C. C.,* II, 141)

qui me restait à vivre, j'appliquai toutes les forces de mon
âme à briser[a] les fers de l'opinion, et à faire avec courage
tout ce qui me paraissait bien, sans m'embarrasser aucune-
ment du jugement des hommes. Les obstacles que j'eus
à combattre, et les efforts que je fis pour en triompher,
sont incroyables. Je réussis autant qu'il était possible, et
plus que je n'avais[b] espéré moi-même. Si j'avais aussi bien
secoué le joug de l'amitié que celui de l'opinion, je venais
à bout de mon dessein, le plus grand peut-être, ou du
moins le plus utile à la vertu, que mortel ait jamais conçu;
mais, tandis que je foulais aux pieds les jugements[c] insen-
sés de la tourbe vulgaire des soi-disant grands et des soi-
disant sages, je me laissais subjuguer et mener comme un
enfant par de soi-disant amis, qui, jaloux de me voir mar-
cher[d] seul dans une route nouvelle, tout en paraissant
s'occuper beaucoup à me rendre heureux, ne s'occupaient
en effet qu'à me rendre ridicule, et commencèrent par
travailler à m'avilir, pour parvenir dans la suite à me
diffamer. Ce fut moins ma célébrité littéraire que ma
réforme personnelle, dont je marque ici l'époque, qui
m'attira leur jalousie : ils m'auraient pardonné peut-être
de briller dans l'art d'écrire, mais ils ne purent me pardonner
de donner par ma conduite un exemple[e] qui semblait les
importuner. J'étais né pour l'amitié; mon humeur facile
et douce la nourrissait sans peine. Tant que je vécus ignoré
du public, je fus aimé de tous ceux qui me connurent, et
je n'eus pas un seul ennemi. Mais sitôt que j'eus un nom,
je n'eus plus d'amis. Ce fut un très grand malheur;
un plus grand encore fut d'être environné de gens qui
prenaient ce nom, et qui n'usèrent des droits qu'il leur
donnait que pour m'entraîner à ma perte. La suite de
ces Mémoires développera cette odieuse trame; je n'en
montre ici que l'origine : on en verra bientôt former le
premier nœud.

Dans l'indépendance où je voulais vivre, il fallait cepen-
dant subsister. J'en imaginai un moyen très simple : ce fut
de copier de la musique à tant la page. Si quelque occupa-
tion plus solide eût rempli le même but, je l'aurais prise;
mais ce talent étant de mon goût, et[f] le seul qui, sans assu-
jettissement personnel, pût me donner du pain au jour le
jour, je m'y tins. Croyant n'avoir plus besoin de prévoyance,
et faisant taire la vanité, de caissier d'un financier je me fis
copiste de musique. Je crus avoir gagné beaucoup à ce

choix, et je m'en suis si peu repenti, que je n'ai quitté c
métier que par force, pour le reprendre aussitôt que je pour
rai. Le succès de mon premier discours me rendit l'exécu
tion de cette résolution plus facile[a]. Quand il eut remport
le prix, Diderot se chargea de le faire imprimer. Tandi
que j'étais dans mon lit, il m'écrivit un billet pour m'e
annoncer la publication et l'effet[1]. *Il prend,* me marquait-il
tout par-dessus les nues ; il n'y a[b] *pas d'exemple d'un succè
pareil.* Cette faveur du public, nullement briguée, et pou
un auteur inconnu, me donna la première assurance véri
table de mon talent, dont[c], malgré le sentiment intime
j'avais toujours douté jusqu'alors. Je compris tout l'avan
tage que j'en pouvais tirer pour le parti que j'étais prê
à prendre, et je jugeai qu'un copiste de quelque célébrit
dans les lettres ne manquerait vraisemblablement pas d
travail.

Sitôt que ma résolution fut bien prise et bien confirmée
j'écrivis un billet à M. de Francueil pour lui en faire part
pour le remercier, ainsi que M[me] Dupin, de toutes leur
bontés, et pour leur demander leur pratique. Francueil
ne comprenant rien à ce billet, et me croyant encor
dans le transport de la fièvre, accourut chez moi; mais i
trouva ma résolution si bien prise qu'il ne put parvenir
l'ébranler[2]. Il alla dire à M[me] Dupin et à tout le monde qu
j'étais devenu fou. Je laissai dire et j'allai mon train. J
commençai ma réforme par ma parure; je quittai la dorur
et les bas blancs, je pris une perruque ronde, je posai l'épée
je vendis ma montre, en me disant avec une joie incroyable
Grâce au Ciel, je n'aurai plus besoin de savoir l'heur
qu'il est. M. de Francueil eut l'honnêteté d'attendre asse
longtemps encore avant de disposer de sa caisse. Enfin
voyant mon parti bien pris, il la remit à M. Dalibard, jadi

1. Le *Discours,* couronné en juillet 1750, dut paraître dans l
seconde quinzaine de novembre, puisque la publication est annoncé
dans le 1[er] fascicule de décembre du *Mercure de France.* Le billet d
Diderot auquel il est ici fait allusion n'a pas été retrouvé.

2. Cette phrase implique que la résolution de se faire copiste fu
prise dès que Rousseau fut guéri de sa maladie, donc vers février 1751
On ne possède pas le billet à Francueil ici mentionné. Sur la « réforme
dont les détails suivent, voir une relation antérieure à celle-ci dan
la 2[e] des *Lettres à Malesherbes,* et une postérieure, au début de l
3[e] Promenade des *Rêveries.*

gouverneur du jeune Chenonceaux, et connu dans la botanique par sa *Flora parisiensis* *.

Quelque austère que fût ma réforme somptuaire, je ne l'étendis pas d'abord jusqu'à mon linge, qui était beau[b] et en quantité, reste de mon équipage de Venise, et pour lequel j'avais un attachement particulier. A force d'en faire un objet de propreté, j'en avais fait un objet de luxe, qui ne laissait pas de m'être coûteux. Quelqu'un me rendit le[c] bon office de me[d] délivrer de cette servitude. La veille de Noël, tandis que les Gouverneuses étaient à vêpres et que j'étais au Concert spirituel, on força la porta[a] d'un grenier où était étendu tout notre linge, après une lessive qu'on venait de faire. On vola tout, et entre autres quarante-deux chemises à moi, de très belle toile, et qui faisaient[e] le fond de ma garde-robe en linge[1]. A la façon dont les voisins dépeignirent un homme qu'on avait vu sortir de l'hôtel, portant des paquets à la même heure, Thérèse et moi soupçonnâmes son frère, qu'on savait être un très mauvais sujet. La mère repoussa vivement ce soupçon; mais tant d'indices le confirmèrent qu'il nous resta, malgré qu'elle en eût. Je n'osai faire d'exactes recherches, de peur de trouver plus que je n'aurais voulu. Ce frère ne se montra plus chez moi[f], et disparut enfin tout à fait. Je déplorai le sort de Thérèse et le mien de tenir à une famille si mêlée, et je l'exhortai plus que jamais de secouer un joug aussi dangereux. Cette aventure me guérit de la passion du beau linge, et je n'en ai plus eu depuis lors que de très commun, plus assortissant au reste de mon équipage.

Ayant ainsi complété ma réforme, je ne songeai plus qu'à la rendre solide et durable, en travaillant à déraciner de mon cœur tout ce qui tenait encore au jugement des hommes, tout ce qui pouvait me détourner, par la crainte

* Je ne doute pas que tout ceci ne soit maintenant conté bien différemment par Francueil et ses consorts; mais je m'en rapporte à ce qu'il en dit alors et longtemps après à tout le monde, jusqu'à la formation du complot, et dont les gens de bon sens et de bonne foi ont dû conserver le souvenir[a].

1. A. Longnon (*Bull. Soc. Hist. de Paris*, IV, 1877, pp. 29-32) a trouvé des détails sur ce vol, qui eut lieu le 25 déc. 1751. Le nombre des chemises volées se ramène à 22, ce qui est déjà considérable.

du blâme, de ce qui était bon et raisonnable en soi. A l'aide
du bruit que faisait mon ouvrage, ma résolution fit du
bruit aussi, et m'attira des pratiques; de sorte que je com-
mençai mon métier avec assez de succès. Plusieurs causes
cependant m'empêchèrent d'y réussir comme j'aurais pu
faire en d'autres circonstances. D'abord ma mauvaise
santé. L'attaque que je venais d'essuyer eut des suites qui
ne m'ont laissé jamais aussi bien portant qu'auparavant
et je crois que les médecins auxquels je me livrai me firent
bien autant de mal que la maladie. Je vis successivement
Morand, Daran, Helvétius[a], Malouin, Thierry, qui, tous
très savants, tous mes amis, me traitèrent chacun à sa mode
ne me soulagèrent point, et m'affaiblirent considérablement
Plus je m'asservissais à leur direction, plus je devenais
jaune, maigre, faible. Mon imagination qu'ils effarouchaient
mesurant mon état sur l'effet de leur drogues, ne me mon-
trait avant la mort qu'une suite de[b] souffrances, les réten-
tions, la gravelle, la pierre. Tout ce qui soulage les autres
les tisanes, les bains, la saignée, empirait mes maux
M'étant aperçu que les sondes de Daran, qui seules me
faisaient quelque effet[c], et sans lesquelles je ne croyais
plus pouvoir vivre, ne me donnaient cependant qu'un soula-
gement momentané[d], je me mis à faire à grands frais
d'immenses provisions de sondes, pour pouvoir en porter
toute ma vie[e], même au cas que Daran vînt à manquer
Pendant huit ou dix ans que je m'en suis servi si souvent
il faut[f], avec tout ce qui m'en reste, que j'en aie acheté
pour cinquante louis. On sent qu'un traitement si coûteux
si douloureux, si pénible, ne me laissait pas travailler sans
distraction, et qu'un mourant ne met pas une ardeur bien
vive à gagner son pain quotidien.

 Les occupations littéraires firent une autre distraction
non moins préjudiciable à mon travail journalier. A peine
mon *Discours* eut-il paru, que les défenseurs des lettres
fondirent sur moi[g] comme de concert. Indigné de voir tant
de petits Messieurs Josse, qui n'entendaient pas même la
question, vouloir en décider en maîtres, je pris la plume
et j'en traitai quelques-uns de manière à ne pas[h] laisser le
rieurs de leur côté. Un certain M. Gautier, de Nancy,
le premier qui tomba sous ma[i] plume, fut rudement mal-
mené[j] dans une lettre à M. Grimm. Le second fut le roi
Stanislas lui-même, qui ne dédaigna pas d'entrer en lice
avec moi. L'honneur qu'il me fit me força de changer de

on pour lui répondre; j'en pris un plus grave, mais non moins fort; et, sans manquer de respect à l'auteur, je réfutai pleinement l'ouvrage. Je savais qu'un jésuite appelé le P. de Menou y avait mis la main. Je me fiai à mon tact pour démêler ce qui était du prince et ce qui était du moine; et, tombant sans ménagement sur toutes les phrases jésuitiques, je relevai, chemin faisant, un anachronisme que je crus ne pouvoir venir que du Révérend. Cette pièce, qui, je ne sais pourquoi, a fait moins de bruit que mes autres écrits, est jusqu'à présent un ouvrage unique dans son espèce. J'y saisis l'occasion[a] qui m'était offerte d'apprendre au public comment un particulier pouvait défendre la cause de la vérité contre un souverain même. Il est difficile de prendre en même temps un ton plus fier et plus respectueux que celui que je pris pour lui répondre. J'avais le bonheur d'avoir affaire à un adversaire pour lequel mon cœur plein d'estime pouvait, sans adulation, la lui témoigner; c'est ce que je fis avec assez de succès, mais toujours avec dignité. Mes amis, effrayés pour moi, croyaient déjà me voir à la Bastille. Je n'eus pas cette crainte un seul moment, et j'eus raison. Ce bon prince, après avoir vu ma réponse, dit : J'ai mon compte; je ne m'y frotte plus. Depuis lors, je reçus de lui diverses marques d'estime et de bienveillance, dont j'aurai quelques-unes à citer, et mon écrit courut tranquillement la France et l'Europe, sans que personne y trouvât rien à blâmer.

J'eus peu de temps après un autre adversaire auquel je ne m'étais pas attendu : ce même M. Bordes, de Lyon, qui dix ans auparavant m'avait fait beaucoup d'amitiés et rendu plusieurs services. Je ne l'avais pas oublié, mais je l'avais négligé par paresse; et je ne lui avais pas envoyé mes écrits[b], faute d'occasion toute trouvée pour les lui faire passer. J'avais donc tort, et il m'attaqua, honnêtement toutefois, et je répondis de même. Il répliqua sur un ton plus décidé. Cela donna lieu à ma dernière réponse, après laquelle il ne dit plus rien; mais[c] il devint mon plus ardent ennemi, saisit le temps de mes malheurs pour faire contre moi[d] d'affreux libelles, et fit un voyage à Londres exprès pour m'y nuire[1].

1. On trouvera dans l'Introduction de G. R. Havens à son édition du *Discours sur les Sciences et les Arts* l'historique détaillé de la publication de l'ouvrage, et de la polémique qui la suivit. Rousseau

Toute cette polémique m'occupait beaucoup, avec beaucoup de perte de temps pour ma copie, peu de[a] progrès pour la vérité, et peu de profit pour ma bourse ; Pissot alors mon libraire, me donnant toujours très peu de chose de mes brochures, souvent rien du tout, et par exemple je n'eus pas un liard de mon premier *Discours*, Diderot le lui donna gratuitement ; il fallait attendre longtemps et tirer sol à sol le peu qu'il me donnait ; cependant la copie n'allait point. Je faisais deux métiers : c'était le moyen de faire mal l'un et l'autre.

Ils se contrariaient encore d'une autre façon, par les diverses manières de vivre auxquelles ils m'assujettissaient. Le succès de mes premiers écrits m'avait mis à la mode. L'état que j'avais pris excitait la curiosité ; l'on voulait connaître cet homme bizarre qui ne recherchait personne, et ne se souciait de rien que de vivre libre[b] et heureux à sa manière : c'en était assez pour qu'il ne le pût[c] point. Ma chambre ne désemplissait pas de gens qui, sous divers prétextes, venaient s'emparer de mon temps. Les femmes employaient mille ruses pour m'avoir à dîner. Plus je brusquais les gens, plus ils s'obstinaient. Je ne pouvais refuser tout le monde. En me faisant mille ennemis par

ne mentionne ici que les principaux de ses contradicteurs connus :

1° La première en date des réfutations, celle du roi de Pologne, parut sous l'anonymat dans le *Mercure* de septembre 1751, après avoir été lue devant la Société royale de Nancy en février. Le luxe — néfaste — et le savoir — bienfaisant — confondus par Rousseau y sont soigneusement distingués. Dans sa réponse, publiée par Pissot en octobre, Rousseau, comme il le dit, s'exprime respectueusement, mais semble viser le P. Menou quand il demande : « Les sciences sont florissantes aujourd'hui ; la littérature et les arts brillent parmi nous ; quel profit en a tiré la religion ? Demandons-le à cette multitude de philosophes qui se piquent de n'en point avoir. » On ignore ce que le roi pensa de la réplique.

2° La réfutation de Gautier, solide sur le terrain historique, paraît dans le *Mercure* d'octobre 1751. Dans sa *Lettre à M. Grimm* en date du 1er novembre 1751, Rousseau élude en fait sa réponse à Gautier ; réservant évidemment la réfutation en forme à un adversaire plus important, le roi de Pologne, il répète à plusieurs reprises « qu'il ne faut point répondre à M. Gautier ». Ce dernier revint à la charge par des *Observations* publiées au printemps de 1752, en ironisant sur le fait que Rousseau ait écrit une brochure « de trente et une pages, pour dire qu'il ne dira rien ».

3° La première réfutation de Bordes, sous la forme d'un *Discours*

nes refus, j'étais incessamment subjugué par ma complai-
ance, et de quelque façon que je m'y prisse, je n'avais
»as par jour une heure de temps à moi.

Je sentis alors qu'il n'est pas toujours aussi aisé qu'on
e l'imagine d'être pauvre et indépendant. Je voulais vivre
le mon métier, le public ne le voulait pas. On imaginait
nille petits moyens de me dédommager du temps qu'on
ne faisait perdre[a]. Bientôt il aurait fallu me montrer
:omme Polichinelle à tant par personne. Je ne connais
»as d'assujettissement plus avilissant et plus cruel que celui-là.
Je n'y vis de remède que de refuser les cadeaux grands et
petits et de ne faire d'exception pour qui que ce fût. Tout
cela ne fit qu'attirer les donneurs, qui voulaient avoir la
gloire de vaincre ma résistance, et me forcer de leur être
obligé malgré moi. Tel qui ne m'aurait pas donné un écu,
si je l'avais demandé, ne cessait de m'importuner de ses
offres, et, pour se venger de les voir rejetées, taxait mes
refus d'arrogance et d'ostentation.

On se doutera bien que le parti que j'avais pris, et le
système que je voulais suivre, n'étaient pas du goût de
M^me Le Vasseur. Tout le désintéressement de la fille ne
l'empêchait pas de suivre les directions de sa mère, et les
Gouverneuses, comme les appelait Gauffecourt, n'étaient

sur les avantages des Sciences et des Arts, prononcé devant l'Académie
de Lyon en mai 1751, et publié dans le Mercure de décembre, distin-
guait aussi les effets du luxe de ceux des sciences, réfutait les exemples
historiques de Rousseau, et mettait en doute la supériorité des vertus
guerrières. La Deuxième réponse de Rousseau (en fait la première et
la seule qu'il adressât à Bordes), en mai 1752, développant la thèse
de la bonté naturelle de l'homme, critiquant la propriété et la guerre
offensive, annonce déjà le Discours sur l'Inégalité. Un Second discours
sur les avantages des Sciences et des Arts, publié par Bordes en août 1753,
rouvre la discussion. Rousseau, après en avoir entendu parler par
Duclos, avait songé, comme il l'annonçait dans une lettre courtoise
et élogieuse à Bordes (C. C., II, 218, mai 1753) à y répondre par un
nouvel écrit, dont il a laissé une esquisse de préface (Œuvres et corres-
pondance inédites, publ. par Streckeisen-Moultou, pp. 320-321). En fait,
comme l'indique un billet de date incertaine (C. C., II, 232, « nov.?
1753 »; Courtois, janv. 1754), Rousseau semble avoir trouvé dans le
Second Discours l'occasion d'une réplique indirecte et plus efficace.

4° Il faut enfin mentionner la Préface de Narcisse, publiée au début
de 1753, qui constitue, bien que Rousseau n'y fasse pas allusion ici,
la plus importante des défenses qu'il publia de son Discours sur les
Sciences et les Arts (texte dans O. C., II, 1961).

pas toujours aussi fermes que moi dans leurs refus. Quoiqu'on me cachât bien des choses, j'en vis assez pour juger que je ne voyais pas tout, et cela me tourmenta, moins par l'accusation de connivence qu'il m'était aisé de prévoir que par l'idée cruelle de ne pouvoir jamais être maître chez moi ni de moi. Je priais, je conjurais, je me fâchais, le tout sans succès; la maman me faisait passer pour un grondeur éternel, pour un bourru. C'étaient[a] avec mes amis des chuchoteries continuelles; tout était mystère et secret pour moi dans mon ménage, et pour ne pas m'exposer sans cesse à des orages, je n'osais plus m'informer de ce qui s'y passait. Il aurait fallu, pour me tirer de tous ces tracas, une fermeté dont je n'étais pas capable. Je savais crier, et non pas agir; on me laissait dire et l'on allait son train.

Ces tiraillements continuels, et les importunités journalières auxquelles j'étais assujetti, me rendirent enfin ma demeure et le séjour de Paris désagréables. Quand mes incommodités me permettaient de sortir, et que je ne me laissais pas entraîner ici ou là par mes connaissances, j'allais me promener seul; je rêvais à mon grand système, j'en jetais quelque chose sur le papier, à l'aide d'un[b] livret blanc et d'un crayon que j'avais toujours dans ma poche. Voilà comment les désagréments imprévus d'un état de mon choix me jetèrent par diversion tout à fait dans la littérature, et voilà comment je portai dans tous mes premiers ouvrages la bile et l'humeur qui m'en faisaient occuper.

Une autre chose y contribuait encore. Jeté malgré moi dans le monde sans en avoir le ton, sans être en état de le prendre[c] et de m'y pouvoir assujettir, je m'avisai d'en prendre un à moi qui m'en dispensât. Ma sotte et maussade timidité que je ne pouvais vaincre, ayant pour principe la crainte de manquer aux bienséances, je pris[d], pour m'enhardir, le parti de les fouler aux pieds. Je me fis cynique et caustique par honte[e]; j'affectai de mépriser la politesse que je ne savais pas pratiquer. Il est vrai que cette âpreté, conforme à mes nouveaux principes, s'ennoblissait dans mon âme, y prenait l'intrépidité de la vertu, et c'est, je l'ose dire, sur cette auguste base qu'elle s'est soutenue mieux et plus longtemps qu'on aurait dû l'attendre d'un effort si contraire à mon naturel. Cependant, malgré la réputation de misanthropie que mon extérieur et quelques mots heureux me donnèrent dans le monde, il est certain que, dans le particulier, je soutins toujours mal mon per-

sonnage; que mes amis et mes connaissances menaient
cet ours si farouche comme un agneau, et que, bornant mes
sarcasmes à des vérités dures, mais générales, je n'ai jamais
su dire un[a] mot désobligeant à qui que ce fût.

Le[b] *Devin du village* acheva de me mettre à la mode,
et bientôt il n'y eut pas d'homme plus recherché que moi
dans Paris. L'histoire de cette pièce, qui fait époque, tient
à celle des liaisons que j'avais pour lors. C'est un détail
dans lequel je dois entrer pour[c] l'intelligence de ce qui
doit suivre.

J'avais un assez grand nombre de connaissances, mais
deux seuls amis de choix, Diderot et Grimm. Par un effet
du désir que j'ai de rassembler tout ce qui m'est cher,
j'étais trop l'ami de tous les deux pour qu'ils ne le fussent
pas bientôt l'un de l'autre. Je les liai, ils se convinrent,
et s'unirent encore plus étroitement entre eux qu'avec
moi. Diderot avait des connaissances sans nombre; mais
Grimm, étranger et nouveau venu, avait besoin d'en faire.
Je ne demandais pas mieux que de lui en procurer. Je lui
avais donné Diderot, je lui donnai Gauffecourt. Je le menai
chez M[me] de Chenonceaux, chez M[me] d'Épinay, chez le
baron d'Holbach, avec lequel je me trouvais lié presque
malgré moi. Tous mes amis devinrent les siens, cela était
tout simple : mais aucun des siens ne devint jamais le mien,
voilà[d] ce qui l'était moins. Tandis qu'il logeait chez le
comte de Friese, il nous donnait[e] souvent à dîner chez lui;
mais jamais je n'ai reçu aucun témoignage d'amitié ni
de bienveillance du comte de Friese, ni du comte de Schom-
berg, son parent[f], très familier avec Grimm, ni d'aucune
des personnes, tant hommes que femmes, avec lesquelles
Grimm eut par eux des liaisons. J'excepte le seul abbé
Raynal, qui, quoique son ami, se montra des miens, et
m'offrit dans l'occasion sa bourse avec une générosité
peu commune. Mais je connaissais l'abbé Raynal longtemps
avant que Grimm le connût lui-même, et je lui avais tou-
jours été attaché depuis un procédé plein de délicatesse et
d'honnêteté qu'il eut pour moi dans une occasion bien
légère, mais que je n'oubliai jamais.

Cet abbé Raynal est certainement un ami chaud. J'en
eus la preuve à peu près au temps dont je parle, envers le
même Grimm, avec lequel il[g] était très étroitement lié.
Grimm, après avoir vu quelque temps[h] de bonne amitié
M[lle] Fel, s'avisa tout d'un coup[i] d'en devenir éperdument

amoureux, et de vouloir supplanter Cahusac. La belle,
se piquant de constance, éconduisit ce nouveau prétendant.
Celui-ci prit l'affaire au tragique et s'avisa d'en vouloir
mourir. Il tomba[a] tout subitement dans la plus étrange
maladie dont jamais peut-être on ait ouï parler. Il passait
les jours et les nuits dans une continuelle léthargie, les
yeux bien ouverts, le pouls bien battant, mais sans parler,
sans manger, sans bouger, paraissant quelquefois entendre,
mais ne répondant jamais, pas même par signe, et du reste
sans agitation, sans douleur, sans fièvre, et restant là comme
s'il eût été mort. L'abbé Raynal et moi nous partageâmes
sa garde : l'abbé, plus robuste et mieux portant, y passait
les nuits, moi les jours, sans le quitter jamais ensemble ;
et l'un ne partait jamais que l'autre ne fût arrivé. Le comte
de Friese, alarmé, lui amena Sénac, qui, après l'avoir bien
examiné, dit que ce ne serait rien, et n'ordonna rien. Mon
effroi pour mon ami me fit observer avec soin la contenance
du médecin, et je le vis sourire en sortant. Cependant le
malade resta plusieurs jours immobile, sans prendre ni
bouillon, ni quoi que ce fût que des cerises confites que je
lui mettais de temps en temps sur la langue, et qu'il avalait
fort bien. Un beau matin il se leva, s'habilla, et reprit
son train de vie ordinaire, sans que jamais il m'ait reparlé,
ni, que je sache, à l'abbé Raynal, ni à personne, de cette
singulière léthargie, ni des soins que nous lui avions rendus
tandis qu'elle avait duré[1].

Cette aventure ne laissa pas de faire du bruit, et c'eût
été réellement une anecdote[b] merveilleuse, que la cruauté
d'une fille de l'Opéra eût fait mourir un homme de déses-
poir. Cette belle passion mit Grimm à la mode ; bientôt il
passa pour un prodige d'amour, d'amitié, d'attachement
de toute espèce. Cette opinion le fit rechercher et fêter
dans le grand monde, et par là l'éloigna de moi, qui jamais
n'avais été pour lui qu'un pis-aller. Je le vis prêt à m'échap-
per[c] tout à fait, car tous les sentiments vifs dont il faisait[d]
parade étaient ceux qu'avec moins de bruit j'avais pour lui.
J'étais[e] bien aise qu'il réussît dans le monde, mais je
n'aurais pas voulu que ce fût en oubliant son ami. Je lui
dis un jour : Grimm, vous me négligez ; je vous le pardonne.

1. La date de cette maladie de Grimm est donnée par une lettre
de Rousseau à la marquise de Créqui, 26 oct. 1751 (*C. C.*, II, 173).

Quand la première ivresse des[a] succès bruyants aura fait son effet, et que vous en sentirez le vide, j'espère que vous reviendrez à moi, et vous me retrouverez toujours. Quant à présent, ne vous gênez point; je vous laisse libre, et je vous attends. Il me dit que j'avais raison, s'arrangea en conséquence, et se mit si bien à son aise, que je ne le vis plus qu'avec nos amis communs.

Notre principal point de réunion, avant qu'il fût aussi lié avec Mme d'Épinay qu'il[b] le fut dans la suite, était la maison du baron d'Holbach. Ce dit baron était un fils de parvenu, qui jouissait d'une assez grande fortune, dont il usait noblement, recevant chez lui des gens de lettres[c] et de mérite, et, par son savoir et ses[d] lumières, tenant bien sa place au milieu d'eux. Lié depuis longtemps avec Diderot, il m'avait recherché par son entremise, même avant que mon nom fût connu. Une répugnance naturelle m'empêcha longtemps de répondre à ses avances. Un jour[e] qu'il m'en demanda la raison, je lui dis : Vous êtes trop riche. Il s'obstina et vainquit enfin. Mon plus grand malheur fut toujours de ne[f] pouvoir résister aux caresses. Je ne me suis jamais bien trouvé d'y avoir cédé.

Une autre connaissance, qui devint amitié sitôt que j'eus un titre pour y prétendre, fut celle de M. Duclos. Il y avait plusieurs années que je l'avais vu pour la première fois, à la Chevrette, chez Mme d'Épinay, avec laquelle il était très bien. Nous ne fîmes que[g] dîner ensemble; il repartit le même jour. Mais nous causâmes quelques moments après le dîner. Mme d'Épinay lui avait parlé de moi et de mon opéra des *Muses galantes*. Duclos, doué de trop grands talents pour ne pas aimer ceux qui en avaient, s'était prévenu pour moi, m'avait invité à l'aller voir. Malgré mon ancien penchant renforcé par[h] la connaissance, ma timidité, ma paresse, me retinrent tant que je n'eus aucun passeport auprès de lui[i] que sa complaisance; mais encouragé par mon premier succès et par ses éloges qui me revinrent, je fus le voir, il vint me voir, et ainsi commencèrent entre nous des liaisons qui me le rendront toujours cher, et à qui je dois de savoir, outre le témoignage de mon propre cœur, que la droiture et la probité peuvent s'allier quelquefois avec la culture des lettres.

Beaucoup d'autres liaisons moins[j] solides, et dont je ne fais pas ici mention, furent l'effet de mes premiers succès, et durèrent jusqu'à ce que la curiosité fût satisfaite. J'étais

18. PLAN DE
Partie de la rive droite de la Seine

Cl. B. N.

...agrive, 1744
...ce Royale au Faubourg Saint-Denis

un homme sitôt vu, qu'il n'y avait rien à voir[a] de nouveau
dès le lendemain. Une femme cependant qui me rechercha
dans ce temps-là tint plus solidement que toutes les autres :
ce fut M[me] la marquise de Créqui, nièce de M. le bailli de
Froulay[b], ambassadeur de Malte, dont le frère avait pré-
cédé[c] M. de Montaigu dans l'ambassade de Venise, et
que j'avais été voir à mon retour de ce pays-là. M[me] de
Créqui m'écrivit; j'allai chez elle : elle me prit en amitié.
J'y dînais quelquefois; j'y vis plusieurs gens de lettres, et
entre autres[d] M. Saurin, l'auteur de *Spartacus,* de *Barne-
velt*[1], etc., devenu depuis lors mon très cruel ennemi,
sans que j'en puisse imaginer d'autre cause, sinon que je
porte le nom d'un homme que son père a bien vilainement
persécuté.

On voit que, pour un copiste qui devait être occupé
de son métier du matin jusqu'au soir, j'avais bien des
distractions qui ne rendaient pas ma journée fort lucrative,
et qui m'empêchaient d'être assez attentif à ce que je faisais
pour la bien faire; aussi perdais-je à effacer[e] ou à gratter
mes fautes, ou à recommencer ma feuille, plus de la moitié
du temps qu'on me laissait. Cette importunité me rendait
de jour en jour Paris plus insupportable, et me faisait
rechercher la campagne avec ardeur. J'allai plusieurs fois
passer quelques jours à Marcoussis, dont M[me] Le Vasseur
connaissait le vicaire[2], chez lequel nous nous arrangions

1. Rousseau confond ici deux personnages. Barnevelt est la forme
« francisée » — empruntant un nom historique hollandais familier
aux Français — du nom de George Barnwell, héros du *Marchand de
Londres* (1731) de Lillo, bien connu du public par plusieurs traduc-
tions françaises. Beverley est le héros du *Joueur* de Moore (1753),
adapté par Saurin en 1768 seulement. La confusion s'explique facile-
ment par la popularité de ces deux drames bourgeois, ou tragédies
ayant pour héros un simple particulier de la classe moyenne. L'abbé
Prévost traduisit plusieurs scènes du premier, et Diderot (avant
Saurin) le second. Des traductions ou adaptations de *George Barnwell,
or the London Merchant,* furent données successivement, du vivant
de Rousseau, par Pierre Clément, Dorat, Sébastien Mercier et Laharpe.
2. Marcoussis, village de Seine-et-Oise, à 26 km au sud de Paris,
dans un vallon qu'arrose un affluent de l'Orge, doit son origine à un
couvent fondé en 661 par saint Wandrille. Son château, illustré par
les amours d'Henri IV et d'Henriette d'Entraygues, constituait
encore une des places les plus fortes de la région parisienne; Condé,

ous de façon qu'il ne s'en trouvait pas mal. Grimm y vint
une fois avec nous *. Le vicaire avait de la voix, chantait
bien, et quoiqu'il ne sût pas la musique, il apprenait sa
partie avec beaucoup de facilité et de précision. Nous y
passions le temps à chanter mes trios de Chenonceaux.
J'y en fis deux ou trois nouveaux, sur des paroles que
Grimm et le vicaire bâtissaient tant bien que mal. Je ne
puis m'empêcher de regretter ces trios faits et chantés
dans des moments de bien pure joie, et que j'ai laissés à
Wootton avec toute ma musique. M[lle] Davenport en a
peut-être déjà fait des papillotes; mais ils méritaient d'être
conservés[a] et sont pour la plupart d'un très bon contre-
point. Ce fut après quelqu'un de ces petits voyages, où
j'avais le plaisir de voir la tante à son aise, bien gaie, et
où je m'égayais fort aussi, que j'écrivis au vicaire, fort
rapidement et fort mal, une épître en vers qu'on trouvera
parmi mes papiers.

J'avais, plus près de Paris[b], une autre station fort
de mon goût chez M. Mussard, mon compatriote, mon
parent et mon ami, qui s'était fait à Passy une retraite

* Puisque j'ai négligé de raconter ici une petite, mais mémo-
rable aventure, que j'eus là avec ledit M. Grimm, un matin
que nous devions aller dîner à la fontaine de Saint-Wandrille,
je n'y reviendrai pas; mais en y repensant dans la suite, j'en ai
conclu qu'il couvait dès lors, au fond de son cœur, le complot
qu'il a exécuté depuis avec un si prodigieux succès.

Conti et Longueville y furent enfermés pendant la Fronde. Il fut
détruit à la Révolution comme le monastère.

La Fontaine Saint-Wandrille, aussi appelée de Saint-Jean de Beau-
regard, est à 4 ou 5 km au nord-ouest du village; elle doit son
nom à un petit ermitage en ruines dont la chapelle dédiée à saint
Jean, transportée au XIII[e] siècle sur le haut du coteau, est devenue
l'église paroissiale de Saint-Jean de Beauregard. Un grand étang dit de
Marcoussis ou de Craon était à proximité (aujourd'hui à sec). (Voir
Malte-Brun, *Histoire de Marcoussis,* Paris, 1867.)

Comme il le dit plus loin, Rousseau a adressé à l'abbé de l'Étang,
vicaire de l'église paroissiale de La Madeleine à Marcoussis, une
épître en vers datée de 1751, et reproduite *O. C.*, II, 1961, pp. 1150-1153.
Elle contient une diatribe contre Paris, à rapprocher du passage du
livre IV signalé plus haut (p. 179 et n. 1), et de la dernière phrase
de la *Lettre sur la musique française* (écrite en 1752).

charmante, où j'ai coulé de biens paisibles moments
M. Mussard était un joaillier, homme de bon sens, qui
après avoir acquis dans son commerce une fortune honnête
et avoir marié sa fille unique à M. de Valmalette[a], fils d'un
agent de change, et maître d'hôtel du roi, prit le sage part
de quitter sur ses vieux jours le négoce et les affaires, et de
mettre un intervalle de repos et de jouissance entre le
tracas de la vie et la mort. Le bonhomme Mussard, vrai
philosophe de pratique, vivait sans souci, dans une maison
très[b] agréable qu'il s'était bâtie, et dans un très joli jardin
qu'il avait planté de ses mains. En fouillant à fond de cuve
les terrasses de ce jardin, il trouva des coquillages fossiles
et il en trouva en si grande quantité, que son imagination
exaltée ne vit plus que coquilles dans la nature, et qu'il
crut enfin tout de bon que l'univers[c] n'était que coquilles
débris de coquilles, et que la terre entière n'était que du
cron[1]. Toujours occupé de cet objet et de ses singulières
découvertes, il s'échauffa si bien sur ces idées, qu'elles
se seraient enfin tournées dans sa tête en système, c'est-à-
dire en folie, si, très heureusement pour sa raison, mais
bien malheureusement pour ses amis[d] auxquels il était
cher, et qui trouvaient chez lui l'asile le plus agréable, la
mort ne fût venue le leur enlever par la plus étrange et
cruelle maladie. C'était une tumeur dans l'estomac, tou-
jours croissante, qui l'empêchait de manger, sans que durant
très longtemps on en trouvât la cause, et qui finit, après
plusieurs années de souffrances, par le faire mourir de faim.
Je ne puis me rappeler, sans des serrements de cœur, les
derniers temps de ce pauvre et digne homme, qui, nous
recevant encore avec tant de plaisir Lenieps et moi, les
seuls amis que le spectacle des maux qu'il souffrait n'écarta
pas de lui jusqu'à sa dernière heure; qui, dis-je, était réduit
à dévorer des yeux le repas qu'il nous faisait servir, sans
pouvoir[e] presque humer quelques gouttes d'un thé bien
léger, qu'il fallait rejeter[f] un moment après. Mais avant
ces temps de douleurs, combien j'en ai passés chez lui
d'agréables, avec les amis d'élite qu'il s'était faits ! A leur

1. L'expression *à fond de cuve* ne figure qu'avec valeur adjectivale
dans Littré (*fossé à fond de cuve :* « fossé qui n'a point de talus »). —
Littré définit *cron :* « terre sablonneuse où l'on voit beaucoup de
débris de coquillages ». Ce mot ne figure plus au XIX[e] siècle dans
le *Dictionnaire de l'Académie.*

tête je mets l'abbé Prévost, homme très aimable et très simple, dont le cœur vivifiait ses écrits, digne de l'immortalité, et qui n'avait rien[a] dans l'humeur, ni dans sa société, du sombre coloris qu'il donnait à ses ouvrages; le médecin Procope, petit Ésope à bonnes fortunes; Boulanger, le célèbre auteur posthume du *Despotisme oriental,* et qui je crois étendait les systèmes[b] de Mussard sur la durée du monde. En femmes, M^me Denis, nièce de Voltaire, qui, n'étant alors qu'une bonne femme, ne faisait pas encore du bel esprit; M^me Vanloo, non pas belle assurément, mais charmante, qui chantait comme un ange; M^me de Valmalette elle-même, qui chantait aussi, et qui, quoique fort maigre, eût été très aimable si elle en eût moins eu la prétention. Telle était à peu près la société de M. Mussard, qui m'aurait assez plu, si son tête-à-tête avec sa conchyliomanie ne m'avait plu davantage, et je puis dire que pendant plus de six mois j'ai travaillé à son cabinet avec autant de plaisir que lui-même.

Il y avait longtemps qu'il prétendait que pour mon état les eaux de Passy me seraient salutaires, et qu'il m'exhortait à les venir prendre chez lui. Pour me tirer un peu de[c] l'urbaine cohue, je me rendis à la fin, et je fus à Passy huit ou dix jours, qui me firent plus de bien parce que j'étais à la campagne que parce que j'y prenais les eaux[1]. Mussard jouait du violoncelle, et aimait passionnément la musique italienne. Un soir, nous en parlâmes beaucoup avant que de nous coucher, et surtout des *opere buffe* que nous avions vus l'un et l'autre en Italie, et dont nous étions tous deux transportés. La nuit, ne dormant pas, j'allais rêver comment on pourrait faire pour donner en France

1. Le séjour de Rousseau à Passy est daté par Courtois du printemps 1752. Sur les *eaux* de Passy, voir l'article « Eaux Minérales » de l'*Encyclopédie*, dû à d'Holbach, qui le donne comme abrégé d'un traité latin sur la nature et l'usage des eaux minérales par M. Leroi, professeur en médecine de l'université de Montpellier (sur l'intérêt des médecins de Montpellier pour les eaux minérales, voir livre VI, p. 297, n. 2). — Les eaux de Passy, classées dans cet article comme les eaux de Vals, parmi les eaux *martiales* (ferrugineuses), étaient en vogue au xviii^e siècle, et recommandées dans le traitement de la dyspepsie et de la chloro-anémie. L'établissement se trouvait au 62 du quai de Passy actuel, et le souvenir en est conservé par la *rue des Eaux* (voir le *J.-J. Rousseau* de J. Tiersot).

l'idée d'un drame de ce genre; car les *Amours de Ragonde*[1] n'y ressemblaient point du tout. Le matin en me promenant et prenant les eaux, je fis quelques manières de vers très à la hâte, et j'y adaptai des chants qui me vinrent en les faisant. Je barbouillai le tout dans une espèce de salon voûté qui était au haut du jardin; et au thé je ne pus m'empêcher de montrer ces airs à Mussard et à M[lle] Duvernois, sa gouvernante, qui était[a] en vérité une très bonne et aimable fille. Les trois morceaux que j'avais esquissés étaient le premier monologue, *J'ai perdu mon serviteur,* l'air du Devin, *L'amour croît s'il s'inquiète,* et le dernier duo, *A jamais, Colin, je t'engage,* etc. J'imaginais si peu que cela valût la peine d'être suivi, que, sans les applaudissements et les encouragements de l'un et de l'autre, j'allais jeter au feu mes chiffons et n'y plus penser, comme j'ai fait tant de fois pour des choses du moins aussi bonnes : mais ils m'excitèrent si bien, qu'en six jours mon drame fut écrit, à quelques vers près, et toute ma musique esquissée, tellement que je n'eus plus à faire à Paris qu'un peu de récitatif et[b] tout le remplissage, et j'achevai le tout avec une telle rapidité, qu'en trois semaines mes scènes furent mises au net et en état d'être représentées. Il n'y manquait que le divertissement, qui ne fut fait que longtemps après.

Échauffé de la composition de cet ouvrage j'avais une grande passion de l'entendre, et j'aurais donné tout au monde pour le voir représenter à ma fantaisie, à portes fermées, comme on dit que Lulli fit une fois jouer *Armide* pour lui seul. Comme il ne m'était pas possible d'avoir ce plaisir qu'avec le public, il fallait nécessairement, pour jouir de ma pièce, la faire passer à l'Opéra. Malheureusement elle était dans un genre absolument neuf, auquel les oreilles n'étaient point accoutumées; et, d'ailleurs, le mauvais succès des *Muses galantes*[c] me faisait prévoir celui du *Devin,* si je le présentais sous mon nom. Duclos me tira de peine, et se chargea de faire essayer l'ouvrage en laissant ignorer l'auteur. Pour ne pas me déceler, je ne me trouvai point à

1. Comédie-ballet de Philippe Néricault dit Destouches (1680-1754), musique de Mouret, représentée en 1742 à l'Opéra, et reprise en 1752. La même année, l'Opéra donnait sa tragédie lyrique d'*Omphale,* qui suscita une polémique à laquelle prirent part Grimm et Rousseau.

cette répétition; et les *petits-violons**ᵃ qui la dirigèrent, ne surent eux-mêmes quel en était l'auteur qu'après qu'une acclamation générale eut attesté la bonté de l'ouvrage. Tous ceux qui l'entendirent en étaient enchantés, au point que dès le lendemain, dans toutes les sociétés, on ne parlait d'autre chose. M. de Cury, intendant des Menus, qui avait assisté à la répétition, demanda l'ouvrage pour être donné à la cour. Duclos, qui savait mes intentions, jugeant que je serais moins le maître de ma pièce à la cour qu'à Paris, la refusa. Cury la réclama d'autorité; Duclos tint bon, et le débat entre eux devint si vif, qu'un jour à l'Opéra ils allaient sortir ensemble, si on ne les eût séparés. On voulut s'adresser à moi : je renvoyai la décision de la chose à M. Duclos. Il fallut retourner à lui. M. le duc d'Aumont s'en mêla. Duclos crut enfin devoir céder à l'autorité, et la pièce fut donnée pour être jouée à Fontainebleau.

La partie à laquelle je m'étais le plus attaché, et où je m'éloignais le plus de la route commune, était le récitatif. Le mien était accentué d'une façon toute nouvelle, et marchait avec le débit de la parole. On n'osa laisser cette horrible innovation, l'on craignait qu'elle ne révoltât les oreilles moutonnières. Je consentis que Francueil et Jelyotte fissent un autre récitatif, mais je ne voulus pas m'en mêler.

Quant tout fut prêt et le jour fixé pour la représentation, l'on me proposa le voyage de Fontainebleau, pour voir au moins la dernière répétition. J'y fus avec Mˡˡᵉ Fel, Grimm, et, je crois, l'abbé Raynal, dans une voiture de la cour. La répétition fut passable; j'en fus plus content que je ne m'y étais attendu. L'orchestre était nombreux, composé de ceux de l'Opéra et de la musique du roi. Jelyotte faisait Colin; Mˡˡᵉ Fel, Colette; Cuvilier, le Devin; les chœurs étaient ceux de l'Opéra. Je dis peu de chose : c'était Jelyotte qui avait tout dirigé; je ne voulus pas contrôler ce qu'il avait fait, et malgré mon ton romain, j'étais honteux comme un écolier au milieu de tout ce monde.

Le lendemain, jour de la représentation, j'allai déjeuner

* C'est ainsi qu'on appelait Rebel et Francœur, qui s'étaient fait connaître dès leur jeunesse, en allant toujours ensemble jouer du violon dans les maisons.

au café du Grand-Commun[1]. Il y avait là beaucoup de monde. On parlait de la répétition de la veille, et de la difficulté qu'il y avait eu d'y entrer. Un officier qui était là dit qu'il y était entré sans peine, conta au long ce qui s'y était passé, dépeignit l'auteur, rapporta ce qu'il avait fait, ce qu'il avait dit; mais ce qui m'émerveilla de ce récit assez long, fait avec autant d'assurance que de simplicité, fut qu'il ne s'y trouva pas un seul mot de vrai. Il m'était très clair que celui qui parlait si savamment de cette répétition n'y avait point été, puisqu'il avait devant les yeux, sans le connaître, cet auteur qu'il disait avoir tant vu. Ce qu'il y eut de plus singulier dans cette scène fut l'effet qu'elle fit sur moi. Cet homme était d'un certain âge; il n'avait point l'air[a] ni le ton fat et avantageux; sa physionomie annonçait un homme de mérite, sa croix de Saint-Louis annonçait un ancien officier. Il m'intéressait malgré son impudence et malgré moi; tandis qu'il débitait ses mensonges je rougissais, je baissais les yeux, j'étais sur les épines; je cherchais quelquefois en moi-même s'il n'y aurait pas moyen de le croire dans l'erreur et de bonne foi. Enfin, tremblant que quelqu'un ne me reconnût et ne lui en fît l'affront, je me hâtai d'achever mon chocolat sans rien dire, et baissant la tête en passant devant lui, je sortis le plus tôt qu'il me fut possible, tandis que les

1. La première représentation du *Devin* à Fontainebleau eut lieu le 18 octobre 1752. — Le café du Grand-Commun semble n'avoir pas eu une longue existence, du moins sous ce nom. On n'en connaît pas de mention dans les actes notariés, et son emplacement exact n'est pas connu. Alexis Durand, menuisier-poète né à Fontainebleau en 1795, avait dû entendre parler de cet établissement, disparu lorsqu'il annotait dans un manuscrit rédigé en 1852 la relation donnée ici par Rousseau :

« Le lendemain, jour de la représentation, j'allai déjeuner au café du Grand-Commun *(place au Charbon)*... »

(*Chronologie des fastes de Fontainebleau* (1137-1850). *Extrait d'un manuscrit d'Alexis Durand, menuisier-poète à Fontainebleau* (1901, p. 201).)

La place au Charbon est devenue, après divers élargissements effectués sous le second Empire, l'actuelle place Denecourt; le nom de Grand-Commun s'expliquerait peut-être, vu la proximité du château, par l'existence dans le voisinage d'une maison destinée au logement des gens de service (renseignements aimablement communiqués par M. G. Gendreau, bibliothécaire de la ville de Fontainebleau).

assistants péroraient sur sa relation. Je m'aperçus dans la rue que j'étais en sueur, et je suis sûr que si quelqu'un m'eût reconnu et nommé avant ma sortie, on m'aurait vu la honte et l'embarras d'un coupable, par le seul sentiment de la peine que ce pauvre homme aurait à souffrir[a] si son mensonge était reconnu.

Me voici dans un de ces moments critiques de ma vie où il est difficile de ne faire que narrer, parce qu'il est presque impossible que la narration même ne porte empreinte de censure ou d'apologie. J'essayerai toutefois de rapporter comment et sur quels motifs je me conduisis, sans y ajouter ni louange ni blâme.

J'étais ce jour-là dans le même équipage négligé qui m'était ordinaire; grande barbe et perruque assez mal peignée. Prenant ce défaut de décence pour un acte de courage, j'entrai de cette façon dans la même salle où devaient arriver[b], peu de temps après, le Roi, la Reine, la famille royale et toute la cour. J'allai m'établir dans la loge où me conduisit M. de Cury, et qui était la sienne. C'était une grande loge sur le théâtre, vis-à-vis[c] une petite loge plus élevée, où se plaça le Roi avec M^me de Pompadour. Environné de dames, et seul homme sur le devant de la loge, je ne pouvais douter qu'on m'eût mis là précisément pour être en vue. Quand on eut allumé, me voyant dans cet équipage, au milieu de gens tous excessivement parés, je commençai d'être mal à mon aise : je me demandai si j'étais à ma place, si j'y étais mis convenablement, et après quelques minutes d'inquiétude, je me répondis[d] : Oui, avec une intrépidité qui venait peut-être plus de l'impossibilité de m'en dédire que de la force de mes raisons. Je me dis : Je suis à ma place, puisque je vois jouer ma pièce, que j'y suis invité, que je ne l'ai faite que pour cela, et qu'après tout personne n'a plus de droit que moi-même à jouir du fruit de mon travail et de mes talents. Je suis mis à mon ordinaire, ni mieux ni pis. Si je recommence à m'asservir à l'opinion dans quelque chose, m'y voilà bientôt asservi derechef en tout. Pour être toujours moi-même, je ne dois rougir en quelque lieu que ce soit d'être mis selon l'état que j'ai choisi : mon extérieur est simple et négligé, mais non crasseux ni malpropre; la barbe ne l'est point en elle-même, puisque c'est la nature qui nous la donne, et que, selon les temps et les modes, elle est quelquefois un ornement. On me trouvera ridicule, imper-

tinent; eh ! que m'importe ! Je dois savoir endurer le[a] ridicule et le blâme, pourvu qu'ils ne soient pas mérités. Après ce petit soliloque, je me raffermis si bien, que j'aurais été intrépide si j'eusse eu besoin de l'être. Mais, soit effet de la présence du maître, soit naturelle disposition des cœurs, je n'aperçus rien que d'obligeant et d'honnête dans la curiosité dont j'étais l'objet. J'en fus touché jusqu'à recommencer d'être inquiet sur moi-même et sur le sort de ma pièce, craignant d'effacer des préjugés si favorables, qui semblaient ne chercher qu'à m'applaudir. J'étais armé contre leur raillerie; mais leur air caressant, auquel je ne m'étais pas attendu, me subjugua si bien, que je tremblais comme un enfant quand on commença.

J'eus bientôt de quoi me rassurer. La pièce fut très mal jouée quant aux acteurs, mais bien chantée et bien exécutée quant à la musique. Dès la première scène, qui véritablement est d'une naïveté touchante, j'entendis s'élever dans[b] les loges un murmure de surprise et d'applaudissement jusqu'alors inouï dans ce genre de pièces. La fermentation croissante alla bientôt au point d'être sensible dans toute l'assemblée et, pour parler à la Montesquieu, d'augmenter son effet par son effet même. A la scène des deux petites bonnes gens[1], cet effet fut à son comble. On ne claque point devant le Roi; cela fit qu'on entendit tout : la pièce et l'auteur y gagnèrent. J'entendais autour de moi un chuchotement de femmes qui me semblaient belles comme des anges, et qui[c] s'entre-disaient à demi-voix : Cela est charmant, cela est ravissant; il n'y a pas un son là qui ne parle au cœur[d]. Le plaisir de donner de l'émotion à tant d'aimables personnes m'émut moi-même jusqu'aux larmes; et je ne les pus contenir au premier duo en remarquant que je n'étais pas[e] seul à pleurer. J'eus un moment de retour sur moi-même en me rappelant le concert de M. Treytorens[2]. Cette réminiscence eut l'effet de l'esclave qui tenait la couronne sur la tête des triomphateurs; mais elle fut courte, et je me livrai bientôt pleinement et sans distraction au plaisir de savourer ma gloire. Je suis pour-

1. La scène des « deux petites bonnes gens » est la scène VI, où Colette, après un temps de dépit amoureux, pardonne à Colin qui l'avait délaissée pour la Dame du Château; la scène se termine par un duo où les deux amants s'engagent leur foi.
2. Voir livre IV pp. 165-166 et n. 1 de la p. 166.

tant sûr qu'en ce moment la volupté du sexe y entrait beaucoup plus que la vanité d'auteur ; et sûrement s'il n'y eût eu là que des hommes, je n'aurais pas été dévoré, comme je l'étais sans cesse, du désir de recueillir de mes lèvres les délicieuses larmes que je faisais couler. J'ai vu des pièces exciter de plus[a] vifs transports d'admiration, mais jamais une ivresse aussi[b] pleine, aussi douce, aussi touchante, régner dans tout un spectacle, et surtout à la cour, un jour de première représentation. Ceux qui ont vu celle-là doivent s'en souvenir ; car l'effet en fut unique.

Le[c] même soir, M. le duc d'Aumont me fit dire de me trouver au château le lendemain sur les onze heures, et qu'il me présenterait au Roi. M. de Cury, qui me fit ce message, ajouta qu'on croyait qu'il s'agissait d'une pension, et que le Roi voulait me l'annoncer lui-même.

Croira-t-on que la nuit qui suivit une aussi brillante journée fut une nuit d'angoisse et de perplexité pour moi ? Ma première idée, après celle de cette présentation, se porta sur un fréquent besoin de sortir, qui m'avait fait beaucoup souffrir le soir même au spectacle, et qui pouvait me tourmenter le lendemain, quand je serais dans la galerie ou dans les appartements du Roi[d], parmi tous ces grands, attendant le passage de Sa Majesté. Cette infirmité était la principale cause qui me tenait écarté[e] des cercles, et qui m'empêchait d'aller m'enfermer chez des femmes. L'idée seule de l'état où ce besoin pouvait me mettre était capable de me le donner au point de m'en trouver mal, à moins d'un esclandre auquel j'aurais préféré la mort. Il n'y a que les gens qui connaissent cet état qui puissent juger de l'effroi d'en courir le risque.

Je me figurais ensuite devant le Roi, présenté à Sa Majesté, qui daignait s'arrêter et m'adresser la parole. C'était là qu'il fallait de la justesse et de la présence d'esprit pour répondre. Ma maudite timidité, qui me trouble devant le moindre inconnu, m'aurait-elle quitté devant le Roi de France, ou m'aurait-elle permis de bien choisir[f] à l'instant ce qu'il fallait dire ? Je voulais, sans quitter l'air et le ton sévère que j'avais pris, me montrer sensible à l'honneur que me faisait un si grand monarque. Il fallait envelopper quelque grande et utile vérité dans une louange belle et méritée. Pour préparer d'avance une réponse heureuse, il aurait fallu prévoir juste ce qu'il pourrait me dire ; et j'étais sûr après cela de ne pas retrouver en sa présence un

mot de ce que j'aurais médité. Que deviendrais-je en ce moment et sous les yeux de toute la cour, s'il allait m'échapper dans mon trouble quelqu'une de mes balourdises ordinaires ? Ce danger m'alarma, m'effraya, me fit frémir au point de me[a] déterminer, à tout risque, à ne m'y pas exposer.

Je perdais, il est vrai, la pension qui m'était offerte en quelque sorte; mais je m'exemptais aussi du joug qu'elle[b] m'eût imposé. Adieu la vérité, la liberté, le courage. Comment oser[c] désormais parler d'indépendance et de désintéressement ? Il ne fallait plus que flatter ou me taire, en recevant cette pension : encore qui m'assurait qu'elle me serait payée ? Que de pas à faire, que de gens à solliciter ! Il m'en coûterait plus de soins, et bien plus désagréables, pour la conserver, que pour m'en passer. Je crus donc, en y renonçant, prendre un parti très conséquent à mes principes, et sacrifier l'apparence à la réalité. Je dis ma résolution à Grimm, qui n'y opposa rien. Aux autres j'alléguai ma santé, et je partis le matin même.

Mon départ fit du bruit et fut généralement blâmé. Mes raisons ne pouvaient être senties par tout le monde. M'accuser d'un sot orgueil était bien plus tôt fait, et contentait mieux la jalousie de quiconque sentait en lui-même qu'il ne se serait pas conduit ainsi. Le lendemain, Jelyotte m'écrivit un billet, où il me détailla les succès de ma pièce et l'engouement où le Roi lui-même en était. Toute la journée, me marquait-il, Sa Majesté ne cesse de chanter, avec la voix la plus fausse de son royaume : *J'ai perdu mon serviteur; j'ai perdu tout mon bonheur.* Il ajoutait que, dans la quinzaine, on devait donner une seconde représentation du *Devin,* qui[d] constat[er]ait aux yeux de tout le public le plein succès de la première[1].

Deux jours après, comme j'entrais le soir sur les neuf heures chez M[me] d'Épinay, où j'allais souper, je me vis croisé par un fiacre à la porte. Quelqu'un[e] qui était dans ce

1. La substance de ce billet daté de Fontainebleau, le 20 octobre, et publié *C. C.,* II, 197, est ici reproduite par Rousseau, à cette différence près que Jelyotte parle d'une seconde représentation demandée par le roi « pour la huitaine ». Elle eut lieu le 24 octobre, et la représentation à l'Opéra de Paris le 1[er] mars 1753. Jelyotte rapporte en terminant l'assurance de M. d'Aumont, selon qui Rousseau aurait obtenu une pension s'il s'était laissé présenter au roi.

fiacre me fit signe d'y monter; j'y monte : c'était Diderot.
Il me parla de la pension avec un feu que sur pareil sujet
je n'aurais pas attendu d'un philosophe. Il ne me fit pas
un crime de n'avoir pas voulu être présenté au Roi; mais
il m'en fit un terrible de mon indifférence pour la pension.
Il me dit que, si j'étais désintéressé pour mon compte,
il ne m'était pas permis de l'être pour celui de Mᵐᵉ Le
Vasseur et de sa fille; que je leur devais deᵃ n'omettre
aucun moyen possible et honnête de leur donner du
pain et comme on ne pouvait pas dire, après tout, que
j'eusse refusé cette pension, il soutint que, puisqu'on
avait paru disposé à me l'accorder, je devais la solliciter
et l'obtenir, à quelque prix que ce fût. Quoique je fusse
touché de son zèle, je ne pus goûter ses maximes, et nous
eûmes à ce sujet une dispute très vive, la première que
j'aie eue avec lui; et nous n'en avons jamais eu que de cette
espèce, lui me prescrivant ce qu'il prétendait que je devais
faire, et moi m'en défendant, parce que je croyais neᵇ
le devoir pas.

Il était tard quand nous nous quittâmes. Je voulus
le mener souper chez Mᵐᵉ d'Épinay; il ne le voulut point,
et quelque effort que le désir d'unir tous ceux que j'aime
m'ait fait faire en divers temps pour l'engager à la voir,
jusqu'à la mener à sa porte, qu'il nous tint fermée, il s'en
est toujours défendu, ne parlant d'elle qu'en termes très
méprisants. Ce ne fut qu'après ma brouillerie avec elle
et avec lui qu'ils se lièrent, et qu'il commença d'en parler
avec honneur.

Depuis lors, Diderot et Grimm semblèrent prendre
à tâche d'aliéner de moi les Gouverneuses, leur faisant
entendre queᶜ si elles n'étaient pas plus à leur aise, c'était
mauvaise volonté de ma part, et qu'elles ne feraient jamais
rien avec moi. Ils tâchaient de les engager à me quitter,
leur promettant un regrat[1] de sel, un bureau à tabac et je
ne sais quoi encore, par le crédit de Mᵐᵉ d'Épinay. Ils
voulurent même entraîner Duclos, ainsi que d'Holbach,
dans leur ligue, mais le premier s'y refusa toujours. J'eus
alors quelque vent de tout ce manège; mais je ne l'appris
bien distinctement que longtemps après, et j'eus souvent

1. L'expression *vente au regrat* (revente au détail et de seconde
main) de denrées telles que sel, grain, charbon, est attestée du xiiiᵉ
au xviiiᵉ siècles.

à déplorer le zèle aveugle et peu discret de mes amis, qui cherchant à me réduire, incommodé comme j'étais, à la plus triste solitude, travaillaient dans leur idée à me rendre heureux par les moyens les plus propres[a] en effet à me rendre misérable.

Le carnaval suivant, 1753, le *Devin* fut joué à Paris et j'eus le temps, dans cet intervalle, d'en faire l'ouverture et le divertissement. Ce divertissement, tel qu'il est gravé[1] devait être en action d'un bout à l'autre, et dans un sujet suivi, qui, selon moi, fournissait des tableaux très agréables. Mais quand je proposai cette idée à l'Opéra, on ne m'entendit seulement pas, et il fallut coudre des chants et des danses à l'ordinaire : cela fit que ce divertissement, quoique plein d'idées charmantes, qui ne déparent point les scènes, réussit très médiocrement. J'ôtai le récitatif de Jelyotte, et je rétablis le mien, tel que je l'avais fait d'abord et qu'il est gravé; et ce récitatif, un peu francisé, je l'avoue, c'est-à-dire traîné par les acteurs, loin de choquer personne, n'a pas moins réussi que les airs, et a paru, même au public, tout aussi bien fait pour le moins. Je dédiai[b] ma pièce à M. Duclos, qui l'avait protégée, et je déclarai que ce serait ma seule dédicace. J'en ai pourtant fait une seconde avec son consentement; mais il a dû se tenir encore plus honoré de cette exception, que si je n'en avais fait aucune[2].

J'ai sur cette pièce beaucoup d'anecdotes, sur lesquelles des choses plus importantes à dire ne me laissent pas le[c] loisir de m'étendre ici. J'y reviendrai peut-être un jour dans le supplément. Je n'en saurais pourtant omettre une qui peut avoir trait à tout ce qui suit. Je visitais un jour dans le cabinet du baron d'Holbach sa musique; après en avoir parcouru de beaucoup d'espèces, il me dit, en me montrant un recueil de pièces de clavecin : Voilà des pièces qui ont été composées[d] pour moi; elles sont pleines de goût, bien chantantes; personne ne les connaît ni ne les verra que moi seul. Vous en devriez choisir quelqu'une pour l'insérer dans votre divertissement. Ayant dans la tête des sujets d'airs et de symphonies beaucoup plus que je n'en pouvais employer, je me souciais très peu des

1. *Graver* se dit de la musique au même titre que du dessin, le procédé de reproduction étant alors le même.

2. Allusion au *Discours sur les Origines de l'inégalité*, 1755, dédié à la République de Genève.

siens. Cependant il me pressa tant, que par complaisance je choisis une pastorale que j'abrégeai, et que je mis en trio pour l'entrée des compagnes de Colette. Quelques mois après, et tandis qu'on représentait le *Devin*, entrant un jour chez Grimm, je trouvai du monde autour de son clavecin, d'où il se leva brusquement à mon arrivée. En regardant machinalement sur son pupitre, j'y vis ce même recueil du baron d'Holbach, ouvert précisément à cette même pièce qu'il m'avait pressé de prendre, en m'assurant qu'elle ne sortirait jamais de ses mains. Quelque temps après je vis encore ce même recueil ouvert[a] sur le clavecin de M. d'Épinay, un jour qu'il avait musique chez lui. Grimm ni personne ne m'a jamais parlé de cet air, et je n'en[b] parle ici moi-même que parce qu'il se répandit quelque temps après un bruit que je n'étais pas l'auteur du *Devin du village*. Comme je ne fus jamais un grand croque-note, je suis persuadé que sans mon *Dictionnaire de Musique* on aurait dit à la fin que je ne le savais pas[*][1].

Quelque temps avant qu'on donnât *Le Devin du village*, il était arrivé à Paris des Bouffons[2] italiens, qu'on fit jouer sur le théâtre de l'Opéra sans prévoir l'effet qu'ils y allaient faire. Quoiqu'ils fussent détestables, et que l'orchestre, alors très ignorant, estropiât[d] à plaisir les pièces qu'ils donnèrent, elles ne laissèrent pas de faire à l'Opéra français un tort qu'il n'a jamais réparé. La comparaison de ces deux musiques, entendues le même jour, sur le même théâtre, déboucha les oreilles françaises. Il n'y en eut point qui pût endurer la traînerie de leur musique, après l'accent vif et marqué de l'italienne. Sitôt que les Bouffons

[*] Je ne prévoyais guère encore qu'on le dirait enfin malgré le Dictionnaire[c].

1. Sur le mot *croque-note* (ici au singulier), voir p. 166 n. 2. — Reprenant cette anecdote dans une note du 2ᵉ *Dialogue* (O. C., I, 1959, p. 870), Rousseau y désigne les « trois seuls morceaux » qui ne sont pas de lui dans le *Devin*. Les polémiques sur l'authenticité de ses compositions musicales continuent après sa mort, et demeurent vives sous la Révolution. L'édition Mercier-Brizard-de l'Aulnaye des *Œuvres* publie en 1793 (t. XXVI, pp. 391 sqq.) plusieurs pièces relatives à cette polémique. On ne conteste plus généralement aujourd'hui la véracité des dires de Rousseau en cette matière (voir p. 205, n. 1).

2. *Bouffons*, troupe *d'opera buffa* (v. p. 443).

avaient fini, tout s'en allait. On fut forcé de changer l'ordre
et de mettre les Bouffons à la fin. On donnait *Églé, Pygma-
lion, Le Sylphe;* rien ne tenait. Le seul *Devin du village*
soutint la comparaison, et plut encore après la *Serva padro-
na*[1]. Quand je composai mon intermède, j'avais l'esprit
rempli de ceux-là; ce furent eux qui m'en donnèrent l'idée
et j'étais bien éloigné de prévoir qu'on les passerait en
revue à côté de lui. Si j'eusse été un pillard, que de vols
seraient alors devenus manifestes, et combien on eût pris
soin de les faire sentir ! Mais rien : on a eu beau faire, on
n'a pas trouvé dans ma musique la moindre réminiscence
d'aucune autre; et tous mes chants, comparés aux[a] pré-
tendus originaux, se sont trouvés aussi neufs que le carac-
tère de musique que j'avais créé. Si l'on eût mis Mondon-
ville ou Rameau à pareille épreuve, ils n'en seraient sortis
qu'en lambeaux.

Les Bouffons firent à la musique italienne des secta-
teurs très ardents. Tout Paris se divisa en deux partis plus
échauffés que s'il se fût agi d'une affaire d'état ou de reli-
gion. L'un, plus puissant, plus nombreux, composé des
grands, des riches et des femmes, soutenait la musique
française; l'autre, plus vif, plus fier, plus enthousiaste,
était composé des vrais connaisseurs, des gens à talents,
des hommes de génie. Son petit peloton se rassemblait à
l'Opéra, sous la loge de la Reine. L'autre parti remplissait
tout le reste du parterre et de la salle; mais son foyer prin-
cipal était sous la loge du Roi. Voilà d'où vinrent ces noms
de partis célèbres dans ce temps-là, de *Coin du Roi* et de
Coin de la Reine. La dispute, en s'animant, produisit des
brochures. Le coin du Roi voulut plaisanter; il fut moqué
par *Le Petit Prophète :* il voulut se mêler de raisonner; il

1. *Églé,* pastorale de Lagarde *(Index),* livret de Lanjon, repré-
sentée à Versailles en 1748, à l'Opéra en 1751. Il n'existe pas d'opéra
intitulé *le Sylphe* dans les dictionnaires spécialisés. Rousseau veut
peut-être parler de *Zélindor, roi des Sylphes,* de Rebel et Francœur,
représenté pour la première fois à l'Opéra le 17 mars 1745, et souvent
repris jusqu'en 1752.

La *Serva Padrona* (Servante maîtresse), opéra-comique de Pergolèse,
représenté à Naples en 1733, trois ans avant la mort de l'auteur.
La première représentation à Paris serait d'octobre 1746, selon les
Annals of Opera de Lœwenberg; mais d'autres autorités donnent la
date, plus probable, d'août 1752; Rousseau fait graver en octobre
(C. C., II, 199) la musique.

fut écrasé par la *Lettre sur la musique française*. Ces deux petits écrits, l'un de Grimm, et l'autre de moi, sont les seuls qui survivent à cette querelle; tous les autres sont déjà morts[1].

Mais *Le Petit Prophète*, qu'on s'obstina longtemps à m'attribuer malgré moi, fut pris en plaisanterie, et ne fit pas la moindre peine à son auteur; au lieu que la *Lettre sur la musique* fut prise au sérieux, et souleva contre moi toute la nation, qui se crut offensée dans sa musique. La description de l'incroyable effet de cette brochure serait digne de la plume de Tacite. C'était le temps de la grande querelle du Parlement et du Clergé[2]. Le Parlement venait d'être exilé; la fermentation était au comble; tout menaçait d'un prochain soulèvement[a]. La brochure parut; à l'instant toutes les autres querelles furent oubliées[b]; on ne songea qu'au péril de la musique française, et il n'y eut plus de soulèvement que contre moi. Il fut tel que la nation n'en est jamais bien revenue. A la cour on ne balançait qu'entre la Bastille et l'exil, et la lettre de cachet allait être expédiée, si M. de Voyer n'en eût fait sentir le ridicule. Quand on lira que cette brochure a peut-être empêché une révolution dans l'état, on croira rêver. C'est pourtant une vérité bien réelle, que tout Paris peut encore attester, puisqu'il n'y a

1. *Le Petit Prophète de Bœmischbroda* (janvier 1753), brochure satirique anonyme de Grimm contre la musique française, sous la forme d'une prophétie parodiant le style biblique, a été reproduit dans l'édition Mercier-Brizard-de l'Aulnaye, t. XXII, p. 349, sous le titre : « Les 21 chapitres de la Prophétie [...] imprimée à Prague en Bohême par M. Grimm. » La *Lettre sur la musique française,* brochure plus longue parue en novembre 1753, ne reprend pas seulement en termes violents les idées chères à Rousseau sur l'absence d'accent musical dans la langue française (voir fin de la n. 2 de la p. 337); elle affirme crûment « que les Français n'ont point de musique et n'en peuvent avoir ». Le tableau que fait Rousseau de l'émotion soulevée par cet écrit n'est pas exagéré (voir L. Richebourg, *Contribution à l'histoire de la querelle des Bouffons,* Paris, 1937). Rameau figure parmi les auteurs de nombreuses réfutations parues en 1754.

2. Pour rétablir les finances françaises au lendemain de la guerre de la Succession d'Autriche, le contrôleur général des Finances Machaut d'Arnouville avait tenté en 1749 de soumettre à l'impôt les privilégiés, qui résistèrent énergiquement, surtout le Parlement de Paris et le Clergé. Le remplacement de Machaut au contrôle général allait consacrer en 1754 l'échec de la réforme.

pas aujourd'hui plus de quinze ans de cette singulière anecdote.

Si l'on n'attenta pas à ma liberté, l'on ne m'épargna pas du moins les insultes; ma vie même fut en danger. L'orchestre de l'Opéra fit l'honnête complot de m'assassiner quand j'en sortirais. On me le dit : je n'en fus que plus assidu à l'Opéra; et je ne sus que longtemps après que M. Ancelet, officier des mousquetaires, qui avait de l'amitié pour moi, avait détourné l'effet du complot en me faisant escorter à mon insu à la sortie du spectacle. La ville venait d'avoir la direction de l'Opéra[1]. Le premier exploit du prévôt des marchands fut de[a] me faire ôter mes entrées, et cela de la façon la plus malhonnête qu'il[b] fût possible, c'est-à-dire en me les faisant refuser publiquement à mon passage; de sorte que je fus obligé de prendre un billet d'amphithéâtre, pour n'avoir pas l'affront de m'en retourner ce jour-là. L'injustice était d'autant plus criante que[c] le seul prix que j'avais mis à ma pièce, en la leur cédant, était mes entrées à perpétuité; car, quoique ce fût un droit pour tous les auteurs, et que j'eusse ce droit à double titre, je ne laissai pas de le stipuler expressément en présence de M. Duclos. Il est vrai qu'on m'envoya pour mes honoraires, par le caissier de l'Opéra, cinquante louis que je n'avais pas demandés; mais, outre que ces cinquante louis ne faisaient pas même la somme qui me revenait dans les règles, ce paiement n'avait rien de commun avec le droit d'entrée, formellement stipulé, et qui en était entièrement indépendant. Il y avait dans ce procédé une telle complication[d] d'iniquité et de brutalité, que le public, alors dans sa plus grande animosité contre moi, ne laissa pas d'en être unanimement choqué; et tel qui m'avait insulté la veille, criait le lendemain tout haut dans la salle qu'il était honteux d'ôter ainsi les[e] entrées à un auteur qui les avait si bien

1. La présence de Rebel et Francœur, les anciens « petits-violons », à la direction de l'Opéra, de 1749 à la fin de 1766 (Rousseau a dit p. 445 comment ils « dirigèrent » au début de 1753 les répétitions du *Devin*) fut interrompue de 1753 à 1755 (voir J.-G. Prod'homme, *l'Opéra, 1669-1925*, Paris, 1925, p. 58). Le théâtre étant administré par la ville de Paris, c'est au prévôt des marchands, le plus haut fonctionnaire de l'Hôtel de Ville, nommé par le roi, que s'adresse Rousseau. Depuis 1743 ces fonctions étaient occupées par Louis-Bastide de Bernage, d'une famille de robe qui compte alors plusieurs intendants.

méritées, et qui pouvait même les réclamer pour deux. Tant est juste le proverbe italien, qu'*ogn'un ama la* ^a *giustizia in casa d'altrui.*

Je n'avais là-dessus qu'un parti à prendre; c'était de réclamer mon ouvrage, puisqu'on m'en ôtait le prix[b] convenu. J'écrivis pour cet effet à M. d'Argenson qui avait le département de l'Opéra; et je joignis à ma lettre un mémoire qui était sans réplique, et qui demeura sans réponse et sans effet, ainsi que ma lettre[1]. Le silence de cet homme injuste me resta sur le cœur, et ne contribua pas à augmenter l'estime très médiocre que j'eus toujours pour son caractère et pour ses talents. C'est ainsi qu'on a gardé ma pièce à l'Opéra, en me[c] frustrant du prix pour lequel je l'avais cédée. Du faible au fort, ce serait voler; du fort au faible, c'est seulement s'approprier le bien d'autrui.

Quant au produit pécuniaire de cet ouvrage, quoiqu'il ne m'ait pas rapporté le quart de ce qu'il aurait rapporté dans les mains d'un autre, il ne laissa pas d'être assez grand pour me mettre en état de subsister plusieurs années, et suppléer la copie qui allait toujours assez mal. J'eus cent louis du Roi, cinquante de Mme de Pompadour pour la représentation de Bellevue, où elle fit elle-même le rôle de Colin[2]; cinquante de l'Opéra, et cinq cents francs de Pissot pour la gravure; en sorte que cet intermède, qui ne me coûta jamais que cinq ou six semaines de travail, me rapporta presque autant d'argent, malgré mon malheur et ma balourdise, que m'en a depuis rapporté l'*Émile*, qui m'avait coûté vingt ans de méditations et trois ans de travail. Mais je payai bien l'aisance pécuniaire où me mit cette pièce, par les chagrins infinis qu'elle m'attira. Elle fut le germe des secrètes jalousies qui n'ont éclaté que long-temps après. Depuis son succès, je ne remarquai plus ni dans Grimm, ni dans Diderot, ni dans[d] presque aucun des gens de lettres de ma connaissance, cette cordialité,

1. La lettre, datée du 6 mars 1754 (*C. C.,* II, 253), réclamait la restitution de la partition et l'interdiction des représentations.

2. Mme de Pompadour tint en effet le rôle de Colin dans les représentations du *Devin* données au château de Bellevue les 4 et 6 mars 1753. On lira dans la *C. C.,* II, 214-6, le témoignage de Gauffecourt sur les résistances qu'aurait manifestées Rousseau avant d'accepter cette gratification, et deux versions différentes du très court billet de remerciement qu'il aurait finalement accepté d'écrire.

cette franchise, ce plaisir de me voir, que j'avais cru trouver en eux jusqu'alors. Dès que je paraissais chez le Baron, la conversation cessait d'être générale. On se rassemblait par petits pelotons, on se chuchotait à l'oreille, et je restais seul sans savoir avec qui parler. J'endurai longtemps ce choquant abandon et voyant que Mme d'Holbach, qui était douce et aimable, me recevait toujours bien, je supportai les grossièretés de son mari tant qu'elles furent supportables. Mais un jour il m'entreprit sans sujet, sans prétexte, et avec une telle brutalité devant Diderot, qui ne dit pas un mot, et devant Margency, qui m'a dit souvent depuis lors avoir admiré la douceur et la modération de mes réponses, qu'enfin chassé de chez lui par ce traitement indigne, j'en sortis résolu de n'y plus rentrer. Cela ne m'empêcha pas de parler toujours honorablement de lui et de sa maison ; tandis qu'il ne s'exprimait jamais sur mon compte qu'en termes outrageants, méprisants, sans me désigner autrement que par *ce petit cuistre,* et sans pouvoir cependant articuler aucun tort d'aucune espèce que j'aie eu jamais avec lui, ni avec personne à laquelle il prît intérêt. Voilà comment il finit par vérifier mes prédictions et mes craintes. Pour moi, je crois que mesdits amis m'auraient pardonné de faire des livres, et d'excellents livres, parce que cette gloire ne leur était pas étrangère ; mais qu'ils ne purent me pardonner d'avoir fait un opéra, ni les succès brillants qu'eut cet ouvrage, parce qu'aucun d'eux n'était en état de courir la même carrière, ni d'aspirer aux mêmes honneurs. Duclos seul, au-dessus de cette jalousie, parut même augmenter[a] d'amitié pour moi, et m'introduisit chez Mlle Quinault, où je trouvai autant d'attentions, d'honnêtetés, de caresses, que j'avais peu trouvé de tout cela chez M. d'Holbach.

Tandis qu'on jouait *Le Devin du village* à l'Opéra, il était aussi question de son auteur à la Comédie-Française, mais un peu moins heureusement. N'ayant pu, dans sept ou huit ans, faire jouer mon *Narcisse* aux Italiens, je m'étais dégoûté de ce théâtre, par le mauvais jeu des acteurs dans le français, et j'aurais bien voulu avoir fait passer ma pièce aux Français, plutôt que chez eux. Je parlai de ce désir au comédien La Noue, avec lequel j'avais fait connaissance, et qui, comme on sait, était homme de mérite et auteur. *Narcisse* lui plut, il se chargea de le faire jouer anonyme, et en attendant il me procura les entrées qui me furent d'un grand agrément, car j'ai toujours préféré le Théâtre-Français aux

deux autres. La pièce fut reçue avec applaudissement, et représentée sans qu'on en nommât l'auteur; mais j'ai lieu de croire que les comédiens et bien d'autres ne l'ignoraient pas. Les demoiselles Gaussin et Grandval jouaient les rôles d'amoureuses; et quoique l'intelligence du tout fût manquée, à mon avis, on ne pouvait pas appeler cela une pièce absolument mal jouée. Toutefois je fus surpris et touché de l'indulgence du public, qui eut la patience de l'entendre tranquillement d'un bout à l'autre, et d'en souffrir même une seconde représentation, sans donner le moindre signe d'impatience. Pour moi, je m'ennuyai tellement à la première, que je ne pus tenir jusqu'à la fin, et[a] sortant du spectacle, j'entrai au café de Procope où je trouvai Boissy et quelques autres, qui probablement s'étaient ennuyés comme moi. Là, je dis hautement mon *peccavi,* m'avouant humblement[b] ou fièrement l'auteur de la pièce, et en parlant comme tout le monde en pensait. Cet aveu public de l'auteur d'une mauvaise pièce qui tombe fut fort admiré, et me parut très peu pénible. J'y trouvai même un dédommagement d'amour-propre dans le courage avec lequel il fut fait, et je crois qu'il y eut en cette occasion plus d'orgueil à parler, qu'il n'y aurait eu de[c] sotte honte à se taire. Cependant, comme il était sûr que la pièce, quoique glacée à la représentation, soutenait la lecture, je la fis imprimer, et dans la préface, qui est un de mes bons écrits, je commençai de mettre à découvert mes principes, un peu plus que je n'avais fait jusqu'alors[1].

J'eus bientôt occasion de les développer tout à fait dans un ouvrage de plus grande importance; car ce fut, je pense, en cette année 1753, que parut le programme de l'Académie de Dijon sur l'*Origine de*[d] *l'inégalité parmi les hommes.* Frappé de cette grande question, je fus surpris que cette Académie eût osé la proposer; mais[e], puisqu'elle avait eu ce courage, je pouvais bien avoir celui de la traiter et je l'entrepris.

Pour méditer à mon aise ce grand sujet, je fis à Saint-Germain un voyage de sept ou huit jours, avec Thérèse, notre hôtesse, qui était une bonne femme, et une de ses amies[2]. Je compte cette promenade pour une des plus

1. Voir p. 435, n., et Pizzorusso, *Annales*, XXXV, 1963.
2. La question proposée était : *Quelle est l'origine de l'inégalité parmi les hommes, et si elle est autorisée par la loi naturelle ?* Elle paraît dans le *Mercure* de novembre 1753, et Courtois a établi que le voyage de

agréables de ma vie. Il faisait très beau; ces bonnes femme[s]
se[a] chargèrent des soins et de la dépense; Thérèse s'amu-
sait avec elles; et moi, sans souci de rien, je venais m'égaye[r]
sans gêne aux heures des repas. Tout le reste du[b] jour,
enfoncé dans la forêt, j'y cherchais, j'y trouvais l'image
des premiers temps, dont je traçais fièrement l'histoire;
je faisais main-basse sur les petits mensonges des hommes;
j'osais dévoiler à nu leur nature, suivre le progrès du temps
et des choses qui l'ont défigurée, et comparant l'homme
de l'homme avec l'homme naturel, leur montrer dans son
perfectionnement prétendu la véritable source de ses
misères. Mon âme, exaltée par ces contemplations sublimes[c],
s'élevait auprès de la Divinité, et voyant de là mes sem-
blables suivre, dans l'aveugle route de leurs préjugés, celle
de leurs erreurs, de leurs malheurs, de leurs crimes, je
leur criais d'une faible voix qu'ils ne pouvaient entendre :
Insensés qui vous plaignez sans cesse de la nature, apprenez
que tous vos maux vous viennent de vous[1].

De ces méditations résulta le *Discours sur l'Inégalité*, ou-
vrage qui fut plus du goût de Diderot que tous mes autres
écrits, et pour lequel ses conseils me furent le plus utiles[*].

[*] Dans le temps que j'écrivais ceci, je n'avais encore aucun
soupçon du grand complot de Diderot et de Grimm, sans
quoi j'aurais aisément reconnu combien le premier abusait de
ma confiance, pour donner à mes écrits ce ton dur et cet air
noir qu'ils n'eurent plus quand il cessa de me diriger. Le mor-
ceau du philosophe qui s'argumente en se bouchant les oreilles
pour s'endurcir aux plaintes d'un malheureux est de sa façon,
et il m'en avait fourni d'autres plus forts encore, que je ne pus
me résoudre à employer. Mais attribuant[d] cette humeur noire
à celle que lui avait donnée le Donjon de Vincennes, et dont on
retrouve dans son *Clairval* une assez forte dose, il ne me vin[t]
jamais à l'esprit d'y soupçonner la moindre méchanceté[2].

Saint-Germain peut être daté avec quasi-certitude de l'été de l[a]
Saint-Martin (autour du 11 nov.) du même mois. On sait que Roussea[u]
n'obtint pas le prix.

1. Ce tête-à-tête avec la divinité, accompagné d'une apostroph[e]
aux mortels, fait penser au Préambule des *Confessions*. Les variante[s]
en sont curieuses à étudier, les deux textes étant probablement d[e]
rédaction à peu près contemporaine (fin 1769 ?).

2. *Clairval* est certainement une erreur pour *Dorval*, personnag[e]

mais qui ne trouva dans toute l'Europe que peu de lec-
teurs qui l'entendissent, et aucun de ceux-là qui voulût en
parler. Il avait été fait pour concourir au prix, je l'envoyai
donc, mais sûr d'avance qu'il ne l'aurait pas, et sachant
bien que ce n'est pas pour des pièces de cette étoffe que
sont fondés les prix des académies.

Cette promenade et cette occupation firent du bien à
mon humeur et à ma santé. Il y avait déjà plusieurs années
que, tourmenté de ma rétention, je m'étais livré tout à
fait aux médecins, qui, sans alléger mon mal, avaient épuisé
mes forces et détruit mon tempérament. Au retour de
Saint-Germain, je me trouvai plus de forces, et[a] me sentis
beaucoup mieux. Je suivis cette indication, et résolu de
guérir ou mourir sans médecins et sans remèdes, je leur
dis adieu pour jamais, et je me mis à vivre au jour la journée,
restant coi quand je ne pouvais aller, et marchant sitôt
que j'en avais la force. Le train de Paris parmi les gens
à prétentions était si peu de mon goût; les cabales des gens
de lettres, leurs honteuses querelles, leur peu de bonne foi
dans leurs livres, leurs airs tranchants dans le monde
m'étaient si odieux, si antipathiques; je trouvais si peu de
douceur, d'ouverture de cœur, de franchise dans le com-
merce même de mes amis, que, rebuté de cette vie tumul-
tueuse, je commençais de soupirer ardemment après le séjour
de la campagne, et ne voyant pas que mon métier me
permît de m'y établir, j'y courais du moins passer les heures
que j'avais de libres. Pendant plusieurs mois, d'abord après
mon dîner, j'allais me promener seul au Bois de Boulogne,
méditant des sujets d'ouvrages, et je ne revenais qu'à la
nuit.

Gauffecourt, avec lequel j'étais alors extrêmement lié,

du *Fils naturel* (1757) de Diderot. Sur la « collaboration » de Diderot
au 2e *Discours,* v. l'annotation de Starobinski dans *O. C.,* III, 1318,
1333. Dans le passage du 2e *Discours* auquel il est fait allusion ici
(*O. C.,* III, 156), Rousseau accuse la raison et la réflexion de fermer
l'homme civilisé à la compassion, vertu naturelle au sauvage. « C'est
la philosophie qui l'isole [...]. On peut impunément égorger son sem-
blable sous sa fenêtre; il n'a qu'à mettre ses mains sur ses oreilles,
et s'argumenter un peu, pour empêcher la nature qui se révolte en lui
de l'identifier avec celui qu'on assassine. »

Littré, citant ce passage, ne donne pas d'autre exemple de la forme
réfléchie du verbe *argumenter.*

se voyant obligé d'aller à Genève pour son emploi, m
proposa ce voyage; j'y consentis. Je n'étais pas[a] asse
bien pour me passer des soins de la Gouverneuse : il fu
décidé qu'elle serait du voyage, que sa mère garderai
la maison, et tous nos arrangements pris, nous partîme
tous trois ensemble[b] le premier juin 1754.

Je dois noter ce voyage comme l'époque de la premièr
expérience qui, jusqu'à l'âge de quarante-deux ans qu
j'avais alors, ait porté atteinte au naturel pleinemen
confiant avec lequel j'étais né, et auquel je m'étais toujour
livré sans réserve et sans inconvénient. Nous avions u
carrosse bourgeois, qui nous menait avec les mêmes chevau
à très petites journées. Je descendais et marchais souven
à pied. A peine étions-nous à la moitié de notre route, qu
Thérèse marqua la plus grande répugnance à rester seul
dans la voiture avec Gauffecourt, et que quand, malgr
ses prières, je voulais descendre, elle descendait et marcha
aussi. Je la grondai longtemps de ce caprice, et même j
m'y opposai tout à fait, jusqu'à ce qu'elle se vît forcé
enfin à m'en déclarer la cause. Je crus rêver, je tombai de
nues quand j'appris que mon ami M. de Gauffecourt, âg
de plus de soixante ans, podagre, impotent, usé de plaisir
et de jouissances, travaillait[c] depuis notre départ à cor
rompre une personne qui n'était plus ni belle ni jeune, qu
appartenait à son ami, et cela par les moyens les plus bas
les plus honteux, jusqu'à lui présenter sa bourse, jusqu'à
tenter de l'émouvoir par la lecture d'un livre abominable
et par la vue des figures infâmes dont il était plein. Thérèse
indignée, lui lança une fois son vilain livre par la portière
et j'appris que le premier jour[d], une violente migrain
m'ayant fait aller coucher sans souper, il avait employé tou
le temps de ce tête-à-tête à des tentatives et des manœuvres
plus dignes d'un satyre et d'un bouc que d'un honnête
homme auquel j'avais confié ma compagne et moi-même.
Quelle[e] surprise ! quel serrement de cœur tout nouveau
pour moi ! Moi qui jusqu'alors avais cru l'amitié insépa-
rable[f] de tous les sentiments aimables et nobles qui font
tout son charme, pour la première fois de ma vie je me
vois forcé de l'allier au dédain, et d'ôter ma confiance
et mon estime à un homme que j'aime et[g] dont je me crois
aimé ! Le malheureux me cachait sa turpitude. Pour ne
pas exposer Thérèse, je me vis forcé de lui cacher mon
mépris, et de recéler au fond de mon cœur des sentiments[h]

qu'il ne devait pas connaître. Douce et sainte illusion de
l'amitié ! Gauffecourt leva le premier son voile à mes yeux.
Que de mains cruelles l'ont empêché depuis lors de
retomber !

A Lyon, je quittai Gauffecourt pour prendre ma route
par la Savoie, ne pouvant me résoudre à passer derechef
si près de Maman sans la revoir. Je la revis... Dans quel
état, mon Dieu ! quel avilissement ! Que lui restait-il de sa
vertu première ? Était-ce la même Mme de Warens, jadis
si brillante, à qui le curé de Pontverre m'avait adressé ?
Que mon cœur fut navré ! Je ne vis plus pour elle d'autre
ressource que de se dépayser. Je lui réitérai vivement et[a]
vainement les instances que je lui avais faites plusieurs fois
dans mes lettres, de venir vivre paisiblement avec moi,
qui voulais consacrer[b] mes jours et ceux de Thérèse à
rendre les siens heureux. Attachée à sa pension, dont
cependant[c], quoique exactement payée, elle ne tirait plus
rien depuis longtemps, elle ne m'écouta pas. Je lui fis encore
quelque légère part de ma bourse, bien moins que je n'aurais
dû, bien moins que je n'aurais fait, si je n'eusse été[d] parfai-
tement sûr qu'elle n'en profiterait pas d'un sol. Durant
mon[e] séjour à Genève, elle fit un voyage en Chablais, et
vint me voir à[f] Grange-Canal[1]. Elle manquait d'argent

1. Rousseau fait sans doute allusion au voyage de Paris à Venise
en 1743 — où, nous le savons, il est bien allé à Chambéry, mais n'y
a peut-être pas vu « Maman » : voir p. 346, n. 1) quand il dit ne
pouvoir se « résoudre à passer *derechef* si près de Maman sans la
revoir ».

Ce voyage à Genève effectué « à très petites journées » en « carrosse
bourgeois », c'est-à-dire en voiture privée, par opposition aux chaises
de poste et diligences (ou « voitures de carrosse ») semble avoir pris
moins de deux semaines. Parti de Paris le 1er juin, Rousseau date de
Dijon une lettre écrite le 9 (*C. C.*, II, 267). Il aurait pu de là gagner
Genève directement, mais a préféré à cette route accidentée, ouverte
seulement à la belle saison, un double détour par Lyon, où il se sépare
de Gauffecourt, et par Chambéry, où il va voir Mme de Warens. La
date de la dédicace du *Discours sur l'Inégalité* (« *A Chambéry*, le 12 juin
1754 ») est certainement fictive, si Rousseau était vraiment à Dijon
le 9 et si l'équipage procédait « à très petites journées ». Cependant
Rousseau dit plus loin qu'il resta quatre mois à Genève, et l'on sait
qu'il est de retour à Paris le 15 octobre (*C. C.*, III, 42). Le 1er juillet,
il était établi (lettre de ce jour, *C. C.*, III, 1) aux Eaux-Vives, sur la
paroisse de Cologny, aujourd'hui quartier de Genève au bord du lac.
Jean-François Rousseau, cousin germain de son père, y avait loué

pour achever son voyage; je n'avais pas sur moi ce qu'il
fallait pour cela; je le lui envoyai une heure après par
Thérèse. Pauvre Maman ! Que je dise encore ce trait de
son cœur. Il ne lui restait pour dernier bijou qu'une
petite bague. Elle l'ôta de son doigt pour la mettre à celui
de Thérèse, qui la remit à l'instant au sien, en baisant cette
noble main qu'elle arrosa de ses pleurs. Ah ! c'était alors
le moment d'acquitter ma dette ! Il fallait tout quitter pour la
suivre, m'attacher à elle jusqu'à sa dernière heure, et par-
tager son sort quel qu'il fût. Je n'en fis rien; distrait par
un autre attachement, je sentis relâcher le mien pour elle
faute d'espoir de pouvoir le lui rendre utile. Je gémis sur
elle, et ne la suivis pas. De tous les remords que j'ai sentis
en ma vie, voilà le plus vif et le plus permanent. Je méritai
par là les châtiments terribles qui depuis lors n'ont cessé
de m'accabler : puissent-ils avoir expié mon ingratitude !
Elle fut dans ma conduite; mais elle a trop déchiré mon
cœur pour que jamais ce cœur ait été celui d'un ingrat.

Avant mon départ de Paris, j'avais esquissé la dédicace[a]
de mon *Discours sur l'Inégalité*. Je l'achevai à[b] Chambéry,
et la datai du même lieu, jugeant qu'il était mieux,
pour éviter toute chicane, de ne la dater ni[c] de France
ni de Genève. Arrivé dans cette ville, je me livrai à
l'enthousiasme républicain qui m'y avait amené. Cet
enthousiasme augmenta par l'accueil que j'y reçus. Fêté,
caressé dans tous les états, je me livrai tout entier au
zèle patriotique, et, honteux d'être exclu de mes droits
de citoyen par[d] la profession d'un autre culte que celui
de mes pères, je résolus de reprendre ouvertement[e] ce

une maison. Rousseau ne résida donc pas comme on l'a longtemps
cru à Grange-Canal, en territoire genevois, assez loin du lac, mais il
s'y rendit vers la fin d'août pour une seconde entrevue avec M^me de Wa-
rens; cette dernière sera le 31 à Jussy, près de Thonon, en
Chablais (Courtois, p. 78 et n. 6).

Le dénuement de « Maman » à cette date est attesté par des demandes
de secours à Rousseau, au mois de février précédent (Mugnier, p. 306),
puis à la cour de Turin en mars (*ibid.,* 307-308). L'idée d'une société
à trois, avec Thérèse et lui-même, que Rousseau aurait alors proposée
sans succès à son ancienne bienfaitrice (alors âgée de 55 ans) n'est
peut-être pas à mettre sur le même plan, vu son âge, que le projet de
trio avec M^me d'Houdetot et Saint-Lambert (*infra,* pp. 522, 565).
On peut néanmoins se demander ce qu'en pensaient les deux femmes,
malgré l'attendrissante scène de la bague ici décrite.

dernier. Je pensais que^a l'Évangile étant le même pour tous les chrétiens, et le fond du dogme n'étant différent qu'en ce qu'on^b se mêlait d'expliquer ce qu'on ne pouvait entendre, il appartenait en chaque pays au seul souverain de fixer et le culte et ce dogme inintelligible^c, et qu'il était par conséquent du devoir du citoyen d'admettre le dogme et de suivre le culte prescrit par la loi. La fréquentation des Encyclopédistes, loin d'ébranler ma foi, l'avait affermie par mon aversion^d naturelle pour la dispute et pour les partis. L'étude de l'homme et de l'univers m'avait montré partout les causes finales et l'intelligence qui les dirigeait. La lecture de la Bible, et surtout de l'Évangile, à laquelle je m'appliquais depuis^e quelques années, m'avait fait mépriser les basses et sottes interprétations que donnaient à Jésus-Christ les gens les moins dignes de l'entendre. En un mot, la philosophie, en m'attachant à l'essentiel de la Religion, m'avait détaché de ce fatras de petites formules dont les hommes l'ont offusquée. Jugeant qu'il n'y avait pas pour un homme raisonnable deux manières d'être chrétien, je jugeais aussi que tout ce qui est forme et discipline était dans chaque pays du ressort des lois. De ce principe si sensé, si social, si pacifique, et qui m'a attiré de si cruelles persécutions, il s'ensuivait que, voulant être citoyen, je devais être protestant, et rentrer dans le culte établi dans mon pays. Je m'y déterminai; je me soumis même aux instructions du pasteur de la paroisse où je logeais^f, laquelle était hors la ville. Je désirai seulement de n'être pas obligé de paraître en Consistoire. L'Édit Ecclésiastique cependant y était formel; on voulut bien y déroger en ma faveur, et l'on nomma une commission de cinq ou six membres pour recevoir en particulier ma profession de foi. Malheureusement le ministre Perdriau, homme aimable et doux, avec qui j'étais lié, s'avisa de me dire qu'on se réjouissait de m'entendre parler dans cette petite assemblée. Cette attente m'effraya si fort, qu'ayant étudié jour et nuit, pendant trois semaines, un petit discours que j'avais préparé, je me troublai lorsqu'il fallut le réciter, au point de n'en pouvoir pas dire un seul mot, et je fis dans cette conférence le rôle du plus sot écolier. Les commissaires parlaient pour moi; je répondais bêtement *oui* et *non* ; ensuite je fus admis à la communion, et réintégré dans mes droits de Citoyen^g : je fus inscrit comme tel dans le rôle des gardes que payent les seuls citoyens et bourgeois, et j'assistai à un conseil

général extraordinaire, pour recevoir le serment du syndic Mussard[1]. Je fus si touché des bontés que me témoignèrent en cette occasion le Conseil, le Consistoire, et des procédés obligeants et honnêtes de tous les magistrats, ministres et citoyens, que pressé par le bonhomme De Luc, qui m'obsédait sans cesse, et encore plus par mon propre penchant, je ne songeai à retourner à Paris que pour dissoudre mon ménage[2], mettre en règle mes petites affaires, placer Mme Le Vasseur et son mari, ou pourvoir à leur subsistance, et revenir avec Thérèse m'établir à Genève pour le reste de mes jours.

Cette résolution prise, je fis trêve aux affaires sérieuses pour m'amuser avec mes amis jusqu'au temps de mon départ. De tous ces amusements celui qui me plut davantage, fut une promenade autour du lac, que je fis en bateau avec De Luc père, sa bru, ses deux fils et ma Thérèse. Nous mîmes sept jours à cette tournée, par le plus beau temps du monde. J'en gardai le vif souvenir des sites qui m'avaient frappé à l'autre extrémité du lac, et dont je fis la description, quelques années après, dans la *Nouvelle Héloïse*[3].

1. Le *syndic* Pierre Mussard *(Index)* est un des quatre fonctionnaires nommés pour un an à la tête de la République de Genève. La réintégration de Rousseau dans l'Église calviniste et dans la citoyenneté de Genève s'accompagna de faveurs exceptionnelles (v. p. 697, n. 1), puisqu'il fut dispensé de la comparution devant le Consistoire et devant le Conseil général. Il se présenta le 29 juillet devant la commission spécialement constituée à cet effet, dont la décision fut ratifiée le 1er août par le Consistoire. Mais dès le 21 juillet il assistait à la réunion extraordinaire du Conseil général où fut assermenté le syndic Mussard.

2. Par *dissoudre mon ménage*, Rousseau ne veut évidemment pas dire se séparer de Thérèse, mais liquider son installation parisienne à l'hôtel du Languedoc.

3. Cette excursion dura six jours et non sept (du dimanche 22 au vendredi soir 27 septembre 1754), comme l'attestent les notes de Rousseau et celles du fils cadet Guillaume-Antoine De Luc (voir *Annales*, II, 1906, pp. 155-156). Les souvenirs de ce voyage inspirèrent, dans *la Nouvelle Héloïse,* non seulement les descriptions contenues dans la célèbre lettre XVII de la 4e partie, mais aussi certains détails comme le « chantage au suicide » de Saint-Preux (1re partie, lettre XXVI, fin : la roche est escarpée, l'eau est profonde et je suis au désespoir). Le journal du fils De Luc note que le petit groupe sonda le lac à une portée de fusil de Meillerie et trouva « 150 brasses, c'est-à-dire 750 pieds au moins ».

Les principales liaisons que je fis à Genève, outre les De Luc, dont j'ai parlé, furent le jeune ministre Vernes, que j'avais déjà connu à Paris, et dont j'augurais mieux qu'il n'a valu dans la suite ; M. Perdriau, alors pasteur de campagne, aujourd'hui professeur de belles-lettres, dont la société, pleine de douceur et d'aménité, me sera toujours regrettable, quoiqu'il ait cru du bel air de se détacher de moi ; M. Jalabert, alors professeur de physique, depuis conseiller et syndic, auquel je lus mon *Discours sur l'Inégalité* (mais non pas la dédicace), et qui en parut transporté ; le professeur Lullin, avec lequel, jusqu'à sa mort, je suis resté en correspondance, et qui m'avait même chargé d'emplettes de livres pour la Bibliothèque ; le professeur Vernet, qui me tourna le dos, comme tout le monde, après que je lui eus donné des preuves d'attachement et de confiance qui l'auraient dû toucher, si un théologien pouvait être touché de quelque chose ; Chappuis, commis et successeur de Gauffecourt[a], qu'il voulut supplanter et qui bientôt fut supplanté lui-même ; Marcet de Mézières, ancien ami de mon père, et qui s'était aussi montré le mien ; mais qui après avoir jadis bien mérité de la patrie, s'étant fait auteur dramatique, et prétendant aux Deux-Cents, changea de maximes, et devint ridicule avant sa mort. Mais celui de tous dont j'[b]attendis davantage, fut Moultou[c], jeune homme de la plus grande espérance par ses talents, par son esprit plein de feu, que j'ai toujours aimé, quoique sa conduite à mon égard ait été souvent équivoque, et qu'il ait des liaisons avec mes plus cruels ennemis, mais qu'avec tout cela, je ne puis m'empêcher de regarder encore comme appelé à être un jour le défenseur de ma mémoire et le vengeur de son ami.

Au milieu de ces dissipations, je ne perdis ni le goût ni l'habitude de mes promenades solitaires, et j'en faisais souvent d'assez grandes sur les bords du lac, durant lesquelles ma tête, accoutumée au travail, ne demeurait pas oisive. Je digérais le plan déjà formé de mes *Institutions politiques*, dont j'aurai bientôt à parler ; je méditais une *Histoire du Valais*, un plan de tragédie en prose, dont le sujet, qui n'était pas moins que Lucrèce[d], ne m'ôtait pas l'espoir d'atterrer les rieurs, quoique j'osasse laisser paraître encore cette infortunée, quand elle ne le peut plus sur aucun théâtre français. Je m'essayais en même temps sur Tacite, et je traduisis le premier

livre de son histoire, qu'on trouvera parmi mes papiers[1].

Après quatre mois de séjour à Genève, je retournai au mois d'octobre à Paris, et j'évitai de passer par Lyon, pour ne pas me retrouver en route avec Gauffecourt. Comme il entrait dans mes arrangements de ne revenir à Genève que le printemps prochain, je repris pendant l'hiver mes habitudes et mes occupations, dont la principale fut de voir les épreuves de mon *Discours sur l'Inégalité*, que je faisais imprimer en Hollande par le libraire Rey, dont je venais de faire la connaissance à Genève. Comme cet ouvrage était dédié à la République, et que cette dédicace pouvait ne pas plaire au Conseil, je voulais attendre l'effet qu'elle ferait à Genève, avant que d'y retourner. Cet effet ne me fut pas favorable, et cette dédicace, que le plus pur patriotisme m'avait dictée, ne fit que m'attirer des ennemis dans le Conseil, et des jaloux dans la bourgeoisie[2].

1. Sur les *Institutions politiques,* voir *infra,* livre IX, p. 480, n. 1. Des notes sur le Valais figuraient dans les carnets mentionnés par Condorcet (voir l'article de R.-A. Leigh sur les « Manuscrits disparus » de Rousseau, *Annales,* 1956-1959). Les fragments de *Lucrèce* connus sont reproduits dans O. C., II, 1961. L'idée d'une tragédie en prose est hardie à cette date; Voltaire l'eût considérée sans doute comme barbare. Les seules tragédies en prose tentées au XVIII[e] siècle sont des drames bourgeois, du type de *Barnevelt* mentionné plus haut (p. 440, n. 1). *Lucrèce* se rapproche plutôt, par la noblesse du ton, de la *tragédie lyrique* française, elle-même influencée par le *dramma per musica* ou mélodrame italien, dont Métastase est alors le plus grand représentant. L'admiration de Rousseau pour ce poète qui a souvent mis à la scène des sujets romains traités à la manière cornélienne a pu lui suggérer le sujet de *Lucrèce.* Mais la tentative d'une *tragédie en prose* s'apparente au renouvellement général du lyrisme français par l'abandon des vers et l'adoption d'une prose musicale. Rousseau est le pionnier de ce renouvellement que feront triompher, après lui, Bernardin de Saint-Pierre, puis Chateaubriand, ajoutant à la musique de la phrase la couleur des descriptions — encore très timides et imprécises chez Rousseau.

— La traduction de Tacite a paru dès 1781 dans les *Œuvres posthumes.* Sur Rousseau traducteur de Tacite, v. p. 275, n. 1; de Sénèque, le jugement du latiniste L. Hermann, « Rousseau traducteur de Sénèque », *Annales,* XIII, 1920-1921, pp. 215-224.

2. Malgré les éloges flatteurs adressés dans la dédicace aux magistrats et aux pasteurs, ainsi qu'à toutes les classes de la population genevoise, il était imprudent de dédier l'ouvrage à la *République* de Genève et d'employer la formule traditionnelle des orateurs devant

M. Chouet, alors premier syndic, m'écrivit une lettre honnête, mais froide, qu'on trouvera dans mes recueils, liasse A, n° 3. Je reçus des particuliers, entre autres de De Luc et de Jalabert, quelques compliments; et ce fut là tout : je ne vis point qu'aucun Genevois me sût un vrai gré du zèle de cœur qu'on sentait dans cet ouvrage. Cette indifférence scandalisa tous ceux qui la remarquèrent. Je me souviens que, dînant un jour à Clichy, chez M^{me} Dupin, avec Crommelin, résident de la République, et avec M. de Miran, celui-ci dit, en pleine table, que le Conseil me devait un présent et des honneurs publics pour cet ouvrage, et qu'il se déshonorait s'il[a] y manquait. Crommelin, qui était un petit homme noir et bassement méchant, n'osa rien répondre en ma présence, mais il fit une grimace effroyable qui fit sourire M^{me} Dupin. Le seul avantage que me procura cet ouvrage, outre celui d'avoir satisfait mon cœur, fut le titre de citoyen, qui me fut donné par mes amis, puis par le public à leur exemple, et que j'ai perdu dans la suite pour l'avoir trop bien mérité.

Ce mauvais succès ne m'aurait pourtant pas détourné d'exécuter ma retraite à Genève, si des motifs plus puissants sur mon cœur n'y avaient concouru. M. d'Épinay, voulant ajouter une aile qui manquait[b] au château de Chevrette, faisait une dépense immense pour l'achever. Étant allé voir un jour, avec M^{me} d'Épinay, ces ouvrages[c], nous poussâmes notre promenade un quart de lieue plus loin, jusqu'au réservoir des eaux du parc qui touchait la forêt de Montmorency, et où était un joli potager, avec une[d] petite loge fort délabrée, qu'on appelait l'Ermitage. Ce lieu solitaire et très agréable m'avait frappé, quand je le vis pour la première fois, avant mon voyage de Genève. Il m'était échappé de dire dans mon transport : Ah ! madame,

le Conseil général (« Magnifiques, très honorés et souverains Seigneurs... ») au lieu de s'adresser au Petit Conseil, aussi puissant que susceptible. C'est ce que dut faire remarquer à Rousseau son ami le pasteur Perdriau (*C. G.*, II, 130-131). Le *Discours* n'a d'ailleurs été imprimé qu'en 1755, bien après la réintégration; il demeure que c'est avant cette mesure officielle, à la date du 12 juin 1754, qu'il signe sa dédicace « votre très humble et très obéissant serviteur et *concitoyen* ». J.-S. Spink (*J.-J. Rousseau et Genève*) a montré que dans cette dédicace Rousseau a en fait présenté non le tableau des institutions de Genève, mais celui du gouvernement idéal tel qu'il l'imagine.

quelle habitation délicieuse ! Voilà un asile tout fait pour moi. M^me d'Épinay ne releva pas beaucoup mon discours; mais à^a ce second voyage je fus tout surpris de trouver, au lieu de la vieille masure, une petite maison presque entièrement neuve, fort bien distribuée, et très logeable pour un petit ménage de trois personnes. M^me d'Épinay avait fait faire^b cet ouvrage en silence et à très peu de frais, en détachant quelques matériaux et quelques ouvriers de ceux du château. Au second voyage, elle me dit en voyant ma surprise : Mon ours, voilà votre asile; c'est vous qui l'avez choisi, c'est l'amitié qui vous l'offre; j'espère qu'il vous ôtera la cruelle idée de vous éloigner de moi. Je ne crois pas^c avoir été de mes jours plus vivement, plus délicieusement ému : je mouillai de pleurs la main bienfaisante de mon amie, et si je ne fus pas vaincu dès cet instant même, je fus extrêmement ébranlé. M^me d'Épinay, qui ne voulait pas en avoir le démenti, devint si pressante, employa tant de moyens, tant de gens pour me circonvenir, jusqu'à gagner pour cela M^me Le Vasseur et sa fille, qu'enfin elle triompha de mes résolutions. Renonçant au séjour de ma patrie, je résolus, je promis d'habiter l'Ermitage; et en attendant que le bâtiment fût sec, elle prit soin d'en préparer les meubles, en sorte que tout fut prêt pour y entrer le printemps^d suivant.

Une chose qui aida beaucoup à me déterminer fut l'établissement de Voltaire auprès de Genève. Je compris que cet homme y ferait révolution; que j'irais retrouver dans ma patrie le ton, les airs, les mœurs qui me chassaient de Paris, qu'il me faudrait batailler sans cesse, et que je n'aurais d'autre choix dans ma^e conduite que celui d'être un pédant insupportable, ou un lâche et mauvais citoyen. La lettre que Voltaire m'écrivit sur mon dernier ouvrage me donna lieu d'insinuer mes craintes dans ma réponse; l'effet qu'elle produisit les confirma[1]. Dès lors je tins

1. Voltaire cherchait un établissement sûr depuis l'humiliante fin de son aventure prussienne (juillet 1753). Avec sa nièce M^me Denis, il s'installa dans les premiers jours de mars 1755 dans la propriété des Délices, tout près de Genève, mettant à exécution un projet auquel Rousseau fait allusion dans sa correspondance de l'hiver 1754-1755 avec quelques réserves, mais sans hostilité. Le *Discours sur l'Inégalité* sortit des presses en juin 1755 et fut mis en vente à Paris le 20 août. Rousseau dut en faire parvenir un exemplaire à Voltaire, peu après avoir fait

Genève perdue, et je ne me trompai pas. J'aurais dû peut-être aller faire tête à l'orage, si je m'en étais senti le talent. Mais qu'eussé-je fait seul, timide et parlant très mal, contre un homme arrogant, opulent, étayé du crédit des grands, d'une brillante faconde[1], et déjà l'idole des femmes et des jeunes gens ? Je craignis d'exposer inutilement au péril mon courage; je n'écoutai que mon naturel paisible, que[a] mon amour du repos, qui, s'il me trompa, me trompe encore aujourd'hui sur le même article. En me retirant à Genève, j'aurais pu m'épargner de grands malheurs à moi-même; mais je doute qu'avec tout mon zèle ardent et patriotique j'eusse fait rien de grand et d'utile pour mon pays.

Tronchin qui, dans le même temps à peu près, fut s'établir à Genève, vint quelque temps après à Paris faire le saltimbanque, et en emporta des trésors. A son arrivée, il me vint voir avec le chevalier de Jaucourt. Mme d'Épinay souhaitait fort de le consulter en particulier, mais la presse n'était pas facile à percer. Elle eut recours à moi. J'engageai Tronchin à l'aller voir. Ils commencèrent ainsi, sous mes auspices, des liaisons qu'ils resserrèrent ensuite

remettre au Premier Syndic de Genève, en juin, celui qu'il lui destinait. La lettre célèbre de Voltaire (« J'ai reçu, monsieur, votre nouveau livre contre le genre humain... » — C. C., III, 156) est datée des Délices, le 30 août. Rousseau fut sans doute moins blessé par les plaisanteries caricaturales (« il prend envie de marcher à quatre pattes quand on lit votre ouvrage... ») que par un reproche ironique qui le touchait au cœur : « Je me borne à être un sauvage paisible dans la solitude que j'ai choisie auprès de votre patrie, *où vous devriez être.* » L'ironie tient du chef-d'œuvre quand elle s'enveloppe dans l'apparente bonhomie de l'invitation finale à venir « boire avec moi le lait de vos vaches, et brouter nos herbes ».

Rousseau répondit (10 [?] sept. 1755; C. C., III, 164) sur un ton respectueux et même flatteur, en feignant de ne pas voir la pointe : « Je suis sensible à votre invitation; et si cet hiver me laisse en état d'aller, au printemps, habiter ma patrie, je profiterai de vos bontés... »

Avec l'accord de Rousseau, Voltaire publia sa propre lettre, « un peu changée et augmentée », dit Rousseau, dans le *Mercure* d'octobre (mais elle avait déjà paru, en septembre, comme préface à *l'Orphelin de la Chine*!). La réponse de Rousseau fut aussi publiée, mais sans l'aveu de l'auteur, qui protesta auprès du rédacteur en chef Boissy (C. C., III, 196).

1. Le mot *faconde* est expliqué sur le manuscrit de Genève par une note au bas de page à l'encre rouge (due à l'éditeur Du Peyrou?) : « vieux mot qui signifie éloquence » (c'est la définition du *Dictionnaire de l'Académie* de 1762).

à mes dépens. Telle a toujours été ma destinée; sitôt que j'a rapproché l'un de l'autre deux amis que j'avais séparément ils n'ont jamais manqué de s'unir contre moi. Quoiqu dans le complot que formaient dès lors les Tronchin d'asser vir leur patrie, ils dussent tous me haïr mortellement, le docteur pourtant continua longtemps à me témoigner de la bienveillance. Il m'écrivit même[a] après son retour à Genève, pour m'y proposer la place de bibliothécaire honoraire. Mais mon parti était pris, et cette offre ne m'ébranla pas[1].

Je[b] retournais dans ce temps-là chez M. d'Holbach. L'occasion en avait été la mort de sa femme, arrivée, ainsi que celle de M[me] de Francueil, durant mon séjour à Genève. Diderot, en me la marquant, me parla de la profonde affliction du mari. Sa douleur émut mon cœur. Je regrettais vivement moi-même cette aimable femme. J'écrivis sur ce sujet à M. d'Holbach[c]. Ce triste événement me fit oublier tous ses torts, et lorsque je fus de retour de Genève, et qu'il fut de retour lui-même d'un tour de France qu'il avait fait pour se distraire, avec Grimm et

1. La lettre à Tronchin refusant le poste de bibliothécaire est datée de l'Ermitage, 27 février 1757. On n'a pas la lettre de Tronchin contenant l'offre (*C. C.,* IV, 161).

Les différentes branches de la famille Tronchin siègent au Conseil des Deux-Cents où ils comptent parmi les plus puissants soutiens du parti « négatif » qui s'oppose au pouvoir populaire. Les membres les plus illustres de la famille sont, avec le médecin Théodore, le conseiller François Tronchin (1704-1798), l'avocat Jacob Tronchin, dit Tronchin-Calandrini (1717-1801), le pasteur Louis Tronchin (1697-1756), et les deux Jean-Robert : Jean-Robert Tronchin, dit Tronchin-Boissier (1710-1793, frère aîné de Jacob), procureur général, qui en 1762 fera condamner au feu par le Petit Conseil *le Contrat social* et l'*Émile,* et est le futur auteur des *Lettres de la Campagne,* et son cousin germain, le banquier Jean-Robert Tronchin (1702-1788) frère du pasteur Louis, banquier de Voltaire à Lyon, et successeur de M. d'Épinay dans sa charge de fermier général en 1762.

Il semble que l'offre du poste de bibliothécaire fut faite à Rousseau par Théodore Tronchin, non pas « après son retour à Genève » (en juin 1756) mais au plus tard en février, pendant le séjour du médecin à Paris (voir la variante, qui paraît confirmer cette interprétation). Le « parti » de Rousseau, c'est-à-dire sa décision d'habiter l'Ermitage, ne fut pris qu'à la fin de mars (*C. C.,* III, 299) et les lettres à M[me] d'Épinay de cette période mentionnant son « affaire avec M. Tronchin » ne font pas état de la raison qu'il donne ici, à savoir la présence de Voltaire aux portes de Genève.

d'autres amis, j'allai le voir, et je continuai jusqu'à mon départ pour l'Ermitage. Quand on sut dans sa coterie que M^me d'Épinay, qu'il ne voyait point encore, m'y préparait un logement, les sarcasmes tombèrent sur moi comme la grêle, fondés sur ce qu'ayant besoin de l'encens et des amusements de la ville, je ne soutiendrais pas la solitude seulement quinze jours. Sentant en moi ce qu'il en était, je laissai dire, et j'allai mon train. M. d'Holbach ne laissa pas de m'être utile*, pour placer le vieux bonhomme Le Vasseur, qui avait plus de quatre-vingts ans, et dont sa femme, qui s'en sentait surchargée, ne cessait de me prier de la débarrasser. Il fut mis dans une maison de charité, où l'âge et le regret de se voir loin de sa famille le mirent au tombeau presque en arrivant. Sa femme et ses autres enfants le regrettèrent peu. Mais Thérèse, qui l'aimait tendrement, n'a jamais pu se consoler de sa perte, et d'avoir souffert que, si près de son terme, il allât loin d'elle achever ses jours.

J'eus à peu près dans le même temps une visite à laquelle je ne m'attendais guère, quoique ce fût une bien ancienne connaissance. Je parle de mon ami Venture, qui vint me surprendre un beau matin, lorsque je ne^b pensais à rien moins. Un autre homme était avec lui. Qu'il me parut changé ! Au lieu de ses anciennes grâces, je ne lui trouvai plus qu'un air crapuleux, qui^c m'empêcha de m'épanouir avec lui. Ou mes yeux n'étaient plus les mêmes, ou la débauche avait abruti son esprit, ou tout son premier éclat tenait à celui de la jeunesse, qu'il n'avait plus. Je le vis presque avec indifférence, et nous nous séparâmes assez froidement. Mais quand il fut parti, le souvenir de nos anciennes liaisons me rappela si vivement celui de mes jeunes ans, si doucement, si^d sagement consacrés à cette femme angélique qui maintenant n'était guère moins changée que lui, les petites anecdotes de cet heureux temps, la romanesque journée de Thônes, passée avec tant d'inno-

* Voici un exemple^a des tours que me joue ma mémoire. Longtemps après avoir écrit ceci, je viens d'apprendre, en causant avec ma femme de son vieux bonhomme de père, que ce ne fut point M. d'Holbach, mais M. de Chenonceaux, alors un des administrateurs de l'Hôtel-Dieu, qui le fit placer. J'en avais si totalement perdu l'idée, et j'avais celle de M. d'Holbach si présente, que j'aurais juré pour ce dernier.

cence et de jouissance entre ces deux charmantes filles
dont une main baisée avait été l'unique faveur, et qui,
malgré cela, m'avait laissé des regrets si vifs, si touchants,
si durables : tous ces ravissants délires d'un jeune cœur,
que j'avais sentis alors dans toute leur force, et[a] dont je
croyais le temps[b] passé pour jamais; toutes ces tendres
réminiscences me firent verser des larmes sur ma jeunesse
écoulée, et sur ses transports désormais perdus pour moi.
Ah ! combien j'en aurais versé sur leur retour tardif et
funeste, si j'avais prévu les maux qu'il m'allait coûter !

Avant de quitter Paris, j'eus, durant l'hiver qui précéda
ma retraite, un plaisir bien selon mon cœur, et que je
goûtai dans toute sa pureté. Palissot, académicien de
Nancy, connu par quelques drames, venait d'en donner un
à Lunéville, devant le roi de Pologne. Il crut apparemment
faire sa cour en jouant, dans ce drame, un homme qui
avait osé se mesurer avec le Roi, la plume à la main. Sta-
nislas, qui était généreux et qui n'aimait pas la satire, fut
indigné qu'on osât[c] ainsi personnaliser en sa présence.
M. le comte de Tressan écrivit, par l'ordre de ce prince,
à d'Alembert et à moi, pour m'informer que l'intention
de Sa Majesté était que le sieur Palissot fût chassé de son
Académie. Ma réponse fut une vive prière à M. de Tressan
d'intercéder auprès du Roi[d] de Pologne pour obtenir
la grâce du sieur Palissot. La grâce fut accordée[e], et M. de
Tressan, en me le marquant au nom du Roi, ajouta que ce
fait serait inscrit sur les registres de l'Académie. Je répliquai
que c'était moins accorder une grâce que perpétuer un châ-
timent. Enfin, j'obtins, à force d'instances, qu'il ne serait
fait mention de rien dans les registres, et qu'il ne resterait
aucune trace publique de cette affaire. Tout cela fut accom-
pagné, tant de la part du Roi que de celle de M. de Tressan,
de témoignages d'estime et de considération dont je fus
extrêmement flatté, et je sentis en cette occasion que l'estime
des hommes qui en sont si dignes eux-mêmes, produit
dans l'âme un sentiment bien plus doux et plus noble que
celui de la vanité. J'ai transcrit dans mon recueil les lettres
de M. de Tressan avec mes réponses, et l'on en trouvera
les originaux dans la liasse A, numéros 9, 10 et 11[1].

1. Cette correspondance va de la fin de 1755 à la mi-janvier 1756.
Le texte des lettres (*C. C.,* III, 223-sqq.) confirme la version donnée
des faits dans les *Confessions,* mais ni les lettres de Tressan ni les réponses

Je sens bien que, si jamais ces Mémoires parviennent à voir le jour, je perpétue ici moi-même le souvenir d'un fait dont je voulais effacer la trace; mais j'en transmets bien d'autres malgré moi. Le grand objet de mon entreprise, toujours présent à mes yeux, l'indispensable devoir de la remplir dans toute son étendue, ne m'en laisseront point détourner par de plus faibles considérations qui m'écarteraient de mon but. Dans l'étrange, dans l'unique situation où je me trouve, je me dois trop[a] à la vérité pour devoir rien de plus à autrui. Pour me bien connaître, il faut me connaître dans tous mes rapports, bons et mauvais. Mes confessions sont nécessairement liées avec celles de beaucoup de gens : je fais les unes et les autres avec la même franchise, en tout ce qui se rapporte à moi, ne croyant devoir à qui que ce soit plus de ménagements que je n'en ai pour moi-même, et voulant toutefois en avoir beaucoup plus. Je veux être toujours juste et vrai[b], dire d'autrui le bien tant qu'il me sera possible, ne dire jamais que le mal qui me regarde, et qu'autant que j'y suis forcé. Qui est-ce qui, dans l'état où l'on m'a mis, a droit d'exiger de moi davantage ? Mes confessions ne sont point faites pour paraître de mon vivant, ni de celui des personnes intéressées[1]. Si j'étais le maître de ma destinée et de celle de cet écrit, il ne verrait le jour que longtemps après ma mort et la leur. Mais les efforts que la terreur de la vérité fait faire à mes puissants oppresseurs pour en effacer les traces me forcent à faire, pour les conserver, tout ce que me permettent le droit le plus exact et la plus sévère justice. Si ma mémoire devait s'éteindre avec moi, plutôt que de compromettre personne, je souffrirais un opprobre injuste et passager sans murmure; mais puisque enfin mon nom doit vivre[c], je dois tâcher de transmettre avec lui le souvenir de l'homme infortuné qui le porta, tel qu'il fut réellement, et non tel que[d] d'injustes ennemis travaillent sans relâche à le peindre[e].

de Rousseau ne soufflent mot d'une admission éventuelle à l'Académie de Nancy, offre à laquelle il sera fait allusion plus loin, livre X, p. 613.

1. Dans le manuscrit de Genève, les mots « *celui des personnes intéressées* » ont été soulignés en rouge, vraisemblablement par le premier éditeur, qui a fait remplacer, dans le texte imprimé, tous les noms propres par des initiales. De même le mot *longtemps*, dans la phrase suivante, est souligné en rouge.

LIVRE 9ᵉ [a]

I. I. L'IMPATIENCE d'habiter[b] l'Ermitage ne me permit pas d'attendre le retour de la belle saison; et, sitôt que mon logement fut prêt, je me hâtai de m'y rendre, aux grandes huées de la coterie holbachique, qui prédisait hautement que je ne suppporterais pas trois mois de solitude, et qu'on me verrait dans peu revenir, avec ma courte honte, vivre comme eux à Paris. Pour moi qui, depuis quinze ans hors de mon élément, me voyais près d'y rentrer, je ne faisais pas même attention à leurs plaisanteries. Depuis que je m'étais, malgré moi, jeté dans le monde, je n'avais cessé de regretter mes chères Charmettes, et la douce vie que j'y avais menée. Je me sentais fait pour la[c] retraite et la campagne; il m'était impossible de vivre heureux ailleurs. A Venise dans le train des affaires publiques, dans la dignité d'une espèce de représentation, dans l'orgueil des projets d'avancement; à Paris dans le tourbillon de la grande société, dans la sensualité des soupers, dans l'éclat des spectacles, dans la fumée de la gloriole; toujours mes bosquets, mes ruisseaux, mes promenades solitaires, venaient, par leur souvenir, me distraire, me contrister, m'arracher des soupirs et des désirs. Tous les travaux auxquels j'avais pu m'assujettir, tous les projets d'ambition, qui, par accès, avaient animé mon zèle, n'avaient d'autre but que d'arriver un jour à ces bienheureux loisirs champêtres auxquels, en ce moment, je me flattais de toucher. Sans m'être mis dans l'honnête aisance que j'avais cru seule pouvoir m'y conduire, je jugeais, par ma situation particulière, être en état de m'en passer, et pouvoir arriver au même but par un chemin tout contraire. Je n'avais pas un sou de rente; mais j'avais[d] un nom, des talents; j'étais sobre, et je m'étais ôté les besoins les plus dispendieux, tous ceux de l'opinion. Outre cela, quoique paresseux, j'étais laborieux cependant

quand je voulais l'être, et ma paresse était moins celle d'un fainéant que celle d'un homme indépendant, qui[a] n'aime à travailler qu'à son heure. Mon métier de copiste de musique n'était ni brillant ni lucratif; mais il était sûr. On me savait gré dans le monde d'avoir eu le courage de le choisir. Je pouvais compter que l'ouvrage ne me manquerait pas, et il pouvait me suffire[b] pour vivre en bien travaillant. Deux mille francs qui me restaient du produit du *Devin du village* et de mes autres écrits me faisaient une avance pour n'être pas à l'étroit, et plusieurs ouvrages que j'avais sur le métier me promettaient, sans rançonner les libraires, des suppléments suffisants pour travailler à mon aise, sans m'excéder, et même en mettant à profit les loisirs de la promenade. Mon petit ménage, composé de trois personnes, qui toutes s'occupaient utilement, n'était pas d'un entretien fort coûteux. Enfin mes ressources, proportionnées à mes besoins et à mes désirs, pouvaient raisonnablement me promettre une vie heureuse et durable dans celle que mon inclination m'avait fait choisir.

2. J'aurais pu me jeter tout à fait du côté le plus lucratif, et, au lieu d'asservir ma plume à la copie, la dévouer entière à des écrits qui, du vol que j'avais pris et que je me sentais en état de soutenir, pouvaient me faire vivre dans l'abondance et même dans l'opulence, pour peu que j'eusse voulu joindre des manœuvres d'auteur au soin de publier de bons livres. Mais[c] je sentais qu'écrire pour avoir du pain eût bientôt étouffé mon génie et tué mon talent, qui était moins dans ma plume que dans mon cœur, et né uniquement d'une façon de penser élevée et fière, qui seule pouvait le nourrir. Rien de vigoureux, rien de grand ne peut partir d'une plume toute vénale. La nécessité, l'avidité peut-être m'eût fait faire plus vite que bien. Si le besoin du succès ne m'eût pas[d] plongé dans les cabales, il m'eût fait chercher à dire moins des choses utiles et vraies que des choses qui plussent à la multitude, et d'un[e] auteur distingué que je pouvais être, je n'aurais été qu'un barbouilleur de papier. Non, non : j'ai toujours senti que l'état d'auteur n'était, ne pouvait être illustre et respectable qu'autant qu'il n'était pas un métier. Il est trop difficile de penser noblement quand on ne pense que pour vivre. Pour pouvoir, pour oser dire de grandes vérités, il ne faut pas dépendre de son succès. Je jetais mes livres dans le public

avec la certitude d'avoir parlé pour le bien commun, sans aucun souci du reste. Si l'ouvrage était rebuté, tant pis pour ceux qui n'en voulaient pas profiter : pour moi, je n'avais pas besoin de leur approbation pour vivre[a]. Mon métier pouvait me nourrir si mes livres ne se vendaient pas; et voilà précisément ce qui les faisait vendre.

3. Ce fut le 9 avril 1756 que je quittai la ville pour n'y plus habiter; car je ne compte pas pour habitation quelques courts séjours que j'ai[b] faits depuis, tant à Paris[c] qu'à Londres et dans d'autres villes, mais toujours de passage, ou toujours malgré moi[1]. M[me] d'Épinay vint nous prendre tous trois dans son carrosse; son fermier vint charger mon petit bagage, et je fus installé dès le même jour. Je trouvai ma petite retraite arrangée et meublée simplement, mais proprement et même avec goût. La main qui avait donné ses soins à cet ameublement le rendait à mes yeux d'un prix inestimable, et je trouvais délicieux d'être l'hôte de mon amie, dans une maison de mon choix, qu'elle avait[d] bâtie exprès pour moi.

4. Quoiqu'il fît froid, et qu'il y eût même encore de la neige, la terre commençait à végéter; on voyait des violettes et des primevères; les bourgeons des arbres commençaient à poindre, et la nuit même de mon arrivée fut marquée par le premier chant du rossignol, qui se fit entendre presque à ma fenêtre, dans un bois qui touchait la maison. Après un léger sommeil, oubliant à mon réveil ma transplantation, je me croyais encore dans la rue Grenelle, quand tout à coup ce ramage me fit tressaillir, et je m'écriai dans mon transport : Enfin tous mes vœux sont accomplis ! Mon premier soin fut de me livrer à[e] l'impression des objets champêtres dont j'étais entouré. Au lieu de commencer à m'arranger dans mon logement, je commençai par m'arranger pour mes promenades, et il n'y eut pas un sentier, pas un taillis, pas un bosquet, pas un réduit autour de ma demeure, que je n'eusse parcouru dès le lendemain. Plus j'examinais cette charmante retraite, plus je la sentais faite pour moi. Ce lieu solitaire plutôt que sauvage me transportait en idée au bout du monde. Il avait de ces beautés touchantes qu'on ne trouve guère

1. La date de rédaction de ce passage, difficile à préciser (à partir de la fin de 1769) est donc en tout cas antérieure à l'automne 1770, date du retour de Rousseau à Paris.

auprès des villes; et jamais, en s'y trouvant transporté
tout d'un coup, on n'eût pu se croire à quatre lieues de
Paris[1].

5. Après quelques jours livrés à mon délire champêtre,
je songeai à ranger mes paperasses et à régler mes occu-
pations. Je destinai, comme j'avais toujours fait, mes
matinées à la copie, et mes après-dînées à la promenade,
muni de mon petit[a] livret blanc et de mon crayon : car
n'ayant jamais pu écrire et penser à mon aise que *sub dio*,
je n'étais pas tenté de changer de méthode, et je comptais
bien que la forêt de Montmorency, qui était presque à ma
porte, serait désormais mon cabinet de travail. J'avais
plusieurs écrits commencés; j'en fis la revue. J'étais assez
magnifique en projets; mais, dans les tracas de la ville,
l'exécution jusqu'alors avait marché lentement. J'y comptais
mettre un peu plus de diligence quand j'aurais moins de
distraction. Je crois avoir assez bien rempli cette attente, et
pour un homme souvent malade, souvent à la Chevrette[b],
à Épinay, à Eaubonne, au château de Montmorency,
souvent obsédé chez lui de curieux désœuvrés, et toujours
occupé la moitié de la journée à la copie, si l'on compte
et mesure les écrits que j'ai faits dans les six ans que j'ai
passés tant à l'Ermitage qu'à Montmorency, l'on trouvera,
je m'assure, que si j'ai perdu mon temps[c] durant cet inter-
valle, ce n'a pas été du moins dans l'oisiveté.

2. 1. Des divers ouvrages que j'avais sur le chantier
celui que je méditais depuis plus longtemps, dont je
m'occupais avec[d] le plus de goût, auquel je voulais travailler
toute ma vie, et qui devait, selon moi, mettre le sceau à
ma réputation, était mes *Institutions politiques*. Il y avait
treize ou quatorze ans que j'en avais conçu la première idée,

1. Le pavillon de l'Ermitage, à un quart de lieue de Montmorency,
a été considérablement transformé au XIX[e] siècle. C'est aujourd'hui
une clinique médicale (n° 10 de la rue de l'Ermitage; plaque commé-
morative sur le mur de clôture). Les localités et lieux-dits mentionnés
dans ce livre sont portés sur la carte, p. 501. — Le château de la Che-
vrette est maintenant dans Enghien, près du carrefour de la Barre,
en bordure de la route de Deuil.

L'importance de cet emménagement dans la vie intérieure de Rous-
seau est attestée dans ses *Lettres à Malesherbes* (1762) : « Je n'ai com-
mencé de vivre que le 9 avril 1756 ».

lorsque étant à Venise j'avais eu quelque occasion de remarquer les défauts de ce gouvernement si vanté. Depuis lors mes vues s'étaient beaucoup étendues par l'étude historique de la morale. J'avais vu que tout tenait radicalement à la politique, et que, de quelque façon qu'on s'y prît, aucun peuple ne serait jamais que ce que la nature de son gouvernement le ferait être; ainsi cette[a] grande question du meilleur gouvernement possible me paraissait se réduire à celle-ci : Quelle est la nature du gouvernement propre à former un peuple le plus vertueux, le plus éclairé, le plus sage, le meilleur enfin, à prendre ce mot dans son plus grand sens ? J'avais cru voir que cette question tenait de bien près à cette autre-ci, si même elle en était différente : Quel est le gouvernement qui, par sa nature, se tient toujours le plus près de la loi ? De là, qu'est-ce que la loi ? et une chaîne de questions de cette importance. Je voyais que[b] tout cela me menait à de grandes vérités, utiles au bonheur du genre humain, mais surtout à celui de ma patrie, où je n'avais pas trouvé, dans[c] le voyage que je venais d'y faire, les notions des lois et de la liberté assez justes ni assez nettes à mon gré : et j'avais cru cette manière indirecte de les leur donner, la plus propre à ménager l'amour-propre de ses membres, et à me faire pardonner d'avoir pu voir là-dessus un peu plus loin qu'eux[1].

2. Quoiqu'il y eût déjà cinq ou six ans que je travaillais à cet ouvrage, il n'était encore guère avancé. Les livres de cette espèce demandent de la méditation, du loisir, de

1. L'idée, probablement empruntée à Montesquieu, d'établir des « rapports nécessaires » entre la constitution d'un peuple et les mœurs qu'on lui voudrait, est exprimée à plusieurs reprises dans l'œuvre de Rousseau, notamment dans le *Contrat social* (livre IV, chapitre 7) qui constitue comme on sait la seule partie achevée du grand projet des *Institutions politiques*. Divers fragments, de date incertaine, se rattacheraient à ce projet : peut-être entre autres l'article *Économie politique*, dû à Rousseau, dans le tome 5 de l'*Encyclopédie* (nov. 1755). Une lettre de Rousseau à Moultou du 18 janvier 1762 date de 1752 le premier projet des *Institutions politiques* (« entrepris il y a dix ans et abandonné en quittant la plume », *C. C.*, X, 39); mais il n'est pas impossible que la première idée en soit venue à Rousseau à Venise.

Il est intéressant de comparer ce jugement assez critique sur la constitution de Genève avec la dédicace plus qu'élogieuse rédigée une quinzaine d'années plus tôt pour le *Discours sur l'Inégalité,* au lendemain même du voyage où Rousseau en avait justement constaté les défauts !

la tranquillité. De plus je faisais celui-là, comme on dit, en bonne fortune[1] et je n'avais voulu communiquer mon projet à personne, pas même à Diderot. Je craignais qu'il ne parût trop hardi pour le siècle et le pays où j'écrivais et que l'effroi de mes amis* ne me gênât dans l'exécution. J'ignorais encore s'il serait fait à temps et de manière à pouvoir paraître de mon vivant. Je voulais pouvoir, sans contrainte, donner à mon sujet tout ce qu'il me demandait; bien sûr que, n'ayant point l'humeur satirique, et ne[a] voulant jamais chercher d'application, je serais toujours irrépréhensible en toute équité. Je voulais user pleinement, sans doute, du droit de penser, que j'avais par ma naissance, mais toujours en respectant le gouvernement sous lequel j'avais à vivre, sans jamais désobéir à ses lois, et très attentif à ne pas violer le droit des gens, je ne[b] voulais pas non plus renoncer par crainte à ses avantages.

3. J'avoue même qu'étranger et vivant en France je trouvais ma position très favorable pour[c] oser dire la vérité; sachant bien que, continuant, comme je voulais faire, à ne[d] rien imprimer dans l'État sans permission, je n'y devais compte à personne de mes maximes et de leur publication partout ailleurs. J'aurais été bien moins libre à Genève même, où, dans quelque lieu que mes livres fussent imprimés, le magistrat avait droit d'épiloguer sur leur contenu. Cette considération avait beaucoup contribué à me faire[e] céder aux instances de Mme d'Épinay, et renoncer au projet d'aller m'établir à Genève. Je sentais, comme je l'ai dit dans l'*Émile*, qu'à moins d'être homme d'intrigue,

* C'était surtout la sage sévérité de Duclos qui m'inspirait cette crainte : car pour Diderot, je ne sais comment toutes mes conférences avec lui tendaient toujours à me rendre satirique et mordant, plus que mon naturel ne me portait à l'être. Ce fut cela même qui me détourna de le consulter sur une entreprise où je voulais mettre uniquement toute la force du raisonnement, sans aucun vestige d'humeur et de partialité. On peut juger du ton que j'avais pris dans cet ouvrage par celui du *Contrat social* qui en est tiré [2].

1. *En bonne fortune :* en cachette (sens dérivé de celui de l'expression bonne fortune = faveurs d'une femme).

2. Cette note contenant une mention élogieuse de Duclos (voir *Index*) est évidemment antérieure à celle qui figure au livre VII, p. 338.

quand on veut consacrer des livres au[a] vrai bien de la patrie, il ne faut point les composer dans son sein[1].

4. Ce qui me faisait trouver ma position plus heureuse était la persuasion où j'étais que le gouvernement de France, sans peut-être me voir de fort bon œil, se ferait un honneur, sinon de me protéger, au moins de me laisser tranquille. C'était, ce me semblait, un trait de politique très simple et cependant très adroite, de se faire un mérite de tolérer ce qu'on ne pouvait empêcher; puisque si l'on m'eût chassé de France, ce qui était tout ce qu'on avait droit de faire, mes livres n'auraient pas moins été faits, et peut-être avec moins de retenue; au lieu qu'en me laissant en repos on gardait l'auteur pour caution de ses ouvrages, et de plus, on effaçait des préjugés bien enracinés dans le reste de l'Europe, en se donnant la réputation d'avoir un respect éclairé pour le droit des gens.

5. Ceux qui jugeront sur l'événement que ma confiance m'a trompé pourraient bien se tromper eux-mêmes. Dans l'orage qui m'a submergé, mes livres ont servi de prétexte, mais c'était à ma personne qu'on en voulait. On se souciait très peu de l'auteur, mais on voulait perdre Jean-Jacques, et le plus grand mal qu'on[b] ait trouvé dans mes[c] écrits était l'honneur qu'ils pouvaient me faire[2]. N'enjambons point sur l'avenir. J'ignore si ce mystère, qui en est encore

1. Au livre V de l'*Émile,* Rousseau considère que l'exil peut être un devoir pour quiconque « a pris le triste emploi de dire la vérité aux hommes ».

2. L'affectation d'estimer plus en lui l'homme que l'écrivain — qui n'est pas chez Rousseau fausse modestie d'auteur : voir par exemple son jugement sur le style de certaines lettres de *la Nouvelle Héloïse ; infra,* p. 544 — s'affirme dans les dernières années de la vie. L'opposition entre l'homme privé et l'auteur est généralisée dans une comparaison entre Jean-Baptiste Rousseau et lui-même, de date incertaine (citée n. 1 de la p. 175). Elle correspond à un sentiment de dédoublement souvent affirmé dans les premiers livres des *Confessions,* où l'auteur (qui veut n'être que l'homme) insiste sur ses contradictions; elle est accusée dans la conception et le titre des *Dialogues, Rousseau juge de Jean-Jacques.* Elle répond aussi à une intuition profonde, chez l'auteur des *Confessions, Dialogues* et *Rêveries,* de l'influence exercée par sa personnalité, influence au moins égale à celle de ses écrits (pour autant qu'on puisse établir une telle distinction). Voir sur ce point la conclusion du livre d'H. Roddier, et l'introduction du mien, sur *Rousseau en Angleterre.*

un pour moi, s'éclaircira dans la suite [a] aux yeux des lecteurs. Je sais seulement que, si mes principes manifestés avaient dû m'attirer les traitements que j'ai soufferts, j'aurais tardé moins longtemps à en être la victime, puisque celui de tous mes écrits où ces [b] principes sont manifestés avec le plus de hardiesse, pour ne pas dire d'audace, avait paru, avait fait son effet, même avant ma retraite à l'Ermitage, sans que personne eût songé je ne dis pas à me chercher querelle, mais à empêcher seulement la publication de l'ouvrage en France, où il se vendait aussi publiquement qu'en Hollande. Depuis lors *La Nouvelle Héloïse* parut encore avec la même facilité, j'ose dire avec le même applaudissement, et ce qui semble presque incroyable [c], la profession de foi de cette même Héloïse mourante est exactement la même que celle du Vicaire savoyard. Tout ce qu'il y a de hardi dans le *Contrat social* était auparavant dans le *Discours sur l'inégalité* ; tout ce qu'il y a de hardi dans l'*Émile* était auparavant dans la *Julie*. Or, ces choses hardies n'excitèrent aucune rumeur contre les deux premiers ouvrages [d] ; donc ce ne furent pas elles qui l'excitèrent contre les [e] derniers.

6. Une autre entreprise à peu près du même genre, mais dont le projet était plus récent, m'occupait davantage en ce moment : c'était l'extrait des [f] ouvrages de l'Abbé de Saint-Pierre, dont, entraîné par le fil de ma narration, je n'ai pu parler jusqu'ici. L'idée m'en avait été suggérée, depuis mon retour de Genève, par l'abbé de Mably, non pas immédiatement, mais par l'entremise de M[me] Dupin, qui avait une sorte d'intérêt à me la faire adopter. Elle était une des trois ou quatre jolies femmes de Paris dont le vieux Abbé de Saint-Pierre avait été l'enfant gâté, et si elle n'avait pas eu décidément la préférence, elle l'avait partagée au moins avec M[me] d'Aiguillon. Elle conservait pour la mémoire du bon homme un respect et une affection qui faisaient honneur à tous deux, et son amour-propre eût été flatté de voir ressusciter, par son secrétaire, les ouvrages mort-nés de son ami. Ces mêmes ouvrages ne laissaient pas [g] de contenir d'excellentes choses, mais si mal dites, que la lecture en était difficile à soutenir, et il est étonnant que l'Abbé de Saint-Pierre, qui regardait ses lecteurs comme de grands enfants, leur parlât cependant comme à des hommes [h] par le peu de soin qu'il prenait de s'en faire écouter. C'était pour cela qu'on m'avait proposé ce travail, comme utile

en lui-même, et comme très convenable à un homme
laborieux en manœuvre[1], mais paresseux comme auteur
qui[a], trouvant la peine de penser très fatigante, aimait
mieux, en chose de son goût, éclaircir et pousser les idées
d'un autre que d'en créer. D'ailleurs, en ne me bornant pas
à la fonction de traducteur, il ne m'était pas défendu de
penser quelquefois par moi-même, et je pouvais donner
telle forme à mon ouvrage, que bien d'importantes vérités
y passeraient sous le manteau de l'abbé de Saint-Pierre,
encore plus heureusement que sous le mien. L'entreprise,
au reste, n'était pas légère, il ne s'agissait de rien moins
que de lire, de méditer, d'extraire vingt-trois[b] volumes, diffus,
confus, pleins de[c] longueurs, de redites, de petites vues
courtes ou fausses, parmi lesquelles il en fallait pêcher
quelques-unes, grandes, belles, et qui donnaient le courage
de supporter ce pénible travail. Je l'aurais moi-même sou-
vent abandonné, si j'[d]eusse honnêtement pu m'en dédire;
mais en recevant les manuscrits de l'Abbé[e] qui me furent
donnés par son neveu, le comte de Saint-Pierre, à la sollici-
tation de Saint-Lambert, je m'étais en quelque sorte engagé
d'en faire usage, et il fallait ou les rendre, ou tâcher d'en
tirer parti. C'était dans cette dernière intention que j'avais
apporté ces manuscrits à l'Ermitage, et c'était là le premier
ouvrage auquel je comptais donner mes loisirs.

7[f]. J'en méditais un troisième, dont je devais l'idée à des
observations faites sur moi-même, et je me sentais d'autant
plus de courage à l'entreprendre que j'avais lieu d'espérer
faire un livre vraiment utile aux hommes, et même un
des plus utiles qu'on pût leur offrir, si l'exécution répondait
dignement au plan que je m'étais tracé. L'on a remarqué
que la plupart des hommes sont, dans le cours de leur vie,
souvent dissemblables à eux-mêmes, et semblent se trans-
former en des hommes tout différents. Ce n'était pas pour
établir une chose aussi connue que je voulais faire un livre :
j'avais un objet plus neuf et même plus important; c'était
de[g] chercher les causes de ces variations, et de m'attacher
à celles qui dépendent de nous, pour montrer comment
elles pouvaient être dirigées par nous-mêmes, pour nous
rendre meilleurs et plus sûrs de[h] nous. Car il est, sans
contredit, plus[i] pénible à l'honnête homme de résister[j]

1. Voir livre VII, p. 391, n. 1.

des désirs déjà tout formés qu'il doit vaincre, que de prévenir, changer ou modifier ces mêmes désirs dans leur source, s'il était en état d'y remonter. Un homme tenté résiste une fois parce qu'il est fort, et succombe une autre fois parce qu'il est faible; s'il eût été le même qu'auparavant, il n'aurait pas succombé[a].

En sondant en moi-même, et en recherchant dans les autres à quoi tenaient ces diverses manières d'être, je trouvai qu'elles dépendaient en grande partie de l'impression antérieure des objets extérieurs, et que, modifiés continuellement par nos sens et par nos organes, nous portions, sans nous en apercevoir, dans nos idées, dans nos sentiments, dans nos actions même l'effet de ces modifications. Les frappantes et nombreuses observations que j'avais recueillies étaient au-dessus de toute dispute, et par leurs principes physiques, elles me paraissaient propres à[b] fournir un régime extérieur, qui, varié selon les circonstances, pouvait mettre ou maintenir l'âme dans l'état le plus favorable à la vertu. Que d'écarts on sauverait à la raison, que de vices on empêcherait de naître si l'on savait forcer l'économie animale à favoriser l'ordre moral qu'elle trouble si souvent ! Les climats, les saisons, les sons, les couleurs, l'obscurité, la lumière, les éléments, les aliments, le bruit, le silence, le mouvement, le repos, tout agit sur notre machine, et sur notre âme; par conséquent tout nous offre mille prises[c] presque assurées, pour gouverner dans leur origine les sentiments dont nous nous laissons dominer. Telle était l'idée fondamentale dont j'avais déjà jeté l'esquisse sur le papier, et dont j'espérais un effet d'autant plus sûr pour les gens bien nés, qui, aimant sincèrement la vertu, se défient de leur faiblesse, qu'il me paraissait aisé d'en faire un livre agréable à lire, comme il l'était à composer. J'ai cependant bien peu travaillé à cet ouvrage, dont le titre était *la Morale sensitive,* ou *le Matérialisme du sage.* Des distractions, dont on apprendra bientôt la cause, m'empêchèrent de m'en occuper[d], et l'on saura aussi quel fut le sort de mon esquisse, qui tient au mien de plus près qu'il ne semblerait[1].

1. Le projet de *Morale sensitive* est examiné dans ses rapports avec *les Confessions* dans l'*Introduction,* pp. LV sqq. Ici encore Rousseau cherche selon la méthode de Montesquieu à établir l'influence, sur le comportement de l'être moral, d'un premier principe d'ordre physique.

ᵃ Outre tout cela, je méditais depuis quelque temps un système d'éducation, dont Mᵐᵉ de Chenonceaux, que celle de son ᵇ mari faisait trembler pour son fils, m'avait prié de m'occuper. L'autorité de l'amitié faisait que cet objet, quoique moins de mon goût en lui-même, me tenait au cœur plus que tous les autres. Aussi, de tous les sujets dont je viens de parler, celui-là est-il le seul que j'ai conduit à sa fin. Celle que je m'étais proposée, en y travaillant, méritait, ce semble, à l'auteur, une autre destinée. Mais n'anticipons pas ici sur ce triste sujet. Je ne serai que trop forcé d'en parler dans la suite de cet écrit.

ᶜ Tous ces divers projets m'offraient des sujets de méditation pour mes promenades : car, comme je crois l'avoir dit, je ne puis ᵈ méditer qu'en marchant; sitôt que je m'arrête, je ne pense plus, et ma tête ne va qu'avec mes pieds[1]. J'avais cependant eu la précaution de me pourvoir aussi d'un travail de cabinet pour les jours de pluie. C'était mon *Dictionnaire de Musique*, dont les matériaux épars, mutilés, informes, rendaient l'ouvrage nécessaire à reprendre presque à neuf. J'apportais quelques livres dont j'avais besoin pour cela; j'avais passé deux mois à faire l'extrait de beaucoup d'autres, qu'on me prêtait à la Bibliothèque du Roi, et dont on me permit même d'emporter quelques-uns à l'Ermitage. Voilà mes provisions pour compiler au logis, quand le temps ne me permettait pas de sortir, et que je m'ennuyais de ma copie. Cet arrangement me convenait si bien que j'en tirai parti, tant à l'Ermitage qu'à Montmorency, et même ensuite à Môtiers, où j'achevai ce

Mais l'ambition de Rousseau, ici encore, est normative, alors que Montesquieu se borne à constater des « rapports nécessaires ».

Des critiques modernes (E. Gilson, le docteur René Laforgue) ont pu montrer en Rousseau un précurseur de la thérapeutie psychanalytique.

1. Dans ce texte qui date vraisemblablement du début de 1770, on relèvera la formule « des sujets de *méditation* pour mes *promenades* », pour la rapprocher du titre *les Rêveries du Promeneur solitaire*, ouvrage composé à partir de 1776, mais développant des thèmes ébauchés depuis plusieurs années, et faisant fréquemment alterner les termes *méditation* et *rêverie*. Nous sommes ici au point de jonction entre les *Confessions* et *les Rêveries* (voir l'Introduction de M. Raymond aux *Rêveries*, *O. C.*, I, 1959, LXXVI-LXXVIII, et mon article de *l'Information littéraire*, janv.-mars 1962; aussi *supra*, p. 118, n. 1).

travail[a] tout en en faisant d'autres, et trouvant toujours qu'un changement d'ouvrage est un véritable délassement[1].

1.[b] Je suivis assez exactement, pendant quelque temps, la distribution que je m'étais[c] prescrite, et je m'en trouvais très bien ; mais quand la belle saison ramena plus fréquemment M[me] d'Épinay à Épinay[d], ou à la Chevrette, je trouvai que des soins qui d'abord ne me coûtaient pas, mais que j'en avais pas mis en ligne de compte, dérangeaient beaucoup mes autres projets. J'ai déjà dit que M[me] d'Épinay avait des qualités très aimables ; elle aimait bien ses amis, elle les servait avec beaucoup de zèle, et n'épargnant pour eux ni son temps ni ses soins, elle méritait assurément bien qu'en retour ils eussent des attentions pour elle. Jusqu'alors j'avais rempli ce devoir sans songer que c'en était un ; mais enfin je[e] compris que je m'étais chargé d'une chaîne dont l'amitié seule m'empêchait de sentir le poids : j'avais aggravé ce poids par ma répugnance pour les sociétés nombreuses. M[me] d'Épinay s'en prévalut pour me faire une proposition qui paraissait m'arranger[f], et qui l'arrangeait davantage. C'était de me faire avertir toutes les fois qu'elle serait seule, ou à peu près. J'y consentis, sans voir à quoi je m'engageais. Il s'ensuivit de là que je ne lui faisais plus de visite à mon heure, mais à la sienne, et que je n'étais jamais sûr de pouvoir disposer de moi-même un seul jour. Cette gêne altéra beaucoup le plaisir que j'avais pris jusqu'alors à l'aller voir. Je trouvai que[g] cette liberté qu'elle m'avait tant promise ne m'était donnée qu'à condition de ne m'en prévaloir jamais, et pour une fois ou deux que j'en voulus essayer, il y eut tant de messages, tant de billets, tant d'alarmes sur ma santé, que je vis bien qu'il n'y avait que l'excuse d'être à plat de lit qui pût me dispenser de courir à son premier mot[2]. Il fallait me soumettre à ce joug ; je le fis, et même assez volontiers pour un aussi grand ennemi de la dépendance, l'attachement sincère que j'avais pour elle m'empêchant en grande

1. Le *Dictionnaire de Musique*, dont la Préface est datée de Môtiers-Travers, 20 décembre 1764, parut à Paris à la fin de 1767, et connut du vivant de Rousseau plusieurs rééditions.

2. *A plat de lit* (malade au lit), expression genevoise, en usage aussi à Neuchâtel (A. François).

partie de sentir le lien qui s'y joignait. Elle remplissait
ainsi, tant bien que mal, les vides que l'absence de sa cour
ordinaire laissait dans ses amusements. C'était pour elle
un supplément[1] bien mince, mais qui valait encore mieux
qu'une solitude absolue, qu'elle ne pouvait supporter.
Elle avait cependant de quoi la remplir bien plus aisément,
depuis qu'elle avait voulu tâter de la littérature et qu'elle
s'était fourré dans la tête de faire bon gré mal gré des
romans, des lettres, des comédies, des contes, et d'autres
fadaises comme cela[a]. Mais ce qui l'amusait n'était pas
tant de les écrire que de les lire; et s'il lui arrivait de bar-
bouiller de suite deux ou trois pages, il fallait qu'elle fût
sûre au moins de deux ou trois auditeurs bénévoles, au
bout de cet immense travail. Je n'avais guère l'honneur
d'être au nombre des élus qu'à la faveur de quelque autre.
Seul, j'étais presque toujours compté pour rien en toute
chose; et cela non seulement dans la société de Mme d'Épi-
nay, mais dans celle de M. d'Holbach, et partout où
M. Grimm donnait le ton. Cette nullité m'accommodait
fort partout ailleurs que dans le tête-à-tête, où je ne savais
quelle contenance tenir, n'osant parler de littérature, dont
il ne m'appartenait pas de juger, ni de galanterie, étant
trop timide, et craignant plus que la mort le ridicule d'un
vieux galant; outre que cette idée ne me vint jamais près
de Mme d'Épinay, et ne m'y serait peut-être pas venue une
seule fois en ma vie, quand je l'aurais passée entière auprès
d'elle : non que j'eusse pour sa personne aucune répugnance ;
au contraire, je l'aimais peut-être trop comme ami, pour
pouvoir l'aimer comme amant. Je sentais du plaisir à la
voir, à causer avec elle. Sa conversation, quoique assez
agréable en cercle, était aride en particulier; la mienne,
qui[b] n'était pas plus fleurie, n'était pas pour elle d'un
grand secours. Honteux d'un trop long silence, je m'éver-
tuais pour relever l'entretien; et quoiqu'il me fatiguât
souvent, il ne m'ennuyait jamais. J'étais fort aise de lui
rendre de petits soins, de lui donner de petits baisers bien
fraternels qui ne me paraissaient pas plus sensuels pour
elle : c'était là tout. Elle était fort maigre, fort blanche,
de la gorge comme sur ma main. Ce défaut seul eût suffi
pour me glacer : jamais mon cœur ni mes sens n'ont su[c]
voir une femme dans quelqu'un qui n'eût pas des tétons[d],

1. *Supplément*, voir *supra*, p. 119, n. 1.

et d'autres causes inutiles à dire m'ont toujours fait oublier
son sexe auprès d'elle.

2. Ayant ainsi pris mon parti sur un assujettissement
nécessaire, je m'y livrai sans résistance, et le trouvai, du
moins la première année, moins onéreux que je ne m'y
serais attendu. Mme d'Épinay, qui d'ordinaire passait l'é é
presque entier à la campagne, n'y passa qu'une partie de
celui-ci, soit que ses affaires la retinssent davantage à
Paris, soit que l'absence de Grimm lui rendît[a] moins
agréable le séjour de la Chevrette. Je profitai des intervalles
qu'elle n'y passait pas, ou durant lesquels elle y avait beau-
coup de monde, pour jouir de ma solitude avec ma bonne
Thérèse et sa mère, de manière à m'en bien faire sentir le
prix. Quoique depuis quelques années j'allasse assez fré-
quemment à la campagne, c'était presque sans la goûter,
et ces voyages, toujours faits avec des gens à prétentions,
toujours gâtés par la gêne, ne faisaient qu'aiguiser en moi
le goût des plaisirs rustiques, dont je n'entrevoyais de plus
près l'image que pour mieux sentir leur privation. J'étais
si ennuyé de salons, de jets d'eau, de bosquets, de parterres,
et des plus ennuyeux montreurs de tout cela; j'étais si
excédé de brochures, de clavecins, de tris, de nœuds, de
sots bons mots, de fades minauderies, de petits conteurs
et de grands soupers, que quand je lorgnais du coin de
l'œil un simple pauvre buisson d'épines, une haie, une
grange, un pré; quand je humais, en traversant un hameau,
la vapeur d'une bonne omelette au cerfeuil; quand j'enten-
dais de loin le[b] rustique refrain de la chanson des bis-
quières, je donnais au diable et le rouge et les falbalas et
l'ambre, et regrettant le dîner de la ménagère et le vin du
cru, j'aurais de bon cœur paumé la gueule à Monsieur le
Chef et à Monsieur le Maître, qui me faisaient dîner à
l'heure où je soupe, souper à l'heure où je dors; mais sur-
tout à Messieurs les laquais, qui dévoraient des yeux mes
morceaux, et, sous peine de mourir de soif, me[c] vendaient
le vin drogué de leurs maîtres dix fois plus cher que je n'en
aurais payé de meilleur au cabaret[1].

1. *Tri :* « jeu d'hombre qu'on joue à trois, et où l'on ne garde en
carreau que le roi » (Littré). *Nœuds,* voir livre V, p. 232, n. 1. *Bis-
quières :* « nom, en Bourgogne, des gardeuses de chèvres ». Littré,
Supplément, qui donne cette définition, rattache à *bique,* sans pouvoir
expliquer le *s* épenthétique, et commente ce passage par une note fort

ᵃ Me voilà donc enfinᵇ chez moi, dans un asile agréable et solitaire, maître d'y couler mes jours dans cette vie indépendante, égale et paisible, pour laquelle je me sentais né. Avant de dire l'effet que cet état, si nouveau pour moi, fit sur mon cœur, il convient d'en récapituler les affections secrètes, afin qu'on suive mieux dansᶜ ses causes le progrès de ces nouvelles modifications.

1. ᵈ J'ai toujours regardé le jour qui m'unit à ma Thérèse comme celui qui fixa mon être moral. J'avais besoin d'un attachement, puisque enfin celui qui devait me suffire avait été si cruellement rompu. La soif du bonheur ne s'éteint point dans le cœur de l'homme. Maman vieillissait et s'avilissait. Il m'était prouvé qu'elle ne pouvait plus être heureuse ici-bas. Restait à chercher un bonheur qui me fût propre, ayant perdu tout espoir de jamais partager le sien. Je flottai quelque temps d'idée en idée et de projet en projet. Mon voyage de Venise m'eût jeté dans les affaires publiques, si l'homme avec qui j'allais me fourrer avait eu le sens commun. Je suis facile à décourager, surtout dans les entreprises pénibles et de longue haleine. Le mauvais succès de celle-ci me dégoûta de toute autre, et regardant, selon mon ancienne maxime, les objets lointains comme des leurres de dupe[1], je me déterminai à vivre désormais au jour la journée, ne voyant plus rien dans la vie qui me tentât de m'évertuer.

conjecturale de G. Revillioud, de Genève : on allait prendre le lait de chèvre à Montmorency; cf. le nom de la Chevrette (!). A. François donne le terme de *bisquières* comme désignant les dentellières de la région de Montmorency.

Ce passage illustre le goût de Rousseau pour les *romances* populaires. On sait qu'il en a composé plusieurs (*supra*, livre V, p. 205, n. 1).

Falbalas (le singulier *falbala* est peu usité) : volant plissé porté sur la jupe, mode semblant dater de la fin du règne de Louis XIV. Étymologie incertaine (l'anglais *furbelow* est probablement une corruption; du type Route au roi = *Rotten Row*).

Ménagère : servante qui a soin du ménage; dans le parler populaire, la maîtresse de maison (cf. aujourd'hui : *la patronne*).

Vin du cru : « fait sur le lieu même où il est bu » (Littré, qui cite Béranger).

Paumer la gueule : donner un coup de poing au visage. Le verbe en ce sens ne s'emploie guère que dans cette locution familière.

Chef : chef de cuisine. — *Maître* : maître d'hôtel.

1. *Mon ancienne maxime* : allusion à l'emploi déjà fait de l'expression «des leurres de dupe », appliquée à des projets à effet lointain (p. 162).

2. Ce fut précisément alors que se fit notre connaissance. Le doux caractère de cette bonne fille me parut si bien convenir au mien, que je m'unis à elle d'un attachement à l'épreuve du temps et des torts, et que tout ce qui l'aurait dû rompre n'a jamais fait qu'augmenter. On connaîtra la force de cet attachement dans la suite, quand je découvrirai les plaies, les déchirures dont elle a navré mon cœur dans le fort de mes misères, sans que, jusqu'au moment où j'écris ceci, il m'en soit échappé jamais un seul mot de plainte à personne.

3. Quand on saura qu'après avoir tout fait, tout bravé pour ne m'en point séparer, qu'après vingt-cinq ans passés avec elle[a], en dépit du sort et des hommes, j'ai fini sur mes vieux jours par l'épouser sans attente et sans sollicitation de sa part, sans engagement ni promesse de la mienne, on croira qu'un amour forcené, m'ayant dès le premier jour tourné la tête, n'a fait que m'amener par degrés à la dernière extravagance, et on le croira bien plus encore, quand on saura les raisons particulières et fortes qui devaient m'empêcher d'en jamais venir là[1]. Que pensera donc le

1. Pressé sans doute par le temps (ces livres furent écrits et transcrits très rapidement, fin 1769-début 1770), Rousseau ne donnera pas dans la suite des *Confessions* les éclaircissements qu'il annonce ici. Quels sont ses griefs contre Thérèse ? A la suite du « mariage » conclu à Bourgoin devant deux témoins, le 30 août 1768, cérémonie sans valeur légale à l'époque bien entendu, mais véritable mariage civil avant la lettre, une crise sérieuse se déclare dans les rapports entre Rousseau et Thérèse, et une séparation est même envisagée, comme le montre la correspondance. Rousseau, au moment où il écrit ces lignes, est encore sous le coup de ce pénible différend, dû en partie au refus de Rousseau, malade, de remplir ses devoirs « conjugaux » à l'égard de celle qui est maintenant son « épouse » (voir *infra*, p. 702, n. 1, et Ch. Guyot, *Plaidoyer pour Thérèse Levasseur*, pp. 121 sqq., où ce passage des *Confessions* est commenté à partir de la correspondance). On peut penser — malgré les « tranquilles sens » attribués un peu plus loin à Thérèse — que parmi ses griefs Rousseau n'ignorait pas l'infidélité commise par Thérèse avec Boswell trois ou quatre ans plus tôt, lors du voyage en Angleterre (voir la présentation par A. Schinz des *Private Papers of James Boswell*, dans la *Revue de Paris* de juin 1933, et dans mon *Rousseau en Angleterre*, p. 65 et n. 29, la bibliographie essentielle sur les rapports entre Rousseau et Boswell). Il n'est pas étonnant que Rousseau puisse reprocher à Thérèse, dans une lettre du 12 août 1769, de ne plus éprouver pour lui ses anciens sentiments « de tendresse et d'attachement » (*D. P.*, XIX, 137). Lorsqu'il « épousa » Thérèse en 1768, Rousseau ne la « connaissait

lecteur quand je lui[a] dirai, dans toute la vérité qu'il doit
maintenant me connaître, que du premier moment que je
la vis jusqu'à ce jour, je n'ai jamais senti la moindre étincelle
d'amour pour elle, que je n'ai pas plus désiré de la posséder
que M[me] de Warens, et que les besoins des sens, que j'ai
satisfaits auprès d'elle, ont uniquement été pour moi ceux
du sexe, sans avoir rien de propre à l'individu ? Il croira
qu'autrement constitué qu'un autre homme, je fus inca-
pable de[b] sentir l'amour, puisqu'il n'entrait point dans les
sentiments qui m'attachaient aux femmes qui m'ont été les
plus chères. Patience, ô mon lecteur ! le moment funeste
approche où vous ne serez que trop bien désabusé.

4. Je me répète, on le sait; il le faut. Le premier de
mes besoins, le plus grand, le plus fort, le plus inextin-
guible, était tout entier dans mon cœur; c'était le besoin
d'une société intime, et aussi intime qu'elle pouvait l'être;
c'était surtout pour cela qu'il me fallait une femme plutôt
qu'un homme, une amie plutôt qu'un ami. Ce besoin sin-
gulier était tel, que la plus étroite union des corps ne pou-
vait encore y suffire : il m'aurait fallu[d] deux âmes dans le
même corps; sans[e] cela je sentais toujours du vide. Je me
crus au moment de n'en plus sentir. Cette jeune personne
aimable par mille excellentes qualités, et même alors par
la figure, sans ombre d'art ni de coquetterie, eût borné
dans elle seule mon existence, si j'avais pu borner la sienne
en moi, comme je l'avais espéré. Je n'avais rien à craindre
de la part des hommes; je suis sûr d'être le seul qu'elle ait
véritablement aimé, et ses tranquilles sens ne lui en ont
guère demandé d'autres, même quand j'ai cessé d'en être
un pour elle à cet égard. Je n'avais point de famille; elle
en avait une, et cette famille, dont tous les naturels diffé-
raient trop du sien, ne se trouva pas telle que j'en pusse
faire la mienne. Là fut la première cause de mon malheur.
Que n'aurais-je point donné pour me faire l'enfant de sa
mère ! Je fis tout pour y parvenir, et n'en pus venir à bout.
J'eus beau vouloir unir tous nos intérêts, cela me fut
impossible. Elle s'en fit toujours un différent du mien[g],

pas depuis « vingt-cinq ans », mais vingt-trois au plus (1745 : voir *Index*),
les vingt-cinq ans pourraient s'entendre à la rigueur du moment où il
écrit, moins de deux ans après le « mariage ». L'expression « sans enga-
gement ni promesse » concorde avec ce qui est rapporté au livre VII
(p. 389) : « Je lui déclarai d'avance que je ne l'abandonnerais ni ne
l'épouserais jamais. »

contraire au mien, et même à celui de sa fille, qui déjà n'en
était plus séparé. Elle et ses autres enfants et petits-enfants
devinrent autant de sangsues, dont le moindre mal qu'ils
fissent à Thérèse était de la voler. La pauvre fille, accou-
tumée à fléchir, même sous ses nièces, se laissait dévaliser
et gouverner sans mot dire; et je voyais avec douleur
qu'épuisant ma bourse et mes leçons, je ne faisais rien pour
elle dont elle pût profiter. J'essayai de la détacher de sa
mère; elle y résista toujours. Je respectai sa résistance, et
l'en estimais davantage; mais son refus n'en tourna pas
moins[a] à son préjudice et au mien. Livrée à sa mère et
aux siens, elle fut à eux plus qu'à moi, plus qu'à elle-même.
Leur avidité lui fut moins ruineuse que leurs conseils ne
lui furent pernicieux. Enfin si, grâce à son amour pour moi,
si, grâce à son bon naturel, elle ne fut pas tout à fait sub-
juguée, c'en fut assez du moins pour empêcher, en grande
partie, l'effet des bonnes maximes que je m'efforçais de
lui inspirer; c'en fut assez pour que, de quelque façon que
je m'y sois pu prendre, nous ayons toujours continué
d'être deux.

5. Voilà comment, dans un attachement sincère et réci-
proque, où j'avais mis toute la tendresse de mon cœur, le
vide de ce cœur ne fut pourtant jamais bien rempli. Les
enfants, par lesquels il l'eût été, vinrent; ce fut encore pis.
Je frémis de les livrer à cette famille mal élevée, pour en
être élevés encore plus mal. Les risques de l'éducation des
Enfants-Trouvés[b] étaient beaucoup moindres. Cette raison
du parti que je pris, plus forte que toutes celles que j'énon-
çai dans ma lettre à M^me de Francueil, fut pourtant la
seule que je n'osai lui dire[1]. J'aimai mieux[c] être moins
disculpé d'un blâme aussi grave, et ménager la famille
d'une personne que j'aimais. Mais on peut juger, par les
mœurs de son malheureux frère, si jamais, quoi qu'on en
pût dire, je devais exposer mes enfants à recevoir une éduca-
tion semblable à la sienne.

6. Ne pouvant goûter dans sa plénitude cette intime
société dont je sentais le besoin, j'y cherchais des supplé-
ments qui n'en remplissaient pas le vide, mais qui me le
laissaient moins sentir. Faute d'un ami qui fût à moi tout
entier, il me fallait des amis[d] dont l'impulsion surmontât
mon inertie : c'est ainsi que je cultivai, que je resserrai mes

1. Voir la p. 425, n. 1, et *Index,* Francueil (M^me de).

liaisons avec Diderot, avec l'abbé de Condillac, que j'en fis avec Grimm une nouvelle, plus étroite encore, et qu'enfin je me trouvai, par ce malheureux Discours dont j'ai[a] raconté l'histoire, rejeté[b], sans y songer, dans la littérature, dont je me croyais sorti pour toujours.

7. Mon début me mena par une route nouvelle[c] dans un autre monde intellectuel, dont je ne pus, sans enthousiasme, envisager la simple et fière économie. Bientôt, à force de m'en occuper, je ne vis plus qu'erreur et folie dans la doctrine de nos sages, qu'oppression et misère dans notre ordre social. Dans l'illusion de mon sot orgueil, je me crus fait pour dissiper tous ces prestiges ; et jugeant que, pour me faire écouter, il fallait mettre ma conduite d'accord avec mes principes, je pris l'allure singulière qu'on ne m'a pas permis de suivre, dont mes prétendus amis ne m'ont pu pardonner l'exemple, qui d'abord me rendit ridicule, et qui m'eût enfin rendu respectable, s'il m'eût été possible d'y persévérer.

[d] Jusque-là j'avais été bon : dès lors je devins vertueux, ou du moins enivré de la vertu. Cette ivresse avait commencé dans ma tête, mais elle avait passé dans mon cœur. Le plus noble orgueil y germa sur les débris de la vanité déracinée. Je ne jouai rien : je devins en effet tel que je parus, et[e] pendant quatre ans au moins que dura cette effervescence dans toute sa force, rien de grand et de beau ne peut entrer dans un cœur d'homme dont je ne fusse capable entre le ciel et moi. Voilà d'où naquit ma subite éloquence ; voilà d'où se répandit dans mes premiers livres ce feu vraiment céleste qui m'[f]embrasait, et dont pendant quarante ans il ne s'était pas échappé la moindre étincelle, parce qu'il n'était pas encore allumé.

9. J'étais vraiment transformé ; mes amis, mes connaissances ne me reconnaissaient plus. Je n'étais plus cet homme timide, et plutôt honteux que modeste, qui n'osait ni se présenter ni parler ; qu'un mot badin déconcertait, qu'un regard de femme faisait rougir. Audacieux, fier, intrépide, je portais partout une assurance d'autant plus[g] ferme, qu'elle était simple et résidait dans mon âme plus que dans mon maintien. Le mépris que mes profondes méditations m'avaient inspiré pour les mœurs[h], les maximes et les préjugés de mon siècle, me rendaient insensible aux railleries de ceux qui les avaient, et j'écrasais leurs petits bons mots avec mes[i] sentences, comme j'écraserais un

insecte entre mes doigts. Quel changement[a] ! Tout Paris
répétait les âcres et mordants sarcasmes de ce même
homme qui, deux ans auparavant et dix ans après, n'a
jamais su trouver la chose qu'il avait à dire, ni le mot qu'il
devait employer. Qu'on cherche l'état du monde le plus
contraire à mon naturel, on trouvera celui-là. Qu'on se
rappelle un de ces courts moments de ma vie, où je deve-
nais un autre et cessais d'être moi; on le trouve encore dans
le temps dont je parle : mais au lieu de durer six jours, six
semaines, il dura près de six ans, et durerait peut-être
encore, sans les circonstances particulières qui le firent
cesser, et me rendirent à la nature, au-dessus de laquelle
j'avais voulu m'élever[1].

10. Ce changement commença sitôt que j'eus quitté
Paris, et que le spectacle des vices de cette grande ville
cessa de nourrir l'indignation qu'il m'avait inspirée. Quand
je ne vis plus les hommes, je cessai de les mépriser; quand
je ne vis plus les méchants, je cessai de les haïr. Mon cœur,
peu fait pour la haine, ne fit plus que déplorer leur misère
et n'en distinguait pas leur méchanceté. Cet état plus doux,
mais bien moins sublime, amortit bientôt l'ardent enthou-
siasme qui m'avait transporté si longtemps; et sans qu'on
s'en aperçût, sans[b] presque m'en apercevoir moi-même,
je redevins[c] craintif, complaisant, timide, en un mot le
même Jean-Jacques que j'avais été auparavant.

11. Si la révolution n'eût fait que me rendre à moi-même,
et s'arrêter là, tout était bien; mais malheureusement elle
alla plus loin, et m'emporta rapidement à l'autre extrême.

1. L'histoire de la « réforme », déjà esquissée au livre VIII (encore
une demi-redite témoignant de la hâte), sera reprise et développée
dans la 3e Promenade des *Rêveries.* Mais alors que dans *les Rêveries*
Rousseau insiste sur ses conséquences morales permanentes, il met ici
l'accent moins sur la *réforme* que sur la *révolution,* sur les manifestations
intellectuelles d'un état transitoire qui « dura près de six ans ». Cette
interprétation ne fait que reprendre la confidence glissée dans les
dernières lignes de la préface de la *Lettre à d'Alembert* (1758) :
« Un instant de fermentation passagère produisit en moi quelque
lueur de talent; il s'est montré tard, il s'est éteint de bonne heure.
En reprenant mon état naturel, je suis rentré dans le néant. » (Édition
Fuchs, Droz-Giard, Genève et Lille, 1948, pp. 9-10.)
Il convient naturellement de faire la part, dans ce texte, d'une
certaine rhétorique obligée d'auteur, qui fausse les proportions; mais
l'idée est la même.

Dès lors mon âme en branle n'a plus fait que passer par la
ligne de repos, et ses oscillations toujours renouvelées ne
lui ont jamais permis d'y rester. Entrons dans le détail de
cette seconde révolution : époque terrible et fatale d'un
sort qui n'a point d'exemple chez les mortels.

1. [a] N'étant que trois dans notre retraite, le loisir et la
solitude devaient naturellement resserrer notre intimité.
C'est aussi ce qu'ils firent entre Thérèse et moi. Nous pas-
sions tête-à-tête, sous les ombrages, des heures charmantes,
dont je n'avais jamais si bien senti la douceur. Elle me
parut la goûter elle-même encore plus qu'elle n'avait fait
jusqu'alors. Elle m'ouvrit son cœur sans réserve, et m'apprit
de sa mère et de sa famille des choses qu'elle avait eu la
force de me taire pendant longtemps. L'une et l'autre
avaient reçu de M[me] Dupin des multitudes de présents faits
à mon intention, mais que la vieille madrée[b], pour ne pas
me fâcher, s'était appropriés pour elle et pour ses autres
enfants, sans en rien laisser à Thérèse, et avec très sévères
défenses de m'en parler, ordre que la pauvre fille avait
suivi[c] avec une obéissance incroyable.

2. Mais une chose qui me surprit beaucoup davantage
fut d'apprendre qu'outre les entretiens particuliers que
Diderot et Grimm avaient eus souvent avec l'une et l'autre
pour les détacher de moi, et qui n'avaient pas réussi, par
la résistance de Thérèse, tous deux avaient eu depuis lors
de fréquents et secrets colloques avec sa mère, sans qu'elle
eût pu rien savoir de ce qui se[d] brassait entre eux. Elle
savait seulement[e] que les petits présents s'en étaient mêlés,
et qu'il y avait de petites allées et venues dont on tâchait de
lui faire un mystère, et dont elle ignorait absolument le
motif. Quand nous partîmes de Paris, il y avait déjà long-
temps que M[me] Le Vasseur était dans l'usage d'aller voir
M. Grimm deux ou trois fois par mois, et d'y passer
quelques heures à des conversations si secrètes, que le
laquais[f] de Grimm était toujours renvoyé.

3. Je jugeai que ce motif n'était autre que le même projet
dans lequel on avait[g] tâché de faire entrer la fille, en pro-
mettant de leur procurer, par M[me] d'Épinay, un regrat de
sel, un bureau à tabac[1][h], et les tentant, en un mot, par

1. *Regrat* : voir *supra*, p. 451, n. 1. *Bureau à tabac* : « établis-
sement détaché où s'exécute quelque service d'une administration »
(Littré); ici, de la ferme des tabacs.

l'appât du gain. On leur avait représenté qu'étant hors d'état de[a] rien faire pour elles, je ne pouvais pas même, à cause d'elles, parvenir à rien faire pour moi. Comme je ne voyais à tout cela que de la bonne intention, je ne leur en savais pas absolument mauvais gré. Il n'y avait que le mystère qui me révoltât, surtout de la part de la vieille, qui, de plus, devenait[b] de jour en jour plus flagorneuse et plus pateline avec moi : ce qui ne l'empêchait pas de reprocher sans cesse en secret à sa fille qu'elle m'aimait trop, qu'elle me disait tout, qu'elle n'était qu'une bête, et qu'elle en serait la dupe.

4. Cette femme possédait au suprême degré l'art de tirer d'un sac dix moutures, de cacher à l'un ce qu'elle recevait de l'autre, et à moi ce qu'elle recevait de tous[1c]. J'aurais pu lui pardonner son avidité, mais je ne pouvais lui pardonner sa dissimulation. Que pouvait-elle avoir à me cacher, à moi qu'elle savait si bien qui faisais mon bonheur presque unique de celui de sa fille et du sien ? Ce que j'avais fait pour sa fille, je l'avais fait pour moi; mais ce que j'avais fait pour elle méritait de sa part quelque[d] reconnaissance; elle en aurait dû savoir gré, du moins à sa fille, et m'aimer pour l'amour d'elle, qui m'aimait. Je l'avais tirée de la plus complète misère; elle tenait de moi sa subsistance, elle me devait toutes ces connaissances dont elle tirait si bon parti. Thérèse l'avait longtemps nourrie de son travail, et la nourrissait maintenant de mon pain. Elle tenait tout de cette fille, pour laquelle elle n'avait rien fait; et ses autres enfants qu'elle avait dotés, pour lesquels elle s'était ruinée, loin de lui aider à subsister[e], dévoraient encore sa subsistance et la mienne. Je trouvais que dans une pareille situation elle devait me regarder comme son unique ami, son plus sûr protecteur, et, loin[f] de me faire un secret de mes propres affaires, loin de comploter contre moi dans ma propre maison, m'avertir fidèlement de tout ce qui pouvait m'intéresser, quand elle l'apprenait plus tôt que moi. De quel œil pouvais-je donc voir sa conduite[g] fausse et mystérieuse ? Que devais-je penser surtout des

1. *Tirer d'un sac dix moutures* : l'expression usuelle (qui se limite à *deux* moutures) signifie selon Littré « prendre double profit dans une même affaire ».

sentiments qu'elle s'efforçait de donner à sa fille[a] ? Quelle monstrueuse ingratitude devait être la sienne quand elle cherchait à lui en inspirer !

5. Toutes ces réflexions aliénèrent enfin mon cœur de cette femme, au point de ne pouvoir plus la voir sans dédain. Cependant je ne cessai jamais de traiter avec respect la mère de[b] ma compagne, et de lui marquer en toutes choses presque les égards et la considération d'un fils; mais il est vrai que je n'aimais[c] guère à rester longtemps avec elle, et il n'est guère en moi de savoir me gêner.

6. C'est encore ici un de ces courts moments de ma vie où j'ai vu le bonheur de bien près, sans pouvoir l'atteindre, et sans qu'il y eût de ma faute à l'avoir manqué. Si cette femme[d] se fût trouvée d'un bon caractère, nous étions heureux tous les trois jusqu'à la fin de nos jours; le dernier vivant seul fût resté à plaindre. Au lieu de cela, vous allez voir la marche des choses, et vous jugerez si j'ai pu la[e] changer.

7. M^me Le Vasseur, qui vit que j'avais gagné du terrain sur le cœur de sa fille, et qu'elle en avait perdu, s'efforça de le reprendre, et au lieu de revenir à moi par elle, tenta de me l'aliéner tout à fait. Un des moyens qu'elle employa fut d'appeler sa famille à son aide. J'avais prié Thérèse de n'en faire venir personne à l'Ermitage; elle me le promit. On les fit venir en mon absence, sans la consulter[f]; et puis on lui fit promettre de ne m'en rien dire. Le premier pas fait, tout le reste fut facile; quand une fois on fait à quelqu'un qu'on aime[g] un secret de quelque chose, on ne se fait bientôt plus guère de scrupule de lui en faire sur tout. Sitôt que j'étais à la Chevrette, l'Ermitage était plein de monde qui s'y réjouissait assez bien. Une mère est toujours bien forte sur une fille d'un bon naturel; cependant, de quelque façon que[h] s'y prît la vieille, elle ne put jamais faire entrer Thérèse dans ses vues, et l'engager à se liguer contre moi. Pour elle, elle se[i] décida sans retour : et voyant d'un côté sa fille et moi, chez qui l'on pouvait vivre, et puis c'était tout; de l'autre, Diderot, Grimm, d'Holbach, M^me d'Épinay, qui promettaient beaucoup et donnaient quelque chose, elle n'estima pas qu'on pût avoir jamais tort dans le parti d'une fermière générale et d'un baron. Si j'eusse eu de meilleurs yeux, j'aurais vu dès lors que je nourrissais un serpent dans mon sein; mais mon aveugle confiance, que rien encore n'avait altérée, était telle, que

je n'imaginais pas même qu'on pût vouloir nuire à quelqu'un qu'on devait aimer; en voyant ourdir autour de moi mille trames, je ne savais me plaindre que de la tyrannie de ceux que j'appelais mes amis et qui voulaient, selon moi, me forcer d'être heureux à leur mode, plutôt qu'à la mienne.

8. Quoique Thérèse refusât d'entrer dans la ligue[1] avec sa mère, elle lui garda derechef le secret : son motif était louable; je ne dirai pas si elle fit bien ou mal. Deux femmes qui ont des secrets aiment à babiller ensemble : cela les rapprochait, et Thérèse, en se partageant, me laissait sentir quelquefois que j'étais seul, car je ne pouvais plus compter pour société celle que nous avions tous trois ensemble. Ce fut alors que je sentis vivement le tort que j'avais eu, durant nos premières liaisons, de ne pas profiter de la docilité que lui donnait son amour, pour l'orner de talents et de connaissances qui, nous tenant plus rapprochés dans notre retraite, auraient agréablement rempli son temps et le mien, sans jamais nous laisser sentir la longueur du tête-à-tête. Ce n'était pas que l'entretien tarît entre nous, et qu'elle parût s'ennuyer dans nos promenades; mais enfin nous n'avions pas assez d'idées communes pour nous faire un grand magasin : nous ne pouvions plus parler sans cesse de nos projets, bornés désormais à celui de jouir. Les objets qui se présentaient m'inspiraient des réflexions qui n'étaient pas à sa portée. Un attachement de[a] douze ans n'avait plus besoin de paroles; nous nous connaissions trop pour avoir plus rien à nous apprendre. Restait la ressource des caillettes[2], médire, et dire des quolibets. C'est surtout dans la solitude qu'on sent l'avantage de vivre avec quelqu'un qui sait penser. Je n'avais pas besoin de cette ressource pour me plaire avec elle; mais elle en aurait eu besoin pour se plaire toujours avec moi. Le pis était qu'il fallait avec cela prendre nos tête-à-tête en bonne fortune[3] : sa mère, qui m'était devenue importune, me forçait à les épier. J'étais gêné chez moi, c'est tout dire;

1. Obsession du « complot » : les répétitions du mot *ligue* se multiplient. Un peu plus haut Rousseau a écrit : « l'engager à se liguer contre moi ». Voir, aussitôt après, la variante *i* du manuscrit de Paris.

2. *Caillettes* : voir p. 55, n. 1.

3. *En bonne fortune* : voir *supra*, p. 481, n. 1.

l'air de[a] l'amour gâtait la bonne amitié. Nous avions un commerce intime, sans vivre dans l'intimité.

9. Dès que je crus voir que Thérèse cherchait quelquefois des prétextes pour éluder les promenades que je lui proposais, je cessai de lui en proposer, sans lui savoir mauvais gré de ne pas s'y plaire autant que moi. Le plaisir n'est point une chose qui dépende de la volonté. J'étais sûr de son cœur, ce m'était assez[b]. Tant que mes plaisirs étaient les siens, je les goûtais avec elle : quand cela n'était pas, je préférais son contentement au mien.

10. Voilà comment, à demi trompé dans mon attente, menant une vie de mon goût, dans un séjour de mon choix, avec une personne qui m'était chère, je parvins pourtant à me sentir presque isolé. Ce qui me manquait m'empêchait de goûter ce que j'avais. En fait de bonheur et de jouissance, il me fallait tout ou rien. On verra pourquoi ce détail m'a paru nécessaire. Je reprends à présent le fil de mon récit.

1[c]. Je croyais avoir des trésors dans les[d] manuscrits que m'avait donnés[e] le comte de Saint-Pierre. En les examinant, je vis que ce n'était presque que le recueil des ouvrages imprimés de son oncle, annotés et corrigés de sa main, avec[f] quelques autres petites pièces qui n'avaient pas vu le jour. Je me confirmai, par ses écrits de morale, dans l'idée que m'avaient donnée quelques lettres de lui, que M[me] de Créqui m'avait montrées, qu'il avait beaucoup plus d'esprit que je n'avais cru : mais l'examen approfondi de ses ouvrages de politique ne me montra que des vues superficielles, des projets utiles, mais impraticables[g] par l'idée dont l'auteur n'a jamais pu sortir, que les hommes se conduisaient par leurs lumières plutôt que par leurs passions. La haute opinion qu'il avait[h] des connaissances modernes lui avait fait adopter ce faux principe de la raison perfectionnée, base de tous les établissements qu'il proposait, et source de tous ses sophismes politiques. Cet homme rare, l'honneur de son siècle et de son espèce, et le seul[i] peut-être, depuis l'existence du genre humain, qui n'eût d'autre passion que celle de la raison, ne fit cependant que marcher d'erreur en erreur dans tous ses systèmes, pour avoir voulu rendre les hommes semblables à lui, au lieu de les prendre tels qu'ils sont, et qu'ils continueront d'être. Il n'a travaillé que pour des êtres imaginaires, en pensant travailler pour ses contemporains.

2. Tout cela vu, je me trouvai dans quelque embarras sur la forme à donner à mon ouvrage. Passer à l'auteur ses visions, c'était ne rien faire d'utile; les réfuter à la rigueur était faire une chose malhonnête, puisque le dépôt de ses manuscrits, que j'avais accepté, et même demandé, m'imposait[a] l'obligation d'en traiter honorablement l'auteur. Je pris enfin le parti qui me parut le plus[b] décent, le plus judicieux et le plus utile. Ce fut de donner séparément les idées de l'auteur et les miennes, et, pour cela, d'entrer dans ses vues, de les éclaircir, de les étendre, et de ne rien épargner pour leur faire valoir tout leur prix.

3. Mon ouvrage devait donc être composé de deux parties absolument séparées : l'une, destinée à exposer de la façon que je viens de dire les divers projets de l'auteur; dans l'autre, qui ne devait paraître qu'après que la première aurait fait son effet, j'aurais porté mon jugement sur ces mêmes projets : ce qui, je l'avoue, eût pu les exposer quelquefois au sort du sonnet du *Misanthrope*. A la tête de tout l'ouvrage devait être une vie de l'auteur, pour laquelle j'avais ramassé d'assez bons matériaux, que je me flattais de ne pas gâter en les employant. J'avais un peu vu l'abbé de Saint-Pierre dans sa vieillesse, et la vénération que j'avais pour sa mémoire m'était garant qu'à tout prendre M. le Comte ne serait pas mécontent de la manière dont j'aurais traité son parent[c].

Je fis mon essai sur la *Paix perpétuelle*, le plus considérable et le plus travaillé de tous les ouvrages qui composaient ce recueil, et avant de me livrer à mes réflexions, j'eus le courage de lire absolument tout ce que l'abbé avait écrit sur ce beau sujet, sans jamais me rebuter par ses longueurs et par ses redites. Le public a vu cet extrait, ainsi je n'ai rien à en dire. Quant au jugement que j'en ai porté, il n'a point été imprimé, et j'ignore s'il le sera jamais; mais il fut fait en même temps que l'extrait. Je passai de là à la *Polysynodie*, ou pluralité des conseils, ouvrage fait sous le Régent, pour favoriser l'administration qu'il avait choisie, et qui fit chasser de l'Académie française l'abbé de Saint-Pierre, pour quelques traits contre l'administration précédente, dont la duchesse du Maine et le cardinal de Polignac furent fâchés. J'achevai ce travail comme le précédent, tant le jugement que l'extrait : mais je m'en tins là, sans vouloir

19. CARTE
Feuille n° 1, partie

continuer cette entreprise, que je n'aurais pas dû commencer[1].

[a] La réflexion qui m'y fit renoncer se présente d'elle-même, et il était étonnant qu'elle ne me fût pas venue plus tôt. La plupart des écrits de l'abbé de Saint-Pierre étaient ou contenaient des observations critiques sur quelques parties du gouvernement de France, et il y en avait même de si libres, qu'il était heureux pour lui de les avoir faites impunément. Mais dans les bureaux des ministres, on avait de tout temps regardé l'abbé de Saint-Pierre comme une espèce de prédicateur[b], plutôt que comme un vrai politique, et on le laissait dire tout à son aise, parce qu'on voyait bien que personne ne l'écoutait. Si j'étais parvenu à le faire écouter, le cas eût été[c] différent. Il était français, je ne l'étais pas; et en m'avisant de répéter ses censures, quoique sous son nom, je m'exposais à me faire demander un peu rudement, mais sans injustice, de quoi je me mêlais. Heureusement, avant d'aller plus[d] loin, je vis la prise que j'allais donner sur moi, et me retirai bien vite. Je savais que, vivant seul au milieu des hommes, et d'hommes tous plus puissants que moi, je ne pouvais jamais, de quelque façon que je m'y prisse, me mettre à l'abri du mal qu'ils voudraient me faire. Il n'y avait qu'une chose en cela qui dépendît de moi, c'était de faire en sorte au moins que, quand ils m'en voudraient faire, ils ne le pussent qu'injustement. Cette maxime, qui me fit abandonner l'abbé de Saint-Pierre, m'a fait souvent renoncer à des projets beaucoup plus chéris. Ces gens, toujours prompts à faire un crime de l'adversité[e], seraient bien surpris s'ils savaient tous les soins que j'ai pris en ma vie pour qu'on ne pût jamais me dire avec[f] vérité dans mes malheurs : *tu les as bien mérités.*

[g] Cet ouvrage abandonné me laissa quelque temps incertain sur celui que j'y ferais succéder, et cet intervalle de désœuvrement fut ma perte, en me laissant tourner mes réflexions sur moi-même, faute d'objet étranger qui m'occu-

1. Sur la publication, en 1761, dans le *Monde* de Bastide, de l'*Extrait du projet de paix perpétuelle,* voir pp. 647-648 et n. 1 de la p. 648.
Ni le *Jugement,* ni l'extrait de la *Polysynodie,* ni le *Jugement* de ce dernier ouvrage, ne parurent du vivant de Rousseau. La *Vie* inachevée de l'abbé de Saint-Pierre par Rousseau a été publiée par Dufour, *Annales,* II, 244-257.

pât. Je n'avais plus de projet pour l'avenir qui pût amuser mon imagination; il ne m'était pas même possible d'en faire, puisque la situation où j'étais était précisément celle où s'étaient réunis tous mes désirs : je n'en avais plus à former, et j'avais encore le cœur vide. Cet état était d'autant plus cruel, que je n'en voyais point à lui préférer. J'avais rassemblé mes plus tendres affections dans une personne selon mon cœur, qui me les rendait. Je vivais avec elle sans gêne, et pour ainsi dire à discrétion. Cependant un secret serrement de cœur ne me quittait ni près ni loin d'elle. En la possédant, je sentais qu'elle me manquait encore, et la seule idée que je n'étais pas tout pour elle faisait qu'elle n'était presque rien pour moi.

J'avais des amis des deux sexes, auxquels j'étais attaché par la plus pure amitié, par la plus parfaite estime; je comptais sur le plus vrai retour de leur part, et il ne m'était pas même venu dans l'esprit de douter une seule fois de leur sincérité. Cependant cette amitié m'était plus tourmentante que douce, par leur obstination, par leur affectation même à contrarier tous mes goûts, mes penchants, ma manière de vivre; tellement qu'il me suffisait de paraître désirer une chose qui n'intéressait que moi seul, et qui ne dépendait pas d'eux, pour les voir tous se liguer à l'instant même pour me contraindre d'y renoncer. Cette obstination de me contrôler en tout dans mes fantaisies, d'autant plus injuste que, loin de contrôler les leurs, je ne m'en informais pas même, me devint si cruellement onéreuse qu'enfin je ne recevais pas une de leurs lettres sans sentir, en l'ouvrant, un certain effroi qui n'était que trop justifié par sa lecture. Je trouvais que, pour des gens tous plus jeunes que moi, et qui tous auraient eu grand besoin pour eux-mêmes des leçons qu'ils me prodiguaient, c'était aussi trop me traiter en enfant. Aimez-moi, leur disais-je, comme je vous aime; et du reste, ne vous mêlez pas plus de mes affaires que je ne me mêle des vôtres : voilà tout ce que je vous demande. Si de ces deux choses ils m'en ont accordé une, ce n'a pas été du moins la dernière.

J'avais une demeure isolée, dans une solitude charmante; maître chez moi, j'y pouvais vivre à ma mode, sans que personne eût à m'y contrôler. Mais cette habitation m'imposait des devoirs doux à remplir, mais indispensables. Toute ma liberté n'était que précaire; plus asservi que par des ordres, je devais l'être par ma volonté. Je n'avais pas un

seul jour dont en me levant, je pusse dire : J'emploierai ce jour comme il me plaira. Bien plus, outre ma dépendance des arrangements de M^me d'Épinay, j'en avais une autre bien plus importune du public et des survenants. La distance où j'étais de Paris n'empêchait pas qu'il ne me vînt journellement des tas de désœuvrés qui, ne sachant que faire de leur temps, prodiguaient le mien sans aucun scrupule. Quand j'y pensais le moins, j'étais impitoyablement assailli, et rarement j'ai fait un joli projet^a pour ma journée, sans le voir renverser par quelque arrivant.

Bref ; au milieu des biens que j'avais le plus convoités, ne trouvant point de pure jouissance, je revenais par élans^b aux jours sereins de ma jeunesse, et je m'écriais quelquefois en soupirant : Ah ! ce ne sont pas encore ici les Charmettes !

Les souvenirs des divers temps de ma vie m'amenèrent à réfléchir sur le point où j'étais parvenu, et je me vis déjà sur le déclin de l'âge, en proie à des maux douloureux, et croyant approcher du terme de ma carrière, sans avoir goûté dans sa plénitude presque aucun des plaisirs dont mon cœur était avide, sans avoir donné l'essor aux vifs sentiments que j'y sentais en réserve, sans avoir savouré, sans avoir effleuré du moins cette enivrante volupté que je sentais dans mon âme en puissance, et qui, faute d'objet, s'y trouvait toujours comprimée, sans pouvoir s'exhaler^c autrement que par mes soupirs.

Comment se pouvait-il qu'avec une âme naturellement expansive, pour qui vivre, c'était aimer, je n'eusse pas trouvé jusqu'alors un ami tout à moi, un véritable ami, moi qui me sentais si bien fait pour l'être ? Comment se pouvait-il qu'avec des sens si combustibles^d, avec un cœur tout pétri d'amour, je n'eusse pas du moins une^e fois brûlé de sa flamme pour un objet déterminé ? Dévoré du besoin d'aimer, sans jamais l'avoir pu bien satisfaire, je me voyais atteindre aux portes de la vieillesse, et mourir sans avoir vécu.

Ces réflexions tristes, mais attendrissantes, me faisaient replier sur moi-même avec un regret qui n'était pas sans douceur. Il me semblait que la destinée me devait quelque chose qu'elle ne m'avait pas donné. A quoi bon m'avoir fait naître avec des facultés exquises, pour les laisser jusqu'à la fin sans emploi ? Le sentiment de mon prix interne, en me donnant celui de cette injustice, m'en dédommageait

en quelque sorte, et me faisait verser des larmes que j'aimais à laisser couler.

Je faisais ces méditations dans la plus belle saison de l'année, au mois de juin, sous des bocages frais, au chant du rossignol, au gazouillement des ruisseaux. Tout concourut à me replonger dans cette mollesse trop séduisante, pour laquelle j'étais né, mais dont le ton dur et sévère où venait de me monter une longue effervescence m'aurait dû délivrer pour toujours. J'allai malheureusement me rappeler le dîner du château de Thônes, et ma rencontre avec ces deux charmantes filles, dans la même saison et dans des lieux à peu près semblables à ceux où j'étais en ce moment[1]. Ce souvenir, que l'innocence qui s'y joignait me rendait plus doux encore, m'en rappela d'autres de la même espèce. Bientôt je vis rassemblés autour de moi tous les objets qui m'avaient donné de l'émotion dans ma jeunesse. Mlle Galley, Mlle de Graffenried, Mlle de Breil, Mme Basile, Mme de Larnage, mes jolies écolières, et jusqu'à la piquante Zulietta, que mon cœur ne peut oublier. Je me vis entouré d'un sérail[a] de houris, de mes anciennes connaissances pour qui[b] le goût le plus vif ne m'était pas un sentiment nouveau. Mon sang s'allume et pétille, la tête me tourne, malgré[c] mes cheveux déjà grisonnants, et voilà le grave citoyen de Genève, voilà l'austère Jean-Jacques, à près de quarante-cinq ans, redevenu tout à coup le berger extravagant[2]. L'ivresse dont je fus saisi, quoique si prompte et si folle, fut si durable et si forte, qu'il[d] n'a pas moins fallu, pour m'en guérir, que la crise imprévue et terrible des malheurs où elle m'a précipité.

Cette ivresse, à quelque point qu'elle fût portée, n'alla pourtant pas jusqu'à me faire oublier mon âge et ma situation, jusqu'à me flatter de pouvoir inspirer de l'amour encore, jusqu'à tenter de communiquer enfin ce feu dévorant, mais stérile, dont depuis mon enfance je sentais en

1. Le souvenir de l' « idylle des cerises » relatée au livre IV a déjà été rappelé à Rousseau quelques mois plus tôt (1755 ?) par une visite inattendue de Venture, rapportée à la fin du livre VIII (pp. 473-474).

2. En se donnant pour « berger extravagant », Rousseau joue sur une double allusion à ses « chères bergeries », à ses rêves bucoliques (p. 179) et au romanesque héros du roman de Charles Sorel (1627-1628), porté à la scène dans une pastorale de Thomas Corneille.

vain consumer mon cœur. Je ne l'espérai point, je ne le désirai pas même. Je savais que le temps d'aimer était passé, je sentais[a] trop le ridicule des galants surannés pour y tomber, et je n'étais pas homme à devenir avantageux et confiant sur mon déclin, après l'avoir été si peu durant mes[b] belles années. D'ailleurs, ami de la paix, j'aurais craint les orages domestiques, et j'aimais trop sincèrement ma Thérèse pour l'exposer au chagrin de me voir porter à d'autres des sentiments plus vifs que ceux qu'elle m'inspirait.

Que fis-je en cette occasion ? Déjà[c] mon lecteur l'a deviné, pour peu qu'il m'ait suivi jusqu'ici. L'impossibilité d'atteindre aux êtres réels me jeta dans le pays des chimères, et ne voyant rien d'existant qui fût digne de mon délire, je le nourris dans un monde idéal, que mon imagination créatrice eut bientôt peuplé d'êtres selon mon cœur. Jamais cette ressource ne vint plus à propos, et ne se trouva si féconde. Dans mes continuelles extases, je m'enivrais à torrents des plus délicieux sentiments qui jamais soient entrés dans un cœur d'homme. Oubliant tout à fait la race humaine, je me fis des sociétés de créatures parfaites, aussi célestes par leurs vertus que par leurs beautés, d'amis sûrs, tendres, fidèles, tels que je n'en trouvai jamais ici-bas. Je pris un tel goût à planer ainsi dans l'empyrée, au milieu des objets charmants dont je m'étais entouré, que j'y passais les heures, les jours sans compter; et perdant le souvenir de toute autre chose, à peine avais-je mangé un morceau à la hâte, que je brûlais de m'échapper pour courir retrouver mes bosquets. Quand, prêt à partir pour le monde enchanté, je voyais arriver de malheureux mortels qui venaient me retenir sur la terre, je ne pouvais ni modérer, ni cacher mon dépit, et n'étant plus maître de moi, je leur faisais un accueil si brusque, qu'il pouvait porter le nom de brutal. Cela ne fit qu'augmenter ma réputation de misanthropie, par tout ce qui m'en eût acquis une bien contraire, si l'on eût mieux lu dans mon cœur.

[d] Au fort de ma plus grande exaltation, je fus retiré tout d'un coup par le cordon comme un cerf-volant, et remis à ma place par la nature, à l'aide d'une attaque assez vive de mon mal. J'employai le seul remède qui m'eût soulagé, savoir les bougies, et cela fit trêve à mes angéliques amours : car, outre qu'on n'est guère amoureux quand on souffre, mon imagination, qui s'anime à la campagne et sous les

arbres, languit et meurt dans la chambre et sous les solives
d'un plancher. J'ai[a] souvent regretté qu'il n'existât pas
des dryades[b]; c'eût infailliblement été parmi elles que
j'aurais fixé mon attachement.

D'autres tracas domestiques vinrent en même temps
augmenter mes chagrins. M^me Le Vasseur, en me faisant
les plus beaux compliments du monde, aliénait de moi sa
fille tant qu'elle pouvait. Je reçus des lettres de mon ancien
voisinage, qui m'apprirent que la bonne vieille avait fait
à mon insu plusieurs dettes au nom de Thérèse, qui le
savait et qui ne m'en avait rien dit. Les dettes à payer me
fâchaient beaucoup moins que le secret qu'on m'en avait
fait. Eh ! comment celle pour qui[c] je n'eus jamais aucun
secret pouvait-elle en avoir pour moi ? Peut-on dissimuler
quelque chose aux gens qu'on aime ? La coterie holba-
chique, qui ne me voyait faire aucun voyage à Paris, com-
mençait à craindre tout de bon que je ne me plusse en
campagne, et que je ne fusse assez fou pour y demeurer.
Là commencèrent les tracasseries par lesquelles on cher-
chait à me rappeler indirectement à la ville. Diderot, qui
ne voulait pas se montrer sitôt lui-même, commença par
me détacher Deleyre, à qui j'avais procuré sa connaissance,
lequel recevait et me transmettait les impressions que
voulait lui donner Diderot, sans que lui, Deleyre, en[d]
vît le vrai but.

Tout semblait concourir à me tirer de ma douce et folle
rêverie. Je n'étais pas[e] guéri de mon attaque, quand je
reçus un exemplaire du poème sur la ruine de Lisbonne
que je supposai m'être envoyé par l'auteur. Cela me mit
dans l'obligation de lui écrire, et de lui parler de sa pièce.
Je le fis par une lettre qui a été imprimée longtemps après,
sans mon aveu, comme il sera dit ci-après.

Frappé de voir ce pauvre homme, accablé, pour ainsi
dire, de prospérités et de gloire, déclamer toutefois amère-
ment contre les misères de cette vie, et trouver toujours
que tout était mal, je formai l'insensé projet de le faire ren-
trer en lui-même, et de lui prouver que tout était bien.
Voltaire, en paraissant toujours croire en Dieu, n'a réelle-
ment jamais cru qu'au Diable, puisque son Dieu prétendu
n'est qu'un être malfaisant qui, selon lui, ne prend de plaisir
qu'à nuire. L'absurdité de cette doctrine, qui saute aux
yeux, est surtout révoltante dans un homme comblé des
biens de toute espèce, qui, du sein du bonheur, cherche

à désespérer ses semblables par l'image affreuse et cruelle de toutes les calamités dont il est exempt. Autorisé plus que lui à compter et peser les maux de la vie humaine, j'en fis l'équitable examen, et je lui prouvai que de tous ces maux, il n'y en avait pas un dont la Providence ne fût disculpée, et qui n'eût sa source dans l'abus que l'homme a fait de ses facultés plus que dans la nature elle-même. Je le traitai dans cette lettre avec tous les égards, toute la considération, tout le ménagement, et je puis dire avec tout le respect possibles. Cependant, lui connaissant un amour-propre extrêmement irritable, je ne lui envoyai pas cette lettre à lui-même, mais au docteur Tronchin, son médecin et son ami, avec plein pouvoir de la donner ou supprimer, selon ce qu'il trouverait le plus convenable. Tronchin donna la lettre. Voltaire me répondit en peu de lignes qu'étant[a] malade et garde-malade lui-même, il remettait à un autre temps sa réponse, et ne dit pas un mot sur la question. Tronchin, en m'envoyant cette lettre, en joignit une où il marquait peu d'estime pour celui qui la lui avait remise. Je n'ai jamais publié ni même montré ces deux lettres, n'aimant point à faire parade de ces sortes de petits triomphes; mais elles sont en originaux dans mes recueils. (Liasse A.[b] nos 20 et 21.) Depuis lors Voltaire a publié cette réponse qu'il m'avait promise, mais qu'il ne m'a pas envoyée. Elle n'est autre que le roman de *Candide,* dont je ne puis parler, parce que je ne l'ai pas lu[1].

1. Le tremblement de terre qui, dévastant le 1er novembre 1755 la ville de Lisbonne, contribua du même coup à ébranler l'optimisme du Siècle des Lumières causa une émotion considérable, qu'évoque encore au début du siècle suivant Gœthe (né en 1749), dont c'est un des premiers souvenirs d'enfance. Le poème que l'événement inspira à Voltaire porte en sous-titre « Examen de cet axiome : tout est bien »; il conclut sur les vers célèbres :

> *Un jour tout sera bien,* voilà notre espérance,
> *Tout est bien aujourd'hui,* voilà l'illusion.
> Les sages me trompaient, et Dieu seul a raison.
> [...]
> Dans une épaisse nuit cherchant à m'éclairer
> Je ne sais que souffrir et non pas murmurer.
> [...]

Le poème fut publié à Genève en mars 1756 et parvint à Rousseau en juillet par l'intermédiaire de Duclos. Rousseau y répondit dans

Toutes ces distractions m'auraient dû guérir radicale-
ment de mes[a] fantasques amours, et c'était peut-être un
moyen que le Ciel m'offrait d'en prévenir les suites funestes :
mais ma mauvaise étoile fut la plus forte, et à peine recom-
mençai-je à sortir, que mon cœur, ma tête et mes pieds
reprirent les mêmes routes. Je dis les mêmes, à certains
égards; car mes idées, un peu moins exaltées, restèrent
cette fois sur la terre, mais avec un choix si exquis de tout
ce qui pouvait s'y trouver d'aimable en tout genre, que
cette élite n'était guère moins chimérique que le monde
imaginaire que[b] j'avais abandonné.

1. Je me figurai l'amour, l'amitié, les deux idoles de
mon cœur, sous les plus ravissantes images. Je me plus à
les orner de tous les charmes du sexe que j'avais toujours
adoré. J'imaginai deux amies plutôt que deux amis, parce
que si l'exemple est plus rare[c], il est aussi plus aimable.
Je les douai de deux caractères analogues, mais différents;
de deux figures non pas parfaites, mais de mon goût, qu'ani-
maient la bienveillance et la sensibilité. Je fis l'une brune et
l'autre blonde, l'une vive et l'autre douce, l'une sage et
l'autre faible; mais d'une si touchante faiblesse, que la
vertu semblait y gagner. Je donnai à l'une des deux un
amant dont l'autre fut la tendre amie, et même quelque
chose de plus; mais je n'admis ni rivalité ni querelle, ni
jalousie, parce que tout sentiment pénible me coûte à ima-
giner, et que je ne voulais ternir ce riant tableau par rien
qui dégradât la nature. Épris de mes deux charmants
modèles, je m'identifiais avec l'amant et l'ami le plus qu'il
m'était possible; mais je le fis aimable et jeune, lui donnant
au surplus les vertus et les défauts que je me sentais.

Pour placer mes personnages dans un séjour qui leur
convînt, je passai successivement en revue les plus beaux

la « Lettre sur la Providence » datée du 18 août 1765 (*C. C.*, IV, 37)
et confiée à Tronchin (*ibid.*, IV, 85), que Rousseau priait, s'il la trans-
mettait, d'accompagner de « tout ce que vous croirez propre à lui
bien persuader que jamais l'intention de l'offenser n'entra dans mon
cœur ». Tronchin répondit le 1er septembre (*ibid.*, 93) et Voltaire
seulement le 12 (*ibid.*, 102); son billet est annoté par Rousseau : « Il
ne m'a plus écrit depuis ce temps-là », mais fut en son temps apprécié
du destinataire : « J'ai été charmé de la réponse de M. de Voltaire, un
homme qui a pu prendre ma lettre comme il l'a fait mérite le titre de
philosophe » (*C. C.*, IV, 152). *Candide* ne parut que trois ans plus tard.

lieux que j'eusse vus dans mes voyages, mais je ne trouvai
point de bocage assez frais, point de paysage assez touchant
à mon gré. Les vallées de la Thessalie m'auraient pu con-
tenter, si je les avais vues; mais mon imagination fatiguée
à inventer voulait quelque lieu réel qui pût lui servir de
point d'appui, et me faire illusion sur la réalité des habi-
tants que j'y voulais mettre. Je songeai longtemps aux îles
Borromées, dont l'aspect délicieux m'avait transporté;
mais j'y trouvai trop d'ornement et d'art pour mes per-
sonnages. Il me fallait[a] cependant un lac, et je finis par[b]
choisir celui autour duquel mon cœur n'a jamais cessé
d'errer. Je me fixai sur la partie des bords de ce lac à
laquelle depuis longtemps mes vœux ont placé ma résidence
dans le bonheur imaginaire auquel le sort m'a borné. Le
lieu natal de ma pauvre Maman avait encore pour moi un
attrait de prédilection. Le contraste des positions, la
richesse et la variété des sites, la magnificence, la majesté[c]
de l'ensemble qui ravit les sens, émeut le cœur, élève l'âme,
achevèrent de me déterminer, et j'établis à Vevey mes
jeunes pupilles. Voilà tout ce que j'imaginai du premier
bond; le reste n'y fut ajouté que dans la suite.

Je me bornai longtemps à un plan si vague, parce qu'il
suffisait pour remplir mon imagination d'objets agréables,
et mon cœur de sentiments dont il aime à se nourrir. Ces
fictions, à force de revenir, prirent enfin plus de consistance,
et se fixèrent dans mon cerveau sous une forme déterminée.
Ce fut alors que la fantaisie me prit d'exprimer sur le
papier quelques-unes des situations qu'elles m'offraient, et
rappelant tout ce que j'avais senti dans ma jeunesse, de
donner ainsi l'essor en quelque sorte au désir d'aimer
que je n'avais[d] pu satisfaire, et dont je me sentais dévoré.

Je jetai d'abord sur le papier quelques lettres éparses
sans suite et sans liaison, et lorsque je m'avisai de les
vouloir coudre, j'y fus souvent fort embarrassé. Ce qu'il
y a de peu croyable et de très vrai est que les deux pre-
mières parties ont été écrites presque en entier de cette
manière, sans que j'eusse aucun plan bien formé, et même
sans prévoir qu'un jour je serais tenté d'en faire un ouvrage
en règle[1]. Aussi voit-on que ces deux parties, formées

1. Les rapports entre le rêve romanesque et l'expérience vécue
(essentiellement l'aventure avec M^me d'Houdetot) dans la genèse de
la Nouvelle Héloïse sont délicats à discerner. Les travaux récents de

après coup de matériaux qui n'ont pas été taillés pour la place qu'ils occupent, sont pleines d'un remplissage verbeux, qu'on ne trouve pas dans les autres.

Au plus fort de mes douces rêveries, j'eus une visite de M^me d'Houdetot, la première qu'elle m'eût faite en sa vie, mais qui malheureusement ne fut pas la dernière, comme on verra ci-après. La comtesse d'Houdetot était fille de feu M. de Bellegarde, fermier-général, sœur de M. d'Épinay et de MM. de Lalive et de La Briche, qui depuis ont été tous deux introducteurs des ambassadeurs. J'ai parlé de la connaissance que je fis avec elle étant fille. Depuis son mariage, je ne la vis qu'aux fêtes de la Chevrette, chez M^me d'Épinay, sa belle-sœur. Ayant souvent passé plusieurs jours avec elle, tant à la Chevrette qu'à Épinay, non seulement je la trouvai toujours très aimable, mais je crus lui voir aussi pour moi de la bienveillance. Elle aimait assez à se promener avec moi; nous étions marcheurs l'un et l'autre, et l'entretien ne tarissait pas entre nous. Cependant je n'allai jamais la voir à Paris, quoiqu'elle m'en eût prié et^a même sollicité plusieurs fois. Ses liaisons avec M. de Saint-Lambert, avec qui je commençais d'en avoir, me la rendirent encore plus intéressante, et c'était pour m'apporter des nouvelles de cet ami, qui pour lors était je crois à Mahon, qu'elle vint me voir à l'Ermitage.

Cette visite eut un peu l'air d'un début de roman. Elle

H. Guillemin, de R. Osmont, puis de B. Guyon (dernier éditeur du roman, *O. C.*, II, 1961) ont établi que, contrairement à une interprétation largement suivie depuis D. Mornet, l'amour pour M^me d'Houdetot n'était pas à l'origine des principales situations de l'intrigue sentimentale, et qu'inversement plus d'un incident vécu dans les années contemporaines de la composition du roman s'était modelé sur le rêve ou la fiction (« Je vis ma Julie en M^me d'Houdetot », écrit Rousseau p. 521). La même constatation peut être faite en plus d'une page des *Confessions*, confirmant le bien-fondé de la thèse exposée en premier lieu par R. Osmont dans les *Annales*, XXXIII, 1953-1955, et reprise et développée par B. Guyon dans son Introduction au roman (*O. C.*, II, 1961).

Il est probable, en revanche, que diverses observations insérées dans le texte du roman sont inspirées par l'aventure avec M^me d'Houdetot, ainsi la formule de Julie à laquelle Rousseau fait allusion plus loin, p. 524 : « J'appris dans le bosquet de Clarens que j'avais trop compté sur moi, et qu'il ne faut rien accorder aux sens quand on veut leur refuser quelque chose » (III, lett. XVIII). Sur l'identification entre Rousseau et Saint-Preux, voir p. 113, n. 1.

s'égara dans la route. Son cocher, quittant le chemin qui tournait, voulut traverser en droiture, du moulin de Clairvaux à l'Ermitage[1] : son carrosse s'embourba dans le fond du vallon; elle voulut descendre et faire le reste du trajet à pied. Sa mignonne chaussure fut bientôt percée; elle enfonçait dans la crotte; ses gens eurent toutes les peines du monde à la dégager, et enfin elle arriva à l'Ermitage en bottes, et perçant l'air d'éclats de rire, auxquels je mêlai les miens en la voyant arriver. Il fallut changer de tout; Thérèse y pourvut, et je l'engageai d'oublier la dignité pour faire une collation rustique dont elle se trouva fort bien. Il était tard, elle resta peu; mais l'entrevue fut si gaie qu'elle y prit goût et parut disposée à revenir. Elle n'exécuta pourtant ce projet que l'année suivante; mais, hélas ! ce retard ne me garantit de rien.

Je passai l'automne à une occupation dont on ne se douterait pas, à la garde du fruit de M. d'Épinay. L'Ermitage était le réservoir des eaux du parc de la Chevrette. Il y avait un jardin clos de murs, et garni d'espaliers et d'autres arbres, qui donnaient plus de fruits à M. d'Épinay que son[a] potager de la Chevrette, quoiqu'on lui en volât les trois quarts. Pour n'être pas un hôte absolument inutile, je me chargeai de la direction du jardin et de l'inspection du jardinier. Tout alla bien jusqu'au temps des fruits; mais à mesure qu'ils mûrissaient, je les voyais disparaître, sans savoir ce qu'ils étaient devenus. Le jardinier m'assura que c'étaient les loirs qui mangeaient tout. Je fis la guerre aux loirs, j'en détruisis beaucoup, et le fruit n'en disparaissait pas moins. Je guettai si bien, qu'enfin je trouvai que le jardinier lui-même était le grand loir. Il logeait à Montmorency, d'où il venait les nuits, avec sa femme et ses enfants, enlever les dépôts de fruits qu'il avait faits

1. Le siège de Fort-Mahon, à Minorque (mai 1756), par les troupes du maréchal de Richelieu, est un des premiers événements de la guerre de Sept Ans. La place devait tomber le 28 juin. Mais il est probable que Rousseau confond ici les faits et les dates: que comme le croit H. Guillemin (voir *Bibliographie*) M^me d'Houdetot lui apporte des nouvelles de Gauffecourt et non de Saint-Lambert, et que la visite se place au début de l'année 1757. Courtois propose la date du 30 janvier 1757, Guillemin celle du 10 janvier.

— Le sens propre de *droiture* (ligne droite) est considéré comme vieilli par Littré, qui donne cependant comme encore usitée la locution adverbiale *en droiture*.

pendant la journée, et qu'il faisait vendre à la halle à Paris aussi publiquement que s'il eût eu un jardin à lui. Ce misérable que je comblais de bienfaits, dont Thérèse habillait les enfants, et dont je nourrissais presque le père, qui était mendiant, nous dévalisait aussi aisément qu'effrontément, aucun des trois n'étant assez vigilant pour y mettre ordre; et dans une seule nuit il parvint à vider ma cave, où je ne trouvai rien le lendemain. Tant qu'il ne parut s'adresser qu'à moi, j'endurai tout; mais voulant rendre compte du fruit, je fus obligé d'en dénoncer le voleur. M^me d'Épinay me pria de le payer, de le mettre dehors, et d'en chercher un autre; ce que je fis. Comme ce grand coquin rôdait toutes les nuits autour de l'Ermitage, armé d'un gros bâton ferré qui avait l'air d'une massue, et suivi d'autres vauriens de son espèce, pour rassurer les Gouverneuses que cet homme effrayait terriblement, je[a] fis coucher son successeur toutes les nuits à l'Ermitage, et, cela ne les tranquillisant pas encore, je fis demander à M^me d'Épinay un fusil que je tins dans la chambre du jardinier, avec charge à lui de ne s'en servir qu'au besoin, si l'on tentait de forcer la porte ou d'escalader le jardin, et de ne tirer qu'à poudre, uniquement pour effrayer les voleurs. C'était assurément la moindre précaution que pût prendre, pour la sûreté commune, un homme incommodé, ayant à passer l'hiver au milieu des bois, seul avec deux femmes timides. Enfin, je fis l'acquisition d'un petit chien pour servir de sentinelle. Deleyre m'étant venu voir dans ce temps-là, je lui contai mon cas, et ris avec lui de mon appareil militaire.

De retour à Paris, il en voulut amuser Diderot à son tour, et voilà comment la coterie holbachique apprit que je voulais tout de bon passer l'hiver à l'Ermitage. Cette constance, qu'ils n'avaient pu se figurer, les désorienta, et en attendant qu'ils imaginassent quelque autre tracasserie pour me rendre mon séjour déplaisant[*b], ils me détachèrent,

[* J'admire en ce moment ma stupidité de n'avoir pas vu, quand j'écrivais ceci, que le dépit avec lequel les holbachiens me virent aller et rester à la campagne regardait principalement la mère Le Vasseur, qu'ils n'avaient plus sous la main pour les guider dans leurs systèmes d'imposture par des points fixes de temps et de lieux. Cette idée qui me vient si tard, éclaircit parfaitement la bizarrerie de leur conduite, qui dans toute autre supposition est inexplicable.] (Sur cette note, v. variante *b*.)

par Diderot, le même Deleyre, qui, d'abord, ayant trouvé mes précautions toutes simples, finit par les trouver inconséquentes à mes principes, et pis que ridicules, dans de lettres où il m'accablait de plaisanteries amères, et assez piquantes pour m'offenser, si mon humeur eût été tournée de ce côté-là. Mais alors, saturé de sentiments affectueux et tendres, et n'étant susceptible d'aucun autre, je ne voyais dans ses aigres sarcasmes que le mot pour rire, et ne le trouvais que folâtre où tout autre l'eût trouvé extravagant[a].

À force de vigilance et de soins, je parvins à garder si bien le jardin, que, quoique la récolte du fruit eût presque manqué cette année, le produit fut triple de celui des années précédentes, et il est vrai que je ne m'épargnais point pour le préserver, jusqu'à escorter les envois que je faisais à la Chevrette et à Épinay, jusqu'à porter des paniers moi-même, et je me souviens que nous en portâmes un si lourd, la tante et moi, que, prêts à succomber sous le faix, nous fûmes contraints de nous reposer de dix en dix pas, et n'arrivâmes que tout en nage.

Quand la mauvaise saison commença de me renfermer au logis, je voulus reprendre mes occupations casanières : il ne me fut pas possible. Je ne voyais partout que les deux charmantes amies, que leur ami, leurs entours[1], le pays qu'elles habitaient, qu'objets créés ou embellis pour elles par mon imagination. Je n'étais plus un moment à moi-même, le délire ne me quittait plus. Après beaucoup d'efforts inutiles pour écarter de moi toutes ces fictions, je fus enfin tout à fait[b] séduit par elles, et je ne m'occupai plus qu'à tâcher d'y mettre quelque ordre et quelque suite, pour en faire une espèce de roman.

Mon grand embarras était la honte de me démentir ainsi moi-même si nettement et si hautement. Après les principes sévères que je venais d'établir avec tant de fracas, après les maximes austères que j'avais[c] si fortement prêchées, après tant d'invectives mordantes contre les livres efféminés qui respiraient l'amour et la mollesse, pouvait-on rien imaginer de plus inattendu, de plus choquant, que de me voir tout d'un coup m'inscrire de ma propre main

1. *Leurs entours* : « ceux qui vivent dans la familiarité de quelqu'un » (Littré). — Rousseau emploie encore le mot p. 294, p. 561 (« dans les entours de M[me] d'Épinay ») et au livre XI (p. 660).

parmi les auteurs de ces livres que j'avais si durement censurés ? Je sentais cette inconséquence dans toute sa force, je me la reprochais, j'en rougissais, je m'en dépitais : mais tout cela ne put suffire pour me ramener à la raison. Subjugué complètement, il fallut me soumettre à tout risque, et me résoudre à braver le qu'en dira-t-on; sauf à délibérer dans la suite si je me résoudrais à montrer mon ouvrage ou non : car je ne supposais pas encore que[a] j'en vinsse à le publier.

Ce parti pris, je me jette à plein collier dans mes rêveries, et à force de les tourner et retourner dans ma tête, j'en forme enfin l'espèce de plan dont on a vu l'exécution. C'était[b] assurément le meilleur parti qui se pût tirer de mes folies : l'amour du bien, qui n'est jamais sorti de mon cœur, les tourna[c] vers des objets utiles, et dont la morale eût pu faire son profit. Mes tableaux voluptueux auraient perdu[d] toutes leurs grâces, si le doux coloris de l'innocence y eût manqué. Une fille faible est un objet de pitié, que l'amour peut rendre intéressant, et qui souvent n'est pas moins aimable : mais qui peut supporter sans indignation le spectacle des mœurs à la mode ? et[e] qu'y a-t-il de plus révoltant que l'orgueil d'une femme infidèle, qui, foulant ouvertement aux pieds tous ses devoirs, prétend que son mari soit pénétré de reconnaissance de la grâce qu'elle lui[f] accorde de vouloir bien ne pas se laisser prendre sur le fait ? Les êtres parfaits ne sont pas dans la nature, et leurs leçons ne sont pas assez près de nous. Mais qu'une jeune personne, née avec un cœur aussi tendre qu'honnête, se laisse vaincre à l'amour étant fille, et retrouve, étant femme, des forces pour le vaincre à son tour, et[g] redevenir vertueuse, quiconque vous dira que ce tableau dans sa totalité est scandaleux et n'est pas utile est un menteur et un hypocrite; ne l'écoutez pas.

Outre cet objet de mœurs et d'honnêteté conjugale, qui tient radicalement à tout l'ordre social, je m'en fis un plus secret de concorde et de paix publique; objet plus grand, plus important peut-être en lui-même, et du moins pour le moment où l'on se trouvait. L'orage excité par l'*Encyclopédie*, loin de se calmer, était alors dans sa plus grande force[1]. Les deux partis, déchaînés l'un contre l'autre

1. Ici encore, Rousseau semble confondre l'hiver 1756-1757 et l'hiver 1757-1758, où il serait plus juste de placer, comme le remarque B. Guyon,

avec la dernière fureur, ressemblaient[a] plutôt à des loups
enragés, acharnés à s'entre-déchirer, qu'à des chrétiens et
des philosophes qui veulent[b] réciproquement s'éclairer,
se convaincre, et se ramener dans la voie de la vérité. Il
ne manquait peut-être à l'un et l'autre que des chefs
remuants qui eussent du crédit, pour dégénérer en guerre
civile, et Dieu sait ce qu'eût produit une guerre civile de
religion, où l'intolérance la plus cruelle était au fond la
même des deux côtés. Ennemi né de tout esprit de parti,
j'avais dit franchement aux uns et aux autres des vérités
dures qu'ils n'avaient pas écoutées. Je m'avisai d'un autre
expédient, qui, dans ma simplicité[c], me parut admirable :
c'était d'adoucir leur haine réciproque en détruisant leurs
préjugés, et de montrer[d] à chaque parti le mérite et la vertu
dans l'autre, dignes de l'estime publique et du respect
de[e] tous les mortels. Ce projet peu sensé, qui supposait
de la bonne foi dans les hommes, et par lequel je tombai
dans le défaut que je reprochais à l'abbé de Saint-Pierre,
eut le succès qu'il devait avoir; il ne rapprocha point
les partis, et ne les réunit que pour m'accabler. En attendant
que l'expérience m'eût fait sentir ma folie, je m'y livrai,
j'ose le dire, avec un[f] zèle digne du motif qui me l'inspirait,
et je dessinai les deux caractères de Wolmar et de Julie,
dans un ravissement qui me faisait[g] espérer de parvenir
à les rendre aimables tous les deux, et, qui plus est, l'un
par l'autre.

Content d'avoir grossièrement esquissé mon plan, je
revins aux situations de détail que j'avais tracées; et[h] de
l'arrangement que je leur donnai résultèrent les deux pre-

le début des plus violentes attaques contre l'*Encyclopédie*. La publi-
cation, commencée en 1751, suspendue en 1752 par le Conseil d'État,
avait repris grâce à la protection de Malesherbes, lorsque le 7e tome,
contenant l'article *Genève,* paraissant en octobre 1757, déchaîna de
vives controverses. Les événements se précipitent alors : abandon de
l'entreprise par d'Alembert (janvier 1758), protestation des pasteurs
de Genève contre son article, qui leur prêtait des sympathies pour
le socinianisme (février), condamnation du livre d'Helvétius *De
l'Esprit* (août), publication de la *Lettre sur les Spectacles* de Rousseau
(octobre), révocation par le Conseil d'État du privilège de l'Encyclo-
pédie (mars 1759).

Il est donc vraisemblable de penser que Rousseau a en vue ici,
plutôt que les premiers mois de 1757, le début de 1758, où il achève
(février) la copie des « deux premières parties de la *Julie* ».

nières parties de la *Julie*[a], que je fis et mis au net durant cet hiver avec un plaisir inexprimable, employant pour cela le plus beau papier doré[b], de la poudre d'azur et d'argent pour sécher l'écriture, de la nonpareille bleue pour coudre mes cahiers[1], enfin ne trouvant rien d'assez galant, rien d'assez mignon pour les charmantes filles dont je raffolais[c] comme un autre Pygmalion. Tous les soirs, au coin de mon feu, je lisais et relisais ces deux parties aux Gouverneuses. La fille, sans rien dire, sanglotait avec moi d'attendrissement; la mère, qui ne trouvant point là de compliments, n'y comprenait rien, restait tranquille, et se contentait dans les moments de silence, de me répéter[d] toujours : *Monsieur, cela est bien beau.*

M[me] d'Épinay, inquiète de me savoir seul en hiver au milieu des bois, dans une maison isolée, envoyait très souvent savoir de mes nouvelles. Jamais je n'eus de si vrais témoignages de son amitié pour moi, et jamais la mienne n'y répondit plus vivement. J'aurais tort de ne pas spécifier, parmi ces témoignages, qu'elle m'envoya son portrait, et qu'elle me demanda des instructions pour avoir le mien, peint par La Tour, et qui avait été exposé au Salon. Je ne dois pas[e] non plus omettre une autre de ses attentions, qui paraîtra risible, mais qui fait[f] [trait] à l'histoire de mon caractère, par l'impression qu'elle fit sur moi. Un jour qu'il gelait très fort, en ouvrant un paquet qu'elle m'envoyait, de plusieurs commissions dont elle s'était chargée, j'y trouvai un petit jupon de dessous, de flanelle d'Angleterre, qu'elle me marquait avoir porté, et dont elle voulait que je me fisse faire un gilet. Le tour de son billet était charmant, plein de caresse et de naïveté[2]. Ce soin, plus qu'amical, me parut si tendre, comme si elle se fût dépouillée pour me vêtir, que dans mon émotion je baisai vingt fois, en pleurant, le billet et le jupon. Thérèse me croyait devenu fou. Il est singulier que, de toutes les marques d'amitié que

1. *Nonpareille :* voir livre VII, p. 352, n. 1.
2. On n'a pas le texte du billet original de M[me] d'Épinay. Le texte du billet (peut-être remanié) publié d'après ses pseudo-Mémoires, ou *Histoire de M[me] de Montbrillant* (édition Roth, III, 74-75), par *D. P.* (II, 358) comporte des nuances différentes de la version Rousseau : « un cotillon tout neuf à moi (que je n'ai pas porté au moins) d'une flanelle de soie propre à lui [*Thérèse*] en faire un, ou à vous-même un bon gilet... ». V. commentaire de Leigh, *C. C.,* IV, 133.

Mᵐᵉ d'Épinay m'a prodiguées, aucune ne m'a jamais touché comme celle-là, et que même depuis notre rupture je n'y ai jamais repensé sans attendrissement. J'ai longtemps conservé son petit billet, et je l'aurais encore s'il n'eût eu le sort de mes autres lettres du même temps.

Quoique mes rétentions me laissassent alors peu de relâche en hiver, et qu'une partie de celui-ci je fusse réduit à l'usage des sondes, ce fut pourtant, à tout prendre, la saison que, depuis ma demeure en France, j'ai passée avec le plus de douceur et de tranquillité. Durant quatre ou cinq mois que le mauvais temps me tint davantage[a] à l'abri des survenants, je savourai, plus que je n'ai fait avant et depuis, cette vie indépendante, égale et simple, dont la jouissance ne faisait pour moi qu'augmenter le prix, sans autre compagnie que celle des deux Gouverneuses en réalité, et celle des deux cousines en idée. C'est alors surtout que je me félicitais chaque jour davantage du parti que j'avais eu le bon sens de prendre, malgré les clameurs de mes amis, fâchés de me voir affranchi de leur tyrannie; et quand j'appris l'attentat[b] d'un forcené[1], quand Deleyre et Mᵐᵉ d'Épinay me parlaient dans leurs lettres du trouble et de l'agitation qui régnaient dans Paris, combien je remerciai le Ciel de m'avoir éloigné de ces spectacles d'horreurs et de crimes, qui n'eussent fait que nourrir, qu'aigrir l'humeur bilieuse que l'aspect des désordres publics m'avait donnée; tandis que, ne voyant plus autour de ma retraite que des objets riants et doux, mon cœur ne se livrait qu'à des sentiments aimables. Je note ici avec complaisance le cours des derniers moments paisibles qui m'ont été laissés. Le printemps qui suivit cet hiver si calme vit éclore le germe des malheurs qui me restent à décrire, et dans le tissu desquels on ne verra plus d'intervalle semblable, où j'aie eu le loisir de respirer.

1. Depuis plusieurs années une opposition parlementaire de plus en plus hardie avait excité les esprits, lorsque, le soir du 4 janvier 1757, à Versailles, le valet de chambre Damiens frappa d'un coup de canif Louis XV au moment où le roi montait en voiture. L'attentat eut des conséquences politiques dont la plus importante fut, l'année suivante, le remplacement de d'Argenson par Choiseul, alors ambassadeur à Vienne.

Plus tard cet épisode jouera un rôle dans le « complot », Rousseau s'imaginant que ses ennemis veulent l'impliquer rétrospectivement dans l'attentat de Damiens (*infra*, p. 719, n. 1).

Je crois pourtant me rappeler que durant cet intervalle de paix et jusqu'au fond de ma solitude, je ne restai pas tout à fait tranquille de la part des Holbachiens. Diderot me suscita quelque tracasserie, et je suis fort trompé si ce n'est durant cet hiver que parut *Le Fils naturel*, dont j'aurai bientôt à parler[1]. Outre que par des causes qu'on saura dans la suite, il m'est resté peu de monuments sûrs de cette époque, ceux mêmes qu'on m'a laissés sont très peu précis quant aux dates. Diderot ne datait jamais ses lettres. Mme d'Épinay, Mme d'Houdetot, ne dataient guère les leurs que du jour de la semaine, et Deleyre faisait comme elles le plus souvent. Quand j'ai voulu ranger ces lettres dans leur ordre, il a fallu suppléer, en tâtonnant, des dates incertaines, sur lesquelles je ne puis compter. Ainsi, ne pouvant fixer avec certitude le commencement de ces brouilleries, j'aime mieux rapporter ci-après dans un seul article tout ce que je m'en puis rappeler.

Le retour du printemps avait redoublé[a] mon tendre délire, et dans mes érotiques transports, j'avais composé pour les dernières parties de la *Julie* plusieurs lettres qui[b] se sentent du ravissement dans lequel je les écrivis. Je puis citer entre autres celles de l'Élysée et de la promenade sur le lac, qui, si je m'en souviens bien, sont à la fin de la quatrième partie. Quiconque, en lisant ces deux lettres, ne sent pas amollir et fondre son cœur dans l'attendrissement qui me les dicta, doit fermer le livre : il n'est pas fait pour juger des choses de sentiment.

Précisément dans le même temps, j'eus de Mme d'Houdetot une seconde visite imprévue. En l'absence de son mari, qui était capitaine de gendarmerie, et de son amant, qui servait aussi, elle était venue à Eaubonne, au milieu de la vallée de Montmorency, où elle avait loué une assez jolie maison. Ce fut de là qu'elle vint faire à l'Ermitage une nouvelle excursion[2]. A ce voyage, elle était à cheval et en

1. *Le Fils naturel ou les Épreuves de la vertu,* « comédie en 5 actes et en prose, avec l'histoire véritable de la pièce », suivi des *Entretiens avec Dorval,* paraît à Amsterdam au début de février 1757. La pièce est jouée à Saint-Germain en septembre 1757.

2. Le comte d'Houdetot dut partir fin mars ou début avril 1757 avec l'armée du maréchal d'Estrées qui allait entrer en Westphalie. On pense que Saint-Lambert partit au début de mai pour l'Allemagne, et que la visite de Mme d'Houdetot à l'Ermitage se placerait aussitôt après.

homme. Quoique je n'aime[a] guère ces sortes de mascarades, je fus pris à l'air romanesque de celle-là, et, pour cette fois, ce fut de l'amour. Comme il fut le premier et l'unique en toute ma vie, et que ses suites le rendront à jamais mémorable et terrible à mon souvenir, qu'il me soit permis d'entrer dans quelques détails sur cet article.

Mᵐᵉ la comtesse d'Houdetot approchait de la trentaine, et n'était point belle; son visage était marqué de la petite vérole; son teint manquait de finesse, elle avait la vue basse et les yeux un peu ronds : mais elle avait l'air jeune avec tout cela, et sa physionomie[b], à la fois vive et douce, était caressante. Elle avait une forêt de grands cheveux noirs, naturellement bouclés, qui lui[c] tombaient au jarret; sa taille était mignonne, et elle mettait dans tous ses mouvements de la gaucherie et de la grâce tout à la fois. Elle avait l'esprit très naturel et très agréable; la gaieté, l'étourderie et la naïveté s'y mariaient[d] heureusement : elle abondait en saillies charmantes qu'elle ne recherchait point et qui[e] partaient quelquefois malgré elle. Elle avait plusieurs talents agréables, jouait[f] du clavecin, dansait bien, faisait d'assez jolis vers. Pour son caractère, il était angélique; la douceur d'âme en faisait le fond; mais, hors la prudence et la force, il rassemblait toutes les vertus. Elle était surtout d'une telle sûreté dans le commerce, d'une telle fidélité dans la société, que ses ennemis même n'avaient pas besoin de se cacher d'elle. J'entends par ses ennemis ceux ou plutôt celles qui la haïssaient; car, pour elle, elle n'avait pas un cœur qui pût haïr, et je crois que cette conformité[g] contribua beaucoup à me passionner pour elle. Dans les confidences de la plus intime amitié, je ne lui ai jamais ouï parler mal des absents, pas même de sa belle-sœur. Elle ne pouvait ni déguiser ce qu'elle pensait à personne, ni même contraindre aucun de ses sentiments, et je suis persuadé qu'elle parlait de son amant à son mari même, comme elle en parlait à ses amis, à ses connaissances, et à tout le monde indifféremment. Enfin, ce qui prouve sans réplique la pureté et la sincérité de son excellent naturel, c'est qu'étant sujette aux plus énormes distractions et aux plus visibles étourderies, il lui en échappait souvent de très imprudentes pour elle-même, mais jamais d'offensantes pour qui que ce fût.

On l'avait mariée très jeune et malgré elle au comte d'Houdetot, homme de condition[h], bon militaire, mais joueur, chicaneur, très peu aimable, et qu'elle n'a jamais

aimé. Elle trouva dans M. de Saint-Lambert tous les
mérites de son mari, avec des qualités plus agréables, de
l'esprit, des vertus[a], des talents. S'il faut pardonner quelque
chose aux mœurs du siècle, c'est sans doute un[b] attachement
que sa durée épure, que ses effets honorent, et qui ne s'est
cimenté que par[c] une estime réciproque.

C'était un peu par goût, à ce que j'ai pu croire, mais
beaucoup pour complaire à Saint-Lambert, qu'elle venait
me voir. Il l'y avait exhortée, et il avait raison de croire
que l'amitié qui commençait à s'établir entre nous rendrait
cette société agréable à tous les trois. Elle savait que j'étais
instruit de leurs liaisons, et pouvant me parler de lui sans
gêne, il était naturel qu'elle se plût avec moi. Elle vint;
je la vis; j'étais ivre d'amour sans objet; cette ivresse fascina
mes yeux, cet objet se fixa sur elle; je vis ma Julie en
M^me d'Houdetot, et bientôt je ne vis plus que M^me d'Hou-
detot, mais[d] revêtue de toutes les perfections dont je venais
d'orner l'idole de mon cœur. Pour m'achever, elle me parla
de Saint-Lambert en amante passionnée. Force contagieuse
de l'amour ! en l'écoutant, en me sentant auprès d'elle,
j'étais saisi d'un frémissement[e] délicieux, que je n'avais
éprouvé jamais auprès de personne. Elle parlait, et je me
sentais ému; je croyais ne faire que m'intéresser à ses senti-
ments, quand j'en prenais de semblables; j'avalais à longs
traits la coupe empoisonnée[f], dont je ne sentais encore que
la douceur. Enfin, sans que je m'en aperçusse et sans qu'elle
s'en aperçût, elle m'inspira pour elle-même tout ce qu'elle
exprimait pour son amant. Hélas ! ce fut bien tard, ce fut
bien cruellement brûler d'une passion non moins vive que
malheureuse pour une femme dont le cœur était plein
d'un autre amour.

Malgré les mouvements extraordinaires que j'avais
éprouvés auprès d'elle, je ne m'aperçus pas d'abord de ce
qui m'était arrivé : ce ne fut qu'après son départ que, vou-
lant penser à Julie, je fus frappé de ne pouvoir plus penser
qu'à M^me d'Houdetot. Alors[g] mes yeux se dessillèrent; je
sentis mon malheur, j'en gémis, mais je n'en prévis pas
les suites.

J'hésitai longtemps sur la manière dont je me conduirais
avec elle, comme si l'amour véritable laissait assez de
raison pour suivre des délibérations. Je n'étais pas déter-
miné quand elle revint me prendre au dépourvu. Pour
lors j'étais instruit. La honte, compagne du mal, me

rendit muet, tremblant devant elle; je n'osais ouvrir la bouche ni lever les yeux; j'étais dans un trouble inexprimable, qu'il était impossible qu'elle ne vît pas. Je pris le parti de le lui avouer, et de lui en laisser deviner la cause : c'était la lui dire assez clairement.

Si j'eusse été jeune et aimable, et que dans la suite M^me d'Houdetot eût été faible, je blâmerais ici sa conduite : mais tout cela n'étant pas, je ne puis que l'applaudir et l'admirer. Le parti qu'elle prit était également celui de la générosité et de la prudence. Elle ne pouvait s'éloigner brusquement de moi sans en dire la cause à Saint-Lambert, qui l'avait lui-même engagée à me voir; c'était exposer deux amis à une rupture, et peut-être à un éclat qu'elle[a] voulait éviter. Elle avait pour moi de l'estime et de la bienveillance. Elle eut pitié de ma folie; sans la flatter elle la plaignit et tâcha de m'en guérir. Elle était bien aise de conserver à son amant et à elle-même un ami dont elle faisait cas : elle ne me parlait de rien avec plus de plaisir que de l'intime et douce société que nous pouvions former entre nous trois, quand je serais devenu raisonnable; elle ne se bornait pas toujours à ces exhortations amicales, et ne m'épargnait pas au besoin les reproches plus durs que j'avais bien mérités.

Je me les épargnais encore moins moi-même. Sitôt que je fus seul, je revins à moi; j'étais plus calme après avoir parlé : l'amour connu de celle qui l'inspire en devient plus supportable. La force avec laquelle je[b] me reprochais le mien m'en eût dû guérir, si la chose eût été possible. Quels puissants motifs n'appelai-je point à mon aide pour l'étouffer ! Mes mœurs, mes sentiments, mes principes, la honte, l'infidélité, le crime, l'abus d'un dépôt confié par l'amitié, le ridicule enfin de brûler à mon âge de la passion la plus extravagante pour un objet dont le cœur préoccupé ne pouvait ni me rendre aucun retour, ni me laisser aucun espoir : passion de plus, qui, loin d'avoir rien à gagner par la constance, devenait moins souffrable[1] de jour en jour.

Qui croirait que cette dernière considération, qui devait ajouter du poids à toutes les autres, fut celle qui les éluda ? Quel scrupule, pensai-je, puis-je me faire d'une folie nuisible à moi seul ? Suis-je donc un jeune cavalier fort à

1. *Souffrable* : voir livre VII, p. 341, n. 1.

craindre pour Mme d'Houdetot ? Ne dirait-on pas, à mes présomptueux remords, que[a] ma galanterie, mon air, ma parure, vont la séduire ? Eh ! pauvre Jean-Jacques, aime à ton aise, en[b] sûreté de conscience, et ne crains pas que tes soupirs nuisent à Saint-Lambert.

On a vu que jamais je ne fus avantageux, même dans ma jeunesse. Cette façon de penser était dans mon tour d'esprit, elle flattait ma passion; c'en fut assez pour m'y livrer sans réserve, et rire même de l'impertinent scrupule que je croyais m'être fait par vanité plus que par raison. Grande leçon pour les âmes honnêtes, que le vice n'attaque jamais à découvert, mais qu'il trouve le moyen de surprendre, en se masquant toujours de quelque sophisme, et souvent de quelque vertu.

Coupable sans remords, je le fus bientôt sans mesure, et de grâce, qu'on voie comment ma passion suivit la trace de mon naturel pour m'entraîner enfin dans l'abîme. D'abord elle prit un air humble pour me rassurer, et[c] pour me rendre entreprenant, elle poussa cette humilité jusqu'à la défiance. Mme d'Houdetot, sans cesser de me rappeler à mon devoir, à la raison, sans jamais flatter un moment ma folie, me traitait au reste avec la plus grande douceur, et prit avec moi le ton de l'amitié la plus tendre. Cette amitié m'eût suffi, je le proteste, si je l'avais crue sincère; mais la trouvant trop vive pour être vraie, n'allai-je pas me fourrer dans la tête que l'amour, désormais si peu concevable à mon âge[d], à mon maintien, m'avait avili aux yeux de Mme d'Houdetot; que cette jeune folle ne voulait que se divertir de moi et de mes douceurs surannées; qu'elle en avait fait confidence à Saint-Lambert, et que l'indignation de mon infidélité ayant fait entrer son amant dans ses vues, ils s'entendaient tous les deux pour achever de me faire tourner la tête et me persifler ? Cette bêtise, qui m'avait fait extravaguer à vingt-six ans, auprès de Mme de Larnage, que je ne connaissais pas, m'eût été pardonnable à quarante-cinq, auprès de Mme d'Houdetot, si j'eusse ignoré qu'elle et son amant étaient trop honnêtes gens l'un et l'autre pour se faire un aussi barbare amusement.

Mme d'Houdetot continuait à me faire des visites que je ne tardai pas[e] à lui rendre. Elle aimait à marcher, ainsi que moi : nous faisions de longues promenades dans un pays enchanté. Content d'aimer et de l'oser dire, j'aurais

été dans la plus douce situation, si mon extravagance n'en eût détruit tout le charme. Elle ne comprit rien d'abord à la sotte humeur avec laquelle je recevais ses caresses : mais mon cœur, incapable de savoir jamais rien cacher de ce qui s'y passe, ne lui laissa pas longtemps ignorer mes soupçons; elle en voulut rire; cet expédient ne réussit pas; des transports de rage en auraient été l'effet : elle changea de ton. Sa compatissante douceur fut invincible; elle me fit des reproches qui me pénétrèrent; elle me témoigna, sur mes injustes craintes, des inquiétudes dont j'abusai. J'exigeai des preuves qu'elle ne se moquait pas de moi. Elle vit qu'il n'y avait nul autre moyen de me rassurer. Je devins pressant, le pas était délicat. Il est étonnant, il est unique peut-être qu'une femme ayant pu venir jusqu'à marchander, s'en soit tirée à si bon compte. Elle ne me refusa rien de ce que la plus tendre amitié pouvait accorder. Elle ne m'accorda rien qui pût la rendre infidèle, et j'eus l'humiliation de voir que l'embrasement dont ses légères faveurs allumaient mes sens n'en porta jamais aux siens la moindre étincelle.

J'ai dit quelque part qu'il ne faut rien accorder aux sens, quand on veut leur refuser quelque chose[1]. Pour connaître combien cette maxime se trouva fausse avec Mme d'Houdetot, et combien elle eut raison de compter sur elle-même, il faudrait entrer dans les détails de nos longs et fréquents tête-à-tête, et les suivre dans toute leur vivacité durant quatre mois que nous passâmes ensemble dans une intimité presque sans exemple entre deux amis de différents sexes, qui se renferment dans les bornes dont nous ne sortîmes jamais. Ah ! si j'avais tardé si longtemps à sentir le véritable amour, qu'alors mon cœur et mes sens lui payèrent bien l'arrérage ! et quels sont donc les transports qu'on doit éprouver auprès d'un objet aimé qui nous aime, si même un amour non partagé peut en inspirer de pareils ?

Mais j'ai tort de dire un amour non partagé; le mien l'était en quelque sorte; il était égal des deux côtés, quoiqu'il ne fût pas réciproque. Nous étions ivres d'amour l'un et l'autre, elle pour son amant, moi pour elle; nos soupirs, nos délicieuses larmes se confondaient. Tendres confidents

1. *Quelque part* : voir *supra*, p. 511, note.

l'un de l'autre, nos sentiments avaient tant de rapports, qu'il était impossible qu'ils ne se mêlassent pas en quelque chose; et toutefois, au milieu de cette dangereuse ivresse, jamais elle ne s'est oubliée un moment; et moi je proteste, je jure[a] que si, quelquefois égaré par mes sens, j'ai tenté de la rendre infidèle, jamais je ne l'ai véritablement désiré. La véhémence de ma passion la contenait par elle-même. Le devoir des privations avait exalté mon âme. L'éclat de toutes les vertus ornait à mes yeux l'idole de mon cœur; en souiller la divine image eût été l'anéantir. J'aurais pu commettre le crime, il a cent fois été commis dans mon cœur; mais avilir ma Sophie[b]? Ah! cela se pouvait-il jamais? Non, non; je le lui ai[c] cent fois dit à elle-même, eussé-je été le maître de me satisfaire, sa propre volonté l'eût-elle mise à ma discrétion, hors quelques courts moments de délire, j'aurais refusé d'être heureux à ce prix. Je l'aimais trop pour vouloir la posséder.

Il y a près d'une lieue de l'Ermitage à Eaubonne; dans mes fréquents voyages, il m'est arrivé quelquefois d'y coucher; un soir, après avoir soupé tête-à-tête, nous allâmes nous promener au jardin par un très beau clair de lune. Au fond de ce jardin était un assez grand taillis, par où nous fûmes chercher un joli bosquet orné d'une cascade dont je lui avais donné l'idée, et qu'elle avait fait exécuter. Souvenir immortel d'innocence et de jouissance! Ce fut dans ce bosquet, qu'assis avec elle sur un banc de gazon, sous un acacia tout chargé de fleurs, je trouvai, pour rendre les mouvements de mon cœur, un langage vraiment digne d'eux. Ce fut la première et l'unique fois de ma vie; mais je fus sublime, si l'on peut nommer ainsi tout ce que l'amour le plus tendre et le plus ardent peut porter d'aimable et de séduisant dans un cœur d'homme. Que d'enivrantes larmes je versai sur ses genoux! Que je lui en fis verser malgré elle! Enfin, dans un transport involontaire, elle s'écria: Non, jamais homme ne fut si aimable, et jamais amant n'aima comme vous! Mais votre ami Saint-Lambert nous écoute, et mon cœur ne saurait aimer deux fois. Je me tus en soupirant; je l'embrassai; quel embrassement! Mais ce fut tout. Il y avait six mois qu'elle vivait seule, c'est-à-dire loin de son amant et de son mari; il y en avait trois que je la voyais presque tous les jours, et toujours l'amour en tiers entre elle et moi. Nous avions soupé tête-à-tête, nous étions seuls, dans un bosquet, au clair de la lune,

et après deux heures de l'entretien le plus vif et le plus tendre, elle sortit au milieu de la nuit de ce bosquet et des bras de son ami, aussi intacte, aussi pure de corps et de cœur qu'elle y était entrée. Lecteurs, pesez toutes ces circonstances; je n'ajouterai rien de plus[1].

Et qu'on n'aille pas s'imaginer qu'ici mes sens me laissaient tranquille, comme auprès de Thérèse et de Maman. Je l'ai déjà dit, c'était de l'amour cette fois, et l'amour dans toute son énergie et dans toutes ses fureurs. Je ne décrirai ni les agitations, ni les frémissements, ni les palpitations, ni les mouvements convulsifs, ni les défaillances de cœur que j'éprouvais continuellement; on en pourra juger par l'effet que sa seule image faisait sur moi. J'ai dit qu'il y avait loin de l'Ermitage à Eaubonne : je passais par les coteaux d'Andilly, qui sont charmants. Je rêvais en marchant à celle que j'allais voir, à l'accueil caressant qu'elle me ferait, au baiser qui m'attendait à mon arrivée. Ce seul baiser, ce baiser funeste, avant même de le recevoir, m'embrasait le sang à tel point, que ma tête se troublait, un éblouissement m'aveuglait, mes genoux tremblants ne pouvaient me soutenir; j'étais forcé de m'arrêter, de m'asseoir; toute ma machine était dans un désordre inconcevable : j'étais prêt à m'évanouir. Instruit du danger, je tâchais, en partant, de me distraire et de penser à autre chose. Je n'avais pas fait vingt pas que les mêmes souvenirs et tous les accidents qui en étaient la suite revenaient m'assaillir sans qu'il me fût possible de m'en délivrer, et de quelque façon que je m'y sois pu prendre, je ne crois pas qu'il me soit jamais arrivé de faire seul ce trajet impu-

1. La scène nocturne du bosquet d'Eaubonne était déjà considérée par les critiques de la fin du XIXe siècle comme un arrangement littéraire, et H. Guillemin juge naïve toute tentative pour dater l'épisode par le détail de l'acacia en fleur (on a proposé début de juin 1757). Cette page des *Confessions* est la mise en œuvre de deux lettres à Mme d'Houdetot (*C. C.,* IV, 225 et 273) datées respectivement par H. Guillemin du début de juillet et de la mi-octobre 1757 : on y retrouve plusieurs phrases des formules employées dans cette page des *Confessions*. Mais alors que dans la première lettre Rousseau déclare : « Le crime est déjà cent fois commis dans ma volonté », il insiste dans la seconde — laquelle, il le précise lui-même, ne fut pas envoyée — sur les avertissements de sa conscience et la loyauté de ses intentions. La contradiction ou le sophisme apparaît de même (p. 530) dans la formule « un sentiment criminel, mais involontaire ».

nément[1]. J'arrivais à Eaubonne, faible, épuisé, rendu, me soutenant à peine. A l'instant que je la voyais, tout était réparé, je ne sentais plus auprès d'elle que l'importunité d'une vigueur inépuisable et toujours inutile. Il y avait sur ma route, à la vue d'Eaubonne, une terrasse agréable, appelée le mont Olympe, où nous nous rendions quelquefois, chacun de notre côté. J'arrivais le premier; j'étais fait pour l'attendre; mais que cette attente me coûtait cher ! Pour me distraire, j'essayais d'écrire avec mon crayon des billets que j'aurais pu tracer du plus pur de mon sang : je n'en ai pu jamais achever un qui fût lisible. Quand elle en trouvait quelqu'un dans la niche dont nous étions convenus[2], elle n'y pouvait voir autre chose que l'état vraiment déplorable où j'étais en l'écrivant. Cet état, et surtout sa durée, pendant trois mois d'irritation continuelle et de privation, me jeta dans un épuisement dont je n'ai pu me tirer de plusieurs années, et finit par me donner une descente que j'emporterai ou qui m'emportera au tombeau. Telle a été la seule jouissance amoureuse de l'homme du tempérament le plus combustible, mais le plus timide en même temps, que peut-être la nature ait jamais produit. Tels ont été les derniers beaux jours qui m'aient été comptés sur la terre : ici commence le long tissu des malheurs de ma vie, où l'on verra peu d'interruption[3].

On a vu, dans tout le cours de ma vie, que mon cœur, transparent comme le cristal, n'a jamais su cacher durant

1. Les deux phrases suivantes expliquent cet aveu dont la hardiesse est à peine voilée par la discrétion de l'expression, et auquel il était déjà fait allusion au livre V (p. 224).

2. Les rencontres sur le mont Olympe sont évoquées dans la 2e des lettres citées p. 526 n. 1. Le procédé de la « boîte aux lettres » rustique est renouvelé de *l'Astrée*.

3. *Descente* : nom vulgaire de la hernie. — La formule « ici commence le long tissu des malheurs de ma vie » a déjà été employée plusieurs fois, avec des variantes, dans la Seconde Partie des *Confessions*. Au début du livre VII étaient annoncés « des malheurs inouïs » (p. 321); le travail entrepris n'offrait « que malheurs, trahisons, perfidies, que souvenirs attristants et déchirants ». Avec le livre VIII (p. 413) « commence [...] la longue chaîne de mes malheurs ».

Sur le motif de la transparence, au début du paragraphe suivant (« mon cœur, transparent comme le cristal... »), on se reportera au livre de J. Starobinski (voir *Bibliographie*); voir aussi *Introduction*, p. XLV et n. 1.

une minute entière un sentiment un peu vif qui s'y fût réfugié. Qu'on juge s'il me fut possible de cacher long-temps mon amour pour Mme d'Houdetot. Notre intimité frappait tous les yeux, nous n'y mettions ni secret ni mystère. Elle n'était pas de nature à en avoir besoin, et comme Mme d'Houdetot avait pour moi l'amitié la plus tendre, qu'elle ne se reprochait point, que j'avais pour elle une estime dont personne ne connaissait mieux que moi toute la justice; elle, franche, distraite, étourdie; moi, vrai, maladroit, fier, impatient, emporté, nous donnions encore sur nous, dans notre trompeuse sécurité, beaucoup plus de prise que nous n'aurions fait si nous eussions été coupables. Nous allions l'un et l'autre à la Chevrette, nous nous y trouvions souvent ensemble, quelquefois même par rendez-vous. Nous y vivions à notre ordinaire, nous promenant tous les jours tête-à-tête, en parlant de nos amours, de nos devoirs, de notre ami, de nos innocents projets, dans le parc, vis-à-vis l'appartement de Mme d'Épinay, sous ses fenêtres, d'où, ne cessant de nous examiner, et se croyant bravée, elle assouvissait son cœur, par ses yeux, de rage et d'indignation.

Les femmes ont toutes l'art de cacher leur fureur[a], surtout quand elle est vive; Mme d'Épinay, violente, mais réfléchie, possède surtout cet art éminemment. Elle feignit de ne rien voir, de ne rien soupçonner, et dans le même temps qu'elle redoublait avec moi d'attentions, de soins, et presque d'agaceries, elle affectait d'accabler sa belle-sœur de procédés malhonnêtes, et de marques d'un dédain qu'elle semblait vouloir me communiquer. On juge bien qu'elle ne réussissait pas; mais j'étais au supplice. Déchiré de sentiments contraires, en même temps que j'étais touché de ses caresses, j'avais peine à contenir ma colère quand je la voyais manquer à Mme d'Houdetot. La douceur angé-lique de celle-ci lui faisait tout endurer sans se plaindre, et même sans lui en savoir plus mauvais gré. Elle était d'ailleurs souvent si distraite, et toujours si peu sensible à ces choses-là, que la moitié du temps elle ne s'en aper-cevait pas.

J'étais si préoccupé de ma passion, que ne voyant rien que Sophie (c'était un des noms de Mme d'Houdetot), je ne remarquais pas même que j'étais devenu la fable de toute la maison et des survenants. Le baron d'Holbach, qui n'était jamais venu, que je sache, à la Chevrette[b], fut

au nombre de ces derniers. Si j'eusse été aussi défiant que je le suis devenu dans la suite, j'aurais fort soupçonné Mme d'Épinay d'avoir arrangé ce voyage pour lui donner l'amusant cadeau de voir le Citoyen amoureux. Mais j'étais alors si bête, que je ne voyais pas même ce qui crevait les yeux à tout le monde. Toute ma stupidité ne m'empêcha pourtant pas de trouver au Baron l'air plus content, plus jovial qu'à son ordinaire. Au lieu de me regarder noir[1], selon[a] la coutume, il me lâchait cent propos goguenards, auxquels je ne comprenais rien. J'ouvrais de grands yeux sans rien répondre : Mme d'Épinay se tenait les côtés de rire : je ne savais sur quelle herbe ils avaient marché. Comme rien ne passait encore les bornes de la plaisanterie, tout ce que j'aurais eu de mieux à faire, si je m'en étais aperçu, eût été de m'y prêter. Mais il est vrai qu'à travers la[b] railleuse gaieté du Baron l'on voyait briller dans ses yeux une maligne joie, qui[c] m'aurait peut-être inquiété, si je l'eusse aussi bien remarquée alors que je me la rappelai dans la suite.

Un jour que j'allai voir Mme d'Houdetot à Eaubonne, au retour d'un de ses voyages de Paris, je la trouvai triste, et je vis qu'elle avait pleuré. Je fus obligé de me contraindre, parce que Mme de Blainville, sœur de son mari, était là; mais sitôt que je pus trouver un moment, je lui marquai mon inquiétude. Ah ! me dit-elle en soupirant, je crains bien que vos folies ne me coûtent le repos de mes jours. Saint-Lambert est instruit et m'a instruite. Il me rend justice, mais il a de l'humeur, dont, qui pis est, il me cache une partie. Heureusement je ne lui ai rien tu de nos liaisons, qui se sont[d] faites sous ses auspices. Mes lettres étaient pleines de vous, ainsi que mon cœur : je ne lui ai caché que votre amour insensé, dont j'espérais vous guérir, et dont[e], sans m'en parler, je vois qu'il me fait un crime. On nous a desservis; l'on m'a fait tort; mais n'importe. Ou rompons tout à fait, ou soyez tel que vous devez être. Je ne veux plus rien avoir à cacher à mon amant.

Ce fut là le premier moment où je fus sensible à la

1. *Regarder noir* : Littré donne plusieurs exemples de l'emploi adverbial de noir (rêver noir, voir noir, regarder noir) aux XVIIe et XVIIIe siècles. — Sur les sentiments que Rousseau prête à d'Holbach, voir *supra*, p. 458.

honte de me voir humilié, par le sentiment de ma faute,
devant une jeune femme dont[a] j'éprouvais les justes
reproches et dont j'aurais dû être le mentor. L'indignation
que j'en ressentis contre moi-même eût suffi peut-être
pour surmonter ma faiblesse, si la tendre compassion que
m'en inspirait la victime n'eût encore amolli mon cœur.
Hélas ! était-ce le moment de pouvoir l'endurcir, lorsqu'il
était[b] inondé par des larmes qui le pénétraient de toutes
parts ? Cet attendrissement se changea bientôt en colère
contre les vils délateurs qui n'avaient vu que le mal d'un
sentiment[c] criminel, mais involontaire, sans croire, sans
imaginer même la sincère honnêteté de cœur qui le rache-
tait. Nous ne restâmes pas longtemps en doute sur la main
d'où partait le coup.

Nous savions l'un et l'autre que Mme d'Épinay était en
commerce de lettres avec Saint-Lambert. Ce n'était pas le
premier orage qu'elle avait suscité à Mme d'Houdetot,
dont elle avait fait mille efforts pour le détacher, et que les
succès[d] de quelques-uns de[e] ces efforts faisaient trembler
pour la suite. D'ailleurs Grimm, qui, ce me semble, avait
suivi M. de Castries à l'armée, était en Westphalie, aussi
bien que Saint-Lambert; ils se voyaient quelquefois.
Grimm[f] avait fait près de Mme d'Houdetot quelques tenta-
tives qui n'avaient pas réussi. Grimm, très piqué, cessa
tout à fait de la voir. Qu'on juge du sang-froid avec lequel,
modeste comme on sait qu'il l'est, il lui supposait des
préférences pour un homme plus âgé que lui, et dont lui
Grimm, depuis qu'il fréquentait les grands, ne parlait
plus que comme de son protégé.

Mes soupçons sur Mme d'Épinay se changèrent en cer-
titude quand j'appris ce qui s'était passé chez moi. Quand
j'étais à la Chevrette, Thérèse y venait souvent, soit pour
m'apporter mes lettres, soit pour me rendre des soins
nécessaires à ma mauvaise santé. Mme d'Épinay lui avait
demandé si nous ne nous écrivions pas, Mme d'Houdetot
et moi. Sur son aveu, Mme d'Épinay la pressa de lui re-
mettre les lettres de Mme d'Houdetot, l'assurant qu'elle les
recachetterait si bien qu'il n'y paraîtrait pas. Thérèse, sans
montrer combien cette proposition la scandalisait et même
sans m'avertir, se contenta de mieux cacher les lettres
qu'elle m'apportait : précaution très heureuse, car
Mme d'Épinay la faisait guetter à son arrivée, et l'attendant
au passage, poussa plusieurs fois l'audace jusqu'à chercher

dans sa bavette[1]. Elle fit plus : s'étant un jour invitée à venir avec[a] M. de Margency dîner à l'Ermitage, pour la première fois depuis que j'y demeurais, elle prit le temps que je me promenais avec Margency pour entrer dans mon cabinet avec la mère et la fille, et les presser de lui montrer les lettres de M[me] d'Houdetot. Si la mère eût su où elles étaient, les lettres étaient livrées ; mais heureusement, la fille seule le savait, et nia que j'en eusse conservé aucune. Mensonge assurément plein d'honnêteté, de fidélité, de générosité, tandis que la vérité n'eût été qu'une perfidie. M[me] d'Épinay, voyant qu'elle ne pouvait la séduire, s'efforça de l'irriter par la jalousie, en lui reprochant sa facilité et son aveuglement. Comment pouvez-vous, lui dit-elle, ne pas voir qu'ils ont entre eux un commerce criminel ? Si, malgré tout ce qui frappe vos yeux, vous avez besoin d'autres preuves, prêtez-vous donc à ce qu'il faut faire pour les avoir : vous dites qu'il déchire les lettres de M[me] d'Houdetot aussitôt qu'il les a lues. Eh bien ! recueillez avec soin les pièces, et donnez-les-moi ; je me charge de les rassembler. Telles étaient les leçons que mon amie donnait à ma compagne.

Thérèse eut la discrétion de me taire assez longtemps toutes[b] ces tentatives ; mais[c] voyant mes perplexités, elle se crut obligée à me tout dire, afin que, sachant à qui j'avais affaire, je prisse mes mesures pour me garantir des trahisons qu'on me préparait. Mon indignation, ma fureur ne peut se décrire. Au lieu de dissimuler avec M[me] d'Épinay, à son exemple, et[d] de me servir de contre-ruses, je me livrai sans mesure à l'impétuosité de mon naturel, et avec mon étourderie ordinaire, j'éclatai tout ouvertement. On peut juger de mon imprudence par les lettres suivantes, qui montrent suffisamment la manière de procéder de l'un et de l'autre en cette occasion.

Billet de M[me] d'Épinay. Liasse A, N° 44.

« Pourquoi donc ne vous vois-je pas, mon cher ami ?
« Je suis inquiète de vous. Vous m'aviez[e] tant promis de
« ne faire qu'aller et venir de l'Ermitage ici ! Sur cela
« je vous ai laissé libre ; et point du tout, vous laissez

1. Littré donne comme berrichon l'emploi de bavette appliqué à « la partie la plus haute et la plus étroite d'un tablier de femme ».

« passer huit jours. Si on ne m'avait pas dit que vous
« étiez en bonne santé, je vous croirais malade. Je vous
« attendais avant-hier ou hier, et je ne vous vois point
« arriver. Mon Dieu ! qu'avez-vous donc ? Vous n'avez
« point d'affaires ; vous n'avez pas non plus de chagrins, car
« je me flatte que vous seriez venu sur-le-champ me les
« confier. Vous êtes donc malade ? Tirez-moi d'inquiétude
« bien vite, je vous en prie. Adieu, mon cher ami ; que cet
« adieu me[a] donne un bonjour de vous. »

Réponse

Ce mercredi matin.

« Je ne puis rien vous dire encore. J'attends d'être mieux
« instruit, et je le serai tôt ou tard. En attendant, soyez
« sûre que l'innocence accusée trouvera un défenseur
« assez ardent pour donner quelque repentir aux calom-
« niateurs, quels qu'ils soient. »

Second billet de la même. Liasse A, N° 45.

« Savez-vous que votre lettre m'effraye ? Qu'est-ce
« qu'elle veut donc dire ? Je l'ai relue plus de vingt-cinq
« fois. En vérité je n'y comprends rien. J'y vois seule-
« ment que vous êtes inquiet et tourmenté, et que vous
« attendez que vous ne le soyez plus pour m'en parler.
« Mon cher ami, est-ce là ce dont nous étions convenus ?
« Qu'est donc devenue cette amitié, cette confiance ? et
« comment l'ai-je perdue ? Est-ce contre moi ou pour moi
« que vous êtes fâché ? Quoi qu'il en soit, venez dès ce
« soir, je vous en conjure : souvenez-vous que vous m'avez
« promis il n'y a pas huit jours de ne rien garder sur
« le cœur, et de me parler sur-le-champ. Mon cher ami,
« je vis dans cette confiance... Tenez, je viens encore de
« lire votre lettre : je n'y conçois pas davantage, mais
« elle me fait trembler. Il me semble que vous êtes cruelle-
« ment agité. Je voudrais vous calmer, mais comme
« j'ignore le sujet de vos inquiétudes, je ne sais que vous
« dire, sinon que me voilà tout aussi malheureuse que
« vous jusqu'à ce que je vous aie vu. Si vous n'êtes pas
« ici ce soir à six heures, je pars demain pour l'Ermi-
« tage, quelque temps qu'il fasse, et dans quelque état que je
« sois ; car je ne saurais tenir à cette inquiétude. Bonjour,
« mon cher bon ami. A tout hasard je risque de vous dire,

« sans savoir si vous en avez besoin ou non, de tâcher de
« prendre garde et d'arrêter les progrès que fait l'inquié-
« tude dans la solitude. Une mouche devient un monstre.
« Je l'ai souvent éprouvé. »

Réponse

Ce mercredi soir.

« Je ne puis vous aller voir ni recevoir votre visite,
« tant que durera l'inquiétude où je suis. La confiance
« dont vous parlez n'est plus, et il ne vous sera pas aisé
« de la recouvrer. Je ne vois à présent dans votre empresse-
« ment que le désir de tirer des aveux d'autrui quelque
« avantage qui convienne à vos vues; et mon cœur, si
« prompt à s'épancher dans un cœur qui s'ouvre pour
« le recevoir, se ferme à la ruse et à la finesse. Je recon-
« nais votre adresse ordinaire dans la difficulté que vous
« trouvez à comprendre mon billet. Me croyez-vous assez
« dupe pour penser que vous ne l'ayez pas compris ? Non;
« mais je saurai vaincre vos subtilités à force de franchise.
« Je vais m'expliquer plus clairement, afin que vous
« m'entendiez encore moins.

« Deux amants bien unis et dignes de s'aimer me sont
« chers; je m'attends bien que vous ne saurez pas qui je
« veux dire, à moins que je ne vous les nomme. Je présume
« qu'on a tenté de les désunir, et que c'est de moi qu'on
« s'est servi pour donner de la jalousie à l'un des deux.
« Le choix n'est pas fort adroit, mais il a paru commode à
« la méchanceté, et cette méchanceté, c'est vous que j'en
« soupçonne. J'espère que ceci devient plus clair.

« Ainsi donc la femme que j'estime le plus aurait, de
« mon su, l'infamie de partager son cœur et sa personne
« entre deux amants, et moi celle d'être un de ces deux
« lâches ? Si je savais qu'un seul moment de la vie vous
« eussiez pu penser ainsi d'elle et de moi, je vous haïrais
« jusqu'à la mort. Mais c'est de l'avoir dit, et non de l'avoir
« cru, que je vous taxe. Je ne comprends pas, en pareil
« cas, auquel c'est des trois que vous avez voulu nuire;
« mais si vous aimez le repos, craignez d'avoir eu le
« malheur de réussir. Je n'ai caché ni à vous ni à elle
« tout le mal que je pense de certaines liaisons; mais je
« veux qu'elles finissent par un moyen aussi honnête que
« sa cause, et qu'un amour illégitime se change en une
« éternelle amitié. Moi, qui ne fis jamais de mal à personne,

« servirais-je innocemment à en faire à mes amis ? Non;
« je ne vous le pardonnerais jamais, je deviendrais votre
« irréconciliable ennemi. Vos secrets seuls seraient[a] res-
« pectés, car je ne serai jamais un homme sans foi.

« Je n'imagine pas que les perplexités où je suis puissent
« durer bien longtemps. Je ne tarderai pas à savoir si je
« me suis trompé. Alors j'aurai peut-être de grands torts à
« réparer, et je n'aurai rien fait en ma vie de si bon cœur.
« Mais savez-vous comment je rachèterai mes fautes
« durant le peu de temps qui me reste à passer près de vous ?
« En faisant ce que nul autre ne fera que moi; en vous
« disant franchement ce qu'on pense de vous dans le
« monde, et les brèches que vous avez à réparer à votre
« réputation. Malgré tous les prétendus amis qui vous
« entourent, quand vous m'aurez vu partir, vous pourrez
« dire adieu à la vérité; vous ne trouverez plus personne
« qui vous la dise. »

Troisième billet de la même. Liasse A, N° 46.

« Je n'entendais pas votre lettre de ce matin : je vous l'ai
« dit, parce que cela était. J'entends celle de ce soir; n'ayez
« pas peur que j'y réponde jamais : je suis trop pressée de
« l'oublier, et quoique vous me fassiez pitié, je n'ai pu
« me défendre de l'amertume dont elle me remplit l'âme.
« Moi ! user de ruse, de finesse avec vous; moi ! accusée
« de la plus noire des infamies ! Adieu; je regrette que
« vous ayez la... Adieu : je ne sais pas ce que je dis...
« Adieu : je serai bien pressée de vous pardonner. Vous
« viendrez quand vous voudrez; vous serez reçu mieux
« que ne l'exigeraient vos soupçons. Dispensez-vous seu-
« lement de vous mettre en peine de ma réputation. Peu
« m'importe celle qu'on me donne. Ma conduite est bonne,
« et cela me suffit. Au surplus, j'ignorais absolument ce
« qui est arrivé aux deux personnes qui me sont aussi
« chères qu'à vous. »

Cette dernière lettre me tira d'un terrible embarras,
et me replongea dans un autre qui n'était guère moindre.
Quoique toutes ces lettres et réponses fussent allées et
venues dans l'espace d'un jour, avec une extrême rapidité,
cet intervalle avait suffi pour en mettre entre mes transports
de fureur, et pour me laisser réfléchir sur l'énormité de

mon imprudence[1]. Mme d'Houdetot ne m'avait rien tant
recommandé que de rester tranquille, et de lui laisser le
soin de se tirer seule de cette affaire, et d'éviter, surtout
dans le moment même, toute rupture et tout éclat, et moi,
par les insultes les plus ouvertes et les plus atroces, j'allais
achever de porter la rage dans le cœur d'une femme qui n'y
était déjà que trop disposée. Je ne devais naturellement
attendre de sa part qu'une réponse si fière, si dédaigneuse, si
méprisante, que je n'aurais pu, sans la plus indigne lâcheté,
m'abstenir de quitter sa maison sur-le-champ. Heureusement,
plus adroite encore que je n'étais emporté, elle évita, par le
tour de sa réponse, de me réduire à cette extrémité. Mais il
fallait ou sortir, ou l'aller voir sur-le-champ; l'alternative
était inévitable. Je pris le dernier parti, fort embarrassé de
ma contenance dans l'explication que je prévoyais. Car com-
ment m'en tirer sans compromettre ni Mme d'Houdetot, ni
Thérèse ? Et malheur à celle que j'aurais nommée ! Il n'y
avait rien que la vengeance d'une femme implacable et intri-
gante ne me fît craindre pour celle qui en serait l'objet.
C'était pour prévenir ce malheur que je n'avais parlé que
de soupçons dans mes lettres, afin d'être dispensé d'énoncer
mes preuves. Il est vrai que cela rendait mes emportements
plus inexcusables, nuls simples soupçons ne pouvant m'au-
toriser à traiter une femme, et surtout une amie, comme je
venais de traiter Mme d'Épinay. Mais ici commence la grande
et noble tâche que j'ai dignement remplie, d'expier mes fau-
tes et mes faiblesses cachées en me chargeant[a] de fautes plus
graves, dont j'étais incapable, et que je ne commis jamais.

1. Différentes dates ont été proposées pour la « journée des cinq
billets » entre le mercredi 29 juin (Ritter, Courtois) et le mercredi
31 août 1757 (H. Guillemin, suivi par Leigh).
 La réponse de Rousseau au second billet de Mme d'Épinay comporte
un curieux dernier paragraphe où il joue vis-à-vis de sa bienfaitrice
le rôle d'Alceste vis-à-vis de Célimène (« Je n'imagine pas que les
perplexités... », etc.). Le passage final est publié avec de légères diver-
gences par *D. P.* (III, 86, où le texte est donné comme « transcrit
le 26 fév. 1924 de l'original autographe [...] appartenant à M. le Marquis
de Rochambeau »); reproduit par Leigh, *C. C.*, IV, 248). Le voici :
 « Savez-vous comment je rachèterai mes fautes durant le peu de temps
qui me reste à passer *auprès* de vous ? En faisant ce que nul autre ne
fera *après* moi. En vous disant *sincèrement* ce qu'on pense de vous dans
le monde et les brèches que vous avez à réparer *dans* votre réputation.
Malgré tous les prétendus amis... » [Etc.; la suite sans changement.]

Je n'eus pas à soutenir la prise que j'avais redoutée et j'en fus quitte pour la peur. A mon abord, M^me d'Épinay me sauta au cou, en fondant en larmes. Cet accueil inattendu, et de la part d'une ancienne amie, m'émut extrêmement; je pleurai beaucoup aussi. Je lui dis quelques mots qui n'avaient pas grand sens; elle m'en dit quelques-uns qui en avaient encore moins, et tout finit là. On avait servi; nous allâmes à table, où, dans l'attente de l'explication que je croyais remise après le souper, je fis mauvaise figure, car je suis tellement subjugué par la moindre inquiétude qui m'occupe, que je ne la saurais cacher aux moins clair-voyants. Mon air embarrassé devait lui donner du courage; cependant elle ne risqua^b point l'aventure : il n'y eut pas plus d'explication après le souper qu'avant. Il n'y en eut pas plus le lendemain, et nos silencieux tête-à-tête ne furent remplis que de choses indifférentes, ou de quelques propos honnêtes de ma part, par lesquels, lui témoignant ne pouvoir encore rien prononcer sur le fondement de mes soupçons, je lui protestais avec bien de la vérité que, s'ils se trouvaient mal fondés, ma vie entière serait employée à réparer leur injustice. Elle ne marqua pas la moindre curiosité de savoir précisément quels étaient ces soupçons, ni comment ils m'étaient venus, et tout notre raccommodement, tant de sa part que de la mienne, consista dans l'embrassement du premier abord. Puisqu'elle était seule offensée, au moins dans la forme, il me parut que ce n'était pas à moi de chercher un éclaircissement qu'elle ne cherchait pas elle-même, et je m'en retournai comme j'étais venu. Continuant au reste à vivre avec elle comme auparavant, j'oubliai bientôt^c presque entièrement cette querelle, et je crus bêtement qu'elle l'oubliait^d elle-même, parce qu'elle paraissait ne s'en plus souvenir.

Ce ne fut pas là, comme on verra bientôt, le seul chagrin que m'attira ma faiblesse; mais j'en avais d'autres non moins sensibles, que je ne m'étais point attirés, et qui n'avaient pour^e cause que le désir de m'arracher de ma solitude^f *, à force de m'y tourmenter. Ceux-ci me venaient

* C'est-à-dire d'en arracher la vieille dont on avait besoin pour arranger le complot. Il est étonnant que, durant tout ce long orage, ma stupide confiance m'ait empêché de comprendre que ce n'était point moi, mais elle, qu'on voulait ravoir à Paris.

le la part de Diderot et des Holbachiens. Depuis mon établissement à l'Ermitage, Diderot n'avait cessé de m'y harceler, soit par lui-même, soit par Deleyre, et je vis bientôt, aux plaisanteries de celui-ci sur mes courses boscaresques, avec quel plaisir ils avaient travesti l'ermite en galant berger. Mais il n'était pas question de cela dans mes prises avec Diderot; elles avaient des causes plus graves[1]. Après la publication du *Fils naturel*, il m'en avait envoyé un exemplaire, que j'avais lu avec l'intérêt et l'attention qu'on donne aux ouvrages d'un ami. En lisant l'espèce de poétique en dialogue qu'il[a] y a jointe, je fus surpris, et même un peu contristé, d'y trouver, parmi plusieurs choses désobligeantes, mais tolérables, contre les solitaires, cette âpre et dure sentence, sans aucun adoucissement : *Il n'y a que le méchant qui soit seul*[2]. Cette sentence est équivoque, et présente deux sens, ce me semble : l'un très vrai, l'autre très faux; puisqu'il est même impossible qu'un homme qui est et veut être seul puisse et veuille nuire à personne, et par conséquent qu'il soit un méchant. La sentence en elle-même exigeait donc une interprétation; elle l'exigeait bien plus[b] encore de la part d'un auteur qui, lorsqu'il imprimait cette sentence, avait un ami retiré[c] dans une solitude. Il me paraissait choquant et malhonnête, ou d'avoir oublié, en la publiant[d], cet ami solitaire, ou, s'il s'en était souvenu, de n'avoir pas fait, du moins en maxime générale, l'honorable et juste[e] exception qu'il devait non

1. *Boscaresque* : « mauvais synonyme de bocager, forgé par J. J. Rousseau et nullement usité » (Littré, *Supplément*). — *Prises* : disputes, querelles; ne s'emploie plus guère, après le xviiie siècle, qu'en composition.

2. La réplique citée par Rousseau ne se trouve pas comme il le dit dans « l'espèce de poétique en dialogue » (= les *Entretiens avec Dorval*) jointe au *Fils naturel*, mais dans la pièce elle-même, acte IV, scène 3 (Constance à Dorval). Même confusion dans le 2e *Dialogue* (*O. C.*, I, 1959, p. 789) : « J'ai vu pour la première fois cette nouvelle doctrine dans un *discours* publié par le philosophe Diderot, précisément dans le temps que son ami Jean-Jacques s'était retiré dans la solitude, *Il n'y a que le méchant*, dit-il, *qui soit seul*. »
La suite du 2e *Dialogue* commente longuement la sentence (les *Dialogues* sont composés de 1772 à 1776). En fait, il s'agit là d'un lieu commun cher aux défenseurs des Lumières : Voltaire écrivait déjà dans *le Crocheteur borgne*, composé vers 1746 : « Les moralistes [...] disent qu'il n'y a point de vertu dans la solitude. »

seulement à cet ami, mais à tant de sages respectés, qui dan
tous les temps ont cherché le calme et la paix dans l
retraite, et dont, pour la première fois depuis que le mond
existe, un écrivain s'avise, avec un seul trait de plume, d
faire indistinctement autant de scélérats.

J'aimais tendrement Diderot; je l'estimais sincèrement
et je comptais avec une entière confiance sur les mêmes
sentiments de sa part. Mais excédé de son infatigable obsti-
nation à me contrarier éternellement sur mes goûts, mes
penchants, ma manière de vivre, sur tout ce qui[a] n'intéres-
sait que moi seul; révolté de voir un homme plus jeune
que moi vouloir à toute force me gouverner[b] comme un
enfant; rebuté de sa facilité à promettre et de sa négligence
à tenir; ennuyé de tant de rendez-vous donnés et manqués
de sa part, et de sa[c] fantaisie d'en donner toujours de nou-
veaux pour y manquer derechef; gêné de l'attendre inuti-
lement trois ou quatre fois par mois, les jours marqués
par lui-même, et de[d] dîner seul le soir, après être allé au-
devant de lui jusqu'à Saint-Denis, et l'avoir attendu toute
la journée, j'avais déjà le cœur plein de ses torts multipliés.
Ce dernier me parut plus grave, et me navra davantage. Je
lui écrivis pour m'en plaindre, mais avec une douceur et
un attendrissement qui me fit inonder mon papier de mes
larmes; et ma lettre était assez touchante pour avoir dû
lui en tirer. On ne devinerait jamais quelle fut sa réponse
sur cet article; la voici mot pour mot. *Liasse A, n° 33.*

« Je suis bien aise que mon ouvrage vous ait plus, qu'il
« vous ait touché. Vous n'êtes pas de mon avis sur les
« Ermites; dites-en tant de bien qu'il vous plaira, vous
« serez le seul au monde dont j'en penserai : encore y
« aurait-il bien à dire là-dessus, si l'on pouvait vous
« parler sans vous fâcher. Une femme de quatre-vingts
« ans etc. On m'a dit une phrase d'une lettre du fils de
« M[me] d'Épinay, qui a dû vous peiner beaucoup, ou
« je connais mal le fond de votre âme[1]. »

1. Ce passage est fidèlement transcrit, à l'exception d'une variante
insignifiante (« dites-en du bien tant qu'il vous plaira ») de l'original
autographe, non daté, conservé à Neuchâtel, et dans lequel les mots
« *Une femme de quatre-vingts ans etc.* » sont soulignés. La date du
10 mars 1757, proposée par Ritter, est acceptée par G. Roth, éditeur
de la correspondance de Diderot. On ignore la date de naissance de

Il faut expliquer[a] les deux dernières phrases de cette lettre.

Au commencement de mon séjour à l'Ermitage, M^me Le Vasseur parut s'y déplaire et trouver l'habitation trop seule. Ses propos là-dessus m'étant revenus, je lui offris de la renvoyer à Paris si elle s'y plaisait davantage; d'y payer son loyer, et d'y prendre le même soin d'elle que si elle était encore avec moi. Elle rejeta mon offre, me protesta qu'elle se plaisait fort à l'Ermitage, que l'air de la campagne lui faisait du bien; et l'on voyait que cela était vrai, car elle y rajeunissait, pour ainsi dire, et s'y portait beaucoup mieux qu'à Paris. Sa fille m'assura même qu'elle eût été dans le fond très fâchée que nous quittassions l'Ermitage, qui réellement était un séjour charmant, aimant fort le petit tripotage du jardin et des fruits, dont elle avait le maniement[1]; mais qu'elle avait dit ce qu'on lui avait fait dire, pour tâcher de m'engager à retourner à Paris.

Cette tentative n'ayant pas réussi, ils tâchèrent d'obtenir par le scrupule l'effet que la complaisance n'avait pas produit, et me firent un crime de garder là cette vieille femme, loin des secours dont elle pouvait avoir besoin à son âge; sans songer qu'elle et beaucoup d'autres vieilles gens, dont l'excellent air du pays prolonge la vie, pouvaient tirer ces secours de Montmorency, que j'avais à ma porte, et comme s'il n'y avait des vieillards qu'à Paris, et que partout ailleurs ils fussent hors d'état de vivre. M^me Le Vasseur, qui mangeait beaucoup, et avec une[b] extrême voracité, était sujette à des débordements de bile et à de fortes diarrhées, qui lui duraient quelques jours, et lui servaient de remède. A Paris, elle n'y faisait jamais rien, et laissait agir la nature. Elle en usait de même à l'Ermitage, sachant bien qu'il n'y avait rien de mieux à faire. N'importe : parce qu'il n'y avait pas des[c] médecins et des apothicaires à la campagne, c'était vouloir sa mort que de l'y laisser[d], quoiqu'elle s'y portât très bien. Diderot aurait dû déterminer à quel âge il n'est plus permis, sous peine d'homicide, de laisser[e] vivre les vieilles gens hors de Paris.

C'était là une des deux accusations atroces sur lesquelles

M^me Levasseur, qui se maria en 1696, et ne devait guère avoir moins de 80 ans en 1757 (c'est à tort que Van Bever lui en donne 69).

1. *Tripotage* : « petits arrangements, manigances » (Littré, qui cite des exemples de La Fontaine). *Maniement* : administration, gestion.

il ne m'exceptait pas de sa sentence, qu'il n'y avait que le méchant qui fût seul; et[a] c'était ce que signifiait son exclamation[b] pathétique et l'*et cœtera* qu'il y avait bénignement ajouté : *Une femme de quatre-vingts ans ! etc.*

Je crus ne pouvoir mieux répondre à ce reproche qu'en m'en rapportant à M^me Le Vasseur elle-même. Je la priai d'écrire naturellement son sentiment à M^me d'Épinay. Pour la mettre plus à son aise, je ne voulus point voir sa lettre, et je lui montrai celle que je vais transcrire, et que j'écrivais à M^me d'Épinay, au sujet d'une réponse que j'avais voulu faire à une[c] autre lettre de Diderot encore plus dure, et qu'elle m'avait empêché d'envoyer.

Ce jeudi.

« M^me Le Vasseur doit vous écrire, ma bonne amie ;
« je l'ai priée de vous dire sincèrement ce qu'elle pense.
« Pour la mettre bien à son aise, je lui ai dit que je ne
« voulais point voir sa lettre, et je vous prie de ne me
« rien dire de ce qu'elle contient.

« Je n'enverrai pas ma lettre, puisque vous vous y
« opposez; mais, me sentant très grièvement offensé,
« il y aurait, à convenir que j'ai tort, une bassesse et une
« fausseté que je ne saurais me permettre. L'Évangile
« ordonne bien à celui qui reçoit un soufflet d'offrir
« l'autre joue, mais non pas de demander pardon. Vous
« souvenez-vous de cet homme de la comédie qui crie
« au meurtre en donnant des coups de bâton ? Voilà le
« rôle du philosophe.

« Ne vous flattez pas de l'empêcher de venir par le
« mauvais temps qu'il fait[d]. Sa colère lui donnera le temps
« et les forces que l'amitié lui refuse, et ce sera la première
« fois de sa vie qu'il sera venu le jour qu'il avait promis.
« Il s'excédera[1] pour venir me répéter de bouche les
« injures qu'il me dit dans ses lettres; je ne les endurerai
« rien moins que patiemment. Il s'en retournera être
« malade à Paris; et moi, je serai, selon l'usage, un homme
« fort odieux. Que faire ? Il faut souffrir.

« Mais n'admirez-vous pas la sagesse de cet homme
« qui voulait me venir prendre à Saint-Denis, en fiacre,
« y dîner, me ramener en fiacre, (Liasse A, N° 33), et à

1. *S'excéder* : « se fatiguer à l'excès » (Littré).

« qui, huit jours après (Liasse A, n° 34), sa fortune ne
« permet plus d'aller à l'Ermitage autrement qu'à pied ?
« Il n'est pas absolument impossible, pour parler son lan-
« gage, que ce soit là le ton de la bonne foi; mais, en ce
« cas, il faut qu'en huit jours il soit arrivé d'étranges
« changements dans sa fortune.

« Je prends part au chagrin que vous donne la maladie
« de madame votre mère; mais vous voyez que votre
« peine n'approche pas de la mienne. On souffre moins
« encore à voir malades les personnes qu'on aime, qu'in-
« justes et cruelles.

« Adieu, ma bonne amie; voici la dernière fois que je
« vous parlerai de cette malheureuse affaire. Vous me
« parlez d'aller à Paris, avec un sang-froid qui me réjoui-
« rait dans un autre temps. »

J'écrivis à Diderot ce que j'avais fait au sujet de
M^me Le Vasseur, sur la proposition de M^me d'Épinay
elle-même[a]; et M^me Le Vasseur ayant choisi, comme on
peut bien croire, de rester à l'Ermitage[b], où elle se por-
tait très bien, où elle avait toujours compagnie, et où elle
vivait très agréablement, Diderot, ne sachant plus de quoi
me faire un crime, m'en fit un de cette précaution de ma
part, et ne laissa pas de m'en faire un autre de la conti-
nuation du séjour de M^me Le Vasseur à l'Ermitage, quoique
cette continuation fût de son[c] choix, et qu'il n'eût tenu, et
ne tînt toujours qu'à elle[d], de retourner vivre à Paris, avec
les mêmes secours de ma part qu'elle avait auprès de moi.

Voilà l'explication du premier reproche de la lettre de
Diderot n° 33. Celle du second est dans sa lettre n° 34.
« Le Lettré » (c'était un nom de plaisanterie donné par
Grimm au fils de M^me d'Épinay), « le Lettré a dû vous
« écrire qu'il y avait sur le rempart vingt pauvres qui
« mouraient de faim et de froid, et qui attendaient le
« liard que vous leur donniez. C'est un échantillon de
« notre petit babil et si vous entendiez le reste, il vous[e]
« amuserait comme cela[1]. »

1. *Le Lettré* : voir *Index,* Épinay (Louis d'). — Le *rempart* était
le nom d'une promenade nouvelle, sur l'emplacement actuel des bou-
levards de la Madeleine et des Capucines. La lettre de Diderot (non
datée) dont ce passage est tiré est conservée à la Bibliothèque de
Neuchâtel. Elle peut être datée du 14 mars 1757 (*C. C.,* IV, 172).

Voici ma réponse à ce terrible argument dont Diderot paraissait si fier :

« Je crois avoir répondu au *Lettré*, c'est-à-dire au fils
« d'un fermier général, que je ne plaignais pas les pauvres
« qu'il avait aperçus sur le rempart attendant mon liard;
« qu'apparemment il les en avait amplement dédommagés;
« que je l'établissais mon substitut; que les pauvres de
« Paris n'auraient pas à se plaindre de cet échange; que
« je[a] n'en trouverais pas aisément un aussi bon pour
« ceux de Montmorency, qui en avaient beaucoup plus
« besoin. Il y a ici un bon vieillard respectable qui, après[b]
« avoir passé sa vie à travailler, ne le pouvant plus, meurt
« de faim sur ses vieux jours. Ma conscience est plus
« contente des deux sols que je lui donne tous les lundis
« que de cent liards que j'aurais distribués à tous les
« gueux du rempart. Vous êtes plaisants, vous autres phi-
« losophes, quand vous regardez tous les habitants des
« villes comme les seuls hommes auxquels vos devoirs
« vous lient. C'est à la campagne qu'on apprend à aimer
« et servir l'humanité; on n'apprend qu'à la mépriser
« dans les villes[1]. »

Tels étaient les singuliers scrupules sur lesquels un homme d'esprit avait l'imbécillité de me faire sérieusement un crime de mon éloignement de Paris, et prétendait me prouver, par mon propre exemple, qu'on ne pouvait vivre hors de la capitale sans être un méchant homme. Je ne comprends pas aujourd'hui comment j'eus la bêtise de lui répondre et de me fâcher, au lieu de lui rire au nez pour toute réponse. Cependant les décisions de M^me d'Épinay et les clameurs de la coterie holbachique avaient tellement fasciné les esprits en sa faveur, que je passais généralement pour avoir tort dans cette affaire, et que M^me d'Houdetot elle-même, grande enthousiaste de

1. La lettre datée « ce merdredi soir » [16 mars 1757] dont ce passage est extrait (*C. C.*, IV, 178) contenait aussi ces lignes : « Vous avez dit qu'il n'y a que le méchant qui soit seul; et, pour justifier votre sentence, il faut bien, à quelque prix que ce soit, faire en sorte que je le devienne. Philosophie! philosophie! »

La lettre, comme l'a dit Rousseau plus haut (p. 540) ne fut pas envoyée.

Diderot, voulut que j'allasse le voir à Paris, et que je fisse toutes les avances d'un raccommodement, qui, tout sincère et entier qu'il fut de ma part, se trouva pourtant peu durable. L'argument victorieux sur mon cœur dont elle se servit fut qu'en ce moment Diderot était malheureux. Outre l'orage excité contre l'*Encyclopédie,* il en essuyait alors un très violent au sujet de sa pièce, que, malgré la petite histoire qu'il avait mise à la tête, on l'accusait d'avoir prise en entier de Goldoni. Diderot, plus sensible encore aux critiques que Voltaire, en était alors accablé. Mme de Graffigny avait même eu la méchanceté de faire courir le bruit que j'avais rompu avec lui à cette occasion. Je trouvai qu'il y avait de la justice et de la générosité de prouver publiquement le contraire, et j'allai passer deux jours non seulement avec lui, mais chez lui. Ce fut, depuis mon établissement à l'Ermitage, mon second voyage à Paris. J'avais fait le premier pour courir au pauvre Gauffecourt, qui eut une attaque d'apoplexie dont il n'a jamais été bien remis, et durant laquelle je ne quittai pas son chevet qu'il ne fût hors d'affaire[1].

Diderot me reçut bien. Que l'embrassement d'un ami peut effacer de torts ! Quel ressentiment peut[a] après cela rester dans le cœur ? Nous eûmes peu d'explications. Il n'en est pas besoin pour des invectives réciproques. Il n'y a qu'une chose à faire, savoir de les oublier. Il n'y avait point eu de procédés souterrains, du moins qui fussent à ma connaissance : ce n'était pas comme avec Mme d'Épinay. Il me montra le plan du *Père de famille.* Voilà, lui

1. Une lettre non datée, connue seulement par les pseudo-Mémoires de Mme d'Épinay (*C. C.,* IV, 440-1) fait état d'une visite (en avril?) de Diderot à l'Ermitage. Ce ne serait pas alors Rousseau qui aurait fait le premier pas, car il n'alla loger chez Diderot à Paris qu'en juillet (Courtois propose le mardi 12 juillet). Le voyage de Rousseau à Paris est bien, comme il le dit, son second depuis l'installation à l'Ermitage, le premier étant la visite, ou plutôt les deux visites, à Gauffecourt, en décembre 1756 et à la mi-janvier 1757. Mais il fait erreur sur le motif du second voyage. Le *Fils naturel* de Diderot avait bien valu à son auteur l'accusation, lancée par Fréron dans *l'Année littéraire* 1757 (lettre du 30 juin), d'avoir plagié Goldoni. Mais les commentaires de Mme de Graffigny sur cette affaire ne furent connus de Rousseau que fin août par une lettre de Deleyre (sur ce dernier, voir *Index*).

dis-je, la meilleure défense du *Fils naturel*. Gardez le silence,
travaillez cette pièce avec soin, et puis jetez-la tout d'un
coup au nez de vos ennemis pour toute réponse. Il le fit
et s'en trouva bien. Il y avait près de six mois que je lui
avais envoyé les deux premières parties de la *Julie,* pour
m'en dire son avis. Il ne les avait pas encore lues. Nous
en lûmes un cahier ensemble. Il trouva tout cela *feuillu,*
ce fut son terme; c'est-à-dire chargé de paroles et redon-
dant. Je l'avais déjà bien senti moi-même : mais c'était
le bavardage de la fièvre; je ne l'ai jamais pu corriger.
Les dernières parties ne sont pas comme cela. La qua-
trième surtout, et la sixième, sont des chefs-d'œuvre de
diction.

Le second jour de mon arrivée, il voulut absolument
me mener souper chez M. d'Holbach. Nous étions loin
de compte; car je voulais même rompre l'accord du manus-
crit de chimie, dont je m'indignais d'avoir l'obligation à
cet homme-là[1]. Diderot l'emporta sur tout. Il me jura
que M. d'Holbach m'aimait de tout son cœur; qu'il fallait
lui pardonner un ton qu'il prenait avec tout le monde,
et dont ses amis avaient plus à souffrir que personne. Il
me représenta que refuser[a] le produit de ce manuscrit,
après l'avoir accepté deux ans auparavant, était un affront
au donateur qu'il n'avait pas mérité, et que ce refus pour-

1. La publication du *Père de famille* (novembre 1758), loin de
mettre fin à la campagne contre son auteur, la redoublera, Fréron et
ses amis répandant le bruit que Diderot imite cette fois le *Padre di
famiglia* du même Goldoni (sur cette affaire, voir *infra*, livre X, p. 631,
n. 1).

Le manuscrit des deux premières parties de *la Nouvelle Héloïse,*
envoyé par Rousseau à Diderot en janvier 1757, lui fut retourné fin
mars lors de leur querelle. Littré ne donne pas d'autre exemple du mot
feuillu au sens figuré (touffu). Le mot est repris, à propos de l'*Héloïse*,
par Duclos et par Rousseau, lequel écrit à son ami le 19 nov. 1760 :
« A la 4ᵉ partie, vous trouvez que le style n'est pas feuillu : tant mieux.
Je trouve la même chose; mais celui qui l'a jugé tel n'avait lu que la
première partie; et j'ai peur qu'il n'eût raison aussi. »

Le *manuscrit de chimie :* on pense que d'Holbach avait chargé Rous-
seau de faire imprimer une traduction qu'il venait de faire d'un ouvrage
allemand (peut-être la *Chimie métallurgique* de Gellert, qui paraîtra
en 1758 chez Briasson). L'affaire est mentionnée dans les lettres de
Diderot à Rousseau des 10 mars et 22-23 mars (?) 1757, édition Roth,
I, 232 et 240.

rait même être mésinterprété, comme un secret reproche
d'avoir attendu si longtemps d'en conclure le marché. Je
vois d'Holbach tous les jours, ajouta-t-il; je connais mieux
que vous l'état de son âme. Si vous n'aviez pas lieu d'en
être content, croyez-vous votre ami capable de vous
conseiller une bassesse? Bref, avec ma faiblesse ordinaire,
je me laissai subjuguer, et nous allâmes souper chez le
Baron, qui me reçut à son ordinaire. Mais sa femme me
reçut froidement, et presque malhonnêtement. Je ne
reconnus plus cette aimable Caroline qui marquait avoir
pour moi tant de bienveillance étant fille. J'avais cru sentir
dès longtemps auparavant que depuis que Grimm fré-
quentait la maison d'Aine, on ne m'y voyait plus d'aussi
bon œil.

Tandis que j'étais à Paris, Saint-Lambert y arriva de
l'armée. Comme je n'en savais rien, je ne le vis qu'après
mon retour en campagne, d'abord à la Chevrette, et ensuite
à l'Ermitage, où il vint avec Mᵐᵉ d'Houdetot me demander
à dîner[1]. On peut juger si je les reçus avec plaisir ! Mais
j'en pris bien plus encore à voir leur bonne intelligence.
Content de n'avoir pas troublé leur bonheur, j'en étais
heureux moi-même; et je puis jurer que[a] durant toute
ma folle passion, mais surtout en ce moment, quand j'au-
rais pu lui ôter Mᵐᵉ d'Houdetot, je ne l'aurais pas voulu
faire, et je n'en aurais pas même été tenté. Je la trouvais
si aimable, aimant Saint-Lambert, que je m'imaginais à
peine qu'elle eût pu l'être autant en m'aimant moi-même;
et sans vouloir troubler leur union, tout ce que j'ai le plus
véritablement désiré d'elle dans[b] mon délire était qu'elle
se laissât aimer. Enfin, de quelque violente passion que j'aie
brûlé pour elle, je trouvais aussi doux d'être le confident
que l'objet de ses amours, et je n'ai jamais un moment
regardé son amant comme mon rival, mais toujours comme
mon ami. On dira que ce n'était pas encore là[c] de l'amour :
soit, mais c'était donc plus.

Pour Saint-Lambert, il se conduisit en honnête homme
et judicieux : comme j'étais le seul coupable, je fus aussi
le seul puni, et même avec indulgence. Il me traita dure-
ment, mais amicalement, et je vis que j'avais perdu quelque

1. En fait, il est très probable que Rousseau et Saint-Lambert se
rencontrèrent alors à Paris même chez Diderot; il n'est pas impossible
qu'une deuxième rencontre ait eu lieu ensuite à la Chevrette.

chose dans son estime, mais rien dans son amitié[1]. Je
m'en consolai, sachant que l'une me serait bien plus facile
à recouvrer que l'autre, et qu'il était trop sensé pour
confondre une faiblesse involontaire et passagère avec un
vice de caractère. S'il y avait de ma faute dans tout ce qui
s'était passé, il y en avait bien peu. Était-ce moi qui avais
recherché sa maîtresse ? N'était-ce pas lui qui me l'avait
envoyée ? N'était-ce pas elle qui m'avait cherché ? Pouvais-je
éviter de la recevoir ? Que pouvais-je faire ? Eux seuls
avaient fait le mal, et c'était moi qui l'avais souffert. A
ma place, il en eût fait autant que moi, peut-être pis :
car enfin, quelque fidèle, quelque estimable que fût
M[me] d'Houdetot, elle était femme; il était absent; les
occasions étaient fréquentes, les tentations étaient vives,
et il lui eût été bien difficile de se défendre toujours avec
le même succès contre un homme plus entreprenant.
C'était assurément beaucoup pour elle et pour moi, dans
une pareille situation, d'avoir pu[a] poser des limites que
nous ne nous soyons jamais permis de passer.

Quoique je me rendisse, au fond de mon cœur, un
témoignage assez honorable, tant d'apparences étaient
contre moi, que l'invincible honte qui me domina tou-
jours me donnait devant lui tout l'air d'un coupable, et
il en abusait[b] pour m'humilier. Un seul trait peindra cette
position réciproque. Je lui lisais, après le dîner, la lettre
que j'avais écrite l'année précédente à Voltaire, et dont
lui Saint-Lambert avait entendu parler. Il s'endormit durant
la lecture, et moi, jadis si fier, aujourd'hui si sot, je n'osai
jamais interrompre ma lecture, et continuai de lire tandis
qu'il continuait de ronfler. Telles étaient mes indignités,
et telles étaient ses vengeances; mais sa générosité ne lui
permit jamais de les exercer qu'entre nous trois.

Quand il fut reparti, je trouvai M[me] d'Houdetot fort
changée à mon égard. J'en fus surpris comme si je n'avais
pas dû m'y attendre; j'en fus touché plus que je n'aurais
dû l'être, et cela me fit beaucoup de mal. Il semblait que

1. Nouvelle confusion. Saint-Lambert ne fut instruit qu'un mois
plus tard de l'amour de Rousseau pour M[me] d'Houdetot, dans les
circonstances relatées plus haut (p. 529). E. Seillière et H. Guillemin
estiment que ces lignes auraient plutôt leur place au livre X, à propos
de la visite que fit Saint-Lambert au Montlouis (mai 1758 ? — voir
infra, pp. 583, 586).

tout ce dont j'attendais ma guérison ne fît qu'enfoncer[a] dans mon cœur davantage le trait qu'enfin j'ai plutôt brisé qu'arraché.

J'étais déterminé tout à fait à me vaincre, et à ne rien épargner pour changer ma folle passion en une amitié pure et durable. J'avais fait pour cela les plus beaux projets du monde, pour l'exécution desquels j'avais besoin du concours de M^me d'Houdetot. Quand je voulus lui parler, je la trouvai distraite, embarrassée; je sentis qu'elle avait cessé de se plaire avec moi, et je vis clairement qu'il s'était passé quelque chose qu'elle ne voulait pas me dire, et que je n'ai jamais su. Ce changement, dont il me fut impossible d'obtenir l'explication, me navra. Elle me redemanda ses lettres; je les lui rendis toutes avec une fidélité dont elle me fit l'injure de douter un moment. Ce doute fut encore un déchirement inattendu pour mon cœur, qu'elle devait si bien connaître. Elle me rendit justice, mais ce ne fut pas sur-le-champ; je compris que l'examen du paquet que je lui avais[b] rendu lui avait fait sentir son tort : je vis même qu'elle se le reprochait, et cela me fit regagner quelque chose. Elle ne pouvait retirer ses lettres sans me rendre les miennes[c]. Elle me dit qu'elle les avait brûlées; j'en osai douter à mon tour, et j'avoue que j'en doute encore. Non, l'on ne met point au feu de pareilles lettres[1]. On a trouvé brûlantes celles de la *Julie*. Eh Dieu ! qu'aurait-on donc dit de celles-là ! Non, non, jamais celle qui peut inspirer une pareille passion n'aura le courage d'en brûler les preuves[d]. Mais je ne crains pas non plus qu'elle en ait abusé[e] : je ne l'en crois pas capable; et de plus, j'y avais mis bon ordre. La sotte mais vive crainte d'être persiflé m'avait fait commencer cette correspondance sur un ton qui[f] mît mes lettres à l'abri des communications. Je portai jusqu'à la tutoyer la familiarité que j'y pris dans mon ivresse : mais quel tutoiement ! elle

1. Les lettres privées de Rousseau à Sophie d'Houdetot furent-elles effectivement toutes brûlées, et par qui ? Leur existence aurait été signalée au xix^e siècle. Il ne faut pas les confondre avec les six *Lettres à Sophie*, composées à l'intention de M^me d'Houdetot mais jamais envoyées; on appelle aussi ces dernières *Lettres morales*, ou *Lettres sur la Vertu et le Bonheur*. Elles préludent à la fois à la Profession de foi religieuse du vicaire savoyard, et aux épanchements des *Confessions*. On les trouvera dans *O. C.*, IV, 1081-1120.

n'en devait sûrement pas être offensée. Cependant elle s'en plaignit plusieurs fois[a], mais sans succès : ses plaintes ne faisaient que réveiller[b] mes craintes, et d'ailleurs je ne pouvais me résoudre à rétrograder. Si ces lettres sont encore en être, et qu'un jour elles soient vues, on connaîtra comment j'ai aimé.

La douleur que me causa le refroidissement de Mme d'Houdetot, et la certitude de ne l'avoir pas mérité, me firent prendre le singulier parti de m'en plaindre à Saint-Lambert même. En attendant l'effet de la lettre que je lui écrivis à ce sujet[1], je me jetai dans les distractions que j'aurais dû chercher plus tôt. Il y eut des fêtes à la Chevrette, pour lesquelles je fis de la musique. Le plaisir de me faire honneur auprès de Mme d'Houdetot d'un talent qu'elle aimait, excita ma verve, et un autre objet contribuait encore à l'animer, savoir : le désir de montrer que l'auteur du *Devin du village* savait la musique, car je m'apercevais depuis longtemps que quelqu'un travaillait en secret à rendre cela douteux, du moins quant à la composition[2]. Mon début à Paris, les épreuves où j'y avais été mis à diverses fois, tant[c] chez M. Dupin que chez M. de la Poplinière, quantité de musique que j'y avais composée pendant quatorze ans au milieu des plus célèbres artistes, et sous leurs yeux, enfin l'opéra des *Muses galantes*, celui même du *Devin*[d], un motet que j'avais fait pour Mlle Fel, et qu'elle avait chanté au Concert spirituel, tant de conférences que j'avais eues sur ce bel art avec les plus grands maîtres, tout semblait devoir prévenir ou dissiper un pareil doute. Il existait cependant, même à la Chevrette, et je voyais que M. d'Épinay n'en était

1. Cette lettre de Rousseau à Saint-Lambert est du 15 septembre 1757 (*C. C.*, IV, 256). Il y joue un rôle de mentor. La réponse, retardée non par la santé de Saint-Lambert (ci-dessous, pp. 559 et 565), mais par ses déplacements à l'armée, est du 11 octobre (*C. C.*, IV, 281); elle ne contient aucune allusion à la « trahison » de Rousseau. Une nouvelle lettre de Saint-Lambert, du 21 novembre, approuvant la conduite de Rousseau, répond à celle où ce dernier l'informait de sa décision dans l'affaire du voyage de Mme d'Épinay à Genève (*C. C.*, IV, 368).

2. Les fêtes en question sont probablement celles du hameau de La Barre, 15 septembre 1757. Les inquiétudes causées à Rousseau par les bruits lui déniant toute compétence musicale le travaillèrent jusqu'à la fin de sa vie (voir *supra*, p. 453 et n. 1).

pas exempt. Sans paraître m'apercevoir de cela, je me chargeai de lui composer un motet pour la dédicace de la chapelle de la Chevrette, et je le priai de me fournir des paroles de son choix. Il chargea de Linant, le gouverneur de son fils, de les faire. De Linant arrangea des paroles convenables au sujet, et huit jours après qu'elles m'eurent été données le motet fut achevé. Pour cette fois, le dépit fut mon Apollon, et jamais musique plus étoffée[1] ne sortit de mes mains. Les paroles commencent par ces mots : *Ecce sedes*[a] *hic Tonantis*[b]*. La pompe du début[c] répond aux paroles, et toute la suite du motet est d'une beauté de chant qui frappa tout le monde. J'avais travaillé en grand orchestre. D'Épinay rassembla les meilleurs symphonistes. M[me][d] Bruna, chanteuse italienne, chanta le motet et fut[e] bien accompagnée. Le motet eut un si grand succès qu'on l'a donné dans la suite au Concert spirituel, où, malgré les sourdes cabales et l'indigne exécution, il a eu deux fois les mêmes applaudissements. Je donnai pour la fête de M. d'Épinay l'idée d'une espèce de pièce, moitié drame, moitié pantomime, que M[me] d'Épinay composa, et dont je fis encore la musique. Grimm, en arrivant, entendit parler de mes succès harmoniques. Une heure après, on n'en parla plus : mais du moins on ne mit plus en question, que je sache, si je savais la composition.

A peine Grimm fut-il à la Chevrette, où déjà je ne me plaisais pas trop, qu'il acheva de[f] m'en rendre le séjour insupportable, par des airs[g] que je ne vis jamais à personne, et dont je n'avais pas même l'idée. La veille de son arrivée on me délogea de la chambre de faveur que j'occupais, contiguë à celle de M[me] d'Épinay ; on la prépara pour M. Grimm, et on m'en donna une autre plus éloignée. Voilà, dis-je en riant à M[me] d'Épinay, comment les nouveaux venus déplacent les anciens. Elle parut embarrassée. J'en compris mieux la raison dès le même soir, en apprenant qu'il y avait entre sa chambre et celle que[h] je quittais une porte masquée de communication,

* J'ai appris depuis que ces paroles étaient de Santeuil et que M. de Linant se les était doucement appropriées.

1. *Étoffé*, terme musical : « Qui a des qualités de force et d'ampleur. » (Littré.) Cf. *supra*, p. 245. — Emploi du même participe-adjectif dans un sens différent, livre IV, p. 172 et n. 1.

qu'elle avait jugé inutile de me montrer. Son commerce
avec Grimm n'était ignoré de personne, ni chez elle, ni
dans le public, pas même de son mari : cependant, loin d'en
convenir avec moi, confident de secrets qui lui importaient
beaucoup davantage, et dont elle était bien sûre, elle s'en
défendit toujours très fortement. Je compris que cette
réserve venait de Grimm, qui, dépositaire de tous mes
secrets, ne voulut pas que je le fusse d'aucun des siens

Quelque prévention[a] que mes anciens sentiments, qui
n'étaient pas éteints, et le mérite réel de cet homme-là,
me donnassent en sa faveur, elle ne put tenir contre les
soins qu'il prit[b] pour la détruire. Son abord fut celui du
comte de Tuffière; à peine daigna-t-il me rendre le salut,
il ne m'adressa pas une seule fois la parole, et me corrigea
bientôt de la lui adresser, en ne me répondant point du
tout. Il passait partout le premier, prenait partout la pre-
mière place, sans jamais faire aucune attention à moi.
Passe pour cela, s'il n'y eût pas mis une affectation cho-
quante : mais on en jugera par un seul trait pris entre
mille. Un soir M^me d'Épinay, se trouvant un peu incom-
modée, dit qu'on lui portât un morceau dans sa chambre,
et monta pour souper au coin de son feu. Elle me proposa
de monter avec elle; je le fis. Grimm vint ensuite. La
petite table était déjà mise; il n'y avait que deux couverts.
On sert : M^me d'Épinay prend sa place à l'un des coins
du feu; M. Grimm prend un fauteuil, s'établit à l'autre
coin, tire la petite table entre eux deux, déplie sa serviette
et se met en devoir de manger, sans me dire un seul mot.
M^me d'Épinay rougit, et, pour l'engager à réparer sa
grossièreté, m'offre sa propre place. Il ne dit rien, ne me
regarda pas. Ne pouvant approcher du feu, je pris le parti
de me promener par la chambre, en attendant qu'on
m'apportât un couvert[c]. Il me laissa souper au bout de
la table, loin du feu, sans me faire la moindre honnêteté,
à moi[d] incommodé, son aîné, son ancien dans la maison,
qui l'y avais introduit, et à qui même, comme favori de
la dame, il eût dû faire les honneurs. Toutes ses manières
avec moi répondaient fort bien à cet échantillon. Il ne me
traitait pas précisément comme son inférieur; il me regar-
dait comme nul. J'avais peine à reconnaître là l'ancien[e]
cuistre qui, chez le prince de Saxe-Gotha, se tenait honoré
de mes regards. J'en avais encore plus à concilier ce profond
silence, et cette morgue insultante, avec la tendre amitié

qu'il se vantait d'avoir pour moi, près de[a] tous ceux qu'il savait en avoir eux-mêmes. Il est vrai qu'il ne la témoignait guère que pour me plaindre de ma fortune, dont je ne me plaignais[b] point, pour compatir à mon triste sort, dont j'étais content, et pour se lamenter[c] de me voir me refuser durement aux soins bienfaisants qu'il disait vouloir me rendre. C'était avec cet art qu'il faisait admirer sa tendre générosité, blâmer mon ingrate misanthropie, et qu'il accoutumait insensiblement tout le monde à n'imaginer entre un protecteur tel que lui, et un malheureux tel que moi, que des liaisons de bienfaits d'une part, et d'obligations de l'autre, sans y supposer, même dans les possibles[1], une amitié d'égal à égal. Pour moi, j'ai cherché vainement en quoi je pouvais être obligé à ce nouveau patron. Je lui avais prêté de l'argent, il ne m'en prêta jamais; je l'avais gardé dans sa maladie, à peine me venait-il voir dans les miennes; je lui avais donné tous mes amis, il ne m'en donna jamais aucun[d] des siens; je l'avais prôné de tout mon pouvoir. Il... s'il m'a prôné, c'est moins publiquement, et[e] c'est d'une autre manière. Jamais il ne m'a rendu ni même offert aucun service d'aucune espèce. Comment était-il[f] donc mon Mécène ? Comment étais-je son protégé ? Cela me passait, et me passe encore.

Il est vrai, que, du plus au moins, il était arrogant avec tout le monde, mais avec personne aussi brutalement qu'avec moi. Je me souviens qu'une fois Saint-Lambert faillit à lui jeter son assiette à la tête, sur une espèce de démenti qu'il[g] lui donna en pleine table, en lui disant grossièrement : *Cela n'est pas vrai*. A son ton naturellement tranchant, il ajouta la suffisance d'un parvenu, et devint même ridicule à force d'être impertinent. Le commerce des grands l'avait séduit au point de se donner à lui-même des airs qu'on ne voit qu'aux moins sensés d'entre eux. Il n'appelait jamais son laquais que par *Eh !* comme si, sur le nombre de ses gens, Monseigneur n'eût pas su lequel était de garde. Quand il lui donnait des commissions, il lui jetait l'argent par terre, au lieu de le lui donner dans la main. Enfin, oubliant tout à fait qu'il était homme, il le traitait avec un mépris si choquant, avec un dédain si

1. L'emploi de l'adjectif substantivé *possible* au pluriel appartient au vocabulaire philosophique. Littré donne un exemple de Diderot et un de Rousseau, *Émile*. Les *Confessions* en contiennent d'autres.

dur en toute chose, que ce pauvre garçon, qui était un fort bon sujet, que Mme d'Épinay lui avait donné, quitta son service, sans autre grief que l'impossibilité d'endurer de pareils traitements : c'était le La Fleur de ce nouveau Glorieux.

Aussi fat qu'il était vain, avec ses gros yeux troubles[a] et sa figure dégingandée, il avait des prétentions près des femmes, et depuis sa[b] farce avec Mlle Fel, il passait auprès de plusieurs d'entre elles pour un homme à grands sentiments. Cela l'avait mis à la mode, et lui avait donné du goût pour la propreté de femme : il se mit à faire le beau; sa toilette devint une grande affaire; tout le monde sut qu'il mettait du blanc, et moi, qui n'en croyais rien, je commençai de le croire, non seulement par l'embellissement de son teint, et pour avoir trouvé des tasses de blanc sur sa toilette, mais sur ce qu'entrant un matin dans sa chambre je le trouvai brossant ses ongles avec une petite vergette faite exprès; ouvrage qu'il continua fièrement devant moi. Je jugeai qu'un homme qui passe deux heures tous les matins à brosser ses ongles peut bien passer quelques instants à remplir de blanc les creux de sa peau. Le bon homme Gauffecourt, qui n'était pas sac-à-diable, l'avait assez plaisamment surnommé *Tiran-le-Blanc*[1].

1. *Sac-à-diable* : méchant, malintentionné; sur le modèle de *sac à malice, sac à vin,* etc.

Tiran-le-Blanc : Rousseau, comme ses contemporains, écrit *tiran* le substantif *tyran* (par ex. p. 594 : « Depuis que j'avais secoué le joug de mes *tirans...* », orthogr. des deux manuscrits) — ce qui facilite le jeu de mots avec le nom propre *Tiran* ou *Tirant le Blanc (Tirant lo Blanch)*. Le sobriquet appliqué à Grimm parce qu'il « mettait du blanc » pour embellir son teint s'accorde de façon amusante avec le caractère autoritaire dont Rousseau vient de donner des exemples. *Tirant-lo-Blanch* est le titre d'un ancien roman de chevalerie catalan, connu surtout par sa traduction castillane du début du xvie siècle. Le roman était fort populaire, lors des débuts de Rousseau à Paris, dans la première traduction française que venait d'en donner le comte de Caylus (1737). Le héros y explique au livre I, chapitre 28 du texte castillan l'origine de son nom par le fait que son père fut seigneur de la marche de *Tirania*, pays imaginaire aux confins des îles Britanniques, et par le prénom de sa mère Blanche, fille du duc de Bretagne.

Diderot, jouant sur le sobriquet, appelle Grimm « le noir tyran » dans une lettre à Mme d'Épinay de 1760 (*Corr.*, édition Roth, III, 49 et n. 5). La Bibliothèque de Neuchâtel conserve une collection du *Nouvelliste suisse* (futur *Journal helvétique*) dont le numéro de septembre 1762 (pp. 317-318) contient une *Épître à Tiran le Blanc* vraisem-

Tout cela n'était que des ridicules, mais[a] bien anti-pathiques à mon caractère. Ils achevèrent de me rendre suspect le sien. J'eus peine à croire qu'un homme à qui la tête tournait de cette façon pût conserver un cœur bien placé. Il ne[b] se piquait de rien tant que de sensibi-lité d'âme et d'énergie de sentiment. Comment cela s'ac-cordait-il avec des défauts qui sont propres aux petites âmes ? Comment les vifs et continuels élans que fait hors de lui-même un cœur sensible peuvent-ils le laisser s'oc-cuper sans cesse de tant de petits soins pour sa petite personne ? Eh ! mon Dieu ! celui qui[c] sent embraser son cœur de ce feu céleste cherche à l'exhaler, et veut montrer le dedans. Il voudrait mettre son cœur sur son visage ; il n'imaginera jamais d'autre fard.

[d]Je me rappelai le sommaire de sa morale, que Mme d'Épinay m'avait dit, et qu'elle avait adopté. Ce sommaire consistait en un seul article ; savoir, que l'unique devoir de l'homme est de suivre[e] en tout les penchants de son cœur. Cette morale, quand je l'appris, me donna terriblement à penser, quoique je ne la prisse alors que pour un jeu d'esprit. Mais je vis bientôt que ce principe était réellement la règle de sa conduite, et je n'en eus que trop, dans la suite, la preuve à mes dépens. C'est la doc-trine intérieure dont Diderot m'a tant parlé, mais qu'il ne m'a jamais expliquée.

Je me rappelai les fréquents avis qu'on m'avait donnés, il y avait plusieurs années, que cet homme était faux, qu'il jouait le sentiment, et surtout qu'il ne m'aimait pas. Je me[f] souvins de plusieurs petites anecdotes que m'avaient là-dessus racontées M. de Francueil et Mme de Chenon-ceaux, qui ne l'estimaient ni l'un ni l'autre, et qui devaient le connaître, puisque Mme de Chenonceaux était fille de Mme de Rochechouart, intime amie du feu comte de Friese, et que M. de Francueil, très lié alors avec le vicomte de Polignac, avait beaucoup vécu au Palais-Royal, précisé-ment quand Grimm commençait à s'y introduire. Tout Paris fut instruit de son désespoir après la mort du comte de Friese. Il s'agissait de soutenir la réputation qu'il s'était donnée[g] après les rigueurs de Mlle Fel, et dont j'aurais vu la forfanterie mieux que personne, si j'eusse alors été

blablement composée, avant la brouille avec Rousseau, par Mme d'Épi-nay (« Moi, de cinq ours la souveraine... »).

moins aveuglé. Il fallut l'entraîner à l'hôtel de Castries[1]
où il joua dignement son rôle, livré à la plus mortell
affliction. Là tous les matins il allait dans le jardin pleure
à son aise, tenant sur ses yeux son mouchoir baigné d
larmes, tant qu'il était en vue de l'hôtel; mais, au détou
d'une certaine allée, des gens auxquels il ne songeait pa
le virent mettre à l'instant le mouchoir dans sa poche, e
tirer un livre. Cette observation, qu'on répéta, fut bientô
publique dans tout Paris, et presque aussitôt oubliée. J
l'avais oubliée moi-même; un fait qui me regardait servi
à me la rappeler. J'étais à l'extrémité dans mon lit, ru
de Grenelle : il était à la campagne; il vint un matin m
voir tout essoufflé, disant qu'il venait d'arriver à l'instan
même; je sus un moment après qu'il était arrivé de l
veille, et qu'on l'avait vu au spectacle le même jour.

Il me revint mille faits de cette espèce; mais une obser
vation que je fus surpris de faire si tard me frappa plu
que tout cela. J'avais donné à Grimm tous mes amis san
exception, ils étaient tous devenus les siens. Je pouvai
si peu me séparer de lui, que j'aurais à peine voulu m
conserver l'entrée d'une maison où il ne l'aurait pas eue
Il n'y eut que M^me de Créqui qui refusa de l'admettre, e
qu'aussi je cessai presque de voir depuis ce temps-là
Grimm, de son côté, se fit[a] d'autres amis, tant de so
estoc que de celui du comte de Friese. De tous ces amis-là
jamais un seul n'est devenu le mien[2], jamais il ne m'
dit un mot pour m'engager de faire au moins leur connais
sance, et de tous ceux que j'ai quelquefois rencontrés che

1. *Palais-Royal :* résidence du duc d'Orléans, dont Grimm devin
le secrétaire à la mort du comte de Friese.

Hôtel de Castries. Faut-il bien lire hôtel de *Castries ?* Il pourrai
s'agir plutôt de l'hôtel d'Estrées, Grimm étant attaché non pa
comme le croit Rousseau (voir p. 530) au maréchal de Castries, mai
au maréchal d'Estrées.

Le marquis de Castries est maréchal de camp (= général de brigade
depuis 1748, et deviendra en 1749 maréchal de camp général de l
cavalerie. Le baron d'Estrées est maréchal de camp depuis 1744.

2. Rousseau reprend à plusieurs reprises ce grief (voir pp. 551 et 558)
redite s'ajoutant à plusieurs autres dans ces pages. — Sur l'expres
sion *de son estoc,* voir *supra,* livre VII, n. 2, p. 354.

L'hypocrisie dénoncée dans ces pages et celles qui suivent en l
personne de Grimm sera flétrie comme un odieux système des philo
sophes dans la 3e Promenade des *Rêveries.* Rousseau y distinguer
leur morale publique, « cette morale sans racine et sans fruit [rémi

lui, jamais un seul ne m'a marqué[a] la moindre bienveil-
lance, pas même le comte de Friese, chez lequel il demeu-
rait, et avec lequel il m'eût par conséquent été très agréable
de former quelque liaison, ni le comte de Schomberg, son
parent, avec lequel Grimm était encore plus familier.

Voici plus : mes propres amis, dont je fis les siens, et
qui tous m'étaient tendrement attachés avant cette connais-
sance, changèrent sensiblement pour moi quand elle fut
faite. Il ne m'a jamais donné aucun des siens; je lui ai
donné tous les miens, et il a fini par me les tous ôter.
Si ce sont là des effets de l'amitié, quels seront donc ceux
de la haine ?

Diderot même, au commencement, m'avertit plusieurs
fois que Grimm[b], à qui je donnais tant de confiance,
n'était pas mon ami. Dans la suite il changea de langage[c],
quand lui-même eut cessé d'être le mien.

La manière dont j'avais disposé de mes enfants n'avait
besoin du concours de personne. J'en instruisis cepen-
dant mes amis, uniquement pour les en instruire, pour
ne pas paraître à leurs yeux meilleur que je n'étais. Ces
amis étaient au nombre de trois : Diderot, Grimm,
M[me] d'Épinay; Duclos, le plus digne de ma confidence,
fut le seul à qui je ne la fis pas. Il la sut cependant; par
qui ? Je l'ignore. Il n'est guère probable que cette infidé-
lité soit venue de M[me] d'Épinay, qui savait qu'en l'imi-
tant, si j'en eusse été capable[d], j'avais de quoi m'en venger
cruellement. Restent Grimm et Diderot, alors si unis en
tant de choses, surtout contre moi, qu'il est plus que pro-
bable que ce crime leur fut commun. Je parierais que
Duclos, à qui je n'ai pas dit mon secret, et qui, par consé-
quent, en était le maître, est le seul qui me l'ait gardé.

Grimm et Diderot dans leur projet de m'ôter les Gou-
verneuses, avaient fait effort pour[e] le faire entrer dans leurs
vues : il s'y refusa toujours avec dédain. Ce ne fut que

niscence de l'Évangile selon saint Matthieu, VII, 16-20], qu'ils étalent
pompeusement dans des livres ou dans quelque action d'éclat sur le
théâtre, sans qu'il en pénètre jamais rien dans le cœur ni dans la
raison », et « cette autre morale secrète et cruelle, doctrine intérieure
[...] à laquelle l'autre ne sert que de marque ».
Sa morale à lui repose sur le principe de l'*assentiment intérieur,* la
voix de la conscience dont parle la Profession de foi du vicaire
savoyard.

dans la suite que j'appris de lui tout ce qui s'était passé entre eux à cet égard; mais j'en appris dès lors assez par Thérèse pour voir qu'il y avait à tout cela quelque dessein secret, et qu'on voulait disposer de moi, sinon contre mon gré, du moins à mon insu[a], ou bien qu'on voulait faire servir ces deux personnes d'instrument à quelque dessein caché. Tout cela n'était assurément pas de la droiture. L'opposition de Duclos le prouve sans réplique[b]. Croira qui voudra que c'était de l'amitié.

Cette prétendue amitié m'était aussi fatale au dedans qu'au dehors. Les longs et fréquents entretiens avec Mme Le Vasseur depuis plusieurs années avaient changé sensiblement cette femme à mon égard, et ce changement ne m'était assurément pas favorable. De quoi traitaient-ils donc dans ces singuliers tête-à-tête? Pourquoi ce profond mystère? La conversation de cette vieille femme était-elle donc assez[c] agréable pour la prendre ainsi en bonne fortune[1], et assez importante pour en faire un si grand secret? Depuis trois ou quatre ans que ces colloques duraient, ils m'avaient paru risibles : en y repensant alors je commençai de m'en étonner. Cet étonnement eût été jusqu'à l'inquiétude, si j'avais su dès lors ce que cette femme me préparait.

Malgré le prétendu zèle pour moi dont Grimm se targuait au dehors, et difficile à concilier avec le ton qu'il prenait vis-à-vis de moi-même, il ne me revenait rien de lui, d'aucun côté, qui fût à mon avantage, et la commisération qu'il[d] feignait d'avoir pour moi tendait bien moins à me servir qu'à m'avilir. Il m'ôtait même, autant qu'il était en lui, la ressource du métier que je m'étais choisi, en me décriant comme un mauvais copiste, et je conviens qu'il disait en cela la vérité; mais ce n'était pas à lui de la dire. Il prouvait que ce n'était pas plaisanterie, en se servant d'un autre copiste, et en ne me laissant aucune des pratiques qu'il pouvait m'ôter. On eût dit que son projet était de me faire dépendre de lui et de son crédit pour ma subsistance, et d'en tarir la source jusqu'à ce que j'en fusse réduit là.

Tout cela résumé, ma raison fit taire enfin mon[e] ancienne prévention qui parlait encore : je jugeai son caractère au moins très suspect, et quant à son amitié,

1. *En bonne fortune* : v. p. 481, n. 1.

je la décidai fausse. Puis, résolu de ne le plus voir, j'en
avertis M^me d'Épinay, appuyant ma résolution de plusieurs
faits sans réplique, mais que j'ai maintenant oubliés.

Elle combattit fortement[a] cette résolution, sans savoir
trop[b] que dire aux raisons sur lesquelles elle était fondée.
Elle ne s'était pas encore concertée avec lui. Mais le len-
demain, au lieu de s'expliquer verbalement avec moi,
elle me remit une lettre très adroite, qu'ils avaient minutée
ensemble, et[c] par laquelle, sans entrer dans aucun détail
des faits, elle le justifiait par son caractère[d] concentré, et,
me faisant un crime de l'avoir soupçonné de perfidie
envers son ami, m'exhortait à me raccommoder avec lui.
Cette lettre, qu'on trouvera dans la liasse A n° 48[1],
m'ébranla. Dans une conversation que nous eûmes[e]
ensuite, et où je la trouvai mieux préparée qu'elle ne l'était
la première fois, j'achevai de me laisser vaincre : j'en vins
à croire que je pouvais avoir mal[f] jugé, et qu'en ce cas
j'avais réellement[g], envers un ami, des torts graves que
je devais réparer. Bref comme j'avais déjà fait plusieurs
fois avec Diderot, avec le baron d'Holbach, moitié gré,
moitié faiblesse, je fis toutes les avances que j'avais droit
d'exiger; j'allai chez M. Grimm comme un autre George
Dandin, lui faire excuse des offenses qu'il m'avait faites,
toujours dans cette fausse persuasion qui m'a fait faire en
ma vie mille bassesses auprès de mes feints amis, qu'il
n'y a point de haine qu'on ne désarme à force de douceur
et de bons procédés, au lieu qu'au contraire la haine des
méchants ne fait que s'animer davantage par l'impossibilité
de trouver sur quoi la fonder, et le sentiment de leur
propre injustice n'est qu'un grief de plus contre celui qui
en est l'objet. J'ai, sans sortir de ma propre histoire, une
preuve bien forte de cette maxime dans Grimm et dans
Tronchin, devenus mes deux plus implacables ennemis[h]
par goût, par plaisir, par fantaisie, sans pouvoir alléguer
aucun tort d'aucune espèce que j'aie eu jamais avec aucun

1. La lettre « minutée » par M^me d'Épinay et Grimm (*minuter :*
rédiger la minute, le brouillon ou l'original d'un écrit) est publiée
par erreur par *D. P.* comme émanant de Diderot, avec la date d'avril
1757. Elle date vraisemblablement de septembre. La réconciliation
où Rousseau dit avoir joué le rôle de George Dandin (voir *Index*) eut
lieu au début d'octobre, lors du retour de Rousseau à la Chevrette.
Lettre datée « vers le 26 sept. » dans *C. C.*, IV, 262.

des deux*, et dont la rage s'accroît de jour en jour, comme celle des tigres, par la facilité qu'ils trouvent à l'assouvir.

Je m'attendais que, confus de ma condescendance et de mes avances, Grimm me recevrait les bras ouverts, avec la plus tendre amitié. Il me reçut en empereur romain, avec une morgue que je n'avais[a] jamais vue à personne. Je n'étais point du tout préparé à cet accueil. Quand, dans l'embarras d'un rôle si peu fait pour moi, j'eus rempli, en peu de mots, et d'un air timide, l'objet qui m'amenait près de lui, avant de me recevoir en grâce, il prononça, avec beaucoup de majesté, une longue harangue qu'il avait préparée, et qui contenait la nombreuse énumération de ses rares vertus, et surtout dans l'amitié. Il appuya[b] longtemps sur une chose qui d'abord me frappa beaucoup; c'est qu'on lui voyait toujours conserver les mêmes amis. Tandis qu'il parlait, je me disais tout bas qu'il serait bien cruel pour moi de faire seul exception à cette règle. Il y revint si souvent et avec tant d'affectation qu'il me fit penser que s'il ne suivait en cela que les sentiments de son cœur, il serait moins frappé de cette maxime, et qu'il s'en faisait un art utile à ses vues dans les moyens de parvenir[c]. Jusqu'alors j'avais été dans le même cas, j'avais conservé toujours tous mes amis; depuis ma plus tendre enfance je n'en avais pas perdu un seul, si ce n'est par la mort, et cependant je n'en avais pas fait jusqu'alors la réflexion; ce n'était pas une maxime que je me fusse prescrite. Puisque c'était un avantage alors commun à l'un et à l'autre, pourquoi donc s'en targuait-il par préférence, si ce n'est qu'il songeait d'avance à me l'ôter? Il s'attacha ensuite à m'humilier par les preuves de la préférence que nos amis communs lui donnaient sur moi. Je connaissais aussi bien que lui cette préférence; la question était[d] à quel titre il l'avait obtenue; si c'était à force de mérite ou d'adresse, en s'élevant lui-même ou en cherchant à me rabaisser. Enfin, quand il eut mis, à son gré, entre lui et moi toute la distance qui pouvait donner du prix à la

* Je n'ai donné, dans la suite, au dernier le surnom de Jongleur que longtemps après son inimitié déclarée, et les sanglantes persécutions qu'il m'avait suscitées à Genève et ailleurs. J'ai même bientôt supprimé ce nom quand je me suis vu tout à fait sa victime. Les basses vengeances sont indignes de mon cœur et la haine n'y prend jamais pied.

grâce qu'il m'allait faire, il m'accorda le baiser de paix dans un léger embrassement qui ressemblait à l'accolade que le roi donne aux nouveaux chevaliers. Je tombais des nues, j'étais ébahi, je ne savais que dire, je ne trouvais pas un mot. Toute cette scène eut l'air de la réprimande qu'un précepteur fait à son disciple, en lui faisant grâce du fouet. Je n'y pense jamais sans sentir combien sont trompeurs les jugements fondés sur l'apparence, auxquels le vulgaire donne tant de poids, et combien souvent l'audace et la fierté sont du côté du coupable, la honte et l'embarras du côté de l'innocent.

Nous étions réconciliés; c'était toujours un soulagement pour mon cœur, que toute querelle jette dans des angoisses mortelles. On se doute bien qu'une pareille réconciliation ne changea pas ses manières; elle m'ôta seulement le droit de m'en plaindre. Aussi pris-je le parti d'endurer tout, et de ne dire plus rien.

Tant de chagrins, coup sur coup, me jetèrent dans un accablement qui ne me laissait guère la force de reprendre l'empire de moi-même. Sans réponse de Saint-Lambert, négligé de Mᵐᵉ d'Houdetot, n'osant plus m'ouvrir à personne, je commençai de craindre qu'en faisant de l'amitié l'idole de mon cœur, je n'eusse employé ma vie à sacrifier à des chimères. Épreuve faite, il ne restait de toutes mes liaisons que deux hommes qui eussent conservé toute mon estime, et à qui mon cœur pût donner sa confiance : Duclos, que depuis ma retraite à l'Ermitage j'avais perdu de vue, et Saint-Lambert. Je crus ne pouvoir bien réparer mes torts envers ce dernier qu'en lui déchargeant mon cœur sans réserve, et je résolus de lui faire pleinement mes confessions en tout ce qui ne compromettait pas sa maîtresse. Je ne doute pas que ce choix ne fût encore un piège de ma passion, pour me tenir plus rapproché d'elle; mais il est certain que je me serais jeté dans les bras de son amant sans réserve, que je me serais mis pleinement sous sa conduite et que j'aurais poussé la franchise aussi loin qu'elle pouvait aller. J'étais prêt à lui écrire une seconde lettre, à laquelle j'étais sûr qu'il aurait répondu, quand j'appris la triste cause de son silence sur la première. Il n'avait pu soutenir jusqu'au bout les fatigues de cette campagne. Mᵐᵉ d'Épinay m'apprit qu'il venait d'avoir une attaque de paralysie, et Mᵐᵉ d'Houdetot, que son affliction finit par rendre malade elle-même, et qui fut hors

d'état de m'écrire sur-le-champ, me marqua deux ou trois
jours après, de Paris où elle était alors, qu'il se faisait
porter à Aix-la-Chapelle pour y prendre les bains. Je ne
dis pas que cette triste nouvelle m'affligea comme elle;
mais je doute que le serrement de cœur qu'elle me donna
fût moins pénible que sa douleur et ses larmes. Le chagrin
de le savoir dans cet état, augmenté par la crainte que l'in-
quiétude n'eût contribué à l'y mettre, me toucha plus que
tout ce qui m'était arrivé jusqu'alors, et je sentis cruelle-
ment qu'il me manquait, dans ma propre estime, la force
dont j'avais besoin pour supporter tant de déplaisir. Heu-
reusement, ce généreux ami ne me laissa pas longtemps
dans cet accablement; il ne m'oublia pas, malgré son
attaque, et je ne tardai pas d'apprendre par lui-même
que j'avais trop mal jugé de ses sentiments et de son état.
Mais il est temps d'en venir à la grande révolution de ma
destinée, à la catastrophe qui a partagé ma vie en deux
parties si différentes, et qui d'une bien légère cause a tiré
de si terribles effets.

Un jour que je ne songeais à rien moins, Mme d'Épinay
m'envoya chercher. En entrant, j'aperçus dans ses yeux
et dans toute sa contenance un air de trouble dont je fus
d'autant plus frappé, que cet air ne lui était point ordi-
naire, personne au monde ne sachant mieux qu'elle gou-
verner son visage et ses mouvements. Mon ami, me dit-elle,
je pars pour Genève; ma poitrine est en mauvais état, ma
santé se délabre au point que, toute chose cessante, il faut
que j'aille voir et consulter Tronchin. Cette résolution,
si brusquement prise et à l'entrée de la[a] mauvaise saison,
m'étonna d'autant plus que je l'avais quittée trente-six
heures auparavant sans qu'il en fût question. Je lui demandai
qui elle emmènerait avec elle. Elle me dit qu'elle emmène-
rait son fils avec M. de Linant, et puis elle ajouta négli-
gemment : Et vous, mon Ours, ne viendrez-vous pas
aussi[1b] ? Comme je ne crus pas qu'elle parlât sérieusement,

1. Le mot *ours* fait partie du vocabulaire de coterie adopté par les
familiers de Mme d'Épinay (voir *supra,* fin de la note p. 553). On le
retrouve dans leur correspondance; c'est ainsi que le billet auquel fait
allusion Rousseau, *supra,* p. 517, n. 2, se termine par « Bonjour
le roi des ours ». Rousseau se désigne pour la première fois sous le
nom d'*ours* dans ses lettres de 1756 à Mme d'Epinay; il l'appelle parfois
« mère aux ours ». Il est aussi, dans sa correspondance avec Diderot, le
Citoeyn (p. 469).

sachant que dans la saison où nous entrions j'étais à peine
en état de sortir de ma chambre, je plaisantai sur l'utilité
du cortège d'un malade pour un[a] autre malade; elle parut
elle-même n'en avoir pas fait tout de bon la proposition,
et il n'en fut plus question. Nous ne parlâmes plus que
des préparatifs de son voyage, dont elle s'occupait avec
beaucoup de vivacité, étant résolue à partir dans quinze
jours.

[b]Je n'avais pas besoin de beaucoup de pénétration pour
comprendre qu'il y avait à ce voyage un motif secret qu'on
me taisait. Ce secret, qui n'en était un dans toute la maison
que pour moi, fut découvert dès le lendemain par Thérèse,
à qui Teissier, le maître d'hôtel, qui le savait de la femme
de chambre, le révéla. Quoique je ne doive pas ce secret
à M^me d'Épinay, puisque je ne le tiens pas d'elle, il est
trop lié avec ceux que j'en tiens pour que je puisse l'en
séparer : ainsi je me tairai sur cet article. Mais ces secrets,
qui jamais ne sont sortis, ni ne sortiront, de ma bouche
ni de ma plume, ont été sus de trop de gens pour pouvoir
être ignorés dans tous les entours[1] de M^me d'Épinay.

Instruit du vrai motif[c] de ce voyage, j'aurais reconnu
la secrète impulsion d'une main ennemie, dans la tentative
de m'y faire le chaperon de M^me d'Épinay; mais elle avait
si peu insisté, que je persistai à n'y point regarder cette
tentative comme sérieuse, et je ris seulement du beau
personnage que j'aurais fait là, si j'eusse eu la sottise de
m'en charger. Au reste, elle gagna beaucoup à mon refus,
car elle vint à bout d'engager son mari même à l'accom-
pagner[2].

Quelques jours après, je reçus de Diderot le billet que
je vais transcrire. Ce billet seulement plié en deux, de
manière que tout le dedans se lisait sans peine, me fut
adressé chez M^me d'Épinay, et recommandé à M. de Linant,
le gouverneur du fils et le confident de la mère.

1. *Entours*, v. p. 514, n. 1.
2. Rousseau laisse clairement entendre que M^me d'Épinay (ce que
n'admettent pas tous les critiques) était enceinte des œuvres de Grimm,
et que ce secret de polichinelle n'avait pu échapper qu'à des naïfs
comme lui Rousseau. On rapprochera ce passage de ce qu'il dit plus
haut du « commerce avec Grimm » de M^me d'Épinay, connu de tous
mais découvert tardivement par lui-même V. aussi p. 567.

Billet de Diderot, Liasse A, n° 52.

« Je suis fait pour vous aimer et pour vous donner du
« chagrin. J'apprends que M^me d'Épinay va à Genève,
« et je n'entends point dire que vous l'accompagniez.
« Mon ami, content de M^me d'Épinay, il faut partir avec
« elle; mécontent, il faut partir beaucoup plus vite. Êtes-
« vous surchargé du poids des obligations que vous lui
« avez : voilà une occasion de vous acquitter en partie
« et de vous soulager. Trouverez-vous une autre occasion
« dans votre vie de lui témoigner votre reconnaissance ?
« Elle va dans un pays où elle sera comme tombée des
« nues. Elle est malade, elle aura besoin d'amusement et
« de distraction. L'hiver ! voyez, mon ami. L'objection
« de votre santé peut être beaucoup plus forte que je ne
« la crois. Mais êtes-vous plus mal aujourd'hui que vous
« ne l'étiez il y a un mois, et que vous ne le serez au com-
« mencement du printemps ? Ferez-vous dans trois mois
« d'ici le voyage plus commodément qu'aujourd'hui ? Pour
« moi, je vous avoue que si je ne pouvais supporter la
« chaise, je prendrais un bâton et je la suivrais. Et puis
« ne craignez-vous pas qu'on ne mésinterprète votre
« conduite ? On vous soupçonnera ou·d'ingratitude, ou
« d'un autre motif secret. Je sais bien que, quoi que vous
« fassiez, vous aurez toujours pour vous le témoignage
« de votre conscience, mais ce témoignage suffit-il seul,
« et est-il permis de négliger jusqu'à certain point celui
« des autres hommes ? Au reste, mon ami, c'est pour
« m'acquitter avec vous et avec moi que je vous écris ce
« billet. S'il vous déplaît, jetez-le au feu, et qu'il n'en soit
« non plus question que s'il n'eût jamais été écrit. Je vous
« salue, vous aime, et vous embrasse. »

Le tremblement de colère, l'éblouissement qui me
gagnaient en lisant ce billet, et qui me permirent à peine
de l'achever, ne m'empêchèrent pas d'y remarquer l'adresse
avec laquelle Diderot y affectait un ton plus doux, plus
caressant, plus honnête que dans toutes ses autres lettres,
dans lesquelles il me traitait tout au plus de mon cher,
sans^a daigner m'y donner le nom d'ami. Je vis aisément
le ricochet par lequel me venait ce billet, dont la suscrip-
tion, la forme et la marche décelaient même assez mala-
droitement le détour : car nous nous écrivions ordinaire-

ment par la poste ou par le messager de Montmorency,
et ce fut la première[a] et l'unique fois qu'il se servit de
cette voie-là.

Quand le premier transport de mon indignation me
permit d'écrire, je lui traçai précipitamment la réponse
suivante, que je portai sur-le-champ, de l'Ermitage où
j'étais pour lors, à la Chevrette, pour la montrer à
M^{me} d'Épinay, à qui, dans mon aveugle colère, je la voulus
lire moi-même, ainsi que le billet de Diderot[1].

« Mon cher ami, vous ne pouvez savoir ni la force
« des obligations que je puis avoir à M^{me} d'Épinay, ni
« jusqu'à quel point elles me lient, ni si elle a[b] réellement
« besoin de moi dans son voyage, ni si elle désire que je
« l'accompagne, ni s'il m'est possible de le faire, ni les
« raisons que je puis avoir de m'en abstenir. Je ne refuse
« pas de discuter avec vous tous ces points; mais, en
« attendant, convenez que me prescrire si affirmativement
« ce que je dois faire, sans vous être mis en état d'en
« juger, c'est, mon cher philosophe, opiner en franc
« étourdi. Ce que je vois de pis à cela est que votre avis
« ne vient pas de vous. Outre que je suis peu d'humeur
« à me laisser mener sous votre nom par le tiers et le
« quart, je trouve à ces ricochets certains détours qui ne
« vont pas[c] à votre franchise, et dont vous ferez bien,
« pour vous et pour moi, de vous abstenir désormais.

« Vous craignez qu'on n'interprète mal ma conduite;
« mais je défie un cœur comme le vôtre d'oser mal penser
« du mien. D'autres, peut-être, parleraient mieux de moi
« si je leur ressemblais davantage. Que Dieu me préserve
« de me faire approuver d'eux ! Que les méchants m'épient

1. Entre la lettre de Diderot, datée par Leigh (*C. C.*, IV, 292) « vers
le 23 oct. »; Roth : « vers le 20 »), et la réponse de Rousseau (*C. C.*, IV,
296; « le 24 ou 25 »; Roth : « vers le 21 ») se situerait, à en croire une
lettre écrite à Rousseau de Genève le 12 novembre par M^{me} d'Épinay,
et mentionnée plus bas, p. 571 (*C. C.*, IV, 354), une explication entre
elle et Rousseau (elle a quitté la Chevrette le 25 octobre), au cours
de laquelle Rousseau aurait reconnu tous ses torts envers elle. Le même
mardi 25 octobre, Rousseau est à Eaubonne chez M^{me} d'Houdetot
pour ses « adieux à la vallée » (p. 564). Les sentiments attribués ici à
Saint-Lambert et à M^{me} d'Houdetot concordent avec le ton affectueux
de leurs lettres à Rousseau dans cette période.

« et m'interprètent : Rousseau n'est pas fait pour les
« craindre, ni Diderot pour les écouter.

« Si votre billet m'a déplu, vous voulez que je le jette
« au feu, et qu'il n'en soit plus question ! Pensez-vous
« qu'on oublie ainsi ce qui vient de vous ? Mon cher, vous
« faites aussi bon marché de mes larmes, dans les peines
« que vous me donnez, que de ma vie et ma santé dans
« les soins que vous m'exhortez à prendre. Si vous pouviez
« vous corriger de cela, votre amitié m'en serait plus
« douce, et j'en deviendrais moins à plaindre. »

En entrant dans la chambre de M^me d'Épinay, je trouvai
Grimm avec elle, et j'en fus charmé. Je leur lus à haute
et claire voix mes deux lettres avec une intrépidité dont
je ne me serais^a pas cru capable, et j'y ajoutai, en finissant,
quelques discours qui ne la démentaient pas. A cette
audace inattendue dans un homme ordinairement si craintif,
je les vis l'un et l'autre atterrés, abasourdis, ne répondant
pas un mot ; je vis surtout cet homme arrogant baisser
les yeux à terre, et n'oser soutenir les étincelles de mes
regards ; mais dans le même instant, au fond de son cœur,
il jurait ma perte, et je suis sûr qu'ils la concertèrent avant
de se séparer.

Ce fut peu après dans ce temps-là que je reçus enfin
par M^me d'Houdetot la réponse de Saint-Lambert (Liasse A
n^o 57), datée encore de Wolfenbuttel, peu de jours après
son accident, à ma lettre qui avait tardé longtemps en
route. Cette réponse m'apporta des consolations, dont
j'avais grand besoin dans ce moment-là, par les témoignages
d'estime et d'amitié dont elle était pleine, et qui me don-
nèrent le courage et la force de les mériter. Dès ce moment
je fis mon devoir ; mais il est constant que si Saint-Lambert
se fût trouvé moins sensé, moins généreux, moins honnête
homme, j'étais perdu sans retour.

La saison devenait mauvaise, et l'on commençait à
quitter la campagne. M^me d'Houdetot me marqua le jour
où elle comptait venir faire ses adieux à la vallée, et me
donna rendez-vous à Eaubonne. Ce jour se trouva par
hasard le même où M^me d'Épinay quittait la Chevrette
pour aller à Paris achever les préparatifs de son voyage.
Heureusement elle partit le matin, et j'eus le temps encore,
en la quittant, d'aller dîner avec sa belle-sœur. J'avais la
lettre de Saint-Lambert dans ma poche ; je la relus plusieurs

fois en marchant. Cette lettre me servit d'égide contre ma faiblesse. Je fis et tins la résolution de ne voir plus en M[me] d'Houdetot que mon amie et la maîtresse de mon ami, et je passai[a] tête-à-tête avec elle quatre ou cinq heures dans un calme délicieux, préférable infiniment, même quant à la jouissance, à ces accès de fièvre ardente que jusqu'alors j'avais eus auprès d'elle. Comme elle savait trop que mon cœur n'était pas changé, elle fut sensible aux efforts que j'avais faits pour me vaincre; elle m'en estima davantage, et j'eus le plaisir de voir que son amitié pour moi n'était point éteinte. Elle m'annonça le prochain retour de Saint-Lambert, qui, quoique assez bien[b] rétabli de son attaque, n'était plus en état de soutenir les fatigues de la guerre, et quittait le service pour[c] venir vivre paisiblement auprès d'elle. Nous formâmes le projet charmant d'une étroite société entre nous trois, et nous pouvions espérer que l'exécution de ce projet serait durable, vu que tous les sentiments qui peuvent unir des cœurs sensibles et droits en faisaient la base, et que nous rassemblions[d] à nous trois assez de talents et de connaissances pour nous suffire à nous-mêmes, et n'avoir besoin d'aucun supplément[1] étranger. Hélas ! en me livrant à l'espoir d'une si douce vie, je ne songeais guère à celle qui m'attendait.

Nous parlâmes ensuite de ma situation présente avec M[me] d'Épinay. Je lui montrai la lettre de Diderot, avec ma réponse : je lui détaillai tout ce qui s'était passé à ce sujet, et je lui déclarai la résolution où j'étais de quitter l'Ermitage. Elle s'y opposa vivement, et par des raisons toute[s]-puissantes sur mon cœur. Elle me témoigna combien elle aurait désiré que j'eusse fait le voyage de Genève, prévoyant qu'on ne manquerait pas de la compromettre dans mon refus : ce que la lettre de Diderot semblait annoncer d'avance. Cependant, comme elle savait mes raisons aussi bien que moi-même, elle n'insista pas sur cet article; mais elle me conjura d'éviter tout éclat, à quelque prix que ce pût être, et de pallier mon refus de raisons assez plausibles pour éloigner l'injuste soupçon qu'elle pût y avoir part. Je lui dis qu'elle ne m'imposait pas une tâche aisée; mais que résolu d'expier mes torts au prix même de ma réputation, je voulais donner la préférence à la sienne, en tout ce que l'honneur me permettait d'en-

1. *Supplément :* v. p. 119, n. 1.

durer. On connaîtra bientôt si j'ai su remplir cet engagement.

Je le puis jurer, loin que ma passion[a] malheureuse eût rien perdu de sa force, je n'aimai jamais ma Sophie aussi vivement, aussi tendrement que je fis ce jour-là. Mais telle fut l'impression que firent sur moi la lettre de Saint-Lambert, le sentiment du devoir et l'horreur de la perfidie, que, durant toute cette entrevue, mes sens me laissèrent pleinement en paix auprès d'elle, et que je ne fus pas même tenté de lui baiser la main. En partant, elle m'embrassa devant ses gens. Ce baiser, si différent de ceux que je lui avais dérobés quelquefois sous les feuillages, me fut garant que j'avais repris l'empire de moi-même : je suis presque assuré que si mon cœur avait eu le temps de se raffermir dans le calme, il ne me fallait pas trois mois pour être guéri radicalement.

Ici finissent mes liaisons personnelles avec Mme d'Houdetot[1]. Liaisons dont chacun a pu juger sur les apparences selon les dispositions de son propre cœur, mais dans lesquelles la passion que m'inspira cette aimable femme, passion la plus vive peut-être qu'aucun homme ait jamais sentie, s'honorera toujours, entre le ciel et nous, des rares et pénibles sacrifices faits par tous deux au devoir, à l'honneur, à l'amour et à l'amitié. Nous nous étions trop élevés[b] aux yeux l'un de l'autre pour pouvoir nous avilir aisément. Il faudrait être indigne de toute estime pour se résoudre à en perdre une de si haut prix, et l'énergie même des sentiments qui pouvaient nous rendre coupables fut ce qui nous empêcha de le devenir.

C'est ainsi qu'après une si longue amitié pour l'une de ces[c] deux femmes, et un si vif amour pour l'autre, je leur fis séparément mes adieux en un même jour : à l'une pour ne la revoir de ma vie, à l'autre pour ne la[d] revoir que deux fois dans les occasions que je dirai ci-après.

Après leur départ, je me trouvai dans un grand embarras

1. En fait la correspondance se poursuivit (Rousseau le dit lui-même au livre X, pp. 583 et 592) au-delà même de la lettre de rupture que Mme d'Houdetot, le 6 mai 1758 (*C. C.*, V, 72), adressa à un Rousseau dont les susceptibilités et les accusations, alternant avec des excuses désespérées, devenaient insoutenables. Il avouera lui-même au début du livre X (p. 583) : « Cette agitation [...] rendit ma correspondance orageuse, au point de l'en dégoûter tout à fait », et résumera alors le contenu de la lettre du 6 mai 1758 (p. 586).

pour remplir tant de devoirs pressants et contradictoires, suite de mes imprudences. Si j'eusse été dans mon état naturel, après la proposition et le refus de ce voyage de Genève, je n'avais qu'à rester tranquille, et tout était dit. Mais j'en avais sottement fait une affaire qui ne pouvait rester dans l'état où elle était, et je ne pouvais me dispenser de toute ultérieure explication qu'en quittant l'Ermitage; ce que je venais de promettre à M^me d'Houdetot de ne pas faire, au moins pour le moment présent. De plus, elle avait exigé que j'excusasse auprès de mes soi-disant amis[a] le refus de ce voyage, afin qu'on ne lui imputât pas ce refus. Cependant je n'en pouvais alléguer la véritable cause sans outrager M^me d'Épinay, à qui je devais certainement de la reconnaissance, après tout ce qu'elle avait fait pour moi. Tout bien considéré, je me trouvai dans la dure, mais indispensable alternative de manquer à M^me d'Épinay, à M^me d'Houdetot, ou à moi-même, et je pris le dernier parti. Je le pris hautement, pleinement, sans tergiverser, et avec une générosité[b] digne assurément de laver les fautes qui m'avaient réduit à cette extrémité. Ce sacrifice, dont mes ennemis ont su tirer parti, et qu'ils attendaient peut-être, a fait la ruine de ma réputation, et m'a ôté, par leurs soins, l'estime publique; mais il m'a rendu la mienne, et m'a consolé dans mes malheurs. Ce n'est pas la dernière fois, comme on verra, que j'ai fait de pareils sacrifices, ni la dernière aussi qu'on s'en est prévalu pour m'accabler.

Grimm était le seul qui parût n'avoir pris aucune part dans cette affaire; ce fut à lui que je résolus de m'adresser. Je lui écrivis une longue lettre dans laquelle j'exposai le ridicule de vouloir me faire un devoir de ce voyage de Genève, l'inutilité, l'embarras même dont j'y aurais été à M^me d'Épinay, et les inconvénients qu'il en aurait résulté pour moi-même. Je ne résistai pas, dans cette lettre, à la tentation de lui laisser[c] voir que j'étais instruit, et qu'il me paraissait singulier qu'on prétendît que c'était à moi de faire ce voyage, tandis que lui-même s'en dispensait, et qu'on ne faisait pas mention de lui. Cette lettre, où, faute de pouvoir dire nettement mes raisons, je fus forcé de battre souvent la campagne, m'aurait donné dans le public l'apparence de bien des torts; mais elle était un exemple de retenue et de discrétion pour les gens qui, comme Grimm, étaient au fait des choses que j'y taisais,

et qui justifiaient pleinement ma conduite. Je ne craignis pas même de mettre un préjugé de plus contre moi[a], en prêtant l'avis de Diderot à mes autres amis, pour insinuer que M[me] d'Houdetot avait pensé de même, comme il était vrai[b], et taisant que, sur mes raisons, elle avait changé d'avis. Je ne pouvais mieux la disculper du soupçon de conniver avec moi qu'en paraissant, sur ce point, mécontent d'elle.

Cette lettre finissait par un acte de confiance dont tout autre homme aurait été touché; car en exhortant Grimm à peser mes raisons et à me marquer après cela son avis, je lui marquais que cet avis serait suivi, quel qu'il pût être, et c'était mon intention, eût-il même opiné pour mon départ; car M. d'Épinay s'étant fait le conducteur de sa femme dans ce voyage, le mien prenait alors un coup d'œil tout différent : au lieu que c'était moi d'abord qu'on voulût charger de cet emploi, et qu'il ne fût question de lui qu'après mon refus.

La réponse de Grimm se fit attendre; elle fut singulière. Je vais la transcrire ici. Voyez (Liasse A, n° 59)[1] :

« Le départ de M[me] d'Épinay est reculé; son fils est
« malade, il faut attendre qu'il soit rétabli. Je rêverai à
« votre lettre. Tenez-vous tranquille à votre Ermitage.
« Je vous ferai passer mon avis à temps. Comme elle ne
« partira sûrement pas de quelques jours, rien ne presse.
« En attendant, si vous le jugez à propos, vous pouvez
« lui faire vos offres, quoique cela me paraisse encore
« assez égal. Car, connaissant votre position aussi bien
« que vous-même, je ne doute point qu'elle ne réponde
« à vos offres comme elle doit, et tout ce que je vois à
« gagner à cela, c'est que vous pourrez dire à ceux qui
« vous pressent que si vous n'avez pas été, ce n'est pas
« faute de vous être offert. Au reste, je ne vois pas pour-
« quoi vous voulez absolument que le Philosophe soit le

1. La lettre de Rousseau à Grimm a été publiée d'après le « copie-de-lettres » de Neuchâtel dans les *Annales, XXIX*, pp. 207-214, par H. Guillemin, qui la date comme Leigh du 26 octobre 1757. La réponse de Grimm parvint à Rousseau le 29. Quant à la lettre de Rousseau à M[me] d'Épinay, mentionnée p. 569, sur la maladie de son fils (*C. C.,* IV, 316), elle est, quoi qu'en dise Rousseau, plus brutale qu'honnête. M[me] d'Épinay quitta effectivement Paris pour Genève le 30 octobre.

« porte-voix de tout le monde, et parce que son avis est
« que vous partiez, pourquoi vous imaginez que tous
« vos amis prétendent la même chose. Si vous écrivez à
« M^me d'Épinay, sa réponse peut vous servir de réplique
« à tous ces amis, puisqu'il vous tient tant au cœur de
« leur répliquer. Adieu : je salue M^me Le Vasseur et le
« Criminel*. »

Frappé d'étonnement en lisant cette lettre, je cher-
chais avec inquiétude ce qu'elle pouvait signifier, et je ne
trouvais rien. Comment ! au lieu de me répondre avec
simplicité sur la mienne, il prend du temps pour y rêver,
comme si celui qu'il^c avait déjà pris ne lui avait pas suffi.
Il m'avertit même de la suspension dans laquelle il veut
me tenir, comme s'il s'agissait d'un profond problème à
résoudre, ou comme s'il importait à ses vues de m'ôter
tout moyen de pénétrer son sentiment, jusqu'au moment
qu'il voudrait me le déclarer. Que signifient donc ces
précautions, ces retardements, ces mystères ? Est-ce ainsi
qu'on répond à la confiance ? Cette allure est-elle celle de
la droiture et de la bonne foi ? Je cherchais en vain quelque
interprétation favorable à cette conduite, je n'en trouvais
point. Quel que fût son dessein, s'il m'était contraire, sa
position en facilitait l'exécution, sans que, par la mienne,
il me fût possible d'y mettre obstacle. En faveur dans la
maison d'un grand prince, répandu dans le monde, don-
nant le ton à nos communes sociétés, dont il était l'oracle,
il pouvait, avec son adresse ordinaire, disposer à son aise
toutes ses machines; et moi, seul dans mon Ermitage,
loin de tout, sans avis de personne, sans aucune commu-
nication, je n'avais d'autre parti que d'attendre et rester
en paix^d. Seulement j'écrivis à M^me d'Épinay, sur la maladie
de son fils, une lettre aussi honnête qu'elle pouvait l'être,
mais où je ne donnais pas dans le piège^e de lui offrir de
partir avec elle.

Après des siècles d'attente dans la cruelle incertitude
où cet homme barbare m'avait plongé, j'appris au bout
de huit ou dix jours que M^me d'Épinay était partie, et je

* M. Le Vasseur, que sa femme menait un peu rudement,
l'appelait le *Lieutenant Criminel*. M. Grimm donnait par plaisan-
terie le même ^a [nom] à la fille; et, pour abréger, il lui plut^b
d'en retrancher le premier mot.

reçus de lui une seconde lettre. Elle n'était que de sept à huit lignes, que je n'achevai pas de lire... c'était une rupture, mais dans des termes tels que la plus infernale haine les peut dicter, et qui même devenaient bêtes à force de vouloir être offensants. Il me défendait sa présence comme il m'aurait défendu ses États. Il ne manquait à sa lettre, pour faire rire, que d'être lue avec plus de sang-froid. Sans la transcrire, sans même en achever la lecture, je la lui renvoyai sur-le-champ avec celle-ci :

« Je me refusais à ma juste défiance ; j'achève trop « tard de vous connaître.

« Voilà donc la lettre que vous vous êtes donné le « loisir de méditer. Je vous la renvoie, elle n'est pas pour « moi. Vous pouvez montrer la mienne à toute la terre, « et me haïr ouvertement ; ce sera de votre part une faus- « seté de moins. »

Ce que je lui disais, qu'il pouvait montrer ma précédente lettre, se rapportait à un article de la sienne[a] sur lequel on pourra juger de la profonde adresse qu'il mit à toute cette affaire[1].

J'ai dit que pour gens qui n'étaient pas au fait, ma lettre pouvait donner sur moi bien des prises. Il le vit avec joie ; mais comment se prévaloir de cet avantage sans se compromettre ? En montrant cette lettre, il s'exposait au reproche d'abuser de la confiance de son ami.

1. On ne connaît la lettre de rupture de Grimm que par le texte qui en est donné dans l'*Histoire de M^ne de Montbrillant*, III, 243-244, où le texte du billet de réponse de Rousseau (pp. 244-245) concorde avec celui des *Confessions*. On accepte aujourd'hui pour ce billet la date du 1er novembre, ce qui reporterait au 30 octobre ou 1er novembre au plus tard la lettre de Grimm, que Courtois datait du 3 novembre. De toute façon il ne s'est pas écoulé « huit ou dix jours » comme le prétend Rousseau, entre les deux lettres de Grimm, la seconde étant écrite immédiatement après le départ de M^me d'Épinay (30 oct.).

La lettre dans laquelle Grimm reproche à Rousseau son « monstrueux système », ses « principes si odieux », se termine par ces mots : « Je vous prie de m'oublier et de ne plus troubler mon âme. Si la justice de cette démarche ne vous touche pas, songez que j'ai entre les mains votre lettre qui justifiera, aux yeux de tous les gens de bien, l'honnêteté de ma conduite. »

C'est à cet « article » que fait allusion Rousseau.

Pour sortir de cet embarras, il imagina de rompre avec moi, de la façon la plus piquante qu'il fût possible, et de me faire valoir dans sa lettre la grâce qu'il me faisait de ne pas montrer la mienne. Il était bien sûr que, dans l'indignation de ma colère, je me refuserais à sa feinte discrétion, et lui permettrais de montrer ma lettre à tout le monde : c'était précisément ce qu'il voulait, et tout arriva comme il l'avait arrangé. Il fit courir ma lettre dans tout Paris, avec des commentaires de sa façon, qui pourtant n'eurent pas tout le succès qu'il s'en était promis. On ne trouva pas que la permission de montrer ma lettre, qu'il avait su m'extorquer, l'exemptât du blâme de m'avoir si légèrement pris au mot pour me nuire. On demandait toujours quels torts personnels j'avais avec lui, pour autoriser une si violente haine. Enfin l'on trouvait que, quand j'aurais eu de tels torts qui l'auraient obligé de rompre, l'amitié, même éteinte, avait encore des droits qu'il aurait dû respecter. Mais malheureusement Paris est frivole; ces remarques du moment s'oublient, l'absent infortuné se néglige; l'homme qui prospère en impose par sa présence; le jeu de l'intrigue et de la méchanceté se soutient, se renouvelle, et bientôt son effet sans cesse renaissant efface tout ce qui l'a précédé.

Voilà comment, après m'avoir si longtemps trompé, cet homme enfin quitta pour moi son masque, persuadé que, dans l'état où il avait amené les choses, il cessait d'en avoir besoin. Soulagé de la crainte d'être injuste envers ce misérable, je l'abandonnai à son propre cœur, et cessai de penser à lui. Huit jours après avoir reçu cette lettre, je reçus de M^me d'Épinay sa réponse, datée de Genève, à ma précédente[a] (Liasse B. n^o 10)[1]. Je compris, au ton qu'elle y prenait[b] pour la première fois de sa vie, que l'un et l'autre, comptant sur le succès de leurs mesures, agissaient de concert, et que, me regardant comme un homme perdu sans ressource, ils se livraient désormais sans risque au plaisir d'achever de m'écraser.

Mon état, en effet, était des plus déplorables. Je voyais s'éloigner de moi tous mes amis, sans qu'il me fût possible de savoir ni comment ni pourquoi. Diderot[c], qui se vantait de me rester, de me rester seul, et qui depuis

1. Voir *supra*, p. 563, n. 1.

trois mois me promettait une visite, ne venait point. L'hiver
commençait à se faire sentir, et avec lui les atteintes de
mes maux habituels. Mon tempérament, quoique vigou-
reux, n'avait pu soutenir les combats de tant de passions
contraires. J'étais dans un épuisement qui ne me laissait
ni force ni courage pour résister à rien. Quand mes enga-
gements, quand les continuelles représentations de Diderot
et de M^me d'Houdetot m'auraient permis en ce moment
de quitter l'Ermitage, je ne savais ni où aller ni comment
me traîner. Je restais immobile et stupide, sans pouvoir
agir ni penser. La seule idée d'un pas à faire, d'une lettre
à écrire, d'un mot à dire, me faisait frémir. Je ne pouvais
cependant laisser la lettre de M^me d'Épinay sans réplique,
à moins de m'avouer digne des traitements dont elle et
son ami m'accablaient. Je pris le parti de lui notifier mes
sentiments et mes résolutions, ne doutant pas un moment
que, par humanité, par générosité, par bienséance, par les
bons sentiments que j'avais cru voir en elle, malgré les
mauvais, elle ne s'empressât d'y souscrire. Voici ma lettre :

A l'Ermitage, le 23 novembre 1757

« Si l'on mourait de douleur, je ne serais pas en vie.
« Mais enfin j'ai pris mon parti. L'amitié est éteinte entre
« nous, Madame; mais celle qui n'est plus garde encore
« des droits que je sais respecter. Je n'ai point oublié vos
« bontés pour moi et vous pouvez compter de ma part
« sur toute la reconnaissance qu'on peut avoir pour quel-
« qu'un qu'on ne doit plus aimer. Toute autre explication
« serait inutile : j'ai pour moi ma conscience, et vous
« renvoie à la vôtre.

« J'ai voulu quitter l'Ermitage, et je le devais. Mais
« on[1] prétend qu'il faut que j'y reste jusqu'au printemps;
« et puisque mes amis le veulent, j'y resterai jusqu'au
« printemps, si vous y consentez. »

1. Ce *on* est M^me d'Houdetot, qui lui écrivait (*C. C.*, IV, 346) :
« Ne quittez point l'Ermitage de quelque temps. » Et il répondait :
« Vous le voulez, j'obéirai, je resterai jusqu'au printemps à l'Ermitage,
à moins qu'on ne m'en chasse avant ce temps-là, de quoi je ne voudrais
nullement répondre. » (*Ibid.*, 365.)
 Le billet est publié dans l'*Histoire de M^me de Montbrillant*, III, 277-278,
avec deux ou trois différences insignifiantes.

Cette lettre écrite et partie, je ne pensai plus qu'à me tranquilliser à l'Ermitage, en y soignant ma santé, tâchant de recouvrer des forces, et de prendre des mesures pour en sortir au printemps, sans bruit et sans afficher une rupture. Mais ce n'était pas là le compte de M. Grimm et de M^me d'Épinay, comme on verra dans un moment.

Quelques jours après, j'eus enfin le plaisir de recevoir de Diderot cette visite si souvent promise et manquée. Elle ne pouvait venir plus à propos; c'était mon plus ancien ami, c'était presque le seul qui me restât; on peut juger du plaisir que j'eus à le voir dans ces circonstances. J'avais le cœur plein, je l'épanchai dans le sien. Je l'éclairai sur beaucoup de faits qu'on lui avait tus, déguisés ou supposés. Je lui appris, de tout ce qui s'était passé, ce qu'il m'était permis de lui dire. Je n'affectai point de lui taire ce qu'il ne savait que trop, qu'un amour aussi malheureux qu'insensé avait été l'instrument de ma perte; mais je ne convins jamais que M^me d'Houdetot en fût instruite, ou du moins que je le lui eusse déclaré. Je lui parlai des indignes manœuvres de M^me d'Épinay pour surprendre les lettres très innocentes que sa belle-sœur m'écrivait. Je voulus qu'il apprît ces détails de la bouche même des personnes[a] qu'elle avait tenté de séduire. Thérèse le lui fit exactement : mais que devins-je quand ce fut le tour de la mère, et que je l'entendis déclarer et soutenir que *rien de cela n'était à sa connaissance*. Ce furent ses termes, et jamais elle ne s'en départit. Il n'y avait pas quatre jours qu'elle m'en avait répété le récit à moi-même, et elle me dément en face, devant mon ami[1]. Ce trait me parut décisif, et

1. La visite de Diderot eut lieu le 5 décembre 1757. Une lettre d'authenticité douteuse de Diderot à Grimm de cette date (« le 5 au soir ») constitue un violent réquisitoire contre Rousseau. G. Roth reproduit, dans son édition de la *Correspondance* de Diderot, « ce texte dont l'unique source est une copie maquillée », texte qui selon lui « a dû être composé après coup ». On trouvera dans *C. C.*, IV, 443, le document, et p. 386 le commentaire de Leigh sur l'incident.

Il est intéressant de comparer à la relation de Rousseau la version que Marmontel (*Mémoires,* Paris, 1827, t. II, pp. 2 sqq.) attribue à Diderot : après avoir déclaré son amour à M^me *** « d'une manière qui devait la blesser », Rousseau vient trouver Diderot à Paris, désemparé, et craignant qu'elle n'écrive à *** que Rousseau a « voulu la séduire, la lui enlever ». Diderot conseille à Rousseau d'écrire lui-

je sentis alors vivement mon imprudence d'avoir gardé
si longtemps une pareille femme auprès de moi. Je ne
m'étendis point en invectives contre elle; à peine daignai-je
lui dire quelques mots de mépris. Je sentis ce que je devais
à la fille, dont l'inébranlable droiture contrastait avec l'in-
digne lâcheté de la mère. Mais dès lors mon parti fut pris
sur le compte de la vieille, et je n'attendis que le moment
de l'exécuter.

Ce moment vint plus tôt que je ne l'avais attendu. Le
10 décembre, je reçus de M^me d'Épinay réponse à ma
précédente lettre. En voici le contenu :·

A Genève, le 1^er décembre 1757. (Liasse B, n° 11.)

« Après vous avoir donné, pendant plusieurs années,
« toutes les marques possibles d'amitié et d'intérêt, il ne
« me reste qu'à vous plaindre. Vous êtes malheureux. Je
« désire que votre conscience soit aussi tranquille que
« la mienne. Cela pourrait être nécessaire au repos de
« votre vie.

« Puisque vous vouliez quitter l'Ermitage, et que vous
« le deviez, je suis étonnée que vos amis vous aient retenu.
« Pour moi, je ne consulte point les miens sur mes devoirs,
« et je n'ai plus rien à vous dire sur les vôtres. »

même à *** pour tout avouer, en s'excusant sur « une ivresse qu'il
doit connaître » et demandant son pardon. Rousseau remercie avec
effusion.

Plus tard *** raconte indigné à Diderot que Rousseau lui a écrit
rejetant sur M^me *** « le tort dont il veut se laver ». Diderot calme
alors *** et l'amène « sans peine au point de le voir [*Rousseau*] en
pitié ».

Diderot poursuit, par la bouche de Marmontel :

« C'est à cet éclaircissement que Rousseau a donné le nom de
perfidie. Dès qu'il apprit que j'avais fait pour lui un aveu qu'il n'avait
pas fait, il jeta feu et flamme, m'accusant de l'avoir trahi. »

Ils se réconcilient pourtant, « lui, continuant de me lire sa *Nouvelle
Héloïse* qu'il avait achevée, et moi allant à pied, deux ou trois fois la
semaine, de Paris à son Ermitage, pour en entendre la lecture et
répondre en ami à la confiance de mon ami. C'était dans les bois de
Montmorency qu'était le rendez-vous; j'y arrivais baigné de sueur,
et il ne laissait pas de se plaindre lorsque je m'étais fait attendre. Ce
fut dans ce temps-là que parut la *Lettre sur les Spectacles,* avec ce beau
passage de Salomon dans lequel il m'accuse de l'avoir outragé et de
l'avoir trahi. » (Sur cette allusion, voir p. 587 et n. 1.)

Un congé si imprévu, mais si nettement prononcé, ne me laissa pas un instant[a] à balancer. Il fallait sortir sur-le-champ, quelque temps qu'il fît, en quelque état que je fusse, dussé-je coucher dans les bois et sur la neige, dont la terre était alors couverte, et quoi que pût dire et faire M[me] d'Houdetot; car je voulais bien lui complaire en tout, mais non pas jusqu'à l'infamie.

Je me trouvai dans le plus terrible embarras où[b] j'aie été de mes jours; mais ma résolution était prise : je jurai, quoi qu'il arrivât, de ne pas coucher[c] à l'Ermitage le huitième jour. Je me mis en devoir de sortir mes effets, déterminé à les laisser en plein champ plutôt que de ne pas rendre les clefs dans la huitaine; car je voulais surtout que tout fût fait avant qu'on pût écrire à Genève et recevoir réponse. J'étais d'un courage que je[d] ne m'étais jamais senti : toutes mes forces étaient revenues. L'honneur et l'indignation m'en rendirent sur lesquelles[e] M[me] d'Épinay n'avait pas compté. La fortune aida mon audace. M. Mathas, procureur fiscal de M. le prince de Condé, entendit parler de mon embarras. Il me fit offrir une petite maison qu'il avait à son jardin de Mont-Louis, à Montmorency. J'acceptai avec empressement et reconnaissance. Le marché fut bientôt fait; je fis en hâte acheter quelques meubles[f], avec ceux que j'avais déjà, pour nous coucher, Thérèse et moi. Je fis charrier mes effets à grand'peine et à grands frais : malgré la glace et la neige, mon déménagement fut fait dans deux jours, et le quinze décembre je rendis les clefs de l'Ermitage, après avoir payé les gages du jardinier, ne pouvant payer mon loyer.

Quant à M[me] Le Vasseur, je lui déclarai qu'il fallait nous séparer : sa fille voulut m'ébranler; je fus inflexible. Je la fis partir pour Paris, dans la voiture du messager, avec tous les effets et meubles que sa fille et elle avaient en commun. Je lui donnai quelque argent, et je m'engageai à lui payer son loyer chez ses enfants ou ailleurs, à pourvoir à sa subsistance autant qu'il me serait possible, et à ne jamais la laisser manquer de pain, tant que j'en aurais moi-même.

Enfin, le surlendemain de mon arrivée à Mont-Louis j'écrivis à M[me] d'Épinay la lettre suivante :

A Montmorency, le 17 décembre 1757.

« Rien n'est si simple et si nécessaire, Madame, que de « déloger de votre maison quand vous n'approuvez pas

« que j'y reste. Sur votre refus de consentir que je passasse[a]
« à l'Ermitage le reste de l'hiver, je l'ai donc quitté le
« quinze décembre. Ma destinée était d'y entrer malgré
« moi, et d'en sortir de même. Je vous remercie du séjour
« que vous m'avez engagé d'y faire, et je vous en remer-
« cierais davantage, si je l'avais payé moins cher. Au reste,
« vous avez raison de me[b] croire malheureux; personne
« au monde ne sait mieux que vous combien je dois
« l'être. Si c'est un malheur de se tromper sur le choix
« de ses amis, c'en est un autre non moins cruel de revenir
« d'une erreur si douce[1]. »

Tel est le narré fidèle de ma demeure à l'Ermitage, et
des raisons qui m'en ont fait sortir. Je n'ai pu couper ce
récit, et il importait de le suivre avec la plus grande exac-
titude, cette époque de ma vie ayant eu sur la suite une
influence qui s'étendra jusqu'à mon dernier jour[c].

1. Le texte donné dans *C. C.*, IV, 392, est à peu près identique à
celui de l'*Histoire de M^me de Montbrillant*, III, 310, où la troisième
phrase se lit : « Ma destinée était d'y habiter malgré mes amis et mal-
gré moi, et d'en déloger de même », et où figure « l'apostille » dont
parle M^me d'Épinay dans sa réponse, citée au livre X (p. 578) : « Votre
jardinier est payé jusqu'au premier janvier. »

LIVRE 10e [a]

L A force extraordinaire qu'une effervescence passagère m'avait donnée pour quitter l'Ermitage m'abandonna sitôt que j'en fus dehors. A peine fus-je établi dans ma nouvelle demeure[1], que de vives et fréquentes attaques de mes rétentions se compliquèrent avec l'incommodité nouvelle d'une descente qui me tourmentait depuis quelque temps, sans que je susse que c'en était une[2]. Je tombai bientôt dans les plus cruels accidents. Le médecin Thierry, mon ancien ami, vint me voir et m'éclaira sur mon[b] ancien état. Les sondes, les bougies, les bandages, tout l'appareil des infirmités de l'âge rassemblé autour de moi, me fit durement sentir qu'on n'a plus le cœur jeune impunément quand le corps a cessé de l'être. La belle saison ne me rendit point mes forces, et je passai toute l'année 1758 dans un état de langueur qui me fit croire que je touchais à la fin de ma carrière[3]. J'en voyais approcher le terme avec une sorte d'empressement. Revenu des chimères de l'amitié, détaché de tout ce qui m'avait fait aimer la vie,

1. Malgré des transformations apportées au xixe siècle, l'édifice actuel, qui abrite un petit musée Rousseau (5, rue Jean-Jacques-Rousseau à Montmorency) et qu'avoisinent toujours le jardin, la terrasse et le « donjon », permet de retrouver la situation des lieux tels que Rousseau les décrit dans ce livre X après l'aménagement apporté lorsqu'il les occupait (p. 621).

2. *Une descente* : voir p. 527, n. 2.

3. *Je touchais à la fin de ma carrière* : Rousseau se croit en effet près de mourir en février 1758 (*C. C.*, V, 32, 41); mais déjà en août 1757 il avait eu une alerte semblable (Courtois, à la date du 5 août). Sans contester la sincérité d'un homme en proie à la maladie et à la souffrance, il faut rappeler que ce pressentiment d'une mort prochaine est présenté plusieurs fois depuis l'incident relaté au livre VI (p. 262). Mais on notera qu'alors (1736-1737?) le printemps l'avait rétabli (« Dès lors je ne crus plus mourir... » (p. 268), tandis qu'il prétend ici qu'en

je n'y voyais plus rien qui pût me la rendre agréable : je
n'y voyais plus que des maux et des misères qui m'empê-
chaient de jouir de moi. J'aspirais au moment d'être libre
et d'échapper à mes ennemis. Mais reprenons[a] le fil des
événements.

Il paraît que ma retraite à Montmorency déconcerta
M[me] d'Épinay; vraisemblablement elle ne s'y était pas
attendue. Mon triste état, la rigueur de la saison, l'abandon
général où je me trouvais, tout leur faisait croire, à Grimm
et à elle, qu'en me poussant à la dernière extrémité, ils
me réduiraient à[b] crier merci, et à m'avilir aux dernières
bassesses, pour être laissé dans l'asile dont l'honneur
m'ordonnait de sortir. Je délogeai si brusquement qu'ils
n'eurent pas le temps de prévenir le coup, et il ne leur resta
plus que[c] le choix de jouer à quitte ou double, et d'achever
de me perdre ou de tâcher de me ramener. Grimm prit
le premier parti, mais je crois que M[me] d'Épinay eût pré-
féré l'autre; et j'en juge par sa réponse à ma dernière lettre,
où elle radoucit beaucoup le ton qu'elle avait pris dans
les précédentes, et où elle semblait ouvrir la porte à un
raccommodement. Le long retard de cette réponse qu'elle
me fit attendre un mois entier, indique assez l'embarras
où elle se trouvait pour lui donner un tour convenable,
et les délibérations dont elle la fit précéder. Elle ne pouvait
s'avancer plus loin sans se[d] commettre[1] : mais après ses
lettres précédentes, et après ma brusque sortie de sa
maison, l'on ne peut qu'être frappé du soin qu'elle prend
dans cette lettre de n'y pas laisser glisser un seul mot
désobligeant. Je vais la transcrire en entier, afin qu'on
en juge.

A Genève, le 17 janvier 1758. (Liasse B. n° 23.)

« Je n'ai reçu votre lettre du 17 décembre, Monsieur,
« qu'hier. On me l'a envoyée dans une caisse remplie de
« différentes choses, qui a été tout ce temps en chemin.
« Je ne répondrai qu'à l'apostille : quant à la lettre, je

1758 « la belle saison ne [lui] rendit point [ses] forces ». Le texte des
Confessions est sur ce point en contradiction avec la C. C. : « La belle
saison m'a cependant rendu beaucoup plus de vigueur que je n'avais
cet hiver », écrit-il à Le Nieps le 20 août 1758 (V, 130).
 1. Se commettre : voir livre II, p. 73, n. 1. Plus loin, à propos de
Grimm, Rousseau emploie dans le même sens se compromettre.

« ne l'entends pas bien, et si nous étions dans le cas de
« nous expliquer, je voudrais bien mettre tout ce qui s'est
« passé sur le compte d'un malentendu. Je reviens à
« l'apostille. Vous pouvez vous rappeler, Monsieur, que
« nous étions convenus que les gages du jardinier de
« l'Ermitage passeraient par vos mains, pour lui mieux
« faire sentir qu'il dépendait de vous, et pour vous éviter
« des scènes aussi ridicules et indécentes qu'en avait fait
« son prédécesseur. La preuve en est que les premiers
« quartiers de ses gages vous ont été remis, et que j'étais
« convenue avec vous, peu de jours avant mon départ, de
« vous faire rembourser vos avances. Je sais que vous
« en fîtes d'abord difficulté; mais ces avances, je vous
« avais prié de les faire; il était simple de m'acquitter, et
« nous en convînmes. Cahouet m'a marqué que vous
« n'avez point voulu recevoir cet argent. Il y a assuré-
« ment du quiproquo là-dedans. Je donne ordre qu'on
« vous le reporte, et je ne vois pas pourquoi vous voudriez
« payer mon jardinier, malgré nos conventions, et au-
« delà même du terme que vous avez habité l'Ermitage.
« Je compte donc, Monsieur, que vous rappelant tout ce
« que j'ai l'honneur de vous dire, vous ne refuserez pas
« d'être remboursé de l'avance que vous avez bien voulu
« faire pour moi. »

Après tout ce qui s'était passé, ne pouvant plus prendre
de confiance en M^me d'Épinay, je ne voulus point renouer
avec elle; je ne répondis point à cette lettre, et notre cor-
respondance finit là[1]. Voyant mon parti pris, elle prit le
sien, et entrant alors dans toutes les vues de Grimm et
de la coterie holbachique, elle unit ses efforts aux leurs
pour me couler à fond. Tandis qu'ils travaillaient à Paris,
elle travaillait à Genève. Grimm, qui dans la suite alla l'y
joindre, acheva ce qu'elle avait commencé. Tronchin, qu'ils
n'aeurent pas de peine à gagner, les seconda puissamment
et devint le plus furieux de mes persécuteurs, sans avoir
jamais eu de moi, non plus que Grimm, le moindre sujet
de plainte[2]. Tous trois d'accord semèrent sourdement dans
Genève le germe qu'on y vit éclore quatre ans après.

1. Inexactitude délibérée ou oubli ? Rousseau répondit le 20 fé-
vrier 1758 en refusant le remboursement proposé (*C. C.*, V, 38).
2. Voir *Index*, Tronchin, Théodore.

Ils eurent plus de peine à Paris, où j'étais plus connu, et où les cœurs, moins disposés à la haine, n'en[a] reçurent pas si aisément les impressions. Pour porter leurs coups avec plus d'adresse, ils commencèrent par débiter que c'était moi qui les avais quittés. Voyez la lettre de Deleyre (Liasse B. n° 30)[1]. De là, feignant d'être toujours mes amis, ils semaient adroitement leurs accusations malignes, comme des plaintes de l'injustice de leur ami. Cela faisait que, moins en garde, on était plus porté à les écouter et à me blâmer. Les sourdes accusations de perfidie et d'ingratitude se débitaient avec plus de précaution, et par là même avec plus d'effet. Je sus qu'ils m'imputaient des noirceurs atroces, sans jamais pouvoir apprendre en quoi ils les faisaient consister. Tout ce que je pus déduire de la rumeur publique fut qu'elle se réduisait à ces quatre crimes capitaux : 1. Ma retraite à la campagne; 2. Mon amour pour Mme d'Houdetot; 3. Refus d'accompagner à Genève Mme d'Épinay; 4. Sortie de l'Ermitage. S'ils y ajoutèrent d'autres griefs, ils prirent leurs mesures si justes, qu'il m'a été parfaitement impossible d'apprendre jamais quel en était le sujet.

C'est donc ici que je crois pouvoir fixer l'établissement d'un système adopté depuis par ceux qui disposent de moi avec un progrès et un succès si rapides, qu'il tiendrait du prodige pour qui ne saurait pas quelle facilité[b] tout ce qui favorise la malignité des hommes trouve à s'établir. Il faut tâcher[c] d'expliquer en peu de mots ce que cet obscur et profond système a de visible à mes yeux.

Avec un nom déjà célèbre et connu dans toute l'Europe, j'avais conservé la simplicité de mes premiers goûts. La mortelle aversion pour tout ce qui s'appelait parti, faction, cabale, m'avait maintenu libre, indépendant, sans autre chaîne que les attachements de mon cœur. Seul, étranger, isolé, sans appui, sans famille, ne tenant qu'à mes[d] principes et à mes devoirs, je suivais avec intrépidité les routes de la droiture, ne flattant, ne ménageant jamais personne aux dépens de la justice et de la vérité. De plus, retiré depuis deux ans dans la solitude, sans correspondance de nouvelles, sans relation des affaires du monde, sans être instruit ni curieux de rien, je vivais à quatre

1. Lettre de Deleyre du 28 février 1758, C. C., V, 44.

lieues de Paris, aussi séparé de cette capitale par mon incurie, que je l'aurais été par les mers dans l'île de Tinian[1].

Grimm, Diderot, d'Holbach, au contraire, au centre du tourbillon, vivaient répandus dans le plus grand monde, et s'en partageaient presque entre eux toutes les sphères. Grands, beaux esprits, gens de lettres, gens de robe, femmes, ils pouvaient de concert se faire écouter partout. On doit voir déjà l'avantage que cette position donne à trois hommes bien unis contre un quatrième dans celle où je me trouvais. Il est vrai que Diderot et d'Holbach n'étaient pas (du moins je ne puis le croire) gens à tramer[a] des complots bien noirs; l'un n'en avait pas la méchanceté[b], ni l'autre l'habileté : mais c'était en cela même que la partie était mieux liée. Grimm seul formait son plan dans sa tête, et n'en montrait aux deux autres que ce qu'ils avaient besoin de voir pour concourir à l'exécution. L'ascendant qu'il avait pris sur eux rendait ce concours facile, et l'effet du tout répondait à la supériorité de son talent.

Ce fut avec ce talent supérieur que, sentant l'avantage qu'il pouvait tirer de nos positions respectives, il forma le projet de renverser ma réputation de fond en comble, et de m'en faire une tout[e] opposée, sans se compromettre, en commençant par élever autour de moi un édifice de ténèbres qu'il me fût impossible de percer pour éclairer ses manœuvres et pour le démasquer.

Cette entreprise était difficile, en ce qu'il en fallait pallier l'iniquité aux yeux de ceux qui devaient y concourir.

1. L'île de Tinian, au nord de l'îlot américain de Guam, dans l'archipel des Mariannes, près de la côte sud de Saïpan : 15° 9' Lat. N., 142° 40' Long. E. (découverte par l'amiral anglais Anson). Souvenir de la lecture par Rousseau pendant le séjour à l'Ermitage du *Voyage de l'amiral Anson* traduit par Richard Walter (1750). Voir *C. G.*, III, 37 et 49. L'escadre anglaise fit une escale de 50 jours dans l'île en 1742. L'ouvrage est utilisé pour la composition de la *Nouvelle Héloïse*, puisque Saint-Preux est censé accomplir avec l'escadre anglaise le tour du monde. Il fait allusion à Tinian dans la lettre à Claire relatant ses voyages (édition Pomeau, Garnier, p. 396 et n. 1) comme à une île déserte « inconnue » et « charmante ». L'expression « séparé [...] par les mers » permet de se demander si dans ces lignes des *Confessions* comme dans un passage antérieur de la même lettre de *la Nouvelle Héloïse* (ibid., p. 394 et n. 2) Rousseau ne confond pas Tinian, qui fait partie d'un archipel, et Juan Fernandez, île isolée au large des côtes chiliennes, à laquelle conviendrait mieux cette description.

Il fallait tromper les honnêtes gens ; il fallait[a] écarter de moi tout le monde, ne pas me laisser un seul ami, ni petit ni grand. Que dis-je ! il ne fallait pas laisser percer un seul mot de vérité jusqu'à moi. Si un seul homme généreux me fût venu dire : « Vous faites le vertueux, cependant voilà comment on vous traite, et voilà sur quoi l'on vous juge : qu'avez-vous à dire ?[b] » la vérité triomphait et Grimm était perdu. Il le savait, mais il a sondé son propre cœur, et n'a estimé les hommes que ce qu'ils valent. Je suis fâché, pour l'honneur de l'humanité, qu'il ait calculé si juste.

En marchant dans ces souterrains, ses pas, pour être sûrs, devaient être lents. Il y a[c] douze ans qu'il suit son plan, et le plus difficile reste encore à faire : c'est d'abuser le public entier. Il y reste des yeux qui l'ont suivi de plus près qu'il ne[d] pense. Il le[e] craint, et n'ose encore exposer sa trame au grand jour[f]*. Mais il a trouvé le peu difficile moyen d'y faire entrer la puissance, et cette puissance dispose de moi. Soutenu de cet appui, il avance avec moins de risque. Les satellites de la puissance se piquant peu de droiture pour l'ordinaire, et beaucoup moins de franchise, il n'a plus guère à craindre l'indiscrétion de quelque homme de bien[g] ; car il a besoin surtout que je sois environné de ténèbres impénétrables, et que son complot me soit toujours caché, sachant bien qu'avec quelque art qu'il en ait ourdi la trame, elle ne soutiendrait jamais mes regards. Sa grande adresse est de paraître me ménager en me diffamant, et de donner[h] encore à sa perfidie l'air de la générosité[1].

* Depuis que ceci est écrit, il a franchi le pas avec le plus plein et le plus inconcevable succès. Je crois que c'est Tronchin qui lui en a donné le courage et les moyens.

1. On remarquera la similitude de ton (*édifice de ténèbres, souterrains, ténèbres impénétrables*) avec le début du livre VII (voir *supra*, p. 323 et la lettre de 1770 à M. de Saint-Germain (voir p. 324, n, 1). La « puissance » qui dispose de Rousseau est Choiseul (voir *Index*). Mais on notera aussi la curieuse ressemblance entre la dernière phrase du paragraphe et ce passage de l'Introduction du manuscrit de Neuchâtel — qu'une note de Rousseau donne comme rédigée en 1764, mais dont certains fragments pourraient dater de la période de l'Ermitage (voir M[me] de Saussure, *op. cit.*) :

« Mais en feignant d'excuser mes fautes, ils chargeaient sur mes sentiments, et paraissant me voir dans un jour favorable, ils savaient m'exposer dans un jour bien différent. » (Voir *infra*, variantes.)

Je sentis les premiers effets de ce système par les sourdes
accusations de la coterie holbachique, sans qu'il me fût
possible de savoir ni de conjecturer même en quoi consis-
taient ces accusations. Deleyre me disait dans ses lettres
qu'on m'imputait des noirceurs. Diderot me disait[a] plus
mystérieusement la même chose, et quand j'entrais en
explication avec l'un et l'autre, tout se réduisait aux chefs
d'accusation ci-devant notés. Je sentais un refroidissement
graduel dans les lettres de M[me] d'Houdetot. Je ne pouvais
attribuer ce refroidissement à Saint-Lambert, qui continuait
à m'écrire avec la même amitié, et qui me vint même
voir après son retour[1]. Je ne pouvais non plus m'en
imputer la faute, puisque nous nous étions séparés très
contents l'un de l'autre, et qu'il ne s'était rien passé de
ma part, depuis ce temps-là, que mon départ de l'Ermi-
tage, dont elle avait elle-même senti la nécessité. Ne sachant
donc à quoi m'en prendre de ce refroidissement, dont elle
ne convenait pas, mais sur lequel mon cœur ne prenait
pas le change, j'étais inquiet de tout. Je savais qu'elle
ménageait extrêmement sa belle-sœur et Grimm, à cause
de leurs liaisons avec Saint-Lambert; je craignais leurs
œuvres. Cette agitation rouvrit mes plaies et rendit ma
correspondance orageuse, au point de l'en dégoûter tout
à fait. J'entrevoyais mille choses cruelles, sans rien voir
distinctement. J'étais dans la position la plus insuppor-
table pour un homme dont l'imagination[b] s'allume aisé-
ment. Si j'eusse été tout à fait isolé, si je n'avais rien su
du tout, je serais devenu[c] plus tranquille; mais mon cœur
tenait encore à des attachements par lesquels mes ennemis
avaient sur moi mille prises, et les faibles rayons qui
perçaient dans mon asile ne servaient qu'à me laisser voir
la noirceur des mystères qu'on me cachait.

J'aurais succombé, je n'en doute point, à ce tourment

1. Voir en effet la lettre de Deleyre de fév. 1758 indiquée *supra,* p. 580,
n. 1. — On ne connaît pas de lettres de Diderot à Rousseau posté-
rieures à leur entrevue de décembre 1757, et seulement une de Rous-
seau à Diderot du 2 mars 1758. (« Il faut, mon cher Diderot, que je
vous écrive encore une fois en ma vie... », *C. C.,* V, 47, et *Corres-
pondance* de Diderot, édition Roth, II, 44-46.) — Sur la correspondance
avec M[me] d'Houdetot, qui prend fin en mai 1758, voir p. 547, n. 1 et
p. 560, n. 1. — La visite de Saint-Lambert au Montlouis est men-
tionnée plus loin, p. 586.

trop cruel, trop insupportable à mon naturel ouvert e
franc qui, par l'impossibilité de cacher mes sentiments
me fait tout craindre de ceux qu'on me cache, si très heu
reusement il ne se fût présenté des objets assez intéressants
à mon cœur pour faire une diversion salutaire à ceux qu
m'occupaient malgré moi. Dans la dernière visite que
Diderot m'avait faite à l'Ermitage, il m'avait parlé de l'article
Genève, que d'Alembert avait mis dans l'*Encyclopédie;* i
m'avait appris que cet article, concerté avec des Genevoi
du haut étage, avait pour but l'établissement de la comédie
à Genève; qu'en conséquence les mesures étaient prises
et que cet établissement ne tarderait pas d'avoir lieu
Comme Diderot paraissait trouver tout cela fort bien
qu'il ne doutait pas du succès, et que j'avais avec lui trop
d'autres débats pour disputer encore sur cet article, je ne
lui dis rien; mais indigné de tout ce manège de séduction
dans ma patrie, j'attendais avec impatience le volume de
l'*Encyclopédie* où était cet article, pour voir s'il n'y aurai
pas moyen d'y faire quelque réponse qui pût parer ce
malheureux coup. Je reçus le volume peu après mon éta
blissement à Mont-Louis, et je trouvai l'article fait avec
beaucoup d'adresse et d'art, et digne de la plume dont i
était parti. Cela ne me détourna pourtant pas de vouloir
y répondre, et malgré l'abattement où j'étais, malgré mes
chagrins et mes maux, la rigueur de la saison et l'incommo
dité de ma nouvelle demeure, dans laquelle je n'avais pa
encore eu le temps de m'arranger, je me mis à l'ouvrage
avec un zèle qui surmonta tout.

Pendant un hiver assez rude, au mois de février, e
dans l'état que j'ai décrit ci-devant, j'allai tous les jour
passer deux heures le matin, et autant l'après-dîner, dans
un donjon tout ouvert, que j'avais au bout du jardin où

1. L'adjectif *intéressant,* loin d'être ici banal, est employé dan
l'acception particulière aux esthéticiens de l'« âge sensible », pa
exemple le Suisse Sulzer dont de longs extraits sont traduits dan
l'*Encyclopédie.* Il s'applique aux objets qui exercent une impression
morale (même emploi à l'époque d'*interesting* en anglais, *interessan*
en allemand). Rousseau en particulier en fait usage pour exposer s
conception de l'harmonie des sensations (voir le livre de Margaret
Buchner, *A Contribution to the Study of the Descriptive Technique o,
J. J. R.,* Johns Hopkins Univ. Pr., 1937). Emploi analogue plus loin
à propos de M^lle de Boufflers : « Rien de plus aimable et de plu
intéressant que sa figure... »

ait mon habitation. Ce donjon, qui terminait une allée
a terrasse[a], donnait sur la vallée et l'étang de Montmo-
ncy, et m'offrait, pour terme du point de vue, le simple,
ais respectable château de Saint-Gratien, retraite du ver-
eux Catinat[1]. Ce fut dans ce lieu, pour lors glacé, que,
ns abri contre le vent et la neige, et sans autre feu que
lui de mon cœur[b], je composai, dans l'espace de trois
maines, ma *Lettre à d'Alembert sur les Spectacles*. C'est
i[c] (car la *Julie* n'était pas à moitié faite) le premier de
es écrits où j'aie trouvé des charmes dans le travail.
squ'alors l'indignation de la vertu m'avait tenu lieu
Apollon; la tendresse et la douceur d'âme m'en tinrent
eu cette fois. Les injustices dont je n'avais été que spec-
teur m'avaient irrité; celles dont j'étais devenu l'objet
'attristèrent, et cette tristesse sans fiel n'était que celle
un cœur trop aimant, trop tendre, qui, trompé par ceux
i'il avait crus de sa trempe, était forcé de se retirer au-
dans de lui. Plein de tout ce qui venait de m'arriver,
core ému de tant de violents mouvements, le mien mêlait
sentiment de ses peines aux idées que la méditation de
on sujet m'avait fait naître; mon travail se sentit de ce
élange. Sans m'en apercevoir, j'y décrivis ma situation
tuelle; j'y peignis Grimm, M[me] d'Épinay, M[me] d'Hou-
etot, Saint-Lambert, moi-même[2]. En l'écrivant, que je
ersai de[d] délicieuses larmes ! Hélas ! on y sent trop que
amour, cet amour fatal dont je m'efforçais de guérir,
était pas encore sorti de mon cœur. A tout cela, se mêlait

1. Le « donjon » existe toujours; une plaque y a été apposée le
2 octobre 1962.
2. L'article *Genève* paraît en octobre 1757 dans le 7e tome de
Encyclopédie (voir p. 515, n. 1). La *Lettre à d'Alembert*, dont la préface
t datée du 20 mars 1758, fut imprimée à Amsterdam par Rey et mise
a vente à Paris au début d'octobre.
La critique du *Misanthrope* dans la *Lettre à d'Alembert* (édition Fuchs,
. 45-60) met en effet en scène Grimm-Philinte, M[me] d'Épinay-
élimène, et Rousseau est naturellement Alceste. Déjà dans une lettre
'il a citée plus haut, adressée en juin (?) 1757 à M[me] d'Épinay,
ousseau pastichait inconsciemment, en toute sincérité, les apos-
ophes d'Alceste à Célimène (voir p. 534, la fin de la lettre depuis
Mais savez-vous comment... », et p. 535 n. 1). Il retrouve un
u plus loin, p. 587, le même ton; cette fois on croit entendre
lceste s'adressant à Philinte : « Les règles de bienséance établies
ns le monde [...] semblent dictées par l'esprit de mensonge et de
ahison [etc.]. »

un certain attendrissement sur moi-même, qui me senta
mourant, et qui croyais faire au public[a] mes dernie
adieux. Loin de craindre la mort, je la voyais approch
avec joie; mais j'avais regret de quitter mes semblable
sans qu'ils sentissent tout ce que je valais, sans qu'i
sussent combien j'aurais mérité d'être aimé d'eux, s'i
m'avaient connu davantage. Voilà les secrètes causes d
ton singulier qui règne dans cet ouvrage, et qui tranch
si prodigieusement avec celui du précédent*.

Je retouchais et mettais au net cette lettre, et je m
disposais à la faire imprimer, quand, après un long silenc
j'en reçus une de M^me d'Houdetot, qui me plongea dar
une affliction nouvelle, la plus sensible que j'eusse encor
éprouvée. Elle m'apprenait dans cette lettre (Liasse
n^o 34)[1] que ma passion pour elle était connue dans tor
Paris; que j'en avais parlé à des gens qui l'avaient rendu
publique; que[b] ces bruits, parvenus à son amant, avaien
failli lui coûter la vie; qu'enfin il lui rendait justice,
que leur paix était faite; mais qu'elle lui devait, ainsi qu
elle-même et au soin de sa réputation, de rompre ave
moi tout commerce : m'assurant, au reste, qu'ils ne cess
raient jamais l'un et l'autre de s'intéresser à moi, qu'i
me défendraient dans le public, et qu'elle enverrait d
temps en temps savoir de mes nouvelles.

Et toi aussi, Diderot, m'écriai-je ? Indigne ami !...
ne pus cependant me résoudre à le juger encore. Ma fa
blesse était connue d'autres gens qui pouvaient l'avoi
fait parler. Je voulus douter... mais bientôt je ne pus plu
Saint-Lambert fit peu après un acte digne de sa générosit
Il jugeait, connaissant assez mon âme, en quel état j
devais être, trahi d'une partie de mes amis, et délaissé de
autres. Il vint me voir. La première fois il avait peu d
temps à me donner. Il revint. Malheureusement, ne l'atter
dant pas, je ne me trouvai pas chez moi. Thérèse, qui s'
trouva, eut avec lui un entretien de plus de deux heure
dans lequel ils se dirent mutuellement beaucoup de fai
dont il m'importait que lui et moi fussions informés. L
surprise avec laquelle j'appris par lui que personne n
doutait dans le monde que je n'eusse vécu avec M^me d'Ép

* Le *Discours sur l'inégalité*.

1. Sur cette lettre, voir p. 566, n. 1.

y comme Grimm y vivait maintenant, ne peut être égalée
e par celle qu'il eut lui-même, en apprenant combien
bruit était faux. Saint-Lambert, au grand déplaisir de
dame, était dans le même cas que moi, et tous les éclair-
sements qui résultèrent de cet entretien achevèrent
éteindre en moi tout regret d'avoir rompu sans retour
ec elle. Par rapport à M^me d'Houdetot, il détailla à
érèse plusieurs circonstances qui n'étaient connues ni
elle ni^a même de M^me d'Houdetot, que je savais seul,
e je n'avais dites qu'au seul Diderot, sous le sceau de
mitié, et c'était précisément Saint-Lambert qu'il avait
oisi pour lui en faire la confidence. Ce dernier trait me
cida, et, résolu de rompre avec Diderot pour jamais,
ne délibérai plus que sur la manière : car je m'étais
erçu que les ruptures secrètes tournaient^b à mon préju-
ce, en ce qu'elles laissaient le masque de l'amitié à mes
us^c cruels ennemis.

Les règles de^d bienséance établies dans le monde sur
t article semblent dictées par l'esprit de mensonge et de
hison. Paraître encore l'ami d'un homme dont on a
ssé de l'être, c'est se réserver des moyens de lui nuire,
surprenant les honnêtes gens. Je me rappelai que, quand
llustre Montesquieu rompit avec le P. de Tournemine,
se hâta de le déclarer hautement, en disant à tout le
onde : N'écoutez ni le P. de Tournemine, ni moi, parlant
n de l'autre; car nous avons cessé d'être amis. Cette
nduite fut très applaudie, et tout le monde en loua la
anchise et la générosité. Je résolus de suivre avec Diderot^e
même exemple; mais comment de ma retraite publier
tte rupture authentiquement, et pourtant sans scandale ?
m'avisai d'insérer, par forme de note, dans mon ouvrage,
passage du livre de l'*Ecclésiastique,* qui déclarait cette
pture, et même le sujet, assez clairement pour quiconque
ait au fait, et ne signifiait rien pour le reste du monde;
'attachant, au surplus, à ne désigner dans l'ouvrage,
mi auquel je renonçais, qu'avec l'honneur qu'on doit
ujours rendre à l'amitié même éteinte. On peut voir
ut cela dans l'ouvrage même[1].

1. Voici ce passage, vers la fin de la Préface : « J'avais un Aris-
rque sévère et judicieux, je ne l'ai plus, je n'en veux plus * mais je
regretterai sans cesse, et il manque bien plus encore à mon cœur
'à mes écrits. » — L'astérisque (*) renvoie, dans l'édition ori-

Il n'y a qu'heur et malheur dans ce monde, et il sem
que tout acte de courage soit un crime dans l'advers.
Le même trait qu'on avait admiré dans Montesquieu
m'attira que blâme et reproche. Sitôt que mon ouvrage
imprimé et que j'en eus des exemplaires, j'en envoyai
à Saint-Lambert, qui, la veille même, m'avait écrit, au n
de M^me d'Houdetot et au sien, un billet plein de la p
tendre amitié (Liasse B. n° 37). Voici la lettre qu'il m'écri
en me renvoyant mon exemplaire :

Eaubonne, 10 octobre 1758. (Liasse B. n°

« En vérité, Monsieur, je ne puis accepter le prés
« que vous venez de me faire. A l'endroit de votre préfa
« où, à l'occasion de Diderot, vous citez un passage
« l'*Ecclésiaste* (il se trompe, c'est de l'*Ecclésiastique*),
« livre m'est tombé des mains. Après les conversatio
« de cet été, vous m'avez paru convaincu que Dide
« était innocent des prétendues indiscrétions que vous
« imputiez. Il peut avoir des torts avec vous : je l'igno
« mais je sais bien qu'ils ne vous donnent pas le droit
« lui faire une insulte publique. Vous n'ignorez pas
« persécutions qu'il essuie, et vous allez mêler la voix d'
« ancien ami aux cris de l'envie[a]. Je ne puis vous dis
« muler, Monsieur, combien cette atrocité me révolte.
« ne vis point avec Diderot, mais je l'honore, et je se
« vivement le chagrin que vous donnez à un homme[b]
« qui, du moins vis-à-vis de moi, vous n'avez jam
« reproché qu'un peu de faiblesse. Monsieur, nous dif
« rons trop de principes pour nous convenir jama
« Oubliez mon existence; cela ne doit pas être diffici
« Je n'ai jamais fait aux hommes ni le bien ni le mal do
« on se souvient longtemps. Je vous promets, moi, Mo
« sieur, d'oublier votre personne, et de ne me souve
« que de vos talents. »

Je ne me sentis pas moins[c] déchiré qu'indigné de ce
lettre, et dans l'excès de ma misère, retrouvant enfin r
fierté, je lui répondis par le billet suivant :

ginale, à une phrase latine de l'*Ecclésiastique* (XXII, 19; dans l'é
tion de 1764, cette citation est allongée du verset 20, qui s'appliq
plus nettement à la querelle avec Diderot (édition Fuchs, p. 9).

A Montmorency, le 11 octobre 1758.

« Monsieur, en lisant votre lettre, je vous ai fait l'honneur d'en être surpris, et j'ai eu la bêtise d'en être ému; mais je l'ai trouvée indigne de réponse.

« Je ne veux point continuer les copies de Mme d'Houdetot. S'il ne lui convient pas dea garder ce qu'elle a, elle peut me le renvoyer, je lui rendrai son argent. Si elle le garde, il faut toujours qu'elle envoie chercher le reste de son papier et de son argent. Je la prie de me rendre en même temps le prospectus dont elle est dépositaire. Adieu, Monsieur[1]. »

Le courage dans l'infortune irrite les cœurs lâches, mais il plaît aux cœurs généreux. Il paraît que ce billet fit rentrer Saint-Lambert en lui-même, et qu'il eut regret à ce qu'il avait fait; mais trop fier à son tour pour en revenir ouvertement, il saisit, il prépara peut-être le moyen d'amortir le coup qu'il m'avait porté. Quinze jours après, je reçus de M. d'Épinay la lettre suivante :

Ce jeudi 26. (Liasse B. n° 10)

« J'ai reçu, Monsieur, le livre que vous avez eu la bonté de m'envoyer; je le lis avec le plus grand plaisir. C'est le sentiment que j'ai toujoursb éprouvé à la lecture de tous les ouvrages qui sont sortis de votre plume. Recevez-en tous mes remerciements. J'aurais été vous les faire moi-même, si mes affaires m'eussent permis de demeurer quelque temps dans votre voisinage; mais j'ai

1. Le premier billet de Saint-Lambert est du 9 octobre 1758 (*C. C.*, V, 168). Il y annonce sa visite à Rousseau. La lettre transcrite ici texte conforme à celui de la *C. C.*, V, 169) fait allusion aux graves difficultés que connaît alors Diderot comme directeur de l'*Encyclopédie* (voir p. 515, n. 1). La réponse de Rousseau (*C. C.*, V, 170) mentionne « les copies de Mme d'Houdetot », pour lesquelles Saint-Lambert lui avait récemment envoyé du papier (*C. C.*, V, 99). Il avait en octobre 1757 copié pour elle sa *Lettre* à Voltaire sur la Providence, et en novembre commencé la copie de la *Julie* : la 2e partie était achevée en février. Le travail continuera malgré la rupture (voir *infra*, p. 593); le manuscrit complet (6 vol. petit in-8° carré) est aujourd'hui la propriété du comte Frémy, à Paris, et a été utilisé par B. Guyon dans l'établissement du texte de son édition de la *Nouvelle Héloïse*, *C. C.*, II, 1961.

« bien peu habité la Chevrette cette année. M. et M^me^ Dup
« viennent m'y demander à dîner dimanche prochain. '
« compte que MM. de Saint-Lambert, de Francueil,
« M^me^ d'Houdetot seront de la partie; vous me feriez
« vrai plaisir, Monsieur, si vous vouliez être des nôtre
« Toutes les personnes que j'aurai chez moi vous désirer
« et seront charmées de^a^ partager avec moi le plaisir
« passer avec vous une partie de la journée.

« J'ai l'honneur d'être, avec la plus parfaite consid
« ration, etc. »

Cette lettre me donna d'horribles battements de cœu
Après avoir fait depuis un an la nouvelle de Paris, l'id
de m'aller donner en spectacle vis-à-vis de M^me^ d'Houdet
me faisait trembler, et j'avais peine à trouver assez
courage pour soutenir cette épreuve[1]. Cependant, pui
qu'elle et Saint-Lambert le voulaient bien, puisque d'Épina
parlait au nom de tous les conviés, et qu'il n'en nomma
aucun que je ne fusse bien aise de voir, je ne crus poin
après tout, me compromettre en acceptant un dîner o
j'étais en quelque sorte invité par tout le monde. Je prom
donc. Le dimanche il fit mauvais. M. d'Épinay m'envoy
son carrosse, et j'allai.

Mon arrivée fit sensation. Je n'ai jamais reçu d'accue
plus caressant. On eût dit que toute la compagnie senta
combien j'avais besoin d'être rassuré. Il n'y a que le
cœurs français qui connaissent ces sortes de délicatesse
Cependant, je trouvai plus de monde que je ne m'y étai
attendu. Entre autres, le comte d'Houdetot, que je n
connaissais point du tout, et sa sœur, M^me^ de Blainvill
dont je me serais bien passé. Elle était venue plusieurs fo
l'année précédente à Eaubonne, et sa belle-sœur, dans no
promenades solitaires, l'avait souvent laissée s'ennuyer
garder le mulet[2]. Elle en avait nourri contre moi un res

1. L'invitation de M. d'Épinay, datée du 26 [octobre] (texte con
forme à *C. C.*, V, 191) est pour le dimanche 29. *Faire la nouvelle*
« occuper l'attention en qualité de nouvelle ». Littré, qui donne cett
définition, avec des exemples de M^me^ de Sévigné, distingue l'expres
sion de *faire nouvelle*, employé ailleurs par Rousseau : « n'être pas su
connu ».

2. L'expression ne saurait être prise au sens propre : il s'agit d
promenades à pied, et de toute façon M^me^ de Blainville n'est pas u

:ntiment qu'elle satisfit durant ce dîner tout à son aise;
ar on sent[a] que la présence du comte d'Houdetot et de
aint-Lambert ne mettait pas les rieurs de mon côté, et
u'un homme embarrassé dans les entretiens les plus
aciles n'était pas fort brillant dans celui-là. Je n'ai jamais
ant souffert, ni fait[b] plus mauvaise contenance, ni reçu
'atteintes plus imprévues. Enfin, quand on fut sorti de
able, je m'éloignai de cette mégère; j'eus le plaisir de
oir Saint-Lambert et M^{me} d'Houdetot s'approcher de
noi, et nous causâmes ensemble une partie de l'après-
nidi, de choses indifférentes, à la vérité, mais avec la
nême familiarité qu'avant mon égarement. Ce procédé ne
ut pas perdu dans mon cœur, et si Saint-Lambert y eût
u lire, il en eût sûrement été content. Je puis jurer que,
uoique, en arrivant, la vue de M^{me} d'Houdetot m'eût
lonné des palpitations jusqu'à la défaillance, en m'en
etournant je ne pensai presque pas à elle : je ne fus occupé
ue de Saint-Lambert.

Malgré les malins sarcasmes de M^{me} de Blainville, ce
lîner me fit grand bien, et je me félicitai fort de ne m'y
tre pas refusé. J'y reconnus non seulement que les intrigues
le Grimm et des Holbachiens n'avaient point détaché de
noi mes anciennes connaissances[c]*, mais, ce qui me flatta
lavantage encore, que les sentiments de[d] M^{me} d'Houdetot
t de Saint-Lambert étaient moins changés que je n'avais
ru; et je compris enfin qu'il y avait plus de jalousie que de
nésestime dans l'éloignement où il la tenait de moi. Cela
ne consola et me tranquillisa. Sûr de n'être pas un objet
le mépris pour ceux qui l'étaient de mon estime, j'en
:ravaillai sur mon propre cœur avec plus de courage et
le succès. Si je ne vins pas à bout d'y éteindre entièrement
ine passion coupable et malheureuse, j'en réglai du moins
si bien les restes, qu'ils ne m'ont pas fait faire une seule
faute depuis ce temps-là. Les copies de M^{me} d'Houdetot,
qu'elle m'engagea de reprendre, mes ouvrages que je
continuai de lui envoyer quand ils paraissaient, m'atti-

* Voilà ce que, dans la simplicité de mon cœur, je croyais
encore quand j'écrivais mes confessions.

domestique ! On l'emploie au XVII^e siècle dans le sens de « attendre
longtemps quelqu'un avec ennui et impatience ». (Littré.)

rèrent encore de sa part, de temps à autre, quelques
messages et billets indifférents, mais obligeants. Elle f
même plus, comme on verra dans la suite, et la condui
réciproque de tous les trois, quand notre commerce eu
cessé, peut servir d'exemple de la manière[b] dont les hor
nêtes gens se séparent, quand il ne leur convient plu
de se voir.

Un autre avantage que me procura ce dîner fut qu'o
en parla dans Paris, et qu'il servit de réfutation sans répliqu
au bruit que répandaient partout mes ennemis, que j'étai
brouillé mortellement avec tous ceux qui s'y trouvèren
et surtout avec M. d'Épinay. En quittant l'Ermitage, j
lui avais écrit une lettre de remerciement très honnêt
à laquelle il répondit non moins honnêtement, et les atten
tions[c] mutuelles ne cessèrent point, tant avec lui qu'ave
M. de Lalive, son frère, qui même vint me voir à Mont
morency, et m'envoya ses gravures. Hors les deux belles
sœurs de M[me] d'Houdetot, je n'ai jamais été mal ave
personne de sa famille.

Ma *Lettre à d'Alembert* eut un grand succès. Tous me
ouvrages en avaient eu; mais celui-ci me fut plus favorable
Il apprit au public à se défier des insinuations de la coteri
holbachique. Quand j'allai à l'Ermitage, elle prédit ave
sa suffisance ordinaire que je n'y tiendrais pas trois mois
Quand elle vit que j'y en avais tenu vingt, et que, forc
d'en sortir, je fixais encore ma demeure à la campagne
elle soutint que c'était obstination pure; que je m'ennuyai
à la mort dans ma retraite, mais que, rongé d'orgueil
j'aimais mieux y périr victime de mon opiniâtreté, que d
m'en dédire et de revenir à Paris. La *Lettre à d'Alember*
respirait une douceur d'âme qu'on sentit n'être poin
jouée. Si j'eusse été rongé d'humeur dans ma retraite
mon ton s'en serait senti. Il en régnait dans tous les écrit
que j'avais faits à Paris; il n'en régnait plus dans le premier
que j'avais fait à la campagne. Pour ceux qui savent observer,
cette remarque était décisive. On vit que j'étais rentré
dans mon élément.

Cependant ce même ouvrage, tout plein de douceur
qu'il était, me fit encore, par ma balourdise et par mon
malheur ordinaire, un nouvel ennemi parmi les gens[d] de
lettres. J'avais fait connaissance avec Marmontel chez
M. de la Poplinière, et cette connaissance s'était entretenue
chez le Baron. Marmontel faisait alors le *Mercure de France.*

Comme j'avais la fierté de ne point envoyer mes ouvrages aux auteurs périodiques[1], et que je voulais cependant lui envoyer[a] celui-ci, sans qu'il crût que c'était à ce titre[b], ni pour qu'il en parlât dans le *Mercure,* j'écrivis sur son exemplaire que ce n'était point pour l'auteur du *Mercure,* mais pour M. Marmontel. Je crus lui faire un très beau compliment; il crut y voir une cruelle offense, et devint mon irréconciliable ennemi. Il écrivit contre cette même lettre avec politesse, mais avec un fiel qui se sent aisément, et depuis lors il n'a manqué aucune occasion de me nuire dans la société, et de me maltraiter indirectement dans ses ouvrages : tant le très irritable amour-propre des gens de lettres est difficile à ménager, et tant on doit avoir soin de ne rien laisser, dans les compliments qu'on leur fait, qui puisse même avoir la moindre apparence équivoque.

Devenu tranquille de tous les côtés, je profitai du loisir et de l'indépendance où je me trouvais pour reprendre mes travaux avec plus de suite. J'achevai cet hiver la *Julie,* et je l'envoyai à Rey, qui la fit imprimer l'année suivante. Ce travail fut cependant encore interrompu par une petite diversion, et même assez désagréable. J'appris qu'on préparait à l'Opéra une nouvelle remise du *Devin du village*[2]. Outré de voir ces gens-là disposer arrogamment de mon bien, je repris le mémoire que j'avais envoyé à M. d'Argenson, et qui était demeuré sans réponse, et l'ayant retouché, je le fis remettre par M. Sellon, résident de Genève, avec une lettre dont il voulut bien se charger, à M. le comte de Saint-Florentin, qui avait remplacé M. d'Argenson dans le département de l'Opéra. M. de Saint-Florentin promit une réponse, et n'en fit aucune. Duclos, à qui j'écrivis ce que j'avais fait, en parla aux *petits violons,* qui offrirent de me rendre, non mon opéra, mais mes entrées, dont je ne pouvais plus profiter. Voyant que je n'avais d'aucun côté aucune justice à espérer, j'abandonnai cette affaire, et la direction de l'Opéra, sans répondre à mes raisons ni les écouter, a continué de disposer[c] comme

1. L'expression *auteurs périodiques,* désignant ceux qui collaborent aux ouvrages périodiques, n'est pas encore considérée comme vieillie par Littré, qui donne un exemple de d'Alembert.

2. *Remise :* « action de mettre de nouveau sur le théâtre » (Littré).

de son propre bien et de faire son profit du *Devin du village*
qui très incontestablement n'appartient qu'à moi seul[1] a*

Depuis que j'avais secoué le joug de mes tyrans, je
menais une vie assez égale et paisible; privé du charme
des attachements trop vifs, j'étais libre aussi du poids de
leurs chaînes. Dégoûté des amis protecteurs, qui voulaient
absolument disposer de ma destinée et m'asservir à leurs
prétendus bienfaits malgré moi, j'étais résolu de m'en tenir
désormais aux liaisons de simple bienveillance, qui, sans
gêner la liberté, font l'agrément de la vie, et dont une
mise d'égalité fait le fondement. J'en avais de cette espèce
autant qu'il m'en fallait pour goûter les douceurs de la
liberté, sans en souffrir la dépendance, et, sitôt que j'eus
essayé de ce genre de vie, je sentis que c'était celui qui me
convenait à mon âge, pour finir mes jours[c] dans le calme,
loin de l'orage, des brouilleries et des tracasseries, où je
venais d'être à demi submergé.

Durant mon séjour à l'Ermitage, et depuis mon établis-
sement à Montmorency, j'avais fait à mon voisinage quel-
ques connaissances qui m'étaient agréables, et qui ne m'as-
sujettissaient à rien. A leur tête était le jeune Loyseau de
Mauléon, qui débutant alors au barreau, ignorait[d] quelle
y serait sa place. Je n'eus pas comme lui ce doute. Je lui
marquai bientôt la carrière illustre qu'on le voit fournir
aujourd'hui. Je lui prédis que, s'il se rendait sévère sur
le choix des causes, et qu'il ne fût jamais que le défenseur
de la justice et de la vertu, son génie, élevé par ce senti-
ment sublime, égalerait celui des plus grands orateurs. Il
a suivi mon conseil, et il en a senti l'effet. Sa défense de

* Il lui appartient depuis lors par un nouvel accord qu'elle
a fait avec moi tout nouvellement.

1. Sur le mémoire à d'Argenson, voir livre VIII, p. 457, n. 1.
Le mémoire corrigé est du 11 février 1759 (*C. C.,* VI, 25); huit jours
plus tard, les directeurs de l'Opéra rendent à Rousseau ses entrées.
Ces directeurs étaient de nouveau alors les *petits violons,* Rebel et
Francœur, dont le surnom a été expliqué p. 445, n. *. L'entremise
de Duclos donna lieu à toute une correspondance dans la même
période (*C. C.,* VI, 30-sqq.). La note ajoutée plus tard à ces lignes par
Rousseau fait allusion à l'accord survenu en 1774 sur l'intervention de
Gluck, et rapporté par Bachaumont, *Mémoires secrets,* à la date du
24 avril 1774.

M. de Portes est digne de Démosthène. Il venait tous les ans[a] à un quart de lieue de l'Ermitage passer les vacances à Saint-Brice, dans le fief de Mauléon, appartenant à sa mère, et où jadis avait logé le grand Bossuet. Voilà un fief dont une succession de pareils maîtres rendrait la noblesse difficile à soutenir.

J'avais, au même village de Saint-Brice, le libraire Guérin, homme d'esprit, lettré, aimable, et de la haute volée dans son état. Il me fit faire aussi connaissance avec Jean Néaulme, libraire d'Amsterdam, son correspondant et[b] son ami, qui dans la suite imprima l'*Émile*.

J'avais, plus près encore que Saint-Brice, M. Maltor, curé de[c] Groslay, plus fait pour être homme d'État et ministre que curé de village, et à qui l'on eût donné tout au moins un diocèse à gouverner, si les talents décidaient des places. Il avait été secrétaire du comte Du Luc, et avait connu très particulièrement Jean-Baptiste Rousseau. Aussi plein d'estime pour la mémoire de cet illustre banni que d'horreur pour celle du fourbe Saurin, il savait sur l'un et sur l'autre beaucoup d'anecdotes curieuses, que Séguy n'avait pas mises dans la vie encore manuscrite du premier, et il m'assurait que le comte Du Luc, loin d'avoir eu jamais à s'en plaindre, avait conservé jusqu'à la fin de sa vie la plus[d] ardente amitié pour lui. M. Maltor, à qui M. de Vintimille avait donné cette retraite assez bonne, après la mort de son patron, avait été employé jadis dans beaucoup d'affaires dont il avait, quoique vieux, la mémoire encore présente, et dont il raisonnait très bien. Sa conversation, non moins instructive qu'amusante, ne sentait point son curé de village : il joignait le ton d'un homme du monde aux connaissances d'un homme de cabinet. Il était, de tous mes voisins[e] permanents, celui dont la société m'était le plus agréable, et que j'ai eu le plus de regret de quitter.

J'avais à Montmorency les Oratoriens, et entre autres le P. Bertier, professeur de physique, auquel, malgré quelque léger vernis de pédanterie, je m'étais attaché par un certain air de bonhomie que je lui trouvais. J'avais cependant peine à concilier cette grande simplicité avec le désir et l'art qu'il avait de se fourrer partout, chez les grands, chez les femmes, chez les dévots, chez les philosophes; il savait se faire tout à tous. Je me plaisais fort avec lui. J'en parlais[f] à tout le monde. Apparemment ce que j'en disais lui revint. Il me remerciait un jour, en rica-

nant, de l'avoir trouvé bon homme. Je trouvai dans son sourire je ne sais quoi de sardonique qui changea totalement sa physionomie à mes yeux, et qui m'est souvent revenu depuis lors dans la mémoire. Je ne peux pas mieux comparer ce sourire qu'à celui de Panurge achetant les moutons de Dindenaut. Notre connaissance avait commencé peu de temps après mon arrivée à l'Ermitage, où il me venait voir très souvent. J'étais déjà établi à Montmorency, quand il en partit pour retourner demeurer à Paris. Il y voyait souvent M^me Le Vasseur. Un jour que je ne pensais à rien moins, il m'écrivit de la part de cette femme, pour m'informer que M. Grimm offrait de se charger de son entretien, et pour me demander la permission[a] d'accepter cette offre. J'appris[b] qu'elle consistait en une pension de trois cents livres, et[c] que M^me Le Vasseur devait venir demeurer à Deuil, entre la Chevrette et Montmorency. Je ne dirai pas l'impression que fit sur moi cette nouvelle, qui aurait été moins surprenante si Grimm avait eu dix mille livres de rente ou quelque relation plus facile à comprendre avec cette femme, et qu'on ne m'eût pas fait un si grand crime de l'avoir amenée à la campagne, où cependant il lui plaisait maintenant de la ramener, comme si elle était rajeunie depuis ce temps-là. Je compris que la bonne vieille ne me demandait[d] cette permission dont elle aurait bien pu se passer si je l'avais refusée, qu'afin de ne pas s'exposer à perdre ce que je lui donnais de mon côté. Quoique cette charité me parût très extraordinaire, elle ne me frappa pas alors autant qu'elle a fait dans la suite. Mais quand j'aurais su tout ce que j'ai pénétré depuis, je n'en aurais pas moins donné mon consentement comme je fis, et comme j'étais obligé de faire, à moins de renchérir sur l'offre de M. Grimm[1]. Depuis lors le P. Bertier me guérit un peu de l'imputation de bonhomie, qui lui avait paru si plaisante, et dont je l'avais si étourdiment chargé.

Ce même P. Bertier avait[e] la connaissance de deux hommes qui recherchèrent aussi la mienne, je ne sais pourquoi; car il y avait assurément peu de rapport entre leurs goûts et les miens. C'étaient des enfants de Melchisédech, dont on ne connaissait ni le pays ni la famille,

1. On a la lettre de Bertier à Rousseau (*C. C.,* VII, 153) mais non la réponse. Bertier date sa lettre du 26 juin 1760.

ni probablement le vrai nom. Ils étaient jansénistes, et passaient pour des prêtres déguisés, peut-être à cause de leur façon ridicule de porter les rapières auxquelles ils étaient attachés. Le mystère prodigieux qu'ils mettaient à toutes leurs allures leur donnait un air de chefs de parti et je n'ai jamais douté qu'ils ne fissent la *Gazette ecclésiastique*. L'un, grand, bénin, patelin, s'appelait M. Ferrand; l'autre, petit, trapu, ricaneur, pointilleux, s'appelait M. Minard. Ils se traitaient de cousins. Ils logeaient à Paris avec d'Alembert, chez sa nourrice, appelée Mme Rousseau, et ils avaient pris à Montmorency un petit appartement pour y passer les étés. Ils faisaient leur ménage eux-mêmes, sans domestique et sans commissionnaire. Ils avaient alternativement chacun sa semaine pour aller aux provisions, faire la cuisine et balayer la maison. D'ailleurs ils se tenaient assez bien; nous mangions quelquefois les uns chez les autres. Je ne sais pas pourquoi ils se souciaient de moi; pour moi, je ne me souciais d'eux que parce qu'ils jouaient aux échecs; et, pour obtenir une pauvre petite partie, j'endurais quatre heures d'ennui. Comme ils se fourraient partout et voulaient se mêler de tout, Thérèse les appelait *les Commères,* et ce nom leur est demeuré à Montmorency[1].

Telles étaient avec mon hôte, M. Mathas, qui était un bon homme, mes principales connaissances de campagne.

1. Littré ne donne que cet exemple de l'expression « enfant de Melchisédech », et explique : « Personne de laquelle on ne sait ce qu'elle est ». Dans l'*Épître aux Hébreux,* VII, 1-3, il est dit en effet de Melchisédech qu'il n'a ni père ni mère, ni ancêtres, que sa vie n'a ni commencement ni fin. La plaisanterie « les rapières auxquelles ils étaient attachés » semble un souvenir de latiniste; on cite souvent d'après Macrobe (*Saturnales,* II, 3, 3) le bon mot de Cicéron sur la petite taille de son gendre : « Qui a attaché mon gendre à cette épée ? » Rousseau revient sur les « Commères » dans une note du 2e *Dialogue* (*O. C.,* I, 1959, p. 906) où il dénonce l'ordre des oratoriens comme comprenant ses plus « dangereux ennemis »; il les accuse de prendre les directives de d'Alembert et d'être responsables du décret de prise de corps. Il y parle encore de la « Gazette ecclésiastique », entendant sans doute par là les *Nouvelles ecclésiastiques,* feuille clandestine des jansénistes dirigée contre les jésuites. Les mêmes accusations figurent déjà dans une lettre à Moultou du 24 juillet 1762 (*C. C.,* XII, 99) : « Je vous recommande sur toute chose le réquisitoire de Paris, fabriqué à Montmorency par deux prêtres déguisés qui font la *Gazette ecclésiastique* et qui m'ont pris en haine parce que je n'ai pas voulu me faire janséniste. »

Il m'en restait assez à Paris pour y vivre, quand je voudrais, avec agrément, hors de la sphère des gens de lettres, où je ne comptais que le seul Duclos pour ami : car Deleyre était encore trop jeune, et quoique, après avoir vu de près les manœuvres de la clique philosophique à mon égard, il s'en fût tout à fait détaché[a], du moins je le crus ainsi, je ne pouvais encore oublier la facilité qu'il avait eue à se faire auprès de moi le porte-voix de tous ces gens-là.

J'avais d'abord mon ancien et respectable ami M. Roguin. C'était un ami du bon temps, que je ne devais point à mes écrits, mais à moi-même, et que pour cette raison j'ai toujours conservé. J'avais le bon Lenieps, mon compatriote, et sa fille[b] alors vivante, Mme Lambert. J'avais un jeune Genevois, appelé Coindet, bon garçon, ce me semblait, soigneux, officieux, zélé, mais ignorant, confiant, gourmand, avantageux, qui m'était venu voir dès le commencement de ma demeure à l'Ermitage, et, sans autre introducteur que lui-même, s'était bientôt établi chez moi, malgré moi. Il avait quelque goût pour le dessin, et connaissait les artistes. Il me fut utile pour les estampes de la *Julie;* il se chargea de la direction des dessins et des planches, et s'acquitta bien de cette commission.

J'avais la maison de M. Dupin, qui, moins brillante que durant les beaux jours de Mme Dupin, ne laissait pas d'être encore, par le mérite des maîtres, et par le choix[c] du monde qui s'y rassemblait, une des meilleures maisons de Paris. Comme je ne leur avais préféré personne, que je ne les avais quittés que pour vivre libre, ils n'avaient point cessé de me voir avec amitié, et j'étais sûr d'être en tout temps bien reçu de Mme Dupin. Je la pouvais même compter pour une de mes voisines de campagne, depuis qu'ils s'étaient fait un établissement à Clichy, où j'allais quelquefois passer un jour ou deux, et où j'aurais été davantage, si Mme Dupin et Mme de Chenonceaux avaient vécu de meilleure intelligence. Mais la difficulté de se partager dans la même maison, entre deux femmes qui ne sympathisaient pas, me rendait Clichy trop gênant. Attaché à Mme de Chenonceaux d'une amitié plus égale et plus familière, j'avais le plaisir de la voir plus à mon aise à Deuil, presque à ma porte, où elle avait loué une petite maison, et même chez moi, où elle me venait voir assez souvent.

J'avais Mme de Créqui, qui, s'étant jetée dans la haute

dévotion, avait cessé de voir les d'Alembert, les Marmontel, et la plupart des gens de lettres, excepté, je crois, l'abbé Trublet, manière alors de demi-cafard[1], dont elle était même assez ennuyée. Pour moi, qu'elle avait recherché, je ne perdis ni sa bienveillance ni sa correspondance. Elle m'envoya des poulardes du Mans aux étrennes, et sa partie était faite pour[a] venir me voir l'année suivante, quand un voyage de M^me de Luxembourg croisa le sien[b]. Je lui dois ici une place à part; elle en aura toujours une distinguée dans mes souvenirs.

J'avais un homme qu'excepté Roguin, j'aurais dû mettre le premier en compte : mon ancien confrère et ami de Carrio, ci-devant secrétaire titulaire de l'ambassade d'Espagne à Venise, puis en Suède, où il fut, par sa cour, chargé des affaires, et enfin nommé réellement secrétaire d'ambassade à Paris. Il me vint surprendre à Montmorency, lorsque je m'y attendais le moins. Il était décoré d'un ordre d'Espagne dont j'ai oublié le nom, avec une belle croix en pierreries. Il avait été obligé, dans ses preuves, d'ajouter une lettre à son nom de Carrio, et portait celui de chevalier de Carrion. Je le trouvai toujours le même[c], le même excellent cœur, l'esprit de jour en jour plus aimable. J'aurais repris avec lui la même intimité qu'auparavant, si Coindet, s'interposant entre nous à son ordinaire, n'eût profité de mon éloignement pour s'insinuer à ma place et en mon nom dans sa[d] confiance, et me supplanter à force de zèle à me servir.

La mémoire de Carrion me rappelle celle d'un de mes voisins de campagne, dont j'aurais d'autant plus de tort de ne pas parler, que j'en ai à confesser un bien inexcusable[e] envers lui. C'était l'honnête M. Le Blond, qui m'avait rendu service à Venise, et qui, étant venu faire un voyage en France avec sa famille, avait loué une maison de campagne à La Briche, non loin de Montmorency[f]*. Sitôt que j'appris qu'il était mon voisin, j'en fus dans la joie

* Quand j'écrivais ceci, plein de mon ancienne et aveugle confiance, j'étais bien loin de soupçonner le vrai motif et l'effet de ce voyage de Paris.

1. Littré distingue le *cafard* du *bigot* en ce que le premier fait « montre et parade de sa dévotion », et l'affecte « dans son maintien, dans l'expression de ses traits, dans son langage ».

de mon cœur, et me fis encore plus une[a] fête qu'un devoir
d'aller lui rendre visite. Je partis pour cela dès le lende-
main. Je fus rencontré par des gens qui me venaient voir
moi-même, et avec lesquels il fallut retourner. Deux jours
après, je pars encore; il avait dîné à Paris avec toute sa
famille. Une troisième fois il était chez lui : j'entendis des
voix de femmes, je vis[b] à la porte un carrosse qui me fit
peur. Je voulais du moins, pour la première fois, le voir
à mon aise, et causer avec lui de nos anciennes liaisons.
Enfin je remis si bien ma visite de jour à autre, que la
honte de remplir si tard un pareil devoir fit que je ne le
remplis point du tout : après avoir osé tant attendre, je
n'osai plus me montrer. Cette négligence, dont M. Le Blond
ne put qu'être justement indigné, donna vis-à-vis de lui
l'air de l'ingratitude à ma paresse; et cependant je sentais
mon cœur si peu coupable, que si j'avais pu faire à M. Le
Blond quelque vrai plaisir[c], même à son insu, je suis bien
sûr qu'il ne m'eût pas trouvé paresseux. Mais l'indolence,
la négligence, et les délais dans les petits devoirs à remplir,
m'ont plus fait de tort que de[d] grands vices. Mes pires
fautes ont été d'omission : j'ai rarement fait ce qu'il ne
fallait pas faire, et malheureusement j'ai plus rarement
encore fait ce qu'il fallait.

Puisque me voilà revenu à mes connaissances de
Venise, je n'en dois pas oublier une qui s'y rapporte et
que je n'avais interrompue, ainsi que les autres, que depuis
beaucoup moins de temps. C'est celle de M. de Jonville,
qui avait continué, depuis son retour de Gênes, à me
faire beaucoup d'amitiés. Il aimait fort à me voir et à
causer avec moi des affaires d'Italie et des folies de M. de
Montaigu, dont il savait, de son côté, bien des traits par
les bureaux des affaires étrangères, dans lesquels il avait
beaucoup de liaisons. J'eus le plaisir aussi de revoir chez
lui mon ancien camarade Dupont, qui avait acheté une
charge dans sa province, et dont les affaires le ramenaient
quelquefois à Paris. M. de Jonville devint peu à peu si
empressé de m'avoir qu'il en devint même gênant, et,
quoique nous logeassions dans des quartiers fort éloignés,
il y avait du bruit entre nous quand je passais une semaine
entière sans aller dîner chez lui. Quand il allait à Jonville,
il m'y voulait toujours emmener; mais y étant une fois
allé passer huit jours, qui me parurent fort longs, je n'y
voulus plus retourner. M. de Jonville était assurément un

honnête et galant homme, aimable même à certains égards ;
mais il avait peu d'esprit, il était beau, tant soit peu Nar-
cisse, et passablement ennuyeux. Il avait un recueil singu-
lier, et peut-être unique au monde, dont il s'occupait
beaucoup, et dont il occupait aussi ses hôtes, qui quelque-
fois s'en amusaient moins que lui. C'était une collection
très complète de tous les vaudevilles de la cour et de Paris,
depuis plus de cinquante ans, où l'on trouvait beaucoup
d'anecdotes qu'on aurait[a] inutilement cherchées ailleurs.
Voilà des Mémoires pour l'histoire de France, dont on ne
s'aviserait[b] guère chez toute autre nation.

Un jour, au fort de notre meilleure intelligence, il me
fit un accueil si froid, si glaçant, si peu dans son ton ordi-
naire, qu'après lui avoir donné occasion de s'expliquer,
et même l'en avoir prié, je sortis de chez lui avec la réso-
lution, que j'ai tenue, de n'y plus remettre les pieds ; car
on ne me voit guère où j'ai été une fois mal reçu, et il
n'y avait point ici de Diderot qui plaidât pour M. de Jon-
ville. Je cherchai vainement dans ma tête quel tort je
pouvais avoir avec lui : je ne trouvai rien. J'étais sûr de
n'avoir jamais parlé de lui ni des siens que de la façon la
plus honorable, car je lui étais sincèrement attaché, et
outre que je n'en avais que du bien à dire, ma plus invio-
lable maxime a toujours été de ne parler[c] qu'avec hon-
neur des maisons que je fréquentais.

Enfin, à force de ruminer, voici ce que je conjecturai.
La dernière fois que nous nous étions vus, il m'avait
donné à souper chez des filles de sa connaissance, avec
deux ou trois commis des affaires étrangères, gens très
aimables, et qui n'avaient point du tout l'air ni le ton
libertin, et je puis jurer que de mon côté la soirée se passa
à méditer assez tristement sur le malheureux sort de ces
créatures. Je ne payai pas mon écot, parce que M. de Jon-
ville nous donnait à souper, et je ne donnai rien à ces
filles, parce que je ne leur fis point gagner, comme à la
Padoana, le paiement que j'aurais pu leur offrir. Nous
sortîmes tous[d] assez gais et de très bonne intelligence.
Sans être retourné chez ces filles, j'allai trois ou quatre
jours après dîner chez M. de Jonville, que je n'avais pas
revu depuis lors, et qui me fit l'accueil que j'ai dit. N'en
pouvant imaginer d'autre cause que quelque malentendu
relatif à ce souper[e], et voyant qu'il ne voulait pas s'expli-
quer, je pris mon parti et cessai de le voir ; mais je continuai

de lui envoyer mes ouvrages : il me fit faire souvent des
compliments, et l'ayant un jour rencontré au chauffoir[1]
de la Comédie, il me fit, sur ce que je n'allais plus le voir,
des reproches obligeants qui ne m'y ramenèrent pas. Ainsi
cette affaire avait plus l'air d'une[a] bouderie que d'une rup-
ture. Toutefois ne l'ayant pas revu, et n'ayant plus ouï
parler de lui depuis lors, il eût été trop tard pour y retourner
au bout d'une interruption de plusieurs années. Voilà
pourquoi M. de Jonville n'entre point ici dans ma liste,
quoique j'eusse assez longtemps fréquenté sa maison.

Je n'enflerai point[b] la même liste de beaucoup d'autres
connaissances moins familières, ou qui, par mon absence,
avaient cessé de l'être, et que je ne laissai pas de voir quel-
quefois en campagne, tant chez moi qu'à mon voisinage,
telles, par exemple, que les abbés de Condillac, de Mably,
MM. de Mairan, de Lalive, de Boisgelou, Watelet, Ancelet,
et d'autres qu'il serait trop long de nommer. Je passerai
légèrement aussi sur celle de M. de Margency, gentil-
homme ordinaire du roi, ancien membre de la coterie
holbachique, qu'il avait quittée ainsi que moi, et ancien
ami de M[me] d'Épinay, dont il s'était détaché ainsi que moi,
ni sur celle de son ami Desmahis, auteur célèbre, mais
éphémère, de la comédie de *l'Impertinent*. Le premier était
mon voisin de campagne, sa terre de Margency étant près
de Montmorency. Nous étions d'anciennes connaissances;
mais le voisinage et une certaine conformité d'expérience
nous rapprochèrent davantage. Le second mourut peu
après. Il avait du mérite et de l'esprit : mais il était un peu
l'original de sa comédie, un peu fat auprès des femmes,
et n'en fut pas extrêmement regretté.

Mais je ne puis omettre une correspondance nouvelle
de ce temps-là, qui a trop influé sur le reste de ma vie pour
que je néglige d'en marquer le commencement. Il s'agit
de M. de Lamoignon de Malesherbes, premier président
de la cour des aides, chargé pour lors de la librairie, qu'il
gouvernait avec autant de lumières que de douceur, et
à la grande satisfaction des gens de lettres. Je ne l'avais
pas été voir à Paris une seule fois; cependant j'avais toujours
éprouvé de sa part les facilités les plus obligeantes, quant
à la censure, et je savais qu'en plus d'une occasion il avait

1. *Chauffoir* : « Autrefois[...], lieu où les comédiens et les specta-
teurs allaient se chauffer. On dit aujourd'hui foyer. » (Littré.)

fort malmené ceux qui écrivaient contre moi. J'eus de nouvelles preuves de ses bontés au sujet de l'impression de la *Julie;* car les épreuves d'un si grand ouvrage[a] étant fort coûteuses à faire venir d'Amsterdam par la poste, il permit, ayant ses ports francs, qu'elles lui fussent adressées, et il me les envoyait[b] franches aussi, sous le contreseing de M. le Chancelier, son père. Quand l'ouvrage fut imprimé, il n'en permit le débit dans le royaume qu'ensuite d'une édition qu'il en fit faire à mon profit, malgré moi-même : comme ce profit eût été de ma part un vol fait à Rey, à qui j'avais vendu mon manuscrit, non seulement je ne voulus point accepter le présent qui m'était destiné pour cela sans son aveu, qu'il accorda très généreusement, mais je voulus partager avec lui les cent pistoles à quoi monta ce présent et dont il ne voulut[c] rien. Pour ces cent pistoles, j'eus le désagrément, dont M. de Malesherbes ne m'avait pas prévenu, de voir horriblement mutiler mon ouvrage, et empêcher le débit de la bonne édition jusqu'à ce que la mauvaise fût écoulée[1].

J'ai toujours regardé M. de Malesherbes comme un homme d'une droiture à toute épreuve. Jamais rien de ce qui m'est arrivé ne m'a fait douter un moment de sa probité : mais aussi faible qu'honnête, il nuit quelquefois aux gens pour lesquels il s'intéresse, à force de les vouloir préserver. Non seulement il fit retrancher plus de cent pages dans l'édition de Paris, mais il fit un retranchement qui pouvait porter le nom d'infidélité dans l'exemplaire de la bonne édition qu'il envoya à M[me] de Pompadour. Il est dit quelque part, dans cet ouvrage, que la femme d'un charbonnier est plus digne de respect que la maîtresse d'un prince. Cette phrase m'était venue dans la chaleur de la composition, sans aucune application, je le jure. En relisant l'ouvrage, je vis qu'on ferait cette application. Cependant, par la très imprudente maxime de ne rien

1. Cette édition de Paris autorisée par Malesherbes (« Amsterdam, chez Michel Rey », en fait Paris, chez Robin, 1761, 6 vol. in-12) fit l'objet d'une correspondance entre Malesherbes et Rousseau avant la publication (lettres échangées en oct.-nov. 1760); puis, après la publication (janvier 1761), d'une protestation de Rousseau, à laquelle Malesherbes répondit que Rousseau était libre de désavouer une édition qu'il n'avait pas revue. Cette correspondance figure dans la *C. C.,* t. VII-VIII.

ôter par égard aux applications qu'on pouvait faire, quand j'avais dans ma conscience le témoignage de ne les avoir pas faites en écrivant, je ne voulus point ôter cette phrase, et je me contentai de substituer le mot *prince* au mot *roi,* que j'avais d'abord mis. Cet adoucissement ne parut pas suffisant à M. de Malesherbes : il retrancha la phrase entière, dans un carton qu'il fit imprimer exprès, et coller[a] aussi proprement qu'il fut possible dans l'exemplaire de M[me] de Pompadour. Elle n'ignora pas ce tour de passe-passe. Il se trouva de bonnes âmes qui l'en instruisirent. Pour moi, je ne l'appris que longtemps après, lorsque je commençais d'en sentir les suites.

N'est-ce point encore ici la première origine de la haine couverte, mais implacable, d'une autre dame, qui était dans un cas pareil, sans que j'en susse rien, ni même que je la connusse, quand j'écrivis ce passage[1]? Quand le livre se publia, la connaissance était faite, et j'étais très inquiet. Je le dis au chevalier de Lorenzy, qui se moqua de moi, et m'assura que cette dame en était si peu offensée, qu'elle n'y avait pas même fait attention. Je le crus un peu légèrement peut-être, et je me tranquillisai fort mal à propos.

Je reçus, à l'entrée de l'hiver, une nouvelle marque des bontés de M. de Malesherbes, à laquelle je fus fort sensible, quoique je ne jugeasse pas à propos d'en profiter. Il y avait une place vacante dans le *Journal des Savants.* Margency m'écrivit pour me la proposer comme de lui-même. Mais il me fut aisé de comprendre, par le tour de sa lettre (Liasse C. n° 33), qu'il était instruit et autorisé, et lui-même me marqua dans la suite (Liasse C. n° 47) qu'il avait été chargé de me faire cette offre. Le travail de cette place était peu de chose. Il ne s'agissait que de deux extraits par mois, dont on m'apporterait les livres, sans être obligé jamais à aucun voyage de Paris, pas même pour faire au magistrat une visite de remerciement. J'entrais par là dans une société de gens de lettres du premier mérite, MM. de Mairan, Clairaut, de Guignes, et l'abbé Barthélemy, dont la connaissance était déjà faite avec les

1. « Il vaut mieux déroger à la noblesse qu'à la vertu, et la femme d'un charbonnier est plus respectable que la maîtresse d'un prince. » (V[e] partie, lettre XIII, M[me] de Wolmar à M[me] d'Orbe.) L'« autre dame » est M[me] de Boufflers, maîtresse du prince de Conti.

deux premiers, et très bonne à faire avec les deux autres. Enfin, pour un travail si peu pénible, et[a] que je pouvais faire si commodément, il y avait un honoraire de huit cents francs attaché à cette place. Je délibérai quelques heures avant[b] que de me déterminer, et je puis jurer que la[c] [seule chose qui me fit balancer fut la] crainte de fâcher Margency et de déplaire à M. de Malesherbes. Mais enfin la gêne insupportable[d] de ne pouvoir travailler à mon heure et d'être commandé par le temps; bien plus encore la certitude de mal remplir les fonctions dont il fallait me charger, l'emportèrent sur tout, et me déterminèrent à refuser une place pour laquelle je n'étais pas propre. Je savais que tout mon talent[e] ne venait que d'une certaine chaleur d'âme sur les matières que j'avais à traiter, et qu'il n'y avait que l'amour du grand, du vrai, du beau, qui pût animer mon génie. Et que m'auraient importé les sujets de la plupart des livres que j'aurais à extraire, et les livres mêmes ? Mon indifférence pour la chose eût glacé ma plume et abruti mon esprit. On s'imaginait que je pouvais écrire par métier, comme tous les autres gens de lettres, au lieu que je ne sus jamais écrire que par passion[1]. Ce n'était assurément pas là ce qu'il fallait au *Journal des Savants*. J'écrivis donc à Margency une lettre de remerciement, tournée avec toute l'honnêteté possible, dans laquelle je lui fis si bien le détail de mes raisons, qu'il[f] ne se peut pas que ni lui ni M. de Malesherbes aient cru qu'il entrât ni humeur ni orgueil dans mon refus. Aussi l'approuvèrent-ils l'un et l'autre, sans m'en faire moins bon visage, et le secret fut si bien gardé sur cette affaire que le public n'en a jamais eu le moindre vent[2].

Cette proposition ne venait pas dans un moment favorable pour me la faire agréer. Car depuis quelque temps je formais le projet de quitter tout à fait la littérature, et surtout le métier d'auteur. Tout ce qui venait de m'arriver m'avait absolument dégoûté des gens de lettres, et j'avais éprouvé qu'il était impossible de courir la même carrière, sans avoir quelques liaisons avec eux. Je ne l'étais guère moins des gens du monde, et en général de la vie mixte que je venais de mener, moitié à moi-même, et moitié à

1. Comparer avec les réflexions analogues placées au début du livre IX, p. 477.
2. Lettre perdue (v. *C. C.*, VI, 198; celle de Margency, 195).

des sociétés pour lesquelles je n'étais point fait[a]. Je sentais plus que jamais, et par une constante expérience, que toute association inégale est toujours désavantageuse au parti faible. Vivant avec des gens opulents, et d'un autre état que celui que j'avais choisi, sans tenir maison comme eux, j'étais obligé de les imiter en bien des choses, et de menues dépenses, qui n'étaient rien pour eux, étaient pour moi non moins ruineuses qu'indispensables. Qu'un autre homme aille dans une maison de campagne, il est servi par son laquais, tant à table que dans sa chambre; il l'envoie chercher tout ce dont il a besoin : n'ayant rien à faire directement avec les gens de la maison, ne les voyant même pas, il ne leur donne des étrennes[1] que quand et comme il lui plaît; mais moi, seul, sans domestique, j'étais à la merci de ceux de la maison, dont il fallait nécessairement capter les bonnes grâces, pour n'avoir pas beaucoup à souffrir, et, traité comme l'égal de leur maître, il en fallait aussi traiter les gens comme tel[b], et même faire pour eux plus qu'un autre, parce qu'en effet, j'en avais bien plus besoin. Passe encore quand il y a peu de domestiques; mais, dans les maisons où j'allais il y en avait beaucoup, tous très rogues, très fripons, très alertes, j'entends pour leur intérêt, et les coquins savaient faire en sorte que j'avais successivement besoin de tous. Les femmes de Paris, qui ont tant d'esprit, n'ont aucune idée juste sur cet article, et à force de vouloir[c] économiser ma bourse, elles me ruinaient. Si je soupais en ville un peu loin de chez moi, au lieu de souffrir que j'envoyasse chercher un fiacre, la dame de la maison faisait mettre des chevaux pour me ramener; elle était fort aise de m'épargner les vingt-quatre sols du fiacre; quant à l'écu que je donnais au laquais et au cocher, elle n'y songeait pas. Une femme m'écrivait-elle de Paris à l'Ermitage ou à Montmorency, ayant regret aux quatre sols de port que sa lettre m'aurait coûté, elle me l'envoyait par un de ses gens, qui arrivait[d] à pied tout en nage, et à qui je donnais à dîner et un écu qu'il avait assurément bien gagné. Me proposait-elle d'aller passer huit ou quinze jours[e] avec elle à sa campagne, elle se disait en elle-même : ce sera toujours une économie pour ce pauvre garçon; pendant ce temps-là sa nourriture ne lui coûtera rien. Elle ne songeait pas qu'aussi, durant ce temps-là, je ne travail-

1. Voir p. 42, n. 1.

lais point; que mon ménage[a], et mon loyer et mon linge et mes habits, n'en allai[en]t pas moins; que je payais mon[b] barbier à double, et qu'il ne laissait pas de m'en coûter chez elle plus qu'il ne m'en aurait coûté chez moi[c]. Quoique je bornasse mes petites largesses aux seules maisons où je vivais d'habitude, elles ne laissaient pas de m'être ruineuses. Je puis assurer que j'ai bien versé vingt-cinq écus chez M[me] d'Houdetot, à Eaubonne, où je n'ai couché que quatre ou cinq fois, et plus de cent pistoles, tant à Épinay qu'à la Chevrette, pendant les cinq ou six ans que j'y fus le plus assidu. Ces dépenses sont inévitables pour un homme de mon humeur, qui ne sait se pourvoir de rien, ni s'ingénier[1] sur rien, ni supporter l'aspect d'un valet qui grogne, et qui vous sert en rechignant. Chez M[me] Dupin même, où j'étais de la maison, et où je rendais mille services aux domestiques, je n'ai jamais reçu les leurs qu'à la pointe de mon argent[d]. Dans la suite, il a fallu renoncer tout à fait à ces petites libéralités que [ma situation ne m'a plus permis de faire, et c'est alors qu'on m'a fait sentir] bien plus durement encore l'inconvénient de fréquenter des gens d'un autre état que le sien.

Encore si cette vie eût été de mon goût, je me serais consolé d'une dépense onéreuse, consacrée à mes plaisirs : mais se ruiner pour s'ennuyer était trop insupportable; et j'avais si bien senti le poids de ce train de vie que, profitant de l'intervalle de liberté où je me trouvais pour lors, j'étais déterminé à le perpétuer, à renoncer totalement à la grande société, à la composition[e] des livres, à tout commerce de littérature, et[f] à me renfermer, pour le reste de mes jours, dans la sphère étroite et paisible pour laquelle je me sentais né.

Le produit de la *Lettre à d'Alembert* et de *La Nouvelle Héloïse* avait un peu remonté mes finances, qui s'étaient fort épuisées à l'Ermitage. Je me voyais environ mille écus devant moi. L'*Émile,* auquel je m'étais mis tout de bon, quand j'eus achevé l'*Héloïse*, était fort avancé, et son produit devait au moins doubler cette somme. Je formai le projet de placer ce fonds, de manière à me faire une petite rente viagère qui pût, avec ma copie, me faire subsister sans plus écrire. J'avais encore deux ouvrages sur

1. *S'ingénier* : « chercher dans son génie, dans son esprit, quelque moyen pour réussir » (Littré).

le chantier. Le premier était mes *Institutions politiques*. J'examinai l'état de ce livre, et je trouvai qu'il demandait encore plusieurs années de travail. Je n'eus pas le courage de[a] le poursuivre et d'attendre qu'il fût achevé pour exécuter ma résolution. Ainsi, renonçant à cet ouvrage, je résolus d'en tirer ce qui pouvait se détacher, puis de brûler tout le reste, et poussant ce travail avec zèle, sans interrompre celui de l'*Émile,* je mis, en moins de deux ans, la dernière main au *Contrat social.*

Restait le *Dictionnaire de Musique.* C'était un travail de manœuvre, qui pouvait se faire en tout temps, et qui n'avait pour objet qu'un produit pécuniaire[1]. Je me réservai de l'abandonner, ou de l'achever à mon aise, selon que mes autres ressources rassemblées me rendraient celle-là nécessaire ou superflue. A l'égard de la *Morale sensitive,* dont l'entreprise était restée en esquisse, je l'abandonnai totalement.

Comme j'avais en dernier projet, si je pouvais me passer[b] tout à fait de la copie, celui de m'éloigner de Paris, où l'affluence des survenants rendait ma subsistance coûteuse, et m'ôtait le[c] temps d'y pourvoir, pour prévenir dans ma retraite l'ennui dans lequel on dit que tombe un auteur quand il a quitté la plume, je me réservais une occupation qui pût remplir le vide de ma solitude, sans me tenter de plus rien faire imprimer de mon vivant. Je ne sais par quelle fantaisie Rey me pressait depuis longtemps d'écrire les Mémoires de ma vie. Quoiqu'ils ne fussent pas jusqu'alors fort intéressants par les faits, je sentis qu'ils pouvaient le devenir par la franchise que j'étais capable d'y mettre, et je résolus d'en faire un ouvrage unique par une véracité sans exemple, afin qu'au moins une fois on pût voir un homme tel qu'il était en dedans. J'avais toujours ri de la fausse naïveté de Montaigne, qui, faisant semblant d'avouer ses défauts, a grand soin de ne s'en donner que d'aimables; tandis que je sentais, moi qui me suis cru toujours, et qui

1. *Travail de manœuvre :* voir p. 391, n. 1.

Sur *les Institutions politiques,* voir livre IX, p. 480, n. 1. *Le Contrat social,* comme il est dit au dernier chapitre de cet ouvrage, posait « les vrais principes du droit politique »; il resterait à traiter — ce qui eût constitué la 2e partie des *Institutions politiques* — du « droit des gens » (droit international public). Voir une autre esquisse du sujet des *Institutions politiques* vers la fin du livre V de l'*Émile.*

me crois encore, à tout prendre, le meilleur des hommes, qu'il n'y a point d'intérieur humain, si pur qu'il puisse être, qui ne récèle quelque vice odieux. Je savais qu'on me peignait dans le public sous des traits si peu semblables aux miens, et quelquefois si difformes, que, malgré le mal dont je ne voulais rien taire, je ne pouvais que gagner encore à me montrer tel que j'étais. D'ailleurs, cela ne se pouvant faire sans laisser voir aussi d'autres gens tels qu'ils étaient, et par conséquent cet ouvrage ne pouvant paraître qu'après ma mort et celle de beaucoup d'autres, cela m'enhardissait davantage à faire mes confessions dont jamais je n'aurais à rougir devant personne. Je résolus donc de consacrer mes loisirs à bien exécuter cette entreprise, et je me mis à recueillir les lettres et papiers qui pouvaient guider ou réveiller ma mémoire, regrettant fort tout ce que j'avais déchiré, brûlé, perdu jusqu'alors[1].

Ce projet de retraite absolue, un des plus sensés que j'eusse jamais faits, était fortement empreint dans mon esprit, et déjà je travaillais à son exécution, quand le Ciel, qui me préparait une autre destinée, me jeta dans un nouveau tourbillon.

Montmorency, cet ancien et beau patrimoine de l'illustre maison de ce nom, ne lui appartient plus depuis la confis-

1. Page capitale sur la genèse du projet d'autobiographie; ce projet daterait donc au plus tard de 1761-1762. Rey écrivait en effet d'Amsterdam le 31 déc. 1761 : « J'ose vous demander une chose que j'ambitionne depuis longtemps et qui me serait très agréable, et au public : ce serait votre vie, que je placerais à la tête de vos œuvres... » On rapprochera le passage sur Montaigne du préambule du manuscrit de Neuchâtel (*infra*, variantes, p. 787; voir *Introduction,* p. XII). Le projet n'est nullement contradictoire avec la décision de ne plus être *auteur,* c'est-à-dire de ne « plus rien faire imprimer de [*son*] vivant ». Les Mémoires projetés, ou Confessions, sont destinés à paraître « après [*sa*] mort et celle de beaucoup d'autres ». Dans un esprit analogue, Rousseau dans la 1re Promenade des *Rêveries,* présente celles-ci comme une suite des *Confessions,* et reprend l'opposition avec Montaigne : « Il n'écrivait ses *Essais* que pour les autres, et je n'écris mes rêveries que pour moi. » Cette formule n'exclut pas une éventuelle publication posthume, mais c'est du vivant même de Montaigne — qui se conduisait donc en *auteur* — que parurent les *Essais.*

Jusqu'en 1755, Rousseau n'avait conservé aucun papier : « De ma vie je n'ai gardé lettre quelque chère qu'elle m'ait été », écrit-il à De Luc père le 25 novembre 1755 (*C. C.,* III, 211).

cation. Il a passé, par la sœur du duc Henri, dans la maison de Condé, qui a changé le nom de Montmorency en celui d'Enghien, et ce duché n'a d'autre château qu'une vieille tour, où l'on tient les archives, et où[a] l'on reçoit les hommages des vassaux. Mais on voit à Montmorency ou Enghien une maison particulière, bâtie par Crozat, dit le *pauvre,* laquelle, ayant la magnificence des plus superbes châteaux, en mérite et en porte le nom. L'aspect imposant de ce bel édifice, la terrasse sur laquelle il est bâti, sa vue unique peut-être au monde, son vaste salon peint d'une excellente main, son jardin planté par le célèbre Le Nôtre, tout cela forme un tout dont la majesté frappante a pourtant je ne sais quoi de simple, qui soutient et nourrit l'admiration[1]. M. le Maréchal duc de Luxembourg, qui occupait alors cette maison, venait tous les ans dans ce pays, où jadis ses pères étaient les maîtres, passer en deux fois cinq ou six semaines, comme simple habitant, mais avec un éclat qui ne dégénérait point de l'ancienne splendeur de sa maison. Au premier voyage qu'il y fit depuis mon établissement à Montmorency, M. et M^me la Maréchale envoyèrent un valet de chambre me faire compliment de leur part, et m'inviter à souper chez eux toutes les fois que cela me ferait plaisir. A chaque fois qu'ils revinrent, ils me manquèrent point de réitérer le même compliment

1. Les terres de la famille de Montmorency ont été érigées en duché par le roi Henri II. La branche aînée s'éteint en 1632 avec Henri II de Montmorency, maréchal de France (1595-1632), gouverneur du Languedoc, (le « duc Henri » de Rousseau), exécuté à Toulouse sous Louis XIII pour avoir conspiré contre Richelieu. Sa terre est alors confisquée. La sœur du duc, Charlotte-Marguerite, avait épousé en 1609 Henri de Bourbon-Condé, à qui Louis XIII donne alors la terre de Montmorency. Ce don est confirmé par Louis XIV, qui change le nom de Montmorency en Enghien, du nom d'un fief de la famille de Condé, aujourd'hui en territoire belge.

Plusieurs châteaux ont été édifiés à Chantilly, terre du domaine de Montmorency depuis le xv^e siècle. Le « petit château », du xvi^e siècle, rebâti au xvii^e, subsiste encore. Le « grand château » était séparé du petit par un fossé que franchissaient deux ponts. Il fut détruit pendant la Révolution (le grand château actuel, construit à la fin du xix^e siècle, est l'œuvre du duc d'Aumale). Rousseau n'a pas connu le château d'Enghien, édifié de l'autre côté de l'allée d'honneur en 1769.

Le maréchal de Luxembourg était lui-même (voir *Index*) un Montmorency.

et la même invitation. Cela me rappelait M^me de Bezenval m'envoyant dîner à l'office[1]. Les temps étaient changés; mais j'étais demeuré le même. Je ne voulais point qu'on m'envoyât dîner à l'office, et je me souciais peu de la table des grands. J'aurais mieux aimé qu'ils me laissassent pour ce que j'étais, sans me fêter et sans m'avilir. Je répondis honnêtement et respectueusement aux politesses de M. et M^me de Luxembourg; mais je n'acceptai pas leurs offres, et tant[a] mes incommodités que mon humeur timide et mon embarras à parler me faisant frémir à la seule idée de me présenter dans une assemblée de gens de la cour, je n'allai pas même au château faire une visite de remerciement, quoique je comprisse assez que c'était[b] ce qu'on cherchait, et que tout cet empressement était plutôt une affaire de curiosité que de bienveillance.

Cependant les avances continuèrent, et allèrent même en augmentant. M^me la comtesse de Boufflers, qui était fort liée avec M^me la Maréchale, étant venue à Montmorency envoya savoir de mes nouvelles, et me proposer de me venir voir. Je répondis comme je devais, mais je ne démarrai point. Au voyage de Pâques de l'année suivante 1759, le chevalier de Lorenzi, qui était de la cour de M. le prince de Conti et de la société de M^me de Luxembourg, vint me voir plusieurs fois : nous fîmes connaissance; il me pressa d'aller au château : je n'en fis rien. Enfin, un après-midi que je ne songeais à rien moins, je vis arriver M. le Maréchal de Luxembourg, suivi de cinq ou six personnes. Pour lors il n'y eut plus moyen de m'en dédire, et je ne pus éviter, sous peine d'être un arrogant et un malappris, de lui rendre sa visite, et d'aller faire ma cour à M^me la Maréchale, de la part de laquelle il m'avait comblé des choses les plus obligeantes. Ainsi commencèrent, sous de funestes auspices, des liaisons dont je ne pus plus longtemps me défendre, mais qu'un pressentiment[c] trop bien fondé me fit redouter jusqu'à ce que j'y fusse engagé.

Je craignais excessivement M^me de Luxembourg. Je savais qu'elle était aimable. Je l'avais vue plusieurs fois au spectacle, et chez M^me Dupin, il y avait dix ou douze ans, lorsqu'elle était duchesse de Boufflers et qu'elle brillait encore de sa première beauté. Mais elle passait pour mé-

1. Sur ce dîner à l'office, voir livre VII, p. 336.

chante, et dans une aussi grande dame, cette réputation
me faisait trembler. A peine l'eus-je vue que je fus sub-
jugué. Je la trouvai charmante, de ce charme à l'épreuve
du temps, le plus fait pour agir sur mon cœur. Je m'atten-
dais à lui trouver un entretien mordant et plein d'épi-
grammes. Ce n'était point cela, c'était beaucoup mieux. La
conversation de M^me de Luxembourg ne pétille pas d'es-
prit. Ce ne sont pas des saillies, et ce n'est pas même pro-
prement de la finesse : mais c'est une délicatesse exquise,
qui ne frappe jamais, et qui plaît toujours. Ses flatteries
sont d'autant plus enivrantes qu'elles sont plus simples;
on dirait qu'elles lui échappent sans qu'elle y pense, et
que c'est son cœur qui s'épanche, uniquement parce qu'il
est trop rempli. Je crus m'apercevoir[a], dès la première
visite, que, malgré mon air gauche et mes lourdes phrases,
je ne lui déplaisais pas. Toutes les femmes de la cour savent
vous persuader cela, quand elles veulent, vrai ou non;
mais toutes ne savent pas, comme M^me de Luxembourg,
vous rendre cette persuasion si douce qu'on ne s'avise plus
d'en vouloir douter. Dès le premier jour, ma confiance en
elle eût été aussi entière[b] qu'elle ne tarda pas à le devenir,
si M^me la duchesse de Montmorency, sa belle-fille, jeune
folle, assez maligne, et, je pense, un peu tracassière[1], ne
se fût avisée de m'entreprendre, et, tout au travers de force
éloges de sa maman, et de feintes agaceries pour son
propre compte, ne m'eût mis en doute si je n'étais pas
persiflé.

Je me serais peut-être difficilement rassuré sur cette
crainte auprès des deux dames, si les extrêmes bontés de
M. le Maréchal ne m'eussent confirmé que les leurs étaient
sérieuses. Rien de plus surprenant, vu mon caractère timide,
que la promptitude avec laquelle je le pris au mot, sur le
pied d'égalité où il voulut se mettre avec moi, si ce n'est
peut-être celle avec laquelle il me prit au mot lui-même,
sur l'indépendance absolue dans laquelle je voulais vivre.
Persuadés l'un et l'autre que j'avais raison d'être content
de mon état et de n'en vouloir pas changer[c], ni lui ni
M^me de Luxembourg n'ont paru[d] vouloir s'occuper un
instant de ma bourse ou de ma fortune; quoique je ne
pusse douter du tendre intérêt qu'ils prenaient à moi tous

1. *Tracassière,* voir p. 54, n. 2.

les deux, jamais ils ne m'ont proposé de place et ne m'ont offert leur crédit, si ce n'est une[a] seule fois que Mme de Luxembourg parut désirer que je voulusse entrer à l'Académie française. J'alléguai ma religion : elle me dit que ce n'était pas un obstacle, ou qu'elle s'engageait à le lever. Je répondis que, quelque honneur que ce fût pour moi d'être membre d'un corps si illustre, ayant refusé à M. de Tressan, et en quelque sorte au Roi de Pologne, d'entrer dans l'Académie de Nancy, je ne pouvais plus honnêtement entrer dans aucune[1]. Mme de Luxembourg n'insista pas, et il n'en fut plus reparlé. Cette simplicité de commerce avec de si grands seigneurs et qui pouvaient tout en ma faveur[b], M. de Luxembourg étant et méritant bien d'être l'ami particulier du Roi[c], contraste bien singulièrement avec les continuels soucis, non moins importuns qu'officieux, des amis protecteurs que je venais de quitter, et qui cherchaient moins à me servir qu'à m'avilir.

Quand M. le Maréchal m'était venu voir à Mont-Louis, je l'avais reçu avec peine, lui et sa suite, dans mon unique chambre, non parce que je fus obligé de le faire asseoir au milieu de mes assiettes sales et de mes pots cassés, mais parce que mon plancher pourri tombait en ruine, et que je craignais que le poids de sa suite ne l'effondrât tout à fait. Moins occupé de mon propre danger que de celui que l'affabilité de ce bon seigneur lui faisait courir, je me hâtai de le tirer de là, pour le mener, malgré le froid qu'il faisait encore, à mon Donjon, tout ouvert et sans cheminée. Quand il y fut, je lui dis la raison qui m'avait engagé à l'y conduire : il la redit à Mme la Maréchale, et l'un et l'autre me pressèrent, en attendant qu'on referait mon plancher[2], d'accepter un logement au château, ou, si je l'aimais mieux, dans un édifice isolé, qui était au milieu du parc, et qu'on appelait le petit Château. Cette demeure enchantée mérite qu'on en parle.

Le parc ou jardin de Montmorency n'est pas en plaine, comme celui de la Chevrette. Il est inégal, montueux, mêlé de collines et d'enfoncements, dont l'habile artiste

1. Voir p. 474, n. 1.
2. *En attendant qu'on referait* : ce conditionnel est un futur dans le passé. Il s'explique par une construction à l'indicatif après *en attendant que,* par analogie avec celle qu'on rencontre souvent après les verbes d'attente ou d'espoir (exemple : « on s'attend qu'il viendra »).

a tiré parti pour varier les bosquets, les ornements, les
eaux, les points de vue, et multiplier, pour ainsi dire, à
force d'art et de génie, un espace en lui-même assez res-
serré. Ce parc est couronné dans le haut par la terrasse et
le château; dans le bas il forme une gorge qui s'ouvre et
s'élargit vers la vallée, et[a] dont l'angle est rempli par une
grande pièce d'eau. Entre l'orangerie qui[b] occupe cet élar-
gissement, et cette pièce d'eau entourée de coteaux bien
décorés de bosquets et d'arbres, est le petit Château dont
j'ai parlé. Cet édifice et le terrain qui l'entoure appartenaient
jadis au célèbre Le Brun, qui se plut à le bâtir et le décorer
avec ce goût exquis d'ornements et d'architecture dont
ce grand peintre s'était nourri. Ce château depuis lors a
été rebâti, mais toujours sur le dessin du premier maître.
Il est petit, simple, mais élégant. Comme il est dans un
fond, entre le bassin de l'orangerie et la grande pièce
d'eau, par conséquent sujet à l'humidité, on l'a percé dans
son milieu d'un péristyle à jour entre deux étages de
colonnes, par lequel l'air jouant dans tout l'édifice le main-
tient sec malgré sa situation. Quand on regarde ce bâti-
ment de la hauteur opposée qui lui fait perspective, il
paraît absolument environné d'eau, et l'on croit voir une
île enchantée, ou la plus jolie des trois îles Borromées[c],
appelée *Isola bella,* dans le lac Majeur.

Ce fut dans cet édifice solitaire qu'on me donna le
choix[d] d'un des quatre appartements complets qu'il contient,
outre le rez-de-chaussée, composé d'une salle de bal,
d'une salle de billard, et d'une cuisine. Je pris le plus
petit et le plus simple au-dessus de la cuisine que j'eus
aussi. Il était d'une propreté charmante; l'ameublement en
était blanc et bleu. C'est dans cette profonde et délicieuse
solitude qu'au milieu des bois et des eaux, aux concerts des
oiseaux de toute espèce, au parfum de la fleur d'orange,
je composai dans une continuelle extase le cinquième livre
de l'*Émile,* dont je dus en grande partie le coloris assez
frais à[e] la vive impression du local où je l'écrivais[1].

1. Avant de s'installer au « petit Château », le 6 mai 1759, Rousseau
aurait logé d'abord chez un paysan, sa maison du Montlouis ayant
besoin d'urgentes réparations (*C. C.,* VI, 86). Il n'accepta pas sans
scrupules l'hospitalité du Maréchal (voir sa lettre du 27 mai 1759,
C. C., VI, 107). Ses impressions sur l' « île enchantée » qu'il habite
maintenant sont mêlées de réminiscences de l'épisode de l'île d'Alcine

Avec quel empressement je courais tous les matins
au lever du soleil respirer un air embaumé sur le ᵃ péristyle !
Quel bon café au lait j'y prenais tête-à-tête avec ma Thérèse !
Ma chatte et mon chien nous faisaient compagnie. Ce seul
cortège m'eût suffi pour toute ma vie, sans éprouver jamais
un moment d'ennui. J'étais là dans le Paradis terrestre;
j'y vivais avec autant d'innocence, et j'y goûtais le même
bonheur.

Au voyage de juillet, M. et Mᵐᵉ de Luxembourg me
marquèrent tant d'attention, et me firent tant de caresses,
que, logé chez eux et comblé de leurs bontés, je ne pus
moins faire que d'y répondre en les voyant assidûment. Je
ne les quittais presque point : j'allais le matin faire ma cour
à Mᵐᵉ la Maréchale; j'y dînais; j'allais l'après-midi me pro-
mener avec M. le Maréchal; mais je n'y soupais pas, à
cause du grand monde, et qu'on y soupait trop tard pour
moi. Jusqu'alors tout était convenable, et il n'y avait point
de mal encore, si j'avais su m'en tenir là. Mais je n'ai
jamais su garder un milieu dans mes attachements, et rem-
plir simplement des devoirs de société. J'ai toujours été
tout, ou rien; bientôt je fus tout; et me voyant fêté, gâté
par des personnes de cette considération, je passai les
bornes, et me pris pour eux d'une amitié qu'il n'est permis
d'avoir que pour ses égaux. J'en mis toute la familiarité
dans mes manières, tandis qu'ils ne se relâchèrent jamais
dans les leurs de la politesse à laquelle ils m'avaient accou-
tumé. Je n'ai pourtant jamais été très à mon aise avec
Mᵐᵉ la Maréchale. Quoique je ne fusse pas parfaitement
rassuré sur son caractère, je le redoutais moins que son
esprit. C'était par là surtout qu'elle m'en imposait. Je
savais qu'elle était difficile en conversations, et qu'elle avait
le droit de l'être. Je savais que les femmes, et surtout les
grandes dames, veulent absolument être amusées, qu'il vau-
drait mieux les offenser que les ennuyer, et je jugeais, par

dans le *Roland furieux* de l'Arioste, ou du palais enchanté d'Armide
dans *la Jérusalem délivrée,* comme le confirme une lettre de Deleyre
du 14 juillet 1759, *C. C.,* VI, 138. Le goût de Rousseau pour les
îles a déjà été noté (livre VII, p. 348, n. 1), et se donnera libre cours à
l'île de Saint-Pierre (livre XII).

Le 5ᵉ livre de l'*Émile* (Sophie ou la Femme) développe notamment
les amours d'Émile et de Sophie; Rousseau y retrouve un peu le
ton — la passion en moins — des débuts idylliques de l'*Héloïse.*

ses commentaires sur ce qu'avaient dit les gens qui venaient de partir, de ce qu'elle devait penser de mes balourdises. Je m'avisai d'un supplément[1], pour me sauver auprès d'elle l'embarras de parler; ce fut de lire. Elle avait ouï parler de la *Julie;* elle savait qu'on l'imprimait; elle marqua de l'empressement de voir cet ouvrage; j'offris de le lui lire; elle accepta. Tous les matins je me rendais chez elle sur les dix heures; M. de Luxembourg y venait; on fermait la porte. Je lisais à côté de son lit, et je compassai si bien mes lectures, qu'il y en aurait eu pour tout le voyage, quand même il n'aurait pas été interrompu[2]*. Le succès de cet expédient passa mon attente. M^{me} de Luxembourg s'engoua de la *Julie* et de son auteur; elle ne parlait que de moi, ne s'occupait que de moi, me disait des douceurs toute la journée, m'embrassait dix fois le jour. Elle voulut que j'eusse toujours ma place à table à côté d'elle, et quand quelques seigneurs voulaient prendre cette place, elle leur disait que c'était la mienne, et les faisait mettre ailleurs. On peut juger de l'impression que ces manières charmantes faisaient sur moi, que les moindres marques d'affection subjuguent. Je m'attachais réellement à elle, à proportion de l'attachement qu'elle me témoignait. Toute ma crainte, en voyant cet engouement, et me[a] sentant si peu d'agrément dans l'esprit pour le soutenir, était qu'il ne se changeât en dégoût, et malheureusement pour moi cette crainte ne fut que trop bien fondée.

Il fallait qu'il y eût une opposition naturelle entre son tour d'esprit et le mien, puisque, indépendamment des foules de balourdises qui m'échappaient à chaque instant dans la conversation, dans mes lettres mêmes, et lorsque j'étais le mieux avec elle, il se trouvait des choses qui lui déplaisaient sans que je puisse imaginer pourquoi. Je n'en

* La perte d'une grande bataille, qui affligea beaucoup le Roi, força M. de Luxembourg de retourner précipitamment à la Cour.

1. *Supplément :* voir p. 119, n. 1.
2. *Compasser :* « soumettre à une règle minutieuse » ses actions ou ses démarches (Littré). *Voyage*, ici comme plus haut : « séjour dans un lieu où l'on ne fait pas sa demeure habituelle » (Littré, *Voyage*, 6°). La bataille à laquelle il est fait allusion dans la note de Rousseau est sans doute la défaite du maréchal de Contades à Minden, 1^{er} août 1759.

citerai qu'un exemple, et j'en pourrais citer vingt. Elle sut
que je faisais pour M^me d'Houdetot une copie de l'*Héloïse*
à tant la page. Elle en voulut avoir une sur le même pied.
Je la lui promis, et la mettant par là du nombre de mes
pratiques, je lui écrivis[a] quelque chose d'obligeant et d'hon-
nête à ce sujet; du moins telle était mon intention. Voici
sa réponse, qui me fit tomber des nues :

<div style="text-align:center">A Versailles, ce mardi. (Liasse C. n° 43)</div>

« Je suis ravie, je suis contente; votre lettre m'a fait
« un plaisir infini, et je me presse pour vous le mander et
« pour vous en remercier.
« Voici les propres termes de votre lettre : *Quoique vous*
« *soyez sûrement une très bonne pratique, je me fais quelque*
« *peine de prendre de votre argent : régulièrement, ce serait à*
« *moi de payer le plaisir que j'aurais de travailler pour vous.*
« Je ne vous en dis pas davantage. Je me plains de ce
« que vous ne me parlez jamais de votre santé. Rien ne
« m'intéresse davantage. Je vous aime de tout mon cœur;
« et c'est, je vous assure, bien tristement que je vous le
« mande, car j'aurais bien du plaisir à vous le dire moi-
« même. M. de Luxembourg vous aime et vous embrasse
« de tout son cœur. »

En recevant cette lettre, je me hâtai d'y répondre, en
attendant plus ample examen, pour protester contre toute
interprétation désobligeante, et après m'être occupé[b]
quelques jours à cet examen, avec l'inquiétude qu'on peut
concevoir, et toujours sans y rien comprendre, voici quelle
fut enfin ma dernière réponse à ce sujet :

<div style="text-align:center">A Montmorency, le 8 décembre 1759.</div>

« Depuis ma dernière lettre, j'ai examiné cent et cent
« fois le passage en question. Je l'ai considéré par son
« sens propre et naturel; je l'ai considéré par tous les sens
« qu'on peut lui donner, et je vous avoue, Madame la
« Maréchale, que je ne sais plus si c'est moi qui vous dois
« des excuses, ou si ce n'est point vous qui m'en devez. »

Il y a maintenant dix ans que ces lettres ont été écrites.
J'y ai souvent repensé depuis ce temps-là, et telle est encore
aujourd'hui ma stupidité sur cet article, que je n'ai pu par-

venir à sentir ce qu'elle avait pu trouver dans ce passage, je ne dis pas d'offensant, mais même qui pût lui déplaire[1].

A propos de cet exemplaire manuscrit de l'*Héloïse* que voulut avoir M^{me} de Luxembourg, je dois dire ici ce que j'imaginai pour lui donner quelque avantage marqué qui le distinguât de tout autre. J'avais écrit à part *Les aventures de Milord Édouard,* et j'avais balancé longtemps à les insérer, soit en entier, soit par extrait, dans cet ouvrage, où elles[a] me paraissaient manquer. Je me déterminai enfin à les retrancher tout à fait, parce que, n'étant pas du ton de tout le reste, elles en auraient gâté la touchante simplicité. J'eus une autre raison bien plus forte, quand je connus M^{me} de Luxembourg : c'est qu'il y avait dans ces aventures une marquise romaine d'un caractère très odieux, dont quelques traits, sans lui être applicables, auraient pu lui être appliqués par ceux qui ne la connaissaient que de réputation. Je me félicitai donc beaucoup du parti que j'avais pris, et m'y confirmai. Mais, dans l'ardent désir d'enrichir son exemplaire de quelque chose qui ne fût dans aucun autre, n'allai-je pas songer à ces malheureuses aventures, et former le projet d'en faire l'extrait pour l'y ajouter ? Projet insensé, dont on ne peut expliquer l'extravagance que par l'[b]aveugle fatalité qui m'entraînait à ma perte !

Quos vult perdere Juppiter dementat[2].

1. Cette correspondance relative aux copies de l'*Héloïse* occupe dans la *C. C.* plusieurs lettres (t. VI). On y trouvera, p. 181-2, la lettre contenant le passage incriminé. P.-P. Plan propose la date du mardi 6 novembre 1759 pour le premier billet cité. Faguet (*Les Amies de Rousseau,* Paris, s. d. [1911], p. 203) pense que « M^{me} de Luxembourg », dans une lettre toute de joie, de « contentement », et de « ravissement », avait remis sous les yeux de Rousseau un propos de son correspondant *qui l'avait enchantée,* et que si elle ne répondit pas à une première lettre (non citée ici) protestant « contre toute interprétation désobligeante », c'est qu'elle était occupée à Versailles. Le ton de toutes les lettres qu'on possède de la maréchale à Rousseau est en effet des plus obligeants.
à Rousseau est en effet des plus obligeants.

2. Les *Amours de Milord Édouard Bomston,* imprimés d'après le manuscrit Luxembourg, ont paru en 1782, à la suite de l'*Héloïse* dans l'édition de Genève des *Œuvres complètes.* Cet épisode mettant en scène le personnage alors à la mode du riche Anglais voyageant en Italie eut beaucoup de succès, et suscita de bonne heure imitations et adaptations en Allemagne, Suisse et Angleterre.
La citation latine (« Jupiter ôte la raison à ceux dont il a décidé la

J'eus la stupidité de faire cet extrait avec bien du soin, bien du travail, et de lui envoyer ce morceau comme la plus belle chose du monde, en la prévenant[a] toutefois, comme il était vrai, que j'avais brûlé l'original, que l'extrait était pour elle seule, et ne serait jamais vu de personne, à moins qu'elle ne le montrât elle-même; ce qui, loin de lui prouver ma prudence et ma discrétion, comme je croyais faire, n'était que l'avertir du jugement que je portais[b] moi-même sur l'application des traits dont elle aurait pu s'offenser. Mon imbécillité fut telle, que je ne doutais pas qu'elle ne fût enchantée de mon procédé. Elle ne me fit pas là-dessus les grands compliments que j'en attendais, et jamais, à ma très grande surprise, elle ne me parla du cahier que je lui avais envoyé. Pour moi, toujours charmé de ma conduite dans cette affaire, ce ne fut que longtemps après que je jugeai, sur d'autres indices, de l'effet qu'elle avait produit.

J'eus encore, en faveur de son manuscrit, une autre idée plus raisonnable, mais qui, par des effets plus éloignés, ne m'a guère été[c] moins nuisible; tant tout concourt à l'œuvre de la destinée quand elle appelle un homme au malheur ! Je pensai d'orner ce manuscrit des dessins des estampes de la *Julie,* lesquels dessins se trouvèrent être du même format que le manuscrit. Je demandai à Coindet ses dessins, qui m'appartenaient à toutes sortes de titres, et d'autant plus que je lui avais abandonné le produit des planches, lesquelles eurent un grand débit. Coindet est aussi rusé que je le suis peu. A force de se faire demander ces dessins, il parvint à savoir ce que j'en voulais faire. Alors sous prétexte d'ajouter quelques ornements à ces dessins, il se les fit laisser, et finit par les présenter lui-même.

Ego versiculos feci, tulit alter honores[1].

perte ») généralement citée sous la forme « ... *prius* dementat », figure dans le commentaire de la Bible de J. Lightfoot (1647). Un humaniste du xvie ou xviie siècle a pu adapter la traduction d'un fragment tragique grec connu par des grammairiens anciens à la structure d'un vers de Publius Syrus, *Fortuna nimium quem favet stultum facit.* (Je dois cette interprétation à J. Beaujeu.)

1. Coindet s'était chargé de faire graver des planches pour la *Nouvelle Héloïse* d'après des dessins originaux de Gravelot (il avait d'abord songé à Boucher, puis Cochin), d'indiquer au libraire l'empla-

Cela acheva de l'introduire à l'hôtel de Luxembourg sur un certain pied. Depuis mon établissement au petit Château, il m'y venait voir très souvent, et toujours dès le matin, surtout quand M. et Mᵐᵉ de Luxembourg étaient à Montmorency. Cela faisait que, pour passer avec lui la journée, je n'allais point au château. On me reprocha ces absences; j'en dis la raison. On me pressa d'amener M. Coindet : je le fis. C'était ce que le drôle avait cherché. Ainsi, grâce aux bontés excessives qu'on avait pour moi, un commis de M. Thelluson, qui voulait bien lui donner quelquefois sa table quand il n'avait personne à dîner, se trouva tout d'un coup admis à celle d'un maréchal de France, avec les princes, les duchesses, et tout ce qu'il y avait de grand à la cour. Je n'oublierai jamais qu'un jour qu'il était obligé de retourner à Paris de bonne heure, M. le Maréchal dit après le dîner à la compagnie : Allons nous promener sur le chemin de Saint-Denis, nous accompagnerons M. Coindet. Le pauvre garçon n'y tint pas; sa tête s'en alla tout à fait. Pour moi, j'avais le cœur si ému, que je ne pus dire un seul mot. Je suivais par derrière, pleurant comme un enfant, et mourant d'envie de baiser les pas de ce bon Maréchal. Mais la suite de cette histoire de copie m'a fait anticiper ici sur les temps. Reprenons-les dans leur ordre, autant que ma mémoire me le permettra.

Sitôt que la petite maison de Mont-Louis fut prête, je la fis meubler proprement, simplement, et retournai m'y établir[1], ne pouvant renoncer à cette loi que je m'étais faite, en quittant l'Ermitage, d'avoir toujours mon logement à moi; mais je ne pus me résoudre non plus à quitter mon appartement du petit Château. J'en gardai la clef, et, tenant beaucoup aux jolis déjeuners du péristyle, j'allais souvent y coucher, et j'y passais quelquefois deux ou trois

cement des planches dans le livre, et de dresser la liste des personnes à qui serait envoyée cette suite de planches (voir notamment *C. C.*, t. VII et VIII). L'exemplaire Luxembourg de la *Julie,* à la Bibliothèque de la Chambre des Députés, contient en effet ces planches. — La citation latine (« C'est moi qui fis les vers, un autre en eut la gloire ») est un hexamètre dactylique attribué à Virgile par l'auteur médiéval anonyme d'une *Vie* de Virgile tirée de celle de Donat : Virgile se plaindrait de la récompense accordée par Auguste à un certain Bathyllus, qui se serait attribué un vers composé par Virgile à la louange de l'empereur (renseignement communiqué par J. Beaujeu).

1. Dans le courant de juillet 1759.

jours comme à une maison de campagne. J'étais peut-être alors le particulier de l'Europe le mieux et le plus agréablement logé. Mon hôte, M. Mathas, qui était le meilleur homme du monde, m'avait absolument laissé la direction des réparations de Mont-Louis et voulut que je disposasse de ses ouvriers, sans même qu'il s'en mêlât. Je trouvai donc le moyen de me faire, d'une seule chambre au premier, un appartement complet, composé d'une chambre, d'une antichambre et d'une garde-robe. Au rez-de-chaussée étaient la cuisine et la chambre de Thérèse. Le Donjon me servait de cabinet, au moyen d'une bonne cloison vitrée et d'une cheminée qu'on y fit faire. Je m'amusai, quand j'y fus, à orner la terrasse qu'ombrageaient déjà deux rangs de jeunes tilleuls; j'y en fis ajouter deux, pour faire un cabinet de verdure; j'y fis poser une table et des bancs de pierre : je l'entourai de lilas, de seringa, de chèvrefeuille; j'y fis faire une belle plate-bande de fleurs parallèle aux deux rangs d'arbres, et cette terrasse, plus élevée que celle du château[a], dont la vue était du moins aussi belle[b], et sur laquelle j'avais apprivoisé des multitudes d'oiseaux, me servait de salle de compagnie pour recevoir M. et M^me de Luxembourg, M. le duc de Villeroy, M. le prince de Tingry, M. le marquis d'Armentières, M^me la duchesse de Montmorency, M^me la duchesse de Boufflers, M^me la comtesse de Valentinois, M^me la comtesse de Boufflers, et[c] d'autres personnes de ce rang, qui, du château, ne dédaignaient pas de faire, par une montée très fatigante, le pèlerinage de Mont-Louis. Je devais à la faveur de M. et M^me de Luxembourg toutes ces visites; je le sentais, et mon cœur leur en faisait bien l'hommage. C'est dans un de ces transports d'attendrissement que je dis une fois à M. de Luxembourg en l'embrassant : Ah ! monsieur le Maréchal, je haïssais les grands avant que de vous connaître, et je les hais davantage encore depuis que vous me faites si bien sentir combien il leur[d] serait aisé de se faire adorer.

Au reste, j'interpelle tous ceux qui m'ont vu durant cette époque, s'ils se sont jamais aperçus que cet éclat m'ait un[e] instant ébloui, que la vapeur de cet encens m'ait porté à la tête; s'ils m'ont vu moins uni dans mon maintien, moins simple dans mes manières, moins liant avec le peuple, moins familier avec mes voisins, moins prompt à rendre service à tout le monde, quand je l'ai pu, sans me rebuter jamais des importunités sans nombre, et sou-

vent déraisonnables, dont j'étais sans cesse accablé. Si mon cœur m'attirait au château de Montmorency par mon sincère attachement pour les maîtres, il me ramenait de même à mon voisinage goûter les[a] douceurs de cette vie égale et simple hors de laquelle il n'est point de bonheur pour moi. Thérèse avait fait amitié avec la fille d'un maçon, mon voisin, nommé Pilleu; je la fis de même avec le père, et après avoir le matin dîné au château, non sans gêne, mais pour complaire à M[me] la Maréchale, avec quel empressement je revenais le soir souper avec le bonhomme Pilleu et sa famille, tantôt chez lui, tantôt chez moi.

Outre ces deux logements, j'en eus bientôt un troisième à l'hôtel de Luxembourg, dont les maîtres me pressèrent si fort d'aller les y voir quelquefois, que j'y consentis, malgré mon aversion pour Paris, où je n'avais été, depuis ma retraite à l'Ermitage, que les deux seules fois dont j'ai parlé. Encore n'y allais-je que les jours convenus, uniquement pour souper et m'en retourner le lendemain matin. J'entrais et je sortais par le jardin qui donnait sur le boulevard; de sorte que je pouvais dire, avec la plus exacte vérité, que je n'avais pas mis le pied sur le pavé de Paris[1].

Au sein de cette prospérité passagère se préparait de loin la catastrophe qui devait en marquer la fin. Peu de temps après mon retour à Mont-Louis, j'y fis, et bien malgré moi, comme à l'ordinaire, une nouvelle connaissance qui fait encore époque dans mon histoire. On jugera dans la suite si c'est en bien ou en mal. C'est M[me] la marquise de Verdelin, ma voisine, dont le mari venait d'acheter une maison de campagne à Soisy, près de Montmorency. M[lle] d'Ars, fille du comte d'Ars, homme de condition, mais pauvre, avait épousé M. de Verdelin, vieux, laid, sourd, dur, brutal, jaloux, balafré, borgne, au demeurant bon homme quand on savait le prendre et possesseur de quinze à vingt mille livres de rente, auxquelles on la maria. Ce mignon, jurant, criant, grondant, tempêtant, et faisant pleurer sa femme toute la journée, finissait par faire toujours ce qu'elle voulait, et cela pour la faire enrager, attendu qu'elle

1. Voir p. 543, n. 1. — L'hôtel de Luxembourg, ancien hôtel du financier Revié et du contrôleur général Desmaretz, avait son entrée rue Saint-Marc, un jardin derrière, en partie sur l'emplacement du passage des Panoramas, avec une porte sur le boulevard (Rey, *J.-J. Rousseau dans la vallée de Montmorency*, Paris, 1909).

savait lui persuader que c'était lui qui le voulait, et que c'était elle qui ne le voulait pas. M. de Margency, dont j'ai parlé, était l'ami de madame, et devint celui de monsieur. Il[a] y avait quelques années qu'il leur avait loué son château de Margency, près d'Eaubonne et d'Andilly, et ils y étaient précisément durant mes amours pour M^me^ d'Houdetot. M^me^ d'Houdetot et M^me^ de Verdelin se connaissaient par M^me^ d'Aubeterre, leur commune amie, et comme le jardin de Margency était sur le passage de M^me^ d'Houdetot pour aller au Mont-Olympe, sa promenade favorite, M^me^ de Verdelin lui donna une clef pour passer. A la faveur de cette clef, j'y passais souvent avec elle; mais je n'aimais point les rencontres imprévues, et quand M^me^ de Verdelin se trouvait par hasard sur notre passage, je les laissais ensemble sans lui rien dire, et j'allais toujours devant. Ce procédé peu galant n'avait pas dû me mettre en bon prédicament[1] auprès d'elle. Cependant, quand elle fut à Soisy, elle ne laissa pas de me rechercher. Elle me vint voir plusieurs fois à Mont-Louis, sans me trouver, et, voyant que je ne lui rendais pas sa visite, elle s'avisa, pour m'y forcer, de m'envoyer des pots de fleurs pour ma terrasse. Il fallut bien l'aller remercier : c'en fut assez. Nous voilà liés.

Cette liaison commença par être orageuse, comme toutes celles que je faisais malgré moi. Il n'y régna même jamais un vrai calme. Le tour d'esprit de M^me^ de Verdelin était par trop antipathique avec le mien. Les traits malins et les épigrammes partent chez elle avec tant de simplicité, qu'il faut une attention continuelle, et pour moi très fatigante, pour sentir quand on est[b] persiflé. Une niaiserie, qui me revient, suffira pour en juger. Son frère venait d'avoir le commandement d'une frégate en course contre les Anglais. Je parlais de la manière d'armer cette frégate sans nuire à sa légèreté. Oui, dit-elle d'un ton tout uni, l'on ne prend de canons que ce qu'il en faut pour se battre. Je l'ai rarement ouï parler en bien de quelqu'un de ses amis absents, sans glisser quelque[c] mot à leur charge. Ce qu'elle ne voyait pas en mal, elle le voyait en ridicule, et son ami Margency n'était pas excepté. Ce que je trouvais encore en elle d'insupportable était la gêne continuelle de

1. *Prédicament* : « synonyme de catégorie [...] Familièrement. Être en bon, en mauvais prédicament, être en bonne, en mauvaise réputation. » (Littré.)

ses petits envois, de ses petits cadeaux, de ses petits billets, auxquels il fallait me battre les flancs pour répondre, et toujours nouveaux embarras pour remercier ou pour refuser. Cependant, à force de la voir, je finis par m'attacher à elle. Elle avait ses chagrins, ainsi que moi. Les confidences réciproques nous rendirent intéressants nos tête-à-tête. Rien ne lie tant les cœurs que la douceur de pleurer ensemble. Nous nous cherchions pour nous consoler, et ce besoin m'a souvent fait passer sur beaucoup de choses[a]. J'avais mis tant de dureté dans ma franchise avec elle, qu'après avoir montré quelquefois si peu d'estime pour son caractère, il fallait réellement en avoir beaucoup pour croire qu'elle pût sincèrement me pardonner. Voici un échantillon des lettres que je lui ai quelquefois écrites, et dont il est à noter que jamais, dans aucune de ses réponses, elle n'a paru piquée en aucune façon :

A Montmorency, le 5 novembre[b].

« Vous me dites, Madame, que vous ne vous êtes pas
« bien expliquée, pour me faire entendre que je m'explique
« mal. Vous me parlez de votre prétendue bêtise pour
« me faire sentir la mienne. Vous vous vantez de n'être
« qu'une bonne femme, comme si vous aviez peur d'être
« prise au mot, et vous me faites des excuses pour m'ap-
« prendre que je vous en dois. Oui, Madame, je le sais
« bien, c'est moi qui suis une bête, un bon homme, et pis
« encore s'il est possible; c'est moi qui choisis mal mes
« termes, au gré d'une belle dame française, qui fait
« autant d'attention aux paroles et qui parle aussi bien que
« vous. Mais considérez que je les prends dans le sens
« commun de la langue, sans être au fait ou en souci des
« honnêtes acceptions qu'on leur donne dans les ver-
« tueuses sociétés de Paris. Si quelquefois mes expres-
« sions[c] sont équivoques, je tâche que ma conduite en
« détermine le sens », etc. Le reste de la lettre est à peu
près sur le même ton. Voyez-en la réponse Liasse D. n° 41,
et jugez de l'incroyable modération d'un cœur de femme,
qui peut n'avoir pas plus de ressentiment d'une pareille
lettre que cette réponse n'en laisse paraître, et qu'elle ne
m'en a jamais témoigné[1]. Coindet[d], entr[epren]ant, hardi

1. De sa propre lettre, datée dans le manuscrit de Paris du 5 novembre 1760 (*C. C.*, VII, 292), Rousseau ne transcrit que le début.

jusqu'à l'effronterie, et qui se tenait à l'affût de tous mes amis, ne tarda pas à s'introduire en mon nom chez M^me de Verdelin, et y fut bientôt, à mon insu, plus familier que moi-même. C'était un singulier corps que ce Coindet. Il se présentait de ma part chez toutes mes connaissances, s'y établissait, y mangeait sans façon. Transporté de zèle pour mon service, il ne parlait jamais de moi que les larmes aux yeux : mais quand il me venait voir, il gardait le plus profond silence sur toutes ces liaisons, et sur tout ce qu'il savait devoir m'intéresser. Au lieu de me dire ce qu'il avait appris, ou dit, ou vu, qui m'intéressait, il m'écoutait, m'interrogeait même. Il ne savait jamais rien de Paris que ce que je lui en apprenais : enfin, quoique tout le monde me parlât de lui, jamais il ne me parlait de personne : il n'était secret et mystérieux qu'avec son ami. Mais laissons, quant à présent, Coindet et M^me de Verdelin. Nous y reviendrons dans la suite.

Quelque temps après mon retour à Mont-Louis, La Tour, le peintre, vint m'y voir, et m'apporta mon portrait en pastel, qu'il avait exposé au Salon il y avait quelques années. Il avait voulu me donner ce portrait, que je n'avais pas accepté. Mais M^me d'Épinay, qui m'avait donné le sien et qui voulait avoir celui-là, m'avait engagé à le lui redemander. Il avait pris du temps pour le retoucher. Dans cet intervalle vint ma rupture avec M^me d'Épinay; je lui rendis son portrait, et n'étant plus question de lui donner le mien, je le mis dans ma chambre au petit Château. M. de Luxembourg l'y vit, et le trouva bien; je le lui offris, il l'accepta; je le lui envoyai. Ils comprirent, lui et M^me la Maréchale, que je serais bien aise d'avoir les leurs. Ils les firent faire en miniature, de très bonne main, les firent enchâsser dans une boîte à bonbons, de cristal de roche, montée en or, et m'en firent le cadeau d'une façon très galante, dont je fus enchanté. M^me de Luxembourg ne voulut jamais consentir que son portrait occupât le dessus de la boîte. Elle m'avait reproché plusieurs fois que j'aimais mieux M. de Luxembourg qu'elle, et je ne m'en étais point défendu, parce que cela était vrai. Elle me témoigna bien galamment, mais bien clairement, par cette[a] façon de

Les lignes qui suivent contiennent une protestation sans ménagements contre les cadeaux dont abuse à son égard la correspondante. La réponse (*ibid.*, 306-7) fait preuve en effet d'une étonnante mansuétude.

placer son portrait, qu'elle n'oubliait pas cette préférence.

Je fis, à peu près dans ce même temps, une sottise qui ne contribua pas à me conserver ses bonnes grâces. Quoique je ne connusse point du tout M. de Silhouette, et·que je fusse peu porté à l'aimer, j'avais une grande opinion de son administration. Lorsqu'il commença d'appesantir sa main sur les financiers, je vis^a qu'il n'entamait pas son opération dans un temps favorable; je n'en fis pas des vœux moins ardents pour son succès, et quand j'appris qu'il était déplacé, je lui écrivis dans mon intrépide étourderie la lettre suivante, qu'assurément je n'entreprends pas de justifier :

A Montmorency, le 2 décembre 1759.

« Daignez, Monsieur, recevoir l'hommage d'un solitaire
« qui n'est pas connu de vous, mais qui vous estime par
« vos talents, qui vous respecte par votre administration,
« et qui vous a fait l'honneur de croire qu'elle ne vous
« resterait pas longtemps. Ne pouvant sauver l'État qu'aux
« dépens de la Capitale qui l'a perdu, vous avez bravé
« les cris des gagneurs d'argent. En vous voyant écraser
« ces misérables, je vous enviais votre place ; en vous la
« voyant quitter sans vous être démenti, je vous admire.
« Soyez content de vous, monsieur, elle vous laisse un
« honneur dont vous jouirez longtemps sans concurrent.
« Les malédictions des fripons sont la gloire de l'homme
« juste[1]. »

M^me de Luxembourg qui savait que j'avais écrit cette lettre, m'en parla au voyage de Pâques[2] ; je la lui montrai;

1. Dans la 9^e des *Lettres de la Montagne,* Rousseau dit de cette lettre à Silhouette (publiée *C. C.,* VI, 214) :

« Cette lettre était d'une hardiesse que je ne trouve pas moi-même exempte de blâme ; c'est peut-être la seule chose répréhensible que j'ai écrite en ma vie. Cependant m'a-t-on dit le moindre mot à ce sujet? [...] En France on punit les libelles; on fait très bien, mais on laisse aux particuliers une liberté honnête de raisonner entre eux sur les affaires publiques... »

Cet éloge de l'esprit libéral des autorités françaises s'oppose à la sévérité de celles de Genève à l'égard d'un compatriote coupable d'avoir critiqué la condamnation dont elles avaient frappé ses écrits.

2. La réaction de la maréchale figure dans une lettre datée dans *D. P.* de déc. 1759, et dans *C. C.* (VII, 110) de fin mai 1760 : « Je trouve la lettre à M. Silhouette bien belle, mais je crains qu'il ne la mérite pas. »

elle en souhaita une copie, je la lui donnai; mais j'ignorais, en la lui donnant, qu'elle était un de ces gagneurs d'argent qui s'intéressaient aux sous-fermes et qui avaient fait déplacer Silhouette. On eût dit, à toutes mes balourdises, que j'allais excitant à plaisir la haine d'une femme aimable et puissante, à laquelle, dans le vrai, je m'attachais davantage de jour en jour, et dont j'étais bien éloigné de vouloir m'attirer la disgrâce, quoique je fisse, à force de gaucheries, tout ce qu'il fallait pour cela. Je crois qu'il est assez superflu d'avertir que c'est à elle que se rapporte l'histoire de l'opiate de M. Tronchin, dont j'ai parlé dans ma première partie : l'autre dame était Mᵐᵉ de Mirepoix[1]. Elles ne m'en ont jamais reparlé, ni fait le moindre semblant de s'en souvenir, ni l'une ni l'autre; mais de présumer que Mᵐᵉ de Luxembourg ait pu l'oublier réellement, c'est ce qui me paraît bien difficile, quand même on ne saurait rien des événements subséquents. Pour moi, je m'étourdissais sur l'effet de mes bêtises, par le témoignage que je me rendais de n'en avoir fait aucune à dessein de l'offenser : comme si jamais femme en pouvait pardonner de pareilles, même avec la plus parfaite certitude que la volonté n'y a pas eu la moindre part.

Cependant, quoiqu'elle parût ne rien voir, ne rien sentir, et que je ne trouvasse encore ni diminution dans son empressement, ni changement dans ses manières, la continuation, l'augmentation même d'un pressentiment trop bien fondé, me faisait trembler sans cesse que l'ennui ne succédât bientôt à cet engouement. Pouvais-je attendre d'une si grande dame une constance à l'épreuve de mon peu d'adresse à la soutenir? Je ne savais pas même lui cacher ce pressentiment sourd qui m'inquiétait, et ne me rendait que plus maussade. On en jugera par la lettre suivante, qui contient une bien singulière prédiction.

N.B. Cette lettre, sans date dans mon brouillon, est du mois d'octobre 1760 au plus tard[2].

« Que vos bontés sont cruelles ! Pourquoi troubler la « paix d'un solitaire qui renonçait aux plaisirs de la vie

1. Sur l'anecdote de l'opiate de Tronchin, voir livre III, p. 128, n. 2.
2. Lettre du 13 août 1759; c'est une des premières de leur correspondance (*C. C.*, VI, 148).

« pour n'en plus sentir les ennuis ? J'ai passé mes jours
« à chercher en vain des attachements solides. Je n'en ai
« pu former dans les conditions auxquelles je pouvais
« atteindre ; est-ce dans la vôtre[a] que j'en dois chercher ?
« L'ambition ni l'intérêt ne me tentent pas ; je suis peu
« vain, peu craintif ; je puis résister à tout, hors aux caresses.
« Pourquoi m'attaquez-vous tous deux par un faible qu'il
« faut vaincre, puisque, dans la distance qui nous sépare,
« les épanchements[b] des cœurs sensibles ne doivent pas
« rapprocher le mien de vous ? La reconnaissance suffira-t-
« elle pour un cœur qui ne connaît pas deux manières de
« se donner, et ne se sent capable que d'amitié ? D'amitié,
« Madame la Maréchale ! Ah ! voilà mon malheur ! Il est
« beau à vous, à Monsieur le Maréchal, d'employer ce
« terme : mais je suis insensé de vous prendre au mot.
« Vous vous jouez, moi je m'attache, et la fin du jeu me
« prépare de nouveaux regrets. Que je hais tous vos titres,
« et que je vous plains de les porter ! Vous me semblez
« si dignes de goûter les charmes de la vie privée ! Que
« n'habitez-vous Clarens ! J'irais y chercher le bonheur de
« ma vie : mais le château de Montmorency, mais l'Hôtel de
« Luxembourg ! Est-ce là qu'on doit voir Jean-Jacques ?
« Est-ce là qu'un ami de l'égalité doit porter les affections
« d'un cœur sensible qui, payant ainsi l'estime qu'on lui
« témoigne, croit rendre autant qu'il reçoit ? Vous êtes
« bonne et sensible aussi, je le sais, je l'ai vu ; j'ai regret
« de n'avoir pu plus tôt le croire ; mais dans le rang où
« vous êtes, dans votre manière de vivre, rien ne peut
« faire une impression durable, et tant d'objets nouveaux
« s'effacent mutuellement qu'aucun ne demeure. Vous
« m'oublierez, Madame, après m'avoir[c] mis hors d'état de
« vous imiter. Vous aurez beaucoup fait pour me rendre
« malheureux, et pour être inexcusable. »

Je lui joignais là M. de Luxembourg, afin de rendre le
compliment moins dur pour elle ; car, au reste, je me sen-
tais si sûr de[d] lui, qu'il ne m'était pas même venu dans
l'esprit une seule crainte sur la durée de son amitié. Rien de
ce qui m'intimidait de la part de M^me la Maréchale ne
s'est un moment étendu jusqu'à lui. Je n'ai jamais eu la
moindre défiance sur son caractère, que je savais être faible,
mais sûr. Je ne craignais pas plus de sa part un refroidis-
sement que je n'en attendais un attachement héroïque. La

simplicité, la familiarité de nos manières l'un avec l'autre, marquait combien nous comptions réciproquement sur nous. Nous avions raison tous deux : j'honorerai, je chérirai, tant que je vivrai, la mémoire de ce digne seigneur, et, quoi qu'on ait pu faire pour le détacher de moi, je suis aussi certain qu'il est mort mon ami, que si j'avais reçu son dernier soupir.

Au second voyage de Montmorency de l'année 1760, la lecture de la *Julie* étant finie, j'eus recours à celle de l'*Émile,* pour me soutenir auprès de M^me de Luxembourg; mais cela ne réussit pas si bien, soit que la matière fût moins^a de son goût, soit que tant de lecture l'ennuyât à la fin. Cependant, comme elle me reprochait de me laisser duper par mes libraires, elle voulut que je lui laissasse le soin de faire imprimer cet ouvrage, afin d'en tirer un meilleur parti. J'y consentis, sous l'expresse condition qu'il ne s'imprimerait point en France, et c'est sur quoi nous eûmes une longue dispute, moi, prétendant que la permission tacite était impossible à obtenir, imprudente même à demander, et ne voulant point permettre autrement l'impression dans le royaume; elle, soutenant que cela ne ferait pas même une difficulté à la censure, dans le système que le gouvernement avait adopté. Elle trouva le moyen de faire entrer dans ses vues M. de Malesherbes, qui m'écrivit à ce sujet une longue lettre, toute de sa main, pour me prouver que la profession de foi du Vicaire savoyard était précisément une pièce faite pour avoir partout l'approbation du genre humain, et celle de la Cour dans la circonstance[1]. Je fus surpris de voir ce magistrat, toujours si craintif, devenir si coulant dans cette affaire. Comme l'impression d'un livre qu'il approuvait était par cela seul légitime, je n'avais plus^b d'objection à faire contre celle de cet ouvrage. Cependant, par un scrupule extraordinaire, j'exigeai toujours que l'ouvrage s'imprimerait en Hollande, et même par le libraire Néaulme que je ne me contentai pas d'indiquer, mais que j'en prévins; consentant, au reste, que l'édition se fît au profit d'un libraire^c français, et que, quand elle serait faite, on la débitât^d, soit à Paris, soit où l'on voudrait, attendu que ce débit ne me regardait pas. Voilà exactement ce qui fut convenu entre M^me de Luxembourg et moi, après quoi je lui remis mon manuscrit.

1. Lettre non retrouvée.

Elle avait amené à ce voyage sa petite-fille[a], M[lle] de Boufflers, aujourd'hui M[me] la duchesse de Lauzun. Elle s'appelait Amélie. C'était une charmante personne. Elle avait vraiment une figure, une douceur, une timidité[b] virginale. Rien de plus aimable et de plus intéressant que sa figure, rien de plus tendre et de plus chaste que les sentiments qu'elle inspirait. D'ailleurs c'était[c] une enfant; elle n'avait pas onze ans. M[me] la Maréchale, qui la trouvait trop timide, faisait ses efforts pour l'animer. Elle me permit plusieurs fois de lui donner un baiser; ce que je fis avec ma maussaderie ordinaire. Au lieu des gentillesses qu'un autre eût dites à ma place, je restais là muet, interdit, et je ne sais[d] lequel était le plus honteux, de la pauvre petite ou de moi. Un jour je la rencontrai seule dans l'escalier du petit château : elle venait de voir Thérèse, avec laquelle sa gouvernante était encore. Faute de savoir que lui dire, je lui proposai un baiser, que, dans l'innocence de son cœur, elle ne refusa pas, en ayant reçu un le matin même par l'ordre de sa grand'maman et en sa présence. Le lendemain, lisant l'*Émile* au chevet de M[me] la Maréchale, je tombai précisément sur un passage où je censure, avec raison, ce que j'avais fait la veille. Elle trouva la réflexion très juste, et dit là-dessus quelque chose de fort sensé, qui me fit rougir[1]. Que je maudis mon incroyable bêtise, qui m'a si souvent donné l'air vil et coupable, quand je n'étais que sot et embarrassé ! Bêtise qu'on prend même pour une fausse excuse dans un homme qu'on sait n'être pas sans esprit. Je puis jurer que dans ce baiser si répréhensible, ainsi que dans les autres, le cœur et les sens de M[lle] Amélie n'étaient pas plus purs que les miens, et je puis jurer même que si, dans ce moment, j'avais pu éviter sa rencontre, je l'aurais fait; non qu'elle ne me fît grand plaisir à voir, mais

1. Au livre V de l'*Émile,* composé tout récemment comme on l'a vu p. 614, le père et la mère de Sophie encouragent Émile à donner sous leurs yeux un baiser à leur fille, puis la mère fait appel à la conscience du jeune homme, faisant valoir la différence entre « les jeux que la présence d'un père et d'une mère autorise et les libertés qu'on prend loin d'eux en abusant de leur confiance. Il est indigne d'un homme d'honneur d'abuser de la simplicité d'une jeune fille pour usurper en secret les mêmes libertés qu'elle peut souffrir devant tout le monde. »

L'épisode de la lecture de ce passage et du baiser de Rousseau à Amélie est daté par Courtois de la mi-juillet 1760.

ɔar l'embarras de trouver en passant quelque mot agréable
à lui dire. Comment se peut-il qu'un enfant même intimide
ın homme que le pouvoir des rois n'a pas effrayé ? Quel parti
ɔrendre ? Comment se conduire, dénué de tout impromptu
dans l'esprit ? Si je me force à parler aux gens que je ren-
contre, je dis une balourdise infailliblement : si je ne dis
rien, je suis un misanthrope, un animal farouche, un ours.
Une totale imbécillité m'eût été bien plus favorable : mais
les talents dont j'ai manqué dans le monde ont fait les
instruments de ma perte des talents que j'eus à part moi.

A la fin de ce même voyage, Mᵐᵉ de Luxembourg
fit une bonne œuvre à laquelle j'eus quelque part. Diderot
ayant trèsª imprudemment offensé Mᵐᵉ la princesse de
Robecq, fille de M. de Luxembourg, Palissotᵇ, qu'elle pro-
tégeait, la vengea par la comédie des *Philosophes,* dans
laquelle je fus tourné en ridicule et Diderot extrêmement
maltraité. L'auteur m'y ménagea davantage, moins, je pense,
à cause de l'obligation qu'il m'avait, que de peur de déplaire
au père de sa protectrice dont il savait que j'étais aimé[1].
Le libraire Duchesne, qu'alors je ne connaissais pointᶜ,
m'envoya cette pièceᵈ quand elle fut imprimée, et je soup-
çonne que ce fut par l'ordre de Palissot, qui crut peut-
être que je verrais avec plaisir déchirer un homme avec
lequel j'avais rompu. Il se trompa fort. En rompant avec
Diderot, que jeᵉ croyais moins méchant qu'indiscret et
faible, j'ai toujours conservé dans l'âme de l'attachement
pour lui, même de l'estime, et du respect pour notre

1. Cet incident est un des épisodes de la guerre entre Fréron,
Palissot et leurs amis, contre Diderot et les Encyclopédistes. Pour
réfuter les accusations de plagiat lancées à propos du *Fils naturel* et
du *Père de famille* (voir *supra,* p. 543, n. 1, p. 544, n. 1), des traductions
du *Vero Amico* et du *Padre di famiglia* de Goldoni, entreprises par
Véron de Forbonnais et par Deleyre, l'ami de Rousseau, sont publiées
anonymement (1758). La traduction du *Père de famille* est précédée
d'une épître dédicatoire à « la Princesse de *** » (reproduite dans
l'édition Tourneux de la *Correspondance littéraire,* XVI, 347). L'intéres-
sée, Choiseul et le public reconnurent en « la Princesse de *** »
Mᵐᵉ de Robecq, adversaire notoire des Encyclopédistes et protec-
trice de Palissot.

La comédie des *Philosophes,* représentée au Théâtre-Français le
2 mai 1760, montrait Rousseau comme un « animal à la fois misan-
thrope et cynique ». L' « obligation » qu'avait Palissot à son égard
a été exposée à la fin du livre VIII, p. 474.

ancienne amitié, que je sais avoir été longtemps aussi sincère de sa part que de la mienne. C'est tout autre chose avec Grimm, homme faux par caractère, qui ne m'aima jamais, qui n'est pas même capable d'aimer, et qui, de gaîté de cœur, sans aucun sujet de plainte, et seulement pour contenter sa noire jalousie, s'est fait, sous le masque, mon plus cruel calomniateur. Celui-ci n'est plus rien pour moi : l'autre sera toujours mon ancien ami. Mes entrailles s'émurent à la vue de cette odieuse pièce; je n'en pus supporter la lecture, et, sans l'achever, je la renvoyai à Duchesne avec la lettre suivante :

> A Montmorency, le 21 mai 1760.

« En parcourant, Monsieur, la pièce que vous m'avez
« envoyée, j'ai frémi de m'y voir loué. Je n'accepte point
« cet horrible présent. Je suis persuadé qu'en me l'en-
« voyant vous n'avez point voulu me faire une injure;
« mais vous ignorez ou vous avez oublié que j'ai eu l'hon-
« neur d'être l'ami d'un homme respectable, indignement
« noirci et calomnié dans ce libelle. »

[a]Duchesne montra cette lettre. Diderot, qu'elle aurait dû toucher, s'en dépita. Son amour-propre ne put me pardonner la supériorité d'un procédé généreux, et je sus que sa femme se déchaînait partout contre moi, avec une aigreur qui m'affectait peu, sachant qu'elle était connue de tout le monde pour une harengère.

Diderot, à son tour, trouva un vengeur dans l'abbé Morellet, qui fit contre Palissot un petit écrit[b] imité du *Petit Prophète,* et intitulé *La Vision.* Il offensa très imprudemment dans cet écrit M[me] de Robecq, dont les amis le firent mettre à la Bastille; car pour elle, naturellement peu vindicative, et pour lors mourante, je suis persuadé qu'elle ne s'en mêla pas.

D'Alembert, qui était fort lié avec l'abbé Morellet, m'écrivit pour m'engager à prier M[me] de Luxembourg de solliciter[c] sa liberté, lui promettant, en reconnaissance, des louanges dans l'*Encyclopédie*[d] *. Voici ma réponse :

« Je n'ai pas attendu votre lettre, Monsieur, pour
« témoigner à M[me] la Maréchale de Luxembourg la peine

* Cette lettre avec plusieurs autres a disparu à l'Hôtel de Luxembourg tandis que mes papiers y étaient en dépôt.

« que me faisait la détention de l'abbé Morellet. Elle sait
« l'intérêt que j'y prends, elle saura celui que vous y prenez,
« et il lui suffirait, pour y prendre intérêt elle-même, de
« savoir que c'est un homme de mérite. Au surplus,
« quoique elle et M. le Maréchal m'honorent d'une bien-
« veillance qui fait la consolation de ma vie, et que le nom
« de votre ami soit près d'eux une recommandation pour
« l'abbé Morellet, j'ignore jusqu'à quel point il leur convient
« d'employer en cette occasion le crédit attaché à leur
« rang et la considération due à leurs personnes. Je ne suis
« pas même persuadé que la vengeance en question regarde
« M^me la Princesse de Robecq autant que vous paraissez
« le croire, et quand cela serait, on ne doit pas s'attendre
« que le plaisir de la vengeance appartienne aux philo-
« sophes exclusivement, et que quand ils voudront être
« femmes, les femmes seront philosophes.

« Je vous rendrai compte de ce que m'aura dit M^me de
« Luxembourg quand je lui aurai montré votre lettre. En
« attendant, je crois la connaître assez pour pouvoir vous
« assurer d'avance que, quand elle aurait le plaisir de
« contribuer à l'élargissement de l'abbé Morellet, elle
« n'accepterait point le tribut de reconnaissance que vous
« lui promettez dans l'*Encyclopédie,* quoiqu'elle s'en tînt
« honorée, parce qu'elle ne fait point le bien pour la
« louange, mais pour contenter son bon cœur. »

Je n'épargnai rien pour exciter le zèle et la commisé-
tation de M^me de Luxembourg[a] en faveur du pauvre
captif, et je réussis. Elle fit un voyage à Versailles exprès
pour voir M. le comte de Saint-Florentin, et ce voyage
abrégea celui de Montmorency, que M. le Maréchal fut
obligé de quitter en même temps, pour se rendre à Rouen,
où le Roi l'envoyait comme gouverneur de Normandie,
au sujet de quelques mouvements du Parlement qu'on
voulait contenir. Voici la lettre que m'écrivit M^me de
Luxembourg, le surlendemain de son départ[1] :

1. La lettre de Rousseau à d'Alembert est reproduite, *C. C.,* VII,
157, avec la date proposée « vers le 30 juin 1760 ». M^me de Robecq
devait mourir le 4 juillet. Les événements rapportés ici par Rousseau
sont ainsi datés par Courtois : le 21 juillet, le maréchal part pour Paris
et Rouen et M^me de Luxembourg pour Paris et Versailles, d'où elle
écrit à Rousseau, le mercredi 23, la lettre citée ici. *D. P.* et l'édition

A Versailles, ce mercredi. (Liasse D. n° 23)

« M. de Luxembourg est parti hier à six heures du
« matin. Je ne sais pas encore si j'irai. J'attends de ses
« nouvelles, parce qu'il ne sait pas lui-même combien de
« temps il y sera. J'ai vu M. de Saint-Florentin, qui est
« le mieux disposé pour l'abbé Morellet; mais il y trouve
« des obstacles dont il espère cependant triompher à son
« premier travail avec le Roi, qui sera la semaine pro-
« chaine. J'ai demandé aussi en grâce qu'on ne l'exilât
« point, parce qu'il en était question; on voulait l'envoyer
« à Nancy. Voilà, Monsieur, ce que j'ai pu obtenir; mais
« je vous promets que je ne laisserai pas M. de Saint-
« Florentin en repos que l'affaire ne soit finie comme vous
« le désirez. Que je vous dise donc à présent le chagrin
« que j'ai eu de vous quitter si tôt; mais je me flatte que
« vous n'en doutez pas. Je vous aime de tout mon cœur
« et pour toute ma vie. »

Quelques jours après je reçus ce billet de d'Alembert,
qui me donna une véritable joie :

Ce 1er août. (Liasse D. n° 26)

« Grâce à vos soins, mon cher Philosophe, l'abbé est
« sorti de la Bastille, et sa détention n'aura point d'autres
« suites. Il part pour la campagne, et vous fait, ainsi que
« moi, mille remerciements et compliments. *Vale et me*
« *ama.* »

L'abbé m'écrivit aussi, quelques jours après, une lettre
de remerciement (Liasse D. n° 29), qui ne me parut pas
respirer une certaine effusion de cœur, et dans laquelle
il semblait exténuer en quelque sorte le service que je lui
avais rendu; et, à quelque temps de là, je trouvai que
d'Alembert et lui m'avaient en quelque sorte je ne dirai
pas supplanté, mais succédé auprès de Mme de Luxembourg,
et que j'avais perdu près d'elle autant qu'ils avaient gagné.

Gagnebin-Raymond proposent le mercredi 16, avançant donc ces
dates d'une semaine. L'ordre d'élargissement de Morellet (emprisonné
depuis près de deux mois) est signé par le roi le 27 juillet. La lettre de
remerciement de Morellet (*C. C.*, VII, 203) est du 4 août.

Cependant je suis bien éloigné de soupçonner l'abbé Morellet d'avoir contribué à ma disgrâce; je l'estime trop pour cela. Quant à M. d'Alembert, je n'en dis rien ici : j'en reparlerai dans la suite.

J'eus dans le même temps une autre affaire, qui occasionna la dernière lettre que j'ai écrite à M. de Voltaire : lettre dont il a jeté les hauts cris, comme d'une insulte abominable, mais qu'il n'a jamais montrée à personne. Je suppléerai ici à ce qu'il n'a pas voulu faire.

L'abbé Trublet que je connaissais un peu, mais que j'avais très peu vu, m'écrivit, le 13 juin 1760 (Liasse D. nº 11), pour m'avertir que M. Formey, son ami et correspondant, avait imprimé dans son Journal ma lettre à M. de Voltaire sur le désastre de Lisbonne. L'abbé Trublet voulait savoir comment cette impression s'était pu faire, et dans son tour d'esprit finet et jésuitique, me demandait mon avis sur la réimpression de cette lettre, sans vouloir me dire le sien. Comme je hais souverainement les ruseurs de cette espèce, je lui fis les remerciements que je lui devais, mais j'y mis un ton dur qu'il sentit, et qui ne l'empêcha pas de me pateliner encore en deux ou trois lettres, jusqu'à ce qu'il sût tout ce qu'il avait voulu savoir[1].

Je compris bien, quoi qu'en pût dire Trublet, que Formey n'avait point trouvé cette lettre imprimée, et que la première impression en venait de lui. Je le connaissais pour un effronté pillard, qui, sans façon, se faisait un revenu des ouvrages des autres, quoiqu'il n'y eût pas[a] mis encore l'impudence incroyable d'ôter d'un livre déjà publié le nom de l'auteur, d'y mettre le sien, et de le vendre à son profit[b]*. Mais comment ce manuscrit lui était-il parvenu ? C'était là la question, qui n'était pas difficile à résoudre, mais dont j'eus la simplicité d'être embarrassé. Quoique Voltaire fût honoré par excès dans cette lettre, comme

* C'est ainsi qu'il s'est dans la suite approprié l'*Émile*.

1. Les circonstances qui entourent cette correspondance avec Voltaire ont été exposées au livre IX (p. 508 et n. 1).

Finet, diminutif de *fin* : « qui a de petites finesses » (Littré).

Ruseur : n'est attesté en français moderne dans Littré que par ce seul exemple.

Pateliner : « ménager d'une façon pateline l'esprit de quelqu'un » (Littré).

enfin, malgré ses procédés malhonnêtes, il eût été fondé à se plaindre, si je l'avais fait imprimer sans son aveu, je pris le parti de lui écrire à ce sujet. Voici cette seconde lettre, à laquelle il ne fit aucune réponse, et dont, pour mettre sa brutalité plus à l'aise, il fit semblant d'être irrité jusqu'à la fureur[1].

A Montmorency, le 17 juin 1760.

« Je ne pensais pas, Monsieur, me trouver jamais en
« correspondance avec vous. Mais apprenant que la lettre
« que je vous écrivis en 1756 a été imprimée à Berlin,
« je dois vous rendre compte de ma conduite à cet égard
« et je remplirai ce devoir avec vérité et simplicité.

« Cette lettre, vous ayant été réellement adressée, n'était
« point destinée à l'impression. Je la communiquai sous
« condition, à trois personnes à qui les droits de l'amitié
« ne me permettaient pas de rien refuser de semblable,
« et à qui les mêmes droits permettaient encore moins
« d'abuser de leur dépôt en violant leur promesse. Ces
« trois personnes sont Mme de Chenonceaux, belle-fille
« de Mme Dupin, Mme la comtesse d'Houdetot, et un
« Allemand nommé M. Grimm. Mme de Chenonceaux
« souhaitait que cette lettre fût imprimée, et me demanda
« mon consentement pour cela. Je lui dis qu'il dépendait
« du vôtre. Il vous fut demandé, vous le refusâtes, et il
« n'en fut plus question.

« Cependant M. l'abbé Trublet, avec qui je n'ai nulle
« espèce de liaison, vient de m'écrire, par une attention
« pleine d'honnêteté, qu'ayant reçu les feuilles d'un
« journal de M. Formey, il y avait lu cette même lettre,
« avec un avis dans lequel l'éditeur dit, sous la date du
« 23 octobre 1759, qu'[a]il l'a trouvée, il y a quelques
« semaines, chez les libraires de Berlin, et que, comme

1. L'incident Formey est caractéristique des procédés du personnage, que Rousseau juge ici sans excès de sévérité (voir mon article sur Formey dans *Mélanges D. Mornet,* Paris, Nizet, 1951). B. Gagnebin et M. Raymond font observer que Voltaire lui-même pourrait bien être à l'origine de cette affaire : Formey avait bien trouvé la lettre dans une brochure prétendument imprimée à Berlin, en fait sortie des presses genevoises des frères Cramer, éditeurs de Voltaire. Il la reproduisit dans les n[os] 43 et 44 de ses *Lettres sur l'état présent des Sciences et des Arts,* Berlin, octobre 1759.

« c'est une de ces feuilles volantes qui disparaissent bientôt
« sans retour, il a cru lui devoir donner place dans son
« journal.

« Voilà, Monsieur, tout ce que j'en sais. Il est très sûr
« que jusqu'ici l'on n'avait pas même ouï parler à Paris
« de cette lettre. Il est très sûr que l'exemplaire, soit
« manuscrit, soit imprimé, tombé dans les mains de
« M. Formey n'a pu venir que de vous, ce qui n'est pas
« vraisemblable, ou d'une des trois personnes que je viens
« de nommer. Enfin il est très sûr que les deux dames
« sont incapables d'une pareille infidélité. Je n'en puis
« savoir davantage de ma retraite. Vous avez des corres-
« pondances au moyen desquelles il vous serait aisé, si
« la chose en valait la peine, de remonter à la source et
« de vérifier le fait.

« Dans la même lettre, M. l'abbé Trublet me marque
« qu'il tient la feuille en réserve, et ne la prêtera point
« sans mon consentement, qu'assurément je ne donnerai[a]
« pas. Mais cet exemplaire peut n'être pas le seul à Paris.
« Je souhaite, Monsieur, que cette lettre n'y soit pas
« imprimée, et je ferai de mon mieux pour cela; mais si
« je ne pouvais éviter qu'elle ne le fût, et qu'instruit à
« temps je pusse avoir la préférence, alors je n'hésiterais
« pas à la faire imprimer moi-même. Cela me paraît juste
« et naturel.

« Quant à votre réponse à la même lettre, elle n'a été
« communiquée à personne, et vous pouvez compter
« qu'elle ne sera point imprimée sans votre aveu, qu'assu-
« rément je n'aurai point l'indiscrétion de vous demander,
« sachant bien que ce qu'un homme écrit à un autre, il
« ne l'écrit pas au public. Mais si vous en vouliez faire une
« pour être publiée, et me l'adresser, je vous promets de
« la joindre fidèlement à ma lettre, et de n'y pas répliquer
« un seul mot.

« Je ne vous aime point, Monsieur; vous m'avez fait
« les maux qui pouvaient m'être les plus sensibles, à moi
« votre disciple et votre enthousiaste. Vous avez perdu
« Genève pour le prix de l'asile que vous y avez reçu;
« vous avez aliéné de moi mes concitoyens pour le prix
« des applaudissements que je vous ai prodigués parmi
« eux : c'est vous qui me rendez le séjour de mon pays
« insupportable; c'est vous qui me ferez mourir en terre
« étrangère, privé de toutes les consolations des mourants,

« et jeté pour tout honneur dans une voirie, tandis que
« tous les honneurs qu'un homme peut attendre vous
« accompagneront dans mon pays. Je vous hais, enfin,
« puisque vous l'avez voulu; mais je vous hais en homme
« encore plus digne de vous aimer si vous l'aviez voulu.
« De tous les sentiments dont mon cœur était pénétré pour
« vous, il n'y reste que l'admiration qu'on ne peut refuser
« à votre beau génie, et l'amour de vos écrits. Si je ne
« puis honorer en vous que vos talents, ce n'est pas ma
« faute. Je ne manquerai jamais au respect[a] qui leur est
« dû ni aux procédés que ce respect exige. »

Au milieu de toutes ces petites tracasseries littéraires,
qui me confirmaient de plus en plus dans ma résolution,
je reçus le plus grand honneur que les lettres m'aient attiré,
et auquel j'ai été le plus sensible, dans la visite que M. le
prince de Conti daigna me faire par deux fois, l'une au
Petit Château, et l'autre à Mont-Louis. Il choisit même
toutes les deux fois le temps[b] que M^me de Luxembourg
n'était pas à Montmorency, afin de rendre plus manifeste
qu'il n'y venait que pour moi. Je n'ai jamais douté que je
ne dusse les premières bontés de ce prince à M^me de Luxem-
bourg et à M^me de Boufflers; mais je ne doute pas non
plus que je ne doive à ses propres sentiments et à moi-
même celles dont il n'a cessé de m'honorer depuis lors*.
Comme mon appartement de Mont-Louis était très
petit, et que la situation du Donjon était charmante, j'y
conduisis le prince qui, pour comble de grâce, voulut
que j'eusse l'honneur de faire sa partie aux échecs. Je
savais qu'il gagnait le chevalier de Lorenzi, qui était plus
fort que moi. Cependant, malgré les signes et les grimaces
du chevalier et des assistants, que je ne fis pas semblant
de voir, je gagnai les deux parties que nous jouâmes. En
finissant, je lui dis d'un ton respectueux, mais grave :
Monseigneur, j'honore trop Votre Altesse Sérénissime,
pour ne[c] la pas gagner toujours aux échecs. Ce grand
prince, plein d'esprit et de lumières, et si digne[d] de n'être
pas adulé, sentit en effet, du moins je le pense, qu'il n'y

* Remarquez la persé[vé]rance de cette aveugle et stupide
confiance, au milieu de tous les traitements qui devaient le plus
m'en désabuser. Elle n'a cessé que depuis mon retour à Paris
en 1770.

avait là que moi qui le traitasse en homme, et j'ai tout
lieu de croire qu'il m'en a vraiment su bon gré.

Quand il m'en aurait su mauvais gré, je ne me repro-
cherais pas de n'avoir[a] voulu le tromper en rien, et je
n'ai pas assurément à me reprocher non plus d'avoir mal
répondu dans mon cœur à ses bontés, mais bien d'y avoir
répondu quelquefois de mauvaise grâce, tandis qu'il met-
tait lui-même une grâce[b] infinie dans la manière de me
les marquer. Peu de jours après, il me fit envoyer un panier
de gibier, que je reçus comme je devais. A quelque temps
de là, il m'en fit envoyer un autre, et l'un de ses officiers
des chasses écrivit par[c] ses ordres que c'était de la chasse
de Son Altesse, et du gibier tiré de sa propre main. Je le
reçus encore; mais j'écrivis à M^me de Boufflers que je
n'en recevrais plus. Cette lettre fut généralement blâmée,
et méritait de l'être. Refuser des présents en gibier d'un
prince du sang, qui de plus met tant d'honnêteté dans
l'envoi, est moins la délicatesse d'un homme fier qui veut
conserver son indépendance, que la rusticité d'un malap-
pris qui se méconnaît. Je n'ai jamais relu cette lettre dans
mon recueil sans en rougir, et sans me reprocher de l'avoir
écrite. Mais enfin je n'ai pas entrepris mes confessions
pour taire mes sottises, et celle-là me révolte trop moi-
même, pour qu'il me soit permis de la dissimuler.

Si je ne fis pas celle de devenir son rival, il s'en fallut
de peu : car alors M^me de Boufflers était encore sa maî-
tresse, et je n'en savais rien[1]. Elle me venait voir assez
souvent avec le chevalier de Lorenzi. Elle était belle et
jeune encore; elle affectait l'esprit romain, et moi, je l'eus
toujours romanesque; cela se tenait d'assez près. Je faillis
me prendre; je crois qu'elle le vit : le chevalier le vit aussi;
du moins il m'en parla, et de manière à ne pas me décou-
rager. Mais pour le coup je fus sage, et il en était temps,
à cinquante ans. Plein de la leçon que je venais de donner

1. La lettre à M^me de Boufflers est du 7 octobre 1760 (*C. C.*, VII,
250); voir la réponse, *ibid.*, 304. Conti avait d'abord eu pour maîtresse
jusqu'en 1751 M^me d'Arty *(Index)*. C'est alors que M^me de Boufflers,
séparée de son mari, est recueillie par Conti, dont elle ne se séparera
jamais, mais qu'il refusera d'épouser en 1765 quand la mort du comte
de Boufflers rendra la chose possible (c'est donc à tort, semble-t-il,
que Rousseau écrit : « M^me de Boufflers était *encore* sa maîtresse »).

aux barbons dans ma *Lettre à d'Alembert,* j'eus honte d'en profiter si mal moi-même; d'ailleurs, apprenant ce que j'avais ignoré, il aurait fallu que la tête m'eût[a] tourné pour porter si haut mes concurrences[1]. Enfin, mal guéri peut-être encore de ma passion pour M[me] d'Houdetot, je sentis que plus rien ne la pouvait remplacer dans mon cœur, et je fis mes adieux à l'amour pour le reste de ma vie. Au moment où j'écris ceci, je viens d'avoir d'une jeune[b] femme, qui avait ses vues, des agaceries bien dangereuses et avec des yeux bien inquiétants : mais si elle a fait semblant d'oublier[c] mes douze lustres, pour moi, je m'en suis souvenu. Après m'être tiré de ce pas, je ne crains plus de chutes, et je réponds de moi pour le reste de mes jours[2].

M[me] de Boufflers, s'étant aperçue de l'émotion qu'elle m'avait donnée, put s'apercevoir aussi que j'en avais triomphé. Je ne suis ni assez fou ni assez vain pour croire avoir pu lui inspirer du goût à mon âge; mais, sur certains propos qu'elle tint à Thérèse, j'ai cru lui avoir inspiré[d] de la curiosité; si cela est, et qu'elle ne m'ait pas pardonné cette curiosité frustrée, il faut avouer que j'étais bien né

1. *Concurrences* au pluriel est attesté aux XVII[e] et XVIII[e] siècles. Dans la *Lettre à d'Alembert* (édition Fuchs, pp. 66-67), Rousseau observe que les vieillards au théâtre ou bien « servent d'obstacle aux vœux des jeunes amants, et alors ils sont haïssables, ou ils sont amoureux eux-mêmes, et alors ils sont ridicules ». Une page plus loin, il ajoute :

« On me dira qu'à Paris les vieillards contribuent à se rendre méprisables, en renonçant au maintien qui leur convient, pour prendre indécemment la parure et les manières de la jeunesse, et que faisant les galants à son exemple, il est très simple qu'on le leur préfère dans son métier [...] Ce n'est pas assurément qu'en faisant les agréables ils le deviennent en effet, et *qu'un galant sexagénaire soit un personnage fort gracieux...* »

On rapprochera ces lignes de l'expression « mes douze lustres », dans cette page des *Confessions,* quelques lignes plus loin (variante du manuscrit de Paris : « ma soixantaine »). En fait, lors de la rédaction, Rousseau n'avait pas atteint 58 ans.

2. Cette allusion, qui permet de dater la rédaction de la fin de ce livre, se rapporte à Louise-Rose de La Chaussade, qui a épousé en 1765 le chevalier Étienne-François de Berthier, seigneur de Bizy, dit le comte de Berthier. Rousseau a fait la connaissance de M[me] de Berthier à Nevers en 1769. Ils échangèrent en 1770 des lettres (*C. G.,* XIX) où Rousseau confie à sa correspondante l'abandon des enfants, et l'accuse gentiment d'être venue « agacer un pauvre barbon ».

pour être victime de mes faiblesses, puisque[a] l'amour
vainqueur me fut si funeste, et que l'amour vaincu me le
fut encore plus.

Ici finit le recueil de lettres qui m'a servi de guide
dans ces deux livres. Je ne vais plus marcher que sur la
trace de mes souvenirs, mais ils sont tels dans cette cruelle
époque, et la forte impression m'en est si bien restée, que,
perdu dans la mer immense de mes malheurs, je ne puis
oublier les détails de mon premier naufrage, quoique ses
suites ne m'offrent plus que des souvenirs confus. Ainsi
je puis marcher[b] dans le livre suivant avec encore assez
d'assurance. Si je vais plus loin, ce ne sera plus qu'en
tâtonnant[c].

LIVRE 11ᵉ ᵃ

Quoique la *Julie,* qui depuis longtemps était sous presse, ne parût point encore à la fin de 1760, elle commençait à faire grand bruit. Mᵐᵉ de Luxembourg en avait parlé à la cour, Mᵐᵉ d'Houdetot à Paris. Cette dernière avait même obtenu de moi, pour Saint-Lambert, la permission de la faire lire en manuscrit au Roi de Pologne, qui en avait été enchanté. Duclos, à qui je l'avais aussi fait lire, en avait parlé à l'Académie. Tout Paris était dans l'impatience de voir ce roman : les libraires de la rue Saint-Jacques et celui du Palais-Royal étaient assiégés de gens qui en demandaient des nouvelles. Il parut enfin, et son succès, contre l'ordinaire, répondit à l'empressement avec lequel il avait été attendu[1]. Mᵐᵉ la Dauphine, qui l'avait lu des premières, en parla à M. de Luxembourg comme d'un ouvrage ravissant. Les sentiments furent partagés chez les gens de lettres : mais, dans le monde, il n'y eut qu'un avis, et les femmes surtout s'enivrèrent

1. Ces indications sur les lecteurs de l'*Héloïse* en manuscrit sont confirmées par la correspondance : pour Saint-Lambert, *C. C.,* VII, 344; pour Duclos, qui l'a lue avec ravissement avant de savoir que Rousseau en était l'auteur, *ibid.,* 268, 308, 317, 324, 335, 342.

L'imprimeur Rey avait reçu en avril 1759 le manuscrit de la 1ʳᵉ partie. L'impression de l'ouvrage complet est achevée en novembre 1760, et les premiers ballots quittent Amsterdam par voie d'eau le 22. Le livre est mis en vente à Londres le 20 décembre. A Paris, le libraire Robin débite son édition (p. 603 et n. 1) dans les derniers jours de janvier 1761, la vente de l'édition hollandaise (authentique) ne commençant que dans les premiers jours de février. Rousseau pouvait donc écrire sans trop d'exagération au livre X *(ibid.)* que l'opération imaginée par Malesherbes revenait à « empêcher le débit de la bonne édition jusqu'à ce que la mauvaise fût écoulée ».

Sur l'histoire de la publication et du succès, voir l'édition Mornet, volume I (collection des *Grands Écrivains de la France,* Hachette).

et du livre et de l'auteur, au point qu'il y en avait peu,
même dans les hauts rangs, dont je n'eusse fait la conquête,
si je l'avais entrepris. J'ai de cela des preuves que je ne veux
pas écrire, et qui, sans avoir eu besoin de l'expérience,
autorisent mon opinion. Il est singulier que ce livre ait
mieux réussi en France que dans[a] le reste de l'Europe,
quoique les Français, hommes et femmes, n'y soient pas
fort bien traités. Tout au contraire de mon attente, son
moindre succès fut en[b] Suisse, et son plus grand à Paris.
L'amitié, l'amour, la vertu, règnent-ils donc à Paris plus
qu'ailleurs ? Non, sans doute; mais il y règne encore ce
sens exquis qui transporte le cœur à leur image, et qui
nous fait chérir dans les autres les sentiments purs, tendres,
honnêtes, que nous n'avons plus. La corruption désormais
est partout la même : il n'existe plus ni mœurs, ni vertus
en Europe, mais s'il existe encore quelque amour pour elles,
c'est à Paris qu'on doit le chercher[c]*.

Il faut, à travers tant de préjugés et de passions factices,
savoir bien analyser le cœur humain pour y démêler les
vrais sentiments de la nature. Il faut une délicatesse de
tact, qui ne s'acquiert que dans l'éducation du grand
monde, pour sentir, si j'ose ainsi dire, les finesses de cœur
dont cet ouvrage est rempli. Je mets sans crainte sa qua-
trième partie[d] à côté de la *Princesse de Clèves,* et je dis que
si ces deux morceaux n'eussent été lus qu'en province,
on n'aurait jamais[e] senti tout leur prix. Il ne faut donc
pas s'étonner si le plus grand succès de ce livre fut à la
cour. Il abonde en traits vifs, mais voilés, qui doivent
y plaire, parce qu'on est plus exercé à les pénétrer. Il faut
pourtant ici distinguer encore. Cette lecture n'est assuré-
ment pas propre à cette sorte de gens d'esprit qui n'ont
que de la ruse, qui ne sont fins que pour pénétrer le mal,
et qui ne voient rien du tout où il n'y a que du bien à
voir. Si, par exemple, la *Julie* eût été publiée en certain
pays que je pense, je suis sûr que personne n'en eût achevé
la lecture, et qu'elle serait morte en naissant[1].

* J'écrivais ceci en 1769.

1. De nombreuses lettres d'admirateurs et admiratrices sont conser-
vées à Neuchâtel (c'est la « liasse » dont parle Rousseau p. 644). Mais
il n'est pas exact que le livre « ait mieux réussi en France que dans
le reste de l'Europe » : le succès fut général, comme en témoigne le

J'ai rassemblé la plupart des lettres qui me furent écrites sur cet ouvrage dans une liasse qui est entre les mains de M^me de Nadaillac[1]. Si jamais ce recueil paraît, on y verra des choses bien singulières, et une opposition de jugement qui montre ce que c'est que d'avoir à faire au public. La chose qu'on y a le moins vue, et qui en fera toujours un ouvrage unique, est la simplicité du sujet et la chaîne de l'intérêt qui, concentré entre trois personnes, se soutient durant six volumes, sans épisode, sans aventure romanesque, sans méchanceté d'aucune espèce, ni dans les personnages, ni dans les actions. Diderot a fait de grands compliments à Richardson sur la prodigieuse variété de ses tableaux et sur la multitude de ses personnages. Richardson a, en effet, le mérite de les avoir

nombre des traductions et adaptations (pour l'Angleterre voir les ouvrages cités de H. Roddier et de J. Voisine). Le *Mercure*, le *Journal des Savants*, l'*Année littéraire*, sont favorables. Mais les pamphlets attaquent l'auteur, surtout au nom de la moralité; Marmontel, Bordes, Morellet sont hostiles; Voltaire est féroce; Grimm, dans la *Correspondance littéraire* (février 1761), s'exprime sévèrement sur les « talents de sophiste » de l'auteur, sur l'absurdité de l'intrigue, le défaut de génie et de goût. Mais l'engouement du public contraste avec l'accueil mêlé de la critique.

En Suisse deux contrefaçons paraissent à Genève dès 1761. Dans les cercles intellectuels circulent la même année des Lettres sur l'*Héloïse* adressées à la Genevoise Suzanne Curchod (la future M^me Necker, mère de M^me de Staël) par la Bernoise Julie de Bondeli, admiratrice de Rousseau, elle-même femme savante en renom en Suisse française comme en Suisse alémanique; cet écrit fit beaucoup pour la gloire de Rousseau en Suisse et même en Allemagne. A Genève même, cependant, les autorités religieuses ne sont pas plus indulgentes pour la morale du roman que les milieux dévots de France. C'est sans doute à Genève que pense Rousseau dans la dernière phrase de ce paragraphe.

1. En mai 1768, alors qu'il était décidé à abandonner *les Confessions*, Rousseau faisait remettre en dépôt par Thérèse à M^me de Nadaillac (voir l'*Index*) divers papiers comprenant notamment des lettres reçues après la publication de *la Nouvelle Héloïse* (aujourd'hui à Neuchâtel), un dossier sur la Corse et un « cahier de confessions » dont on ignore le contenu exact : M^me de Saussure (*op. cit.*, p. 196, n. 3) se demande si ce n'était pas un brouillon relatif à une Troisième Partie des *Confessions* qui ne vit jamais le jour (voir *infra*, livre XII, p. 696, n, 1, p. 779, et *Introduction*, p. xxxi). Il se fait renvoyer ce cahier par la dépositaire en juillet 1770.

tous bien caractérisés : mais, quant à leur nombre, il a cela de commun avec les plus insipides romanciers, qui suppléent à la stérilité de leurs idées à force de personnages et d'aventures. Il est aisé de réveiller l'attention, en présentant incessamment et des événements inouïs et de nouveaux visages, qui passent comme les figures de la lanterne magique : mais de soutenir toujours cette attention sur les mêmes objets, et sans aventures merveilleuses, cela certainement est plus difficile; et si, toute chose égale, la simplicité du sujet ajoute à la beauté de l'ouvrage, les romans de Richardson[a], supérieurs en tant d'autres choses, ne sauraient, sur cet article, entrer en parallèle avec le mien[b]. Il est mort, cependant, je le sais, et j'en sais la cause; mais il ressuscitera[1].

1. Le parallèle entre Richardson et Rousseau romanciers, lancé dès la publication de l'*Héloïse* par la *Critical Review* de Londres (janvier 1761), est développé par cette même revue lorsque la mort de Richardson, en juillet de la même année, le rend plus actuel encore. Traduit par Suard dans le *Journal étranger* de décembre 1761, il devient un lieu commun de la critique anglaise, française et allemande. Les adversaires de Rousseau ne manquent pas de l'exploiter au détriment du Genevois, tandis que Diderot, plus habile, se contente de publier un *Éloge de Richardson* (1761) dont l'enthousiasme contraste éloquemment avec son silence sur l'*Héloïse*.

L'influence de Richardson sur Rousseau, difficile à cerner car elle se mêle à celle, plus importante, de Prévost, tant comme traducteur de Richardson que comme romancier original (voir H. Roddier, *l'Abbé Prévost*, l'*Homme et l'Œuvre*, Paris, Hatier, 1955), a été exagérée par Joseph Texte (*J.-J. Rousseau et les origines du cosmopolitisme littéraire*, Paris, 1896). Rousseau semble jaloux de Richardson dans les années où il achève et publie l'*Héloïse*. Envoyant à Duclos la 5e partie de son roman, il en déclare la lecture « très dangereuse aux filles », et ajoute : « Je pense même que Richardson s'est lourdement trompé en voulant les instruire par des romans; c'est mettre le feu à la maison pour faire jouer les pompes. » (19 nov. 1760, *C. C.*, VII, 318.) Sa préface reprend cette critique sans nommer expressément son rival (« les modernes romans anglais »), mais il le prend directement à partie dans telle note (ainsi III, lettre XVIII).

Cette animosité n'est pas mésestime. A Môtiers, il a *Clarissa* dans sa bibliothèque (Courtois, p. 160); il se fait envoyer *Pamela* par Mme de Luxembourg, fév. 1762, *C. C.*, X, 86) qu'il n'a sans doute pas encore lue, et sur laquelle il ajoutera une note élogieuse à sa réédition de la *Lettre à d'Alembert* (voir texte de 1782). S'il juge que Richardson ignore le ton et les usages du « grand monde », il ne s'en fait pas moins scrupule de « toucher » à ses ouvrages pour les abréger, comme

Toute ma crainte était[a] [qu'à force de simplicité] m.
marche ne fût ennuyeuse, et que je n'eusse pu nourri
assez l'intérêt pour le soutenir jusqu'au bout. Je fus ras
suré par un fait qui seul m'a plus flatté que tous les compli
ments qu'a pu m'attirer cet ouvrage.

Il parut au commencement du carnaval. Le colporteu
le porta à M[me] la princesse de Talmont*, un jour de ba
de l'Opéra. Après souper, elle se fit habiller pour y aller
et, en attendant l'heure, elle se mit à lire le nouveau roman
A minuit, elle ordonna qu'on mît ses chevaux, et continu:
de lire. On vint lui dire que ses chevaux étaient mis; ell
ne répondit rien. Ses gens, voyant qu'elle s'oubliait,
vinrent avertir qu'il était deux heures. Rien ne presse
encore, dit-elle, en lisant toujours. Quelque temps après,
sa montre étant arrêtée, elle sonna pour savoir quelle
heure il était. On lui dit qu'il était quatre heures. Cela
étant, dit[-elle], il est trop tard pour aller au bal; qu'on
ôte mes chevaux. Elle se fit déshabiller, et passa le reste
de la nuit à lire.

Depuis qu'on me raconta ce trait, j'ai toujours désiré
de voir M[me] de Talmont, non seulement pour savoir
d'elle-même s'il est exactement vrai, mais aussi parce que
j'ai toujours cru qu'on ne pouvait prendre un intérêt si
vif à l'*Héloïse* sans avoir ce sixième sens, ce sens moral,
dont si peu de cœurs sont doués, et sans lequel nul ne
saurait entendre le mien.

Ce qui me rendit les femmes si favorables fut la per-
suasion où elles furent que j'avais écrit ma propre histoire,
et que j'étais moi-même le héros de ce roman. Cette
croyance était si bien établie, que M[me] de Polignac écrivit

* Ce n'est pas elle, mais une autre dame dont j'ignore le nom[b].

le lui propose le libraire Panckoucke (lettre du 25 mai 1764, *C. C.,*
XX, 85).

La seconde partie de la déclaration de Rousseau relative à son
propre roman, « il est mort [...], mais il ressuscitera », a été amplement
confirmée par les faits (la première n'a jamais été vraie avant 1850
au moins). Du vivant de l'auteur même, la dernière bonne édition est
de 1767, mais de nombreuses contrefaçons paraissent après cette date,
en attendant les nombreuses éditions parues soit isolément, soit dans
les *Œuvres,* à partir de 1780.

à M^me de Verdelin pour la prier de m'engager à lui laisser voir le portrait de Julie. Tout le monde était persuadé qu'on ne pouvait exprimer si vivement des sentiments qu'on n'aurait point éprouvés, ni peindre ainsi les transports de l'amour que d'après son propre cœur. En cela l'on avait raison, et il est certain que j'écrivis ce roman dans les plus[a] brûlantes extases : mais on se trompait en pensant qu'il avait fallu des objets réels pour les produire; on était loin de concevoir à quel point je puis m'enflammer pour des êtres imaginaires. Sans quelques réminiscences de jeunesse et M^me d'Houdetot, les amours que j'ai sentis et décrits n'auraient été qu'avec des sylphides. Je ne voulus ni confirmer ni détruire une erreur qui m'était avantageuse. On peut voir dans la préface en dialogue[b] que je fis imprimer à part comment je laissai là-dessus le public en suspens. Les rigoristes[c] disent que j'aurais dû déclarer la vérité tout rondement. Pour moi, je ne vois pas ce qui m'y pouvait obliger, et je crois qu'il y aurait eu plus de bêtise que de franchise à cette déclaration faite sans nécessité[1].

A peu près dans le même temps parut la *Paix perpétuelle,* dont l'année précédente j'avais cédé le manuscrit à un certain M. de Bastide, auteur d'un journal appelé *Le Monde,* dans lequel il[d] voulait, bon gré mal gré, fourrer tous mes manuscrits. Il était de la connaissance de M. Duclos et vint en son nom me presser de lui aider à remplir *Le*

1. La *C. C.,* VIII, 56-57, confirme l'anecdote, sinon l'identité de l'admiratrice. — Sur l'identification entre Rousseau et son héros Saint-Preux, voir pp. 113, n. 1, 509. — Dans la « préface en dialogue » (2^e Préface, publiée à part, après le lancement du roman, en février 1761), le doute est volontairement entretenu sur l'authenticité de ces prétendues « Lettres de deux amants habitants d'une petite ville au pied des Alpes » (sous-titre du roman). Les trois dernières pages de la Préface discutent, sans apporter de réponse décisive, la question posée par le libraire à l'auteur : « Quand je vous demande si vous êtes l'auteur de ces lettres, pourquoi donc éludez-vous ma question? » En plus d'un endroit une note en bas de page du soi-disant « éditeur » de la correspondance soulève de nouveau le doute en feignant de vouloir prouver l'authenticité des lettres. Le public était d'ailleurs habitué à cette fiction la plupart des auteurs de romans du XVIII^e siècle se présentant traditionnellement comme les simples dépositaires et éditeurs de Mémoires, d'un journal ou d'une correspondance authentiques.

Monde. Il avait ouï parler de la *Julie* et voulait que je la misse[a] dans son journal : il voulait que j'y misse l'*Émile;* il aurait voulu que j'y misse le *Contrat social*, s'il[b] en eût soupçonné l'existence. Enfin, excédé de ses importunités, je pris[c] le parti de lui céder pour douze louis mon *Extrait de la Paix perpétuelle*. Notre accord était qu'il s'imprimerait dans son journal, mais, sitôt qu'il fut propriétaire de ce manuscrit, il jugea à propos de le faire imprimer à part avec quelques retranchements que le censeur exigea. Qu'eût-ce été si j'y avais joint mon jugement sur cet ouvrage, dont très heureusement je ne parlai point à M. de Bastide, et qui n'entra point dans notre marché ? Ce jugement est encore en manuscrit parmi mes papiers. Si jamais il[d] voit le jour, on y[e] verra combien les plaisanteries et le ton suffisant de Voltaire à ce sujet m'ont dû faire rire, moi qui voyais si bien la portée de ce pauvre homme dans les matières politiques dont il se mêlait de parler[1].

Au milieu de mes succès dans le public, et de la faveur des dames, je me sentais déchoir à l'hôtel de Luxembourg, non pas auprès de M. le Maréchal, qui semblait même redoubler chaque jour de bontés et d'amitiés pour moi, mais auprès de M[me] la Maréchale. Depuis que je n'avais plus rien à lui lire, son appartement m'était moins ouvert, et durant les voyages de Montmorency, quoique je me présentasse assez exactement, je ne la voyais plus guère qu'à table. Ma place n'y était même plus aussi marquée à côté d'elle. Comme elle ne me l'offrait plus, qu'elle[f] me parlait peu, et que je n'avais pas non plus grand'chose à lui dire, j'aimais autant prendre une autre place, où j'étais plus à mon aise, surtout le soir, car machinalement je prenais peu à peu l'habitude de me placer plus près de M. le Maréchal.

A propos du soir, je me souviens d'avoir dit que je ne soupais pas au château, et cela était vrai dans le commencement de la connaissance; mais comme M. de Luxembourg ne dînait point et ne se mettait pas même à table, il arriva de là qu'au bout de plusieurs mois, et déjà très familier dans la maison, je n'avais encore jamais mangé

1. L'*Extrait du projet de paix perpétuelle* fut publié en brochure en mars 1761. Voltaire en fit un compte rendu facétieux, sous le titre *Rescrit de l'Empereur de Chine*, dans le *Journal encyclopédique* du 1[er] mai suivant. Sur l'*Extrait* et le *Jugement,* voir livre IX, pp. 501-502, n. 1.

avec lui. Il eut la bonté d'en faire la remarque. Cela me
détermina d'y souper quelquefois, quand[a] il y avait peu
de monde, et je m'en trouvais très bien, vu qu'on dînait
presque en l'air, et, comme on dit, sur le bout du banc :
au lieu que le souper était très long, parce qu'on s'y repo-
sait avec plaisir, au retour d'une longue promenade; très
bon, parce que M. de Luxembourg était gourmand, et
très agréable parce que M[me] de Luxembourg en faisait
les honneurs à charmer. Sans cette explication l'on enten-
drait difficilement la fin d'une lettre de M. de Luxembourg
(Liasse C. n° 36)[1] où il me dit qu'il se rappelle avec délices
nos promenades, *surtout*, ajoute-t-il[b], quand en rentrant
les soirs dans la cour nous n'y trouvions point de traces
de roues de carrosses; c'est que, comme on passait tous
les matins le râteau sur le sable de la cour pour effacer
les ornières, je jugeais par le nombre de ces traces du
monde qui était survenu dans l'après-midi.

Cette année 1761 mit le comble aux pertes continuelles
que fit ce bon seigneur, depuis que j'avais[c] l'honneur de le
voir : comme si les maux que me préparait la destinée
eussent dû commencer par l'homme pour qui j'avais le
plus d'attachement et qui en était le plus digne. La pre-
mière année il perdit sa sœur, M[me] la duchesse de Villeroy;
la seconde, il perdit sa fille, M[me] la princesse de Robecq;
la troisième, il perdit dans le duc de Montmorency, son
fils unique, et dans le comte de Luxembourg, son petit-
fils, les seuls et derniers soutiens de sa branche et de son
nom. Il supporta toutes ces pertes avec un courage appa-
rent; mais son cœur ne cessa de saigner en dedans tout
le reste de sa vie, et sa santé ne fit plus que décliner. La
mort imprévue et tragique de son fils dut lui être d'autant
plus sensible, qu'elle arriva précisément[d] au moment où le
Roi venait de lui accorder pour son[e] fils, et de lui pro-
mettre pour son petit-fils, la survivance de sa charge de
capitaine des Gardes du corps. Il eut la douleur de voir
s'éteindre peu à peu[f] ce dernier, enfant de la plus grande
espérance, et cela par l'aveugle confiance de la mère au
médecin, qui fit périr ce pauvre enfant d'inanition, avec
des médecines pour toute nourriture. Hélas ! si j'en eusse
été cru, le grand-père et le petit-fils seraient tous deux
encore en vie. Que ne dis-je point, que n'écrivis-je point

1. Lettre du 30 novembre 1759, *C. C.*, VI, 209.

à M. [a] le Maréchal, que de représentations ne fis-je point à M[me] de Montmorency, sur le régime plus qu'austère que, sur la foi de son médecin, elle faisait observer à son fils ! M[me] de Luxembourg, qui pensait comme moi, ne voulait point usurper l'autorité de la mère; M. de Luxembourg, homme doux et faible, n'aimait point à contrarier. M[me] de Montmorency avait dans Bordeu une foi dont son fils finit par être la victime. Que ce pauvre enfant était aise quand il pouvait obtenir la permission de venir à Mont-Louis avec M[me] de Boufflers, demander à goûter à Thérèse, et mettre quelque aliment dans son estomac affamé ! Combien je déplorais en moi-même les misères de la grandeur, quand je voyais cet unique héritier d'un si grand bien, d'un si grand nom, de tant de titres et de dignités, dévorer avec l'avidité d'un mendiant un pauvre petit morceau de pain ! Enfin, j'eus beau dire et beau faire, le médecin triompha et l'enfant mourut de faim.

La même confiance aux charlatans qui fit périr le petit-fils creusa le tombeau du grand-père, et il s'y joignit de plus la pusillanimité de vouloir se dissimuler les infirmités de l'âge. M. de Luxembourg avait eu par intervalles quelque douleur au gros doigt de pied; il en eut une atteinte à Montmorency, qui lui donna de l'insomnie et un peu de fièvre. J'osai prononcer le mot de goutte; M[me] de Luxembourg me tança. Le valet de chambre, chirurgien de M. le Maréchal[b], soutint que ce n'était pas la goutte, et se mit à panser la partie souffrante avec du baume tranquille. Malheureusement la douleur se calma, et quand elle revint, on ne manqua pas d'employer le même remède qui l'avait calmée; la constitution s'altéra, les maux augmentèrent, et les remèdes en même raison. M[me] de Luxembourg, qui vit bien enfin que c'était la goutte, s'opposa à cet insensé traitement. On se cacha d'elle, et M. de Luxembourg périt par sa faute au bout de quelques années, pour avoir voulu s'obstiner à guérir. Mais n'anticipons[c] point de si loin sur les malheurs : combien j'en ai d'autres à narrer avant celui-là !

Il est singulier avec quelle fatalité tout ce que je pouvais dire et faire semblait fait pour déplaire à M[me] de Luxembourg, lors même que j'avais le plus à cœur de conserver sa bienveillance. Les afflictions que M. de Luxembourg éprouvait coup sur coup ne faisaient que m'attacher à lui davantage, et par conséquent à M[me] de Luxembourg :

car ils m'ont toujours paru si sincèrement unis, que les sentiments qu'on avait pour l'un s'étendaient nécessairement à l'autre. M. le Maréchal vieillissait. Son assiduité à la cour, les soins qu'elle entraînait, les chasses continuelles, la fatigue surtout du service durant son quartier, auraient demandé la vigueur d'un jeune homme, et je ne voyais plus rien qui pût soutenir la sienne dans cette carrière. Puisque ses dignités devaient être dispersées, et son nom éteint après lui, peu lui importait de continuer une vie laborieuse, dont l'objet principal[a] avait été de ménager la faveur du prince à ses enfants. Un jour que nous n'étions que nous trois, et qu'il se plaignait des fatigues de la cour en homme[b] que ses pertes avaient découragé, j'osai lui parler de retraite, et lui donner le conseil que Cinéas donnait[c] à Pyrrhus; il soupira, et ne répondit pas décisivement[1]. Mais au premier moment où Mme de Luxembourg me vit en particulier, elle me relança vivement sur ce conseil, qui me parut l'avoir alarmée. Elle ajouta une chose dont je sentis la justesse, et qui me fit renoncer à retoucher jamais la même corde : c'est que la longue habitude de vivre à la cour devenait un[d] vrai besoin, que c'était même en ce moment une dissipation pour M. de Luxembourg, et que la retraite que je lui conseillais serait moins un repos pour lui qu'un exil, où l'oisiveté, l'ennui, la tristesse, achèveraient bientôt de le consumer. Quoiqu'elle dût voir qu'elle m'avait persuadé, quoiqu'elle dût compter sur la promesse que je lui fis et que je lui tins, elle ne parut jamais bien tranquillisée à cet égard, et je me suis rappelé que depuis lors mes tête-à-tête avec M. le Maréchal avaient été plus rares et presque toujours interrompus.

Tandis que ma balourdise et mon guignon me nuisaient ainsi de concert auprès d'elle, les gens qu'elle voyait et qu'elle aimait le plus ne m'y servaient pas. L'abbé de Boufflers surtout, jeune homme aussi brillant qu'il soit possible de l'être, ne me parut jamais bien disposé pour moi, et, non seulement il est le seul de la société de Mme la Maréchale qui ne m'ait jamais marqué la moindre atten-

1. Un *quartier* de service : « espace de trois mois, quart d'année, servant à désigner des fonctions où l'on se relève de trois en trois mois » (Littré, *Quartier*, 21⁰).

L'anecdote de Pyrrhus et Cinéas, souvenir de la lecture de Plutarque, a déjà été citée p. 217.

tion, mais j'ai cru m'apercevoir qu'à tous les voyages qu'il
fit à Montmorency je perdais quelque chose auprès d'elle,
et il est vrai que, sans même qu'il le voulût, c'était assez
de sa seule présence : tant la grâce et le sel de ses gentil-
lesses appesantissaient encore mes lourds *spropositi*[1]. Les
deux premières années, il n'était presque pas venu à
Montmorency, et, par l'indulgence de M^me la Maréchale,
je m'étais passablement soutenu[2] : **mais** sitôt qu'il[a] parut
un peu de suite, je fus écrasé sans retour. J'aurais voulu
me réfugier sous son aile, et faire en sorte qu'il me prît
en amitié; mais la même maussaderie qui me faisait un
besoin de lui plaire m'empêcha d'y réussir, et ce que je
fis pour cela maladroitement acheva de me perdre auprès
de M^me la Maréchale, sans m'être utile auprès de lui. Avec
autant d'esprit, il eût pu réussir à tout; mais l'impossibilité
de s'appliquer et le goût de la dissipation ne lui ont permis
d'acquérir que des demi-talents en tout genre. En revanche,
il en a beaucoup, et c'est tout ce qu'il faut dans le grand
monde où il veut briller. Il fait très bien de petits vers,
écrit très bien de petites lettres, va jouaillant un peu du
cistre[3] et barbouillant un peu de peinture au pastel. Il
s'avisa de vouloir faire le portrait de M^me de Luxembourg :
ce portrait était horrible. Elle prétendait qu'il ne lui res-
semblait point du tout, et cela était vrai. Le traître d'abbé
me consulta, et moi, comme un sot et comme un menteur,
je dis que le portrait ressemblait. Je voulais cajoler l'abbé;
mais je ne cajolais pas[b] M^me la Maréchale, qui mit ce trait
sur ses registres, et l'abbé, ayant fait son coup, se moqua
de moi. J'appris, par ce succès de mon tardif coup d'essai,
à ne plus me mêler de vouloir flagorner et flatter malgré
Minerve[4].

Mon talent était de dire aux hommes des vérités utiles,
mais dures, avec assez d'énergie et de courage; il fallait
m'y tenir. Je n'étais point né, je ne dis pas pour flatter,
mais pour louer. La maladresse des louanges que j'ai voulu

1. Un *sproposito* est ici l'équivalent du moderne *impair*.
2. *Se soutenir,* voir n. 1, p. 176.
3. *Jouailler* : « jouer médiocrement de quelque instrument de
musique » (Littré, 2⁰). Le *cistre,* à ne pas confondre avec le *sistre,*
est d'après le Larousse du xx^e siècle une « espèce de luth italien à
long manche divisé en 18 touches ». Littré ignore le mot.
4. *Malgré Minerve* : voir n. 1, p. 232.

donner m'a fait plus de mal que l'âpreté de mes censures.
J'en ai à citer ici un exemple si terrible, que ses suites ont
non seulement fait ma destinée pour le reste de ma vie,
mais décideront peut-être de ma réputation dans toute la
postérité.

Durant les voyages de Montmorency, M. de Choiseul
venait quelquefois souper au château. Il y vint un jour
que j'en sortais. On parla de moi. M. de Luxembourg
lui conta mon histoire de Venise avec M. de Montaigu.
M. de Choiseul dit que c'était dommage que j'eusse aban-
donné cette carrière, et que si j'y voulais rentrer il ne deman-
dait pas mieux que de m'occuper. M. de Luxembourg me
redit cela; j'y fus d'autant plus sensible, que je n'avais pas
accoutumé d'être gâté par les ministres, et il n'est pas
sûr que, malgré mes résolutions, si ma santé m'eût permis
d'y songer, j'eusse évitéa d'en faire de nouveau la folie.
L'ambition n'eut jamais chez moi que les courts intervalles
où toute autre passion me laissait libre, mais un de ces
intervalles eût suffi pour me rengager. Cette bonne inten-
tion de M. de Choiseul, m'affectionnant à lui, accrut
l'estime que, sur quelques opérations de son ministère,
j'avais conçue pour ses talents, et le Pacte de famille,
en particulier, me parut annoncer un homme d'État du
premier ordre. Il gagnait encore dans mon esprit au peu
de cas que je faisais de ses prédécesseurs, sans excepter
Mme de Pompadour, que je regardais comme une façon
de premier ministre, et quand le bruit courut que, d'elle
ou de lui, l'un des deux expulserait l'autre, je crus faire
des vœux pour la gloire de la France en en faisant pour
que M. de Choiseul triomphât. Je m'étais senti de tout
temps pour Mme de Pompadour de l'antipathie, même
quand, avant sa fortune, je l'avais vue chez Mme de la
Poplinière, portant encore le nom de Mme d'Étioles.
Depuis lors, j'avais étéb mécontent de son silence au sujet
de Diderot, et de tous ses procédés par rapport à moi,
tant au sujet des *Fêtes de Ramire* et des *Muses galantes,* qu'au
sujet du *Devin du village,* qui ne m'avait valu, dans aucun
genre de produit, des avantages proportionnés à ses
succès, et, dans toutes les occasions, je l'avais toujours
trouvée très peu disposée à m'obliger, ce qui n'empêcha
pas le chevalier de Lorenzi de me proposer de faire quelque
chose à la louange de cette dame, en m'insinuant que cela
pourrait m'êtrec utile. Cette proposition m'indigna d'au-

tant plus, que je vis bien qu'il ne la faisait pas de son chef; sachant que cet homme, nul par lui-même[a], ne pense et n'agit que par l'impulsion[b] d'autrui. Je sais trop peu me contraindre pour avoir pu[c] lui cacher mon dédain pour sa proposition, ni à personne mon peu de penchant pour la favorite; elle le connaissait, j'en étais sûr, et tout cela mêlait mon intérêt propre à mon inclination naturelle, dans les vœux que je faisais pour M. de Choiseul. Prévenu d'estime pour ses talents[d], qui étaient tout ce que je connaissais de lui, plein de reconnaissance pour sa bonne volonté, ignorant d'ailleurs totalement dans ma retraite ses goûts et sa manière de vivre, je le regardais d'avance comme le vengeur du public et le mien, et mettant alors la dernière main au *Contrat social,* j'y marquai, dans un seul trait, ce que je pensais des précédents ministères, et de celui qui commençait à les éclipser[1]. Je manquai, dans cette occasion, à ma plus constante maxime, et de plus, je ne songeai pas que, quand on veut louer ou blâmer fortement dans un même article, sans nommer les gens, il faut tellement approprier la louange à ceux qu'elle regarde, que le plus ombrageux amour-propre ne puisse y trouver de quiproquo. J'étais là-dessus dans une si folle sécurité qu'il ne me vint pas même à l'esprit que[e] quelqu'un pût prendre le change. On verra bientôt si j'eus raison.

Une de mes chances était d'avoir toujours dans mes liaisons des femmes auteurs. Je croyais au moins, parmi les grands, éviter cette chance. Point du tout : elle m'y suivit encore. M[me] de Luxembourg ne fut pourtant jamais, que je sache, atteinte de cette manie; mais M[me] la comtesse de Boufflers le fut. Elle fit une tragédie en prose, qui fut d'abord lue, promenée, et prônée dans la société de M. le prince de Conti, et sur laquelle, non contente de tant

1. Choiseul est au pouvoir depuis trois ans à peine lorsque Rousseau achève le manuscrit du *Contrat social.* La phrase à laquelle il fait allusion est dans le livre III, chapitre 6 : « Quand par quelque heureux hasard un de ces hommes nés pour gouverner prend le timon des affaires dans une monarchie presque abîmée par ces tas de jolis régisseurs, on est tout surpris des ressources qu'il trouve et cela fait époque dans un pays. »
Musset-Pathay fait remarquer que Rousseau semble se tromper en souhaitant que Choiseul triomphe des intrigues de M[me] de Pompadour : elle le protégeait au contraire. Musset-Pathay se demande si Rousseau ne la confondrait pas dans ce passage avec la Du Barry.

d'éloges, elle voulut aussi me consulter pour avoir le mien. Elle l'eut, mais modéré, tel que le méritait l'ouvrage. Elle eut, de plus, l'avertissement, que je crus lui devoir, que sa pièce, intitulée *L'Esclave généreux,* avait un très grand rapport à une pièce anglaise assez peu connue, mais pourtant traduite, intitulée *Oroonoko.* M^me de Boufflers me remercia de l'avis, en m'assurant toutefois que sa pièce ne ressemblait point du tout à l'autre. Je n'ai jamais parlé de ce plagiat à personne au monde qu'à elle seule, et cela pour remplir un devoir qu'elle m'avait imposé; cela ne m'a pas empêché de me rappeler souvent depuis lors le sort de celui que remplit Gil Blas[a] près de l'Évêque prédicateur[1].

Outre l'abbé de Boufflers, qui ne m'aimait pas, outre[b] M^me de Boufflers, auprès de laquelle j'avais des torts que jamais les femmes ni les auteurs ne pardonnent, tous les autres amis de M^me la Maréchale m'ont toujours paru peu disposés à être des miens, entre autres M. le président Hénault, lequel, enrôlé parmi les auteurs, n'était pas exempt de leurs défauts; entre autres aussi M^me du Deffand et M^lle de Lespinasse, toutes deux en grande liaison avec Voltaire, et intimes amies de d'Alembert, avec lequel la dernière a même fini par vivre, s'entend en tout bien et en tout honneur, et cela ne peut même s'entendre autrement. J'avais d'abord commencé par m'intéresser fort à M^me du Deffand, que la perte de ses yeux faisait aux miens un objet de commisération; mais sa manière de vivre, si contraire à la mienne, que l'heure du lever de l'un était

1. Le roman de la poétesse et dramaturge anglaise Mrs. Aphra Behn (1610-1689), *Oroonoko or the Royal Slave* (1688 ?), a été adapté pour la scène par Thomas Southerne en 1696. Son sujet (l'esclavage) l'a rendu populaire au XVIII^e siècle (voir E.-D. Seeber, « Oroonoko in France in the XVIII^th Century », *P.M.L.A.,* LI, 1936, p. 953). Le roman est traduit en français en 1745 par La Place (rééditions en 1756 et 1788) tandis que la pièce est présentée par l'abbé Le Blanc (*Lettres d'un Français,* XVI : traduction de deux scènes), puis traduite en 1751 par Fiquet du Bocage. — Il est peu vraisemblable que M^me de Boufflers, qui passe pour être au courant de la littérature anglaise, ait, comme elle le dit à Rousseau (*C. C.,* VIII, 266, 274, 276), ignoré l'existence de la tragédie de Southerne, et du roman de Mrs. Behn — dont le titre ressemble assez au sien.

L'allusion à *Gil Blas* renvoie au début du livre VII, où Gil Blas donne en toute franchise son opinion à l'archevêque de Grenade sur les homélies du prélat.

presque celle du coucher de l'autre; sa passion sans bornes pour le petit bel esprit, l'importance qu'elle donnait, soit en bien, soit en mal, aux moindres torche-culs qui paraissaient; le despotisme et l'emportement de ses oracles, son engouement outré pour ou contre toutes choses, qui ne lui permettait de parler de rien qu'avec des convulsions; ses préjugés incroyables, son invincible obstination, l'enthousiasme de déraison où la portait l'opiniâtreté de ses jugements passionnés; tout cela me rebuta bientôt des soins que je voulais lui rendre; je la négligeai; elle s'en aperçut : c'en fut assez pour la mettre en fureur, et quoique je sentisse assez combien une femme de ce caractère pouvait être à craindre, j'aimai mieux encore m'exposer au fléau de sa haine qu'à celui de son amitié.

Ce n'était pas assez d'avoir si peu d'amis dans la société de M^me de Luxembourg, si je n'avais des ennemis dans sa famille. Je n'en eus qu'un, mais qui, par la position où je me trouve aujourd'hui, en vaut cent. Ce n'était assurément pas M. le duc de Villeroy, son frère; car non seulement il m'était venu voir, mais il m'avait invité plusieurs fois d'aller à Villeroy, et comme j'avais répondu à cette invitation avec autant de respect et d'honnêteté qu'il m'avait été possible, partant de cette réponse vague comme d'un consentement, il avait arrangé avec M. et M^me de Luxembourg un voyage d'une quinzaine de jours dont je devais être, et qui me fut proposé. Comme les soins qu'exigeait ma santé ne me permettaient pas alors de me déplacer sans risque, je priai M. de Luxembourg de vouloir bien me dégager. On peut voir par sa réponse (Liasse D. n^o 3)[1] que cela se fit de la meilleure grâce du monde, et M. le duc de Villeroy ne m'en témoigna pas moins de bonté qu'auparavant. Son neveu et son héritier, le jeune marquis de Villeroy, ne participa pas à la bienveillance dont m'honorait son oncle, ni aussi, je l'avoue, au respect que j'avais pour lui. Ses airs éventés me le rendirent insupportable, et mon air froid m'attira son aversion. Il fit même un soir à table, une incartade[2] dont je me tirai mal, parce que je suis

1. Lettre non conservée; le voyage était prévu pour mai 1760 (*C. C.*, VII, 77).

2. *Éventé* : étourdi, inconsidéré (employé aussi substantivement aux xvii^e et xviii^e siècles). *Incartade* : « acte ou parole brusque qui a quelque chose de blessant pour celui qui en est l'objet » (Littré).

bête, sans aucune présence d'esprit, et que la colère, au lieu d'aiguiser le peu que j'en ai, me l'ôte. J'avais un chien qu'on m'avait donné tout jeune, presque à mon arrivée à l'Ermitage, et que j'avais alors appelé *Duc*. Ce chien, non beau, mais rare en son espèce, duquel j'avais fait mon compagnon, mon ami, et qui certainement méritait mieux ce titre que la plupart de ceux qui l'ont pris, était devenu célèbre au château de Montmorency, par son naturel aimant, sensible, et par l'attachement que nous avions l'un pour l'autre; mais par une pusillanimité fort sotte, j'avais changé son[a] nom en celui de *Turc,* comme s'il n'y avait pas des multitudes de chiens qui s'appellent *Marquis,* sans qu'aucun marquis s'en fâche. Le marquis de Villeroy, qui sut ce changement de nom[b], me poussa tellement là-dessus, que je fus obligé de conter en pleine table ce que j'avais fait. Ce qu'il y avait d'offensant pour le nom de duc, dans cette histoire[c], n'était pas tant de le lui avoir donné que de le lui avoir ôté. Le pis fut qu'il y avait là plusieurs ducs; M. de Luxembourg l'était, son fils l'était. Le marquis de Villeroy, fait[d] pour le devenir, et qui l'est aujourd'hui, jouit avec une cruelle joie de l'embarras où il m'avait mis, et de l'effet qu'avait produit cet embarras. On m'assura le lendemain que sa tante l'avait très vivement tancé là-dessus, et l'on peut juger si cette réprimande, en la supposant réelle, a dû beaucoup raccommoder mes affaires auprès de lui.

Je n'avais pour appui contre tout cela, tant à l'Hôtel de Luxembourg qu'au Temple, que le seul chevalier de Lorenzi, qui fit profession d'être mon ami; mais il l'était encore plus de d'Alembert, à l'ombre duquel il passait chez les femmes pour un grand géomètre. Il était d'ailleurs le sigisbée[1], ou plutôt le complaisant de M[me] la comtesse

1. L'institution du sigisbée (*cicisbeo ;* le mot sous sa forme francisée *sigisbée,* plus rarement *sicisbée,* est alors d'introduction récente), que Rousseau a pu connaître à Venise, est ainsi décrite par l'écrivain anglais Lady Montagu pendant son premier séjour à Gênes en 1718:

« Je ne sais pas si vous avez entendu parler de ces animaux [...] La mode en a commencé ici, et est maintenant adoptée dans toute l'Italie, où les maris ne sont pas d'aussi terribles créatures que nous nous les représentons. Il n'est pas parmi eux un seul barbare qui ose critiquer une coutume aussi bien établie, aussi bien fondée politiquement. On m'assure en effet ici que c'est un expédient inventé par le Sénat pour mettre fin à ces haines de famille qui déchiraient l'État, et

de Boufflers, très amie elle-même de d'Alembert, et le chevalier de Lorenzi n'avait d'existence et ne pensait que par elle. Ainsi, loin que j'eusse au dehors quelque contre-poids à mon ineptie pour me soutenir auprès de M^me de Luxembourg, tout ce qui l'approchait semblait concourir à me nuire dans son esprit. Cependant, outre l'*Émile* dont elle avait voulu se charger, elle me donna dans le même temps une autre marque d'intérêt et de bienveillance, qui me fit croire que, même en s'ennuyant de moi, elle me conservait et me conserverait toujours l'amitié qu'elle m'avait tant de fois promise pour toute la vie.

Sitôt que j'avais cru pouvoir compter sur ce sentiment de sa part, j'avais commencé par soulager mon cœur auprès d'elle de l'aveu de toutes mes fautes; ayant pour maxime inviolable, avec mes amis, de me montrer à leurs yeux exactement tel que je suis, ni meilleur, ni pire. Je lui avais déclaré mes liaisons avec Thérèse, et tout ce qui en avait résulté, sans omettre de quelle façon j'avais disposé de mes enfants. Elle avait reçu mes confessions très bien, trop bien même, en m'épargnant les censures que^a je méritais, et, ce qui m'émut surtout vivement, fut de voir les bontés qu'elle prodiguait à Thérèse, lui faisant de petits cadeaux, l'envoyant chercher, l'exhortant à l'aller voir, la recevant avec cent caresses, et l'embrassant très souvent devant tout le monde. Cette pauvre fille était dans des transports de joie et de reconnaissance qu'assurément je

pour occuper ces jeunes gens réduits à se couper la gorge *pour passer le temps* [en français dans le texte]; le succès a été tel que, depuis l'institution des sigisbées, la paix et les bonnes dispositions n'ont cessé de régner entre eux. Ce sont des gentilshommes qui se consacrent au service d'une dame (je veux dire une dame mariée, car les jeunes filles sont toutes invisibles, enfermées dans des couvents). Ils doivent l'escorter et la servir dans tous les lieux publics, théâtre, opéra, salons (on les appelle ici *conversations* [*conversazioni*]), où ils se tiennent derrière son fauteuil, veillent sur son éventail et ses gants si elle joue, ont le privilège de ses chuchotements, etc. Bref, ils doivent dépenser à son service leur temps et leur argent; elle les en remercie selon son inclination (ce ne sont pas les occasions qui manquent), mais le mari ne doit pas avoir l'impudence de supposer qu'il puisse s'agir d'autre chose que d'une pure amitié platonique [...] Autrefois, une seule beauté avait huit à dix de ces humbles admirateurs; mais ces jours d'abondance et d'humilité ne sont plus; les hommes se font plus rares et plus effrontés, et chaque dame doit se contenter d'un seul à la fois. »

partageais bien; les amitiés dont M. et M^me de Luxem-
bourg me comblaient en elle me touchant bien plus[a] vive-
ment encore que celles qu'ils me faisaient directement.

Pendant assez longtemps les choses en restèrent là;
mais enfin M^me la Maréchale poussa la bonté jusqu'à vou-
loir retirer un de mes enfants. Elle savait que j'avais fait
mettre un chiffre dans les langes de l'aîné; elle me demanda
le double de ce chiffre, je le lui donnai. Elle employa pour
cette recherche La Roche, son valet de chambre et son
homme de confiance, qui fit de vaines perquisitions, et ne
trouva rien, quoique au bout de douze ou quatorze ans
seulement, si les registres des Enfants-Trouvés étaient
bien en[b] ordre, ou que la recherche eût été bien faite, ce
chiffre n'eût pas dû être introuvable[1]. Quoi qu'il en soit,
je fus moins fâché de ce mauvais succès que je ne l'aurais
été si j'avais suivi[c] cet enfant dès sa naissance. Si à l'aide
du renseignement on m'eût présenté quelque enfant pour
le mien, le doute si ce l'était bien en effet, si on ne lui en
substituait point un autre, m'eût resserré le cœur par
l'incertitude, et je n'aurais point goûté dans tout son charme
le vrai sentiment de la nature : il a besoin, pour se soutenir,
au moins durant l'enfance, d'être appuyé sur l'habitude.
Le long éloignement d'un enfant qu'on ne connaît pas
encore affaiblit, anéantit enfin les sentiments paternels et
maternels, et jamais on n'aimera celui qu'on a mis en nour-
rice comme celui qu'on a nourri sous ses yeux. La réflexion
que je fais ici peut exténuer mes torts dans leurs effets,
mais c'est en les aggravant dans leur source.

Il n'est peut-être pas inutile de remarquer que, par
l'entremise de Thérèse, ce même La Roche fit connais-
sance avec M^me Le Vasseur, que Grimm continuait de
tenir à Deuil, à la porte de la Chevrette, et tout près de
Montmorency[2]. Quand je fus parti, ce fut par M. La Roche

1. La confidence ou « confession » de Rousseau à la maréchale
semble avoir été faite par écrit (*C. C.*, IX, 14) plutôt que de vive voix.
Les recherches aux Enfants-Trouvés furent faites pendant l'été de 1761
(*ibid.* et 89). Sur l'abandon des enfants, voir p. 405, n. 1.

2. Il est peu vraisemblable que Diderot et Grimm aient versé une
rente aux deux femmes Levasseur, bien qu'ils leur aient souvent
donné des gratifications. Voir une lettre de M^me de Vandeul à Meister
citée par Roth, *Corr.* de Diderot, II, 14 n.

que je continuai de faire remettre à cette femme l'argent que je n'ai point cessé de lui envoyer, et je crois qu'il lui portait aussi souvent des présents de la part de M^me la Maréchale; ainsi elle n'était sûrement pas à plaindre, quoiqu'elle se plaignît toujours. A l'égard de Grimm, comme je n'aime point à parler de gens que je dois haïr, je n'en parlais jamais à M^me de Luxembourg que malgré moi : mais elle me mit plusieurs fois sur son chapitre, sans me dire ce qu'elle en pensait, et sans me laisser pénétrer jamais si cet homme était de sa connaissance ou non. Comme la réserve avec les gens qu'on aime, et qui n'en ont point[a] avec nous, n'est pas de mon goût, surtout en ce qui les regarde, j'ai depuis lors pensé quelquefois à celle-là; mais seulement quand d'autres événements ont rendu cette réflexion naturelle.

Après avoir demeuré longtemps sans entendre parler de l'*Émile,* depuis que je l'avais remis à M^me de Luxembourg, j'appris enfin que le marché en était conclu à Paris avec le libraire Duchesne, et par celui-ci avec le libraire Néaulme d'Amsterdam. M^me de Luxembourg m'envoya les deux doubles de mon traité avec Duchesne pour les signer. Je reconnus l'écriture pour être de la même main dont était celle des lettres de M. de Malesherbes qu'il ne m'écrivait pas de sa propre main. Cette certitude que mon traité se faisait de l'aveu et sous les yeux du magistrat me le fit signer avec confiance. Duchesne me donnait de ce manuscrit six mille francs, la moitié comptant, et, je crois, cent ou deux cents exemplaires[b]. Après avoir signé les deux doubles, je les renvoyai tous deux à M^me de Luxembourg, qui l'avait ainsi désiré : elle en donna un à Duchesne; elle garda l'autre au lieu de me le renvoyer et je ne l'ai jamais revu[1].

La connaissance de M. et de M^me de Luxembourg, en faisant quelque diversion à mon projet de retraite, ne m'y avait pas fait renoncer. Même au temps de ma plus grande faveur auprès de M^me la Maréchale, j'avais toujours senti qu'il n'y avait que mon sincère attachement pour M. le Maréchal et pour elle qui pût me rendre leurs entours supportables[2], et tout mon embarras était de

1. Le projet de traité, dont un manuscrit est conservé à la Bibliothèque nationale, a été publié par P.-P. Plan dans son *J.-J. Rousseau et Malesherbes* [...], Paris, 1912.
2. *Entours :* voir p. 514, n. 1.

concilier ce même attachement avec un genre de vie plus conforme à mon goût et moins contraire à ma santé, que cette gêne et ces soupers tenaient dans une altération continuelle, malgré tous les soins qu'on apportait[a] à ne pas m'exposer à la déranger; car sur ce point, comme sur tout autre, les attentions furent poussées aussi loin qu'il était possible, et, par exemple, tous les soirs après souper, M. le Maréchal, qui s'allait coucher de bonne heure, ne manquait jamais de m'emmener bon gré[b] mal gré pour m'aller coucher aussi. Ce ne fut que quelque temps avant ma catastrophe qu'il cessa, je ne sais pourquoi, d'avoir cette attention.

Avant même d'apercevoir le refroidissement de M[me] la Maréchale, je désirais, pour ne m'y pas exposer, d'exécuter mon ancien projet; mais les moyens me manquant pour cela, je fus obligé d'attendre[c] la conclusion du traité de l'*Émile,* et, en attendant, je mis la dernière main au *Contrat social,* et l'envoyai à Rey, fixant le prix de ce manuscrit à mille francs, qu'il me donna. Je ne dois peut-être pas omettre un petit fait qui regarde ledit manuscrit. Je le remis bien cacheté à Duvoisin, ministre du pays de Vaud, et chapelain de l'hôtel[d] de Hollande, qui me venait voir quelquefois, et qui se chargea de l'envoyer à Rey, avec lequel il était en liaison. Ce manuscrit, écrit en menu caractère, était fort petit, et ne remplissait pas sa poche. Cependant[e], en passant la barrière, son[f] paquet tomba, je ne sais comment, entre les mains des commis, qui l'ouvrirent, l'examinèrent, et le lui rendirent ensuite, quand il l'eut réclamé au nom de l'Ambassadeur; ce qui le mit à portée de le lire lui-même, comme il me marqua naïvement avoir fait, avec force éloges de l'ouvrage, et pas un mot de critique ni de censure, se réservant sans doute d'être le vengeur du Christianisme lorsque l'ouvrage aurait paru. Il recacheta le manuscrit, et l'envoya à Rey. Tel fut en substance le narré qu'il me fit dans la lettre où il me rendit compte de cette affaire, et c'est tout ce que j'en ai su.

Outre ces deux livres et mon *Dictionnaire de Musique,* auquel je travaillais toujours de temps en temps, j'avais quelques autres écrits de moindre importance, tous en état de paraître, et que je me proposais de donner encore, soit séparément, soit avec mon recueil général si je l'entreprenais jamais. Le principal de ces écrits, dont la plupart

sont encore en manuscrit dans les mains de Du Peyrou, était un *Essai sur l'origine des langues,* que je fis lire à M. de Malesherbes et au chevalier de Lorenzi, qui m'en dit du bien[1]. Je comptais que toutes ces productions rassemblées me vaudraient au moins[a], tous frais faits, un capital de huit à dix mille francs, que je voulais placer en rente viagère, tant sur ma tête que sur celle de Thérèse; après quoi nous irions, comme je l'ai dit, vivre ensemble au fond de quelque province, sans plus occuper le public de moi, et sans plus m'occuper moi-même d'autre chose que d'achever paisiblement ma carrière en continuant de faire autour de moi tout le bien qu'il m'était possible, et d'écrire à loisir les mémoires que je méditais.

Tel était mon projet, dont une générosité de Rey, que je ne dois pas taire, vint faciliter encore l'exécution. Ce libraire, dont on me disait tant de mal à Paris, est cependant, de tous ceux avec qui j'ai eu à faire, le seul dont j'aie eu toujours à me louer[b]*. Nous étions, à la vérité, souvent en querelle sur l'exécution de mes ouvrages; il était étourdi, j'étais emporté. Mais en matière d'intérêt et de procédés qui s'y rapportent, quoique je n'aie jamais fait avec lui de traité en forme, je l'ai toujours trouvé plein d'exactitude et de probité. Il est même aussi le seul qui m'ait avoué franchement qu'il faisait bien ses affaires avec moi, et souvent il m'a dit qu'il me devait sa fortune, en offrant de m'en faire part. Ne pouvant exercer[c] directement avec moi sa gratitude, il voulut me la témoigner au moins dans ma gouvernante, à laquelle il fit une pension viagère de trois cents francs, exprimant dans l'acte que c'était en

* Quand j'écrivais ceci, j'étais bien loin encore d'imaginer, de concevoir, et de croire les fraudes que j'ai découvertes ensuite dans ses impressions de mes écrits, et dont il a été forcé de convenir.

1. La question de l'origine des langues occupe alors beaucoup les esprits; la philosophie de la fin du siècle (Monboddo, Herder, etc.) s'y attachera, en se référant souvent à Rousseau. Ce dernier s'en préoccupe pour la première fois en 1754, abordant la question dans la première partie du *Discours sur l'Inégalité.* Les transformations successives de l'*Essai sur l'Origine des langues* de 1754 à 1763 ont été étudiées par P.-M. Masson, « Questions de chronologie rousseauiste », *Annales,* IX, 1913. L'*Essai* ne sera publié qu'avec les écrits posthumes en 1781.

reconnaissance des avantages que je lui avais procurés. Il fit cela de lui à moi, sans ostentation, sans prétention, sans bruit, et, si je n'en avais parlé le premier à tout le monde, personne n'en aurait rien su. Je fus si touché de ce procédé, que depuis lors je me suis attaché à Rey d'une amitié véritable. Quelque temps après il[a] me désira pour parrain d'un de ses enfants; j'y consentis, et l'un de mes regrets dans la situation où l'on m'a réduit est qu'on m'ait ôté tout moyen de rendre désormais mon attachement utile à ma filleule[1] et à[b] ses parents. Pourquoi, si sensible à la modeste générosité de ce libraire, le suis-je si peu aux bruyants empressements de tant de gens haut huppés, qui remplissent pompeusement l'univers du bien qu'ils disent m'avoir voulu faire, et dont je n'ai jamais rien senti ? Est-ce leur faute, est-ce la mienne ? Ne sont-ils que vains[c], ne suis-je qu'ingrat ? Lecteur sensé, pesez, décidez; pour moi, je me tais.

Cette pension fut une grande ressource pour l'entretien de Thérèse, et un grand soulagement pour moi. Mais au reste j'étais bien éloigné d'en tirer un profit direct pour moi-même, non plus que de tous les cadeaux qu'on lui faisait. Elle a toujours disposé de tout elle-même. Quand je gardais son argent, je lui en tenais un fidèle compte, sans jamais en mettre un liard à notre commune dépense, même quand elle était plus riche que moi. *Ce qui est à moi est à nous,* lui disais-je, *et ce qui est à toi est à toi.* Je n'ai jamais cessé de me conduire avec elle selon cette maxime, que je lui ai souvent répétée. Ceux qui ont eu la bassesse de m'accuser de recevoir par ses mains ce que je refusais dans les miennes jugeaient sans doute de mon cœur par les leurs, et me connaissaient bien mal. Je mangerais volontiers avec elle le pain qu'elle aurait gagné, jamais celui qu'elle aurait reçu. J'en appelle sur ce point à son témoignage, et dès à présent, et lorsque selon le cours de nature elle m'aura survécu. Malheureusement elle est peu entendue en économie à tous égards, peu soigneuse et fort dépensière, non par vanité ni par gourmandise, mais par négligence uniquement. Nul n'est parfait ici-bas, et, puisqu'il faut que ses excellentes qualités soient rachetées, j'aime mieux qu'elle ait des défauts que des vices, quoique[d] ces défauts nous fassent peut-être encore plus

1. Suzanne Madeleine Jeanne Rey, née le 3 mai 1762.

de mal à tous deux. Les soins que j'ai pris pour elle, comme jadis pour Maman, de lui accumuler quelque avance qui pût un jour lui servir de ressource, sont inimaginables : mais ce furent toujours des soins perdus. Jamais elles n'ont compté ni l'une ni l'autre avec elles-mêmes, et, malgré tous mes efforts, tout est toujours parti à mesure qu'il est venu. Quelque simplement que Thérèse se mette, jamais la pension de Rey ne lui a suffi pour se nipper, que je n'y aie encore suppléé du mien chaque année. Nous ne sommes pas faits, elle ni moi, pour être jamais riches, et je ne compte assurément pas cela parmi nos malheurs.

Le *Contrat social* s'imprimait assez rapidement. Il n'en était pas de même de l'*Émile,* dont j'attendais la publication pour exécuter la retraite que je méditais. Duchesne m'envoyait de temps à autre des modèles d'impression pour choisir; quand j'avais choisi, au lieu de commencer, il m'en envoyait encore d'autres. Quand enfin nous fûmes bien déterminés sur le format, sur le caractère, et qu'il avait déjà plusieurs feuilles d'imprimées, sur quelque léger changement que je fis à une épreuve, il recommença tout, et au bout de six mois nous nous trouvâmes moins avancés que le premier jour. Durant tous ces essais, je[a] vis bien que l'ouvrage s'imprimait en France, ainsi qu'en Hollande, et qu'il s'en faisait à la fois deux éditions. Que pouvais-je faire ? Je n'étais plus maître de mon manuscrit. Loin d'avoir trempé dans l'édition de France, je m'y étais toujours opposé; mais enfin, puisque cette édition se faisait bon gré malgré moi, et puisqu'elle servait de modèle à l'autre, il fallait bien y jeter les yeux et voir les épreuves, pour ne pas laisser estropier et défigurer mon livre. D'ailleurs l'ouvrage s'imprimait tellement de l'aveu du magistrat, que c'était lui qui dirigeait[b] en quelque sorte l'entreprise, qu'il m'écrivait très souvent, et qu'il me vint voir même à ce sujet, dans une occasion dont je vais parler à l'instant.

Tandis que Duchesne avançait à pas de tortue, Néaulme, qu'il retenait, avançait encore[c] plus lentement. On ne lui envoyait pas fidèlement les feuilles à mesure qu'elles s'imprimaient. Il crut apercevoir de la mauvaise foi dans la manœuvre de Duchesne, c'est-à-dire de Guy qui faisait pour lui, et voyant qu'on n'exécutait pas le traité il m'écrivit lettres sur lettres pleines de doléances et de griefs, auxquels je pouvais encore moins remédier qu'à ceux que

j'avais pour* mon compte. Son ami Guérin, qui me voyait alors fort souvent, me parlait incessamment de ce livre, mais toujours avec la plus grande réserve. Il savait et ne savait pas qu'on l'imprimait en France; il savait et ne savait pas que le Magistrat s'en mêlât : en me plaignant des embarras qu'allait me donner ce livre, il semblait m'accuser d'imprudence, sans vouloir jamais dire en quoi elle consistait; il biaisait et tergiversait sans cesse; il semblait ne parler que pour me faire parler. Ma sécurité, pour lors, était si complète, que je riais du ton circonspect et mystérieux qu'il mettait à cette affaire, comme d'un tic contracté chez les ministres et les magistrats, dont il fréquentait assez les bureaux. Sûr d'être en règle à tous égards sur cet ouvrage, fortement persuadé qu'il avait non seulement l'agrément et la protection du Magistrat, mais même qu'il** méritait et qu'il avait de même la faveur du ministère, je me félicitais de mon courage à bien faire, et je riais de mes pusillanimes amis, qui paraissaient s'inquiéter pour moi. Duclos fut de ce nombre, et j'avoue que ma confiance en sa droiture et en ses lumières eût pu m'alarmer à son exemple, si j'en avais* eu moins dans l'utilité de l'ouvrage et dans la probité de ses patrons. Il me vint voir de chez M. Baille, tandis que l'*Émile* était sous presse; il m'en parla : je lui lus la Profession de foi du Vicaire savoyard. Il l'écouta très paisiblement, et*, ce me sembla, avec grand plaisir. Il me dit quand j'eus fini : Quoi, Citoyen? cela fait partie d'un livre qu'on imprime à Paris? Oui, lui dis-je, et l'on devrait l'imprimer au Louvre, par ordre du Roi. J'en conviens, me* dit-il; mais faites-moi le plaisir de ne dire à personne que vous m'ayez lu ce morceau. Cette frappante manière de s'exprimer me surprit sans m'effrayer. Je savais que Duclos voyait beaucoup M. de Malesherbes. J'eus peine à concevoir comment il pensait si différemment que lui sur le même objet.

Je vivais à Montmorency depuis plus de quatre ans, sans y avoir eu un seul jour de bonne santé. Quoique l'air y soit excellent, les eaux y sont mauvaises, et cela peut très bien être une des causes qui contribuaient à empirer mes maux habituels. Sur la fin de l'automne 1761, je tombai tout à fait malade, et je passai l'hiver entier dans des souffrances presque sans relâche. Le mal physique, augmenté par mille inquiétudes, me les rendit aussi plus

sensibles. Depuis quelque temps, de sourds et tristes pressentiments me troublaient, sans que je susse à propos de quoi. Je recevais des lettres anonymes assez singulières, et même des lettres signées qui ne l'étaient guère moins. J'en reçus une d'un Conseiller au Parlement de Paris, qui, mécontent de la présente constitution des choses, et n'augurant pas bien des suites, me consultait sur le choix d'un asile, à Genève ou en Suisse, pour s'y retirer avec sa famille. J'en reçus une de M. de..., Président à Mortier au Parlement de..., lequel me proposait de rédiger pour ce Parlement, qui pour lors était mal avec la cour, des mémoires et remontrances, offrant de me fournir tous les documents et matériaux dont j'aurais besoin pour cela[1]. Quand je souffre, je suis sujet à l'humeur. J'en avais en recevant ces lettres, j'en mis dans les réponses que j'y fis, refusant tout à plat ce qu'on me demandait : ce refus n'est assurément pas ce que je me reproche, puisque ces lettres pouvaient être des pièces de mes ennemis*, et ce qu'on me demandait était contraire à des principes dont je voulais moins me départir que jamais. Mais, pouvant refuser avec aménité, je refusai avec dureté et voilà en quoi j'eus tort.

On trouvera parmi mes papiers les deux lettres dont je viens de parler. Celle du Conseiller ne me surprit pas absolument, parce que je pensais comme lui, et comme beaucoup d'autres, que la constitution déclinante menaçait la France d'un prochain délabrement. Les désastres d'une guerre malheureuse, qui tous venaient de la faute[a] du Gouvernement; l'incroyable désordre des finances, les tiraillements continuels de l'administration, partagée jusqu'alors entre deux ou trois ministres, en guerre ouverte l'un avec l'autre, et qui, pour se nuire mutuellement, abîmaient le royaume; le mécontentement général du peuple et de tous les ordres de l'État; l'entêtement d'une femme

* Je savais, par exemple, que le Président de... était fort lié avec les Encyclopédistes et les Holbachiens.

1. C'est le président de Brosses (1709-1777), président à mortier du Parlement de Dijon depuis 1741 (premier président en 1775), membre de l'Académie des Inscriptions et Belles-Lettres en 1758. Sa lettre à Rousseau est du 3 janvier 1762 (*C. C.*, X, 2); on ne possède pas la réponse. Le conseiller au Parlement de Paris est Abos de Bénouville, dont la lettre est conservée à Neuchâtel.

obstinée qui, sacrifiant toujours à ses goûts ses lumières, si tant est qu'elle en eût, écartait presque toujours des emplois les plus capables pour placer ceux qui lui plaisaient le plus : tout concourait à justifier la prévoyance du Conseiller, et celle du public et la mienne. Cette prévoyance me mit même plusieurs fois en balance si je ne chercherais pas moi-même un asile hors du royaume, avant les troubles qui semblaient le menacer; mais, rassuré par ma petitesse et par mon humeur paisible, je crus que, dans la solitude où je voulais vivre, nul orage ne pouvait pénétrer jusqu'à moi; fâché seulement que, dans cet état de choses, M. de Luxembourg se prêtât à des commissions [1] qui devaient le faire moins bien vouloir dans son Gouvernement, j'aurais voulu qu'il s'y ménageât, à tout événement, une retraite, s'il arrivait que la grande machine vînt à crouler, comme cela paraissait à craindre dans l'état[a] actuel des choses, et il me paraît encore à présent indubitable que si toutes les rênes du Gouvernement ne fussent enfin tombées dans une seule main[b] la Monarchie française serait maintenant aux abois [2].

Tandis que mon état empirait, l'impression de l'*Émile* se ralentissait, et fut enfin tout à fait suspendue, sans que[c] je pusse en apprendre la raison, sans que Guy daignât plus m'écrire ni me répondre, sans que je pusse avoir des nouvelles de personne, ni rien savoir de ce qui se passait, M. de Malesherbes étant pour lors à la campagne. Jamais un malheur, quel qu'il soit, ne me trouble et ne m'abat, pourvu que je sache en quoi il consiste; mais mon penchant naturel est d'avoir peur des ténèbres : je redoute et je hais leur air noir; le mystère m'inquiète toujours; il est par trop antipathique avec mon naturel ouvert jusqu'à[d] l'imprudence. L'aspect du monstre le plus hideux m'effrayerait peu, ce me semble; mais si j'entrevois de nuit une figure sous un drap blanc, j'aurai peur. Voilà donc mon

1. *Commission* : action répréhensible (Littré, *Commission*, .8º), ou mieux encore *compromission*. Cf. *commettre*, p. 73 et n. 1).

2. Sombre tableau de la situation intérieure et extérieure de la France pendant la guerre de Sept Ans et sous le « règne » de M^me de Pompadour; il est à peine poussé au noir, mais la confiance en Choiseul — qui a rassemblé en sa personne les trois ministères des Affaires étrangères, de la Guerre et de la Marine — domine à la fin du paragraphe.

imagination, qu'allumait ce long silence, occupée à me tracer des fantômes[1]. Plus j'avais à cœur la publication de mon dernier et meilleur ouvrage, plus je me tourmentais à chercher ce qui pouvait l'accrocher, et toujours portant tout à l'extrême, dans la suspension de l'impression du livre j'en croyais voir[a] la suppression. Cependant, n'en pouvant imaginer ni la cause ni la manière, je restais dans l'incertitude du monde la plus cruelle. J'écrivais lettres sur lettres à Guy, à M. de Malesherbes, à Mme de Luxembourg, et les réponses ne venant point, ou ne venant pas quand je les attendais, je me troublais entièrement, je délirais. Malheureusement j'appris, dans le même temps, que le P. Griffet, jésuite, avait parlé de l'*Émile,* et en avait[b] rapporté des passages. A l'instant mon imagination part comme un éclair, et me dévoile tout le mystère d'iniquité : j'en vis la marche aussi clairement, aussi sûrement que si elle m'eût été révélée. Je me[c] figurai que les Jésuites, furieux du ton méprisant sur lequel j'avais parlé des collèges, s'étaient emparés de mon ouvrage; que c'étaient eux qui en accrochaient l'édition; qu'instruits par Guérin, leur ami, de mon état présent, et prévoyant ma mort prochaine, dont je ne doutais pas, ils voulaient retarder l'impression jusqu'alors, dans le dessein de tronquer, d'altérer mon ouvrage, et de me prêter, pour remplir leurs vues, des sentiments différents des miens. Il est étonnant quelle foule de faits et de circonstances vint dans mon esprit se calquer sur cette folie et lui donner un air de vraisemblance, que dis-je ![d] m'y montrer l'évidence et la démonstration. Guérin était totalement livré aux Jésuites, je le savais. Je leur attribuai toutes les avances d'amitié qu'il m'avait faites, je me persuadai que c'était par leur impulsion qu'il m'avait[e] pressé de traiter avec Néaulme; que par ledit Néaulme ils avaient eu les premières feuilles de mon ouvrage; qu'ils avaient ensuite trouvé le moyen d'en arrêter l'impression chez Duchesne, et peut-être de s'emparer de mon manuscrit, pour y travailler à leur aise, jusqu'à ce que ma mort les laissât libres de le publier[f]

1. Sur le leitmotiv des *ténèbres,* voir p. 323, n. 1 de la p. 324; p. 582, n. 1; p. 695; p. 751. — Les inquiétudes exprimées ici, aggravées par la maladie, la souffrance et la certitude d'une mort prochaine, se retrouvent effectivement dans la correspondance à la fin de 1761 (*C. C.,* IX).

travesti à leur mode. J'avais toujours senti, malgré le pate-
linage du P. Berthier, que les Jésuites ne m'aimaient pas,
non seulement comme Encyclopédiste, mais parce que tous
mes principes[a] étaient encore plus opposés à leurs maximes
et à leur crédit que l'incrédulité de mes confrères, puisque
le fanatisme athée et le fanatisme dévot, se touchant par
leur commune intolérance, peuvent même se réunir,
comme ils ont fait à la Chine[1], et comme ils font contre
moi; au lieu que la religion raisonnable et morale, ôtant
tout pouvoir humain sur les consciences, ne laisse plus
de ressource aux arbitres de ce pouvoir. Je savais que
M. le Chancelier était aussi fort ami des Jésuites; je crai-
gnais que le fils, intimidé par le père, ne se vît forcé de
leur abandonner l'ouvrage qu'il avait protégé. Je croyais
même voir l'effet de cet abandon dans les chicanes que
l'on commençait à me susciter sur les deux premiers
volumes, où l'on exigeait des cartons pour des riens;
tandis que les deux autres volumes étaient, comme on[b]
ne l'ignorait pas, remplis de choses si fortes, qu'il eût
fallu les refondre en entier, en les censurant comme les
deux premiers. Je savais de plus, et M. de Malesherbes
me le dit lui-même[2], que l'abbé de Grave, qu'il avait
chargé de l'inspection de cette édition, était encore un
autre partisan des Jésuites. Je ne voyais partout que
Jésuites, sans[c] songer qu'à la veille d'être anéantis, et
tout occupés de leur propre défense, ils avaient autre
chose à[d] faire que d'aller tracasser sur l'impression d'un
livre où il ne s'agissait pas d'eux. J'ai tort de dire *sans
songer*, car j'y songeais très bien, et c'est même une objection

1. L'expression est ambiguë. Rousseau n'entend pas définir une
situation de fait qui existerait parmi les Chinois, mais dénoncer la
collusion qui réunit paradoxalement dans une sinophilie intéressée
les deux factions rivales : tandis que les missionnaires jésuites présen-
tent les vertueux Chinois comme tout proches du christianisme, les
Philosophes, non moins admirateurs des vertus de ce peuple, trouvent
leur compte à ce qu'elles fleurissent précisément chez des païens.
Rousseau, lui, a toujours résisté à l'engouement contemporain pour la
Chine (voir Basil Guy, « Rousseau and China », *R. L. C.*, oct.-déc. 1956).
2. Lettre de Malesherbes à Rousseau, 16 décembre 1761, *C. C.*,
IX, 323. Les pronostics pessimistes de Rousseau, convaincu alors du
futur « triomphe » des jésuites, furent démentis par les faits : dès
le printemps suivant, la fermeture des collèges de jésuites (1er avril
1762) prélude à la dissolution de la Société et au bannissement de ses
membres.

que M. de Malesherbes eut soin de me faire sitôt qu'il fut instruit de ma vision; mais, par un autre de ces travers d'un homme qui du fond de sa retraite veut juger du secret des grandes affaires, dont il ne sait rien, je ne voulus jamais croire que les Jésuites fussent en danger, et je regardais le bruit qui s'en répandait comme un leurre de leur part pour endormir leurs adversaires. Leurs succès passés, qui ne s'étaient jamais démentis, me donnaient une si terrible idée de leur puissance, que je déplorais déjà l'avilissement du Parlement. Je savais que M. de Choiseul avait étudié chez les Jésuites, que M^me de Pompadour n'était point mal avec eux, et que leur ligue avec les favoris et les ministres avait toujours paru avantageuse aux uns et aux autres contre leurs ennemis communs. La cour paraissait ne se mêler de rien, et, persuadé que si la Société recevait un jour quelque rude échec, ce ne serait jamais le Parlement qui serait assez fort pour le lui porter, je tirais de cette inaction de la cour[a] le fondement de leur confiance et l'augure de leur triomphe. Enfin, ne voyant dans tous les bruits du jour qu'une feinte[b] et des pièges de leur part, et leur croyant, dans leur sécurité, du temps pour vaquer à tout, je ne doutais pas qu'ils n'écrasassent dans peu le Jansénisme, et le Parlement, et les Encyclopédistes, et tout ce qui n'aurait pas porté leur joug, et qu'enfin s'ils laissaient paraître mon livre, ce ne fût qu'après l'avoir transformé au point de s'en faire une arme, en se prévalant de mon nom pour surprendre mes lecteurs.

Je me sentais mourant; j'ai peine à comprendre comment cette extravagance ne m'acheva pas, tant l'idée de ma mémoire déshonorée après moi dans mon plus digne et meilleur livre, m'était effroyable. Jamais je n'ai tant craint de mourir, et je crois que si[c] j'étais mort dans ces circonstances, je serais mort désespéré. Aujourd'hui même, que je vois marcher sans obstacle à son exécution le plus noir, le plus affreux complot qui jamais ait été tramé contre la mémoire d'un homme, je mourrai beaucoup plus tranquille, certain de laisser dans mes écrits un témoignage de moi qui triomphera tôt ou tard des complots des hommes.

M. de Malesherbes, témoin et confident de mes agitations, se donna[d] pour les calmer des soins qui prouvent son inépuisable bonté de cœur. M^me de Luxembourg concourut à cette bonne œuvre, et fut plusieurs fois chez Duchesne, pour savoir à quoi en était cette édition. Enfin

l'impression fut reprise et marcha plus rondement, sans que jamais j'aie pu savoir pourquoi elle avait été suspendue. M. de Malesherbes prit la peine de venir à Montmorency pour me tranquilliser : il en vint à bout, et[a] ma parfaite confiance en sa droiture l'ayant emporté sur l'égarement de ma pauvre tête, rendit efficace tout ce qu'il fit pour m'en ramener. Après ce qu'il avait vu de mes angoisses et de mon délire, il était naturel qu'il me trouvât très à plaindre. Aussi fit-il. Les propos incessamment rebattus de la cabale philosophique qui l'entourait lui revinrent à l'esprit. Quand j'allai vivre à l'Ermitage, ils publièrent, comme je l'ai déjà dit, que je n'y tiendrais pas longtemps. Quand ils virent que je persévérais, ils dirent que c'était par obstination, par orgueil, par honte de m'en dédire, mais que je m'y ennuyais à périr, et que j'y vivais très malheureux. M. de Malesherbes le crut et me l'écrivit. Sensible à cette erreur dans un homme pour qui j'avais tant d'estime, je lui écrivis quatre lettres consécutives où, lui exposant les vrais motifs de ma conduite, je lui décrivis fidèlement mes goûts, mes penchants, mon caractère, et tout ce qui se passait dans mon cœur. Ces quatre lettres, faites sans brouillon, rapidement, à trait de plume, et sans même avoir été relues, sont peut-être la seule chose que j'aie écrite avec facilité dans toute ma vie, ce qui est bien étonnant au milieu de mes souffrances et de l'extrême abattement où j'étais. Je gémissais, en me sentant défaillir, de penser que je laissais dans l'esprit des honnêtes gens une opinion de moi si peu juste, et par l'esquisse tracée à la hâte dans ces quatre lettres, je tâchais de suppléer en quelque sorte aux Mémoires que j'avais projetés. Ces lettres, qui plurent à M. de Malesherbes, et qu'il montra dans Paris, sont en quelque façon le sommaire de ce que j'expose ici plus en détail, et méritent, à ce titre, d'être conservées. On trouvera parmi mes papiers la copie qu'il en fit faire à ma prière, et qu'il m'envoya quelques années après[1].

1. En réponse à une lettre de Malesherbes du 25 décembre 1761, Rousseau lui adresse les quatre lettres datées des 4, 12, 26 et 28 janvier 1762 (*C. C.*, X, et *O. C.*, I). Ce n'est pas quelques années, mais quelques mois plus tard, qu'il en demande copie au destinataire. Les lettres, après avoir circulé dans Paris, furent publiées pour la première fois en 1779, peu après la mort de Rousseau, par Rouché, dans une note de son poème *Les Mois* où il défend la mémoire de Rousseau contre Diderot.

La seule chose qui m'affligeait désormais dans l'opinion de ma mort prochaine était de n'avoir aucun homme lettré de confiance, entre les mains duquel je pusse déposer mes papiers, pour en faire après moi le triage. Depuis mon voyage de Genève, je m'étais lié d'amitié avec Moultou; j'avais de l'inclination pour ce jeune homme, et j'aurais désiré qu'il vînt me fermer les yeux; je lui marquai ce désir, et je crois qu'il aurait fait avec plaisir cet acte d'humanité, si ses affaires et sa famille le lui eussent permis. Privé de cette consolation, je voulus du moins lui marquer ma confiance, en lui envoyant la Profession de foi du Vicaire avant la publication. Il en fut content; mais il ne me parut pas dans sa réponse partager la sécurité avec laquelle j'en attendais pour lors l'effet. Il désira d'avoir de moi quelque morceau que n'eût personne autre. Je lui envoyai une *Oraison funèbre du feu duc d'Orléans,* que j'avais faite pour l'abbé Darty, et qui ne fut pas prononcée, parce que, contre son attente, ce ne fut pas lui qui en fut chargé[1].

L'impression, après avoir été reprise, se continua, s'acheva même assez tranquillement, et j'y remarquai ceci de singulier, qu'après les cartons qu'on avait sévèrement exigés pour les deux premiers volumes, on passa les deux derniers sans rien dire, et sans que leur contenu fît aucun obstacle à sa publication. J'eus pourtant encore quelque inquiétude que je ne dois pas passer sous silence. Après avoir eu peur des Jésuites, j'eus peur des jansénistes et des philosophes. Ennemi de tout ce qui s'appelle parti, faction, cabale, je n'ai jamais rien attendu de bon des gens qui en sont. Les *Commères*[2] avaient, depuis un temps, quitté leur ancienne demeure, et s'étaient établis tout à côté de moi, en sorte que de leur chambre on entendait tout ce qui se disait[a] dans la mienne et sur ma terrasse, et que de leur jardin on pouvait très aisément escalader le petit mur qui le séparait de mon Donjon. J'avais fait de ce Donjon mon cabinet de travail, en sorte que j'y avais une table couverte d'épreuves et de feuilles de l'*Émile* et du *Contrat social,* et brochant ces feuilles à mesure qu'on

1. Cet échange de lettres avec Moultou *(Index)* se trouve dans la *C. C.*, principalement tomes VIII, IX et X. L'oraison funèbre composée en 1752 *(Index,* d'Arty) fut publiée en 1782 dans la *Collection complète des Œuvres;* elle est reproduite, *O. C.*, II, 1961, pp. 1275 sqq.
2. Voir p. 597 et n. 1.

me les envoyait, j'avais là tous mes volumes longtemps avant qu'on[a] les publiât. Mon étourderie, ma négligence, ma confiance en M. Mathas, dans le jardin duquel j'étais clos, faisaient que souvent, oubliant de fermer le soir mon Donjon, je le trouvais le matin tout ouvert, ce qui ne m'eût guère inquiété, si je n'avais cru remarquer du dérangement dans mes papiers. Après avoir fait plusieurs fois cette remarque, je devins plus soigneux de fermer le Donjon. La serrure était mauvaise, la clef ne fermait qu'à demi-tour. Devenu plus attentif, je trouvai[b] un plus grand dérangement encore que quand je laissais tout ouvert. Enfin, un de mes volumes se trouva éclipsé pendant un jour et deux nuits, sans qu'il me fût possible de savoir ce qu'il était devenu jusqu'au matin du troisième jour, que je le retrouvai sur ma table. Je n'eus ni n'ai jamais eu de soupçons sur M. Mathas, ni sur son neveu, M. Dumoulin, sachant qu'ils m'aimaient l'un et l'autre, et prenant en eux toute confiance. Je commençais d'en avoir moins dans les *Commères*. Je savais que, quoique jansénistes, ils[c] avaient quelque liaison avec d'Alembert, et logeaient dans la même maison.

Cela me donna quelque inquiétude, et me rendit plus attentif. Je retirai mes papiers dans ma chambre, et je cessai tout à fait de voir ces gens-là, ayant su d'ailleurs qu'ils avaient fait parade, dans plusieurs maisons, du premier volume de l'*Émile* que j'avais eu l'imprudence de leur prêter. Quoiqu'ils continuassent d'être mes voisins jusqu'à mon départ, je n'ai plus eu de communication avec eux depuis lors.

Le *Contrat social* parut un mois ou deux avant l'*Émile*. Rey, dont j'avais toujours exigé qu'il n'introduirait jamais furtivement en France aucun de mes livres, s'adressa au magistrat pour obtenir la permission de faire entrer celui-ci par Rouen, où il fit par mer son envoi. Rey n'eut aucune réponse : ses ballots restèrent à Rouen plusieurs mois, au bout desquels on les lui renvoya, après avoir tenté de les confisquer; mais il fit tant de bruit qu'on les lui rendit. Des curieux en tirèrent d'Amsterdam quelques exemplaires qui circulèrent avec peu de bruit[1]. Mauléon, qui en avait

1. Le *Contrat social* sortit des presses au début d'avril 1762, et fut mis en vente dans le courant de mai en Suisse et en Angleterre. Le sort des exemplaires envoyés en France fut bien celui décrit par Rousseau, et le livre ne put pénétrer en France que clandestinement. L'*Émile* est mis en vente à Paris fin mai.

ouï parler, et qui même en avait[a] vu quelque chose, m'en parla d'un ton mystérieux qui me surprit, et qui m'eût inquiété même, si certain d'être en règle à tous égards et d'avoir nul reproche à me faire, je ne m'étais tranquillisé par ma grande maxime. Je ne doutais pas même que M. de Choiseul, déjà bien disposé pour moi, et sensible à l'éloge que mon estime pour lui m'en avait fait faire dans cet ouvrage, ne me soutînt en cette occasion contre la malveillance de Mme de Pompadour.

J'avais assurément lieu de compter alors, autant que jamais, sur les bontés de M. de Luxembourg et sur son appui dans le besoin; car jamais il ne me donna[b] de marques d'amitié ni plus fréquentes, ni plus touchantes. Au voyage de Pâques, mon triste état ne me permettant pas d'aller au Château, il ne manqua pas un seul jour de me venir voir, et enfin, me voyant souffrir sans relâche, il fit tant qu'il me détermina à voir le frère Côme[c], l'envoya chercher, me l'amena lui-même, et eut le courage, rare certes et méritoire dans un grand seigneur, de rester chez moi durant l'opération, qui fut cruelle et longue. Il n'était pourtant question que d'être sondé; mais je n'avais jamais pu l'être, même par Morand, qui s'y prit à plusieurs fois, et toujours sans succès. Le frère Côme, qui avait la main d'une adresse et d'une légèreté sans égale, vint à bout enfin d'introduire une très petite algalie, après m'avoir beaucoup fait souffrir pendant plus de deux heures, durant lesquelles je m'efforçai de retenir[d] les plaintes, pour ne pas déchirer le cœur sensible du bon Maréchal. Au premier examen, le frère Côme crut trouver une grosse pierre, et me le dit; au second, il ne la trouva plus. Après avoir recommencé[e] une seconde et une troisième fois, avec un soin et une exactitude qui me firent trouver le temps fort long, il déclara qu'il n'y avait point de pierre, mais que la prostate était squirreuse[1] et d'une grosseur surnaturelle; il trouva la vessie[1] grande et en bon état, et finit par me déclarer que je souffrirais beaucoup, et que je vivrais

1. *Algalie*, s. f., sonde creuse pour explorer la vessie. Terme de chirurgie.

Squirreuse ou *squirrheuse* : qui offre l'aspect du *squirre*, défini par Littré « tumeur dure [...] se produisant surtout dans les glandes et dégénérant souvent en cancer ». — Le substantif et son adjectif se rencontrent déjà dans le vocabulaire médical du XVIe siècle.

longtemps. Si la seconde prédiction s'accomplit aussi bien que la première, mes maux ne sont pas prêts à finir.

C'est ainsi qu'après avoir été traité successivement, pendant tant d'années, de vingt maux que je n'avais pas, je finis par savoir que ma maladie, incurable sans être mortelle, durerait autant que moi. Mon imagination, réprimée par cette connaissance, ne me fit plus voir en perspective une mort cruelle dans les douleurs du calcul. Je cessai de craindre qu'un bout de bougie, qui s'était rompu dans l'urètre il y avait longtemps, n'eût fait le noyau d'une pierre[1]. Délivré des maux imaginaires, plus cruels pour moi que les maux réels, j'endurai plus paisiblement ces derniers. Il est constant que depuis ce temps j'ai beaucoup moins souffert de ma maladie que je n'avais fait jusqu'alors, et je ne me rappelle jamais que je dois ce soulagement à M. de Luxembourg, sans m'attendrir de nouveau sur sa mémoire.

Revenu pour ainsi dire à la vie et plus occupé que jamais du plan sur lequel j'en voulais passer le reste, je n'attendais, pour l'exécuter, que la publication de l'*Émile*. Je songeais à la Touraine, où j'avais déjà été, et qui me plaisait beaucoup, tant pour la douceur du climat que pour celle[a] des habitants :

> *La terra molle lieta e dilettosa*
> [b]*Simili a se gli abitator produce*[2].

J'avais déjà parlé de mon projet à M. de Luxembourg qui m'en avait voulu détourner; je lui en reparlai derechef comme d'une chose résolue. Alors il me proposa le château de Merlou, à quinze lieues de Paris, comme un asile qui pouvait me convenir, et dans lequel ils se feraient l'un

1. Cet accident n'est pas antérieur, mais postérieur (novembre 1761) aux visites du frère Côme (juin 1761). Sur le frère Côme, voir *Index*.

2. « Le pays est riant, agréable, d'une culture facile, et ses habitants lui ressemblent en tous points. » Cette citation du Tasse est tirée de *la Jérusalem délivrée*, I, strophe 62, où elle s'applique, dans le dénombrement d'une armée, au contingent de 5 000 soldats venus « d'Amboise, Blois et Tours ». Il ressort du contexte italien que l'éloge est plus flatteur pour la contrée que pour les qualités militaires de ses habitants.

Les impressions qu'a Rousseau de la Touraine lui viennent des séjours chez les Dupin à Chenonceaux.

et l'autre un plaisir de m'établir. Cette proposition me toucha et ne me déplut pas. Avant toute chose, il fallait voir le lieu; nous convînmes du jour où M. le Maréchal enverrait son valet de chambre avec une voiture, pour m'y conduire. Je me trouvai ce jour-là fort incommodé; il fallut remettre la partie et les contretemps qui survinrent m'empêchèrent de l'exécuter. Ayant appris depuis que la terre de Merlou n'était pas à M. le Maréchal, mais à Madame, je m'en consolai plus aisément de n'y être pas allé[1].

L'*Émile* parut enfin, sans que j'entendisse plus parler de cartons ni d'aucune difficulté. Avant sa publication, M. le Maréchal me redemanda toutes les lettres de M. de Malesherbes qui se rapportaient à cet ouvrage. Ma grande confiance en tous les deux, ma profonde sécurité, m'empêchèrent de réfléchir[a] à ce qu'il y avait d'extraordinaire et même d'inquiétant dans cette demande. Je rendis les lettres, hors une ou deux, qui par mégarde avaient resté[2] dans des livres. Quelque temps auparavant, M. de Malesherbes m'avait marqué qu'il retirerait les lettres que j'avais écrites à Duchesne durant mes alarmes au sujet des Jésuites, et il faut avouer que ces lettres ne faisaient pas grand honneur à ma raison. Mais je lui marquai qu'en nulle chose je ne voulais passer pour meilleur que je n'étais, et qu'il pouvait lui laisser les lettres. J'ignore ce qu'il a fait.

La publication de ce livre ne se fit point avec cet éclat d'applaudissements qui suivait celle de tous mes écrits. Jamais ouvrage n'eut de si grands éloges particuliers, ni si peu d'approbation publique. Ce que m'en dirent, ce que m'en écrivirent les gens les plus capables d'en juger, me confirma que c'était là le meilleur de mes écrits, ainsi que le plus important. Mais tout cela fut dit avec les précautions les plus bizarres, comme s'il eût importé de garder le secret du bien que l'on en pensait. M^me de Boufflers, qui me marqua que l'auteur de ce livre méritait des statues et les hommages de tous les humains, me pria sans façon, à la fin de son billet, de le lui renvoyer. D'Alembert, qui m'écrivit que cet ouvrage décidait de ma supériorité, et

1. Merlou, autrefois Mello, dans le Beauvaisis, est une ancienne baronie relevant du roi et appartenant alors à la maison de Luxembourg. La maison de Mello était éteinte depuis plusieurs siècles. Condé donna la terre à la princesse de Mecklembourg, sœur du maréchal de Montmorency-Luxembourg.

2. *Avaient resté* : sur cet auxiliaire, v. p. 255, n. 1.

devait me mettre à la tête de tous les gens de lettres, ne signa point sa lettre, quoiqu'il eût signé toutes celles qu'il m'avait écrites jusqu'alors. Duclos, ami sûr, homme vrai, mais circonspect, et qui faisait cas de ce livre, évita de m'en parler par écrit; La Condamine se jeta sur la Profession de foi[a] et battit la campagne; Clairaut se borna, dans sa lettre, au même morceau, mais il ne craignit pas d'exprimer l'émotion que sa lecture lui avait donnée, et il me marqua, en propres termes, que cette lecture avait réchauffé sa vieille âme : de tous ceux à qui j'avais envoyé mon livre, il fut le seul qui dit hautement et librement à tout le monde tout le bien qu'il en pensait[1].

Mathas, à qui j'en avais aussi donné un exemplaire avant qu'il fût en vente, le prêta à M. de Blair, conseiller au Parlement, père de l'intendant de Strasbourg. M. de Blair avait une maison de campagne à Saint-Gratien, et Mathas, son ancienne connaissance, l'y allait voir quelquefois quand il pouvait aller. Il lui fit lire l'*Émile* avant qu'il fût publié. En le lui rendant, M. de Blair lui dit ces propres mots, qui me furent[b] rendus le même jour : « Monsieur Mathas, voilà un fort beau livre, mais dont il sera parlé dans peu plus qu'il ne serait à désirer pour l'auteur. » Quand il me rapporta[c] ce propos, je ne fis qu'en rire, et je n'y vis que l'importance d'un homme de robe, qui met du mystère à tout. Tous les propos inquiétants qui me revinrent ne me firent pas plus d'impression, et, loin de prévoir en aucune sorte la catastrophe à laquelle je touchais, certain de l'utilité, de la beauté de mon ouvrage, certain d'être en règle à tous égards, certain, comme je croyais l'être, de tout le crédit de M[me] de Luxembourg et de la faveur du ministère, je m'applaudissais du parti que[d] j'avais pris de me retirer au milieu de mes triomphes, et lorsque je venais d'écraser[e] tous mes envieux.

Une seule chose m'alarmait dans la publication de ce

1. Le bref accusé de réception de Duclos est en effet peu compromettant (*C. C.*, X, 285). Mais La Condamine et Clairaut sont moins réservés. Le premier dit de la Profession de foi : « Que je me sais bon gré de penser avec vous que la voix de la conscience, sorte d'instinct irrésistible, est un guide plus sûr qu'une raison orgueilleuse dont nous sentons à chaque moment les bornes... » (*Ibid.*, 288.) Clairaut a « dévoré » la Profession de foi du vicaire savoyard, et en a été « touché comme son jeune ami » (*Ibid.*, 286).

livre, et cela, moins pour ma sûreté que pour l'acquit de
mon cœur. A l'Ermitage, à Montmorency, j'avais vu de
près et avec indignation les vexations qu'un soin jaloux
des plaisirs des princes fait exercer sur les malheureux
paysans forcés de souffrir le dégât que le gibier fait dans
leurs champs, sans oser se défendre[a] qu'à force de bruit,
et forcés de passer les nuits dans leurs fèves et leurs pois,
avec des chaudrons, des tambours, des sonnettes, pour
écarter les sangliers. Témoin de la dureté barbare avec
laquelle M. le comte de Charolais faisait traiter ces pauvres
gens, j'avais fait[b], vers la fin de l'*Émile,* une sortie sur
cette cruauté[1][c]. Autre infraction à mes maximes, qui n'est
pas restée impunie. J'appris que les officiers de M. le prince
de Conti[d] n'en usaient guère moins durement sur ses
terres; je tremblais que ce prince[e], pour lequel j'étais
pénétré de respect et de reconnaissance, ne prît pour lui
ce que l'humanité révoltée m'avait fait dire pour son oncle,
et ne s'en tînt offensé. Cependant, comme ma conscience
me[f] rassurait pleinement sur cet article, je me tranquil-
lisai sur son témoignage, et je fis bien. Du moins, je n'ai
jamais appris que ce grand prince ait fait la moindre atten-
tion à ce passage, écrit longtemps avant que j'eusse l'hon-
neur d'être connu de lui.

Peu de jours avant ou après la publication de mon
livre, car je ne me rappelle pas bien exactement le temps,
parut un autre ouvrage sur le même sujet, tiré mot à mot
de mon premier volume, hors quelques platises dont on
avait entremêlé cet extrait[2]. Ce livre portait le nom d'un
Genevois appelé Balexert; et il était dit dans le titre qu'il
avait remporté le prix à l'académie de Harlem. Je compris
aisément que cette académie et ce prix étaient d'une créa-
tion toute nouvelle, pour déguiser le plagiat aux yeux du
public; mais je vis aussi qu'il y avait à cela quelque intrigue
antérieure, à laquelle je ne comprenais rien; soit par la

1. Le passage se trouve vers la fin du livre IV :
« Mes vassaux ne verront point avec plaisir labourer leurs blés
par mes lièvres, et leurs fèves par mes sangliers; chacun n'osant tuer
l'ennemi qui détruit son travail, voudra du moins le chasser de son
champ; après avoir passé le jour à cultiver leurs terres, il faudra qu'ils
passent les nuits à les garder. »
2. *Platise* ou *plataise,* mot genevois : platitude. Cf. *lourdise,* n. 1,
p. 336.

communication de mon manuscrit, sans quoi ce vol n'aurait pu se faire; soit pour bâtir l'histoire de ce prétendu prix, à laquelle il avait bien fallu donner quelque fondement. Ce n'est que bien des années après que, sur un mot échappé à d'Ivernois, j'ai pénétré le mystère et entrevu ceux qui avaient mis en jeu le sieur Balexert[1].

Les sourds mugissements qui précèdent l'orage commençaient à se faire entendre, et tous les gens un peu pénétrants virent bien qu'il se couvait, au sujet de mon livre et de moi, quelque complot qui ne tarderait pas d'éclater. Pour moi, ma sécurité, ma stupidité fut telle, que, loin de prévoir mon malheur, je n'en soupçonnai pas même la cause, après en avoir ressenti l'effet. On commença par répandre avec assez d'adresse qu'en sévissant contre les Jésuites on ne pouvait marquer une indulgence partiale pour les livres et les auteurs qui attaquaient la religion. On me reprochait d'avoir mis mon nom à l'*Émile,* comme si je ne l'avais pas mis à tous mes autres écrits, auxquels on n'avait rien dit. Il semblait qu'on ᵃcraignît de se voir forcé àᵇ quelques démarches qu'on ferait à regret, mais que les circonstances rendaient nécessaires, et auxquelles mon imprudence avait donné lieu. Ces bruits me parvinrent et ne m'inquiétèrent guère : il ne me vint pas même à l'esprit qu'il pût y avoir dans toute cette affaire la moindre chose qui me regardât personnellement, moi qui me sentais si parfaitement irréprochable, si bien appuyé, si bien en règle à tous égards, et qui ne craignais pas que Mᵐᵉ de Luxembourg me laissât dans l'embarras, pour un tort qui, s'il existait, était tout entier à elle seule. Mais sachant en pareil cas ᶜ comme les choses se passent, et que l'usage est de sévir contre les libraires, en ménageant

1. Cette allusion à un propos de François-Henri d'Ivernois *(Index)* n'a pas été élucidée.

Le livre de Balexert se rencontre sur plusieurs points avec l'*Émile,* paru presque en même temps (privilège daté du 20 octobre 1762) mais ne le plagie pas.

Balexert *(Index)* était bel et bien lauréat de la très réelle Société hollandaise des Sciences de Haarlem, fondée en 1752 pour l'étude des sciences de la nature en particulier; elle publiait des communications, proposait des questions dotées de prix à la manière des académies françaises. Elle fait encore paraître de nos jours deux périodiques, les *Archives néerlandaises des sciences exactes et naturelles,* et les *Archives de physiologie.*

les auteurs, je n'étais pas sans inquiétude pour le pauvre Duchesne, si M. de Malesherbes venait à l'abandonner.

Je restai tranquille. Les bruits augmentèrent, et changèrent bientôt de ton. Le public, et surtout le Parlement, semblait s'irriter par ma tranquillité. Au bout de quelques jours la fermentation devint terrible, et les menaces changeant d'objet s'adressèrent directement à moi. On entendait dire tout ouvertement aux parlementaires qu'on n'avançait rien à brûler les livres, et qu'il fallait[a] brûler les auteurs[b]. Pour les libraires, on n'en parlait point. La première fois que ces propos, plus dignes d'un[c] inquisiteur de Goa que d'un sénateur[1] me revinrent, je ne doutai point que ce ne fût une invention des Holbachiens pour tâcher de m'effrayer et de m'exciter à fuir. Je ris de cette puérile ruse, et je me disais, en me moquant d'eux, que, s'ils avaient su la vérité des choses, ils auraient cherché quelque autre moyen de me faire peur; mais la rumeur enfin devint telle, qu'il fut clair que c'était tout de bon. M. et M[me] de Luxembourg avaient cette année avancé leur[d] second voyage de Montmorency, de sorte qu'ils y étaient au commencement de juin. J'y entendis très peu parler de mes nouveaux livres, malgré le bruit qu'ils faisaient à Paris, et les maîtres de la maison ne m'en parlaient point du tout. Un matin cependant, que j'étais seul avec M. de Luxembourg, il me dit : Avez-vous parlé mal de M. de Choiseul dans le *Contrat social* ? Moi ? lui dis-je, en reculant de surprise, non, je vous jure; mais[e] j'en ai fait en revanche, et d'une plume qui n'est pas louangeuse, le plus bel éloge que jamais[f] ministre ait reçu. Et tout de suite je lui rapportai le passage. Et dans l'*Émile* ? reprit-il. Pas un mot, répondis-je; il n'y a pas un seul mot qui le regarde. Ah ! dit-il, avec plus de vivacité qu'il n'en avait d'ordinaire, il fallait faire la même chose dans l'autre livre, ou être plus clair ! J'ai cru l'être[g], ajoutai-je; je l'estimais assez pour cela. Il allait reprendre la parole; je le vis prêt à s'ouvrir; il se retint et

1. Goa, possession portugaise sur la côte occidentale de l'Inde, évoque pour un esprit « philosophique » du xviii[e] siècle l'Inquisition (voir par ex. *Candide*). Le pamphlet anonyme que lancera en 1765 Du Peyrou pour défendre Rousseau contre le pasteur Montmollin, bien que daté à la fin « Neuchâtel, 14 avril 1765 », portera sur la couverture l'indication satirique : « A Goa, aux dépens du Saint-Office », et sera connu sous le nom de « Lettre de Goa » (voir livre XII, p. 753, n. 2).

se tut. Malheureuse[a] politique de courtisan, qui dans les meilleurs cœurs[b] domine l'amitié même !

Cette conversation, quoique courte, m'éclaira sur ma situation[c], du moins à certain égard, et me fit comprendre que c'était bien à moi qu'on en voulait. Je déplorai cette inouïe fatalité qui[d] tournait à mon préjudice tout ce que je disais et faisais de bien. Cependant, me sentant pour plastron dans cette affaire M^{me} de Luxembourg et M. de Malesherbes, je ne voyais pas comment on pouvait s'y prendre pour les écarter et[e] venir jusqu'à moi : car d'ailleurs je sentis bien dès lors qu'il ne serait plus question d'équité ni de justice, et qu'on ne s'embarrasserait pas d'examiner si j'avais réellement tort ou non. L'orage cependant grondait de plus en plus. Il n'y avait pas jusqu'à Néaulme qui, dans la diffusion de son bavardage, ne me montrât du regret de s'être mêlé de cet ouvrage, et la certitude où il paraissait être du sort qui menaçait le livre et l'auteur. Une chose pourtant me rassurait toujours : je voyais M^{me} de Luxembourg si tranquille, si contente, si riante même, qu'il fallait bien qu'elle fût sûre de son fait, pour n'avoir pas la moindre inquiétude à mon sujet, pour ne pas me dire un seul mot de commisération ni d'excuse, pour voir le tour que prendrait cette affaire avec autant de sang-froid que si elle ne s'en fût point mêlée, et qu'elle n'eût pas pris à moi le moindre intérêt. Ce qui me surprenait était qu'elle ne me disait rien du tout; il me semblait qu'elle aurait dû me[f] dire quelque chose. M^{me} de Boufflers paraissait moins tranquille. Elle allait et venait avec un air d'agitation, se donnant beaucoup[g] de mouvement, et m'assurant que M. le prince de Conti s'en donnait beaucoup aussi pour parer le coup qui m'était préparé, et qu'elle attribuait toujours aux circonstances présentes, dans lesquelles il importait au Parlement de ne pas se laisser accuser par les Jésuites d'indifférence sur la religion. Elle paraissait cependant peu compter sur[h] le succès des démarches du prince et des siennes. Ses conversations, plus alarmantes que rassurantes, tendaient toutes à m'engager à la retraite, et elle me conseillait[i] toujours l'Angleterre où elle m'offrait beaucoup d'amis, entre autres le célèbre Hume, qui était le sien depuis longtemps[1]. Voyant

1. M^{me} de Boufflers avait effectivement des relations en Angleterre, où elle fera un séjour de trois mois en 1763. Ses conseils à Rous-

que je persistais à rester tranquille, elle prit un tour plus
capable de m'ébranler. Elle me fit entendre que si j'étais
arrêté et interrogé, je me mettais dans la nécessité de
nommer M^me de Luxembourg, et que son amitié pour
moi méritait bien que je ne m'exposasse pas à la compro-
mettre. Je répondis qu'en pareil cas elle pouvait rester tran-
quille, et que je ne la compromettrais point. Elle répliqua
que cette résolution était plus facile à prendre qu'à exé-
cuter, et en cela elle avait raison, surtout pour moi, bien
déterminé à ne jamais me parjurer ni mentir devant les
juges, quelque risque qu'il pût y avoir à dire la vérité.

Voyant que cette réflexion m'avait fait quelque impres-
sion, sans cependant que je pusse^a me résoudre à fuir,
elle me parla de la Bastille pour quelques semaines, comme
d'un moyen de me soustraire à la juridiction du Parlement,
qui ne se mêle pas des prisonniers d'État. Je n'objectai
rien contre cette singulière grâce, pourvu qu'elle ne fût
pas sollicitée en mon nom. Comme elle ne m'en parla
plus, j'ai jugé dans la suite qu'elle n'avait proposé cette
idée que pour me sonder, et qu'on n'avait pas voulu d'un
expédient qui finissait tout.

Peu de jours après, M. le Maréchal reçut du curé de
Deuil^b, ami de Grimm et de M^me d'Épinay, une lettre
portant l'avis, qu'il disait avoir eu de bonne part, que le
Parlement devait procéder contre moi avec la dernière
sévérité, et que tel jour, qu'il marqua, je serais décrété de
prise de corps[1]. Je jugeai cet avis de fabrique holba-
chienne; je savais que le Parlement était très attentif aux
formes, et que c'était toutes les enfreindre que de com-
mencer en cette occasion par un décret de prise de corps,
avant de savoir juridiquement si j'avouais le livre^c, et si
réellement j'en étais l'auteur. Il n'y a, disais-je à M^me de

seau de se réfugier en ce pays n'apparaissent dans la correspondance
qu'on possède qu'après la fuite de Montmorency en juin 1762. Sur
Hume, voir *Index*.

1. L'abbé Jean-François ou Joseph-François Martin, licencié en
droit, était alors curé de Deuil, paroisse de la Chevrette, et lié avec les
Encyclopédistes. Il sera ensuite curé de Groslay (1767-1772), puis se
retirera à Avignon. Son billet au maréchal de Luxembourg (publié
par P.-M. Masson dans son édition de la Profession de foi, p. LIV),
daté « Deuil, lundi 6 juin à 6 heures après-midi » (Courtois remarque
que le lundi était le 7) déclare que Rousseau doit être déféré au Parle-
ment le jour même *C. C.*, XI, 43.

Boufflers, que les crimes qui portent atteinte à la[a] sûreté publique dont, sur le simple indice, on décrète les accusés de prise de corps, de peur qu'ils n'échappent au châtiment. Mais quand on veut punir un délit tel que le mien, qui mérite des honneurs et des récompenses, on procède contre le livre, et l'on évite autant qu'on peut de s'en prendre à l'auteur. Elle me fit à cela une distinction subtile, que j'ai oubliée, pour me prouver que c'était par faveur qu'on me décrétait de prise de corps, au lieu de m'assigner pour être ouï. Le lendemain je reçus une lettre de Guy, qui me marquait que, s'étant trouvé le même jour chez M. le Procureur-général, il avait vu sur son bureau le brouillon d'un réquisitoire contre l'*Émile* et son auteur. Notez que ledit Guy était l'associé de Duchesne, qui avait imprimé l'ouvrage, lequel, fort tranquille pour son propre compte, donnait par charité cet avis à l'auteur. On peut juger combien tout cela me parut croyable ! Il était si simple, si naturel qu'un libraire admis à l'audience du Procureur-général lût tranquillement les manuscrits et brouillons épars sur le bureau de ce magistrat ! M[me] de Boufflers et d'autres me confirmèrent la même chose. Sur les absurdités dont on me rebattait incessamment les oreilles, j'étais tenté de croire que tout le monde était devenu fou.

Sentant bien qu'il y avait[b] sous tout cela quelque mystère qu'on ne voulait pas me dire, j'attendais tranquillement l'événement, me reposant sur ma droiture et mon innocence en toute cette affaire, et trop heureux, quelque persécution qui dût m'attendre, d'être appelé à l'honneur de souffrir pour la vérité. Loin de craindre et de me tenir caché, j'allais tous les jours au château, et je faisais les après-midi[c] ma promenade ordinaire. Le 8 juin, veille du décret, je la fis avec deux professeurs oratoriens, le P. Alamanni et le P. Mandard. Nous portâmes aux Champeaux un petit goûter que nous mangeâmes de grand appétit[1]. Nous avions oublié des verres : nous y suppléâmes par des chalumeaux de seigle, avec lesquels nous aspirions le vin dans[d] la bouteille, nous piquant de choisir des tuyaux bien larges, pour pomper à qui mieux mieux. Je n'ai de ma vie été si gai.

1. Les Champeaux, sur l'emplacement actuel du fort de Montmorency, non loin de la ville.

J'ai conté comment je perdis le sommeil dans ma jeunesse. Depuis lors j'avais pris l'habitude de lire tous les soirs dans mon lit jusqu'à ce que je sentisse mes yeux s'appesantir. Alors j'éteignais ma bougie, et je tâchais de m'assoupir quelques instants qui ne duraient guère. Ma lecture ordinaire du soir était la Bible, et je l'ai lue entière au moins cinq ou six fois de suite de cette façon. Ce soir-là me trouvant plus éveillé qu'à l'ordinaire, je prolongeai plus longtemps ma lecture, et je lus tout entier le livre qui finit par[a] le Lévite d'Ephraïm, et qui, si je ne me trompe, est le livre des *Juges ;* car je ne l'ai pas revu depuis ce temps-là[1]. Cette histoire m'affecta beaucoup, et j'en étais occupé dans une espèce de rêve, quand tout à coup j'en fus tiré par du bruit et de la lumière. Thérèse, qui la portait, éclairait M. La Roche, qui, me voyant lever brusquement sur mon séant[b], me dit : Ne vous alarmez pas; c'est de la part de M[me] la Maréchale, qui vous écrit et vous envoie une lettre de M. le prince de Conti. En effet[c], dans la lettre de M[me] de Luxembourg, je trouvai celle qu'un exprès de ce prince venait de lui apporter, portant avis que, malgré tous ses efforts, on était déterminé à procéder contre moi à toute rigueur. La fermentation, lui marquait-il, est extrême; rien ne peut parer le coup; la cour l'exige, le Parlement le veut; à sept heures du matin il sera décrété de prise de corps, et l'on enverra sur-le-champ le saisir; j'ai obtenu qu'on ne le poursuivra pas s'il s'éloigne; mais s'il persiste à vouloir se laisser prendre, il sera pris[2]. La Roche me conjura, de la part de M[me] la Maréchale[d], de me lever et d'aller conférer avec elle. Il était deux heures; elle venait de se coucher. Elle vous[e] attend, ajouta-t-il, et ne veut pas s'endormir sans vous avoir vu. Je m'habillai[f] à la hâte, et j'y courus.

Elle me parut agitée. C'était la première fois. Son

1. Sur les insomnies de Rousseau dès sa jeunesse, voir livre VI, p. 262. — L'histoire du « Lévite d'Ephraïm » est au livre des *Juges,* chapitre XIX, et le texte de l'idylle en prose de Rousseau est reproduit dans *O. C.,* II, 1961, pp. 1205 sqq.

2. Le billet très court et pressant de M[me] de Luxembourg est publié dans la *C. C.* (XI, 45). La lettre du prince de Conti n'est connue que par le résumé qu'en donne Rousseau. Il est intéressant de noter que Rousseau, quelques lignes plus loin, présente sa fuite comme un « sacrifice » dont le motif est la sécurité de M[me] de Luxembourg, qu'il ne veut pas compromettre.

trouble me toucha. Dans ce moment de surprise[a], au milieu de la nuit, je n'étais pas moi-même exempt d'émotion : mais en la voyant je m'oubliai[b] moi-même pour ne penser qu'à elle et au triste rôle qu'elle allait jouer, si je me laissais prendre : car, me sentant assez de courage pour ne dire jamais que la vérité, dût-elle me nuire et me perdre, je ne me sentais ni assez de présence d'esprit, ni assez d'adresse, ni peut-être assez de fermeté pour éviter de[c] la compromettre si j'étais vivement pressé. Cela me décida à sacrifier ma gloire à sa tranquillité, à faire pour elle, en cette[d] occasion, ce que rien ne m'eût fait faire pour moi. Dans l'instant que ma résolution fut prise, je la lui déclarai, ne voulant point gâter le prix de mon sacrifice en le lui faisant acheter. Je suis certain qu'elle ne put se tromper sur mon motif; cependant elle ne me dit pas un[e] mot qui marquât qu'elle y fût sensible. Je fus[f] choqué de cette indifférence, au point de balancer à me rétracter : mais M. le Maréchal survint; M[me] de Boufflers arriva de Paris quelques moments après. Ils firent ce qu'aurait dû faire M[me] de Luxembourg. Je me laissai flatter; j'eus honte de me dédire, et il ne fut plus question que du lieu de ma retraite et du temps de mon départ. M. de Luxembourg me proposa de rester chez lui quelques jours incognito, pour délibérer et prendre mes mesures plus à loisir; je n'y consentis point, non plus qu'à la proposition d'aller secrètement au Temple. Je m'obstinai à vouloir partir dès le même jour, plutôt que de rester caché où que ce pût être.

Sentant que j'avais des ennemis secrets et puissants dans le royaume, je jugeai que, malgré mon attachement pour la France, j'en devais sortir pour assurer ma tranquillité. Mon premier mouvement fut de me retirer à Genève; mais un instant de réflexion suffit pour me dissuader de faire cette sottise. Je savais que le ministère de France, encore plus puissant à Genève qu'à Paris, ne me laisserait pas plus en paix dans une de ces villes que dans l'autre, s'il avait résolu de me tourmenter. Je savais que le *Discours sur l'Inégalité* avait[g] excité contre moi, dans le Conseil, une haine d'autant plus dangereuse qu'il n'osait la manifester. Je savais qu'en dernier lieu, quand la *Nouvelle Héloïse* parut, il s'était pressé de la défendre, à la sollicitation du docteur Tronchin; mais voyant que personne ne l'imitait, pas même à Paris, il eut honte de cette étourderie, et retira la défense. Je ne doutais pas que, trouvant

ici l'occasion plus favorable, il n'eût grand soin d'en profiter. Je savais que, malgré tous les beaux semblants, il régnait contre moi, dans tous les cœurs genevois, une secrète jalousie, qui n'attendait que l'occasion de s'assouvir. Néanmoins l'amour de la patrie me rappelait dans la mienne, et si j'avais pu me flatter d'y vivre en paix, je n'aurais pas balancé : mais l'honneur ni la raison ne me permettant pas de m'y réfugier comme un fugitif, je pris le parti de m'en rapprocher seulement, et d'aller attendre en Suisse celui qu'on prendrait à Genève à mon égard. On verra bientôt que cette incertitude ne dura pas longtemps.

M^me de Boufflers désapprouva beaucoup cette résolution, et fit de nouveaux efforts pour m'engager à passer en Angleterre. Elle ne m'ébranla pas. Je n'ai jamais aimé l'Angleterre ni les Anglais, et toute l'éloquence de Mme de Boufflers, loin de vaincre ma répugnance, semblait l'augmenter, sans que je susse pourquoi[1].

Décidé à partir le même jour, je fus dès le matin parti pour tout le monde, et La Roche, par qui j'envoyai chercher mes papiers, ne voulut pas dire à Thérèse elle-même si je l'étais ou ne l'étais pas. Depuis que j'avais résolu d'écrire un jour mes mémoires, j'avais accumulé beaucoup de lettres et autres papiers, de sorte qu'il fallut plusieurs voyages. Une partie de ces papiers déjà triés furent mis à part, et je m'occupai[a] le reste de la matinée à trier les autres, afin de n'emporter que ce qui pouvait m'être utile, et brûler le reste. M. de Luxembourg voulut bien m'aider à ce travail, qui se trouva si long que nous ne pûmes achever dans la matinée, et je n'eus le temps de rien brûler. M. le Maréchal[b] m'offrit de se charger du reste de ce triage, de brûler le rebut lui-même, sans s'en rapporter à qui que ce fût, et de m'envoyer tout ce qui aurait été mis à part. J'acceptai l'offre, fort aise d'être délivré de ce soin, pour pouvoir passer le peu d'heures qui me restaient avec des personnes si chères, que j'allais quitter pour jamais. Il prit la clef de la chambre où je laissais ces papiers, et, à mon instante prière, il envoya chercher ma pauvre tante qui se consumait dans la perplexité mortelle de ce que j'étais devenu, et de ce qu'elle allait devenir, et attendant à chaque instant les huissiers, sans savoir comment se conduire et[c] que leur répondre. La Roche l'[d]amena au

1. Sur Rousseau et les Anglais, voir p. 209, n. 1.

château, sans lui rien dire; elle me croyait déjà bien loin : en m'apercevant, elle perça l'air de ses cris, et se précipita dans mes bras. O amitié, rapport des cœurs, habitude, intimité ! Dans ce doux et cruel moment se rassemblèrent tant de jours de bonheur, de tendresse et de paix passés ensemble, pour me faire mieux sentir le déchirement d'une première séparation, après nous être à peine perdus de vue un seul jour pendant près de dix-sept ans. Le Maréchal, témoin de cet embrassement, ne put retenir ses larmes. Il nous laissa. Thérèse ne voulait plus me quitter. Je lui fis sentir l'inconvénient qu'elle me suivît en ce moment, et la nécessité qu'elle restât pour liquider mes effets et recueillir mon argent. Quand on décrète un homme de prise de corps, l'usage est de saisir ses papiers, de mettre le scellé sur ses effets, ou d'en faire l'inventaire, et d'y[a] nommer un gardien. Il fallait bien qu'elle restât pour veiller à ce qui se passerait, et tirer de tout le meilleur parti possible. Je lui promis qu'elle me rejoindrait dans peu : M. le Maréchal confirma ma promesse; mais je [ne] voulus jamais lui dire où j'allais, afin qu'interrogée par ceux qui viendraient me saisir, elle pût protester avec vérité de son ignorance sur cet article. En l'embrassant au moment de nous quitter, je sentis en moi-même un[b] mouvement très extraordinaire, et je lui dis dans un transport, hélas, trop prophétique : mon enfant, il faut t'armer de courage. Tu as partagé la prospérité de mes beaux jours; il te reste, puisque tu le[c] veux, à partager mes misères. N'attends plus qu'affronts et calamités à ma suite : le sort que ce triste jour commence pour moi me poursuivra jusqu'à ma dernière heure.

Il ne me restait plus qu'à songer au départ. Les huissiers avaient dû venir à dix heures. Il en était quatre après-midi quand je partis, et ils n'étaient pas encore arrivés[1]. Il avait été décidé que je prendrais la poste. Je n'avais point de chaise, M. le Maréchal me fit présent d'un cabriolet, et me prêta des chevaux et un postillon jusqu'à la première

1. L'arrêt du Parlement condamnant l'*Émile* au feu et décrétant de prise de corps son auteur fut pris le 9 juin 1762 par la Grand-Chambre, siégeant dans la matinée (à midi selon Rousseau, p. 689). Les nécessaires délais de transmission jusqu'aux huissiers ne permettaient guère à ces derniers d'arriver à Montmorency — soit 20 km de Paris — plus tôt qu'ils ne firent (voir Lanson, *Annales*, 1, 1905).

poste, où, par les mesures qu'il avait prises, on ne fit aucune difficulté de me fournir des chevaux.

Comme je n'avais point dîné à table, et ne m'étais pas montré dans le château, les dames vinrent me dire adieu dans l'entresol, où j'avais passé la journée. Mme la Maréchale m'embrassa plusieurs fois d'un air assez triste; mais je ne sentis plus dans ces embrassements les étreintes de ceux qu'elle m'avait prodigués il y avait deux ou trois ans. Mme de Boufflers m'embrassa aussi, et me dit de fort belles choses. Un embrassement qui me surprit davantage fut celui de Mme de Mirepoix, car elle était aussi là. Mme la Maréchale de Mirepoix est une personne extrêmement froide, décente et réservée, et ne me paraît pas tout à fait exempte de la hauteur naturelle à la maison de Lorraine. Elle ne m'avait jamais témoigné beaucoup d'attention. Soit que, flatté d'un honneur auquel je ne m'attendais pas, je cherchasse à m'en augmenter le prix, soit qu'en effet elle eût mis dans cet embrassement un peu de cette commisération naturelle aux cœurs généreux, je trouvai dans son mouvement et dans son regard, je ne sais quoi d'énergique qui me pénétra. Souvent, en y repensant, j'ai soupçonné dans la suite que, n'ignorant pas à quel sort j'étais condamné, elle n'avait pu se défendre d'un moment d'attendrissement sur ma destinée.

M. le Maréchal n'ouvrait pas la bouche; il était pâle comme un mort. Il voulut absolument m'accompagner jusqu'à ma chaise qui m'attendait à l'abreuvoir. Nous traversâmes tout le jardin sans dire un seul mot. J'avais une clef du parc, dont je me servis pour ouvrir la porte; après quoi, au lieu de remettre la clef dans ma poche, je la lui tendis sans mot dire. Il la prit avec une vivacité surprenante, à laquelle je n'ai pu m'empêcher de penser souvent depuis ce temps-là. Je n'ai guère eu dans ma vie d'instant plus amer que celui de cette séparation. L'embrassement fut long et muet : nous sentîmes l'un et l'autre que[a] cet embrassement était un dernier adieu.

Entre la Barre et Montmorency, je rencontrai dans un carrosse de remise[1] quatre hommes en noir, qui me saluèrent en souriant. Sur ce que Thérèse m'a rapporté

1. *Carrosse de remise :* « voiture de louage, mieux conditionnée que les fiacres ordinaires, et qui, au lieu de stationner sur les places, se tient sous les remises » (Littré, *Remise,* 10°).

dans la suite de la figure des huissiers, de l'heure de leur arrivée, et de la façon dont ils se comportèrent, je n'ai point douté que ce ne fussent eux; surtout ayant appris dans la suite qu'[a]au lieu d'être décrété à sept heures, comme on me l'avait annoncé, je ne l'avais été qu'à midi. Il fallut traverser tout Paris. On n'est pas fort caché dans un cabriolet tout ouvert. Je vis dans les rues plusieurs personnes qui me saluèrent d'un air de connaissance, mais je n'en reconnus aucune. Le même soir je me détournai pour passer à Villeroy. A Lyon, les courriers doivent être menés au commandant. Cela pouvait être embarrassant pour un homme qui ne voulait ni mentir ni changer de nom. J'allai, avec une lettre[b] de Mme de Luxembourg, prier M. de Villeroy de faire en sorte que je fusse exempté de cette corvée. M. de Villeroy me donna une lettre dont je ne fis point usage, parce que je ne passai pas à Lyon. Cette lettre est restée encore cachetée parmi mes papiers. M. le duc me pressa beaucoup de coucher à Villeroy; mais j'aimai mieux reprendre la grande route, et je fis encore deux postes le même jour[1].

Ma chaise était rude, et j'étais trop incommodé pour pouvoir marcher à grandes journées. D'ailleurs je n'avais pas l'air assez imposant pour me faire bien servir, et l'on sait qu'en France les chevaux de poste ne sentent la gaule que sur les épaules[c] du postillon. En payant grassement les guides, je crus suppléer à la mine et au propos; ce fut encore pis. Ils me prirent pour un pied-plat[2], qui marchait par commission, et qui courait la poste pour la première fois de sa vie. Dès lors, je n'eus plus que des rosses, et je devins le jouet des postillons. Je finis, comme j'aurais dû commencer, par prendre patience, ne rien dire et aller comme il leur plut.

1. Villeroy, entre Claye-Souilly et Meaux, à 40 km est de Paris. — Entre Paris et Lyon deux routes étaient utilisées par la poste : soit par Moulins, 65 postes, soit par Dijon, 59 postes; et une autre par la diligence (par Auxerre, Saulieu, Arnay-le-Duc, Chalon et Mâcon). Évitant Lyon, Rousseau prend à Dijon la route de Genève qu'il quitte à Dole pour Salins, Pontarlier et Yverdon. Dutens dans son *Itinéraire des Routes*, édition de 1775, compte de Paris à Dijon 30 heures de route, arrêts non compris.

2. L'expression injurieuse *pied-plat* est expliquée par Littré (*Pied*, 3°) par la différence de chaussures entre les gens de qualité, portant hauts talons, et les bourgeois ou gens du peuple.

J'avais de quoi ne pas m'ennuyer en route, en me livrant aux réflexions qui se présentaient sur tout ce qui venait de m'arriver; mais ce n'était là ni mon tour d'esprit ni la pente de mon cœur. Il est étonnant avec quelle facilité j'oublie le mal passé, quelque récent qu'il puisse être. Autant sa prévoyance m'effraie et me trouble[a], tant que je le vois dans l'avenir, autant son souvenir me revient faiblement et s'éteint sans peine aussitôt qu'il est arrivé. Ma cruelle imagination, qui se tourmente sans cesse à[b] prévenir les maux qui ne sont point encore, fait diversion à ma mémoire, et m'empêche de me rappeler ceux qui ne sont plus. Contre ce qui est fait, il n'y a plus de précautions à prendre, et il est inutile de s'en occuper. J'épuise en quelque façon[c] mon malheur d'avance; plus j'ai souffert à le prévoir, plus j'ai de facilité à l'oublier; tandis qu'au contraire, sans cesse occupé de mon[d] bonheur passé, je le rappelle et le rumine[e], pour ainsi dire, au point d'en jouir derechef quand je veux. C'est à cette heureuse disposition, je le sens, que je dois de n'avoir jamais[f] connu cette humeur rancunière qui fermente dans un cœur vindicatif, par le souvenir continuel des offenses reçues, et qui le tourmente lui-même de tout le mal qu'il voudrait[g] faire à son ennemi. Naturellement emporté, j'ai senti la colère, la fureur même dans les premiers mouvements; mais jamais un désir de vengeance ne prit racine au-dedans de moi. Je m'occupe trop peu de l'offense, pour m'occuper beaucoup de l'offenseur. Je ne pense au mal que j'en ai reçu qu'à cause de celui que j'en peux recevoir encore, et, si j'étais sûr qu'il ne m'en fît plus, celui qu'il m'a fait serait à l'instant oublié. On nous prêche beaucoup le pardon des offenses : c'est une fort belle vertu sans doute, mais qui n'est pas à mon usage. J'ignore si mon cœur saurait dominer sa haine, car il n'en a jamais senti, et je pense trop peu à mes ennemis pour avoir le mérite de leur pardonner. Je ne dirai pas à quel point, pour me tourmenter, ils se tourmentent eux-mêmes. Je suis à leur merci, ils ont tout pouvoir, ils en usent. Il n'y a qu'une[h] seule chose au-dessus de leur puissance, et dont je les défie : c'est, en se tourmentant de moi, de me forcer à me tourmenter d'eux[1].

1. On rapprochera cette page, d'une part, des analyses de son propre tempérament déjà esquissées par Rousseau dans les premiers

Dès le lendemain de mon départ, j'oubliai si parfaitement tout ce qui venait de se passer, et le Parlement, et Mᵐᵉ de Pompadour, et M. de Choiseul, et Grimm, et d'Alembert, et[a] leurs complots, et leurs complices, que je n'y aurais pas même repensé de tout mon voyage, sans les précautions dont j'étais obligé d'user. Un souvenir qui me vint au lieu de tout cela fut celui de ma dernière lecture, la veille de mon départ. Je me rappelai aussi les *Idylles* de Gessner, que son traducteur Huber m'avait envoyées il y avait quelque temps. Ces deux idées me revinrent si bien, et se mêlèrent de telle sorte dans mon esprit, que je voulus essayer de les réunir, en traitant à la manière de Gessner le sujet du *Lévite d'Ephraïm*. Ce style champêtre et naïf ne paraissait guère propre à un sujet si atroce, et il n'était guère à présumer que ma situation présente me fournît des idées bien riantes pour l'égayer. Je tentai toutefois la chose, uniquement pour m'[b]amuser dans ma chaise et sans aucun espoir de succès. A peine eus-je essayé, que je fus étonné de l'aménité de mes idées, et de la facilité[c] que j'éprouvais à les rendre. Je fis en trois jours les trois premiers chants de ce petit poème, que j'achevai dans la suite à Môtiers, et je suis sûr de n'avoir rien fait en ma vie où règne une douceur de mœurs plus attendrissante, un coloris plus frais, des peintures plus naïves, un costume[1] plus exact, une plus antique simplicité en toute chose, et tout cela, malgré l'horreur du sujet, qui dans le fond est abominable; de sorte qu'outre tout le reste, j'eus encore le mérite de la difficulté vaincue. Le *Lévite d'Ephraïm*, s'il n'est pas le meilleur de mes ouvrages, en sera toujours le plus chéri[2]. Jamais je ne

livres (pp. 126-129, 194, etc.) et d'autre part des 1ʳᵉ et 8ᵉ Promenades des *Rêveries*, où reparaissent les mêmes motifs : retour sur les moments heureux, jouissance des souvenirs, tourments subis par les tourmenteurs. L'incapacité de haïr a déjà été affirmée plusieurs fois, mais sans qu'en soit fournie comme ici une explication.

1. *Costume*, voir *supra*, p. 372, n. 1.

2. « Ce petit poème » (en prose, comme l'étaient les idylles de Gessner dont il s'inspirait) est décrit ainsi par Bernardin de Saint-Pierre dans ses souvenirs sur Rousseau, où il le cite parmi les « ouvrages laissés imparfaits » par l'écrivain :

« Un poème en plusieurs chants, en prose, contient l'aventure du Lévite, qui part de ses amours; des tableaux de danses charmantes; des images les plus riantes et les plus terribles; des images patriar-

l'ai relu, jamais je ne le relirai, sans sentir en dedans l'applaudissement d'un cœur sans fiel, qui loin de s'aigrir par ses malheurs, s'en console avec lui-même, et trouve en soi de quoi s'en dédommager. Qu'on rassemble tous ces grands philosophes, si supérieurs[a] dans leurs livres à l'adversité qu'ils n'éprouvèrent jamais; qu'on les mette dans une position pareille à la mienne, et que, dans la première indignation de l'honneur outragé, on leur donne un pareil ouvrage à faire : on verra comment ils s'en tireront.

En partant de Montmorency pour la Suisse, j'avais pris la résolution d'aller m'arrêter à Yverdon[b], chez mon bon vieux ami M. Roguin, qui s'y était[c] retiré depuis quelques années, et qui m'avait même invité à l'y aller voir. J'appris en route que Lyon faisait un détour; cela m'évita d'y passer. Mais en revanche, il fallait passer par Besançon, place de guerre, et par conséquent sujette au même inconvénient. Je m'avisai de gauchir, et de passer par Salins, sous prétexte d'aller voir M. de Miran, neveu de M. Dupin, qui avait un emploi à la saline, et qui m'avait fait jadis force invitations de l'y aller voir. L'expédient me réussit; je ne trouvai point M. de Miran[d] : fort aise d'être dispensé de m'arrêter, je continuai ma route sans que personne me dît un mot.

En entrant sur le territoire de Berne, je fis arrêter; je descendis, je me prosternai, j'embrassai, je baisai la terre, et m'écriai dans mon transport : Ciel ! protecteur de la vertu, je te loue, je touche une terre de liberté ! C'est ainsi qu'aveugle et confiant dans mes espérances, je me suis toujours passionné pour ce qui devait faire mon malheur. Mon postillon, surpris, me crut fou[1]; je remontai

cales [...] Il avait fait cet ouvrage, étant fugitif, en Suisse, dans le temps de sa vie où son âme était le plus mélancolique. »

L'*Encyclopédie* dans son tome VIII (1765) donne de l'*idylle* une définition qui ne s'écarte guère de celle de Boileau : « petit poème champêtre qui contient des descriptions ou narrations de quelques aventures *agréables* ». Le sujet en effet « atroce » du *Lévite d'Ephraïm,* où une femme est coupée en morceaux, montre la hardiesse de Rousseau dans sa tentative d'élargissement du genre. Elle n'est pas moindre dans l'emploi de la prose; alors que Gessner utilisait la prose, son traducteur Huber avait employé l'alexandrin.

1. Ce geste un peu mélodramatique montre que l'esprit romanesque chez Rousseau ne s'est pas entièrement évanoui avec les folies de la jeunesse. C'est de la même façon que dans *le Berger extravagant* le héros

dans ma chaise, et peu d'heures après j'eus la joie aussi pure que vive de me sentir pressé dans les bras du respectable Roguin. Ah ! respirons quelques instants chez ce digne hôte ! J'ai besoin d'y reprendre du courage et des forces ; je trouverai bientôt à les employer.

Ce n'est pas sans raison que je me suis étendu, dans le récit que je viens de faire, sur toutes les circonstances que j'ai pu me rappeler. Quoiqu'elles ne[a] paraissent pas fort lumineuses, quand on tient une fois le fil[b] de la trame, elles peuvent jeter du jour sur sa marche, et par exemple, sans donner la première idée du problème que je vais proposer, elles aident beaucoup à le résoudre.

Supposons que, pour l'exécution du complot dont j'étais l'objet, mon éloignement fût absolument nécessaire, tout devait, pour l'opérer, se passer à peu près comme il se passa ; mais si[c], sans me laisser épouvanter par l'ambassade nocturne de M[me] de Luxembourg et troubler par ses alarmes, j'avais continué de[d] tenir ferme comme j'avais commencé, et qu'au lieu de rester au château je m'en fusse retourné dans mon lit dormir[e] tranquillement la fraîche[f] matinée, aurais-je également été décrété ? Grande question, d'où dépend la solution de beaucoup d'autres, et pour l'examen de laquelle l'heure du décret comminatoire et celle du décret réel[g] ne sont pas inutiles à remarquer. Exemple grossier, mais sensible, de[h] l'importance des moindres détails dans l'exposé des faits dont on cherche les causes secrètes, pour les découvrir par induction[1][1].

Lysis baise le sol de la Brie où il vient d'arriver, et qu'on lui fait prendre pour le Forez, cher aussi à Rousseau pour ses associations avec l'*Astrée* (voir *supra*, livre IV, p. 186, n. 1).

1. Rousseau, persuadé qu'il a été la dupe d'une mise en scène destinée à l'effrayer, a déjà fait remarquer (p. 689) « qu'au lieu d'être décrété à sept heures, comme on le [*lui*] avait annoncé, [*il*] ne l'avai[*t*] été qu'à midi ». Derrière ce retard, bien naturel en matière d'administration, son imagination suppose toute une machination machiavélique. Il semble donc croire encore, au moment où il écrit, qu'il était dans le vrai en refusant jusqu'au dernier moment de prendre au sérieux les craintes et avertissements de ses amis. On s'étonne de cet aveuglement obstiné, quand on connaît les faits. Mais Rousseau a prévu l'objection : il écrivait au début du livre IX (p. 482) après avoir exposé sa fameuse « maxime » :

« Ceux qui jugeront sur l'événement que ma confiance m'a trompé pourraient bien se tromper eux-mêmes. Dans l'orage qui m'a submergé,

mes livres ont servi de prétexte, mais c'était à ma personne qu'on en voulait. On se souciait très peu de l'auteur, mais on voulait perdre Jean-Jacques. »

La méthode consistant à présenter au lecteur un exposé minutieux des faits, sous lesquels ce dernier pourra découvrir par lui-même, ou tenter de découvrir, les « causes secrètes », est exposée de façon plus détaillée dans les premières pages du livre XII. Elle répond toujours au principe appliqué dans les premiers livres, et exposé à la fin du livre IV (p. 198). Il s'agit, en présentant les faits, de « développer les premières causes » en invitant le lecteur à « juger par lui-même du principe qui les produit ». Mais le « principe », on le comprend, n'est plus désormais le même qu'alors.

La fin de ce livre, dans le manuscrit de Paris, est marquée par la formule « Fin de l'Onzième Livre » (voir variante). L'élision devant les noms de nombre *huit* et *onze* est réclamée par Vaugelas, mais l'usage qui avait fait adopter *le huit, le onze,* par analogie avec les autres noms de nombre, continue à conserver ses partisans. L'Académie en 1728 *(Dictionnaire)* admet *l'onze* et *le onze du mois.* Cf., p. 380, « *d'onze* à douze ans ».

LIVRE 12e [a]

Ici commence l'œuvre de ténèbres dans lequel, depuis huit ans, je me trouve enseveli, sans que, de quelque façon que [b] je m'y sois pu prendre, il m'ait été possible d'en percer l'effrayante obscurité. Dans l'abîme des maux où je suis submergé, je sens les atteintes des coups qui me sont portés, j'en aperçois l'instrument immédiat; mais je ne puis voir ni la main qui le dirige, ni les moyens qu'elle met en œuvre. L'opprobre et les malheurs tombent sur moi comme d'eux-mêmes, et sans qu'il y paraisse. Quand mon cœur déchiré laisse échapper des gémissements, j'ai l'air d'un homme qui se plaint sans sujet, et les auteurs de ma ruine ont trouvé l'art inconcevable de rendre le public complice de leur complot, sans qu'il s'en doute lui-même, et sans qu'il en aperçoive l'effet. En narrant donc les événements qui me regardent, les traitements que j'ai soufferts, et tout ce qui m'est arrivé, je suis hors d'état de remonter à la main motrice, et d'assigner les causes en disant les faits. Ces causes primitives sont toutes marquées dans les [c] trois précédents livres; tous les intérêts relatifs à moi, tous les motifs secrets y sont exposés. Mais dire en quoi ces diverses causes se combinent pour opérer les étranges événements de ma vie, voilà ce qu'il m'est impossible d'expliquer, même par conjecture. Si parmi mes lecteurs il s'en trouve d'assez généreux pour vouloir approfondir ces mystères et découvrir la vérité, qu'ils relisent avec soin les [d] trois précédents livres; qu'ensuite à chaque fait qu'ils liront dans les suivants ils prennent les informations qui seront à leur portée, qu'ils remontent d'intrigue [e] en intrigue et d'agent en agent jusqu'aux premiers moteurs de tout, je sais certainement à quel terme aboutiront leurs recherches; mais je me perds dans la [f] route

obscure et tortueuse des souterrains qui les y conduiront[1]

Durant mon séjour à Yverdon, j'y fis connaissance avec toute la famille de M. Roguin, et entre autres avec sa nièce M[me] Boy de la Tour et ses filles, dont, comme je crois l'avoir dit, j'avais autrefois connu le père à Lyon Elle était venue à Yverdon voir son[a] oncle et ses sœurs sa fille aînée, âgée d'environ quinze ans, m'enchanta par son grand sens et son excellent caractère. Je m'attachai de l'amitié la plus tendre à la mère et à la fille. Cette dernière[c] était destinée par M. Roguin au colonel, son neveu déjà d'un certain âge, et qui me témoignait aussi la plus grande affection; mais, quoique l'oncle fût passionné pour ce mariage, que le neveu le désirât fort aussi, et que je prisse un intérêt très vif à la satisfaction de l'un et de l'autre, la grande disproportion d'âge et l'extrême répugnance de la jeune personne me firent concourir avec la mère à détourner ce mariage, qui ne se fit point. Le colonel épousa depuis M[lle] d'Illens, sa parente, d'un caractère et d'une beauté bien selon mon cœur, et qui l'a rendu le plus heureux des maris et des pères. Malgré cela, M. Roguin n'a pu oublier que j'aie en cette occasion contrarié ses désirs. Je m'en suis consolé par la certitude d'avoir rempli, tant envers lui qu'envers sa famille[d], le devoir de la plus sainte amitié, qui n'est pas de se rendre toujours agréable, mais de conseiller toujours pour le mieux[2].

Je ne fus pas[e] longtemps en doute sur l'accueil qui m'attendait à Genève, au cas que j'eusse envie d'y retourner. Mon livre y fut brûlé, et j'y fus décrété[f] le 10 juin, c'est-à-dire neuf jours après l'avoir été à Paris. Tant d'incroyables absurdités étaient cumulées dans ce second décret, et

1. « Depuis huit ans », dans la première phrase de ce livre, commencé au début de 1770, renvoie donc à 1762, le décret de prise de corps marquant le déclenchement du « complot », dont la formation, selon Rousseau, remonte quelques années plus haut. Une note du 1[er] *Dialogue,* rédigé fin 1776, parlant de « vingt ans de précautions et de trames » (*O. C.,* I, 1959, p. 714 n.), fait évidemment allusion aux querelles de l'Ermitage en 1757; une lettre de fin 1757 (*C. C.,* IV, 321) confirme cette date (« une espèce de ligne entre mes amis... »).

Les formules « les trois précédents livres » (soit IX, X et XI) et « les suivants » s'expliquent par le projet d'une Troisième Partie qui sera encore mentionnée à la fin du présent livre (p. 779).

2. Sur la famille Boy de la Tour, le colonel Roguin, etc., voir *Index.*

l'Édit ecclésiastique y était si formellement violé[1], que je refusai d'ajouter foi aux premières nouvelles qui m'en vinrent, et que, quand elles furent bien confirmées, je tremblai qu'une si manifeste et criante infraction de toutes les lois, à commencer par celle du bon sens, ne mît Genève sens dessus dessous. J'eus de quoi me rassurer; tout resta tranquille. S'il s'émut quelque rumeur dans la populace, elle ne fut que contre moi, et je fus traité publiquement par toutes les caillettes[2] et par tous les cuistres comme un écolier qu'on menacerait du fouet pour n'avoir pas bien dit son catéchisme.

Ces deux décrets furent le signal du cri de malédiction qui s'éleva contre moi dans toute l'Europe, avec une fureur qui n'eut jamais d'exemple. Toutes les gazettes, tous les journaux, toutes les brochures sonnèrent le plus terrible tocsin. Les Français surtout, ce peuple si doux, si poli, si généreux, qui se pique si fort de bienséance et d'égards pour les malheureux, oubliant tout d'un coup ses vertus favorites, se signala par le nombre et la violence des outrages dont il m'accablait à l'envi. J'étais un impie, un athée, un forcené, un enragé, une bête féroce, un loup. Le continuateur du *Journal de Trévoux* fit sur ma prétendue lycanthropie un écart qui montrait assez bien la sienne[3]. Enfin vous eussiez dit qu'on craignait à Paris de se faire une affaire avec la police, si, publiant un écrit sur quelque sujet que ce pût être, on manquait d'y larder quelque insulte contre moi. En cherchant vainement la cause de cette unanime animosité, je fus prêt à croire que tout le monde était devenu fou. Quoi ! le rédacteur de la *Paix*

1. L' « Édit ecclésiastique » de 1568 prévoit notamment que quiconque « dogmatise contre la doctrine reçue » doit comparaître devant le Consistoire. Rousseau a fait allusion à cette disposition au livre VIII, p. 465, et y reviendra.

2. *Caillette* : voir p. 55, n. 1.

3. L'expression « le continuateur » s'explique par le fait que ce périodique fondé en 1701 par les jésuites (et dont le titre exact est *Mémoires de Trévoux*) survit à la dispersion de l'ordre en 1762, et continue à paraître jusqu'en 1775.

L'accusation de *lycanthropie* (maladie mentale de celui qui se croit changé en loup, et par extension sombre mélancolie) figure effectivement dans l'article des *Mémoires de Trévoux* de novembre 1762.

Écart : « toute action par laquelle on s'écarte de la raison, de la morale, de la bienséance » (Littré, *Écart*, 7°).

perpétuelle souffle la discorde; l'éditeur du *Vicaire savoyard* est un impie; l'auteur de la *Nouvelle Héloïse* est un loup; celui de l'*Émile* est un enragé ! Eh ! mon Dieu, qu'aurais-je donc été, si j'avais publié le livre de l'*Esprit*, ou quelque[a] autre ouvrage semblable ? Et pourtant, dans l'orage qui s'éleva contre l'auteur de ce livre, le public, loin de joindre sa voix à celle de ses persécuteurs, le vengea d'eux par ses éloges. Que l'on compare son livre et les miens, l'accueil différent qu'ils ont reçu, les traitements faits aux deux auteurs dans les divers États de l'Europe; qu'on trouve à ces différences des causes qui puissent contenter un homme sensé : voilà tout ce que je demande, et je me tais[1].

Je me trouvais si bien du séjour d'Yverdon, que je pris la résolution d'y rester, à la vive sollicitation de M. Roguin et de toute sa famille. M. de Moiry de Gingins, baillif[2] de cette ville, m'encourageait aussi par ses bontés à rester dans son gouvernement. Le colonel me pressa si fort d'accepter l'habitation d'un petit pavillon qu'il avait dans sa maison, entre cour et jardin, que j'y consentis, et aussitôt il s'empressa de le meubler et garnir de tout ce qui était nécessaire pour mon petit ménage. Le banneret[3] Roguin, des plus empressés autour de moi, ne me quittait pas de la journée. J'étais toujours très sensible à tant de caresses, mais j'en étais quelquefois bien importuné. Le jour de mon emménagement était déjà marqué, et j'avais écrit à Thérèse de me venir joindre, quand tout à coup j'appris qu'il s'élevait à Berne un orage contre moi, qu'on attribuait aux dévots, et dont je n'ai jamais pu pénétrer la première cause. Le Sénat excité, sans qu'on sût par qui, paraissait ne vouloir pas me laisser tranquille dans ma retraite. Au premier avis qu'eut M. le Baillif de cette fermentation, il écrivit en ma faveur à plusieurs membres du gouvernement, leur reprochant leur aveugle intolé-

1. La publication en juillet 1758 du livre *De l'Esprit* d'Helvétius (dont Rousseau combat le matérialisme et la doctrine posant l'intérêt comme fondement de toute morale) fut suivie en août de l'interdiction de l'ouvrage, et d'une plate rétractation de l'auteur, lequel dut néanmoins se démettre de sa charge de maître d'hôtel de la reine.

2. Sur l'orthographe *baillif*, qui commence à être archaïque (Rousseau écrit quelquefois *bailly*), voir p. 32, n. 2.

3. *Banneret* : à l'origine titre militaire, désigne alors une charge communale dans le pays de Vaud. Voir *Index*, Roguin, Georges François.

rance, et leur faisant honte de vouloir refuser à un homme
de mérite opprimé l'asile que tant de bandits trouvaient
dans leurs États. Des gens sensés ont présumé que la
chaleur de ses reproches avait plus aigri qu'adouci les
esprits. Quoi qu'il en soit, son crédit ni son éloquence
ne purent parer le coup. Prévenu de l'ordre qu'il devait
me signifier, il m'en avertit d'avance, et, pour ne pas
attendre cet ordre, je résolus de partir dès le lendemain.
La difficulté était de savoir où aller, voyant que Genève et
la France m'étaient fermées, et prévoyant bien que, dans
cette affaire, chacun s'empresserait d'imiter son voisin[1].

M\ :sup:`me` Boy de la Tour me proposa d'aller m'établir dans
une maison vide, mais toute meublée, qui appartenait à
son fils, au village de Môtiers, dans le Val-de-Travers,
comté de Neuchâtel. Il n'y avait qu'une montagne à tra-
verser pour m'y rendre. L'offre venait d'autant plus à
propos, que dans les États du Roi de Prusse je devais
naturellement être à l'abri des persécutions, et qu'au moins
la religion n'y pouvait guère servir de prétexte. Mais une
secrète difficulté qu'il ne me convenait pas de dire, avait
bien de quoi me faire hésiter. Cet amour inné de la justice,
qui dévora toujours mon cœur, joint à mon penchant
secret pour la France, m'avait inspiré[a] de l'aversion pour
le Roi de Prusse qui me paraissait, par ses maximes et
par sa conduite, fouler aux pieds tout respect pour la loi
naturelle et pour tous les devoirs humains. Parmi les
estampes encadrées dont j'avais orné mon Donjon à
Montmorency, était un portrait de ce prince, au-dessous
duquel[b] était un distique qui finissait ainsi :

> *Il pense en philosophe, et se conduit en Roi.*

Ce vers qui, sous toute autre plume, eût fait un assez
bel éloge, avait sous la mienne un sens qui n'était pas

1. Le décret pris à Berne le 1\ :sup:`er` juillet et invitant Rousseau à s'éloi-
gner du territoire bernois (qui, rappelons-le, comprend alors le pays
de Vaud) parvient le 3 au bailli, qui obtient un délai et annonce le 9
à Rousseau l'arrivée imminente de l'ordre d'expulsion; Rousseau part
alors sur-le-champ en compagnie du colonel Roguin.

Thérèse quitte le même jour Montmorency. Le lendemain 10,
Rousseau et Roguin arrivent à Môtiers, dans la principauté (Rousseau
dit comté) de Neuchâtel, appartenant au roi de Prusse depuis le début
du siècle. Le 20 juillet, Thérèse arrive elle-même à Môtiers.

équivoque, et qu'expliquait d'ailleurs[a] trop clairement le
vers précédent. Ce distique avait été vu de tous ceux qui
venaient me voir, et qui n'étaient pas en petit nombre.
Le chevalier de Lorenzi l'avait même écrit pour le donner
à d'Alembert, et je ne doutais pas que d'Alembert n'eût
pris le soin d'en faire ma cour à ce prince[1]. J'avais encore
aggravé ce premier tort par un passage de l'*Émile*, où,
sous le nom d'Adraste, roi des Dauniens, on voyait assez
qui j'avais eu en vue, et[b] la remarque n'avait pas échappé
aux épilogueurs, puisque Mme de Boufflers m'avait mis
plusieurs fois sur cet article. Ainsi j'étais bien sûr d'être
inscrit en encre rouge sur les registres du Roi de Prusse,
et, supposant d'ailleurs qu'il eût les principes que j'avais
osé lui attribuer, mes écrits et leur auteur ne pouvaient
par cela seul que lui déplaire : car on sait que les méchants
et les tyrans m'ont toujours pris dans la plus mortelle
haine, même sans me connaître, et sur la seule lecture de
mes écrits[2].

J'osai pourtant me mettre à sa merci, et je crus courir
peu de risque. Je savais que les passions basses ne sub-
juguent que les hommes faibles, et ont peu de prise sur
les âmes d'une forte trempe, telles que j'avais toujours
reconnu la sienne. Je jugeais que dans son art de régner,
il entrait de se montrer magnanime en pareille occasion,
et qu'il n'était pas au-dessus de son caractère de l'être en
effet. Je jugeai qu'une vile et facile vengeance ne balan-
cerait pas un moment en lui l'amour de la gloire, et, me
mettant[c] à sa place, je ne crus pas impossible qu'il se pré-
valût de la circonstance pour accabler du poids de sa
générosité l'homme qui avait osé mal penser de lui. J'allai
donc m'établir à Môtiers, avec une confiance dont je le
crus fait pour sentir le prix, et je me dis : Quand Jean-

1. Musset-Pathay donne l'autre vers du distique : « La gloire, l'inté
rêt, voilà son Dieu, sa loi », en précisant qu'il figurait *au revers* du
portrait.

D'Alembert était en effet lié avec Frédéric et les académiciens de
Berlin. Mais Rousseau omet d'ajouter qu'en juin 1762, lors de la con-
damnation à Paris de l'*Émile*, d'Alembert exprimait sa sympathie à
Rousseau et s'offrait à l'aider à trouver un refuge soit en Prusse,
soit dans la principauté de Neuchâtel (*C. C.*, XI, 82).

2. Adraste, roi imaginaire des Dauniens, peuple de l'Apulie,
apparaît dans le *Télémaque* de Fénelon (une des lectures favorites de
Rousseau) comme un homme « cruel et perfide » qui « méprisait

Jacques s'élève à côté de Coriolan, Frédéric[a] sera-t-il au-dessous du général des Volsques[1] ?

Le colonel Roguin voulut absolument passer avec moi la montagne, et venir m'installer à Môtiers. Une belle-sœur de Mme Boy de la Tour, appelée Mme Girardier, à qui la maison que j'allais occuper était très commode, ne me vit pas arriver avec un certain plaisir; cependant elle me mit de bonne grâce en possession de mon logement, et je mangeai chez elle en attendant que Thérèse fût venue, et que mon petit ménage fût établi.

Depuis mon départ de Montmorency, sentant bien que je serais désormais fugitif sur la terre, j'hésitais à permettre qu'elle vînt me joindre, et partager la vie errante à laquelle je me voyais condamné. Je sentais que, par cette catastrophe, nos relations allaient changer, et que ce qui jusqu'alors avait été faveur et bienfait de ma part le serait désormais de la sienne. Si son attachement[b] restait à l'épreuve de mes malheurs, elle en serait déchirée, et sa douleur ajouterait à mes maux. Si ma disgrâce attiédissait son cœur, elle me ferait valoir sa constance comme un sacrifice, et, au lieu de sentir le plaisir que j'avais à partager avec elle mon dernier morceau de pain, elle ne sentirait que le mérite qu'elle aurait de vouloir bien me suivre partout où le sort me forçait d'aller.

Il faut dire tout : je n'ai dissimulé ni les vices de ma pauvre Maman, ni les miens; je ne dois pas faire plus de

les dieux et ne cherchait qu'à tromper les hommes »; mais c'est aussi un hardi capitaine, « vigilant et infatigable », plein de « ressource et de présence d'esprit » aussi bien dans l'offensive que dans la retraite. Il est favorisé par Mars qui « voulut pour lui prolonger les horreurs de la guerre, et multiplier les carnages ». Il est finalement abattu par Télémaque.

Vers la fin du livre V de l'*Émile*, le précepteur fait lire *Télémaque* à son élève : « Nous cherchons l'heureuse Salente... Chemin faisant, nous trouvons beaucoup de Protésilas, et point de Philoclès. Adraste, roi des Dauniens, n'est pas non plus introuvable [*allusion transparente au roi de Prusse, dont toute l'Europe parle beaucoup à cette date*]. Mais laissons les lecteurs imaginer nos voyages, ou les faire à notre place, un *Télémaque* à la main, et ne leur suggérons point des applications affligeantes que l'auteur même écarte ou fait malgré lui. »

1. Sur les sentiments de Rousseau à l'égard de Frédéric II, voir *Index*. — Sur l'allusion à l'histoire de Coriolan dans Plutarque, *Index*, Coriolan.

grâce à Thérèse, et, quelque plaisir que je prenne à rendre honneur à une personne qui m'est si chère, je ne veux pas non plus déguiser ses torts, si tant est même qu'un changement involontaire dans les[a] affections du cœur soit un vrai tort. Depuis longtemps je m'apercevais de l'attiédissement du sien. Je sentais qu'elle n'était plus pour moi ce qu'elle fut dans nos belles années, et je le sentais d'autant mieux que j'étais le même pour elle toujours. Je[b] retombai dans le même inconvénient dont j'avais senti l'effet auprès de Maman, et cet effet fut le même auprès de Thérèse : n'allons pas chercher des perfections hors de la nature; il serait le même auprès de quelque femme que ce fût. Le parti que j'avais pris à l'égard de mes enfants, quelque bien raisonné qu'il m'eût paru, ne m'avait pas toujours laissé le cœur tranquille. En méditant mon *Traité de l'Éducation,* je sentis que j'avais négligé des devoirs dont rien ne pouvait me dispenser. Le remords enfin devint si vif, qu'il m'arracha presque l'aveu public de ma faute au commencement de l'*Émile*[1], et le trait même est si clair, qu'après un tel passage il est surprenant qu'on ait eu le courage de me la reprocher. Ma situation cependant était alors la même, et pire encore par l'animosité de mes ennemis, qui ne cherchaient qu'à me prendre en faute. Je craignis la récidive, et, n'en voulant pas courir le risque, j'aimai mieux me condamner à l'abstinence que d'exposer Thérèse à se voir derechef dans le même cas. J'avais d'ailleurs remarqué que l'habitation des femmes empirait sensiblement mon état[c] : cette double raison m'avait fait former[d] des résolutions que j'avais quelquefois assez mal tenues, mais dans lesquelles je persistais avec plus de constance depuis trois ou quatre ans; c'était aussi depuis cette époque que j'avais remarqué du refroidissement dans Thérèse :

1. Sur les sentiments de Rousseau pour Thérèse au temps de la rédaction des *Confessions,* voir *supra,* p. 491, n. 1.

Le passage de l'*Émile* auquel Rousseau fait allusion se trouve au livre I :

« Celui qui ne peut remplir les devoirs de père n'a point le droit de le devenir. Il n'y a ni pauvreté ni travaux ni respect humain, qui le dispensent de nourrir ses enfants et de les élever lui-même. Lecteurs, vous pouvez m'en croire. Je prédis à quiconque a des entrailles et néglige de si saints devoirs qu'il versera longtemps sur sa faute des larmes amères et n'en sera jamais consolé. »

elle avait pour moi le même attachement par devoir, mais elle n'en avait plus par amour[1]. Cela jetait nécessairement moins d'agrément dans notre commerce, et j'imaginai que, sûre de la continuation de mes soins, où qu'elle pût être, elle aimerait peut-être mieux rester à Paris que d'errer avec moi. Cependant elle avait marqué tant de douleur à notre séparation, elle avait exigé de moi des promesses si positives de nous rejoindre, elle en exprimait si vivement le désir depuis mon départ, tant à M. le prince de Conti qu'à M.[a] de Luxembourg, que, loin d'avoir le courage de lui parler de séparation, j'eus à peine celui d'y penser moi-même, et, après avoir senti dans mon cœur combien il m'était impossible de me passer d'elle, je ne songeai plus qu'à la rappeler incessamment. Je lui écrivis donc de partir, elle vint. A peine y avait-il deux mois[2] que je l'avais quittée; mais c'était, depuis tant d'années, notre première séparation. Nous l'avions sentie bien cruellement l'un et l'autre. Quel saisissement en nous embrassant ! O que les larmes de tendresse et de joie sont douces ! Comme mon cœur s'en abreuve ! Pourquoi m'a-t-on fait verser si peu de celles-là ?

En arrivant à Môtiers, j'avais écrit à Milord Keith, maréchal d'Écosse, gouverneur de Neuchâtel, pour lui donner avis de ma retraite dans les États de Sa Majesté, et pour lui demander sa protection. Il me répondit avec la générosité qu'on lui connaît et que j'attendais de lui[3]. Il m'invita à l'aller voir. J'y fus avec M. Martinet, châ-

1. L'*habitation des femmes* : le commerce charnel avec les femmes. Littré donne un exemple de l'emploi d'*habitation* en ce sens par Buffon, qui l'applique aux animaux.

2. *A peine [...] deux mois* : moins de six semaines (du 9 juin au 20 juillet). On remarquera que les retrouvailles sont décrites à peu près dans les mêmes termes que les adieux, p. 687.

3. La première lettre de Rousseau à Keith n'est pas datée mais peut être fixée au 10 ou 11 juillet 1762 (*C. C.*, XII, 4). La réponse (*ibid.*, 20) brève et cordiale, datée de « Colombier [près de Neuchâtel, au bord du lac : voir *infra*, p. 706, n. 2] 12 juillet 1762 », donne bien l'idée du personnage sympathique et excentrique qui, invitant Rousseau à lui rendre visite, ajoute en terminant : « Vous trouverez en moi un vieillard approchant du sauvage, quoique peut-être un peu gâté par le commerce des barbares policés. »

Sur les rapports de Rousseau avec « Milord Maréchal », et sur le « célèbre général » son frère, voir *Index*, Keith.

telain du Val-de-Travers, qui était en grande faveur auprès de Son Excellence. L'aspect vénérable de cet illustre et vertueux Écossais m'émut puissamment le cœur, et dès l'instant même commença entre lui et moi ce vif attachement qui de ma part est toujours[a] demeuré le même, et qui le serait toujours de la sienne, si les traîtres qui m'ont ôté toutes les consolations de la vie n'eussent[b] profité de mon éloignement pour abuser sa vieillesse et me défigurer à ses yeux.

George Keith, maréchal héréditaire d'Écosse, et frère du célèbre général Keith, qui vécut glorieusement et mourut au lit d'honneur, avait quitté son pays dans sa jeunesse, et y fut proscrit pour s'être attaché à la maison Stuart, dont il se dégoûta bientôt, par l'esprit injuste et tyrannique qu'il y remarqua, et qui en fit toujours le caractère dominant. Il demeura longtemps en Espagne, dont le climat lui[c] plaisait beaucoup, et finit par s'attacher, ainsi que son frère, au Roi de Prusse, qui se connaissait en hommes, et les accueillit[d] comme ils le méritaient. Il fut bien payé de cet accueil par les grands services que lui rendit le maréchal Keith, et par une chose bien plus précieuse encore, la sincère amitié de Milord Maréchal. La grande âme de ce digne homme, toute républicaine et fière, ne pouvait se plier que sous le joug de l'amitié; mais elle s'y pliait si parfaitement, qu'avec des maximes[e] bien différentes il ne vit plus que Frédéric, du moment qu'il lui fut attaché. Le Roi le chargea d'affaires importantes, l'envoya à Paris, en Espagne, et enfin le voyant, déjà vieux, avoir besoin de repos, lui donna pour retraite le gouvernement de Neuchâtel, avec la délicieuse occupation d'y passer le reste de sa vie à rendre ce petit peuple heureux.

Les Neuchâtelois, qui n'aiment que la pretintaille et le clinquant, qui ne se connaissent point en véritable étoffe[1], et mettent l'esprit dans les longues phrases, voyant un homme froid et sans façon, prirent sa simplicité pour de

1. *Étoffe* : cf. *étoffé*, p. 245. La *pretintaille* est au sens propre un « ornement de toilette en découpure qui se mettait sur les robes des femmes » (Littré). Rousseau emploie encore le mot au figuré dans *la Nouvelle Héloïse*, I, 48, — où la « pretintaille », cette fois, est française ! Le jugement peu flatteur sur les Neuchâtelois est développé dans une longue lettre au maréchal de Luxembourg en 1763 (*C. C.*, XV, 48).

a hauteur, sa franchise pour de la ª rusticité, son laconisme
pour de la bêtise, se cabrèrent contre ses soins bienfaisants,
parce que, voulant être utile et non cajoleur, il ne savait
point flatter les gens qu'il n'estimait pas. Dans la ridicule
affaire du ministre Petitpierre, qui fut chassé par ses
confrères, pour n'avoir pas voulu qu'ils fussent damnés
éternellement, Milord s'étant opposé aux usurpations des
ministres, vit soulever contre lui tout le pays dont il pre-
nait le parti, et quand j'y arrivai, ce stupide murmure
n'était pas éteint encore. Il passait au moins pour un
homme qui se laissait prévenir, et de toutes les imputations
dont il fut chargé, c'était peut-être la moins injuste. Mon
premier mouvement, en voyant ce vénérable vieillard, fut
de m'attendrir sur la maigreur de son corps, déjà décharné
par les ans; mais en levant les yeux sur sa physionomie ani-
mée, ouverte et noble, je me sentis saisi d'un respect mêlé
de confiance, qui l'emporta sur tout autre sentiment. Au
compliment très court que je lui fis en l'abordant, il
répondit en parlant d'autre chose, comme si j'eusse été là
depuis huit jours. Il ne nous dit pas même de nous asseoir.
L'empesé châtelain resta debout. Pour moi, je vis dans
l'œil perçant et fin de Milord je ne sais quoi de si caressant,
que, me sentant d'abord à mon aise, j'allai sans façon
partager son sofa, et m'asseoir à côté de lui. Au ton fami-
lier qu'il prit à l'instant, je sentis que cette liberté lui fai-
sait plaisir, et qu'il se disait en lui-même : celui-ci n'est
pas un Neuchâtelois.

Effet singulier de la grande convenance des caractères !
Dans un âge où le cœur a déjà perdu sa chaleur naturelle,
celui de ce bon vieillard se réchauffa pour moi d'une
façon qui surprit tout le monde. Il vint me voir à Môtiers,
sous prétexte de tirer des cailles, et y passa deux jours
sans toucher un fusil. Il s'établit entre nous une telle
amitié, car c'est le mot, que nous ne pouvions nous passer
l'un de l'autre. Le château de Colombier, qu'il habitait
l'été, était à six lieues de Môtiers : j'allais tous les quinze
jours au plus tard y passer vingt-quatre heures, puis je
revenais de même en pèlerin, le cœur toujours plein de
lui. L'émotion que j'éprouvais jadis dans mes courses de
l'Ermitage à Eaubonne était bien différente assurément;
mais elle n'était pas plus douce que celle avec laquelle
j'approchais de Colombier. Que de larmes d'attendrisse-
ment j'ai souvent versées dans ma route, en pensant aux

bontés paternelles, aux vertus aimables, à la douce philosophie de ce respectable vieillard ! Je l'appelais mon père, il m'appelait son enfant. Ces doux noms rendent en partie l'idée de l'attachement qui nous unissait, mais ils ne rendent pas encore celle du besoin que nous avions l'un de l'autre, et du désir continuel de nous rapprocher[1]. Il voulait absolument me loger au château de Colombier[2], et me pressa longtemps d'y prendre à demeure l'appartement que j'occupais. Je lui dis enfin que j'étais plus libre chez moi, et que j'aimais mieux passer ma vie à le venir voir. Il approuva cette franchise, et ne m'en parla plus. O bon Milord ! ô mon digne père ! que mon cœur s'émeut encore en pensant à vous ! Ah ! les barbares ! quel coup ils m'ont porté en vous détachant de moi ! Mais non, non, grand homme, vous êtes et serez toujours le même pour moi, qui[a] suis le même toujours. Ils vous ont trompé, mais ils ne vous ont pas changé.

Milord Maréchal n'est pas sans défaut; c'est un sage, mais c'est un homme. Avec l'esprit le plus pénétrant, avec le tact le plus fin qu'il soit possible d'avoir, avec la plus profonde connaissance des hommes, il se laisse abuser quelquefois, et n'en revient pas. Il a l'humeur singulière, quelque chose de bizarre et d'étranger dans son tour d'esprit. Il paraît oublier les gens qu'il voit tous les jours,

1. *En pèlerin* : Littré, qui donne comme 2e sens *voyageur* (sens conservé dans plusieurs locutions proverbiales), cite des exemples prouvant que le mot ne s'applique pas nécessairement, comme ici, à un voyageur à pied.

Rousseau compare l'émotion avec laquelle il approchait de la demeure de Milord Maréchal à celle qu'il ressentait à Montmorency en allant rendre visite à Mme d'Houdetot. On pourrait aussi évoquer ses sentiments pour Mme de Warens : il appelle Milord Maréchal « mon père » comme il appelait sa protectrice « Maman » (on retrouvera cet échange filial cinq pages plus loin, à propos d'Isabelle d'Ivernois); le début du paragraphe « Effet singulier de la grande convenance des caractères... » rappelle un mouvement analogue dans le livre II lors de la première rencontre avec « Maman » : « Que ceux qui nient la sympathie des âmes expliquent, s'ils peuvent, comment, de la première entrevue, du premier mot, du premier regard, Mme de Warens m'inspira non seulement le plus vif attachement, mais une confiance parfaite et qui ne s'est jamais démentie... » (P. 55-56.)

2. Le château de Colombier, construit au xve siècle comme résidence des comtes de Neuchâtel, existe encore. Il a été habité par Mme de Charrière.

et se souvient d'eux au moment qu'ils y pensent le moins : ses attentions paraissent hors de propos; ses cadeaux sont de fantaisie, et non de convenance. Il donne ou envoie à l'instant ce qui lui passe par la tête, de grand prix ou de nulle valeur indifféremment. Un jeune Genevois, désirant entrer au service du Roi de Prusse, se présente à lui : Milord lui donne, au lieu de lettre, un petit sachet[a] plein de pois, qu'il le charge de remettre au Roi. En recevant cette singulière recommandation, le Roi place à l'instant celui qui la porte. Ces génies élevés ont entre eux un langage que les esprits vulgaires n'entendront jamais. Ces petites bizarreries, semblables aux caprices d'une jolie femme[b], ne me rendaient Milord Maréchal que plus intéressant. J'étais bien sûr, et j'ai bien éprouvé dans la suite, qu'elles n'influaient pas sur[c] les sentiments, ni sur les soins que lui prescrit l'amitié dans les occasions sérieuses. Mais il est vrai que dans sa façon d'obliger, il met encore la même singularité que dans ses manières. Je n'en citerai qu'un seul trait sur une bagatelle. Comme la journée[1] de Môtiers à Colombier était trop forte pour moi, je la partageais d'ordinaire, en partant après dîner et couchant[d] à Brot, à moitié chemin. L'hôte, appelé Sandoz, ayant à solliciter à Berlin une grâce qui lui importait extrêmement, me pria[e] de demander à Son Excellence de la demander pour lui : volontiers. Je le mène avec moi, je le laisse dans l'antichambre, et je parle de son affaire à Milord, qui ne me répond rien. La matinée se passe; en traversant la salle pour aller dîner, je vois le pauvre Sandoz qui se morfondait d'attendre. Croyant que Milord l'avait oublié, je lui en reparle avant de nous mettre à table; mot, comme auparavant. Je trouvai cette manière de me faire sentir combien je l'importunais, un peu dure, et je me tus en plaignant tout bas le pauvre Sandoz. En m'en retournant le lendemain, je fus bien surpris du remerciement qu'il me fit du bon accueil et du bon dîner qu'il avait eus chez Son Excellence, qui de plus avait reçu son papier. Trois semaines après Milord lui envoya le rescrit[2] qu'il avait demandé, expédié par le ministre et signé du Roi, et cela, sans m'avoir jamais voulu dire ni répondre un seul mot,

1. *Journée* : chemin accompli dans l'espace d'une journée (Littré, 5°; cf. angl. *journey*).

2. *Rescrit,* terme de droit romain : directive pratique de l'empereur à un magistrat, prise sans préjuger du fond d'une affaire. « C'était

ni à lui non plus, sur cette affaire, dont je crus qu'il ne voulait pas se charger.

Je voudrais ne pas cesser de parler de George Keith : c'est de lui que me viennent mes derniers souvenirs heureux; tout le reste de ma vie n'a plus été qu'afflictions et serrements de cœur. La mémoire en est si triste, et m'en vient si confusément, qu'il ne m'est pas possible de mettre aucun ordre dans mes récits : je serai forcé désormais de les arranger au hasard et comme ils se présenteront.

Je ne tardai pas d'être tiré d'inquiétude sur mon asile par la réponse du Roi à Milord Maréchal, en qui, comme on peut croire, j'avais trouvé un bon avocat. Non seulement Sa Majesté approuva ce qu'il avait fait, mais elle le chargea, car il faut tout dire, de me donner douze louis. Le bon Milord, embarrassé d'une[a] pareille commission, et ne sachant comment s'en acquitter honnêtement, tâcha d'en exténuer l'insulte, en transformant cet argent en nature de provisions, et me marquant qu'il avait ordre de me fournir du bois et du charbon pour commencer mon petit ménage; il ajouta même, et peut-être de son chef, que le Roi me ferait volontiers bâtir une petite maison à ma fantaisie, si j'en voulais choisir l'emplacement. Cette dernière offre me toucha fort, et me fit oublier la mesquinerie de l'autre. Sans accepter aucune des deux, je regardai Frédéric comme mon bienfaiteur et mon protecteur, et je m'attachai si sincèrement à lui, que je pris dès lors autant d'intérêt à sa gloire que j'avais trouvé jusqu'alors d'injustice à ses succès. A la paix qu'il fit peu[b] de temps après, je témoignai ma joie par une illumination de très bon goût : c'était un cordon de guirlandes, dont j'ornai la maison que j'habitais, et où j'eus, il est vrai, la fierté vindicative de dépenser presque autant d'argent qu'il m'en avait voulu donner. La paix conclue, je crus que, sa gloire militaire et politique étant au comble, il allait s'en donner une d'une autre espèce, en revivifiant ses États, en y faisant régner le commerce, l'agriculture, en y créant un nouveau sol, en le couvrant d'un nouveau peuple, en maintenant la paix chez tous ses voisins, en se faisant l'arbitre de l'Europe, après en avoir été la terreur. Il pouvait sans risque poser l'épée, bien sûr qu'on ne l'obligerait pas à la reprendre.

le plus souvent une réponse à un placet, souvent même écrite en marge dudit placet. » (Littré.) Le terme s'est appliqué par extension au gouvernement, à l'administration religieuse et civile.

Voyant qu'il ne désarmait pas je craignis qu'il ne profitât mal de ses avantages, et qu'il ne fût grand qu'à demi. J'osai lui écrire à ce sujet, et, prenant le ton familier, fait pour plaire aux hommes de sa trempe, porter jusqu'à lui cette sainte voix de la vérité, que si peu de rois sont faits pour entendre[1]. Ce ne fut qu'en secret et de moi à lui que je pris cette liberté. Je n'en fis pas même participant Milord Maréchal, et je lui envoyai ma lettre au roi toute cachetée. Milord envoya la lettre sans s'informer de son contenu. Le Roi n'y fit aucune réponse, et quelque temps après, Milord Maréchal étant allé à Berlin, il lui dit seulement que je l'avais bien grondé. Je compris par là que ma lettre avait été mal reçue, et que la franchise de mon zèle avait passé pour la rusticité d'un pédant. Dans le fond, cela pouvait très bien être; peut-être ne dis-je pas ce qu'il fallait dire[a], et ne pris-je pas le ton qu'il fallait prendre. Je ne puis répondre que du sentiment qui m'avait mis la plume à la main.

Peu de temps après mon établissement à Môtiers-Travers, ayant toutes les assurances possibles qu'on m'y laisserait tranquille, je pris l'habit arménien. Ce n'était pas une idée nouvelle. Elle m'était venue diverses fois dans le cours de ma vie, et elle me revint souvent à Montmorency, où le fréquent usage des sondes, me condamnant à rester souvent dans ma chambre, me fit mieux sentir tous les avantages de l'habit long. La commodité d'un tailleur arménien, qui venait souvent voir un parent qu'il avait à Montmorency, me tenta d'en profiter pour prendre ce nouvel équipage, au risque du qu'en dira-t-on, dont je me souciais très peu. Cependant, avant d'adopter cette nou-

1. Une lettre de Milord Maréchal à Rousseau du 16 août [1762] (*C. C.,* XII, 189) rapporte au style indirect la réponse du roi. Les instructions sur les gratifications à faire à Rousseau vinrent deux semaines plus tard; cette seconde lettre de Frédéric à Keith sur Rousseau a été publiée dans les *Œuvres* de Frédéric, Berlin, 1852, t. XX, p. 322. La fière et presque insolente réponse de Rousseau, manifestant à la façon d'Alceste sa gratitude par un « avis sincère » (« ... Otez de devant mes yeux cette épée qui m'éblouit et me blesse [...] Vous voulez me donner du pain; n'y a-t-il aucun de vos sujets qui en manque? »), est datée du 1er novembre 1762 (*C. C.,* XIV, 1). Elle est donc antérieure, et non postérieure, à la paix de Paris (10 février 1763) et au traité de Hubertsbourg (17 février) qui mettent fin à la guerre de Sept Ans.

velle parure, je voulus avoir l'avis de M^me de Luxembourg, qui me conseilla fort de la prendre. Je me fis donc une petite garde-robe arménienne; mais l'orage excité contre moi m'en fit remettre l'usage à des temps plus tranquilles, et ce ne fut que quelques mois après que[a], forcé par de nouvelles attaques de recourir aux sondes, je crus pouvoir, sans aucun risque, prendre ce nouvel habillement à Môtiers, surtout après avoir consulté le pasteur du lieu, qui me dit que je pouvais le porter au temple même sans[b] scandale. Je pris donc la veste, le cafetan, le bonnet fourré, la ceinture, et après avoir assisté dans cet équipage au service divin, je ne vis point d'inconvénient à le porter chez Milord Maréchal. Son Excellence, me voyant ainsi vêtu, me dit pour tout compliment *Salamaleki*, après quoi tout fut fini, et je ne portai plus d'autre habit[1].

Ayant quitté tout à fait la littérature, je ne songeai plus qu'à mener une vie tranquille et douce, autant qu'il dépendrait de moi. Seul je n'ai jamais connu l'ennui, même dans le plus parfait désœuvrement : mon imagination, remplissant tous les vides, suffit seule pour m'occuper. Il n'y a que le bavardage inactif de chambre, assis les uns vis-à-vis des autres à ne mouvoir que la langue, que jamais je n'ai pu supporter. Quand on marche, qu'on se promène, encore passe; les pieds et les yeux font au moins quelque chose; mais rester là, les bras croisés, à parler du temps qu'il fait et des mouches qui volent, ou, qui pis est, à s'entre-faire des compliments, cela m'est un supplice insupportable[2]. Je m'avisai, pour ne pas vivre en sauvage, d'apprendre à faire des lacets. Je portais mon coussin dans mes visites, ou j'allais comme les femmes

1. C'est au début de 1762 que Rousseau fait exécuter à Montmorency son habit arménien (*C. C.*, X, 194), lequel lui est apporté à Môtiers par Thérèse. Il fait fourrer robe et bonnets à Lyon par l'entremise de M^me Boy de la Tour, et commence à porter cette toilette à la fin de l'année 1762. Milord Maréchal ne dut pas s'en étonner outre mesure : il logeait chez lui, avec sa fille adoptive d'origine musulmane, un Tartare, un Kalmouk et un nègre (Courtois, p. 134, n. 3) !

2. Rousseau a déjà marqué sa répugnance, pp. 232, 487, pour la vie oisive des salons. Cf. ce passage des *Dialogues* (*O. C.*, I, 1959, p. 845) :
« Ce serait pour lui le plus cruel supplice de la passer [*sa vie*] dans un fauteuil en fatiguant sa cervelle à chercher des riens pour amuser les femmes. »

travailler à ma porte et causer avec les passants. Cela me faisait supporter l'inanité du babillage, et passer mon temps sans ennui chez mes voisines, dont plusieurs étaient assez aimables, et ne manquaient pas d'esprit. Une, entre autres, appelée Isabelle d'Ivernois, fille du Procureur-général de Neuchâtel, me parut assez estimable pour me lier avec elle d'une amitié particulière dont elle ne s'est pas mal trouvée par les conseils utiles que je lui ai donnés, et par les soins que je lui ai rendus dans des occasions essentielles; de sorte que maintenant, digne et vertueuse mère de famille, elle me doit peut-être[a] sa raison, son mari, sa vie, et son bonheur. De mon côté, je lui dois des consolations très douces, et surtout durant un bien triste hiver, où, dans le fort de mes maux et de mes peines, elle venait passer avec Thérèse et moi de longues soirées qu'elle savait nous rendre bien courtes par l'agrément de son esprit, et par les mutuels épanchements de nos cœurs. Elle m'appelait son papa, je l'appelais ma fille, et ces noms que nous nous donnons encore ne cesseront point, je l'espère, de lui être aussi chers qu'à moi. Pour rendre mes lacets bons à quelque chose, j'en faisais présent à mes jeunes amies à leur mariage, à condition qu'elles nourriraient leurs enfants. Sa sœur aînée en eut un à ce titre, et l'a mérité; Isabelle en eut un de même, et ne l'a pas moins mérité par l'intention; mais elle n'a pas eu le bonheur de pouvoir faire sa volonté. En leur envoyant ces lacets, j'écrivis à l'une et à l'autre des lettres dont la première a couru le monde; mais tant d'éclat n'allait pas à la seconde : l'amitié ne marche pas avec si grand bruit[1].

Parmi les liaisons que je fis à mon voisinage, et dans le détail desquelles je n'entrerai pas, je dois noter celle du colonel Pury, qui avait une maison sur la montagne, où il venait passer les étés. Je n'étais pas empressé de sa

1. Les deux sœurs Anne-Marie et Isabelle d'Ivernois (voir *Index*) reçurent chacune de Rousseau, lors de leur mariage, un lacet symbolisant, dans l'intention de l'auteur de l'*Émile,* la vocation maternelle. La lettre qui « a couru le monde » (*C. C.,* XIII, 60) était adressée à l'aînée, Anne-Marie. Si Isabelle « n'a pas eu le bonheur de pouvoir faire sa volonté », c'est parce qu'elle n'a pas pu nourrir ses enfants; elle faillit mourir en couches en février 1765, et un fragment au moins de Rousseau, conservé à Neuchâtel (*O. C.,* II, 1961, p. 1325, n° 23), peut passer pour une véritable oraison funèbre anticipée (en fait la jeune femme vivra jusqu'à la fin du siècle).

connaissance, parce que je savais qu'il était très mal à la cour et auprès de Milord Maréchal, qu'il ne voyait[a] point. Cependant, comme il me vint voir et me fit beaucoup d'honnêtetés[b], il fallut l'aller voir à mon tour ; cela continua, et nous mangions quelquefois l'un chez l'autre. Je fis chez lui connaissance avec M. du Peyrou, et ensuite une amitié trop intime pour que je puisse me dispenser de parler de lui.

M. du Peyrou était américain, fils d'un commandant de Surinam, dont le successeur, M. Le Chambrier, de Neuchâtel, épousa la veuve. Devenue veuve une[c] seconde fois, elle vint avec son fils s'établir dans le pays de son second mari. Du Peyrou, fils unique, fort riche, et tendrement aimé de sa mère, avait été élevé avec assez de soin, et son éducation lui avait profité[1]. Il avait acquis beaucoup de demi-connaissances, quelque goût pour les arts, et il se piquait d'avoir surtout cultivé sa raison : son air hollandais, froid et philosophe, son teint basané, son humeur silencieuse et cachée, favorisaient beaucoup cette opinion. Il était sourd et goutteux, quoique jeune encore. Cela rendait tous ses mouvements fort posés, fort graves, et, quoiqu'il aimât à disputer, quelquefois même un peu longuement, généralement il parlait peu, parce qu'il n'entendait pas. Tout cet extérieur m'en imposa. Je me dis : Voici un penseur, un homme sage, tel qu'on serait heureux d'avoir un ami. Pour achever de me prendre, il m'adressait souvent la parole sans jamais me faire aucun compliment. Il me parlait peu de moi, peu de mes livres, très peu de lui ; il n'était pas dépourvu d'idées, et tout ce qu'il disait était assez juste. Cette justesse et cette égalité m'attirèrent. Il n'avait dans l'esprit, ni l'élévation[d], ni la finesse de Milord Maréchal, mais il en avait la simplicité : c'était toujours le représenter en quelque chose. Je ne m'engouai pas, mais

1. En fait, c'est avant de devenir veuve pour la seconde fois (1754) que Mᵐᵉ Le Chambrier, mère de Du Peyrou, vient s'établir — avec son mari et son fils — à Neuchâtel (1747). Du Peyrou, très attaché à sa mère, sera désemparé à la mort de celle-ci (1769) ; il épousera quelques semaines plus tard la fille de son ami de Pury, plus jeune de vingt ans. Dans sa jeunesse, il avait aimé la mère de cette jeune fille, Julie Chambrier, et resta toujours très ami du ménage de Pury. Lorsque Rousseau fait sa connaissance, Du Peyrou a trente-trois ans. Le portrait assez dur que trace ici Rousseau de son ami s'explique par la brouille survenue en 1767 (*Index*, Du Peyrou).

je m'attachai par l'estime, et[a] peu à peu cette estime amena
l'amitié. J'oubliai totalement avec lui l'objection que j'avais
faite au baron d'Holbach, qu'il était trop riche, et je crois
que j'eus tort. J'ai appris à douter qu'un homme jouissant
d'une grande fortune, quel qu'il puisse être, puisse aimer
sincèrement mes principes et leur auteur.

Pendant assez longtemps je[b] vis peu Du Peyrou, parce
que je n'allais point à Neuchâtel, et qu'il ne venait qu'une
fois l'année à la montagne du colonel Pury. Pourquoi
n'allais-je point à Neuchâtel? C'est un enfantillage qu'il
ne faut pas taire.

Quoique protégé par le Roi de Prusse et par Milord
Maréchal, si j'évitai d'abord la persécution dans mon
asile, je n'évitai pas du moins les murmures du public,
des magistrats municipaux, des ministres. Après le branle
donné par la France, il n'était pas du bon air de ne[c] pas
me faire au moins quelque insulte : on aurait eu peur de
paraître improuver mes persécuteurs en ne les imitant pas.
La Classe de Neuchâtel, c'est-à-dire la compagnie des
ministres de cette ville, donna le branle, en tentant d'émou-
voir contre moi le Conseil d'État. Cette tentative n'ayant
pas réussi, les ministres s'adressèrent au magistrat muni-
cipal, qui fit aussitôt défendre mon livre, et me traitant
en toute occasion peu honnêtement, faisait comprendre et
disait même que, si j'avais voulu m'[d]établir dans la ville,
on ne m'y aurait pas souffert. Ils remplirent leur *Mercure*
d'inepties et du plus[e] plat cafardage, qui, tout en faisant
rire les gens sensés, ne laissaient pas d'échauffer le peuple
et de l'animer contre moi[1]. Tout cela n'empêchait pas

1. *Cafardage* : « langage de cafard » (Littré, *Supplément,* qui ne
donne que cet exemple). Sur *cafard,* voir livre X, p. 599, n. 1.
Courtois date de septembre 1762 une représentation de la Classe
des pasteurs de Neuchâtel auprès des autorités au sujet de l'*Émile.*
Le *Mercure suisse* est l'ancien nom du périodique qui portait à l'époque
le titre de *Nouvelliste suisse* (plus tard *Nouveau journal helvétique*) publié
à Neuchâtel. Lorsqu'il portait le titre de *Mercure,* il s'était inquiété
en leur temps des deux *Discours* de Rousseau. Après son arrivée à
Môtiers, le périodique donna — sans parler de pièces comme l'*Épître
à Tiran le Blanc* (voir p. 552, n. 1) qui n'intéressait qu'indirectement
Rousseau (septembre 1762) — une série d'articles hostiles aux idées
religieuses de Rousseau. Ils se succèdent d'octobre 1762 à sep-
tembre 1763. Rousseau parle dans la 2e des *Lettres écrites de la
Montagne* du « fumier du *Mercure* de Neuchâtel ».

qu'à les entendre je ne dusse être très reconnaissant de
l'extrême grâce qu'ils me faisaient de me laisser vivre à
Môtiers[a], où ils n'avaient aucune autorité; ils m'auraient
volontiers mesuré l'air à la pinte, à condition que je l'eusse
payé bien cher. Ils voulaient que je leur fusse obligé de
la protection que le Roi m'accordait malgré eux, et qu'ils
travaillaient sans relâche à m'ôter. Enfin, n'y pouvant
réussir, après m'avoir fait tout le tort qu'ils purent et
m'avoir décrié de tout leur pouvoir, ils se firent un mérite
de leur impuissance, en me faisant valoir la bonté qu'ils
avaient de me souffrir dans leur pays. J'aurais dû leur rire
au nez pour toute réponse : je fus assez bête pour me piquer
et j'eus l'ineptie de ne vouloir point aller à Neuchâtel,
résolution que je tins près de deux ans, comme si ce n'était
pas trop honorer de pareilles espèces[1] que de faire attention
à leurs procédés, qui, bons ou mauvais, ne peuvent leur
être imputés, puisqu'ils n'agissent[b] jamais que par impul-
sion. D'ailleurs des esprits sans culture et sans lumières,
qui ne connaissent d'autre objet de leur estime que le
crédit, la puissance et l'argent, sont bien éloignés même
de soupçonner[c] qu'on doive quelque égard aux talents,
et qu'il y ait du déshonneur à les outrager. Un certain
maire de village, qui pour ses malversations avait été
cassé, disait au lieutenant du Val-de-Travers, mari de
mon Isabelle : On dit que ce Rousseau a tant d'esprit,
amenez-le-moi, que je voie si cela est vrai. Assurément
les mécontentements d'un homme[d] qui prend un pareil
ton doivent peu fâcher ceux qui les éprouvent.

Sur la façon dont on me traitait à Paris, à Genève[e],
à Berne, à Neuchâtel même, je ne m'attendais pas à plus
de ménagement de la part du pasteur du lieu. Je lui avais
cependant été recommandé par M[me] Boy de la Tour, et
il m'avait fait beaucoup d'accueil; mais dans ce pays, où
l'on flatte également tout le monde, les caresses ne signi-
fient rien. Cependant, après ma réunion solennelle à l'Église
réformée, vivant en pays réformé, je ne pouvais, sans
manquer à mes engagements et à mon devoir de citoyen,
négliger la profession publique du culte où j'étais rentré :
j'assistais donc au service divin. D'un autre côté, je crai-
gnais, en me présentant à la table sacrée, de m'exposer à

1. *Espèce :* « se dit, par mépris, de personnes auxquelles on ne
trouve ni qualités ni mérite » (Littré). Emploi courant au XVIII[e] siècle.

'affront d'un refus, et il n'était nullement probable qu'après
le vacarme fait à Genève par le Conseil, et à Neuchâtel par
la Classe[a], il voulût m'administrer tranquillement la Cène
dans son église. Voyant donc approcher le temps de la
communion, je pris le parti d'écrire à M. de Montmollin,
c'était le nom du ministre, pour faire acte de bonne volonté,
et lui déclarer que j'étais toujours uni de cœur à l'Église
protestante; je lui dis en même temps, pour éviter des
chicanes sur les articles de foi, que je ne voulais aucune
explication particulière sur le dogme. M'étant ainsi mis
en règle de ce côté, je restai tranquille, ne doutant pas
que M. de Montmollin ne refusât de m'admettre sans la
discussion préliminaire, dont je ne voulais point, et qu'ainsi
tout ne fût fini sans qu'il y eût de ma faute. Point du tout.
Au moment où je m'y attendais le moins, M. de Mont-
mollin vint me déclarer non seulement qu'il m'admettait
à la communion sous la clause que j'y avais mise, mais
de plus que lui et ses anciens se faisaient un grand honneur
de m'avoir dans son troupeau. Je n'eus de mes jours pareille
surprise, ni plus consolante. Toujours vivre isolé sur la
terre me paraissait un destin bien triste, surtout dans
l'adversité. Au milieu de tant de proscriptions et de persé-
cutions, je trouvais une douceur extrême[b] à pouvoir me
dire : au moins je suis parmi mes frères, et j'allai commu-
nier avec une émotion de cœur et des larmes d'attendris-
sement, qui étaient peut-être la préparation la plus agréable
à Dieu qu'on y pût porter[1].

Quelque temps après, Milord m'envoya une lettre de

1. Les « anciens », nommés à vie par cooptation, forment le *consistoire
admonitif* (voir *infra*, p. 740).
Bien accueilli par Montmollin à son arrivée à Môtiers, Rousseau
lui écrit le 24 août 1762 (*C. C.*, XII, 245) : « Le respect que je vous
porte et mon devoir comme votre paroissien m'oblige, avant d'appro-
cher de la Sainte Table, de vous faire de mes sentiments en matière de
foi une déclaration devenue nécessaire par l'étrange préjugé pris
contre un de mes écrits, sur un réquisitoire calomnieux, dont on
n'aperçoit pas les principes détestables... » Il se refuse courtoisement
à toute discussion sur son livre, et proteste de son attachement à
l'Église réformée et de son désir d'éviter tout scandale.
Rousseau communia effectivement le dimanche 29 août 1762, une
semaine après la censure de la Sorbonne (qui sera publiée fin no-
vembre) et le mandement de l'archevêque de Paris sur l'*Émile*, et
quelques jours avant la mise à l'index du livre par Rome.

M^{me} de Boufflers, venue, du moins je le présumai, par la
voie de d'Alembert, qui connaissait Milord Maréchal.
Dans cette lettre, la première que cette dame m'eût écrite
depuis mon départ de Montmorency, elle me tançait vive-
ment de celle que j'avais écrite à M. de Montmollin, et
surtout d'avoir communié. Je compris d'autant moins à
qui elle en avait avec sa mercuriale, que depuis mon voyage
de Genève je m'étais toujours déclaré hautement protes-
tant, et que j'avais été très publiquement à l'Hôtel de
Hollande[1], sans que personne au monde l'eût trouvé mau-
vais. Il me paraissait plaisant que M^{me} la comtesse de
Boufflers voulût se mêler de diriger ma conscience en fait
de religion[a]. Toutefois, comme je ne doutais pas que son
intention, quoique je n'y comprisse rien, ne fût la meilleure
du monde, je ne m'offensai point de cette singulière sortie,
et je lui répondis sans colère, en lui disant mes raisons[2].

Cependant les injures imprimées allaient leur train, et
leurs bénins auteurs reprochaient aux puissances de me
traiter trop doucement. Ce concours d'aboiements, dont
les moteurs continuaient d'agir sous le voile, avait quelque
chose de sinistre et d'effrayant. Pour moi, je laissai dire
sans m'émouvoir. On m'assura qu'il y avait une censure
de la Sorbonne; je n'en crus rien. De quoi pouvait se
mêler la Sorbonne dans cette affaire? Voulait-elle assurer
que je n'étais pas catholique? Tout le monde le savait.
Voulait-elle prouver que je n'étais pas bon calviniste[b]?

1. L'Hôtel de Hollande : la chapelle attachée à l'ambassade était
fréquentée par les réformés étrangers et français de Paris.

2. Avant la lettre en question, datée du 2 septembre (ou du 2 oct.
D. P., ou « vers le 10 oct. », C. C., XIII, 193), M^{me} de Boufflers
contrairement à ce que dit ici Rousseau, lui avait écrit au moins trois
fois depuis qu'il avait quitté Montmorency, et l'on possède deux de
ses réponses. M^{me} de Boufflers exhorte Rousseau à ne pas refuser, en
poussant trop loin la délicatesse, les secours que lui offre le roi de
Prusse; elle ne le tance pas « d'avoir communié », mais s'afflige « d'une
Lettre à un Ministre, qu'on dit de vous » (la lettre du 24 août à
Montmollin), lettre qui donne « prise à [*ses*] ennemis ». Elle continue
« Au nom de votre réputation, attendez pour écrire davantage que
votre situation soit meilleure et votre âme plus tranquille. » Rousseau
répond le 31 octobre (C. C., XIII, 279) « disant [*ses*] raisons » en
plusieurs pages (« ... Je ne renoncerai point à la religion de mes pères
à cette religion si raisonnable, si pure, si conforme à la simplicité de
l'Évangile... ») et se félicitant de ce que Montmollin, qu'il appelle sans
intention ironique « mon digne pasteur », ait fait courir sa lettre, « qui
a mis les voltairiens au désespoir ».

Que lui importait ? C'était prendre un soin bien singulier; c'était se faire les substituts de nos ministres. Avant que d'avoir vu cet écrit, j'ai cru qu'on le faisait courir sous le nom de la Sorbonne, pour se moquer d'elle; je le crus bien plus encore après l'avoir lu. Enfin, quand je ne pus plus douter de son authenticité, tout ce que je me réduisis à croire fut qu'il fallait mettre la Sorbonne aux Petites-Maisons.

Un autre écrit m'affecta davantage, parce qu'il venait d'un homme pour qui[a] j'eus toujours de l'estime, et dont j'admirais la constance en plaignant son aveuglement. Je parle du mandement de l'Archevêque de Paris contre moi. Je crus que je me devais d'y répondre. Je le pouvais sans m'avilir; c'était un cas à peu près semblable à celui du Roi de Pologne. Je n'ai jamais aimé les disputes brutales, à la Voltaire. Je ne sais me battre qu'avec dignité, et je veux que celui qui m'attaque ne déshonore pas mes coups, pour que je daigne me défendre. Je ne doutais point que ce mandement ne fût de la façon des Jésuites, et, quoiqu'ils fussent alors malheureux eux-mêmes, j'y reconnaissais toujours leur ancienne maxime d'écraser les malheureux. Je pouvais donc aussi suivre mon ancienne maxime d'honorer l'auteur titulaire, et de foudroyer l'ouvrage : et c'est ce que je crois avoir fait[b] avec assez de succès[1].

Je trouvai le séjour de Môtiers fort agréable, et, pour me déterminer à y finir mes jours, il ne me manquait qu'une subsistance assurée : mais on y vit assez chèrement, et j'avais vu renverser tous mes anciens projets par la dissolution de mon ménage, par l'établissement d'un nouveau, par la vente ou dissipation de tous mes meubles, et par les dépenses qu'il m'avait fallu faire depuis mon départ de Montmorency. Je voyais diminuer journellement

1. Au mandement de Christophe de Beaumont, archevêque de Paris, daté du 20 août 1762, et dénonçant l'*Émile* comme « contenant une doctrine abominable, propre à renverser la loi naturelle et à détruire les fondements de la religion chrétienne » (texte complet dans l'édition Garnier du *Contrat social* et autres écrits, pp. 419-435), Rousseau répondit par la lettre de « Jean-Jacques Rousseau, Citoyen de Genève, à Christophe de Beaumont, Archevêque de Paris, Duc de Saint-Cloud, Pair de France, Commandeur de l'Ordre du Saint-Esprit, Proviseur de Sorbonne, etc. » datée de Môtiers, le 18 novembre 1762 (*ibid.*, pp. 436-506), dont le début est un intéressant document autobiographique (*O. C.*, IV, 927).

le petit capital que j'avais devant moi. Deux ou trois ans
suffisaient pour en consumer le reste, sans que je visse
aucun moyen de le renouveler, à moins de recommencer
à faire des livres; métier funeste auquel j'avais déjà renoncé.

Persuadé que tout changerait bientôt à mon égard, et
que le public, revenu de sa frénésie, en ferait rougir les
puissances, je ne cherchais qu'à prolonger mes ressources
jusqu'à cet heureux[a] changement, qui me laisserait plus
en état de choisir parmi celles qui pourraient s'offrir.
Pour cela, je repris mon *Dictionnaire de Musique*, que dix ans
de travail avaient déjà fort avancé, et auquel il ne manquait
que la dernière main, et d'être mis au net. Mes livres, qui
m'avaient été envoyés depuis peu, me fournirent les
moyens d'achever cet ouvrage : mes papiers, qui me furent
envoyés[b] en même temps, me mirent en état de commencer
l'entreprise de mes mémoires, dont je voulais uniquement
m'occuper désormais. Je commençai par transcrire des
lettres dans un recueil qui pût guider ma mémoire dans
l'ordre des faits et des temps[1]. J'avais déjà fait le triage
de celles que je voulais conserver pour cet effet, et la suite
depuis près de dix ans n'en était point interrompue. Cepen-
dant, en les arrangeant pour les transcrire, j'y trouvai une
lacune qui me surprit. Cette lacune était de près de six
mois, depuis octobre 1756[c] jusqu'au mois de mars suivant.
Je me souvenais parfaitement d'avoir mis dans mon triage
nombre de lettres de Diderot, de Deleyre, de Mme d'Épinay,
de Mme de Chenonceaux, etc., qui remplissaient cette
lacune, et qui ne se trouvèrent plus. Qu'étaient-elles deve-
nues ? Quelqu'un avait-il mis la main sur mes papiers,
pendant quelques mois qu'ils étaient restés à l'Hôtel de

1. C'est donc à cette époque (vers 1763) que commence à prendre
forme le projet des « Mémoires de ma vie » (voir p. 721 : « Je me mis
à rassembler les matériaux qu'on m'avait laissés, pour travailler à mes
confessions. ») Le maréchal de Luxembourg annonce à Rousseau
le 4 septembre 1762 (*C. C.*, XIII, 11) que son valet de chambre
La Roche va pouvoir lui envoyer ceux de ses papiers dont il aura
besoin. Le 28 septembre (*ibid.*, 136), le libraire Rey le presse de nou-
veau d'écrire sa *Vie*, mais Rousseau élude la question, se disant trop
pressé de soucis (16 nov., *C. C.*, XIV, 54) : il travaille alors à la *Lettre
à Christophe de Beaumont*. C'est pourtant à ce moment qu'il réclame
à Malesherbes la copie des lettres qu'il lui a écrites quelques mois
plus tôt (voir *supra*, livre XI, p. 671, n. 1). Le recueil de correspondance
qu'il constitue alors est conservé à Neuchâtel, nos 7885-7886.

Luxembourg ? Cela n'était pas concevable, et j'avais vu
M. le Maréchal[a] prendre la clef de la chambre où je les
avais déposés. Comme plusieurs lettres de femmes et
toutes celles de Diderot étaient sans date, et que j'avais
été forcé de remplir ces dates de mémoire, et en tâtonnant,
pour ranger ces lettres dans leur ordre, je crus d'abord avoir
fait des erreurs de date, et je passai en revue toutes les
lettres qui n'en avaient point, ou auxquelles je l'avais sup-
pléée, pour voir si je n'y trouverais point celles qui devaient
remplir ce vide. Cet essai ne réussit point; je vis que le
vide était bien réel, et que les lettres avaient bien certai-
nement été enlevées. Par qui et pourquoi ? Voilà ce qui
me passait. Ces lettres, antérieures à mes grandes querelles,
et du temps de ma première ivresse de la *Julie,* ne pouvaient
intéresser personne. C'était tout au plus quelques tracas-
series de Diderot, quelques persiflages de Deleyre, des
témoignages d'amitié de M[me] de Chenonceaux, et même
de M[me] d'Épinay, avec laquelle j'étais alors le mieux du
monde. A qui pouvaient importer ces lettres ? Qu'en vou-
lait-on faire ?[b] Ce n'est que sept ans après que j'ai soupçonné
l'affreux objet de ce vol[1].

Ce déficit bien avéré me fit chercher parmi mes brouil-
lons si j'en découvrirais quelque autre. J'en trouvai quel-
ques-uns qui, vu mon défaut de mémoire, m'en firent
supposer d'autres dans la multitude de mes papiers. Ceux
que je remarquai[c] furent le brouillon de la *Morale sensitive,*
et celui de l'extrait des *Aventures de Milord Édouard.* Ce der-

1. D'une lettre à un destinataire inconnu, « M. L. D. M. » (La-
moignon de Malesherbes?), datée du 23 novembre 1770 (*D. P.,* XX,
14-20), il ressort que Rousseau crut constater une coïncidence de
date entre les lettres manquantes et l'attentat de Damiens (début de
janvier 1757); il s'imagina alors que ses ennemis voulaient l'impliquer
rétrospectivement dans cette affaire (voir *supra,* p. 518, n. 1). —
La formule « sept ans après » supposerait donc qu'il a constaté la
lacune en 1763; ce qui concorde avec le contexte de cette page des
Confessions. Mais un fragment conservé à Neuchâtel (*O. C.,* I, 1959,
p. 1176, n° 17) implique que la lacune l'avait « peu frappé » avant
l'automne de 1768, date à laquelle il projetait, à Bourgoin, de retourner
en Angleterre après avoir brûlé une partie de ses papiers. Il faudrait
alors admettre que, rédigeant ce passage au début de 1770, Rousseau
confond le choc ressenti en constatant pour la première fois la lacune
(1763) et celui éprouvé en 1768 lorsque cette lacune lui donne « la
première idée du complot affreux dont [*il est*] la victime ».

nier, je l'avoue, me donna^a des soupçons sur M^{me} de Luxembourg. C'était La Roche, son valet de chambre, qui m'avait expédié ces papiers, et je n'imaginai qu'elle au monde qui pût prendre intérêt à ce chiffon; mais quel intérêt pouvait-elle prendre à l'autre, et aux lettres enlevées, dont, même avec de mauvais desseins, on ne pouvait faire aucun usage qui pût me nuire, à moins de les falsifier? Pour M. le Maréchal, dont je connaissais la droiture invariable et la vérité de son amitié pour moi, je ne pus^b le soupçonner un moment. Je ne pus même arrêter ce soupçon sur M^{me} la Maréchale. Tout ce qui me vint de plus raisonnable à l'esprit, après m'être fatigué longtemps à chercher l'auteur de ce vol, fut de l'imputer à d'Alembert, qui, déjà faufilé chez M^{me} de Luxembourg, avait pu trouver le moyen de fureter ces papiers et d'en enlever ce qui lui avait plu, tant en manuscrits qu'en lettres, soit pour chercher à me susciter quelque tracasserie, soit pour s'approprier ce qui lui pouvait convenir. Je supposai qu'abusé par le titre de la *Morale sensitive,* il avait cru trouver le plan d'un vrai traité de matérialisme, dont il aurait tiré contre moi le parti qu'on peut bien s'imaginer. Sûr qu'il serait bientôt détrompé par l'examen du brouillon, et déterminé à quitter tout à fait la littérature, je m'inquiétai peu de ces larcins qui n'étaient pas les premiers de la même main* que j'avais endurés sans m'en plaindre. Bientôt je ne^c songeai pas plus à cette infidélité que si l'on ne m'en eût

* J'avais trouvé dans ses *Éléments de Musique* beaucoup de choses tirées de ce que j'avais écrit sur cet art pour l'*Encyclopédie,* et qui lui fut remis plusieurs années avant la publication de ses Éléments. J'ignore la part qu'il a pu avoir à un livre intitulé : *Dictionnaire des Beaux-Arts* [1], mais j'y ai trouvé des articles transcrits des miens mot à mot, et cela longtemps avant que ces mêmes articles fussent imprimés dans l'*Encyclopédie.*

1. Les ressemblances entre les écrits de Rousseau et les *Éléments de musique théorique et pratique selon les principes de M. Rameau* (Paris, 1752) pourraient venir d'une dette commune à l'égard de Rameau, selon John N. Pappas (« Rousseau and d'Alembert », *P.M.L.A.,* March 1960, pp. 46-60), qui se propose d'élucider plus tard la question. — Le *Dictionnaire portatif des beaux-arts* de J. Lacome (Paris, 1752) est peut-être l'autre ouvrage auquel Rousseau fait ici allusion.

fait aucune, et je me mis à rassembler les matériaux qu'on m'avait laissés, pour travailler à mes confessions.

J'avais longtemps cru qu'à Genève la compagnie des ministres, ou du moins les citoyens et bourgeois, réclameraient contre l'infraction de l'édit dans le décret porté contre moi. Tout resta tranquille, du moins à l'extérieur; car il y avait un mécontentement général, qui n'attendait qu'une occasion pour se manifester. Mes amis, ou soidisant tels, m'écrivaient lettres sur lettres pour m'exhorter à venir me mettre à leur tête, m'assurant d'une réparation publique de la part du Conseil. La crainte du désordre et des troubles que ma présence pouvait causer m'empêcha d'acquiescer à leurs instances, et, fidèle au serment que j'avais fait autrefois, de ne jamais tremper dans aucune dissension civile dans mon pays, j'aimai mieux laisser subsister l'offense, et me bannir pour jamais de ma patrie, que d'y rentrer par des moyens violents et dangereux. Il est vrai que je m'étais attendu, de la part de la bourgeoisie, à des représentations légales et paisibles contre une infraction qui l'intéressait extrêmement. Il n'y en eut point. Ceux qui la conduisaient cherchaient moins le vrai redressement des griefs que l'occasion de se rendre nécessaires. On cabalait, mais on gardait le silence, et on laissait clabauder les caillettes et les cafards[a], ou soi-disant tels, que le Conseil mettait en avant pour me rendre odieux à la populace, et faire attribuer son incartade au zèle de la religion[1].

Après avoir attendu vainement plus d'un an que quelqu'un réclamât contre une procédure illégale, je pris enfin mon parti, et, me voyant abandonné de mes concitoyens, je me déterminai à renoncer à mon ingrate patrie, où je n'avais jamais vécu, dont je n'avais reçu ni bien ni service, et dont, pour prix de l'honneur que j'avais tâché de lui rendre, je me voyais si indignement traité d'un consentement unanime, puisque ceux qui devaient parler n'avaient rien dit. J'écrivis donc au premier syndic de cette année-là[b], qui, je crois, était M. Favre, une lettre par laquelle j'abdi-

1. Sur l'*édit*, voir p. 697 et n. 1; sur *caillette*, p. 55, n. 1; sur *cafard*, livre X, p. 599, n. 1. Le « serment » a été mentionné au livre V (*supra*, p. 248, n. 1). Parmi ses amis ou soi-disant tels du parti des « Représentants » sont alors, comme en témoigne la *C. C.*, J.-F. De Luc, F.-H. d'Ivernois, et Moultou.

quais solennellement mon droit de bourgeoisie, et dans laquelle, au reste, j'observai la décence et la modération que j'ai toujours mises aux actes de fierté que la cruauté de mes ennemis m'a souvent arrachés dans mes malheurs.

Cette démarche ouvrit enfin les yeux aux citoyens : sentant qu'ils avaient eu tort pour leur propre intérêt d'abandonner ma défense, ils la prirent quand il n'était plus temps. Ils avaient d'autres griefs qu'ils joignirent à celui-là, et ils en firent la matière de plusieurs représentations très bien raisonnées, qu'ils étendirent et renforcèrent à mesure que les durs et rebutants refus du Conseil, qui se sentait soutenu par le ministère de France, leur firent mieux sentir le projet formé de les asservir[1]. Ces altercations produisirent diverses brochures qui ne décidaient rien, jusqu'à ce que parurent tout d'un coup les *Lettres écrites de la Campagne,* ouvrage écrit en faveur du Conseil, avec un art infini, et par lequel le parti représentant, réduit au silence, fut pour un temps écrasé. Cette pièce, monument durable des rares talents de son auteur, était du Procureur-général Tronchin, homme d'esprit, homme éclairé, très versé dans les lois et le gouvernement de la République. *Siluit terra*[2].

Les représentants, revenus de leur premier abattement, entreprirent une réponse, et s'en tirèrent passablement avec le temps. Mais tous jetèrent les yeux sur moi, comme sur le seul qui pût entrer en lice contre un tel adversaire, avec espoir de le terrasser. J'avoue que je pensai de même, et, poussé par mes anciens[a] concitoyens, qui me faisaient

1. Avant de se décider, le 12 mai 1763, à « abdiquer » à perpétuité son « droit de Bourgeoisie et de Cité dans la république de Genève » (*C. C.,* XVI, 164), Rousseau avait reçu, grâce à Milord Maréchal, des « lettres de naturalité » neuchâteloise. Des représentations protestant contre la condamnation des ouvrages de Rousseau et les procédures adoptées à son endroit furent faites en juin, août, septembre et novembre, ouvrant ainsi la lutte entre la bourgeoisie et le Petit Conseil, entre « représentants » et « négatifs » (ce dernier terme est emprunté à la 5e des *Lettres de la Campagne* du procureur Tronchin, définissant le *droit négatif*). C'est un nouvel épisode du conflit toujours latent alors à Genève entre partisans et adversaires de l'influence politique française.

2. *Siluit terra :* citation tirée du livre des *Macchabées,* I, 1, 3. Sur le procureur général Tronchin et les *Lettres écrites de la Campagne,* voir *Index,* Tronchin-Boissier.

un devoir de les aider de ma plume dans un embarras dont j'avais été l'occasion, j'entrepris la réfutation des *Lettres écrites de la Campagne,* et j'en parodiai le titre par celui de *Lettres écrites de la Montagne,* que je mis aux miennes. Je fis[a] et j'exécutai cette entreprise si secrètement, que, dans un rendez-vous que j'eus à Thonon avec les chefs des Représentants, pour parler de leurs affaires, et où ils me montrèrent l'esquisse de leur réponse, je ne leur dis pas un mot de la mienne, qui était déjà faite, craignant qu'il ne survînt quelque obstacle à l'impression, s'il en parvenait le moindre vent soit aux magistrats, soit à mes ennemis particuliers. Je n'évitai pourtant pas que cet ouvrage ne fût connu en France avant la publication; mais on aima mieux le laisser paraître que de me faire trop comprendre comment on avait découvert mon secret. Je dirai là-dessus ce que j'ai su, qui se borne à très peu de chose; je me tairai sur ce que j'ai conjecturé[1].

J'avais à Môtiers presque autant de visites que j'en avais eu à l'Ermitage et à Montmorency; mais elles étaient la plupart d'une espèce fort différente. Ceux qui m'étaient venus voir jusqu'alors étaient des gens qui, ayant avec moi des rapports de talents, de goûts, de maximes, les alléguaient pour cause de leurs visites, et me mettaient d'abord sur des matières dont je pouvais m'entretenir avec eux. A Môtiers, ce n'était plus cela, surtout du côté de France. C'étaient des officiers ou d'autres gens qui n'avaient aucun goût pour la littérature, qui même, pour la plupart, n'avaient jamais lu mes écrits, et qui ne laissaient pas, à ce qu'ils disaient, d'avoir fait trente, quarante, soixante, cent lieues pour venir voir et admirer l'homme

1. Les neuf *Lettres écrites de la Montagne,* entreprises en septembre 1763, parurent en deux parties en octobre-novembre 1764 à Amsterdam chez Rey. Rousseau, comme il le dit plus loin, p. 725, avait quelque temps espéré les faire imprimer à Avignon, terre pontificale. Elles furent aussitôt diffusées à Genève et à Paris. V. l'éd. J. Candaux, *O. C.,* III, 683-897. Le texte d'une première rédaction a été donné par J.-S. Spink, *Annales,* XX-XXI (1931-1932).

C'est le 1er août 1764 que Rousseau part pour Thonon. De Môtiers, par Yverdon et Morges, il gagne Nyon d'où il s'embarque à la nuit tombante pour Thonon. Il est de retour à Môtiers le 18.

En juin 1765, il fit une excursion d'une quinzaine de jours pour herboriser autour de La Ferrière, village à une dizaine de kilomètres au nord-est de La Chaux-de-Fonds, et à quelque 1 000 mètres d'altitude.

illustre[a], célèbre, très célèbre, le grand homme, etc. Car dès lors on n'a cessé de me jeter grossièrement à la face les plus impudentes flagorneries, dont l'estime de ceux qui m'abordaient m'avait garanti jusqu'alors. Comme la plupart de ces survenants ne daignaient ni se nommer, ni me dire leur état, que leurs connaissances et les miennes ne tombaient pas sur les mêmes[b] objets, et qu'ils n'avaient ni lu ni parcouru mes ouvrages, je ne savais de quoi leur parler : j'attendais qu'ils parlassent eux-mêmes, puisque c'était à eux à savoir et à me dire pourquoi ils me venaient voir. On sent que cela ne faisait pas pour moi des conversations bien intéressantes, quoiqu'elles pussent l'être pour eux, selon ce qu'ils voulaient savoir : car, comme j'étais sans défiance, je m'exprimais sans réserve sur toutes les questions qu'ils jugeaient à propos de me faire, et ils s'en retournaient, pour l'ordinaire, aussi savants que moi sur tous les détails de ma situation.

J'eus, par exemple, de cette façon, M. de Fains, écuyer de la Reine et capitaine de cavalerie dans le régiment de la Reine, lequel eut la constance de passer plusieurs jours à Môtiers, et même de me suivre pédestrement jusqu'à La Ferrière, menant son cheval par la bride, sans avoir avec moi d'autre point de réunion, sinon que nous connaissions tous deux M[lle] Fel, et que nous jouions l'un et l'autre au bilboquet. J'eus avant et après M. de Fains, une autre visite bien plus extraordinaire. Deux hommes arrivent à pied, conduisant chacun un mulet chargé de son petit bagage, logent à l'auberge, pansent leurs mulets eux-mêmes et demandent à me venir voir. A[c] l'équipage de ces muletiers, on les prit pour des contrebandiers, et la nouvelle courut aussitôt que des contrebandiers venaient me rendre visite. Leur seule façon de m'aborder m'apprit que c'étaient des gens d'une autre étoffe; mais, sans être des contrebandiers, ce pouvaient être des aventuriers, et ce doute me tint quelque temps en garde. Ils ne tardèrent pas à me tranquilliser. L'un était M. de Montauban, appelé le comte de la Tour-du-Pin, gentilhomme du Dauphiné; l'autre était M. Dastier, de Carpentras, ancien militaire, qui avait mis sa croix de Saint-Louis dans sa poche, ne pouvant pas l'étaler[d]. Ces messieurs, tous deux très aimables, avaient tous deux beaucoup d'esprit; leur conversation était agréable et intéressante : leur manière de voyager, si bien dans mon goût, et si peu dans celui des gentilshommes

français, me donna pour eux une sorte d'attachement que leur commerce ne pouvait qu'affermir. Cette connaissance même ne finit pas là, puisqu'elle dure encore, et qu'ils me sont revenus voir diverses fois, non plus à pied cependant, cela était bon pour le début : mais plus j'ai vu ces messieurs, moins j'ai trouvé de rapports entre leurs goûts et les miens, moins j'ai senti que leurs maximes fussent les miennes, que mes écrits leur fussent familiers, qu'il y eût aucune véritable sympathie entre eux et moi. Que me voulaient-ils donc ? Pourquoi me venir voir dans cet équipage ? Pourquoi rester plusieurs jours ? Pourquoi revenir plusieurs fois ? Pourquoi désirer si fort de m'avoir pour hôte ? Je ne m'avisai pas alors de me faire[a] ces questions. Je me les suis faites quelquefois depuis ce temps-là.

Touché de leurs avances, mon cœur se livrait sans raisonner, surtout à M. Dastier, dont l'air plus ouvert me plaisait davantage. Je demeurai même en correspondance avec lui, et quand je voulus faire imprimer les *Lettres de la Montagne,* je songeai à m'adresser à lui pour donner le change à ceux qui attendaient mon paquet sur la route de Hollande. Il m'avait parlé beaucoup[b], et peut-être à dessein, de la liberté de la presse à Avignon; il m'avait offert ses soins, si j'avais quelque chose à y faire imprimer : je me prévalus de cette offre, et je lui adressai successivement, par la poste, mes premiers cahiers. Après les avoir gardés assez longtemps, il me les renvoya en me marquant qu'aucun libraire n'avait[c] osé s'en charger, et je fus contraint de revenir à Rey, prenant soin de n'envoyer mes cahiers que l'un après l'autre, et de ne lâcher les suivants qu'après avoir[d] eu avis de la réception des premiers[1]. Avant la publication de l'ouvrage, je sus qu'il avait été vu dans les bureaux des ministres, et d'Escherny, de Neuchâtel, me parla d'un livre de *l'Homme de la Montagne,* que d'Holbach lui avait dit être de moi. Je l'assurai, comme il était vrai, n'avoir jamais fait[e] de livre qui eût ce titre. Quand les *Lettres* parurent, il était furieux et m'accusa de mensonge, quoique je ne lui eusse dit que la vérité[2]. Voilà comment j'eus l'assurance que mon manuscrit était connu.

1. Sur la tentative d'impression à Avignon, voir J. D. Candaux, *Studi francesi,* 1962, pp. 245-262 et Index : Astier.
2. On peut se demander ici si Rousseau prétend établir sa franchise ou se vanter d'un bon tour.

Sûr de la fidélité de Rey, je fus forcé de porter ailleurs mes conjonctures, et celle à laquelle j'aimai le mieux m'arrêter fut que mes paquets avaient été ouverts à la poste.

Une autre connaissance à peu près du même temps, mais qui se fit d'abord seulement par lettres, fut celle d'un M. Laliaud, de Nîmes, lequel m'écrivit de Paris, pour me prier de lui envoyer mon profil à la silhouette, dont il avait, disait-il, besoin pour mon buste en marbre qu'il faisait faire par Le Moyne, pour le placer dans sa bibliothèque. Si c'était une cajolerie inventée pour m'apprivoiser, elle réussit pleinement. Je jugeai qu'un homme qui voulait avoir mon buste en marbre dans sa bibliothèque était plein de mes ouvrages, par conséquent de mes principes, et qu'il m'aimait parce que son âme était au ton de la mienne. Il était difficile que cette idée ne me séduisît pas. J'ai vu M. Laliaud dans la suite. Je l'ai trouvé très zélé pour me rendre beaucoup de petits services, pour s'entremêler beaucoup dans mes petites affaires. Mais[a], au reste, je doute qu'aucun de mes écrits ait été du petit nombre des livres qu'il a lus en sa vie. J'ignore s'il a une bibliothèque, et si c'est un meuble à son usage, et quant au buste, il s'est borné à une mauvaise esquisse en terre[b], faite par Le Moyne, sur laquelle il a fait graver un portrait hideux qui ne laisse pas de courir sous mon nom, comme s'il avait avec moi quelque ressemblance[1].

1. *Profil à la silhouette :* « dessin qui représente un profil tracé autour de l'ombre d'un visage » (Littré). Le substantif *silhouette* et l'expression *à la silhouette* ont été créés d'après le nom du contrôleur général Silhouette (voir *supra*, livre XI, p. 626). Littré donne deux explications possibles : 1º d'après le *Journal officiel* du 29 août 1869, p. 1154, 3º col., Étienne de Silhouette, dans son château de Bry-sur-Marne, aurait fait décorer les murs de plusieurs salles de ces genres de portraits.

2º L'expression « à la silhouette » signifierait « d'une manière incomplète ». Mercier, *Tableau de Paris* (cité par Littré) : « Il fit, quoique doué de beaucoup d'esprit, plusieurs sottises; dès lors tout parut à la silhouette, et son nom ne tarda pas à devenir ridicule; les modes portèrent à dessein une empreinte de sécheresse et de mesquinerie [...]. Les portraits furent des visages tirés de profil sur du papier noir d'après l'ombre de la chandelle sur une feuille de papier blanc... »

F. Brunot, *Histoire de la langue française,* IIᵉ partie, fascicule 1, pp. 1106 et 1301, donne une explication légèrement différente : il

Le seul Français qui parut me venir voir par goût pour mes sentiments et pour mes ouvrages fut un jeune officier du régiment de Limousin, appelé M. Séguier de Saint-Brisson, qu'on a vu et qu'on voit peut-être encore briller à Paris et dans le monde par des talents assez aimables et par des prétentions au bel esprit. Il m'était venu voir à Montmorency l'hiver qui précéda ma catastrophe. Je lui trouvai une vivacité de sentiment qui me plut. Il m'écrivit dans la suite à Môtiers, et soit qu'il voulût me cajoler, ou que réellement la tête lui tournât de l'*Émile,* il m'apprit qu'il quittait le service pour vivre indépendant, et qu'il apprenait le métier de menuisier. Il avait un frère aîné, capitaine dans le même régiment, pour lequel était toute la prédilection de la mère, qui, dévote outrée, et dirigée par je ne sais quel abbé tartufe, en usait très mal avec le cadet, qu'elle accusait d'irréligion, et même du crime irrémissible d'avoir des liaisons avec moi. Voilà les griefs sur lesquels il voulut rompre avec sa mère, et prendre le parti dont je viens de parler, le tout pour faire le petit Émile.

Alarmé de cette pétulance, je me hâtai de lui écrire pour le faire changer de résolution, et je mis à mes exhortations toute la force dont j'étais capable : elles furent écoutées. Il rentra dans son devoir vis-à-vis de sa mère, et il retira des mains de son colonel sa démission, qu'il lui avait donnée, et dont celui-ci avait eu la prudence de ne faire aucun usage, pour lui laisser le temps d'y mieux réfléchir. Saint-Brisson, revenu de ses folies, en fit une un peu moins choquante, mais qui n'était guère plus de mon goût; ce fut de se faire auteur. Il donna coup sur coup deux ou trois brochures, qui n'annonçaient pas un homme sans talent, mais sur lesquelles je n'aurai pas à me reprocher de lui avoir donné des éloges bien encourageants pour[a] poursuivre cette carrière.

Quelque temps après, il me vint voir, et nous fîmes ensemble le pèlerinage[1] de l'île de Saint-Pierre. Je le trouvai

s'agirait d'un « portrait réduit à l'essentiel à cause des ordonnances restrictives du ministre Silhouette ».

Le « portrait hideux » est vraisemblablement celui que grava d'après Le Moyne (1766) S.-C. Miger (1736-1820), élève de Cochin fils et de Wille, membre de l'Académie royale en 1781. Il est reproduit en frontispice du t. XVI de *D. P.*

1. *Pèlerinage* : v. *En pèlerin,* p. 706, n. 1.

dans ce voyage différent de ce que je l'avais vu à Mont-
morency. Il avait je ne sais quoi d'affecté, qui d'abord ne
me choqua pas beaucoup, mais qui m'est revenu souvent
en mémoire depuis ce temps-là. Il me vint voir encore
une fois à l'hôtel de Saint-Simon, à mon passage à Paris
pour aller en Angleterre[1]. J'appris là, ce qu'il ne m'avait
pas dit, qu'il vivait dans les[a] grandes sociétés, et qu'il
voyait assez souvent M[me] de Luxembourg. Il ne me donna
aucun signe de vie à Trye et ne me fit rien dire par sa
parente, M[lle] Séguier, qui était ma voisine, et qui ne m'a
jamais paru bien favorablement disposée pour moi. En
un mot, l'engouement de M. de Saint-Brisson finit tout d'un
coup, comme la liaison de M. de Fains; mais celui-ci ne
me devait rien, et l'autre me devait[b] quelque chose, à
moins que les sottises que je l'avais empêché de faire
n'eussent été qu'un jeu de sa part : ce qui, dans le fond,
pourrait très bien être.

J'eus aussi des visites de Genève tant et plus. Les
De Luc père et fils me choisirent successivement pour leur
garde-malade : le père tomba malade en route; le fils l'était
en partant de Genève; tous deux vinrent se rétablir chez
moi. Des ministres, des parents[c], des cagots, des quidams
de toute espèce, venaient de Genève et de Suisse, non pas
comme ceux de France, pour m'admirer et me persifler,
mais pour me tancer et catéchiser. Le seul qui me fit plaisir
fut Moultou, qui vint passer trois ou quatre jours avec
moi, et que j'y aurais bien voulu retenir davantage. Le
plus constant de tous, celui qui s'opiniâtra le plus, et qui
me subjugua à force d'importunités, fut un M. d'Ivernois,
commerçant de Genève, Français réfugié et parent du
Procureur-général de Neuchâtel. Ce M. d'Ivernois de
Genève passait à Môtiers deux fois l'an, tout exprès pour
m'y venir voir, restait chez moi du matin au soir plusieurs
jours de suite, se mettait de mes promenades, m'apportait
mille sortes de petits cadeaux, s'insinuait malgré moi dans
ma confidence, se mêlait de toutes mes affaires, sans qu'il
y eût entre lui et moi aucune communion d'idées, ni d'incli-

1. Rousseau fait un séjour de deux semaines en juillet 1765 à l'île
Saint-Pierre, où il se réfugiera en septembre. C'est à la fin de dé-
cembre de la même année qu'il descend à l'hôtel de Saint-Simon, au
Temple, où il est l'hôte du prince de Conti; il y reçoit de nombreux
visiteurs entre le 20 décembre 1765 et le 3 janvier 1766.

nations, ni de sentiments, ni de connaissances. Je doute
qu'il ait lu dans toute sa vie un livre entier d'aucune
espèce, et qu'il sache même de quoi traitent les miens.
Quand je commençai d'herboriser, il me suivit dans mes
courses de botanique, sans goût pour cet amusement, et
sans avoir rien à me dire, ni moi à lui. Il eut même le cou-
rage de passer avec moi trois jours entiers tête-à-tête dans
un cabaret à Goumoens, d'où j'avais cru le chasser à force
de l'ennuyer et de lui faire sentir combien il m'ennuyait,
et tout cela sans qu'il m'ait été possible jamais de rebuter
son incroyable constance, ni d'en pénétrer le motif[1].

Parmi toutes ces liaisons, que je ne fis et n'entretins
que par force, je ne dois pas omettre la seule qui m'ait été
agréable, et à laquelle j'aie mis un véritable intérêt de
cœur : c'est celle d'un jeune Hongrois qui vint se fixer à
Neuchâtel, et de là à Môtiers, quelques mois après que
j'y fus établi moi-même. On l'appelait dans le pays le baron
de Sauttern, nom sous lequel il y avait été recommandé de
Zurich. Il était grand et bien fait, d'une figure agréable,
d'une société liante et douce. Il dit à tout le monde, et me
fit entendre à moi-même, qu'il n'était venu à Neuchâtel
qu'à cause de moi, et pour former sa jeunesse à la vertu
par mon commerce. Sa physionomie, son ton, ses manières,
me parurent d'accord avec ses discours, et j'aurais cru
manquer à l'un des plus grands devoirs en éconduisant
un jeune homme en qui je ne voyais rien que d'aimable et
qui me recherchait par un si respectable motif. Mon cœur
ne sait point se livrer à demi. Bientôt il eut toute mon
amitié, toute ma confiance; nous devînmes inséparables.
Il était de toutes mes courses pédestres; il y prenait goût.
Je le menai chez Milord Maréchal, qui lui fit mille caresses.
Comme il ne pouvait encore s'exprimer en français, il ne
me parlait et ne m'écrivait qu'en latin : je lui répondais
en français, et ce mélange des deux langues ne rendait
nos entretiens ni moins coulants, ni moins vifs à tous
égards. Il me parla de sa famille, de ses affaires, de ses
aventures, de la cour de Vienne, dont il paraissait bien
connaître les détails domestiques. Enfin, pendant près de
deux ans que nous passâmes dans la plus grande intimité,

1. Goumoens-la-Ville (Rousseau orthographie Goumoins) à une
quinzaine de kilomètres au sud d'Yverdon, à mi-chemin de Lausanne.
L'excursion est de fin juin 1764.

je ne lui trouvai qu'une douceur de caractère à toute épreuve, des mœurs non seulement honnêtes, mais élégantes, une grande propreté[a] sur sa personne, une décence extrême dans tous ses discours, enfin toutes les marques d'un homme bien né, qui me le rendirent trop estimable pour ne pas me le rendre cher.

Dans le fort de mes liaisons avec lui, d'Ivernois de Genève m'écrivit que je prisse garde au jeune Hongrois qui était venu s'établir près de moi, qu'on l'avait assuré que c'était un espion que le ministère de France avait mis auprès de moi. Cet avis pouvait paraître d'autant plus inquiétant, que dans le pays où j'étais, tout le monde m'avertissait de me tenir sur mes gardes, qu'on me guettait, et qu'on cherchait à m'attirer sur le territoire de France, pour m'y faire un mauvais parti.

Pour fermer la bouche une fois pour toutes à ces ineptes donneurs d'avis, je proposai à Sauttern, sans le prévenir de rien, une promenade pédestre à Pontarlier; il y consentit. Quand nous fûmes arrivés à Pontarlier, je lui donnai à lire la lettre de d'Ivernois, et puis l'embrassant avec ardeur, je lui dis : Sauttern n'a pas besoin que je lui prouve ma confiance, mais le public a besoin que je lui prouve que je la sais bien placer. Cet embrassement fut bien doux; ce fut un de ces plaisirs de l'âme que les persécuteurs ne sauraient connaître, ni les ôter aux opprimés.

Je ne croirai jamais que Sauttern fût un espion, ni qu'il m'ait trahi; mais il m'a trompé. Quand j'épanchais avec lui mon cœur sans réserve, il eut le courage de me fermer constamment le sien, et de m'abuser par des mensonges. Il me controuva je ne sais quelle histoire qui me fit juger que sa présence était nécessaire dans son pays. Je l'exhortai de partir au plus vite : il partit, et quand je le croyais déjà en Hongrie, j'appris qu'il était à Strasbourg. Ce n'était pas la première fois qu'il y avait été. Il y avait jeté du désordre dans un ménage : le mari, sachant que je le voyais, m'avait écrit. Je n'avais omis aucun soin pour ramener[b] la jeune femme à la vertu, et Sauttern à son devoir. Quand je les croyais parfaitement détachés l'un de l'autre, ils s'étaient[c] rapprochés, et le mari même eut la complaisance de reprendre le jeune homme dans sa maison; dès lors je n'eus plus rien à dire. J'appris que le prétendu baron m'en avait imposé par un tas de mensonges. Il ne s'appelait point Sauttern, il s'appelait Sauttersheim. A l'égard du titre de

baron, qu'on lui donnait en Suisse, je ne pouvais le lui reprocher, parce qu'il ne l'avait jamais pris : mais je ne doute pas qu'il ne fût bien gentilhomme, et Milord Maréchal, qui se connaissait[a] en hommes, et qui avait été dans son pays, l'a toujours regardé et traité comme tel.

Sitôt qu'il fut parti, la servante de l'auberge où il mangeait à Môtiers se déclara grosse de son fait. C'était une si vilaine salope, et Sauttern, généralement estimé et considéré dans tout le pays par sa conduite et ses mœurs honnêtes, se piquait si fort de propreté, que cette impudence choqua tout le monde. Les plus aimables personnes du pays, qui lui avaient[b] inutilement prodigué leurs agaceries, étaient furieuses; j'étais outré d'indignation. Je fis tous mes efforts pour faire arrêter cette effrontée, offrant de payer tous les frais et de cautionner Sauttersheim. Je lui écrivis, dans la forte persuasion non seulement que cette grossesse n'était pas de son fait, mais qu'elle était feinte, et que tout cela n'était qu'un jeu joué par ses ennemis et les miens : je voulais qu'il revînt dans le pays confondre cette coquine et ceux qui la faisaient parler. Je fus surpris de la mollesse de sa réponse. Il écrivit au pasteur, dont la salope était paroissienne, et fit en sorte d'assoupir l'affaire[c]; ce que voyant, je cessai de m'en mêler, fort étonné qu'un homme aussi crapuleux eût pu être assez maître de lui-même pour m'en imposer par sa réserve dans la plus intime familiarité.

De Strasbourg, Sauttersheim fut à Paris chercher fortune, et n'y trouva que de la misère. Il m'écrivit en disant son *peccavi*. Mes entrailles s'émurent au souvenir de notre ancienne amitié; je lui envoyai quelque argent. L'année suivante, à mon passage à Paris, je le revis à peu près dans le même état, mais grand ami de M. Laliaud, sans que j'aie pu savoir d'où lui venait cette connaissance, et si elle était ancienne ou nouvelle. Deux ans après, Sauttersheim retourna à Strasbourg d'où il m'écrivit, et où il est mort. Voilà l'histoire abrégée de nos liaisons, et ce que je sais de ses aventures : mais, en déplorant le sort de ce malheureux jeune homme, je ne cesserai jamais de croire qu'il était bien né, et que tout le désordre de sa conduite fut l'effet des situations où il s'est trouvé[1].

1. Sauttersheim, arrivé à Môtiers en mars 1763, quitta le village en juillet; il ne passa donc pas deux ans en compagnie de Rousseau;

Telles furent les acquisitions que je fis à Môtiers, en fait de liaisons et de connaissances. Qu'il en aurait fallu de pareilles pour compenser les cruelles pertes que je fis dans le même temps !

La première fut celle de M. de Luxembourg, qui, après avoir été tourmenté longtemps par les médecins, fut enfin leur victime, traité de la goutte, qu'ils ne voulurent point reconnaître, comme d'un mal qu'ils pouvaient guérir : si l'on doit s'en rapporter[a] là-dessus à la relation que m'en écrivit La Roche, l'homme[b] de confiance de M[me] la Maréchale, c'est bien par cet exemple, aussi cruel que mémorable, qu'il faut déplorer les misères de la grandeur.

La perte de ce bon seigneur me fut d'autant plus sensible, que c'était le seul ami vrai que j'eusse en France, et la douceur de son caractère était telle, qu'elle m'avait fait oublier tout à fait son rang, pour m'attacher[c] à lui comme à mon égal[1]. Nos liaisons ne cessèrent point par ma retraite, et il continua de m'écrire comme auparavant. Je crus pourtant remarquer que l'absence, ou mon malheur, avait attiédi son affection. Il est bien difficile qu'un courtisan garde le même attachement pour quelqu'un qu'il sait être dans la disgrâce des puissances. J'ai jugé d'ailleurs que le grand ascendant qu'avait sur lui M[me] de Luxembourg ne m'avait pas été favorable, et qu'elle avait profité de

à ce détail près, ce que dit ici de lui Rousseau est confirmé par la *C. C.*, où il apparaît que Sauttersheim écrit en latin jusqu'en août 1764, en français ensuite. Milord Maréchal fit vainement prendre des renseignements sur lui à Vienne. F.-H. d'Ivernois écrit le 9 avril 1763 à son cousin Charles-Guillaume (fils du procureur et frère d'Isabelle) à Môtiers qu'il soupçonne « Sauttern » d'être un espion au service de la France. C'est le procureur qui communique cet avis à Rousseau. L'affaire de la servante d'auberge de Môtiers est relatée avec indignation par Rousseau dans une lettre à Daniel Roguin (18 août 1763) où il défend l'honneur de son ami (*C. C.*, XVII, 162).

Le voyage à Pontarlier eut lieu en mai 1763. Le mois suivant, les deux amis partent, toujours à pied, pour Zürich — où Rousseau, invité par de jeunes admirateurs du cercle de Julie de Bondeli, songea un temps à s'installer — mais ils ne dépassent pas Estavayer, sur la rive sud du lac de Neuchâtel.

1. La mort du maréchal, survenue le 18 mai 1764, est annoncée à Rousseau par La Roche dans une lettre du 22 mai 1764. Le début de la réponse de Rousseau (*C. C.*, XX, 98 : « Je reste seul sur la terre, accablé de maux, sans amis, sans ressources, sans consolations... ») annonce curieusement le début de la 1[re] Promenade des *Rêveries*.

mon[a] éloignement pour me nuire dans son esprit. Pour elle, malgré quelques démonstrations affectées et toujours plus rares, elle cacha moins, de jour en jour, son changement à mon égard. Elle m'écrivit quatre ou cinq fois en Suisse, de temps à autre, après quoi elle ne m'écrivit plus du tout, et il fallait toute la prévention, toute la confiance, tout l'aveuglement où j'étais encore, pour ne pas voir en elle plus que du refroidissement envers moi.

Le libraire Guy, associé de Duchesne, qui depuis moi fréquentait beaucoup l'Hôtel de Luxembourg, m'écrivit que j'étais sur le testament de M. le Maréchal. Il n'y avait rien là que de très naturel et de très croyable; ainsi je n'en doutai pas. Cela me fit délibérer en moi-même comment je me comporterais sur ce legs. Tout bien pesé, je résolus de l'accepter, quel qu'il pût être, et de rendre cet honneur à[b] un honnête homme qui, dans un rang où l'amitié ne pénètre guère, en avait eu une véritable pour moi. J'ai été dispensé de ce devoir, n'ayant plus entendu parler de ce legs vrai ou faux; et en vérité j'aurais été peiné de blesser une des grandes maximes de ma morale, en profitant de quelque chose à la mort de quelqu'un qui m'avait été cher. Durant la dernière maladie de notre ami Mussard, Lenieps me proposa de profiter de la sensibilité qu'il marquait à nos soins, pour lui insinuer quelques dispositions en notre faveur. Ah ! cher Lenieps, lui dis-je, ne souillons pas par des[c] idées d'intérêt les tristes, mais sacrés devoirs, que nous rendons à notre ami mourant. J'espère n'être jamais dans le testament de personne, et jamais du moins dans celui d'aucun de mes amis. Ce fut à peu près dans ce même temps-ci que Milord Maréchal me parla du sien, de ce qu'il avait dessein d'y faire pour moi, et que je lui fis la réponse dont j'ai parlé dans ma première partie[1].

Ma seconde perte, plus sensible encore, et bien plus irréparable, fut celle de la meilleure des femmes et des

1. On ne connaît pas de testament du maréchal de Luxembourg comportant un legs en faveur de Rousseau, mais MM. Gagnebin et Raymond ont établi que La Roche, sur procuration de Rousseau, avait touché, peu après la mort du maréchal, une somme de plus de 1 500 livres, correspondant à une reconnaissance datée de 1761. — Les *Confessions* ne nous renseignent pas sur la dernière maladie et la mort de Mussard, mentionnées dans la *C. C.*, III, 146 et 206.
Sur l'affaire du testament de Milord Maréchal, voir p. 60 et n. 1.

mères, qui déjà chargée d'ans et surchargée d'infirmités et de misères, quitta cette Vallée de larmes pour passer dans le séjour des bons, où l'aimable souvenir du bien que l'on a fait ici-bas en fait l'éternelle récompense. Allez, âme douce et bienfaisante, auprès des Fénelon, des Bernex, des Catinat, et de ceux qui, dans un état plus humble, ont ouvert comme eux leurs cœurs à la charité véritable; allez goûter le fruit de la vôtre, et préparer à votre élève la place qu'il espère un jour occuper près de vous ! Heureuse, dans vos infortunes, que le Ciel en les terminant, vous ait épargné le cruel spectacle des siennes ! Craignant de contrister son cœur par le récit de mes premiers désastres, je ne lui avais point écrit depuis mon arrivée en Suisse; mais j'écrivis à M. de Conzié pour m'informer d'elle, et ce fut lui qui m'apprit qu'elle avait cessé de soulager ceux qui souffraient, et de souffrir elle-même. Bientôt je cesserai de souffrir aussi; mais si je croyais ne la pas revoir dans l'autre vie, ma faible imagination se refuserait à l'idée du bonheur parfait que je m'y promets[1].

Ma troisième perte et la dernière, car depuis lors il ne m'est plus resté d'amis à perdre, fut celle de Milord Maréchal. Il ne mourut pas; mais, las de servir des ingrats, il quitta Neuchâtel, et depuis lors je ne l'ai pas revu. Il vit et me survivra, je l'espère : il vit, et, grâce à lui, tous mes attachements ne sont pas rompus sur la terre; il y reste[a] encore un homme digne de mon amitié, car son vrai prix est encore plus dans celle qu'on sent que dans celle qu'on inspire; mais j'ai perdu les douceurs que la sienne me prodiguait, et je ne peux plus le mettre qu'au rang de ceux que j'aime encore, mais avec qui je n'ai plus de liaison. Il allait en Angleterre recevoir sa grâce du Roi, et racheter[b] ses biens jadis confisqués. Nous ne nous séparâmes point sans des projets de réunion qui paraissaient presque aussi doux pour lui que pour moi. Il voulait se fixer à son château de Keith-Hall, près d'Aberdeen, et je devais m'y rendre auprès de lui; mais ce projet me flattait trop pour que j'en pusse espérer le succès. Il ne resta point en Écosse. Les tendres sollicitations du Roi de

1. C'est par M. de Conzié, comte des Charmettes, que Rousseau apprit en octobre 1762 la mort, survenue à Chambéry le 29 juillet précédent, de Mme de Warens — donc antérieurement à celle du maréchal de Luxembourg. On n'a pas trace de lettres de Rousseau à Mme de Warens depuis leur dernière entrevue en 1754.

Prusse le rappelèrent à Berlin, et l'on verra bientôt comment je fus empêché de l'y aller joindre[1].

Avant son départ, prévoyant l'orage qu'on commençait à susciter contre moi, il m'envoya de son propre mouvement des lettres de naturalité qui semblaient être une précaution très sûre pour qu'on ne pût pas me chasser du pays. La communauté de Couvet, dans le Val-de-Travers, imita l'exemple du gouverneur, et me donna des lettres de *communier* gratuites, comme les premières[2]. Ainsi, devenu de tout point citoyen du pays, j'étais à l'abri de toute expulsion légale, même de la part du Prince : mais ce n'a jamais été par des voies légitimes qu'on a pu persécuter celui de tous les hommes qui a toujours le plus respecté les lois.

[a]Je ne crois pas devoir compter au nombre des pertes que je fis en ce même temps celle de l'abbé de Mably[b]. Ayant demeuré chez son frère, j'avais eu quelques liaisons avec lui, mais jamais bien intimes, et j'ai quelque lieu de[c] croire que ses sentiments à mon égard avaient changé de nature depuis que j'avais acquis plus de célébrité que lui. Mais ce fut à la publication des *Lettres*[d] *de la Montagne* que j'eus le premier signe de sa mauvaise volonté pour moi. On fit courir[e] dans Genève une lettre à M[me] Saladin[f], qui lui était attribuée, et dans laquelle il parlait de cet ouvrage comme des clameurs séditieuses d'un démagogue effréné. L'estime que j'avais pour l'abbé de Mably, et le cas que je faisais de ses lumières, ne me permirent pas un instant de croire que cette extravagante lettre fût de lui. Je pris[g] là-dessus le parti que m'inspira ma franchise. Je lui envoyai une copie de la lettre, en l'avertissant qu'on la lui attribuait. Il ne me fit aucune réponse. Ce silence me surprit : mais[h] qu'on juge de ma surprise, quand M[me] de Chenonceaux me manda que la lettre était[i] réelle-

1. Keith Hall n'est pas près d'Aberdeen, mais à Édimbourg. L'invitation faite à Rousseau de rejoindre Milord Maréchal à Édimbourg vient à la suite de projets de société amicale à trois, avec Hume, qui occupèrent leur correspondance en 1762-1763, jusqu'au départ de Keith pour l'Écosse (avril 1763). Sur leurs dernières relations, voir *Index,* Keith.

2. Couvet, à 5 kilomètres de Môtiers sur la route de Neuchâtel, entre Môtiers et Travers. *Communier* : bourgeois d'une commune, en Suisse romande. Sur l'obtention des « lettres de naturalité » ou naturalisation, voir *supra,* p. 722, n. 1.

ment de l'abbé, et que la mienne l'avait fort embarrassé[1]. Car enfin, quand il aurait eu raison, comment pouvait-il excuser une démarche éclatante et publique, faite de gaieté de cœur, sans obligations, sans nécessité[a], à l'unique fin d'accabler au plus fort de ses malheurs un homme auquel il avait toujours marqué de la bienveillance, et qui n'avait jamais démérité de lui ? Quelque temps après parurent les *Dialogues de Phocion,* où je ne vis qu'une compilation de mes écrits, faite sans retenue et sans honte. Je[b] sentis, à la lecture de ce livre, que l'auteur avait pris son parti à mon égard, et que je n'aurais point désormais de[c] pire ennemi. Je crois qu'il ne m'a pardonné ni le *Contrat social,* trop au-dessus de ses forces, ni la *Paix perpétuelle,* et qu'il n'avait paru désirer que je fisse un extrait de l'abbé de Saint-Pierre[d] qu'en supposant que je ne m'en tirerais pas si bien.

Plus j'avance dans mes récits, moins j'y puis mettre d'ordre et de suite. L'agitation du reste de ma vie n'a pas laissé aux événements le temps de s'arranger dans ma tête. Ils ont été trop nombreux, trop mêlés, trop désagréables, pour pouvoir être narrés sans confusion. La seule impression forte qu'ils m'ont laissée est celle de l'horrible mystère qui couvre leur cause, et de l'état déplorable où ils m'ont réduit. Mon récit ne peut plus marcher qu'à l'aventure, et selon que les idées me reviendront dans l'esprit. Je me rappelle que dans le temps dont je parle, tout occupé de mes *Confessions,* j'en parlais très imprudemment à tout le monde, n'imaginant pas même que personne eût intérêt, ni volonté, ni pouvoir de mettre obstacle à cette entreprise : et quand je l'aurais cru, je n'en aurais guère été plus discret, par l'impossibilité totale où je suis par mon naturel de tenir caché rien de ce que je sens et de ce que je pense. Cette entreprise connue fut, autant que j'en puis juger, la véritable cause de l'orage qu'on excita[e] pour

1. L'incident est du début de 1765. On trouvera dans la *C. C.* (XXIII, 87, 291, 355) non seulement les lettres auxquelles fait allusion Rousseau, mais aussi, contrairement à ce qu'il dit, une réponse de Mably qui reproche à Rousseau, condamné injustement comme Socrate (la comparaison commence à se répandre chez les amis de Rousseau : voir *supra,* livre V, p. 228, n. 1) de vouloir, à la différence de Socrate, se venger de ses juges en excitant une sédition contre eux. Voir *Index,* Mably.

m'expulser de la Suisse[a], et me livrer entre des mains qui m'empêchassent de l'exécuter[1].

J'en avais une autre qui n'était guère vue de meilleur œil par ceux qui craignaient la première : c'était celle d'une édition générale de mes écrits. Cette édition me paraissait nécessaire pour constater ceux des[b] livres portant mon nom qui étaient véritablement de moi, et mettre le public en état de les distinguer de ces écrits pseudonymes que mes ennemis me prêtaient pour me décréditer et m'avilir. Outre cela, cette édition était un moyen simple et honnête de m'assurer du pain, et c'était le seul, puisque, ayant renoncé à faire des livres, mes Mémoires ne pouvant paraître de mon vivant, ne gagnant pas un sol d'aucune autre manière et dépensant toujours, je voyais la fin de mes ressources dans celle du produit de mes derniers écrits. Cette raison m'avait[c] pressé de donner mon *Dictionnaire de Musique,* encore informe. Il m'avait valu cent louis comptant et cent écus de rente viagère, mais encore devait-on voir bientôt la fin de cent louis quand on en dépensait annuellement plus de soixante, et[d] cent écus de rente étaient comme rien pour un homme sur qui les quidams et les gueux venaient incessamment fondre comme des étourneaux.

Il se présenta une compagnie de négociants de Neuchâtel pour l'entreprise de mon édition générale, et un imprimeur ou libraire de Lyon, appelé Reguillat, vint, je ne sais comment, se fourrer parmi eux pour la diriger. L'accord se fit sur un pied[e] raisonnable et suffisant pour bien remplir mon objet. J'avais, tant en ouvrages imprimés qu'en pièces encore manuscrites, de quoi fournir six

1. Les « mains qui [*l'*]empêch[*èrent*] de l'exécuter » sont principalement celles de Hume, Rousseau voyant alors l'Angleterre comme un piège où l'avaient attiré ses ennemis. — L'idée que le projet de rédaction des *Confessions,* une fois connu du public, est la cause de son expulsion de Suisse a dû naître dans l'esprit de Rousseau après le séjour en Angleterre : en 1767, décidant de fuir l'Angleterre où il est depuis dix-huit mois, et se croyant traqué, il écrit au général Conway, secrétaire d'État, une lettre où il implore sa protection pour quitter l'île, s'offrant en contrepartie à abandonner l'entreprise des *Confessions.* Désormais la hantise d'un complot formé pour lui dérober ses Mémoires et les détruire le poursuivra jusqu'à l'achèvement des *Dialogues,* lui suggérant rétrospectivement des interprétations sinistres d'incidents passés et jugés en leur temps anodins.

volumes in-quarto; je m'engageai de plus à veiller sur l'édition : au moyen de quoi ils devaient me faire une pension viagère de seize cents livres de France et un présent de mille écus une fois payés.

Le traité était conclu, non encore signé, quand les *Lettres écrites de la Montagne* parurent. La terrible explosion qui se fit contre cet infernal ouvrage et contre son abominable auteur, épouvanta la compagnie, et l'entreprise s'évanouit[1]. Je comparerais l'effet de ce dernier ouvrage à celui de la *Lettre sur la Musique française,* si cette lettre, en m'attirant la haine et m'exposant au péril, ne m'eût laissé du moins la considération et l'estime. Mais, après ce dernier ouvrage, on parut s'étonner à Genève et à Versailles[a] qu'on laissât respirer un monstre tel que moi. Le petit Conseil, excité par le Résident de France, et dirigé par le Procureur-général, donna une déclaration sur mon ouvrage, par laquelle, avec les qualifications les plus atroces, il le déclare indigne d'être brûlé par le bourreau, et ajoute avec une adresse qui tient du burlesque qu'on ne peut, sans se déshonorer, y répondre ni même en faire aucune mention. Je voudrais[b] pouvoir transcrire ici cette curieuse pièce; mais malheureusement je ne l'ai pas et ne m'en souviens pas[c] d'un seul mot. Je désire ardemment que quelqu'un de mes lecteurs, animé du zèle de la vérité et de l'équité, veuille relire en entier les *Lettres écrites de la Montagne;* il sentira, j'ose le dire, la stoïque modération qui règne dans cet ouvrage, après les sensibles et cruels outrages dont on venait à l'envi d'accabler l'auteur. Mais, ne pouvant répondre aux injures, parce qu'il n'y en avait point, ni aux raisons, parce qu'elles étaient sans réponse, ils prirent le parti de paraître trop courroucés pour vouloir répondre, et il est vrai que s'ils prenaient les arguments invincibles pour des injures ils devaient se tenir fort injuriés[2].

1. Sur l'accord conclu pour la publication du *Dictionnaire de Musique* fin 1764-début 1765, voir *C. C.,* XXII, 326-7, XXIV, 217. Le projet d'édition générale des œuvres, qui devait associer au libraire lyonnais Réguillat (voir *Index*) un libraire de Neuchâtel, est exposé dans des lettres de Rousseau de la même époque, *C. C.,* XXII, 130, 226; XXIII, 181-2. L'affaire tomba lorsque fut lancée la Déclaration du Conseil de Genève (12 février 1765; Rousseau en parle plus loin) sur les *Lettres écrites de la Montagne,* parues en décembre 1764.

2. Les *Lettres de la Montagne* furent brûlées à La Haye le 22 janvier

Les Représentants, loin de faire aucune plainte sur cette odieuse déclaration, suivirent la route qu'elle leur traçait, et au lieu de faire trophée des *Lettres de la Montagne,* qu'ils voilèrent pour s'en faire un bouclier, ils eurent la lâcheté de ne rendre ni honneur ni justice à cet[a] écrit fait pour leur défense et à leur sollicitation, ni le citer ni le nommer, quoiqu'ils en tirassent tacitement tous leurs arguments, et que l'exactitude avec laquelle ils ont suivi le conseil par lequel finit cet ouvrage ait été la seule cause de leur salut et de leur victoire. Ils m'avaient imposé ce devoir; je l'avais rempli; j'avais jusqu'au bout servi la patrie et leur cause. Je les priai d'abandonner la mienne et de ne songer qu'à eux dans leurs démêlés. Ils me prirent au mot et je ne me suis plus mêlé de leurs affaires que pour les exhorter sans cesse à la paix, ne doutant pas que, s'ils s'obstinaient, ils ne fussent écrasés par la France. Cela n'est pas arrivé : j'en comprends la raison, mais ce n'est pas ici le lieu de la dire.

L'effet des *Lettres de la Montagne* à Neuchâtel fut d'abord très paisible. J'en envoyai un exemplaire à M. de Montmollin; il le reçut bien, et le lut sans objection. Il était malade[b], aussi bien que moi; il me vint voir amicalement quand il fut rétabli, et ne me parla de rien. Cependant la rumeur commençait; on brûla le livre je ne sais où. De Genève, de Berne, et de Versailles peut-être, le foyer d'effervescence passa bientôt à Neuchâtel, et surtout dans le Val-de-Travers, où, avant même que la Classe eût fait aucun mouvement apparent, on avait commencé d'ameuter le peuple par des pratiques souterraines. Je devais, j'ose le dire, être aimé du peuple dans ce pays-là, comme je l'ai été dans tous ceux où j'ai vécu[c], versant les aumônes[d] à pleines mains, ne laissant sans assistance aucun indigent autour de moi, ne refusant à personne aucun service que je pusse rendre et qui fût dans la justice, me familiarisant trop peut-être avec tout le monde, et me dérobant de tout mon pouvoir à toute distinction qui pût exciter la jalousie[1]. Tout cela n'empêcha pas que[e] la populace, soulevée secrètement je ne sais par qui, ne

1765, puis à Paris avec le *Dictionnaire philosophique* de Voltaire (arrêt du 19 mars 1765).

1. Voir de même dans le 2e *Dialogue* (*O. C.*, I, 1959, p. 905) : « Seul peut-être de tous les étrangers qui vécurent jamais en Angleterre, il [= J.-J.] a vu le peuple de Wootton pleurer à son départ. »

s'animât contre moi par degrés, jusqu'à la fureur, qu'[a]elle
ne m'insultât publiquement en plein jour, non seulement
dans la campagne et dans les[b] chemins, mais en pleine rue.
Ceux à qui j'avais fait le plus de bien étaient les plus
acharnés, et des gens même à qui je continuais d'en faire,
n'osant se montrer, excitaient les autres, et semblaient
vouloir se venger ainsi de l'humiliation de m'être obligés.
Montmollin paraissait ne rien voir, et ne se montrait pas
encore. Mais, comme on approchait d'un temps de commu-
nion, il vint chez moi pour me conseiller de m'abstenir
de m'y présenter, m'assurant que du reste il ne m'en vou-
lait point, et qu'il me laisserait tranquille. Je trouvai le
compliment bizarre; il me rappelait la lettre de M[me] de
Boufflers et je ne pouvais concevoir à qui donc il importait
si fort que je communiasse ou non. Comme je regardais
cette condescendance de ma part comme un acte de lâcheté,
et que d'ailleurs je ne voulais pas donner au peuple ce nou-
veau prétexte de crier à l'impie, je refusai net le ministre,
et il s'en retourna mécontent, me faisant entendre que je
m'en repentirais[1].

Il ne pouvait pas m'interdire la communion de sa seule
autorité : il fallait celle du Consistoire qui m'avait admis, et
tant que le Consistoire n'avait rien dit, je pouvais me pré-
senter hardiment, sans crainte de refus. Montmollin se fit
donner[c] par la Classe la commission de me citer au Consis-
toire pour y rendre compte de ma foi, et[d] de m'excommu-
nier en cas de refus. Cette excommunication ne pouvait
non plus se faire que par le Consistoire et à la pluralité des
voix. Mais les paysans qui, sous le nom d'anciens, compo-
saient cette assemblée, présidés et, comme on comprend
bien, gouvernés par leur ministre, ne devaient pas naturel-
lement être d'un autre avis que le sien, principalement sur
des matières théologiques, qu'ils entendaient encore moins
que lui. Je fus donc cité, et je résolus de comparaître[2].

1. Les exemples donnés par Littré (*Refuser*, 4°) de la construction
transitive *refuser quelqu'un* (= « en parlant des personnes, ne pas leur
accorder ce qu'elles demandent ») sont du xvii[e] siècle, le plus tardif
de Saint-Simon.

L'envoi des *Lettres de la Montagne* à Montmollin était du 23 dé-
cembre 1764 (*C. C.*, XXII, 271); la visite de Montmollin à Rousseau
eut lieu le 8 mars 1765 (*C. C.*, XIII, 88-89).

2. La réunion de la Classe des pasteurs eut lieu à Neuchâtel les

Quelle circonstance heureuse, et quel triomphe pour
moi, si j'avais su parler, et que j'eusse eu, pour ainsi dire,
ma plume dans ma bouche ! Avec quelle supériorité, avec
quelle facilité j'aurais terrassé ce pauvre ministre au milieu
de ses six paysans ! L'avidité de dominer ayant fait oublier
au clergé protestant tous les principes de la réformation,
je n'avais, pour l'y rappeler et le réduire au silence, qu'à
commenter mes premières *Lettres de la Montagne,* sur les-
quelles ils avaient la bêtise de m'épiloguer[1]. Mon texte
était tout fait, je n'avais qu'à l'étendre, et mon homme
était confondu. Je n'aurais pas été assez sot pour me tenir
sur la défensive ; il m'était aisé de devenir agresseur sans
même qu'il s'en aperçût[a], ou qu'il pût s'en garantir. Les
prestolets[2] de la Classe, non moins étourdis qu'ignorants,
m'avaient mis eux-mêmes dans la position la plus heureuse
que j'aurais pu désirer pour les écraser à plaisir. Mais
quoi ! il fallait parler et parler sur-le-champ, trouver les
idées, les tours, les mots au moment du besoin, avoir
toujours l'esprit présent, être toujours de sang-froid, ne
jamais me troubler un moment. Que pouvais-je espérer de
moi, qui sentais si bien mon inaptitude à m'exprimer
impromptu ? J'avais été réduit au silence le plus humiliant
à Genève devant une assemblée toute en ma faveur, et
déjà résolue à tout approuver. Ici, c'était tout le contraire :
j'avais affaire à un tracassier[3], qui mettait l'astuce à la place
du savoir, qui me tendrait cent pièges avant que j'en
aperçusse un, et tout déterminé à me prendre en faute,
à quelque prix que ce fût. Plus j'examinai cette position,
plus elle me parut périlleuse, et, sentant l'impossibilité de
m'en tirer avec succès, j'[b]imaginai un autre expédient.
Je méditai un discours[c] à prononcer devant le Consistoire,

12 et 13 mars 1765. Le Consistoire, réuni le 24, convoqua Rousseau
à comparaître pour le 29.

1. *Épiloguer,* employé transitivement au sens de *censurer* quelqu'un,
est attesté par Littré, avec un exemple de Bossuet.

2. *Prestolet :* « ecclésiastique sans considération » (Littré, qui donne
des exemples de Saint-Simon et Gresset). A l'étymologie proposée
dubitativement par Littré (sur *prestrot,* diminutif péjoratif de *prêtre*),
le provençal *prestoulet* (sur l'ancien français *preste*) semble préférable.

3. *Tracassier :* voir p. 54, n. 2.

Rousseau fait allusion ici à sa rentrée dans la religion réformée
en 1754 (voir livre VIII, pp. 464-465), et à son embarras lorsqu'il
doit parler en public : voir encore livre IV, p. 174.

pour le récuser et me dispenser de répondre; la chos
était très facile. J'écrivis ce discours, et je me mis à l'étu
dier par cœur avec une ardeur sans égale. Thérèse se mc
quait de moi, en m'entendant[a] marmotter et répéter ince:
samment les mêmes phrases, pour tâcher de les fourr
dans ma tête. J'espérais tenir enfin mon discours; je sava
que le Châtelain, comme officier du Prince, assisterait a
Consistoire, que, malgré les manœuvres et les bouteille
de Montmollin, la plupart des anciens étaient bien dispos
pour moi; j'avais en ma faveur la raison, la vérité, la ju:
tice, la protection du Roi, l'autorité du Conseil d'État
les vœux de tous les bons patriotes[b] qu'intéressait l'éta
blissement de cette inquisition; tout contribuait à m'en
courager.

La veille du jour marqué, je savais mon discours pa
cœur; je le récitai sans faute. Je le remémorai toute
nuit dans ma tête : le matin je ne le savais plus; j'hésit
à chaque mot, je me crois déjà dans l'illustre assemblée
je me trouble, je balbutie, ma tête se perd; enfin, presqu
au moment d'aller, le courage me manque totalement
je reste chez moi, et je prends le parti d'écrire au Consis
toire, en disant mes raisons à la hâte, et prétextant me
incommodités qui, véritablement, dans l'état où j'étai
alors, m'auraient difficilement laissé soutenir la séanc
entière.

Le ministre, embarrassé de ma lettre, remit l'affaire
une autre séance. Dans l'intervalle, il se donna par lui
même et par ses créatures[c] mille mouvements pour séduir
ceux des anciens qui[d], suivant les inspirations de leu
conscience plutôt que les siennes, n'opinaient pas au gr
de la Classe et au sien. Quelque puissants que ses argu
ments[e] tirés de sa cave dussent être sur ces sortes de gens
il n'en put gagner[f] aucun autre que les deux ou trois qu
lui étaient déjà dévoués, et qu'on appelait ses âmes dam
nées. L'officier du Prince et le colonel Pury, qui se port
dans cette affaire avec beaucoup de zèle, maintinrent le
autres dans leur devoir, et quand ce Montmollin voulu
procéder à l'excommunication, son Consistoire, à la plu
ralité des voix, le refusa tout à plat[1]. Réduit alors au

1. *Se porter* : « agir de telle ou telle manière ». Littré ne donne
qu'un exemple, du xviiie siècle (*Porter*, 45°).
Convoqué pour le 29 mars devant le Consistoire, Rousseau s'y

dernier expédient d'ameuter la populace[a], il se mit avec ses confrères et d'autres gens à y travailler ouvertement, et avec un tel succès, que malgré les forts et fréquents rescrits du Roi, malgré tous les ordres du Conseil d'État, je fus enfin forcé de quitter le pays, pour ne pas exposer l'officier du Prince à s'y faire assassiner lui-même en me défendant.

Je n'ai qu'un souvenir si confus de toute cette affaire, qu'il m'est impossible de mettre aucun ordre, aucune liaison dans les idées qui m'en reviennent, et que je ne les puis rendre qu'éparses et isolées, comme elles se présentent à mon esprit. Je me rappelle qu'il y avait eu, avec la Classe, quelque espèce de négociation, dont Montmollin avait été l'entremetteur. Il avait feint qu'on craignait que par mes écrits je ne troublasse le repos du pays[b], à qui l'on s'en prendrait de ma liberté d'écrire. Il m'avait fait entendre que, si je m'engageais[c] à quitter la plume, on serait coulant sur le passé. J'avais déjà pris cet engagement avec moi-même; je ne balançai point à le prendre avec la Classe, mais conditionnel, et seulement quant aux matières de religion. Il trouva le moyen d'avoir cet écrit à double[d], sur quelque changement qu'il exigea : la condition ayant été rejetée par la Classe, je redemandai mon écrit; il me rendit un des doubles et garda l'autre, prétextant qu'il l'avait égaré[1]. Après cela le peuple, ouvertement excité par les ministres, se moqua des rescrits du Roi, des ordres du Conseil d'État, et ne connut plus de frein. Je fus prêché en chaire, nommé l'Antechrist, et poursuivi dans la campagne comme un loup-garou. Mon

fait représenter par une lettre que remet le lieutenant civil du Val-de-Travers (c'est Guyenet, « mari de mon Isabelle », mentionné p. 714), et publiée *C. C.,* XXIV, 326 : il s'y élève contre les irrégularités, tant au point de vue civil qu'au point de vue religieux, de la procédure adoptée. Quatre des anciens ayant refusé de voter l'excommunication, aucune décision n'est prise par le Consistoire, à la juridiction duquel Rousseau est soustrait par un rescrit royal. Le châtelain du Val-de-Travers, « officier du Prince », est Martinet, nommé p. 703.

1. C'est le 10 mars, donc avant la réunion du Consistoire, que Rousseau offrait de s'engager par écrit à ne plus rien publier de subversif en matière de religion (*C. C.,* XXIV, 187). Le 6 avril, il remet à Samuel de Meuron, procureur général de Neuchâtel, un engagement analogue destiné au Conseil d'État.

habit d'Arménien servait de renseignement à la populace : j'en sentais cruellement l'inconvénient; mais le quitter dans ces circonstances me semblait une lâcheté. Je ne pus m'y résoudre, et je me promenais tranquillement dans le pays avec mon cafetan et mon bonnet fourré, entouré des huées de la canaille et quelquefois de ses cailloux. Plusieurs fois en passant devant des maisons, j'entendais dire à ceux qui les habitaient : apportez-moi mon fusil, que je lui tire dessus. Je n'en allais pas plus vite : ils n'en étaient que plus furieux; mais ils s'en tinrent toujours aux menaces, du moins pour l'article des armes à feu.

Durant toute cette fermentation, je ne laissai pas d'avoir deux[a] fort grands plaisirs auxquels je fus bien sensible. Le premier fut de pouvoir faire un acte de reconnaissance par le canal de Milord Maréchal. Tous les honnêtes gens de Neuchâtel, indignés des traitements que j'essuyais et des manœuvres dont j'étais la victime, avaient les ministres en exécration, sentant bien qu'ils suivaient des impulsions étrangères, et qu'ils n'étaient que les satellites d'autres gens qui se cachaient en les faisant agir, et craignant que mon exemple ne tirât à conséquence pour l'établissement d'une véritable inquisition. Les magistrats, et surtout M. Meuron, qui avait succédé à M. d'Ivernois, dans la charge de Procureur-général, faisaient tous leurs efforts pour me défendre. Le colonel Pury, quoique simple particulier, en fit davantage et réussit mieux. Ce fut lui qui trouva le moyen de faire bouquer[1] Montmollin dans son Consistoire, en retenant les anciens dans leur devoir. Comme il avait du crédit, il l'employa tant qu'il put pour arrêter la sédition; mais il n'avait que l'autorité des lois, de la justice et de la raison à opposer à celle de l'argent et du vin. La partie n'était pas égale, et dans ce point Montmollin triompha de lui. Cependant sensible à ses soins et à son zèle, j'aurais voulu pouvoir lui rendre bon office pour bon office, et[b] pouvoir m'acquitter avec lui de quelque façon. Je savais qu'il convoitait fort une place de conseiller d'État; mais, s'étant mal conduit[c] au gré de la cour dans l'affaire du ministre Petitpierre, il était en disgrâce[d] auprès du Prince et du Gouverneur[e]. Je risquai

1. *Faire bouquer quelqu'un* : « lui faire baiser ce qu'il ne veut pas baiser » (Littré, qui cite des exemples de Regnard et Voltaire).

pourtant d'écrire en sa faveur à Milord Maréchal; j'osai même parler de l'emploi qu'il désirait, et si heureusement, que, contre l'attente de tout le monde, il lui fut presque aussitôt conféré par le Roi[1]. C'est ainsi que le sort, qui m'a toujours mis en même temps trop haut et trop bas, continuait à me ballotter d'une extrémité à l'autre, et tandis que la populace me couvrait de fange, je faisais un conseiller d'État.

Mon autre grand plaisir fut une visite que vint me faire Mme de Verdelin avec sa fille qu'elle avait menée aux bains de Bourbonne, d'où elle poussa jusqu'à Môtiers, et logea chez moi deux ou trois jours. A force d'attentions et de soins, elle avait enfin surmonté ma longue répugnance, et mon cœur, vaincu par ses caresses, lui rendait toute l'amitié qu'elle m'avait si longtemps témoignée. Je fus touché de ce voyage, surtout dans la circonstance où je me trouvais, et où j'avais grand besoin, pour soutenir mon courage, des consolations de l'amitié. Je craignais qu'elle ne s'affectât des insultes que je recevais de la populace, et j'aurais voulu lui en dérober le spectacle pour ne pas contrister son cœur : mais cela ne me fut pas possible, et quoique sa présence contînt un peu les insolents dans nos promenades, elle en vit assez pour juger de ce qui se passait dans les autres temps. Ce fut même durant son séjour chez moi que je commençai d'être attaqué de nuit dans ma propre habitation[2]. Sa femme de chambre trouva

1. La lettre de Rousseau à Milord Maréchal en faveur du colonel de Pury est du 6 avril 1765 (*C. C.*, XXV, 52), et la nomination de Pury comme conseiller d'État surnuméraire du 18 juin.

2. La visite de Mme de Verdelin, accompagnée de sa fille (il s'agit probablement de l'aînée, Henriette, bien que la seconde, Léontine, alors âgée de douze ans, soit plusieurs fois nommée par la suite dans la *C. G.*), précéda en effet de peu la « lapidation ». La distance de Bourbonne (aujourd'hui département de la Haute-Marne, à l'est de Langres), dont les eaux étaient alors très fréquentées, à Môtiers, représente à vol d'oiseau près de 150 kilomètres, et la plus grande partie du trajet est en montagne : « pousser » jusqu'à Môtiers n'était donc pas alors une petite entreprise.

Les incidents relatés par Rousseau sont confirmés par le rapport du châtelain du Val-de-Travers au Conseil d'État, en date du 7 septembre 1765. Des pierres furent jetées contre les fenêtres dans la nuit du 1er au 2 septembre; la nuit suivante, deux herses et des pierres furent placées contre la porte d'entrée. La nuit du 6 au 7 est celle de la « lapidation » (voir *infra,* pp. 754-755 et n. 1 de la p. 755).

ma fenêtre couverte un matin des pierres qu'on y avait
jetées pendant la nuit. Un banc très massif, qui était dans
la rue à côté de ma porte et fortement attaché, fut détaché,
enlevé, et posé debout contre la porte, de sorte que, si
l'on ne s'en fût aperçu[a], le premier qui, pour sortir, aurait
ouvert la porte d'entrée, devait naturellement être assommé.
M[me] de Verdelin n'ignorait rien de ce qui se passait; car,
outre ce qu'elle voyait elle-même, son domestique, homme
de confiance, était très répandu dans le village, y accostait
tout le monde, et on le vit même en conférence avec
Montmollin. Cependant elle[b] ne parut faire aucune atten-
tion à rien de ce qui m'arrivait, ne me parla ni de Mont-
mollin ni de personne, et répondit peu de chose à ce que
je lui en dis quelquefois. Seulement, paraissant persuadée
que le séjour de l'Angleterre me convenait plus qu'aucun
autre, elle me parla beaucoup de M. Hume qui était alors
à Paris, de son amitié pour moi, du désir qu'il avait de
m'être utile dans son pays. Il est temps de dire quelque
chose de ce M. Hume.

Il s'était acquis une grande réputation en France, et
surtout parmi les Encyclopédistes, par ses traités de
commerce et de politique, et en dernier lieu par son *Histoire
de la maison Stuart,* le seul de ses écrits dont j'avais lu quelque
chose dans la traduction de l'abbé Prévost. Faute d'avoir
lu ses autres ouvrages, j'étais persuadé, sur ce qu'on m'avait
dit de lui, que M. Hume associait une âme très républi-
caine aux paradoxes anglais en faveur du luxe. Sur cette
opinion, je regardais toute son apologie de Charles I[er]
comme un prodige d'impartialité, et j'avais une[c] aussi
grande[d] idée de sa vertu que de son génie. Le désir de
connaître cet homme rare et d'obtenir son amitié avait
beaucoup augmenté les tentations de passer en Angleterre
que me donnaient les sollicitations de M[me] de Boufflers,
intime amie de M. Hume. Arrivé en Suisse, j'y reçus de
lui, par la voie de cette dame, une lettre extrêmement
flatteuse, dans laquelle, aux plus grandes louanges sur mon
génie, il joignait[e] la pressante invitation de passer en
Angleterre, et l'offre de tout son crédit et de tous ses
amis pour m'en rendre le séjour agréable. Je trouvai sur
les lieux Milord Maréchal, le compatriote et l'ami de
M. Hume, qui me confirma tout le bien que j'en pensais,
et qui m'apprit même à son sujet une anecdote littéraire
qui l'avait beaucoup frappé, et qui me frappa de même.

Wallace, qui avait écrit contre Hume au sujet de la population des anciens, était absent tandis qu'on imprimait son ouvrage. Hume se chargea de revoir les épreuves et de veiller à l'édition[1]. Cette conduite était dans mon tour d'esprit. C'est ainsi que j'avais débité des copies à six sols pièce, d'une chanson qu'on avait faite contre moi. J'avais donc toutes sortes de préjugés en faveur de Hume, quand Mme de Verdelin vint me parler vivement de l'amitié qu'il disait avoir pour moi, et de son empressement à me faire les honneurs de l'Angleterre; car c'est ainsi qu'elle s'exprimait. Elle me pressa beaucoup de profiter de ce zèle, et d'écrire à M. Hume. Comme je n'avais pas naturellement de penchant pour l'Angleterre, et que je ne voulais prendre ce parti qu'à l'extrémité, je[a] refusai d'écrire et de promettre; mais je la laissai la maîtresse de faire tout ce qu'elle jugerait à propos pour maintenir Hume dans ses bonnes dispositions. En quittant Môtiers, elle me laissa persuadé, par tout ce qu'elle m'avait dit de cet homme illustre, qu'il était de mes amis, et qu'elle était encore plus de ses amies.

Après son départ, Montmollin poussa ses manœuvres, et la populace ne connut plus de frein. Je continuais cependant à me promener tranquillement au milieu[b] des huées, et le goût de la botanique, que j'avais commencé de prendre auprès du docteur d'Ivernois, donnant un nouvel intérêt à mes promenades, me faisait parcourir le pays en herborisant, sans m'émouvoir des cla-

1. Sur Hume et ses rapports avec Rousseau, voir *Index*, et se reporter au *Jean-Jacques Rousseau en Angleterre* de H. Roddier. — L'*Histoire des Stuarts* est le titre donné par Prévost à sa traduction, publiée à Londres en 1760, d'une partie de la grande *History of Great Britain* de Hume, parue par fragments de 1754 à 1761. — La lettre de Hume à Rousseau du 2 juillet 1762, en anglais figure *C. C.*, XI, 196, avec commentaire sur sa traduction dans *D. P.* Les allusions élogieuses à « l'ami David » figurent en effet fréquemment dans les lettres de Milord Maréchal (Écossais comme Hume). — Le livre de Wallace (voir *Index*) illustre l'intérêt manifesté par les économistes du XVIIIe siècle pour la question de l'augmentation ou du déclin de la population du globe; on sait que Montesquieu s'en préoccupe dans les *Lettres persanes* et dans *l'Esprit des lois,* et qu'à l'extrême fin du siècle l'*Essai* de Malthus soulèvera de vives discussions. C'est dans les *Essays Moral and Political* (1741) que Hume traitait de la question (chapitre « Populousness of Ancient Nations »).

meurs de toute cette canaille, dont ce sang-froid ne faisait
qu'irriter la fureur. Une des choses qui m'affectèrent le
plus fut de voir les familles de mes amis*, ou des gens qui
portaient ce nom, entrer assez ouvertement dans la ligue
de mes persécuteurs, comme les d'Ivernois, sans en excepter
même le père et le frère de mon Isabelle, Boy de la Tour,
parent de l'amie chez qui j'étais logé, et M^{me} Girardier,
sa belle-sœur[1]. Ce Pierre Boy était si butor, si bête, et se
comporta si brutalement, que, pour ne pas me mettre en
colère, je me permis de le plaisanter, et je fis, dans le goût
du *Petit Prophète,* une petite brochure de quelques pages,
intitulée *La Vision de Pierre de la Montagne, dit le Voyant,*
dans laquelle je trouvai le moyen de tirer[b] assez plaisam-
ment sur les miracles qui faisaient alors le grand prétexte
de ma persécution. Du Peyrou fit imprimer à Genève ce
chiffon, qui n'eut dans le pays qu'un succès médiocre; les
Neuchâtelois, avec tout leur esprit, ne sentent guère le sel
attique ni la plaisanterie, sitôt qu'elle est un peu fine[2].

* Cette fatalité avait commencé dès mon séjour à Yverdon;
car le banneret Roguin étant mort un an ou deux après mon
départ de cette ville, le vieux papa Roguin eut la bonne foi de
me marquer, avec douleur, qu'on avait trouvé dans les papiers
de son parent des preuves qu'il était entré dans le complot pour
m'expulser d'Yverdon et de l'État de Berne. Cela prouvait
bien clairement que ce complot n'était pas, comme on voulait
le faire croire, une affaire de cagotisme, puisque le banneret
Roguin, loin d'être un dévot, poussait le matérialisme et l'incré-
dulité jusqu'à l'intolérance et au fanatisme[a]. Au reste, personne
à Yverdon ne s'était si fort emparé de moi, ne m'avait tant
prodigué de caresses, de louanges et de flatteries que ledit
banneret Roguin. Il suivait fidèlement le plan chéri de mes
persécuteurs.

1. Les membres de la famille d'Ivernois de Môtiers désignés ici
sont, avec Isabelle, son père Guillaume-Pierre et son frère Charles-
Guillaume. Le Pierre Boy de la Tour nommé ici (voir *Index*) ne doit
pas être confondu avec son homonyme, mort à cette date, dont
« l'amie chez qui [*Rousseau était*] logé », est la veuve et M^{me} Girardier
la sœur.
2. Rousseau a déjà employé (livre VI, p. 292) *tirer sur quelqu'un*
au sens de « en faire l'objet de plaisanteries ». Littré ne donne pas
d'exemple de son emploi, comme ici, avec un nom de chose complé-

Je mis un peu plus de soin à un autre écrit du même temps, dont on trouvera le manuscrit parmi mes papiers, et dont il faut dire ici le sujet.

Dans la plus grande fureur des décrets et de la persécu-

ment. *La Vision de Pierre de la Montagne, dit le Voyant,* parodie le style biblique et use d'un calendrier israélite fantaisiste, comme Montesquieu faisait dans les *Lettres persanes* du calendrier musulman (voir R. Shackleton, dans *French Studies,* 1954). Ce genre de parodie « Vision », « Prophétie », « Prédiction », est très en faveur; Rousseau, comme il le rappelle ici, en a trouvé le modèle dans le *Petit prophète de Bœmischbroda* de Grimm (voir livre VIII et p. 455, n. 1). Il en a déjà été lui-même la victime dans la *Prophétie tirée d'un vieux manuscrit* de Ch. Bordes (voir *Index*).

La Vision..., imprimée par les soins de Du Peyrou, parut en septembre 1765 (texte dans *O. C.,* II, 1961, pp. 1232 sqq.). Un « Pierre de la Montagne, dit le Voyant » dont l'identité n'est pas suggérée, et qui n'est vraisemblablement qu'une fiction rhétorique, y ridiculise au passage des adversaires de Rousseau : Imers diacre du Val-de-Travers; le maire Baillod, du village de Travers; « M. le P*** » (le pasteur Montmollin) — et lance un plaisant anathème contre Pierre Boy lui-même, au prix d'un facile calembour sur son patronyme, après avoir daubé sur sa stupidité et sur les « visions » qu'il aurait eues : « Tes complots ont été formés en buvant, c'est en buvant qu'ils seront punis... »

Il mourra donc à la cent seizième rasade de vin pur : « Boy, trop heureux Pierre Boy, hâte-toi de boire [...] Boy, Pierre Boy, va promptement à l'immortalité qui t'est due... »

Le calembour est facilité par les flottements orthographiques du temps, qui permettent à Rousseau d'avoir l'air d'employer seulement l'impératif du verbe *boire,* sans jamais écrire le vrai nom de sa victime. En effet dans tout le reste de la pièce, il est désigné sous le nom de Pierre du Val (par opposition au « prophète » Pierre de la Montagne), ou de « Pierre du Val dit Pierrot des Dames ». Une note du manuscrit, raturée ensuite, précise : « Son vrai nom est Pierre Boy, et le surnom de Pierrot des Dames lui a réellement été donné par le peuple » (voir l'annotation de Ch. Guyot dans son édition, *O. C.,* II, 1961, pp. 1931-1932; mais corriger la note 1, p. 1931, où sont confondus les deux *Pierre*).

L'idée du procédé avait été suggérée à Rousseau par le stupide fanatisme du personnage; c'était en même temps un moyen de ridiculiser la croyance superstitieuse aux miracles, puisque la question des miracles est un des principaux points d'antagonisme entre Rousseau et les pasteurs. Dans la 2e des « Lettres de Goa », Du Peyrou écrit de même : « Aux fureurs du fanatisme se joignent les plus stupides extravagances. Déjà l'on voit des gens *à qui Dieu parle* et qui ont eu des visions... » (Cité par Ch. Guyot, *Du Peyrou,* p. 96.)

tion, les Genevois s'étaient particulièrement signalés en criant haro de toute leur force, et mon ami Vernes, entre autres, avec une générosité vraiment[a] théologique, choisit précisément ce temps-là pour publier contre moi des lettres où il prétendait prouver que je n'étais pas chrétien. Ces lettres, écrites avec un ton de suffisance, n'en étai[en]t pas meilleures, quoiqu'on assurât que le naturaliste Bonnet y avait mis la main : car ledit Bonnet, quoique matérialiste, ne laisse pas[b] d'être d'un[e] orthodoxie très intolérante, sitôt qu'il s'agit de moi. Je ne fus assurément pas tenté de répondre à cet ouvrage; mais l'occasion s'étant présentée d'en dire un mot dans les *Lettres de la Montagne*, j'y insérai une petite note assez dédaigneuse, qui mit Vernes en fureur[1]. Il remplit Genève des cris de sa rage, et d'Ivernois me marqua qu'il ne se possédait pas. Quelque temps après parut une feuille anonyme, qui semblait écrite, au lieu d'encre, avec l'eau du Phlégéton. On m'accusait[c], dans cette lettre, d'avoir exposé mes enfants dans les rues, de traîner après moi une coureuse de corps de garde, d'être usé de débauche, pourri de vérole, et d'autres gentillesses[d] semblables. Il ne me fut pas difficile de reconnaître mon homme[2]. Ma première idée, à la lecture de ce libelle,

1. Sur Ch. Bonnet, voir *Index*. — Les *Lettres sur le christianisme de Jean-Jacques Rousseau* signées de Jacob Vernes (voir *Index*) avaient paru en juillet 1763, peu avant les *Lettres écrites de la Campagne*. La note relative à Vernes dans les *Lettres de la Montagne* se trouve dans la première partie, à la fin de la 3e lettre, consacrée comme la précédente à la question des miracles. Sans nommer Vernes (« un ministre de Genève, difficile assurément en christianisme, dans les jugements qu'il porte du mien »), Rousseau l'y traite de « barbouilleur de papier » et de « calomniateur public ».

2. La brève mais venimeuse brochure anonyme intitulée *le Sentiment des Citoyens,* parue fin décembre 1764 (Rousseau en reçut un exemplaire le 31 décembre), était l'œuvre de Voltaire et non de Vernes, que Rousseau s'obstinera à soupçonner. On trouvera le texte dans les œuvres de Voltaire, et B. Gagnebin a montré dans ses éditions des lettres de Voltaire aux Tronchin et aux Cramer les ressemblances entre certaines de ces lettres et le texte du pamphlet.

La révélation de l'abandon des enfants impliquait la trahison par un des anciens amis de Rousseau, probablement le docteur Tronchin, du secret confié. Le choc ainsi causé à Rousseau eut des conséquences durables, d'autant que le ton était des plus violents et insultants.

On a longtemps considéré que l'événement l'avait décidé à rédiger

fut de mettre à son vrai prix tout ce qu'on appelle renommée et réputation parmi les hommes, en voyant traiter de coureur de bordels un homme qui n'y fut de sa vie, et dont le plus grand défaut fut toujours d'être timide et honteux comme une vierge, et en me voyant passer pour être pourri de vérole, moi qui non seulement n'eus de mes jours la moindre atteinte d'aucun mal de cette espèce, mais que des gens de l'art ont même cru conformé de manière à n'en pouvoir contracter. Tout bien pesé, je crus ne pouvoir mieux réfuter ce libelle qu'en le faisant imprimer dans la ville où j'avais[a] le plus vécu, et je l'envoyai à Duchesne pour le faire imprimer tel qu'il était, avec un avertissement où je nommais M. Vernes, et quelques courtes notes pour l'éclaircissement des faits[1]. Non content d'avoir fait imprimer cette feuille, je l'envoyai à plusieurs personnes, et entre autres à M. le prince Louis de Wurtemberg, qui m'avait fait des avances très honnêtes, et avec lequel j'étais alors en correspondance. Ce prince, Du Peyrou et d'autres, parurent douter que Vernes fût l'auteur du libelle, et me blâmèrent de l'avoir nommé trop légèrement. Sur leurs représentations, le scrupule me prit, et j'écrivis à Duchesne de supprimer cette feuille. Guy m'écrivit l'avoir supprimée; je ne sais pas s'il l'a fait; je l'ai trouvé menteur en tant d'occasions, que celle-là de plus ne serait pas une merveille; et dès lors j'étais enveloppé de ces profondes ténèbres à travers lesquelles il m'est impossible de pénétrer aucune sorte de vérité.

M. Vernes supporta cette imputation avec une modé-

ses *Confessions*. Cette thèse est en effet appuyée par la lettre à Duclos du 13 janvier 1765 (*C. C.*, XXIII, 99) annonçant sa résolution d'écrire sa vie. En fait, le projet des Mémoires était déjà avancé à cette date, et le titre *Confessions* lui-même apparaît dans le Préambule du manuscrit de Neuchâtel, daté par Rousseau de 1764.

1. Les seules incartades dont fassent mention *les Confessions* sont, au livre VII, les visites à la Padoana et à la Zulietta (p. 374 et pp. 378-379), et au livre VIII la soirée chez la fille de la rue des Moineaux (pp. 420-421). C'est à l'occasion de la première de ces aventures que Rousseau a déjà déclaré (p. 374) qu'il était « conformé d'une façon particulière à ne pouvoir pas aisément être infecté ». Il développe ce point, en citant les noms des médecins qui l'ont soigné, dans une des notes de l'édition qu'il fit préparer par Duchesne du libelle calomnieux (voir *C. C.*, XXIII, 378), à partir de son propre exemplaire annoté et envoyé au libraire le 6 janvier 1765 (*ibid.*, 33-40).

ration plus qu'étonnante dans un homme qui ne l'aurait
pas méritée, après la fureur qu'il avait montrée auparavant.
Il m'écrivit deux ou trois lettres très mesurées, dont le but
me parut être de tâcher de pénétrer, par mes réponses, à
quel point j'étais instruit, et si j'avais quelque preuve contre
lui. Je lui fis deux réponses courtes, sèches, dures dans le
sens, mais sans malhonnêteté dans les termes, et dont il
ne se fâcha point[1]. A sa troisième lettre, voyant qu'il
voulait lier une espèce de correspondance, je ne répondis
plus : il me fit parler par d'Ivernois. M^me Cramer écrivit à
Du Peyrou qu'elle était sûre que le libelle n'était pas de
Vernes. Tout cela n'ébranla point ma persuasion; mais
comme enfin je pouvais me tromper, et qu'en ce cas je
devais à Vernes une réparation authentique, je lui fis dire
par d'Ivernois que je la lui ferais telle qu'il en serait content,
s'il pouvait m'indiquer le véritable auteur du libelle, ou
me prouver du moins qu'il ne l'était pas. Je fis plus : sentant
bien qu'après tout, s'il n'était pas coupable, je n'avais pas
droit d'exiger qu'il me prouvât rien, je pris le parti d'écrire,
dans un mémoire assez ample, les raisons de ma persuasion,
et de les soumettre au jugement d'un arbitre que Vernes
ne pût récuser. On ne devinerait pas quel fut cet arbitre[a]
que je choisis. [Le Conseil de Genève.] Je déclarai à la fin
du Mémoire que si, après l'avoir examiné et fait les per-
quisitions qu'il jugerait[b] nécessaires, et qu'il était bien à
portée de faire avec succès, le Conseil prononçait que
M. Vernes n'était pas l'auteur du mémoire, dès l'instant
je cesserais sincèrement de croire qu'il l'est, je partirais
pour m'aller jeter à ses pieds, et lui demander pardon jus-
qu'à ce que je l'eusse obtenu. J'ose le dire, jamais mon zèle
ardent pour l'équité, jamais la droiture, la générosité de
mon âme, jamais ma confiance dans cet amour de la justice,
inné dans tous les cœurs, ne se montrèrent plus pleinement,
plus[c] sensiblement que dans ce sage et touchant mémoire,
où je prenais sans hésiter mes plus implacables ennemis
pour arbitres entre le calomniateur et moi. Je lus cet écrit
à Du Peyrou : il fut d'avis de le supprimer, et je le sup-

1. Les quatre lettres adressées par Vernes à Rousseau sur cette
affaire (fév.-mars 1765, C. C., XXIII, 265, 322, et XXIV, 51, 115)
commencent, contrairement à ce que dit Rousseau, par une vigoureuse
dénégation. Rousseau se refusa (C. C., XXIV, 12) à retirer publi-
quement l'accusation, comme le demandait Vernes.

primai. Il me conseilla d'attendre les preuves que Vernes promettait; je les attendis, et je les attends encore : il me conseilla de me taire en attendant; je me tus, et me tairai le reste de ma vie, blâmé d'avoir chargé Vernes d'une imputation grave, fausse et sans preuve, quoique je reste intérieurement[a] persuadé, convaincu, comme de ma propre existence, qu'il est l'auteur du[b] libelle. Mon mémoire est entre les mains de[c] M. Du Peyrou. Si jamais il voit le jour, on y trouvera mes raisons, et l'on y connaîtra, je l'espère, l'âme de J[ean]-J[acques], que mes contemporains ont si peu voulu connaître[1].

Il est temps d'en venir à ma catastrophe de Môtiers, et à mon départ du Val-de-Travers, après deux ans et demi de séjour, et huit mois d'une constance inébranlable à souffrir les plus indignes traitements. Il m'est impossible de me rappeler nettement les détails de cette désagréable époque; mais on les trouvera dans la relation qu'en publia[d] Du Peyrou, et dont j'aurai à parler dans la suite[2].

Depuis le départ de M[me] de Verdelin, la fermentation devenait plus vive, et malgré les rescrits réitérés du Roi, malgré les ordres fréquents du Conseil d'État, malgré les soins du Châtelain et des magistrats du lieu, le peuple, me regardant tout de bon comme l'Antéchrist, et voyant toutes ses clameurs inutiles[e], parut enfin vouloir en venir aux voies de fait; déjà dans les chemins les cailloux commençaient à rouler après moi, lancés cependant encore d'un peu trop loin pour pouvoir m'atteindre. Enfin la nuit de la foire de Môtiers, qui est au commen-

1. La *Déclaration de Jean-Jacques Rousseau relative à M. le Pasteur Vernes* a été publiée par Du Peyrou avec d'autres œuvres posthumes (*Coll. complète des œuvres*, Neuchâtel, 1790, t. XXVII), accompagnée d'un commentaire de Vernes. Rousseau prétend prouver dans sa *Déclaration*, non pas que Vernes est l'auteur du *Sentiment des Citoyens*, mais que lui, Rousseau, pouvait légitimement le croire tel.

2. La relation par Du Peyrou de la « lapidation » du 6 septembre et des incidents de la semaine précédente constitue la *Troisième lettre à Monsieur *** relative à Monsieur Jean-Jacques Rousseau,* datée du 19 septembre 1765, et « servant de *post-scriptum* à celle du 31 août », c'est-à-dire à la deuxième; la première étant la lettre dite « de Goa », datée du 14 avril (voir *supra,* sur le nom de Goa, p. 680, n. 1). Les 2e et 3e parurent à la mi-octobre. On a pris l'habitude d'étendre à l'ensemble des trois le titre de « Lettres de Goa ».

cement de septembre, je fus attaqué dans ma demeure, de manière à mettre en danger la vie de ceux qui l'habitaient.

A minuit, j'entendis un grand bruit dans la galerie qui régnait sur le derrière de la maison. Une grêle de cailloux, lancés contre la fenêtre et la porte qui donnaient sur cette galerie, y tombèrent avec tant de fracas, que mon chien, qui couchait dans[a] la galerie, et qui avait commencé par aboyer, se tut de frayeur, et se sauva dans un coin, rongeant et grattant les planches pour tâcher de fuir. Je me lève au bruit; j'allais sortir de ma chambre pour passer dans la cuisine, quand un caillou lancé d'une main vigoureuse traversa la cuisine, après en avoir cassé la fenêtre, vint ouvrir la porte de ma chambre et tomber au pied de mon lit; de sorte que, si je m'étais pressé d'une seconde, j'avais le caillou dans l'estomac. Je jugeai que le bruit avait été fait pour m'attirer, et le caillou lancé pour m'accueillir[b] à ma sortie. Je saute dans la cuisine. Je trouve Thérèse, qui s'était aussi levée, et qui toute tremblante accourait à moi. Nous nous rangeons contre un mur, hors de la direction de la fenêtre pour éviter l'atteinte des pierres et délibérer sur ce que nous avions à faire; car sortir pour appeler du secours était le moyen de nous faire assommer. Heureusement, la servante d'un vieux bonhomme qui logeait au-dessous de moi se leva au bruit, et courut appeler M. le Châtelain, dont nous étions porte à porte. Il saute de son lit, prend sa robe de chambre à la hâte, et vient à l'instant avec la garde, qui, à cause de la foire, faisait la ronde cette nuit-là, et se trouva tout à portée. Le Châtelain vit le dégât avec un tel effroi, qu'il en pâlit, et à la vue des cailloux dont la galerie était pleine, il s'écria : Mon Dieu ! c'est une carrière ! En visitant le bas, on trouva que la porte d'une[c] petite cour avait été forcée, et qu'on avait tenté de pénétrer dans la maison par[d] la galerie. En recherchant pourquoi la garde n'avait point aperçu ou empêché le désordre, il se trouva que ceux de Môtiers s'étaient obstinés à vouloir faire cette garde hors de leur rang, quoique ce fût le tour d'un autre village. Le lendemain le Châtelain envoya son rapport au Conseil d'État, qui deux jours après lui envoya l'ordre d'informer sur cette affaire, de promettre une récompense et le secret à ceux qui dénonceraient les coupables, et de mettre en attendant, aux frais du Prince, des gardes à ma maison et à

celle du Châtelain qui la touchait[1]. Le lendemain, le colonel Pury, le procureur général Meuron, le châtelain Martinet, le receveur Guyenet, le trésorier d'Ivernois et son père, en un mot, tout ce qu'il y avait de gens distingués dans le pays, vinrent me voir, et réunirent leurs sollicitations pour m'engager à céder à l'orage, et à sortir au moins pour un temps d'une paroisse où je ne pouvais plus vivre en sûreté, ni avec honneur. Je m'aperçus même que le Châtelain, effrayé des fureurs de ce peuple forcené, et craignant qu'elles ne s'étendissent jusqu'à lui, aurait été bien aise de m'en voir partir au plus vite, pour n'avoir plus l'embarras de m'y protéger, et pouvoir la quitter lui-même, comme il fit après mon départ. Je cédai donc, et même avec peu de peine; car le spectacle de la haine du peuple me causait un déchirement de cœur que je ne pouvais plus supporter.

J'avais plus d'une retraite à choisir. Depuis le retour de M^me de Verdelin à Paris, elle m'avait parlé dans plusieurs lettres d'un M. Walpole qu'elle appelait Milord, lequel, pris d'un grand zèle en ma faveur, me proposait, dans une de ses terres, un asile dont elle me faisait les descriptions les plus agréables, entrant, par rapport au logement et à la subsistance, dans des détails qui marquaient à quel point ledit Milord Walpole s'occupait avec elle de ce projet. Milord Maréchal m'avait toujours conseillé l'Angleterre ou l'Écosse, et m'y offrait aussi un asile dans ses terres; mais il m'en offrait un qui me tentait beaucoup davantage[a] à Potsdam, auprès de lui. Il venait de me faire part d'un propos que le Roi lui avait tenu à mon sujet, et qui était une espèce d'invitation de m'y rendre, et M^me la duchesse de Saxe-Gotha comptait si bien[b] sur ce voyage, qu'elle

1. Voir *supra*, p. 745, n. 2. — Cette relation est confirmée par les rapports et dépositions conservées dans les archives de Berlin, et publiés par A. Jansen (*Mémoires et Documents publiés par la Société d'Histoire et d'Archéologie de Genève*, t. XXII, Genève, 1885, pp. 153-160).
Le logement de Rousseau était au premier étage de la maison appartenant à Jean-Pierre Boy de la Tour.
La cuisine donnait sur la galerie, la chambre de Rousseau sur l'autre façade de la maison. Malgré quelques transformations apportées au XIX^e siècle, la disposition des lieux est encore très reconnaissable dans l'édifice actuel. Mais la façade portant la galerie, et donnant aujourd'hui sur la rue, était alors ce que Rousseau appelle le *derrière* de la maison, séparé de la rue par une « petite cour ».

m'écrivit pour me presser d'aller la voir en passant, et de m'arrêter quelque temps auprès d'elle[1]; mais j'avais un tel attachement pour la Suisse, que je ne pouvais me résoudre à la quitter, tant qu'il me serait possible d'y vivre, et je pris ce temps pour exécuter un projet dont j'étais occupé depuis quelques mois, et dont je n'ai pu parler encore pour ne pas couper le fil de mon récit.

Ce projet consistait à m'aller établir[a] dans l'île de Saint-Pierre, domaine de l'hôpital de Berne, au milieu du lac de Bienne. Dans un pèlerinage pédestre que j'avais fait l'été précédent avec Du Peyrou, nous avions visité cette île, et j'en avais été tellement enchanté, que je n'avais cessé depuis ce temps-là de songer aux moyens d'y faire ma demeure. Le plus grand obstacle était que l'île appartenait aux Bernois, qui trois ans auparavant m'avaient vilainement chassé de chez eux, et outre que ma fierté pâtissait à retourner chez des gens qui m'avaient si mal reçu, j'avais lieu de craindre qu'ils ne me laissassent pas plus en repos dans cette île qu'ils n'avaient fait à Yverdon. J'avais consulté là-dessus Milord Maréchal qui, pensant comme moi que les Bernois[b] [seraient] bien aises de me voir relégué dans cette[c] île et de m'y tenir en otage pour les écrits que je pourrais être tenté de faire, avait fait sonder là-dessus[d] leurs dispositions par un M. Sturler, son ancien voisin de Colombier. M. Sturler s'adressa à[e] des chefs de l'État, et, sur leur réponse, assura[f] Milord Maréchal que les Bernois, honteux de leur conduite[g] passée, ne demandaient pas mieux que de me voir domicilié dans l'île de Saint-Pierre, et de m'y laisser tranquille. Pour surcroît de précaution, avant de risquer[h] d'y aller résider, je fis prendre de nouvelles informations par le colonel Chaillet, qui me confirma les mêmes choses; et le Receveur de l'île ayant[i] reçu de ses maîtres la permission de[j] m'y loger, je crus ne rien risquer d'aller m'établir chez lui, avec l'agrément tacite, tant du souverain que des propriétaires; car je ne pouvais espérer que MM. de Berne reconnussent ouver-

1. Les lettres qu'on a conservées de M[me] de Verdelin parlent plus de Hume que de Walpole; et c'est elle qui dénoncera à Rousseau Walpole comme étant l'auteur de la « Lettre du Roi de Prusse » (voir *Index*). — Les invitations de Frédéric II et de la duchesse de Saxe-Gotha sont contenues dans des lettres de Milord Maréchal des 11 et 27 avril 1765, et dans une lettre de la duchesse à Rousseau du 4 mai (*C. C.*, XXV, 79, 192, 245).

tement l'injustice qu'ils m'avaient faite et péchassent ainsi contre la plus inviolable maxime de tous les souverains[1].

L'île de Saint-Pierre, appelée à Neuchâtel l'île de la Motte, au milieu du lac de Bienne, a environ[a] une demi-lieue de tour; mais dans ce petit espace elle fournit toutes les principales productions nécessaires à la vie. Elle a des champs, des prés, des vergers, des bois, des vignes, et le tout, à la faveur d'un terrain varié et montagneux, forme une distribution d'autant plus agréable, que ses parties, ne se découvrant pas toutes ensemble, se font valoir mutuellement, et font[b] juger l'île plus grande qu'elle n'est en effet. Une terrasse fort élevée en forme la partie occidentale qui regarde Gléresse et la Bonneville. On a planté cette terrasse d'une longue allée qu'on a coupée dans son milieu par un grand salon, où durant les vendanges on se rassemble les dimanches, de tous les rivages voisins, pour danser et se réjouir. Il n'y a dans l'île qu'une seule maison, mais vaste et commode, où loge le Receveur, et située dans un enfoncement qui la tient à l'abri des vents[2].

A cinq ou six cents pas de l'île est du côté du sud une autre île beaucoup plus petite, inculte et déserte, qui paraît avoir été détachée autrefois de la grande par les orages, et ne produit parmi ses graviers que des saules et des persicaires, mais où est cependant un tertre élevé, bien gazonné et très agréable. La forme de ce lac est un ovale presque régulier. Ses rives, moins riches que celles des

1. Sur le premier séjour de Rousseau à l'île de Saint-Pierre, voir *supra*, p. 728, n. 1. — Le lac de Bienne s'étend immédiatement au nord-est du lac de Neuchâtel, auquel il est relié par un canal. Entre les deux lacs, distants d'une dizaine de kilomètres à peine, se trouve le village de Cressier, où Du Peyrou avait une maison de campagne : Rousseau y séjourna en septembre 1764 (voir *supra*, p. 261 et n. 1). Les travaux d'irrigation effectués au XIXe siècle, abaissant le niveau des eaux du lac, ont agrandi de ce fait l'île de Saint-Pierre, qui s'étend sur environ 2 kilomètres à proximité de la rive occidentale du lac, et qu'une langue de terre relie maintenant à l'île des Lapins et à la rive sud du lac.

Rousseau arrive dans l'île entre le 10 et le 12 septembre; Thérèse l'y rejoint le 29.

2. Le receveur administre l'île pour le compte de l'hôpital de Berne. Sa maison, ancien prieuré clunisien, est restée à peu près dans l'état qu'a connu Rousseau.

Sur le mot *salon,* voir p. 261, n. 1.

lacs de Genève et de Neuchâtel, ne laissent pas de former une assez belle décoration, surtout dans la partie occidentale, qui est très peuplée, et bordée de vignes au pied d'une chaîne de montagnes, à peu près comme à Côte-Rotie, mais qui ne donnent pas d'aussi bon vin. On y trouve, en allant du sud au nord, le bailliage de Saint-Jean, la Bonneville, Bienne et Nidau à l'extrémité du lac; le tout entremêlé de villages très agréables[1].

Tel était l'asile que je m'étais ménagé, et où je résolus d'aller m'établir en quittant le Val-de-Travers*. Ce choix était si conforme à mon goût pacifique, à mon humeur solitaire et paresseuse, que je le compte parmi les douces rêveries dont je me suis le plus vivement passionné. Il me semblait que dans cette île je serais plus séparé des hommes, plus à l'abri de leurs outrages, plus oublié d'eux, plus livré, en un mot, aux douceurs du désœuvrement et de la vie contemplative. J'aurais voulu être tellement confiné dans cette île, que je n'eusse plus de commerce avec les mortels, et il est certain que je pris toutes les mesures

* Il n'est peut-être pas inutile d'avertir que j'y laissais un ennemi particulier dans un M. du Terreaux, maire des Verrières, en très médiocre estime dans le pays, mais qui a un frère qu'on dit honnête homme[a] dans les bureaux de M. de Saint-Florentin. Le maire l'était allé voir quelque temps avant mon aventure[b]. Les petites remarques de cette espèce, qui par elles-mêmes ne sont rien, peuvent mener dans la suite à la découverte de bien des souterrains.

1. Gléresse (en allemand Ligerz) et La Neuveville, appelée aussi au XVIII[e] siècle Bonneville, c'est-à-dire ville privilégiée, sont sur la rive ouest du lac, et distantes l'une de l'autre de 4 kilomètres. Les pentes couvertes de vigne qui rappellent à Rousseau le vignoble de Côte-Rotie (à 26 kilomètres de Lyon, en bordure du Rhône), sont celles du Chasseral. Saint-Jean ou Sankt-Johannsen, à l'extrême sud, Nidau (Rousseau orthographie Nidaw) et Bienne (en allemand Biel) à l'extrême nord, marquent aujourd'hui la frontière linguistique, la population de la rive orientale étant de langue allemande.

Cette description, et les pages qui la suivent, sont à comparer à la relation, postérieure de quelques années, que donnera Rousseau du séjour à l'île de Saint-Pierre, dans la 5[e] Promenade des *Rêveries*. Les deux textes sont particulièrement importants pour l'histoire littéraire du paysage romantique (voir notes et appendices de l'édition Roddier des *Rêveries,* Classiques Garnier).

imaginables pour me soustraire[a] à la nécessité d'en entretenir.

Il s'agissait de subsister, et, tant par la cherté des denrées que par la difficulté des transports, la subsistance est chère dans cette île, où d'ailleurs on est à la discrétion du Receveur. Cette difficulté fut levée par un arrangement que Du Peyrou voulut bien prendre avec moi, en se substituant à la place de la compagnie qui avait entrepris et abandonné mon édition générale. Je lui remis tous les matériaux de cette édition. J'en fis l'arrangement et la distribution. J'y joignis l'engagement de lui remettre les mémoires de ma vie, et je le fis dépositaire généralement de tous mes papiers, avec la condition expresse de n'en faire usage qu'après ma mort, ayant à cœur d'achever tranquillement ma carrière, sans plus faire souvenir le public de moi. Au moyen de cela, la pension viagère qu'il se chargeait de me payer suffisait pour ma subsistance. Milord Maréchal, ayant recouvré tous ses biens, m'en avait offert une de douze cents francs, que[b] je n'avais acceptée qu'en la réduisant à la moitié. Il m'en voulut envoyer le capital, que je refusai, par l'embarras de le placer. Il fit passer ce capital à du Peyrou, entre les mains de qui il est resté[c], et qui m'en paye la rente viagère sur le pied convenu avec le constituant. Joignant donc mon traité avec du Peyrou, la pension de Milord Maréchal, dont les deux tiers étaient reversibles à Thérèse après ma mort, et la rente de trois cents francs que j'avais sur Duchesne, je pouvais compter sur une subsistance honnête, et pour moi, et après moi pour Thérèse, à qui je laissais sept cents francs de rente, tant de la pension de Rey que de celle de Milord Maréchal : ainsi je n'avais plus à craindre que le pain lui manquât, non plus qu'à moi[1 d]. Mais il était écrit que l'honneur[e] me forcerait de

1. Du Peyrou s'était d'abord offert à avancer les fonds considérables que ne pouvaient réunir les libraires en vue de l'édition générale que projetait Rousseau, et qui devait être un « chef-d'œuvre de typographie ». « Vous pouvez, Monsieur, écrivait Du Peyrou, dans cette affaire, et dans toute autre, disposer de moi comme un père dispose de son fils. » (*C. C.*, XXII, 152, d'abord publié par Ch. Guyot, *Du Peyrou*, p. 49.) Voyant que le projet d'édition générale est compromis, il propose ensuite une autre solution, sous la forme d'une rente viagère, reversible à Thérèse à la mort de Rousseau — en échange de la remise à lui Du Peyrou, par Rousseau, de tous ses papiers, en vue d'une publication conforme aux désirs de l'auteur, soit de son

repousser toutes les ressources que la fortune et mon travail mettraient à ma portée, et que je mourrais aussi pauvre que j'ai vécu. On jugera si, à moins d'être le dernier des infâmes, j'ai pu tenir des arrangements qu'on a toujours pris soin de me rendre ignominieux, en m'ôtant[a] avec soin toute autre ressource[b], pour me forcer de consentir à mon déshonneur. Comment se[c] seraient-ils doutés du parti que je prendrais dans cette alternative ? ils ont toujours jugé de mon cœur par les leurs.

En repos[d] du côté de la subsistance, j'étais sans souci de tout autre. Quoique j'abandonnasse dans le monde le champ libre à mes ennemis, je laissais dans le noble enthousiasme qui avait dicté mes écrits, et dans la constante uniformité de mes principes, un témoignage de mon âme qui répondait à celui que toute ma conduite rendait de mon[e] naturel. Je n'avais pas besoin d'une autre défense contre mes[f] calomniateurs. Ils pouvaient peindre sous mon nom un autre homme; mais ils ne pouvaient tromper que ceux qui voulaient être trompés. Je pouvais leur donner ma vie à épiloguer[1] d'un bout à l'autre : j'étais sûr qu'à travers mes fautes et mes faiblesses, à travers mon inaptitude à supporter aucun joug, on trouverait toujours un homme juste, bon, sans fiel[g], sans haine, sans jalousie, prompt à reconnaître ses propres torts, plus prompt à oublier ceux d'autrui, cherchant toute sa félicité dans les passions aimantes et douces, et portant en toute chose la sincérité jusqu'à l'imprudence, jusqu'au plus incroyable désintéressement.

Je prenais donc en quelque sorte congé de mon siècle et de mes contemporains, et je faisais mes adieux au monde en me confinant dans cette île pour le reste de mes jours; car telle était ma résolution, et c'était là que je comptais exécuter enfin le grand projet de cette vie oiseuse[h], auquel j'avais inutilement consacré jusqu'alors tout le peu d'acti-

vivant, soit après sa mort (lettre du 20 janvier 1765 publiée par Ch. Guyot, *ibid.*, 51). Malgré la brouille survenue à Trye en novembre 1767 (voir *Index*), Rousseau laissa à Du Peyrou les papiers qu'il lui avait remis, y compris ceux relatifs au paiement de la pension versée par Milord Maréchal. La « rente de trois cents francs [...] sur Duchesne », en paiement du *Dictionnaire de Musique,* a été mentionnée p. 737; la «pension de Rey» versée à Thérèse, au livre XI, pp. 662-663.

1. *Épiloguer :* voir *supra,* p. 741, n. 1.

vité que le Ciel m'avait départie. Cette île allait devenir pour moi celle de Papimanie, ce bienheureux pays où l'on dort[a] :

> Où l'on fait plus, où l'on fait nulle chose[1].

Ce *plus* était tout pour moi, car[b] j'ai toujours peu regretté le sommeil; l'oisiveté me suffit, et, pourvu que je ne fasse rien, j'aime encore mieux rêver éveillé qu'en songe. L'âge des projets romanesques étant passé, et la fumée de la gloriole m'ayant plus étourdi que flatté, il ne me restait[c] pour dernière espérance, que[d] celle de vivre sans gêne, dans un loisir éternel. C'est la vie des bienheureux dans l'autre monde, et j'en faisais désormais mon bonheur suprême dans celui-ci.

Ceux qui me reprochent tant de contradictions ne manqueront pas ici[e] de m'en reprocher encore une. J'ai dit que l'oisiveté des cercles me les rendait insupportables, et me voilà recherchant la solitude uniquement pour m'y livrer à l'oisiveté. C'est pourtant ainsi que je suis; s'il y a là de la contradiction, elle est du fait de la nature et non pas du mien : mais il y en a si peu, que c'est par là précisément que je suis toujours moi. L'oisiveté des cercles est tuante, parce qu'elle est de nécessité. Celle de la solitude est charmante, parce qu'elle est libre et de volonté. Dans une compagnie, il m'est cruel de ne rien faire, parce que j'y suis forcé. Il faut que je reste là cloué sur une chaise ou debout, planté comme un piquet, sans remuer ni pied ni patte, n'osant courir, ni sauter, ni chanter, ni crier, ni[f] gesticuler quand j'en ai envie, n'osant pas même rêver, ayant à la fois tout l'ennui de l'oisiveté et tout le tourment de la contrainte; obligé d'être attentif à toutes les sottises qui se disent, et à tous les compliments qui se font, et de

1. *Vie oiseuse* : le premier sens de l'adjectif *oiseux* donné par Littré est « qui par habitude ou par goût ne fait rien ». La citation, correcte dans le manuscrit de Paris (variante *a*) et ici légèrement incorrecte, est empruntée à un conte de La Fontaine, *Le Diable de Papefiguière* :

> *Maître François* [Rabelais] *dit que Papimanie*
> *Est un pays où les gens sont heureux.*
> *Le vrai dormir ne fut fait que pour eux*
> [...]
> *On y fait plus, on n'y fait nulle chose...*

fatiguer incessamment ma minerve[1], pour ne pas manquer de placer à mon tour mon rébus et[a] mon mensonge. Et vous appelez cela de l'oisiveté ? C'est un travail de forçat.

L'oisiveté que j'aime n'est pas celle d'un fainéant qui reste là les bras croisés dans une inaction totale, et ne pense pas plus qu'il n'agit. C'est à la fois celle d'un enfant qui est sans cesse en mouvement pour ne rien faire, et celle d'un radoteur qui bat la campagne[b], tandis que ses bras sont en repos. J'aime à m'occuper[c] à faire des riens, à commencer cent choses et n'en achever aucune, à aller et venir comme la tête me chante, à changer à chaque instant de projet, à suivre une mouche dans toutes ses allures, à vouloir déraciner un rocher[d] pour voir ce qui est dessous, à entreprendre avec ardeur un travail de dix ans[e], et à l'abandonner sans regret au bout de dix minutes, à muser enfin toute la journée sans ordre et sans suite, et à ne suivre en toute chose que le caprice du moment.

La botanique, telle que je l'ai toujours considérée, et telle qu'elle commençait à devenir passion pour moi, était précisément une étude oiseuse, propre à remplir tout le vide de mes loisirs sans y laisser place au délire de l'imagination, ni à l'ennui d'un désœuvrement total. Errer nonchalamment dans les bois et dans la campagne, prendre machinalement çà et là tantôt une fleur[f], tantôt un rameau, brouter mon foin presque au hasard, observer mille et mille fois les mêmes choses, et toujours avec le même intérêt, parce que je les oubliais toujours, était de quoi passer l'éternité sans pouvoir m'ennuyer un moment. Quelque élégante, quelque admirable, quelque diverse que soit la structure des végétaux, elle ne frappe pas assez un œil ignorant pour l'intéresser. Cette constante analogie, et pourtant cette variété prodigieuse qui règne dans leur organisation, ne transporte que ceux qui ont déjà quelque idée du système végétal. Les autres n'ont, à l'aspect de tous ces[g] trésors de la nature, qu'une admiration stupide et monotone. Ils ne voient rien en détail, parce qu'ils ne savent pas même ce qu'il faut regarder, et ils ne voient pas non plus l'ensemble, parce qu'ils n'ont aucune idée de cette chaîne de rapports et de combinaisons qui accable de ses merveilles l'esprit de l'observateur. J'étais et mon défaut de mémoire me devait tenir toujours dans cet

1. Voir p. 232, n. 1.

heureux point d'en savoir assez peu pour que tout me fût nouveau et assez pour que tout me fût sensible. Les divers sols dans lesquels l'île, quoique petite, était partagée, m'offraient une suffisante variété de plantes pour l'étude[a] et pour l'amusement de toute ma vie. Je n'y voulais pas laisser un poil d'herbe sans[b] analyse, et je m'arrangeais déjà pour faire, avec un recueil immense d'observations curieuses, la *Flora Petrinsularis*[1].

Je fis venir Thérèse avec mes livres et mes effets. Nous nous mîmes en pension chez le Receveur de l'île. Sa femme avait à Nidau ses sœurs, qui la venaient voir tour à tour et qui faisaient à Thérèse une compagnie. Je fis là l'essai d'une douce vie dans laquelle j'aurais voulu passer la mienne, et dont le goût que j'y pris ne servit qu'à me faire mieux sentir l'amertume de celle qui devait si promptement y succéder.

J'ai toujours aimé l'eau passionnément, et sa vue me jette dans une rêverie délicieuse, quoique souvent sans objet déterminé. Je ne manquais point à mon lever[c], lorsqu'il faisait beau, de courir sur la terrasse humer l'air salubre et frais du matin, et planer des yeux sur l'horizon de ce beau lac, dont les rives et les montagnes qui le bordent enchantaient ma vue. Je ne trouve point de plus digne hommage à la Divinité que cette admiration muette qu'excite la contemplation de ses œuvres, et qui ne s'exprime point par des actes développés. Je comprends comment les habitants des villes, qui ne voient que des murs[d], des rues, et des crimes, ont peu de foi; mais je ne[e] puis comprendre comment des campagnards, et surtout des solitaires, peuvent n'en point avoir. Comment leur âme ne s'élève-t-elle pas cent fois le jour avec extase à l'auteur des merveilles qui les frappent? Pour moi, c'est surtout à mon lever, affaissé par mes insomnies, qu'une longue habitude me porte à[f] ces élévations de cœur qui n'imposent point la fatigue de penser. Mais il faut pour cela que mes yeux soient frappés du ravissant spectacle de la nature. Dans ma chambre, je prie plus rarement et plus

1. Rousseau a déjà parlé dans la Première Partie de son goût pour la botanique (livre V, p. 204 et n. 3). Le projet de « *Flora Petrinsularis* » (Flore de l'île de Saint-Pierre) a vraisemblablement été inspiré par le travail du D[r] Jean-Antoine d'Ivernois, de Môtiers, avec qui Rousseau avait commencé à herboriser (p. 747 et *Index*).

sèchement : mais à l'aspect d'un beau paysage, je me sens
ému sans pouvoir dire de quoi. J'ai lu qu'un[a] sage évêque,
dans la visite de son diocèse, trouva une[b] vieille femme
qui, pour toute prière, ne savait dire que O ! Il lui dit :
Bonne mère, continuez de prier toujours ainsi; votre prière
vaut mieux que les nôtres. Cette meilleure prière est aussi
la mienne[1].

Après le déjeuner, je me hâtais d'écrire en rechignant
quelques malheureuses lettres, aspirant avec ardeur[c] à
l'heureux moment de n'en plus écrire du tout. Je tracas-
sais[2] quelques[d] instants autour de mes livres et papiers
pour les déballer et arranger, plutôt que pour les lire, et
cet arrangement, qui devenait pour moi l'œuvre de Péné-
lope, me donnait le plaisir de muser quelques moments;
après quoi je m'en ennuyais et le quittais, pour passer les
trois ou quatre heures qui me restaient de la matinée à
l'étude de la botanique, et surtout du système de Linné,
pour lequel je pris une passion dont[e] je n'ai pu bien me
guérir, même après en avoir senti le vide. Ce grand obser-
vateur est à mon gré le seul, avec Ludwig, qui ait vu jus-
qu'ici la botanique en naturaliste et en philosophe; mais
il l'a trop étudiée dans des herbiers et dans des jardins,
et pas assez dans la nature elle-même. Pour moi, qui pre-
nais pour jardin l'île entière, sitôt que j'avais besoin de
faire ou vérifier quelque observation, je courais dans les
bois ou dans les prés, mon livre sous le bras : là, je me
couchais par terre auprès de la plante en question[f], pour
l'examiner sur pied tout à mon aise. Cette méthode m'a
beaucoup servi pour connaître les végétaux dans leur
état naturel, avant qu'ils aient été cultivés et dénaturés
par la main des hommes. On dit que Fagon, premier
médecin de Louis XIV, qui[g] nommait et connaissait par-
faitement toutes les plantes du Jardin Royal, était d'une

1. Le motif de l'adoration matinale dans la nature figure déjà
au livre VI (p. 272) et au début de la Profession de foi du vicaire
savoyard. L'anecdote de la bonne femme est à rapprocher de l'excla-
mation de Rousseau lui-même dans sa lettre à Malesherbes du 26 jan-
vier 1762 :

« Cette étourdissante extase [...] me faisait m'écrier quelquefois :
O grand Être ! O grand Être ! sans pouvoir dire ni penser rien de
plus. » (O. C., I, 1959, p. 1141.)

2. Sur le verbe *tracasser*, voir p. 54, n. 2.

telle ignorance dans la campagne, qu'il n'y connaissait
plus rien. Je suis précisément le contraire : je connais
quelque chose à l'ouvrage de la nature, mais rien à celui
du jardinier.

Pour les après-dînées, je les livrais totalement à mon
humeur oiseuse et nonchalante, et à suivre sans règle
l'impulsion du moment. Souvent, quand l'air était calme,
j'allais immédiatement en sortant de table me jeter seul
dans un petit bateau, que le Receveur m'avait appris à
mener avec une seule rame ; je m'avançais en pleine eau.
Le moment où je dérivais me donnait une joie qui allait
jusqu'au tressaillement, et dont il m'est impossible de dire
ni de bien comprendre la cause[a], si ce n'était peut-être
une félicitation[1] secrète d'être en cet état hors de l'atteinte
des méchants. J'errais ensuite seul dans ce lac, approchant
quelquefois du rivage, mais n'y abordant jamais. Souvent,
laissant aller mon bateau[b] à la merci de l'air et de l'eau,
je me livrais à des rêveries sans objet, et qui, pour être
stupides, n'en étaient pas moins [c]douces. Je m'écriais par-
fois avec attendrissement : O nature ! ô ma mère ! me
voici sous ta seule garde ; il n'y a point ici d'homme adroit
et fourbe qui s'interpose entre toi et moi. Je m'éloignais
ainsi jusqu'à demi-lieue de terre : j'aurais voulu que ce
lac eût été[2] l'Océan. Cependant, pour complaire à mon
pauvre chien, qui n'aimait[d] pas autant que moi[e] de si
longues stations sur l'eau, je suivais d'ordinaire un but
de promenade ; c'était d'aller débarquer à la petite île, de
m'y promener une heure ou deux, ou de m'étendre au
sommet du tertre sur le gazon, pour m'assouvir du plaisir
d'admirer ce lac et ses environs, pour examiner et dissé-
quer toutes les herbes qui[f] se trouvaient à ma portée, et
pour me bâtir, comme un autre Robinson, une demeure
imaginaire dans cette petite île. Je m'affectionnai fortement
à cette butte. Quand j'y pouvais mener promener Thérèse
avec la Receveuse et ses sœurs, comme j'étais fier d'être
leur pilote et leur guide ! Nous y portâmes en pompe des

1. Seul le sens d'*action de féliciter* est donné par Littré pour *félici-
tation*, mais il remarque que le substantif *félicité* et même le verbe
féliciter sont nouveaux au début du xviie siècle.

2. *J'aurais voulu que ce lac eût été* : l'irréel du passé est exprimé deux
fois, dans la principale et dans la subordonnée. Cette concordance se
rencontre encore assez souvent jusqu'au xviiie siècle.

lapins pour la peupler; autre fête pour Jean-Jacques. Cette[a] peuplade me rendit la petite île encore plus intéressante. J'y allais plus souvent et avec plus de plaisir depuis ce temps-là, pour rechercher des traces du progrès des nouveaux habitants[1].

A ces amusements, j'en joignais un qui me rappelait la douce vie des Charmettes, et auquel la saison m'invitait particulièrement. C'était un détail de soins rustiques pour la récolte des légumes et des fruits, et que nous nous faisions[b] un plaisir, Thérèse et moi, de partager avec la Receveuse et sa famille. Je me souviens qu'un Bernois, nommé M. Kirchberger, m'étant venu voir, me trouva perché sur un grand arbre, un sac attaché autour de ma ceinture, et déjà si plein[c] de pommes, que je ne pouvais plus me remuer. Je ne fus pas fâché de cette rencontre et de quelques autres pareilles. J'espérais que les Bernois, témoins de l'emploi de mes loisirs, ne songeraient plus à en troubler la tranquillité, et me laisseraient en paix dans ma solitude. J'aurais bien mieux aimé y être confiné par leur volonté que par la mienne : j'aurais été plus assuré de n'y point voir troubler mon repos[d].

Voici encore un de ces aveux sur lesquels je suis sûr d'avance de l'incrédulité des lecteurs, obstinés à juger toujours de moi par eux-mêmes, quoiqu'ils aient été forcés de voir dans tout le cours de ma vie mille affections internes qui ne ressemblaient point aux leurs. Ce qu'il y a de plus bizarre est qu'en me refusant tous les sentiments bons ou indifférents qu'ils n'ont pas, ils[e] sont toujours prêts à m'en prêter de si mauvais, qu'ils ne sauraient même entrer dans un cœur d'homme; ils trouvent[f] alors tout simple de me mettre en contradiction[g] avec la nature, et de faire de moi un monstre tel qu'il n'en peut[h] même exister. Rien d'absurde ne leur paraît incroyable[i] dès qu'il tend à me noircir; rien d'extraordinaire ne leur paraît possible dès qu'il tend à m'honorer.

Mais, quoi qu'ils en puissent croire ou dire, je n'en continuerai pas moins[j] d'exposer fidèlement ce que fut, fit et pensa J.-J. Rousseau, sans expliquer ni justifier la

1. L'expression « comme un autre Robinson » figure déjà au livre VII : voir p. 348, n. 1. Le peuplement de la petite île par une colonie de lapins est encore évoqué dans la 5e Promenade des *Rêveries*.

singularité de ses sentiments et de ses idées, ni rechercher si d'autres ont pensé comme lui. Je pris tant de goût à[a] l'île de Saint-Pierre, et son séjour me convenait si[b] fort, qu'à force d'inscrire tous mes désirs dans cette île, je[c] formai celui de n'en point sortir. Les visites que j'avais à rendre au voisinage, les courses qu'il me faudrait faire à Neuchâtel, à Bienne, à Yverdon, à Nidau, fatiguaient déjà mon imagination. Un jour à passer hors de l'île me paraissait retranché de mon bonheur, et sortir de l'enceinte de ce lac était pour moi sortir de mon élément. D'ailleurs l'expérience du passé m'avait rendu craintif. Il suffisait que quelque bien flattât mon cœur pour que je dusse m'attendre à le perdre, et l'ardent désir de finir mes jours dans cette île était inséparable de la crainte d'être forcé d'en sortir. J'avais pris l'habitude d'aller les soirs m'asseoir sur la grève, surtout quand le lac était agité. Je sentais un plaisir singulier à voir les flots se briser à mes pieds. Je m'en faisais l'image du tumulte du monde, et de la paix de mon habitation; et je m'attendrissais quelquefois à cette douce idée, jusqu'à[d] sentir des larmes couler de mes yeux. Ce repos, dont je jouissais avec passion, n'était troublé que par l'inquiétude de le perdre; mais cette inquiétude allait au point d'en altérer[e] la douceur. Je sentais ma situation si précaire, que je n'osais y compter. Ah! que je changerais volontiers, me disais-je, la liberté de sortir d'ici, dont je ne me soucie point, avec l'assurance d'y pouvoir rester toujours! Au lieu[f] d'y être souffert par grâce, que n'y suis-je[g] détenu de force! Ceux qui ne font que m'y souffrir peuvent à chaque instant m'en chasser[h], et puis-je espérer que mes persécuteurs, m'y voyant heureux, m'y laissent continuer de l'être? Ah! c'est peu[i] qu'on me permette d'y vivre, je voudrais qu'on m'y condamnât, et je voudrais être contraint d'y rester, pour ne l'être pas d'en sortir. Je jetais un œil d'envie sur l'heureux Micheli Du Crest, qui, tranquille au château d'Arberg, n'avait eu qu'à vouloir être heureux pour l'être. Enfin, à force de me livrer à ces[j] réflexions et aux pressentiments inquiétants des nouveaux orages toujours prêts à fondre sur moi, j'en vins à désirer, mais avec une ardeur incroyable, qu'au lieu de tolérer seulement mon habitation dans cette île, on me la donnât pour prison perpétuelle, et je puis jurer que s'il n'eût tenu qu'à moi de m'y faire condamner, je l'aurais fait avec la plus grande joie, préférant mille fois la néces-

sité d'y passer le reste de ma vie[a] au danger d'en être expulsé.

Cette crainte ne demeura pas longtemps vaine. Au moment où je m'y attendais le moins, je reçus une lettre de M. le Baillif de Nidau, dans le gouvernement duquel était l'île de Saint-Pierre[b]; par cette lettre, il m'intimait de la part de Leurs Excellences l'ordre de sortir de l'île et de leurs États. Je crus rêver en la lisant. Rien de moins naturel[c], de moins raisonnable, de moins prévu[d] qu'un pareil ordre : car j'avais plutôt regardé mes pressentiments comme les inquiétudes d'un homme effarouché par ses malheurs, que comme une prévoyance qui pût avoir le moindre fondement. Les mesures que j'avais prises pour m'assurer de l'agrément tacite du souverain, la tranquillité avec laquelle on m'avait laissé faire mon établissement, les visites de plusieurs Bernois et du Baillif[e] lui-même, qui m'avait comblé d'amitiés et de prévenances, la rigueur de la saison dans laquelle il était barbare d'expulser un homme infirme, tout me fit croire avec beaucoup de gens qu'il y avait quelque malentendu dans cet ordre, et que les malintentionnés avaient pris exprès le temps des vendanges et de l'infréquence du Sénat pour me porter brusquement ce coup[1].

Si j'avais écouté ma première indignation, je serais parti sur-le-champ. Mais où aller ? Que devenir à l'entrée de l'hiver, sans but, sans préparatif, sans conducteur, sans voiture ? A moins de laisser tout à l'abandon, mes papiers, mes effets, toutes mes affaires, il me fallait[f] du temps pour y pourvoir, et il n'était pas dit dans l'ordre si on m'en laissait ou non. La continuité des malheurs commençait[g] d'affaisser mon courage. Pour la première fois, je sentis ma fierté naturelle fléchir sous le joug de la nécessité et, malgré les murmures de mon cœur, il fallut m'abaisser à demander un délai[2]. C'était à M. de Graffenried, qui

1. Sur l'orthographe *baillif,* voir p. 32, n. 2. — La lettre de Graffenried, bailli de Nidau, notifiant l'expulsion, est rédigée, comme le dit Rousseau plus loin, dans les termes les plus prévenants et élogieux (*C. C.,* XXVII, 124). Datée du 16 octobre, elle parvient à Rousseau le 17, soit cinq semaines après son installation.
Rousseau emploie ici le mot *souverain* au sens de *pouvoir souverain,* comme dans *le Contrat social. Infréquence :* « petit nombre de gens qui fréquentent, qui assistent » (Littré, 2°, qui cite cet exemple).
2. Une humiliation similaire marquera la fuite d'Angleterre,

m'avait envoyé l'ordre, que je m'adressai pour le faire
interpréter. Sa lettre portait une très vive improbation de
ce même ordre, qu'il ne m'intimait qu'avec le plus[a] grand
regret, et les témoignages de douleur et d'estime dont elle
était remplie me semblaient autant d'invitations bien douces
de lui parler à cœur ouvert; je le fis. Je ne doutais pas
même que ma lettre ne fît ouvrir les yeux à ces hommes
iniques sur leur barbarie, et que si l'on ne révoquait pas
un ordre si cruel, on ne m'accordât du moins un délai
raisonnable, et peut-être l'hiver entier, pour me préparer
à la retraite, et pour en choisir le lieu.

En attendant la réponse, je me mis à réfléchir sur ma
situation, et à délibérer sur le parti que j'avais à prendre.
Je vis tant de difficultés de toutes parts, le chagrin m'avait
si fort affecté, et ma santé en ce moment était si mauvaise,
que je me laissai tout à fait abattre, et que l'effet de mon
découragement fut de m'ôter le peu de ressources qui[b]
pouvaient me rester dans l'esprit pour tirer le meilleur
parti possible de ma triste situation. En quelque asile que
je[c] voulusse me réfugier, il était clair que je ne pouvais
m'y soustraire à aucune des deux manières qu'on avait
prises de m'expulser. L'une, en soulevant contre moi la
populace par des manœuvres souterraines; l'autre, en me
chassant à force ouverte, sans en dire aucune raison. Je
ne pouvais donc compter sur aucune retraite assurée, à
moins de l'aller chercher plus loin que mes forces et la
saison ne semblaient me le permettre. Tout cela me rame-
nant[d] aux idées dont je venais de m'occuper, j'osai désirer
et proposer qu'on voulût[e] plutôt disposer de moi dans une
captivité perpétuelle, que de me faire errer incessamment
sur la terre, en m'expulsant successivement de tous les
asiles que j'aurais choisis. Deux jours après ma première
lettre, j'en écrivis une seconde à M. de Graffenried, pour
le prier d'en faire la proposition à Leurs Excellences. La
réponse de Berne à l'une et à l'autre fut un ordre conçu
dans les termes[f] les plus formels et les plus durs de sortir
de l'île et de tout le territoire médiat et immédiat[g] de la
République, dans l'espace de vingt-quatre[h] [heures] et de
n'y rentrer jamais, sous les plus grièves peines[1].

quelque vingt mois plus tard : Rousseau sollicitera alors une escorte
pour quitter le pays.
1. Depuis le XVIIe siècle l'adjectif *grief* ne survit plus guère que

Ce moment fut affreux. Je me suis trouvé[a] depuis dans de pires angoisses, jamais dans un plus grand embarras. Mais ce qui m'affligea le plus fut d'être forcé de renoncer au projet qui m'avait fait désirer de passer l'hiver dans l'île. Il est temps de rapporter l'anecdote fatale qui a mis le comble à mes désastres, et qui a entraîné dans ma ruine un peuple infortuné, dont les naissantes vertus promettaient[b] déjà d'égaler un jour celles de Sparte et de Rome.

J'avais parlé des Corses dans le *Contrat social,* comme d'un peuple neuf, le seul de l'Europe qui ne fût pas usé pour la législation, et j'avais marqué la grande espérance qu'on devait avoir d'un tel peuple, s'il avait le bonheur de trouver un sage instituteur[1]. Mon ouvrage fut lu par quelques Corses, qui furent sensibles à la manière[c] honorable dont je parlais d'eux, et le cas où ils se trouvaient de travailler à l'établissement de leur République fit[d] penser à leurs chefs de me demander mes idées sur cet important ouvrage. Un M. Buttafuoco, d'une des premières familles du pays, et capitaine en France dans le Royal-Italien, m'écrivit à ce sujet[e], et me fournit plusieurs pièces que je lui avais demandées pour me mettre au fait de l'histoire de la nation et de l'état du pays. M. Paoli m'écrivit aussi plusieurs fois, et quoique je sentisse une pareille entreprise au-dessus de mes forces, je crus ne pouvoir les refuser, pour concourir à une si grande et belle œuvre, lorsque j'aurais pris toutes les instructions dont j'avais besoin pour cela. Ce fut dans ce sens que je répondis

dans des expressions juridiques du type « les plus grièves peines ». Après une première lettre au bailli du 17 oct. (*C. C.,* XXVII, 131), Rousseau s'engage dans une seconde (20 oct., *ibid.,* 147) à ne pas écrire ni communiquer avec l'extérieur, pourvu qu'on lui laisse avec quelques livres la faculté de se « promener quelquefois dans un jardin ». Dans l'intervalle, le bailli avait écrit au Sénat pour plaider la cause de Rousseau. L'ordre d'expulsion, non pas dans les vingt-quatre heures, mais dans les trois jours à compter de la réception, soit au plus tard le samedi 26, est signifié au bailli le 21; Rousseau quitte l'île le vendredi 25.

1. *Contrat social,* livre II, fin du chapitre X :

« Il est encore en Europe un pays capable de législation, c'est l'île de Corse. La valeur et la constance avec laquelle ce brave peuple a su recouvrer et défendre sa liberté mériterait bien que quelque homme sage lui apprît à la conserver. J'ai quelque pressentiment qu'un jour cette petite île étonnera l'Europe. »

à l'un et à l'autre, et cette correspondance continua jusqu'à mon départ.

Précisément dans le même temps, j'appris que la France envoyait des troupes en Corse, et qu'elle avait fait un traité avec les Génois. Ce traité, cet envoi de troupes m'inquiétèrent, et sans m'imaginer encore avoir aucun rapport à tout cela, je jugeais impossible et ridicule de travailler à un ouvrage qui demande un aussi profond repos que l'institution d'un peuple, au moment où il allait peut-être être subjugué. Je ne cachai pas mes inquiétudes à M. Buttafuoco, qui me rassura par la certitude que s'il y avait dans ce traité des choses contraires à la liberté de sa nation, un aussi bon citoyen que lui ne resterait pas, comme il faisait, au service de France. En effet, son zèle pour la législation des Corses, et ses étroites liaisons avec M. Paoli, ne pouvaient me laisser aucun soupçon sur son compte, et quand j'appris qu'il faisait de fréquents voyages à Versailles et à Fontainebleau, et qu'il avait des relations avec M. de Choiseul, je n'en conclus autre chose, sinon qu'il avait sur les véritables intentions de la cour de France des sûretés qu'il me laissait entendre, mais sur lesquelles il ne voulait pas s'expliquer ouvertement par lettres.

Tout cela me rassurait en partie. Cependant, ne comprenant rien à cet envoi de troupes françaises[a], ne pouvant raisonnablement penser qu'elles fussent là pour protéger la liberté des Corses, qu'ils étaient[b] très en état de défendre seuls contre les Génois, je ne pouvais me tranquilliser parfaitement, ni me mêler tout de bon de la législation proposée, jusqu'à ce que j'eusse des preuves solides que tout cela n'était pas un jeu pour[c] me persifler[1]. J'aurais extrêmement désiré une entrevue avec M. Buttafuoco;

1. La France avait conclu avec Gênes à la suite de la guerre de Sept Ans (7 août 1764) une convention lui permettant d'installer des garnisons dans plusieurs places du littoral de l'île, possession génoise mais constamment insurgée. En 1768 ces places sont cédées à la France, et en 1769, après un an de lutte contre Paoli et les partisans de l'indépendance, soutenus par l'Angleterre, la Corse devient française — donc quelques mois avant la rédaction de cette page.

Parlant des Corses « très en état de défendre seuls contre les Génois » leur liberté, Rousseau ironise : c'est justement par ce qu'ils ne pouvaient maintenir leur domination sur le pays que les Génois avaient, depuis 1737, accepté ou sollicité l'aide de contingents français; ce sont les Français qui sous Maillebois reconquirent l'île en 1739.

c'était le[a] vrai moyen d'en tirer les éclaircissements dont j'avais besoin. Il me la fit espérer[b] et je l'attendais avec la plus grande impatience. Pour lui, je ne sais s'il en avait véritablement le projet; mais quand il l'aurait eu, mes désastres m'auraient empêché d'en profiter.

Plus je méditais sur l'entreprise proposée, plus j'avançais dans l'examen des pièces que j'avais[c] entre les mains, et plus je sentais la nécessité d'étudier de près et le peuple[d] à instituer, et le sol qu'il habitait, et tous les rapports par lesquels il lui fallait approprier cette institution. Je[e] comprenais chaque jour davantage qu'il m'était impossible d'acquérir de loin toutes les lumières nécessaires pour me guider. Je l'écrivis à[f] Buttafuoco : il le sentit lui-même, et si je ne formai pas précisément la résolution de passer en Corse, je m'occupai beaucoup des moyens de faire ce voyage. J'en parlai à M. Dastier, qui, ayant autrefois servi dans cette île, sous M. de Maillebois, devait la connaître. Il n'épargna rien pour me détourner de ce dessein, et j'avoue que la peinture affreuse qu'il me fit des Corses et de leur pays refroidit beaucoup le désir que j'avais d'aller vivre au milieu d'eux[1].

Mais quand les persécutions de Môtiers me firent songer à quitter la Suisse, ce désir se ranima par l'espoir de trouver enfin chez[g] ces insulaires ce repos qu'on ne[h] voulait me laisser nulle part. Une chose seulement m'effarouchait sur

1. Peut-être le caractère insulaire de la Corse est-il pour quelque chose dans l'idée de Rousseau d'y chercher un refuge. C'est en 1764 qu'il étudie de près les affaires corses. Buttafuoco l'invite en octobre à faire le voyage pour se documenter (*C. C.*, XXI, 212). Rousseau parle si bien de la Corse à son visiteur écossais James Boswell, à Môtiers, au début de décembre 1764 (voir *Boswell on the Grand Tour, Germany and Switzerland,* 1764, éd. F. Pottle, New York, Toronto et Londres, 1953, ou la traduction française *Boswell chez les Princes,* Paris, Hachette, 1954) que Boswell décide de faire lui-même le voyage comme « ambassadeur extraordinaire de M. Rousseau à l'île de Corse », et passe sept semaines dans l'île en 1765, prenant contact avec Paoli pour qui Rousseau l'a muni d'une recommandation. Dans le récit de son voyage de Corse, publié en 1768, Boswell reprendra à son compte certaines des idées politiques de Rousseau sur le pays (voir mon *J.-J. Rousseau en Angleterre,* p. 65).
La lettre de Dastier (voir *Index*) n'est connue que par la réponse de Rousseau, en date du 17 février 1765 (*C. C.,* XXIV, 27), dans laquelle il déclare abandonner le projet de voyage en Corse.

ce voyage; c'était l'inaptitude et l'aversion que j'eus toujours pour la vie active à laquelle j'allais être condamné. Fait pour méditer à loisir dans la solitude, je ne l'étais point pour parler, agir, traiter d'affaires[a] parmi les hommes. La nature, qui m'avait donné le premier talent, m'avait refusé l'autre. Cependant je sentais que[b], sans prendre part directement aux affaires publiques, je serais nécessité, sitôt que je serais en Corse, de me livrer à l'empressement du peuple, et de conférer très souvent avec les chefs[1]. L'objet même de mon voyage exigeait qu'au lieu de chercher la retraite, je cherchasse, au sein de la nation, les lumières dont j'avais besoin. Il était clair que je ne pourrais plus disposer de moi-même, et qu'entraîné malgré moi dans un tourbillon pour lequel je n'étais point né, j'y mènerais une vie toute contraire à mon goût, et ne m'y montrerais qu'à mon désavantage. Je prévoyais que soutenant mal par ma présence l'opinion de capacité qu'avaient pu leur donner mes livres, je me décréditerais chez les Corses, et perdrais, autant à leur préjudice qu'au[e] mi[en], la confiance qu'ils m'avaient donnée, et sans laquelle je ne pouvais faire avec succès l'œuvre qu'ils attendaient de moi. J'étais sûr qu'en sortant ainsi de ma sphère, je leur deviendrais inutile et me rendrais malheureux.

Tourmenté, battu d'orages de toute espèce, fatigué de voyages et de persécutions depuis plusieurs années, je sentais vivement le besoin du repos, dont mes barbares ennemis[d] se faisaient un jeu de me priver; je soupirais[e] plus que jamais après cette aimable oisiveté, après cette douce quiétude d'esprit et de corps que j'avais tant convoitée et à laquelle, revenu des chimères de l'amour et de l'amitié, mon cœur bornait sa félicité suprême[2]. Je n'envisageais qu'avec effroi les travaux que j'allais entreprendre, la vie tumultueuse à laquelle j'allais me livrer; et si la grandeur,

1. Le participe *nécessité* : « obligé de, forcé à », est employé par Pascal et Voltaire dans des exemples cités par Littré.

2. La mélancolie désabusée de l'expression « revenu des chimères de l'amour et de l'amitié » relève du ton propre à divers passages des *Dialogues* (O. C., I, 1959, 914 et 986), au début de la 1re Promenade des *Rêveries* (« délivré de l'inquiétude de l'espérance... »), à quelques-uns des propos recueillis par Bernardin de Saint-Pierre; on en trouve aussi un écho dans *Émile et Sophie ou les Solitaires* (voir sur ce leitmotiv mon article de *l'Information littéraire*, janv.-mars 1962).

la beauté, l'utilité de l'objet, animaient mon courage, l'impossibilité de payer de ma personne avec succès me l'ôtait absolument. Vingt ans de méditation profonde, à part moi, m'auraient moins coûté que six mois d'une vie active, au milieu des hommes et des affaires, et certain d'y mal réussir.

Je m'avisai d'un expédient qui me parut propre à tout concilier. Poursuivi dans tous mes refuges par les menées souterraines de mes secrets persécuteurs[a], et ne voyant plus que la Corse où je pusse espérer pour mes vieux jours le repos qu'ils ne voulaient me laisser nulle part, je résolus de m'y rendre avec les directions de Buttafuoco aussitôt que j'en aurais la possibilité; mais, pour y vivre tranquille, de renoncer, du moins en apparence, au travail de la législation, et de me borner, pour payer en quelque sorte à mes hôtes leur hospitalité[b], à écrire sur les lieux leur histoire, sauf à prendre sans bruit les instructions nécessaires pour leur devenir plus utile[c], si je voyais jour à y réussir. En commençant ainsi par ne m'engager à rien, j'espérais être en état de méditer en secret, et plus à mon aise, un plan qui pût leur convenir, et cela sans renoncer beaucoup à ma chère solitude, ni[d] me soumettre à un genre de vie qui m'était insupportable, et dont je n'avais pas le talent[1].

Mais ce voyage, dans ma situation, n'était pas une chose aisée à exécuter. A la manière dont M. Dastier m'avait parlé de la Corse, je n'y devais trouver, des plus simples commodités de la vie, que celles que j'y porterais : linge, habits, vaisselle, batterie de cuisine, papier, livres, il fallait tout porter avec soi. Pour m'y transplanter avec ma gouvernante, il fallait franchir les Alpes, et dans un trajet de deux cents lieues traîner à ma suite tout un bagage; il fallait[e] passer à travers les états de plusieurs souverains, et, sur le ton donné par toute l'Europe, je devais naturellement m'attendre[f], après mes malheurs, à trouver partout des obstacles et à voir chacun se faire un honneur de m'accabler de quelque nouvelle disgrâce, et violer avec moi tous les droits des gens et de l'humanité. Les frais immenses,

1. Le projet de Constitution pour la Corse, édité et annoté par S. Stelling-Michaud dans le tome III des *O. C.*, a fait l'objet d'une étude de M[me] E. Dedeck-Héry, *J.-J. Rousseau et le projet de Constitution pour la Corse* [...], Philadelphie, 1922.

les fatigues, les risques d'un pareil voyage, m'obligeaient
d'en prévoir d'avance et d'en bien peser toutes les diffi-
cultés. L'idée de me trouver enfin seul, sans ressource[a]
à mon âge, et loin de toutes mes connaissances, à la merci
de ce peuple[b] barbare et féroce, tel que me le peignait
M. Dastier, était bien propre à me faire rêver sur une[c]
pareille résolution avant de l'exécuter. Je désirais passion-
nément[d] l'entrevue que Buttafuoco m'avait fait espérer,
et j'en attendais l'effet pour prendre tout à fait mon parti.

Tandis que je balançais ainsi, vinrent les persécutions
de Môtiers, qui me forcèrent à la retraite. Je n'étais pas prêt
pour un long voyage[e], et surtout pour celui de Corse.
J'attendais des nouvelles de Buttafuoco; je me réfugiai
dans l'île de Saint-Pierre, d'où je fus chassé à l'entrée de
l'hiver, comme j'ai dit ci-devant. Les Alpes couvertes
de neige rendaient alors pour moi cette émigration impra-
ticable[f], surtout avec la précipitation qu'on me prescri-
vait. Il est vrai que l'extravagance d'un pareil ordre le
rendait impossible à exécuter : car du milieu de cette soli-
tude enfermée au milieu des eaux, n'ayant que vingt-
quatre heures depuis l'intimation de l'ordre pour me pré-
parer au départ, pour trouver bateaux et voitures pour
sortir de l'île et de tout le territoire; quand j'aurais eu
des ailes, j'aurais eu peine à pouvoir obéir. Je l'écrivis à
M. le Baillif de Nidau, en répondant à sa lettre, et je[g]
m'empressai de sortir de ce pays d'iniquité. Voilà comment
il fallut renoncer à mon projet chéri, et[h] comment, n'ayant
pu dans mon découragement obtenir qu'on disposât de
moi[i], je me déterminai, sur l'invitation de Milord Maré-
chal, au voyage de Berlin, laissant Thérèse hiverner à
l'île de Saint-Pierre, avec mes effets et mes livres, et[j]
déposant mes papiers dans les mains de Du Peyrou. Je
fis une telle diligence, que dès le lendemain matin je partis
de l'île et me rendis à Bienne encore avant midi. Peu s'en
fallut que je n'y terminasse mon voyage, par un incident
dont le[k] récit ne doit pas être omis[1].

1. Quittant l'île le 25 octobre, Rousseau adressait vers cette date
à Du Peyrou des « brouillons qui contiennent l'histoire de [*sa*] jeunesse
jusqu'à [*son*] départ pour Paris en 1741 » — donc le contenu de la
première partie des *Confessions* (*C. C.,* XXVII, 165). Accompagné de
Kirchberger (voir *Index*), il arrivait à Bienne le même jour et descendait
à la *Croix Blanche.*

Sitôt que le bruit s'était répandu que j'avais ordre de quitter mon asile, j'eus une affluence de visites du voisinage, et surtout de Bernois qui venaient avec la plus détestable fausseté me flagorner, m'adoucir, et me protester qu'on avait pris le moment des vacances et de l'infréquence du Sénat pour minuter et m'intimer cet ordre, contre lequel, disaient-ils, tout le Deux-Cents était indigné. Parmi ce tas de consolateurs, il en vint quelques-uns de la ville de Bienne, petit état libre enclavé dans celui de Berne, et entre autres un jeune homme appelé Wildermet, dont la famille tenait le premier rang, et avait le principal crédit dans cette petite ville[1]. Wildermet me conjura vivement, au nom de ses concitoyens, de choisir ma retraite au milieu d'eux, m'assurant qu'ils désiraient avec empressement de m'y recevoir; qu'ils se feraient une gloire et un devoir de m'y faire oublier les persécutions que j'avais souffertes; que je n'avais à craindre chez eux aucune influence des Bernois; que Bienne était une ville libre qui ne recevait des lois de personne, et que tous les citoyens étaient unanimement déterminés à n'écouter aucune sollicitation qui me fût contraire.

Wildermet, voyant qu'il ne m'ébranlait pas se fit appuyer de plusieurs autres personnes, tant de Bienne et des environs que de Berne même, et entre autres du même Kirchberger dont j'ai parlé, qui m'avait recherché depuis ma retraite en Suisse, et que ses talents et ses principes me rendaient intéressant. Mais des sollicitations moins prévues et plus pondérantes[2] furent celles de M. Barthès, secrétaire d'ambassade de France, qui vint me voir avec Wildermet, m'exhorta fort de me rendre à son invitation, et m'étonna par l'intérêt vif et tendre qu'il paraissait prendre à moi. Je ne connaissais point du tout M. Barthès; cependant je le voyais mettre à ses discours la chaleur, le zèle de l'amitié, et je voyais qu'il lui tenait véritablement au cœur de me persuader de m'établir à Bienne. Il me fit l'éloge le plus pompeux de cette ville et de ses habitants, avec lesquels il se montrait si intimement lié, qu'il les

1. La ville de Bienne dépendait du prince-évêque de Bâle et possédait ses autorités locales.

2. Littré cite un autre exemple de Rousseau, tiré de la Correspondance, de l'emploi du participe *pondérant* au sens d'*important, décisif,* emploi qu'il donne comme inusité.

appela plusieurs fois devant moi ses patrons et ses pères.
Cette démarche de Barthès me dérouta dans toutes mes
conjectures. J'avais toujours soupçonné M. de Choiseul
d'être l'auteur caché de toutes les persécutions que j'éprouvais en Suisse. La conduite du Résident de France à Genève,
celle de l'Ambassadeur à Soleure, ne confirmaient que trop
ces soupçons; je voyais la France influer en secret sur tout
ce qui m'arrivait à Berne, à Genève, à Neuchâtel, et je ne
croyais avoir en France aucun ennemi puissant que le
seul duc de Choiseul. Que pouvais-je donc penser de la
visite de Barthès, et du tendre intérêt qu'il paraissait
prendre à mon sort? Mes malheurs n'avaient pas encore
détruit cette confiance naturelle à mon cœur, et l'expérience ne m'avait pas encore appris à voir partout des
embûches sous les caresses. Je cherchais avec surprise la
raison de cette bienveillance de Barthès; je n'étais pas assez
sot pour croire qu'il fît cette démarche de son chef; j'y
voyais une publicité et même une affectation qui marquait
une intention cachée, et j'étais bien éloigné d'avoir jamais
trouvé dans ces petits agents subalternes cette intrépidité
généreuse qui, dans un poste semblable, avait souvent fait
bouillonner mon cœur.

J'avais autrefois un peu connu le chevalier de Beauteville chez M. de Luxembourg; il m'avait témoigné quelque
bienveillance; depuis son ambassade, il m'avait encore
donné quelques signes de souvenir, et m'avait même fait
inviter à l'aller voir à Soleure : invitation dont, sans m'y
rendre, j'avais été touché, n'ayant pas accoutumé d'être traité
si honnêtement par les gens en place. Je présumai donc
que M. de Beauteville, forcé de suivre ses instructions, en
ce qui regardait les affaires de Genève, me plaignant cependant dans mes malheurs, m'avait ménagé, par des soins
particuliers, cet asile de Bienne pour y pouvoir vivre
tranquille sous ses auspices. Je fus sensible à cette attention, mais sans en vouloir profiter, et, déterminé tout à fait
au voyage de Berlin, j'aspirais avec ardeur au moment de
rejoindre Milord Maréchal, persuadé que ce n'était plus
qu'auprès de lui que je trouverais un vrai repos et un
bonheur durable.

A mon départ de l'île, Kirchberger m'accompagna jusqu'à
Bienne. J'y trouvai Wildermet et quelques autres Biennois
qui m'attendaient à la descente du bateau. Nous dînâmes
tous ensemble à l'auberge, et en y arrivant, mon premier

soin fut de faire chercher une chaise, voulant partir dès le lendemain matin. Pendant le dîner, ces messieurs reprirent leurs instances pour me retenir parmi eux, et cela avec tant de chaleur et des protestations si touchantes que, malgré toutes mes résolutions, mon cœur, qui n'a jamais su résister aux caresses, se laissa émouvoir aux leurs; sitôt qu'ils me virent ébranlé, ils redoublèrent si bien leurs efforts, qu'enfin je me laissai vaincre, et consentis de rester à Bienne, au moins jusqu'au printemps prochain.

Aussitôt Wildermet se pressa de me pourvoir d'un logement, et me vanta comme une trouvaille une vilaine petite chambre sur un derrière, au troisième étage, donnant sur une cour, où j'avais pour régal l'étalage des peaux puantes d'un chamoiseur[1]. Mon hôte était un petit homme de basse mine et passablement fripon, que j'appris le lendemain être débauché, joueur, et en fort mauvais prédicament[2] dans le quartier; il n'avait ni femme, ni enfants, ni domestiques, et tristement reclus dans ma chambre solitaire, j'étais, dans le plus riant pays du monde, logé de manière à périr de mélancolie en peu de jours. Ce qui m'affecta le plus, malgré tout ce qu'on m'avait dit de l'empressement des habitants à me recevoir, fut de n'apercevoir, en passant dans les rues, rien d'honnête envers moi dans leur[s] manières ni d'obligeant dans leurs regards. J'étais pourtant tout déterminé à rester là, quand j'appris, vis et sentis même dès le jour suivant qu'il y avait dans la ville une fermentation terrible à mon égard; plusieurs empressés vinrent obligeamment m'avertir qu'on devait dès le lendemain me signifier, le plus durement qu'on pourrait, un ordre de sortir sur-le-champ de l'État, c'est-à-dire de la ville. Je n'avais[a] personne à qui me confier; tous ceux qui m'avaient retenu s'étaient éparpillés, Wildermet avait disparu, je n'entendis plus parler de Barthès, et il ne parut pas que sa recommandation m'eût mis en grande faveur auprès des patrons et des pères qu'il s'était donnés devant moi. Un M. de Vautravers, Bernois, qui avait une jolie maison proche la ville, m'y offrit cependant un asile, espérant, me dit-il, que j'y pourrais éviter d'être

1. *Chamoiseur* : de *chamoiser*, « préparer une peau à la façon de la peau de chamois » (Littré). La chambre de Rousseau était chez un perruquier nommé Mazel.

2. *Prédicament* : voir p. 623, n. 1.

lapidé. L'avantage ne me parut pas assez flatteur pour me tenter de prolonger mon séjour chez ce peuple hospitalier[1].

Cependant, ayant perdu trois jours à ce retard, j'avais déjà passé de beaucoup les vingt-quatre heures que les Bernois m'avaient données pour sortir de tous leurs États, et je ne laissais pas, connaissant leur dureté, d'être en quelque peine sur la manière dont ils me les laisseraient traverser, quand M. le Baillif de Nidau vint tout à propos me tirer d'embarras. Comme il avait hautement improuvé le violent procédé de Leurs Excellences, il crut, dans sa générosité, me devoir un témoignage public qu'il n'y prenait aucune part, et ne craignit pas de sortir de son bailliage pour venir me faire une visite à Bienne. Il vint la veille de mon départ; et, loin[a] de venir incognito, il affecta même du cérémonial, vint *in fiocchi*[2] dans son carrosse avec son secrétaire, et m'apporta un passeport en son nom, pour traverser l'État de Berne à mon aise, et sans crainte d'être inquiété. La visite me toucha plus que le passeport. Je n'y aurais guère été moins sensible, quand elle aurait eu pour objet un autre que moi. Je ne connais rien de si puissant sur mon cœur qu'un acte de courage fait à propos, en faveur du faible injustement opprimé.

Enfin, après m'être avec peine procuré une chaise, je partis le lendemain matin de cette terre homicide, avant l'arrivée de la députation dont on devait m'honorer, avant même d'avoir pu revoir Thérèse, à qui j'avais marqué de me venir joindre, quand j'avais cru m'arrêter à Bienne, et que j'eus à peine le temps de contremander par un mot de lettre, en lui marquant mon nouveau désastre[b]. On verra dans ma troisième partie, si jamais j'ai la force de l'écrire, comment, croyant partir pour Berlin, je partis en effet pour[c] l'Angleterre, et comment les deux dames qui voulaient disposer de moi[d], après m'avoir à[e] force

1. Sur Vautravers, voir *Index* — Deux lettres successives à Du Peyrou, du 27 octobre et du 28 octobre (*C. C.*, XXVII, 185 et 190) font état du revirement de Rousseau, déclarant d'abord céder aux sollicitations et rester à Bienne jusqu'au printemps, puis partir d'urgence avant qu'on ne le chasse : dans l'intervalle, Kirchberger avait trouvé chez les magistrats de la ville des dispositions peu favorables à l'égard du fugitif.

2. *In fiocchi* : en costume d'apparat (à cause des houppes, *fiocchi*, garnissant le chapeau d'un cardinal).

d'intrigues, chassé de la Suisse où je n'étais pas assez en leur[a] pouvoir, parvinrent à me livrer à leur ami[1b].

J'ajoutai ce qui suit dans la lecture que je fis de cet écrit à M. et M[me] la comtesse d'Egmont, à M. le prince Pignatelli, à M[me] la marquise de Mesme, et à M. le marquis de Juigné :

J'ai dit la vérité. Si quelqu'un sait des choses contraires à ce que je viens d'exposer, fussent-elles[c] mille fois prouvées, il sait des mensonges et des impostures, et s'il refuse de les approfondir et de les éclaircir avec moi tandis que je suis en vie il n'aime ni la justice ni la vérité. Pour moi je le déclare hautement et sans crainte : quiconque, même sans avoir lu mes écrits, examinera par ses propres yeux mon naturel, mon caractère, mes mœurs, mes penchants, mes plaisirs, mes habitudes, et pourra me croire un malhonnête homme, est lui-même un homme à étouffer[2].

1. Sur le projet de rédaction d'une Troisième Partie, voir *supra,* p. 644, n. 1 et *Introduction.*

De Bienne, muni du passeport délivré par le bailli et portant la mention « pour aller en Allemagne », Rousseau gagne Bâle, puis Strasbourg d'où il compte se rendre à Berlin. Arrivé le 2 novembre à Strasbourg, il y reste plus de cinq semaines, et reçoit de M[me] de Verdelin et de Hume, des lettres l'invitant à préférer à Berlin l'Angleterre, où Hume, alors à Paris, offre de le conduire (*C. C.,* t. XXVII). Un commis de Rey vient d'autre part le chercher pour le conduire à Amsterdam. Il se décide le 30 novembre pour l'Angleterre (lettre à Du Peyrou, *ibid.,* 314), et prend le 9 décembre la route de Paris, où les « deux dames » vont le « livrer à leur ami » Hume.

2. Il s'agit ici de la quatrième et vraisemblablement dernière lecture que donne Rousseau de ses *Confessions* en 1770-1771. La première, en novembre ou décembre 1770, chez le marquis de Pezay (Alexis Frédéric Jacques de Cesson, fils d'un Genevois), se tint en présence de sept personnes dont Dorat, Dusaulx et Le Mierre — ce dernier collègue de Rousseau jadis comme secrétaire chez les Dupin. Dorat et Dusaulx ont laissé respectivement de cette réunion, le premier une relation « sensible », rédigée aussitôt après l'événement, le second un récit tardif et plutôt hostile. Une seconde lecture eut lieu en décembre 1770 chez Dorat lui-même; la troisième, à laquelle assiste le prince royal de Suède, alors en visite à Paris (il deviendra roi quelques jours plus tard sous le nom de Gustave III), se place à la fin de février 1771 (voir l'article de M. Launay, *R.L.C.,* oct.-déc. 1958).

J'achevai ainsi ma lecture et tout le monde se tut.
M^me d'Egmont fut la seule qui me parut émue; elle tres-
saillit visiblement, mais elle se remit bien vite et garda
le silence, ainsi que toute la compagnie. Tel fut le fruit que
je tirai de cette lecture et de ma déclaration.

La quatrième, chez la comtesse d'Egmont, ne comprit que la seconde
partie des *Confessions,* et seulement jusqu'à la fin du livre XI. Elle eut
lieu soit à Passy, soit au château de Braisne près de Soissons, entre
le 4 et le 8 mai (Courtois).

Sur tous les personnages mentionnés ici, voir *Index.*

Musset-Pathay a publié une lettre de M^me d'Épinay au lieutenant
de police Sartine, demandant de faire cesser ces lectures jugées scanda-
leuses. On ne connaît pas la réponse de Sartine, mais il ne semble pas
y avoir eu de lectures après cette date.

VARIANTES

VARIANTES

(Note pour l'utilisation des variantes)

Sigles adoptés :

N : ms. de Neuchâtel (l. I à IV, ce dernier inachevé).

G 1 : ms. de Genève, 1ᵉʳ cahier (l. I à VI).

G 2 : — 2ᵉ cahier (l. VII à XII).

P 1 : ms. de Paris (Chambre des Députés), 1ᵉʳ cahier (l. I à VII).

P 2 : ms. de Paris (Chambre des Députés), 2ᵉ cahier (l. VIII à XII).

La présente édition donne non seulement les variantes de N et P par rapport à G (dont elle reproduit le texte en modernisant l'orthographe), mais les ratures et corrections des trois manuscrits.

Il serait précieux de pouvoir distinguer les corrections immédiates — apportées au cours même de la rédaction ou transcription par l'auteur dans les manuscrits autographes utilisés pour cette édition — des corrections apportées par lui lors d'une relecture plus ou moins tardive. Il n'est possible d'établir cette distinction avec certitude que lorsqu'il s'agit d'une *addition* ou *suppression* d'une encre différente, ou lorsque l'addition couvre plusieurs lignes, s'insérant difficilement dans les minuscules interlignes des mss.

J'emploie le participe *raturé* dans le cas d'une suppression pure et simple, et dans le cas évident d'un repentir immédiat de l'auteur, survenu avant même l'achèvement de la phrase qu'il rédige (exemple : dans P. 1 : « jamais je ne l'aimai [*si* rat.] plus que quand je désirais si peu de la posséder »; p. 224 var. *d*). J'emploie de préférence le participe *corrigé* ou *surchargé* toutes les fois que la correction semble être intervenue *après* la rédaction complète de la phrase ou du

passage. Il va de soi qu'en cette matière il est impossible de décider toujours de façon infaillible.

Dans un petit nombre de cas, j'ai omis de signaler des ratures qui sont de toute évidence dues au *lapsus calami* d'un scribe fatigué; lorsque je n'ai pas pu déchiffrer une rédaction raturée ou surchargée, je l'ai, sauf omission, toujours indiqué.

Page 1 :

a. N : *Les Confessions de J.-J. Rousseau, contenant le détail des événements de sa vie, et de ses sentiments secrets dans toutes les situa- où il s'est trouvé.*

Page 2 :

a. G 1 : [Cet avertissement est rédigé sur un feuillet dont la partie inférieure a été coupée, laissant des traces d'écriture sur l'onglet. Il ne figure ni dans N ni dans P 1.]

b. G 1 : entre *ce* et *cahier* un mot raturé illisible.

c. G 1 : entre *fait,* et *ou* un mot raturé illisible.

Page 3 :

a. P 1 : *Les Confessions* de J.-J. Rousseau / Première Partie / Livre I / *Intus et in cute.*

N : *Les Confessions* / de J.-J. Rousseau / Première Partie / Livre I.

b. N : [Ne comporte pas l'épigraphe latine, ni la numérotation des paragraphes qui se poursuit dans P 1 et G 1 pendant le premier tiers environ du livre I.]

c. N : [Ce début commun à G 1 et P 1 est remplacé par le texte ci-dessous :]

J'ai remarqué souvent [dans le cours de ma vie *rat.*] *que, même parmi ceux qui se piquent le plus de connaître les hommes, chacun ne connaît guère que soi, s'il est vrai même que quelqu'un se connaisse ; car comment bien déterminer un être* [être [moral *rat.*] *corr. en interl.* objet *rat.*] *par les seuls rapports qui sont en lui-même, et sans le comparer avec rien ? Cependant cette connaissance imparfaite qu'on a de soi est le seul moyen qu'on emploie à connaître les autres. On se fait la règle de tout, et voilà précisément où nous attend la double illusion de l'amour-propre : soit en prêtant faussement à ceux que nous jugeons les motifs qui nous auraient fait agir comme eux à leur place ; soit, dans cette supposition même, en nous abusant sur nos propres motifs, faute de savoir nous transporter* [corr. en interl. mettre *rat.*] *assez dans une autre situation que celle où nous sommes.*

J'ai fait ces observations surtout par rapport à moi, non dans les jugements que j'ai portés des [corr. sur les] autres, m'étant senti bientôt une espèce d'être à part, mais dans ceux que les autres ont portés [sur corr.] de moi : jugements presque toujours faux dans les raisons qu'ils rendaient de ma conduite, et d'autant plus faux pour l'ordinaire, que ceux qui les portaient avaient plus d'esprit. Plus leur règle était étendue, plus la fausse application qu'ils en faisaient les écartait de l'objet.

Sur ces remarques j'ai résolu de faire faire à mes lecteurs un pas de plus dans la connaissance des hommes, en les tirant s'il est possible de cette règle unique et fautive de juger toujours du cœur d'autrui par le sien ; tandis qu'au contraire il faudrait souvent pour connaître le sien même, commencer par lire dans celui d'autrui. Je veux tâcher que pour apprendre à s'apprécier [soi-même rat.], on puisse avoir du moins une pièce de comparaison ; que chacun puisse connaître soi et un autre, et cet autre ce sera moi.

Oui, moi, moi seul, car je ne connais jusqu'ici nul autre homme qui ait osé faire ce que je propose. Des histoires, des vies, des portraits, des caractères ! Qu'est-ce que tout cela ? Des romans ingénieux bâtis sur quelques actes extérieurs, sur quelques discours qui s'y rapportent, sur de subtiles conjectures où l'auteur cherche bien plus à briller lui-même qu'à trouver la vérité. On saisit les traits saillants d'un caractère, on les lie par des traits d'invention, et pourvu que le tout fasse une physionomie, qu'importe qu'elle ressemble ? Nul ne peut juger de cela.

Pour bien connaître un caractère il y faudrait distinguer l'acquis d'avec la nature, voir comment il s'est formé, quelles occasions l'ont développé, quel enchaînement d'affections secrètes l'a rendu tel, et comment il se modifie, pour produire quelquefois les effets les plus contradictoires et les plus inattendus. Ce qui se voit n'est que la moindre partie de ce qui est ; c'est l'effet apparent dont la cause interne est cachée et souvent très compliquée. Chacun devine à sa manière et peint à sa fantaisie ; il n'a pas peur qu'on confronte l'image au modèle, et comment nous ferait-on connaître ce modèle intérieur, que celui qui le peint dans un autre ne saurait voir, et que celui qui le voit en lui-même ne veut pas montrer ?

Nul ne peut écrire la vie d'un homme que lui-même. Sa manière d'être intérieure, sa véritable vie n'est connue que de lui ; mais en l'écrivant il la déguise ; sous le nom de sa vie, il fait son apologie ; il se montre comme il veut être vu, mais point du tout comme il est. Les plus sincères sont vrais tout au plus dans ce qu'ils disent, mais ils mentent par leurs réticences, et ce qu'ils taisent change tellement ce qu'ils feignent d'avouer, qu'en ne disant qu'une partie de la vérité ils ne disent rien. Je mets Montaigne à la tête de ces faux sincères qui veulent tromper en disant vrai. Il se montre avec des défauts, mais il [a soin de rat.] ne s'en donne que d'aimables ; il n'y a point d'homme qui n'en ait d'odieux. Montaigne se peint ressemblant mais de profil. Qui sait si quelque balafre à la joue ou un œil crevé du côté qu'il nous a caché, n'eût pas totalement changé sa physionomie. Un homme plus vain que Montaigne

mais plus sincère est Cardan. Malheureusement ce même Cardan est si fou qu'on ne peut tirer aucune instruction de ses rêveries. D'ailleurs qui voudrait aller pêcher de si rares instructions dans dix tomes in folio d'extravagances ?

Il est donc sûr que si je remplis bien mes engagements j'aurai fait une chose unique et utile. Et qu'on ne m'objecte pas que n'étant qu'un homme du peuple, je n'ai rien à dire qui mérite l'attention des lecteurs. Cela [est très vrai *1ᵣₑ rédac. rat.*] *peut être vrai des événements de ma vie : mais j'écris moins l'histoire de ces évé[ne]ments en eux-mêmes que celle de l'état de mon âme, à mesure qu'ils sont arrivés. Or les âmes ne sont plus ou moins illustres que selon qu'elles ont des sentiments plus ou moins grands et nobles, des idées plus ou moins vives et nombreuses. Les faits ne sont ici que des causes occasionnelles. Dans quelque obscurité que j'aie pu vivre, si j'ai pensé plus et mieux que les Rois, l'histoire de mon âme est plus intéressante que celle des leurs.*

Je dis plus. A compter l'expérience et l'observation pour quelque chose, je suis à cet égard dans la position la plus avantageuse où jamais mortel, peut-être, se soit trouvé, puisque sans avoir aucun état moi-même, j'ai connu tous les états ; j'ai vécu dans tous depuis les plus bas jusqu'aux plus élevés, excepté le trône. Les Grands ne connaissent que les Grands, les petits ne connaissent que les petits. Ceux-ci ne voient les premiers qu'à travers l'admiration de leur rang et n'en sont vus qu'avec un mépris injuste. Dans des rapports trop éloignés, l'être commun aux uns et aux autres, l'homme, leur échappe également. Pour moi, soigneux d'écarter son masque, je l'ai reconnu partout. J'ai pesé, j'ai comparé leurs goûts respectifs, leurs plaisirs, leurs préjugés, leurs maximes. Admis chez tous comme un homme sans prétentions et sans conséquence, je les examinais à mon aise ; quand ils cessaient de se déguiser je pouvais comparer l'homme à l'homme, et l'état à l'état. N'étant rien, ne voulant rien, je n'embarrassais et n'importunais personne ; j'entrais partout sans tenir à rien, dînant quelquefois le matin avec les Princes et soupant le soir avec les Paysans.

*Si je n'ai pas la célébrité du rang et de la naissance, j'en ai une autre qui est plus à moi et que j'ai mieux achetée ; j'ai la célébrité des malheurs. Le bruit des miens a rempli l'Europe ; les sages s'en sont étonnés, les bons s'en sont affligés : tous ont enfin compris que j'avais mieux connu qu'eux ce siècle savant et philosophe : j'avais vu que le fanatisme qu'ils croyaient anéanti n'était que déguisé ; je l'avais dit avant qu'il jetât le masque * je ne m'attendais pas que ce serait moi qui le lui ferais jeter. L'histoire de ces événements, digne de la plume de Tacite, doit avoir quelque intérêt sous la mienne. Les faits sont publics, et chacun peut les connaître ; mais il s'agit d'en trouver les causes secrètes. Naturellement personne n'a dû les voir mieux que moi ; les* [chercher, *1ᵣₑ rédac. rat.*] *montrer c'est écrire l'histoire de ma vie.*

* *Voyez la Préface de mon premier Discours imprimé en* 1750.

Les événements en ont été si variés, j'ai senti des passions si vives, j'ai vu tant d'espèces d'hommes, j'ai passé par tant de sortes d'états que dans l'espace de cinquante ans j'ai pu vivre plusieurs siècles si j'ai pu profiter de moi. J'ai donc et dans le nombre des faits et dans leur espèce tout ce qu'il faut pour rendre mes narrations intéressantes. Peut-être malgré cela ne le seront-elles pas, mais ce ne sera point la faute du sujet, ce sera celle de l'Écrivain. Dans la vie en elle-même la plus brillante, le même défaut pourrait se trouver.

Que si mon entreprise est singulière, la position qui me la fait faire ne l'est pas moins. Parmi mes contemporains il est peu d'hommes dont le nom soit plus connu dans l'Europe et l'individu plus ignoré. Mes livres couraient les villes tandis que leur auteur ne courait que les forêts. Tout me lisait, tout me critiquait, tout parlait de moi, mais dans mon absence ; j'étais aussi loin des discours que des hommes ; je ne sais rien de ce qu'on disait [de moi rat.]. Chacun me figurait à sa fantaisie, sans crainte que l'original vînt le démentir. Il y avait un Rousseau dans le grand monde, et un autre dans la retraite qui ne lui ressemblait en rien.

*Ce n'est pas qu'à tout prendre j'aie à me plaindre des discours publics sur mon compte * ; s'ils m'ont quelquefois déchiré sans ménagement, souvent ils m'ont honoré de même. Cela dépendait des diverses dispositions où le public était sur mon compte, et selon ses préventions favorables ou contraires, il ne gardait pas plus de mesure dans le bien que dans le mal. Tant qu'on ne m'a jugé que par mes livres, selon l'intérêt et le goût des lecteurs, on n'a fait de moi qu'un être imaginaire et fantastique, qui changeait de face à chaque écrit que je publiais. Mais quand une fois j'ai eu des ennemis personnels, ils se sont formé [1ʳᵉ rédac. corr. : un système] des systèmes selon leurs vues, sur [1ʳᵉ rédac. corr. : lequel] lesquels ils ont de concert établi ma réputation qu'ils ne pouvaient tout à fait détruire. Pour ne point paraître faire un rôle odieux, ils ne m'accusaient pas de mauvaises actions vraies ou fausses, ou s'ils m'en accusaient, c'était en les imputant à ma mauvaise tête, de façon toutefois qu'on crût qu'à force de bonhomie ils prenaient le change, et qu'on fît honneur à leur cœur aux dépens du mien. Mais en feignant d'excuser mes fautes ils chargeaient sur mes sentiments, et paraissant me voir dans un jour favorable, ils savaient m'exposer dans un jour bien différent.*

Un ton si adroit devint commode à prendre. De l'air le plus débonnaire on me noircissait avec bonté ; par effusion d'amitié l'on me rendait haïssable, en me plaignant on me déchirait. C'est ainsi qu'épargné dans les faits je fus cruellement traité dans le caractère, et qu'on parvint à me rendre odieux en me louant. Rien n'était plus différent de moi que cette peinture : je n'étais pas meilleur si l'on veut, mais j'étais

** J'écrivais ceci en 1764 âgé déjà de cinquante-deux ans, et bien éloigné de prévoir le sort qui m'attendait à cet âge. J'aurais maintenant trop à changer à cet article ; je n'y changerai rien du tout.*

autre. On ne me rendait justice ni dans le bien ni dans le mal : en m'accordant des vertus que je n'avais pas on me faisait un méchant, et au contraire avec des vices qui n'étaient connus de personne je me sentais bon. A être mieux jugé j'aurais pu perdre parmi le vulgaire, mais j'aurais gagné parmi les sages, et je n'aspirai jamais qu'aux suffrages de ces derniers.

Voilà non seulement les motifs qui m'ont fait faire cette entreprise, mais les garants de ma fidélité à l'exécuter. Puisque mon nom doit durer parmi les hommes, je ne veux point qu'il y porte une réputation mensongère ; je ne veux point qu'on me donne des vertus ou des vices que je n'avais pas, ni qu'on me peigne sous des traits qui ne furent pas les miens. Si j'ai quelque plaisir à penser que je vivrai dans la postérité, c'est par des choses qui me tiennent de plus près que les lettres de mon nom ; j'aime mieux qu'on me connaisse avec tous mes défauts et que ce soit moi-même, qu'avec des qualités controuvées, sous un personnage qui m'est étranger.

Peu d'hommes ont fait pis que je n'ai fait, et jamais homme n'a dit de lui-même ce que j'ai à dire de moi. Il n'y a point de vice de caractère dont l'aveu ne soit plus facile à faire que celui d'une action noire ou basse, et l'on peut être assuré que celui qui [s'accuse de 1re rédac. rat.] *ose avouer de telles actions avouera tout. Voilà la dure mais sûre preuve de ma sincérité. Je serai vrai ; je le serai sans réserve ; je dirai tout ; le bien, le mal, tout enfin. Je remplirai rigoureusement mon titre, et jamais la dévote la plus craintive ne fit un meilleur examen de conscience que celui auquel je me prépare ; jamais elle ne déploya plus scrupuleusement à son confesseur tous les replis de son âme que je vais déployer tous ceux de la mienne au public. Qu'on commence seulement à me lire sur ma parole ; on n'ira pas loin sans voir que je veux la tenir.*

Il faudrait pour ce que j'ai à dire inventer un langage aussi nouveau que mon projet : car quel ton, quel style prendre pour débrouiller ce chaos immense de sentiments si divers, si contradictoires, souvent si vils et quelquefois si sublimes dont je fus sans cesse agité ? Que de riens, que de misères ne faut-il point que j'expose, dans quels détails révoltants, indécents, puérils et souvent ridicules ne dois-je pas entrer pour suivre le fil de mes dispositions secrètes, pour montrer comment chaque impression qui a fait trace en mon âme y entra pour la première fois ? Tandis que je rougis seulement à penser aux choses qu'il faut que je dise, je sais que des hommes durs traiteront encore d'impudence l'humiliation des plus pénibles aveux ; mais il faut faire ces aveux ou me déguiser ; car si je tais quelque chose on ne me connaîtra sur rien, tant tout se tient, tant tout est un dans mon caractère, et tant ce bizarre et singulier [caractère, 1re rédac. corr. en interl.] *assemblage a besoin de toutes les circonstances de ma vie pour être bien dévoilé.*

Si je veux faire un ouvrage écrit avec soin comme les autres, je ne me peindrai pas, je me farderai. [Mais rat.] *C'est ici de mon portrait qu'il s'agit, et non pas d'un livre. Je vais travailler pour ainsi dire dans la chambre obscure ; il n'y faut point d'autre art que de suivre*

exactement les traits que j'y vois marqués. Je prends donc mon parti sur le style comme sur les choses. Je ne m'attacherai point à le rendre uniforme ; j'aurai toujours celui qui me viendra, j'en changerai selon mon humeur sans scrupule, je dirai chaque chose comme je la sens, comme [elle me vient 1ʳᵉ rédac. rat.] *je la vois, sans recherche* [et rat.], *sans gêne, sans m'embarrasser de la bigarrure. En me livrant à la fois au souvenir de l'impression reçue et au sentiment présent je peindrai doublement l'état de mon âme, savoir* [savoir ajouté en interl.] *au moment où l'événement m'est arrivé et au moment où je l'ai décrit ; mon style inégal et naturel, tantôt rapide et tantôt* [gai, 1ʳᵉ rédac. rat.] *diffus, tantôt sage et tantôt fou, tantôt grave et tantôt gai, fera lui-même partie de mon histoire. Enfin quoi qu'il en soit de la manière dont cet ouvrage peut être* [1ʳᵉ rédac. corr. : est] *écrit, ce sera toujours par son objet un livre précieux pour les philosophes : c'est, je le répète* [je le répète ajouté en interl.], *une pièce de comparaison pour* [rédac. success. rat. :* connaître [étudier] le] *l'étude du cœur humain, et c'est la seule qui existe.*

Voilà ce que j'avais à dire sur l'esprit dans lequel j'écris ma vie, sur celui dans lequel on doit la lire, et sur l'usage qu'on peut en tirer. Les liaisons que j'ai eues avec plusieurs personnes me forcent d'en parler aussi librement que de moi. Je ne puis me bien faire connaître que je ne les fasse connaître aussi, et l'on ne doit pas s'attendre que dissimulant dans cette occasion [dans cette occasion ajouté en interl.] *ce qui ne peut être tu sans nuire aux vérités que je dois dire, j'aurai pour* [elles rat.] *d'autres des ménagements que je n'ai pas pour* [mot rat. peu lisible [moi?] corr.] *moi-même. Je serais pourtant bien fâché de compromettre qui que ce* [ce ajouté en interl.] *fût et la résolution que j'ai prise de ne* [jamais 1ʳᵉ rédac. rat.] *point laisser paraître de mon vivant ces mémoires est un effet des égards que je veux avoir pour mes ennemis en tout ce qui n'intéresse pas l'exécution de mon dessein* ¹. *Je prendrai même les mesures les plus certaines pour que cet écrit ne soit publié que quand les faits qu'il contient seront par trait de temps devenus indifférents à tout le monde, et je ne le déposerai qu'en des mains assez* [scrupuleuses 1ʳᵉ rédac. rat.] *sûres pour qu'il n'en soit jamais fait aucun usage indiscret. Pour moi je serais peu puni qu'il parût de mon vivant même, et* [regrettant peu 1ʳᵉ rédac. rat.] *je ne regretterais guère l'estime de quiconque pourrait me mépriser après l'avoir lu. J'y dis de moi des choses très odieuses et dont j'aurais horreur de vouloir m'excuser ; mais aussi c'est l'histoire la plus secrète de mon âme* [mon âme corr. en surch. un ou deux mots illisibles], *ce sont mes confessions à toute rigueur. Il est juste que ma réputation expie le mal que le désir de la conserver m'a fait faire. Je m'attends aux discours publics, à la sévérité des jugements prononcés tout haut, et je m'y soumets* [sans peine rat.]. *Mais que chaque lecteur m'imite,*

1. Le passage de *est un effet*... à *mes ennemis* corrige une ligne raturée. Dufour lit : *regarde plus* [deux ou trois mots non déchiffrés] *n'est pas relative à moi-même.* — Après *mes ennemis* le mot *mêmes* a été raturé.

qu'il [m'imite, qu'il *ajouté en interl.*] *rentre en lui-même* [aussi sincèrement [profondément] que j' *rédac. success. rat.*] *comme je l'ai fait, et qu'au fond de sa conscience il se dise, s'il l'ose :* je suis meilleur que ne fut cet homme-là.

> *d.* P i : et *qui* n'aura
> *e.* P i : nature, et
> *f.* P i : cœur, et

Page 4 :

> *a.* [Dans P i le texte est *qu'ils gémissent de mes misères,* membre de phrase précédé d'une adjonction en marge : *qu'ils rougissent de mes indignités.*]

Page 5 :

> *a.* Dans P i les mots *avec la même sincérité* sont ajoutés en interligne.
> *b.* N : bien *très* médiocre
> *c.* N : entre *beaucoup d'*enfants
> *d.* N : pour *vivre* que
> *e.* N : habile, *et qui était alors en honneur, surtout à Genève.* Ma
> *f.* N : de *l'esprit et de* la
> *g.* Au mot *Treille* le ms. N comporte une note de Rousseau : « *Nom d'une promenade* [*de Genève* rat.] *publique* ».
> *h.* N âmes *ne fit que confirmer* en eux *les sentiments* qu'avait produit[s] l'habitude
> *i.* N : trouver *ailleurs le goût* [*qu'ils avaient* rat.] *qui les dominait,* ou
> *j.* N : sort *contrariait* leur passion. Le jeune
> *k.* N : oublier. / Il voyagea
> *l.* N : jamais : il
> *m.* N : P i : vie, ils
> *n.* N : et *l'amour récompensa leur constance.* Gabriel

Page 6 :

> *a.* N : la sœur. Les deux
> *b.* N : germains. / *Après les mariages* il fallut se séparer encore. Mon oncle
> *c.* N : Belgrade, *et revint à la paix dans sa patrie travailler aux fortifications.* Mon père
> *d.* N : où il devint
> *e.* P i : impromptu, se promenant avec sa belle-sœur et leurs deux enfants, en l'absence *des deux maris,* sur
> *f.* Dans N tout ce début de la note est ainsi libellé :

On pourra juger de ceux qu'elle avait pour la poésie par les vers que je vais rapporter. Elle se promenait souvent avec ma tante Bernard menant chacune [*rat. illis.*] l'enfant qu'elle [*rat. illis.*] avait eu avant le départ de leurs maris. Ces deux enfants leur donnèrent occasion de réciter à leurs amies cette espèce d'énigme de la façon de ma mère :

Ces deux Messieurs, etc.

g. N : de *quarante* ans je l'ai vu s'attendrir *et pleurer* en
h. P 1 : aimait *passionnément* son
i. N : son *époux,* elle
j. N : il revint *et ne vécut qu'une année avec elle.* Je fus le [*triste* rat.] fruit de ce retour; *mais* je coûtai la vie à *la meilleure des mères,* et ma naissance fut le premier de mes malheurs. / *Ainsi mon père perdit la moitié de son être. Il ne s'en consola jamais. Il passa le reste de sa vie à la pleurer, à parler d'elle.* Il croyait
k. N : ses étreintes convulsives, qu'un

Page 7 :
a. N : caresses. Elles
b. N : tendres *par la tristesse qui s'y mêlait.* Ah, disait-il en gémissant
c. P 1 : mot lui tirait
d. N : cette leçon surcharge : mon *cœur.* T'aimerais-je
e. N : fils ? *Trente* ans
f. N : seconde *épouse,* mais
g. N : cœur *tendre* est
h. N : *me laissèrent,* corr. en : *m'ont laissé*
i. N : fit *toutes mes afflictions* [corr. en *misères*]. *Je naquis infirme et* presque mourant
j. N : on *n'*espérait *guère* de
k. N : germe *du mal qui s'est renforcé par* les ans, et qui mainte- nant
l. N : ne *laisse que de très courts* relâches*. Une sœur
* n. en bas de p. : *Une rétention d'urine provenant d'un vice de conformation dans l'urètre et dans la vessie.*
m. N : moment *que* j'écris
n. N : en *bonne santé et soigne,* à l'âge
o. N : vous *pardonnerais* de m'avoir fait vivre, *si je pouvais* vous rendre
p. N : Jacqueline *Danel* vivante, [le ms comporte ici en inter- ligne 2 lignes raturées non déchiffrées]
q. N : naissance me les pourront fermer [*encore* rat.] à
r. N : humanité; *mais* je
s. N : lire; *il me semble de l'avoir toujours su.* Je ne me
t. N : moi. C'est
u. N : cette leçon surcharge : laissé *d'anciens* romans
v. N : moi. D'abord il n'était question
w. N : entendant *au point du jour* les

Page 8 :
a. N : lire, mais une intelligence
b. dans P 1, après *avais,* le mot *encore* a été ajouté puis raturé.
c. N : senti. *Les* émotions
P 1 : senti, *et les malheurs imaginaires de mes héros m'ont tiré cent fois plus de larmes dans mon enfance que les miens mêmes ne*

m'en ont jamais fait verser [cette fin de phrase ajoutée en marge d'une autre encre]. Ces émotions que

d. N : mais m'en

e. N : [3 ou 4 mots raturés non déchiffrés, corr. en] romanesques, *que* l'expérience et la réflexion n'ont jamais pu bien *rectifier.* / Les

f. N : livres. L'Histoire de l'

g. N : Ovide; les mondes de Fontenelle

h. N : travail. *C'est de ce petit recueil que se formèrent pour ainsi dire les premiers traits de mon âme et ceux qui s'en sont le moins effacés.* J'y pris

i. P 1 : à *mon* âge

j. N : surtout *eut* [*bientôt* raturé] *la préférence.* Le plaisir

k. N : guérit [*bientôt* corr. en] un peu des romans; *le style d'Amyot me dégoûta de celui de La Calprenède* et je

Page 9:

a. N : se forma *rapidement* cet

b. [Dans N les mots *et fier* ajoutés en interl.]

c. N : hommes, citoyen moi-même d'une...

d. [Dans P 1 tout le membre de phrase *dont l'amour de la patrie était la* recopié à l'encre noire. Dans G 1 les mots *patrie* et *forte,* d'une encre plus noire, corrigent des mots raturés non déchiffrés.]

e. N : exemple; je [*devais* corr. en] *devenais* Grec ou Romain, je devenais le personnage

f. N : voix *plus* forte

g. P 1 : que je racontais à table l'*histoire* de
N : que *mon père me faisait raconter* à table l'avanture [*sic*] de Scevola [*sic*], *tout le monde* fut

h. N : représenter *avec plus d'énergie* l'action. / Ce train d'éducation

[Le § « J'avais un frère... » et les 5 qui le suivent dans G 1 et P 1 ne figurent pas dans N.]

Page 10:

a. [Dans P 1, *enfin* raturé d'une encre plus noire.]

b. G 1 : disparut [*enfin* rat.] tout à fait

c. P 1 : chéri, *sans l'être* en

d. [Dans P 1 *seule* ajouté en interl.]

e. P 1 : courir dans

f. P 1 : naissent de la

g. P 1 : qui m'*entourait* ne m'obéissait

Page 12:

a. N : éducation *finit* par

b. N : à *n'y* vouloir *point aller* que, selon la loi, l'accusateur *n'*y entrât

c. N : lui *semblaient* compromis
d. N : Bernard. Il avait un fils
e. N : pour apprendre

Page 13 :
a. [L'alinéa « Deux ans passés » est le dernier à porter un n° dans P 1. Dans G 1 la numérotation en noir des §§ continue, mais non celle en rouge (chapitres ?).]
b. N : adoucirent *ma fierté* romaine
c. N : c'était mon *unique* amusement
d. N : travail [*me rat.*] *assidu* me
e. [Dans N, *des jours* ajouté en interl.]
f. N : devoirs *excessifs.* La preuve *certaine* qu'il
g. N : ai [*jamais* corr. en] *presque* rien
h. N : mais *chimérique.* L'habitude
i. N : Bernard. C'était un grand
j. N : aussi *débonnaire* d'esprit
k. P 1 : Nos amusements, nos travaux, nos goûts, étaient
N : Nos travaux, nos goûts, nos amusements étaient
l. N : seuls *de notre* âge, chacun *de nous* avait
m. N : nous n'*eussions* aucune *occasion* de
n. N : extrême; nous ne pouvions vivre un instant séparés. Tous deux
o. N : esprit *doux,* complaisant, facile à céder quand
p. N : moi sous leurs yeux quelque ascendant, *loin d'eux* j'en avais

Page 14 :
a. N : hésitait *en la récitant ;* quand
b. N : faire *autrement* le sien
c. N : caractères *se convenaient* si
d. N : si *vive,* que
e. N : battîmes *quelquefois,* je
f. N : séparer, *nous finissions toujours par nous embrasser en pleurant à chaudes larmes,* jamais
g. N : plus d'*une demi*-heure
h. N : ne *nous plaignîmes l'un de l'autre à ceux qui nous gouvernaient. Ces petites observations* sont *bien* puériles
i. N : résulte un
j. N : Bossey convenait si bien *à ma constitution naturelle* qu'il
k. N : de *l'*espèce *humaine* n'eut
l. N : de ce qui
m. N : plus *ardent* de mes désirs; *le jugement des indifférents ne m'affectait guère.* J'étais
n. N : ni *la* victime ni *le* témoin d'un sentiment violent; tout
o. N : qu'il *avait reçues* de la nature; je ne
p. N : content *et* de moi
q. N : seul *me peinait* plus *moi-même* que
r. N : qui m'*était* pourtant *fort sensible, et cette peine me*

venait moins de la crainte de ses réprimandes que de celle de la cha-
griner. / Cependant

s. N : fâché *d'être disgracié* que puni, et le mécontentement
t. N : afflictive. Qu'on changerait *bientôt* de

Page 15 :

a. N : éloignés de *celles* qu'on
b. [Dans N, à partir de « Comme Mademoiselle Lambercier »
jusqu'à « J'étudiais un jour seul... » — alinéa avec lequel cesse
dans G 1 la numérotation des §§ — on lit ce texte :]

*Comme Mademoiselle Lambercier prenait de nous les soins d'une
mère, elle en exerçait aussi l'autorité. Ce droit la mettait dans le cas
de nous infliger quelquefois l'ordinaire châtiment des enfants. Je
redoutais cette correction plus que la mort, avant de l'avoir reçue. A
l'épreuve, je ne la trouvai pas si terrible, et quoiqu'il ne me soit jamais
arrivé de rien faire à dessein de la mériter, j'avais plus de penchant à la
désirer qu'à la craindre. La modeste Mademoiselle Lambercier, s'étant
sans doute aperçue à quelque signe que ce châtiment n'allait pas à son
but, déclara qu'elle y renonçait parce qu'il la fatiguait trop, et j'eus
quelque regret, sans savoir pourquoi, de lui voir tenir sa parole.*

*Cette conduite dans une fille de trente ans, qui seule sait son motif,
me paraît digne de remarque. Une autre chose qui l'est presque autant,
c'est la date. Cela se passait en 1721 et je n'avais pas encore neuf ans.*

*J'ignore pourquoi cette sensualité précoce ; la lecture des romans
l'avait peut-être accélérée ; ce que je sais, c'est qu'elle influa sur le
reste de ma vie, sur mes goûts, sur mes mœurs, sur ma conduite. Je
vois le fil de tout cela, sa trace est utile à suivre, mais comment la
marquer sur ces feuilles sans [la rat.] les salir ?*

*Cette première émotion des sens s'imprima tellement dans ma
mémoire que, lorsqu'au bout de quelques années elle commença d'échauffer
mon imagination, ce fut toujours sous la forme qui l'avait produite, et
quand l'aspect des jeunes et belles personnes me causait de l'inquiétude,
l'effet en était toujours de les mettre en idée à l'ouvrage et d'en faire
autant de Demoiselles Lambercier.*

*L'obstination avec laquelle ces images revenaient à la moindre
occasion, l'ardeur dont elles enflammaient mon sang, les actes extra-
vagants auxquels m'emportait le désir de les voir réalisées, n'étaient
pas ce qui se passait en moi de plus étrange. Une éducation modeste
et sévère avait rempli mon cœur des sentiments honnêtes et d'une horreur
invincible pour la débauche ; toutes les idées qui s'y rapportaient
m'inspiraient l'aversion, le dégoût, l'effroi. La seule pensée de l'union
des sexes me paraissait si infâme qu'elle eût amorti mes imaginations
lascives, si elle me fût venue en même temps.*

*De ce singulier contraste, qui séparait dans mon esprit des choses
si voisines, résulta un effet non moins singulier. Ce qui devait me
perdre me sauva longtemps de moi-même. Dans l'âge de puberté,
l'objet dont j'étais occupé fit diversion à celui que j'avais à craindre.
Une idée donnant le change à l'autre m'échauffait sans me corrompre ;*

*mes agitations n'aboutissant à rien n'en étaient que plus tourmentantes,
mais elles ne m'inspiraient d'autre honte que celle de faire l'enfant si
longtemps. Cette unique raison me rendait discret sur mes fantaisies :
je les trouvais puériles, mais non libertines. On ne pouvait être plus
pudiquement luxurieux.*

*C'est par cette bizarre diversion d'idées qu'avec une imagination
enflammée d'amour, et un sang brûlant de sensualité presque dès l'enfance,
j'échappai toutefois à l'égarement précoce qui épuise et perd la plupart
des jeunes gens. Plus tard l'exemple de* [l'exemple de *ajouté en interl.*]
*la souillure de mes camarades, loin de vaincre mon dégoût, l'augmentait.
Je n'envisageais des filles publiques qu'avec horreur, et grâce aux
soins des personnes sages* [sages *ajouté en interl.*] *qui m'avaient élevé,
l'instinct de la nature se cachait si bien dans mes fantaisies qu'après
avoir fait déjà d'assez grands voyages et vécu parmi toutes sortes de
gens, j'avais atteint ma dix-neuvième année avant que mon sexe me
fût bien connu.*

Plus instruit, je gardai toujours ma première retenue [1re *rédac.*
corr. avec le sexe] *auprès des femmes. L'amour seul m'égara, jamais
la débauche ; mes sens furent toujours dirigés par mon cœur : la honte,
conservatrice des mœurs, ne m'abandonna jamais, et autant que je
puis aller aux germes les plus profonds de mes passions secrètes,
cette honte fut encore en partie l'ouvrage de mes premiers goûts, toujours
subsistants. A quoi bon devenir entreprenant pour n'obtenir qu'à
demi les plaisirs désirés ? Ceux dont je n'osais parler pouvaient seuls
donner tout leur prix aux autres. Ceux qu'on devait partager étaient
proposables ; mais qui n'eût dédaigné de ridicules soins qui, pour trop
plaire à celui qui les recevait, nuisaient souvent à celle qui les daignait
prendre ?*

*N'avais-je donc des mœurs réglées que parce que j'avais des goûts
dépravés ? Cette conséquence serait injuste et outrée. Un naturel timide,
un cœur tendre, une imagination romanesque mêlaient l'amour et la
retenue à tous mes désirs : un goût constant pour l'honnêteté, la décence,
une aversion pour l'impudence, pour la débauche, pour tous les excès,
furent en moi les fruits d'une éducation toujours modeste et saine,
quoique d'ailleurs fort mêlée et fort peu suivie ; mais, dans un caractère
doux et sensible à la honte, les désirs qu'elle cachait laissèrent moins
de force aux autres. Déjà disposé à m'attacher aux personnes plus
qu'à leur sexe, déjà craintif par le danger de déplaire, je m'affectionnais
aux actes de soumission ; je trouvais ainsi le moyen de me rapprocher
par quelque côté de l'objet de ma convoitise, en confondant l'attitude
d'un amant suppliant avec celle d'un écolier pénitent. Être aux genoux
d'une maîtresse impérieuse était pour moi la plus douce des faveurs.
On sent que cette manière de faire l'amour n'amenait pas des progrès
bien rapides, et ne mettait pas en grand péril la vertu de celles qui en
étaient l'objet.*

*Si je ne sentais la difficulté de faire supporter tant de détails puérils,
que d'exemples ne donnerais-je pas de la force qu'ont souvent les
moindres faits de l'enfance pour marquer les plus grands traits du*

caractère des hommes. J'ose dire qu'un des plus [grands *rat.*] *profondément gravés dans le mien est une indomptable aversion pour l'injustice. La vue d'une action inique, même sans que j'y prenne aucun intérêt personnel, m'indigne jusqu'à la fureur, à tel point que jamais, en pareil cas, je n'ai connu ni grandeur ni puissance qui pût m'empêcher de marquer cette indignation. J'ose ajouter qu'elle est si désintéressée et noble qu'elle agit moins contre les injustices dont je suis la victime que contre celles dont je suis le témoin. Qui croirait que ce sentiment invincible me vient originairement d'un peigne cassé ?*

 J'étudiais. suite comme dans G. 1]
 c. G 1 : bizarre [*encore* rat.] est
 d. P 1 : chambre *et* j'eus

Page 16 :
 a. P 1 : devait *arriver* naturellement
 b. P 1, G 1, cette leçon corrige : et *prolongé* jusqu'à
 c. Dans G 1 *devant nous* est ajouté en interligne.

Page 17 :
 a. P 1 : sans jamais aller
 b. P 1 : fureurs, j'empruntais

Page 18 :
 a. P 1 : J'ai passé
 b. P 1 : vie, *transporté* quelquefois
 c. P 1 : plus *étroite intimité,* la
 d. P 1 : qui *le propose.* / En

Page 19 :
 a. P 1 : qui *paraissant* quelquefois
 b. [Avec l'alinéa « J'étudiais » cesse dans G 1 la numérotation des §§.]
 c. P 1 : de *sa maîtresse.* Quand
 d. N : les [*prendre* surchargé] *chercher,* il
 e. N : était [*cassé* surchargé] brisé
 f. P 1, N : m'exhortent, me menacent, me pressent
 g. N : avec *obstination ;* mais
 h. P 1 : qu'on m'*avait* trouvé
 i. N : mensonge, l'*opiniâtreté* parurent
 j. N : fûmes *soumis l'un et l'autre à* la même exécution; elle
 P 1 : fûmes enveloppés *l'un et l'autre* dans la même [*punition* corr.] exécution. Elle
 k. N : remède [*au* corr.] dans le mal
 l. N : sens *excités,* on
 m. N : longtemps. / *Rien* ne
 n. N : aveu *que* l'on
 o. N : dans le plus [*cruel* surchargé] affreux état
 p. N : mort, *s'il eût été nécessaire,* et j'y étais *tout* résolu
 q. N : force *elle*-même

Page 20 :

a. N : puni pour

b. N : avais [*pas* rat.] ni cassé *les dents,* ni touché [*de* surchargé] le peigne

c. N : ignore et *n'ai jamais pu l'imaginer. La seule chose* que je sais *avec certitude,* c'est que *je n'y avais aucune part.* | Qu'on

d. N : caractère *tendre, aimant, facile* dans

e. N : par la raison

f. N : si [*terrible* surchargé] *cruelle* de

g. N : il *honore* et

h. N : plus. *Quelle révolution* d'idées

i. N : bouleversement *terrible* dans

j. P 1 : sa *tête,* dans tout

k. N : moral. Qu'on

l. [Dans P 1 *s'il est possible* est ajouté en interligne.]

m. P 1 : je *me sens hors d'état* de démêler

n. N : un *mal* que

o. N : corps m'était

p. N : d'un *crime* prémédité

Page 21 :

a. P 1 : s'est *si bien* détaché

b. N : de *l'*intérêt

c. N : de *Ministre,* je

d. N : volontiers, *si je pouvais rétrograder dans un autre siècle,* pour

e. [Dans N, après *nage,* 3 mots raturés non déchiffrés.]

f. N : de *pierres* un

g. N : chien, *quelque* animal

h. N : naturel, *je le veux croire :* mais

i. P 1 : le *sentiment* de la

j. N : pas *puissamment* renforcé

k. N : de *mon âme.* Dès

l. N : homme *après sa chute,* encore

m. P 1 : L'attachement, l'intimité, le respect, la confiance

n. N : accusés. Nous *commençâmes* à

o. N : même *perdait* à

p. P 1 : jardins, nos fleurs, nos herbes. Nous
N : jardins, nos herbes, nos *plantes.* Nous

q. N : terre *pour voir naître et croître* le germe *des pois* que nous avions *semés.* Nous

r. N : vie *simple,* on

Page 22 :

a. P 1 : et *peu fâchés* de

b. P 1 : ces souvenirs renaissent, tandis que les autres s'effacent; *ils* se gravent
N : ces mêmes souvenirs renaissent et se gravent

P 1 : avoir déjà le tiers d'un siècle, *et qui doit maintenant,*
s'il existe encore, en avoir à peu près la moitié. Je fus
t. N : lieux *aimés,* j'y

Page 26 :
 a. N : ce *qu'on* ferait
 b. N : dessin, *car ma raison n'était pas assez formée pour la*
Géométrie ; j'apprenais les démonstrations par cœur, mon cousin
faisait de même ; nous n'apprenions rien de plus, mais nous ne laissions
pas d'avancer toujours. / Mon oncle, homme de plaisir
 [Le passage : « Cependant on délibérait... pousser mes études »
figure dans N quelques pages plus loin.]
 c. N : plaisir, *s'occupait* assez peu de nous; ma tante, *pour se*
consoler des infidélités de son mari, se fit dévote *et devint une espèce*
de piétiste, qui aimait
 d. N : que *de* veiller
 e. N : une entière liberté, dont
 f. N : fréquentée *des* polissons
 g. N : aucune habitude libertine. Quand nous allions nous
promener [Rien ne correspond dans N à la page décrivant,
dans P 1 et G 1, les jeux favoris des deux enfants.]

Page 27 :
 a. [Dans P 1 *pratique* souligné.]
 b. P 1 un *fort* beau
 c. P 1 : maîtres de notre
 d. N : regardions leurs jeux *avec indifférence et sans désirer*
d'y prendre
 e. N : amitiés *nourrissait* si
 f. N : cœurs, que les plus simples goûts *faisaient* nos
 g. N : voir *ensemble,* on prit garde *à nous. La* longue figure
effilée de *mon cousin,* son petit
 h. P 1 : cousin *Bernard* étant
 i. N : démarche *indolente,* excitaient
 j. N : lui. On lui donna dans le patois du pays le surnom
 k. N : bredanna *résonner* tout

Page 28 :
 a. N : demandaient. *Je donnai des coups, j'en reçus davantage ;*
mon pauvre
 b. N : mieux, mais *d'une chiquenaude* on le renversait *par*
terre ; je devenais
 c. N : tellement *leur acharnement* par ma colère
 d. N : heures *qu'on* était
 e. N : et *poursuivis* par
 f. N : dans *toutes* les
 g. N : manquait *plus que d'être amoureux ; je le devins.* / J'allais
[signe d'alinéa ajouté sur le ms]
 h. N : aimé, *surtout des femmes,* et

i. N : Pendant *les courts séjours* que

j. N : Vulson me

k. N : faisait *cent* caresses

l. N : de *douze* ans *près* d'une

m. N : mes [*furies* surchargé] fureurs

n. N : quoique *tous deux très violents, l'un sensuel ou de tempérament* [ces 3 derniers mots ajoutés en interligne], *et l'autre platonique ou d'opinion.* Tout le cours

o. N : entre *l'un et l'autre,* et même je les ai *quelquefois sentis* tous

[Dans G 1 les mots « et je les ai... à la fois » ajoutés en marge.]

p. N : fois, *comme* au moment dont je parle, car *en même temps* que je

q. N : une Mademoiselle Goton, *fille de mon âge,* de courts tête-à-tête, dans

r. N : c'était tout, mais le secret fut découvert

Page 29 :

a. N : gardé de *sa* part que de la mienne

b. N : car *bientôt* on nous *sépara,* et

c. N : Rousseau. / J'étais

[Le § « C'était en vérité... elle s'exposait » figure sous une forme modifiée dans N à la suite de celui qui se termine par « ... j'aurais obéi ».]

d. P 1 : avait de bizarre

e. P 1 : croire qu'elle

f. N : J'étais pour ainsi dire tout entier à

g. N : de songer à l'autre ; mais

Page 30 :

a. N : éprouver. *En abordant M^lle de Vulson, j'étais charmé sans être ému,* j'aurais passé ma vie entière avec elle sans songer à la quitter, mais *le besoin de la voir ne me prenait que par ennui, lorsque je n'avais rien de mieux à faire.* Je l'aimais

b. N : orgueil *des* grands rivaux *qu'elle maltraitait en apparence, et auxquels j'avais la bêtise de me croire tout de bon préféré.* Les applaudissements, les ris, m'échauffaient *l'âme ;* j'avais des

c. N : saillies, *une énergie d'expression qui n'était pas de mon âge et que le sentiment le plus vif paraissait dicter. En effet* j'étais transporté

d. N : à elle ; *je n'en aurais pas ouï mal parler sans fureur ; quand elle était malade, j'étais sincèrement affligé ; absent d'elle, je l'invoquais en quelque façon dans mes peines ; je m'attendrissais en pensant combien j'étais toujours heureux auprès d'elle ; il me semblait que le chagrin ne pouvait souffrir son aspect.* Présent, ses caresses m'étaient douces au cœur, non aux sens; *j'étais innocemment familier avec elle ;* mon imagination ne me demandait *rien.* Cependant

e. P 1 : je *ne pouvais* supporter

f. N : Goton *comme un* tigre, *si elle m'en eût donné l'occasion. Rien n'était modéré de ce qui me venait d'elle. Ses moindres délais me mettaient en furie, mais paraissait-elle, à l'instant sa vue m'allumait le sang d'une ardeur inconcevable, et tout était oublié.* J'étais familier

g. N : de *familiarité* ; j'étais au contraire aussi

h. N : grandes *privautés. Si dans mes moments de tristesse je pensais pour me consoler à* M^lle *de Vulson, dans ceux d'épanouissement, où mon cœur était plein de vie, je la consacrais à* M^lle *Goton. J'aurais passé [*ma vie surchargé*] les jours avec l'une ; une heure avec l'autre était déjà trop ; je tombais dans l'épuisement sans [*goûter* corr.] *avoir goûté la jouissance, et alors, ennuyé d'elle, je la fuyais de peur de la haïr.* Je craignais également

[La phrase « Si dans mes moments... M^lle Goton » est ajoutée en bas de page au moyen d'un signe de renvoi.]

i. N : crois que j'aurais

j. N : [Au lieu du long § commençant par « Mes amours... », et du début du § suivant, on trouve ce texte :]

*C'était en vérité une personne bien séduisante et bien singulière que cette Mademoiselle Goton. Elle avait un mélange d'audace et de réserve qu'on ne saurait concevoir. Elle se [*permettait* corr.] donnait avec moi les plus grandes privautés, sans m'en permettre aucune avec elle : elle me traitait exactement en enfant, ce qui prouve qu'elle l'était encore assez elle-même pour ne [*pas voir le* d raturé] *se faire qu'un jeu du danger auquel elle s'exposait.* [Mais *rat.*] *En voilà bien assez,* [ou *rat.*] *peut-être trop, sur Mademoiselle Goton. Un enfant de cet âge n'est assurément pas intéressant pour le mien. Mais je ne voudrais pour rien au monde revoir celui-là malgré son enfance, ni même y penser trop longtemps.*

De retour à Genève, j'oubliai bientôt M^lle *Goton, quoique les filles de St Gervais me l'eussent rappelée* [deux ou trois *rat.*] *quelquefois. Mais, pour* M^lle *de Vulson, je m'en ressouvins d'autant mieux que je recevais* [quelquefois corr.] *souvent de ses nouvelles, sans compter l'éternelle fidélité que nous nous étions jurée en nous séparant. Pour ratifier ce serment en personne,* [M^lle *rat.*] *elle vint elle-même à Genève : nous nous vîmes deux fois chez ma tante Bernard. Rien de si tendre que les caresses de ma maîtresse, rien de si vif que ses protestations ; nous nous séparâmes en fondant en larmes. Quelques jours après, j'appris qu'elle était mariée* [a corr.] *avec un M. Christin, fort maltraité durant mes triomphes* [1]*, et que son voyage à Genève, dont elle avait eu la bonté de me faire honneur, était pour acheter ses habits de noces. Tout jeune que j'étais, l'aventure me parut plus plaisante que tragique ; mon amour s'en alla comme il était venu, et la vanité qui l'avait allumé l'éteignit sans peine. Je n'écrivis point d'in-*

1. Le membre de phrase « avec un M. Christin... triomphes », précédé d'un signe de renvoi, est ajouté en bas de page.

jures à la perfide, je n'allai point lui reprocher son infidélité, mais je
jurai de ne lui reparler de ma vie, et j'ai si bien tenu ce serment que,
près de [trente *corr.*] *vingt* [*ans*] *après, étant allé voir mon père et me*
promenant sur le lac avec lui, je vis des Dames dans un bateau près
du nôtre. Je demandai [à mon père *rat.*] *qui elles étaient. Quoi,*
[*dit-il corr.*] *me dit mon père en riant et me montrant l'une d'entre*
elles, le cœur ne te le dit-il pas ? C'est Madame Christin, ton ancienne
maîtresse, c'est Mademoiselle de Vulson. Je jugeai que ce n'était
pas la peine de renouveler la querelle avec une femme de quarante ans,
et, faisant signe à nos bateliers de s'éloigner, je lui tournai le dos sans
rien dire. Ainsi finirent mes premières Amours.

Cependant on délibérait si l'on me ferait artisan, Procureur ou
Ministre. J'avais assez de goût pour le ministère, comme l'ont [*les mots*
l'ont ajoutée en interligne] *tous les enfants, qui trouvent qu'il est beau*
de prêcher, mais le petit revenu du bien de ma mère, à partager entre
mon frère et moi, ne suffisait pas pour pousser mes études. On prit
le parti de me mettre chez Masseron, greffier à l'Hôtel de Ville, pour
[suite comme dans G 1].

Page 31 :
 a. P 1 : pathétique à fendre
 b. P 1 : jeter *à* l'eau

Page 32 :
 a. P 1 : prendre *alors* ma
 b. N : apprendre, comme
 c. N : Bernard, le
 d. N : surnom *ne me plaisait point du tout ; je trouvais l'occu-*
pation très désagréable, et l'assiduité *acheva* de m'en rebuter. M. Mas-
seron
 e. P 1 : une *secrète* horreur
 f. N : moi, me *reprochait sans cesse* que mon oncle [*l'* corr.]
lui avait
 g. N : que *réellement* je ne
 h. N : fut *décidé* que je n'étais
 i. N : mention marginale au crayon en tête du § suivant :
« Repris ici à Wootton ».
 j. N : vocation *étant* ainsi
 k. N : graveur. Mon maître
 l. N : appelé Du Commun
 m. G 1 : homme [*extrêmement* raturé] rustre
 n. N : à bout *très promptement* d'abrutir mon caractère *ouvert,*
confiant et vif, de ternir tout l'éclat de mon enfance, et de me
réduire
 o. P 1 : esprit, *comme je l'étais* par la fortune
 p. N : latin, mon histoire, tout fut oublié, *du moins pour un*
temps [ces 5 derniers mots ajoutés en interl.] ; je ne [*me souvenais*
corrigé] *songeais* pas même

Page 33 :
 a. N : idole, et je sentais
 b. N : reconnu leur
 c. N : me *présenter*
 d. N : depuis. Les
 e. P 1 : ne [*fut* corr. en interligne] devint
 f. N : déplaisait *pourtant* pas
 g. N : perfection [*et* rat.]; j'y
 h. N : moi *le goût* de
 i. P 1 : servir, à mes camarades et à moi, d'ordre de cheva-
lerie. Mon
 N : servir, à mes camarades et à moi, d'*ordres* de chevalerie,
car l'esprit romanesque mêlait encore un peu de sa teinte à mes jeux.
Mon
 j. P 1 : avais *aucune* idée
 k. N : véritable. *J'aurais plutôt su* comment
 l. N : mensonge, le vol, la fainéantise. Rien
 m. N : différence de la
 n. N : que cette époque produisit en moi. Naturellement
 o. N : jamais *tant* d'éloignement
 p. N : effronterie; mais *j'étais accoutumé à* une

Page 34 :
 a. N : s'était jusque-là restreinte
 b. N : s'évanouit *alors* tout à fait
 c. N : désir *sans le témoigner,* à mettre
 d. N : osais ouvrir
 e. N : repas, où, sans cesse
 f. N : liberté des compagnons et du maître augmentait
 g. N : mon *asservissement, où, les entendant disputer* sur
 h. N : mieux, *il m'était défendu d'*ouvrir
 i. N : mon *jeune* cœur objet
 j. N : qui *tant de fois* jadis dans
 k. N : père, *ayant été* pour quelque espièglerie condamné à
 l. N : souper [*il fall* raturé] *je passai* par la cuisine; *la broche
tournait,* on était
 m. N : dire *tout haut* d'un ton *fort* piteux
 n. N : naïveté *plut à mon père ; il* me fit
 o. N : est *certain* qu'elle ne m'y *fût* pas venue, ou que je
n'*eusse* osé
 p. N : qui *jusque-là* ne m'était *jamais* venue, et dont je n'ai
jamais bien pu me
 q. N : ce *qui les tente* est
 r. N : portée, *ils* perdent

Page 35 :
 a. N : ce penchant
 b. N : je n'en [*pas* corrigé] ai pu

c. N : toujours des sentiments *honnêtes* mal

d. N : tentations, j'avais

e. P 1 : demeuré *près* d'un an

f. N : sans me *déterminer* à

g. N : prendre *en cachette,* pas

h. N : fut *purement* une affaire de complaisance *et d'amitié,* mais

i. N : à *ceux de friponnerie.* / Il y

j. P 1 [rédac. successives :] la [*maison* rat.] [*mère* en marge rat.] maison [en interligne]

k. P 1 : de belles

l. N : Verrat, *mieux pourvu d'appétit que* d'argent

m. N : il ne voulait pas s'exposer lui-même, il
P 1 : il n'était pas fort ingambe et ne voulait pas s'exposer lui-même, il

n. N : expédition, *et* après

o. N : Je *résistai* beaucoup : il insista; *je suis facile et je voulais lui complaire ;* je me

p. N : où *quelques bonnes femmes,* qui *voyaient très bien* que je venais de les voler, me le *disaient* pour

q. N : je *ne marchandais guère, et prenant* ce qu'*elles voulaient* bien

r. N : je *m'enfuyais à toutes jambes et* le

s. N : avec *d'autres camarades, élevés comme lui au grade de compagnon ;* car

Page 36 :

a. N : avoir *quelques bribes,* je ne *goûtais* pas

b. N : esprit de dîner sur

c. N : asperges. *J'exerçais* avec la plus grande fidélité ma friponnerie, *tandis que* celui qui me la faisait faire *corrompait un enfant pour le plus vil intérêt.* Cependant

d. N : que *d'ignominie, quel traitement* n'eussé-je

e. N : le [*coupable* surchargé] misérable *en* eût été

f. N : si *pénible* de

g. N : tirai si bon

h. N : sortir les *enfants* de table quand

i. N : devins *rapidement* l'un

j. N : trouvais *assez* bien

k. N : élevée, *tirait* du

l. [Le mot *maie* est orthographié *may* dans P 1 et G 1 ; dans N, l'orthographe *maie* corr. en *may*.]

m. N : elle *y pouvait* atteindre *à travers les trous :* elle

n. N : gibier. Je

o. N : tirai doucement

p. N : saisir [*Qui dira ma douleur* raturé]... La

q. P 1 : inventions *je mis* en

r. N : des *soutiens* pour

s. N : la *pomme* en
t. N : pour *la* fendre
u. N : adresse je

Page 37 :
 a. N : et me
 b. N : songer *même* aux
 c. N : lendemain, je tente
 d. N : piquer; [*pour le coup* corr.] *par malheur* le
 e. N : la dépense
 f. N : courage !... *Je n'ai pas celui d'achever.* / Bientôt
 g. N : de *tourner*
 h. N : les [*tournais* corr.] *jetais* en avant
 i. N : ensemble, constituaient
 j. N : me *détournent* de
 k. N : m'est arrivé si rarement dans

Page 38 :
 a. N : autre *petit* cabinet
 b. N : sans *qu'on s'en aperçût.* Là
 c. N : ses *beaux* dessins
 d. P 1 : affectait [*de me cacher* raturé] d'éloigner
 e. N : innocents *en eux-mêmes,* puisqu'ils
 f. N : en *ma possession ;* je
 g. P 1 : productions. *Au* reste
 h. N : dans *ce même cabinet* des recoupes
 i. N : bijoux, *même de la monnaie* dans des boîtes. Quand
 j. N : avais *cinq* ou *six* sols
 k. P 1 : me [*souvenais* corr.] souviens
 l. N : pas d'y avoir jeté de ma vie un *œil* de convoitise; je le
regardais avec
 m. N : plaisir. / Je crois
 n. N : de *mon* éducation
 o. N : ne *paraissaient à mes yeux* que
 p. N : pour m'abstenir; je *n'avais* rien à
 q. P 1 : en *acheter* une
 N : en *avoir* une
 r. N : des *plus grandes* singularités
 s. N : suis effronté, violent, cynique, intrépide; il
 t. N : ni danger, ni honte *qui me retienne ; auprès du* seul
 u. N : l'univers *entier disparaît devant* moi. Prenez-moi dans
 v. N : faire, *épouvantent* ma

Page 39 :
 a. N : je trouve *ordinairement* ce que
 b. N : par *la seule raison que je suis forcé* de
 c. N : achètent. J'aime *beaucoup* les plaisirs de la table, mais
 d. N : cabaret, *il ne me reste qu'à* les goûter avec
 e. N : cœur me

f. N : amour : des *faveurs* à prix
g. N : en *mon pouvoir* d'en
h. N : aussi *utile* qu'on
i. N : n'a jamais
j. N : commode, *car, n'étant* bon
k. N : acheter, *il faut* marchander
l. N : bien *payant et* mal
m. N : vert. J'aime le
n. N : vin, [*comme que je fasse il m'empoisonnera* raturé] *plus je paye et plus je suis empoisonné.* Veux-je
o. N : venir, *escorter,* attendre
p. P 1 : moquer du

Page 40 :
a. N : fille *en casaquin ;* n'est-ce
b. N : courte *et ma crainte* me *font* mille
c. N : tous [*ceux qui passent* corr.] *les passants* pour
d. P 1 : de *ma* connaissance
e. N : satisfaire, et *sans avoir* osé
f. N : plus *ennuyeux* détails
g. [Dans N *les dégoûts* ajouté en interl.]
h. N : lecteur *fera* connaissance *avec* mon
i. N : mes contradictions *apparentes : c'est* d'allier [Dans G 1 *contradictions* surcharge à l'encre noire un mot non déchiffré.]
j. P 1 : longtemps, *si je puis,* sans
k. N : avares, *qui est* de
l. N : avoir, *et* encore
m. [La fin du §, « Si j'avais eu... ne convoite rien », n'existe pas dans N. Dans G 1 elle est ajoutée en marge à l'encre noire. Dans P 1 elle est ajoutée sur une bande de papier collée en marge, aujourd'hui endommagée (plusieurs lignes manquent).]
n. P 1 : [*eu jamais* ajouté en interligne.]
o. P 1 : est *l'instrument* de

Page 41 :
a. N : acquérir. Ma
b. N : n'est que paresse encore, *ainsi que mon avarice* [*mais quand l'occasion de* dissiper commodément *se présente,* j'ai soin de *la mettre à profit* raturé]. *La peine de garder mon argent me coûte moins que celle de l'employer.* Je [suis moins tenté de l'argent que des *corrigé*] ne suis pas tenté de l'argent *comme* des choses
c. N : encore *pour des* bagatelles
d. N : me *plaisent* et
e. N : un, passe
f. N : porte *de l'amphithéâtre* embarrassée
g. N : laisser *croire* à
h. P 1 : juger *d'un homme* par *son action.* Ce

i. N : pas *s'il fallait reprendre* toutes
j. N : lesquelles je passai de *mon premier* héroïsme à la bassess
k. N : état, *je ne pus jamais* en prendre les

Page 42 :
a. N : lecture. Ces lectures
b. N : mon *temps,* devinrent
c. P 1 : [*irrité par la contrainte* ajouté interligne]
d. N : m'en *louait* de
e. N : avec *la même* avidité; de
f. N : plus *rien* que
g. N : restèrent chez la Tribu dépareillés [ici un renvo en bas de page, « *Tout cela ne me rebuta point. Au contraire* a été raturé] quand
h. P 1 : hardes *en gage :* mes trois
i. [Intervertissant l'ordre de G 1 et P 1, N continue san alinéa, « A force de querelles ... que d'une main. / Voilà donc.. une tentation .»]
j. N : le livre
k. [N ajoute après *maître* un signe renvoyant à l'additio en bas de page « *qui d'ailleurs y avait mis bon ordre* ».]
l. N : que, quand j'aurais eu *une passion* plus *coûteuse,* j'euss volé *pour cela.* Borné *toujours* au
m. N : pour *le plaisir à venir.* La
n. N : ne [*pensais* corr.] songeais
o. N : qui *tombait dans mes poches allait* naturellement à cett femme, et quand elle *était* pressante

Page 43 :
a. N : devint sauvage
b. N : livres *déshonnêtes ;* non
c. N : Tribu se fît
d. N : ces *pernicieux* livres
e. P 1, N : peut les lire
f. N : que *mal choisies* et
g. N : pût *contenter* mon
h. N : je *n'imaginais*
i. N : au delà. [*Dans cette* rat.] Dans cette
j. N : un [*plaisir* rat.] parti
k. N : et *donna le change à la nature.* Ce fut
l. N : agréables *ou les plus brillantes* selon

Page 44 :
a. N : de m'occuper *à leur contemplation formèrent, par trai de temps, mon principal caractère* et déterminèrent *mon* goût pou la solitude. On verra
b. N : disposition, si *sauvage* en apparence
c. N : de *se nourrir* de
d. N : et *le premier jeu d'une fantaisie* qui

e. N : rendu *toujours* paresseux

f. N : objet, soupirant sans *motif de tristesse,* pleurant sans savoir de quoi, enfin

g. P 1 : de voir autour de moi rien qui les

h. N : aller *promener* et m'ébattre

i. N : loin *que les autres.* Difficile à [*ébranler* corr.] *émouvoir et à retenir, j'étais comme ces lourdes masses que rien n'arrête plus quand une fois elles sont ébranlées.* Dans

j. N : retour. J'y fus.

k. N : pusse *rentrer.* Le

l. N : lendemain *mon maître me traita* comme

m. N : si *redoutable vint* pourtant

n. N : autres; *il s'amusait à faire coucher dehors les promeneurs ; on le savait, mais on ne savait pas toujours le jour et la porte où il* [*était de garde* corr.] *les* attendait. *Un malheureux dimanche, au commencement du printemps, séduits par le beau temps, nous avions un peu prolongé nos courses et nous revenions à peu près à l'heure, deux de mes camarades et moi.* A demi-lieue

o. N : caisse, *le cœur me bat,* je cours

p. N : essoufflé; je vois

q. N : à *leurs postes,* j'accours

r. N : crie *dans mon désespoir :* à vingt pas

Page 45 :

a. N : glacis *en mordant* la

b. N : ne *rentrer* jamais

 P 1, G 1 : ne [*rentrer* corr.] retourner

c. N : maître. Le lendemain

d. N : leur *fis mes adieux,* les

e. N : me *trouver.* A mon

f. N : étant séparé

g. N : vîmes [*plus* corr.] très rarement

h. P 1 : un *enfant* du

i. P 1 : plus d'égalité

j. N : cessèrent *pas* tout à fait entre

k. N : comme *il était* d'un

l. N : son *penchant,* malgré

m. N : mère. / Instruit

n. N : ou *pour m'en faire changer, mais pour me faire ses adieux et* jeter

o. P 1 : épris, *et* que

p. N : où *elle me fut enlevée, comme il sera dit ci-après.* Plus

q. G 1 : dit, [*à* corrigé] au

Page 46 :

a. N : suivre, *comme je l'y invitais :* mais

b. N : dommage; *c'était un garçon* d'un

c. N : si *je fusse* tombé

d. N : humeur, *rien n'était* plus
e. N : et *un peu pénible* d'un
f. N : classes, telle
g. N : ambition *tout* le
h. N : il *ne m'eût ni permis d'en avoir d'autres, ni donné ces inquiétudes qui troublent le repos de la vie par le désir de changer d'état.* Ayant
i. N : orner *le mien quel qu'il fût,* de ses chimères, assez puissante
j. N : me [*transporter* corr. en interligne] *faire passer* à mon gré de l'un
P 1 : me *faire passer* pour ainsi dire de l'un
k. P 1 : j'étais [*jusqu'* rat.] au
l. N : m'y *transporter.* De cela
m. N : mien. *En y restant* j'aurais
n. N : vie [*paisible* corr.] *égale* et

Page 47 :
a. G 1 : telle [*précisément* rat.] qu'il
N : telle *exactement* qu'il
b. N : citoyen, bon ami, *bon mari,* bon père, bon ouvrier : j'aurais aimé
c. N : honoré *par mes mœurs, par ma conduite,* et après
d. N : avoir [*passé une vie obscure et simple, mais égale et douce* corr. en interligne] *vieilli dans l'obscurité, mais dans le repos,* je serais
e. [Dans P 1 des points de suspension ont été ajoutés entre *cela* et *quel ;* dans N ils figurent après *faire,* remplaçant le point d'interrogation de P 1 et G 1.]
f. P 1 seul ajoute ici : Fin du Livre premier.

Page 48 :
a. P 1 : Les Confessions de J.-J. Rousseau / Première Partie / Livre Second.
N : Les Confessions / de J.-J. Rousseau / Première Partie / Livre II.
b. N : parut *délicieux.* Encore
c. N : maux, *les crimes,* [*l'esclavage* corr.] *l'opprobre* et la mort
d. N : joug *cent fois* plus [*cruel* corr.] *dur et plus* inflexible
e. N : pu *supporter,* c'était
f. N : perspective *effrayante* que
g. N : que *j'envisageais* était
h. N : que *j'avais* acquise
i. P 1 : et *planer* dans
j. N : trouver *de brillantes* aventures, des amis
k. N : moi *la terre entière ;* non pas *la terre, car je me trompe,* une société
[Dans G 1, *entier* a été rat. après *moi l'univers,* et *pourtant* est ajouté en marge.]

l. N : délicieusement *formée,* [rédactions successives corr. : *où j'étais assuré de..., où je me bornais maintenant à...] et c'était assez pour moi d'y* régner...

m. N : frère, protecteur

n. N : davantage. / J'errai

o. G 1 : ce [*magnifique* corr.] modeste

Page 49 :

a. N : des *bourgeois.* Ils

b. N : nourrissaient *de* trop *bon cœur* pour

c. G 1 : *pas* ajouté en interl.

d. N : force *d'errer* et de parcourir

e. N : Confignon, à

f. N : de *Genève* me

g. N : ainsi; *j'avais grand appétit, le repas fut abondant,* et je *trouvai* que des

h. N : ministres. *Sans avoir étudié comme M. de Pontverre, j'étais moins mais mieux instruit que lui. Mais quoiqu'il ne me dît rien* [*rien* ajouté en interligne] *à quoi je ne crusse* [*apercevoir* corr.] *avoir une* [*bonne* corr.] *solide réponse,* j'étais trop bon

i. N : vin, *que je trouvais* excellent

j. N : j'aurais *eu honte* de

k. N : un *homme qui traitait si bien la mienne.* Je cédais

l. N : face; on m'aurait

m. N : ou *du moins* la

n. N : est *quelquefois* une

Page 50 :

a. [Dans P 1 *nous traite* ajouté en interligne.]

b. N : convaincre? *Aucun* autre

c. N : cœur *me* disait

d. N : de *gratitude* et

e. N : bon *homme* : je

f. N : sentais *ou je croyais sentir la* supériorité *de ma cause,* je ne *voulus* pas

g. P 1 : point *à cela* de motif hypocrite; je ne
N : point *d'intérêt* hypocrite à cette conduite; je ne

h. N : familiariser avec
[Dans G 1 *si vite* ajouté en interl.]

i. N : devait *m'en garantir* pour longtemps. Je

j. N : laisser *espérer la victoire,* en

k. N : en effet. / La raison, la pitié

l. N : exigeaient que

m. N : on *m'arrachât aux périls qui m'environnaient,* en me renvoyant *dans le sein de* ma famille

n. N : vraiment *charitable et* vertueux

o. [Dans P 1 le passage « Mais quoique... homme vertueux » est ajouté en marge.]

p. P 1 : un [*dévot* corr.] *bon homme,*

q. N : dévot *pour qui les plus grandes vertus étaient* d'adorer
r. N : missionnaire *dont le zèle pour la foi s'exerçait saintement à* faire
s. N : contre *nos* Ministres. Loin
t. N : il *se fit un devoir cruel de profiter* du
u. P I : même *j'en aurais* envie
 N : même *j'en aurais* [*l'* rat.] envie
v. N : un *bandit.* Ce
w. N : où on fait l'essentiel de croire *ceci ou cela.* / Dieu

Page 51 :
a. P I : forçaient de partager
b. N : venait *se faire catholique,* une
c. N : Sardaigne. / *J'étais un peu mortifié* d'avoir
d. N : dévote *n'avait rien d'attirant* pour moi. Toutefois
e. N : faim [*que je prévoyais* corr.] qui me talonnait, bien
f. N : aussi *d'ailleurs* de
g. N : jour; j'en mis
h. N : timide. Mais *j'allais chanter* sous
i. N : ni *Dame* ni *Demoiselle* qu'attirât
j. N : de *mon chant* ou
k. N : chansons; *car* j'en
l. N : chantais [*très dig(nement ?)* corr.] admirablement
m. N : bien *fait* dans ma taille; j'avais la jambe fine, un joli pied, l'air
n. N : mignonne, *les dents vilaines,* les sourcils
 P I : mignonne, *avec de vilaines dents,* les sourcils
o. N : mais *animés par une âme ardente et* qui *en* lançaient le feu. Malheureusement
p. N : tout *ce qu'il y avait là d'avantageux pour moi,* et de ma vie
q. N : avais *toute* la timidité de mon âge *et* celle
r. N : naturel aimant
s. N : esprit orné

Page 52 :
a. P I : avec *mes* locutions
b. N : pour *exciter la commisération* de
c. N : baisers : *la situation m'en est encore aussi présente que s'il était actuellement sous mes yeux. Je le vois,* entre un ruisseau qui *le* séparait du jardin, *d'un côté,* et le mur de la cour, *de l'autre,* [*et* rat.] conduisant *à* une porte *par laquelle on entrait dans* l'Église des Cordeliers. Que ne puis-je entourer d'un balustre d'or cette heureuse place ! Que n'y puis-je attirer *les vœux* de [*toute la terre* corr.] *tous les mortels !* Quiconque aime à honorer les monuments du salut *d'une âme* n'en devrait approcher qu'à genoux. / Prête à entrer
d. N : vois *une figure charmante,* un visage
e. [Dans N *marqué* ajouté en interl. après *contour.*]

f. N : sien, *bien* sûr

g. N : Paradis. Je lui présente d'une main tremblante *ma* lettre [*qu'* rat.], elle *la* [*la* en interligne] prend en *me* souriant, l'ouvre

h. N : avertie *que la messe allait commencer :* Eh, mon

i. [Après *ton,* N ajoute en interligne *de voix.*]

j. N : attendre, *et* dites

Page 53 :

a. N : la Tour-de-Pil, *proche* de Vevey [orthogr. partout *Vevai*], au pays de Vaud; elle

b. N : quelque *mécontentement* domestique

c. N : que Victor-Amédée, *Roi de Sardaigne,* était

d. P 1 : ainsi sa famille
 N : ainsi *pour jamais* son mari, sa famille

e. N : aussi *avare,* et

f. N : gardes; *là,* sous

g. P 1 : avait *cinq ou* six

h. N : conservent *et qui sont autant* dans la

i. N : son éclat, *et même étant vieille, elle était toujours belle.* Elle avait

j. N : regard doux

k. N : plus beaux bras et de plus belles mains. / Son

l. N : mère *en naissant,* et

m. P 1 : des *leçons* comme

Page 54 :

a. N : de ses maîtres, un peu de son père, *un peu de son mari,* et beaucoup

b. N : qu'elle mit *à* ses études, *d'ailleurs assez bonnes,* empêcha *qu'elles* n'étendissent

c. N : eût [*quelque teinture* corr.] quelques principes

d. N : pour la Chimie. Elle

e. N : des teintures, des élixirs, des baumes

f. N : de *son faible,* l'obsédèrent

g. N : ruinèrent, consumèrent, *avec leurs* drogues et *leurs* fourneaux, ses talents, *sa vie* et ses charmes, et *desséchèrent* son esprit dont

h. N : fripons *profitèrent* de son

i. N : mal *digérée* pour

j. N : inépuisable *charité,* son

k. N : vieillesse, *et* dans

l. N : calamités *de toute espèce,* son âme *toujours égale* lui

m. N : la [*sérénité* corr.] gaieté

n. N : des [*tracasseries* corr.] intrigues

o. N : faire *ou* à diriger. *Je suis sûr que vis-à-vis d'elle et en même passe,* Madame de Longueville n'eût *paru* qu'une tracassière. *Madame de Warens* était née pour les grandes [rédac.

success. rat. : *affaires... choses...*] affaires; *j'ose dire qu'elle était faite pour être Ministre d'État ;* ses talents

Page 55 :

 a. N : déplacés *par la fortune,* et
 b. N : employant [*toujours* rat.] des moyens
 c. N : elle [*manquait ses projets* rat.] échouait *faute de ressources,* mais non pas faute de justesse. Ce goût
 d. N : lui *causa* tant
 e. N : monastique, *ce fut d'empêcher* de s'y
 f. [Dans N, après *fixer,* addition en bas de page avec signe de renvoi] : *Non pour s'y faire religieuse, puisqu'elle avait un mari vivant, mais pour s'y abonner à vie, comme il en fut question.* La vie
 g. N : religieuses, *leurs dévotions puériles,* leur petit cailletage de parloir, tout cela
 h. N : pouvait *tenter* un
 i. N : ressemblait *en* bien
 j. N : ressemblait *de même* à
 k. N : Chantal *en* beaucoup
 l. N : point *faute* de zèle *que* cette
 P 1 : point [*faute* corr.] manque de zèle si cette
 m. N : le *vrai* motif
 n. N : fut *constante et* sincère
 o. N : dans *toute l'intimité* de
 p. N : premier *moment,* du

Page 56 :

 a. N : parfaite qui
 b. N : paraîtra douteux, tout au moins, à qui
 c. N : de [*mes liaisons avec elle* corr.] nos
 d. N : passion *se trouva-t-*elle
 e. N : cœur, *la familiarité,* la sécurité, *la confiance ?* Comment
 f. N : femme aimable, *belle,* éblouissante
 P 1 : femme polie, aimable, éblouissante
 g. N : mien, de celle dont mon sort dépendait en quelque
 h. N : prendrait, me trouvai-je
 i. G 1 : un [*instant* corrigé] moment
 j. N : elle, *dès le* premier
 k. N : jour, les manières
 l. N : le *même* ton
 m. N : désirs, *car* j'en avais *d'inconnus,* mais
 n. N : une *seule* fois
 o. N : et elle n'a *pas* été
 p. N : chose *d'extraordinaire* dans
 q. G 1 : cette [*aimable* surchargé] charmante
 r. N : mon *espèce* qu'elle
 s. N : un peu sur

Page 57 :
a. N : feu *de mon enfance,* que
 P 1 : feu *que m'avait inspiré M^lle de Vulson et* que
b. N : cette *aimable femme* en
c. N : dans *ses regards,* dans
d. N : exhorter *de* retourner
e. N : surveillée, *ni* combien
f. N : elle *apportait* elle-même *d'obstacle à ce qu'elle semblait désirer.* Outre
g. N : je *l'ai déjà* dit
h. N : éloquente *et* persuasive
i. [Dans G 1, *et* ajouté en interligne.]
j. N : laquelle *il* valait mieux me
k. N : tins. M^me de
l. N : mais, *quelque jour,* tu
m. N : cette *espèce de* prédiction
n. P 1, N : dînait *avec nous*
o. N : par *l'événement,* venait
p. P 1 : pour *les* catéchumènes
q. N : et *céleste,* jusqu'à

Page 58 :
a. [Dans P 1 et G 1 *par la charité des bonnes âmes* ajouté marge.]
b. N : continua *gravement* mon
c. N : charitable, *ajouta-t-il* en [*faisant une révérence* corr.] *se baissant,* s'empressera
d. N : cœur *un peu* serré
e. N : autant d'ardeur qu'il était offert, *n'osant aussi* [*aussi* ajouté interl.] *le rejeter ouvertement,* se contenta de *dire* que
f. N : devait *en toute chose* contribuer
g. N : viatique. M^me *de Warens* n'osa
h. N : approchait *de l'*âge
i. N : ainsi *résolu* par
j. N : qui *voulaient prendre* soin
k. N : jugeai *bien* qu'étant
l. N : capitale, *il* avait
m. N : qui commençait
n. N : âge, *de faire pour ainsi dire le petit Annibal,* et de m'élever
o. N : manant *devant* partir [...] femme, je leur [...] recommandé; ma bourse

Page 59 :
a. N : par *les soins de* M^me
b. N : lui, *au surplus* parfaitement
c. N : Annecy, *au lieu d'y venir,* il
d. N : perdu, *quelques années auparavant,* par
e. N : n'a *plus eu de ses nouvelles depuis ce temps-là.* / Mon
f. P 1 : père, *et* surtout

g. N : moi *qui lui représentais* [*la plus chérie des femmes* corr.] *une épouse chérie.* Il m'aimait

h. N : aussi *le plaisir,* et

i. N : d'autres *besoins,* un

j. N : plus mon

k. N : vieillissait *insensiblement* et

l. N : éloignement. / Cette

m. N : ne *se présentait* pas *ainsi à mon père* et ne

n. N : d'abord *vivement* à

o. N : pas *pourtant* jusqu'à

p. P 1, N : Voilà encore pourquoi, l'étant

q. N : Voir *un grand nombre de fois* depuis

Page 60 :

a. N : père, *sans éprouver* de grands

b. N : m'a *souvent* fait

c. N : peut-être *utile* dans

d. N : amour *du bien* qu'on

e. N : dans ma

f. N : et parmi

g. N : songeais, *le plus souvent,* à faire
 P 1 : songeais à faire

h. N : autrement *que les autres.* Je

i. N : contraire à celui d'un

j. N : secret, *quoique involontaire, du mal de* cet

k. P 1 : après *ans,* addition en marge précédée d'un signe de renvoi : *en 1763*

l. P 1 : de *quelqu'un,* et

m. P 1 : changement. Cela peut être : *il n'importe.* Mais

n. N : profonde *vérité,* et

o. N : dans mes

Page 61 :

a. N : public *est trop* frivole *pour l'y avoir* su

b. N : en *achever* une

c. N : même [*vérité* surchargé] maxime

d. P 1 : assez *réfléchir* pour

e. N : manant fut *moins* bourru

f. N : faisait *toutes sortes* de

g. N : faisait, *aux frais d'autrui,* le

h. N : pris, *pour leur plaire,* un

i. N : piquant *surtout* d'être

j. N : jour. Du reste, *ne* manquant *guère* d'argent, quand

Page 62 :

a. N : et, *avec assez d'esprit,* j'étais

b. N : troubla *notre* voyage

c. N : de [*gaieté* rat.] sécurité

d. N : dans *ces* [*doux* corr.] *précieux moments* de

e. N : embellit *toute* la nature du charme
f. N : rendait *plus agréable* et
 P 1 : rendait errante [*sic*]
g. N : ouvrage, *la créature*, l'ami
h. N : les *aimables* caresses
i. P 1 : qui [*m'avaient paru* corr.] me semblaient
j. N : rêver *très voluptueusement.* Nulle
k. N : troublait [*mes* corr.] ces
l. N : l'espoir, les projets *enchanteurs,* remplissaient
m. N : semblaient *être* les
n. N : ma félicité *future.* Dans
o. N : eaux, des promenades, des bains, la
p. N : sous *leurs ombrages, des stations sensuelles à ma manière :*
sur
q. N : montagnes, le lait, la crème, la simplicité, la paix,
une oisiveté *champêtre.* Enfin
r. N : cœur *une image du plaisir.* La
s. N : rendait *ce plaisir* digne de la raison. Joignez

Page 63 :
a. N : à cela des [*stations* corr.] *haltes* fréquentes
b. N : bonnes, *l'*appétit *le plus dévorant* et de
c. N : vie, *d'existence plus purement agréable, sans le moindre
mélange d'aucune* peine, que *durant les* sept
d. N : voyage, *dont* le pas [...] *ne* fit qu'une promenade
continuelle. Ce
e. P 1 : surtout pour les [*voyages* rat.] montagnes et les [*montagnes* rat.] voyages pédestres
f. N : délices; *mais* bientôt
g. N : soucis, la gêne, les embarras y
h. N : lors, je n'ai plus senti dans mes voyages que le besoin
d'arriver, au lieu qu'auparavant je ne sentais que le plaisir
d'aller. J'ai
i. [Dans N *à pied* ajouté en interligne.]
j. N : sans *songer à* l'exécuter *réellement.* Je

Page 64 :
a. P 1 : une [*fortune* rat.] figure
b. N : bien *éloigné* de
c. P 1 : peu *je serais* fort
d. [Dans N *ou ma justification* ajouté en interligne.]
e. N : dans les retraites les plus secrètes, dans tous
f. N : dans *toutes les misères* de
g. N : demandant *à lui-même :* qu'a-t-il
h. N : dire. *J'offre* assez
i. N : silence. / *Outre l'argent destiné pour notre voyage et dont
je ne vis jamais rien,* mon
j. N : et *les* conducteurs *surent tirer parti de* mon indiscrétion.
M^me

k. N : le *secret* de
l. N : un ruban *rose*, glacé
m. N : même *resta* dans leurs mains; ils m'avaient

Page 65 :
 a. N : ne *me laissèrent rien en arrivant*. J'arrive
 b. N : sans argent, sans habits, sans
 c. N : fus *entré*, fut
 d. N : à *triple* tour
 e. N : début [*inattendu* rat.] me

Page 66 :
 a. N : autour [*quatre* ou *cinq* corr.] *cinq* ou *six*
 b. N : salle [*d'instruction* corr.] d'assemblée
 c. N : disaient [*Maures* rat.] Juifs [*Juifs* en interligne] et
Maures
 d. N : qui *coupait* en
 e. N : catéchumènes [*qui comme moi* rat.] *lesquelles* s'allaient
— dans G 1 on lit ici *cathécumes* [*sic*]
 f. N : un ou deux *ans* de
 g. N : plus *d'assiduité* que de *succès*. Il
 h. N : eût *point du tout* l'air
 i. N : point *assez* en état; mais
 j. N : de *la* clôture
 k. N : consentait à
 l. N : pour [*m'exhorter* surchargé] m'engager
 m. P 1, N : étonner à mon
 n. N : de *me voir dans une pareille maison*. Le

Page 67 :
 a. P 1 : commençai pour la première fois à réfléchir sur
 b. P 1, N : peut-être *encore* une
 c. N : saine, *ce fut* moi
 d. N : avait de bonne heure inspiré les
 e. N : fille pleine d'esprit et
 f. N : peut-être plus qu'elles, [*quoiqu'* corr.] *mais* avec
 g. N : moins *d'affectation*. Du
 h. N : qui *quoique* homme
 i. N : prédicateur, faisait
 j. N : qu'ils *trouvaient* dans
 k. P 1 : ennuyait *davantage*, parce
 l. N : faisait *une affaire de formule et de gêne ; mais mes sentiments
ne changèrent point*. Chez mon
 m. [Dans N *pourtant* ajouté en interl.]
 n. N : me *corrompissent*. Je
 o. N : enfant *de mon* âge en
 p. N : pourquoi *dissimuler* ma
 P 1 : pourquoi déguiser ma

q. N : toujours *comme un* homme. En grandissant, je suis rentré

r. N : ordinaire, *mais,* en

s. N : donner pour

t. N : prodige : mais, quand

u. P 1 : qu'on trouve [...] romans intéressent, attachent, transportent...

N : qu'on *cherche* un *petit* enfant que les romans intéressent, attachent, transportent, au point d'en pleurer à six ans à chaudes larmes. Alors

Page 68 :

a. N : voulait qu' [*ils* rat.] un jour ils en eussent

G 1 : voulait qu'un jour ils en [*en* ajouté en interl.] [*prissent* surchargé] eussent

b. N : des *Jean-Jacques* Rousseau

c. N : ôte, *jamais* on *n'*y ajoute, *ou cette addition, si on la fait, n'est que pour les autres ; la vanité seule ou l'intérêt est ce qui la dicte ; elle ne pénètre point en dedans.* La foi dogmatique *n'*est *qu'*un fruit

d. P 1 : particulière *alors* à

e. N : peignait *les ministres* sous

f. N : je n'*apercevais* jamais

g. P 1 : la *clochette* d'une

h. N : terreur, qui

i. N : qui m'a souvent repris

j. N : d'abord *senti.* Il

k. N : que *cet effroi* était

l. N : singulièrement *tempéré* par

m. N : aux *jeunes* enfants

n. N : ville; *ce n'était qu'à l'église qu'ils me faisaient peur : j'aimais fort à les voir au presbytère.* En même

o. N : sonnette *des processions m'épouvantait,* la

p. N : frais, *du fruit,* du laitage, *et* le bon

q. N : cela, *et* n'envisageant

r. P 1 : par *des* liaisons

s. N : avec *le bien-être* et la

t. N : étais *familiarisé* sans

u. N : vivre. Mais celle [...] à moi

P 1 : vivre, mais *non pas avec* celle d'y entrer; *cette idée* ne s'était *offerte* à moi

v. N : éloigné, *qui m'en déguisait* l'horreur. *En* ce

w. N : avec *effroi* l'espèce

x. N : et *la démarche presque* inévitable *où il m'allait entraîner.* Les

y. N : à *la relever dans mon estime,* et je

z. N : fond *qu'une* action *de* bandit

Page 69 :

a. N : la *véritable,* j'allais
P 1 : la *bonne,* j'allais
b. N : choisirais *mieux,* j'allais
c. N : mentir *à Dieu* et
d. N : avait *conduit* là
e. N : serais évadé
f. N : résolution *non plus* ne tint *jamais* fortement
g. N : pour *lui laisser une certaine consistance.* D'ailleurs
h. N : ne [*pas* corr.] *point* retourner
i. P 1, N : sans *appuis,* sans
j. N : regarder les *terreurs* de ma conscience comme un repentir *trop* tardif. J'affectais
k. N : suite inévitable. Je ne
l. N : ne *m'eût* point *été nécessaire* à mon
m. N : promettre pour
n. N : les *liens* que je m'étais *donnés,* pour
P 1 : les chaînes *dont* je m'étais *lié,* pour
o. N : déclarer *ouvertement et* avec
p. N : en *pourrait* arriver
q. N : me *séduisit* est
r. P 1 : il *n'*est déjà *plus temps d'*en
s. N : sages, nous aurions rarement besoin
t. N : surmonter [*m'* corr.] nous entraînent

Page 70 :

a. N : héroïques *que nous ne voulons pas faire, et nous restons dans le gouffre du crime où nous nous sommes précipités,* en disant
b. [Dans P 1 *enfin* ajouté marge.]
c. N : pris *du* temps *pour* m'apprivoiser
d. N : pour *le laisser venir,* de faire
e. N : les *embarrasser* tout
f. N : zèle *très* ridicule
g. N : exige [*de* rat.] la discussion, celle des autres [*de* rat.] la soumission
h. N : doit *admettre les décisions* qu'on
i. N : point encore fait ma
j. P 1 : on *ignorait* qu'en
k. P 1 : depuis *presque* oubliée
l. N : mais *que je me rappelai très bien dans l'occasion.* / Un vieux
m. N : plutôt un catéchisme qu'une

Page 71 :

a. N : tout *ce qui me parut sujet à dispute, et* je ne
b. P 1 : des *objections* que
c. N : longue [*pour les assistants* rat.] et
d. N : et *très heureusement* se

e. N : mit *en conférence particulière* dans une

f. N : de *grandes* phrases

g. N : pas subjuguer

h. N : avec assurance

i. N : je [pus *surchargé*] *sus.* Il

j. N : je *les lui renvoyais tout aussi durement.* Ce n'était

k. N : lui *décochais aussitôt la mienne, qui quelquefois* l'embarrassait

l. P 1 : jugeais bien

m. N : à bout. L'autre raison

n. N : était *qu'il* avait

o. P 1 : disant [*qu'il* rat.] que je

p. P 1 : citations, [*disant* rat.] soutenant

q. N : et *s'offrait* [...] me *défiant* de

r. N : manier *des* livres

s. P 1 : gros *livre,* quand

N : gros [*livre* corr.] volume, quand

Page 72 :

a. P 1, N : serais *sûr* qu'il

b. N : de *la ruse* dont

c. N : accusait *nos* ministres

d. N : fabriqué des

e. P 1 : à *tourner* fort

f. N : part de

g. N : portion *de vin* à

h. N : donnait de

i. N : Quelque *frayeur* que

j. N : épice, *balafré* d'une longue *cicatrice,* et

G 1 : épice, orné d'une longue [*cicatrice* surchargé] balafre, et

k. N : plus *familières,* et

l. G 1 : tenait [*quelquefois* rat.] de si singuliers propos que je croyais que

P 1 : tenait *quelquefois* [...] je croyais que

N : tenait des propos si *étranges* que je croyais quelquefois que

m. N : opposai, *parce* que mon

n. N : pressa *de venir* dans

o. N : tabac *qu'il mâchait,* qu'il

p. P 1 : plus *choquantes,* et

q. N : main, *à l'imiter.* Je

r. N : en *faisant* un

s. N : sans [*marquer* corr.] montrer

t. N : démener, *sans respect de l'autel et du crucifix qui étaient devant lui,* je vis

u. N : balcon, *tout* prêt à me trouver mal, et plus ému, plus troublé, plus effrayé même que je ne l'avais été de ma vie. / Je ne pouvais

Page 73 :

 a. P 1 : crus *atteint* du haut mal ou

 N : crus *attaqué d'épilepsie* ou

 b. N : à imaginer que cet

 c. N : homme *dans cet* état

 d. N : ainsi près des

 e. N : que *ce récit* l'avait

 f. N, P 1 : bavardai *tant* que

 g. N : administrateurs *de l'hospice* vint

 h. P 1 : une mercuriale assez vive, m'accusant de commettre l'honneur d'une maison sainte et de faire beaucoup de bruit pour peu de mal. / Il

 N : une mercuriale [...] de *compromettre* l'honneur [...] sainte. / Il

 i. N : sachant *bien* ce

 j. P 1 : voulait, *mais* n'y

 N : voulait [*mais* corr.], et n'y

 k. N : œuvre *que Dieu défendait aussi bien* que la

 P 1 : œuvre défendue *comme* la

 l. N : Il [*me dit* corr.] *ajouta* sans

 m. N : surpris *n'étant guère en* état de [*faire résistance* corr.] *se défendre,* il

 n. G 1 : résistance [*venait* rat.] était

Page 74 :

 a. [Dans G 1 *naturel* ajouté marge.]

 b. N : sans *indignation,* mais

 c. N : sans *le plus mortel* dégoût

 d. N : fortement *imprimée* dans

 e. N : pensant *mon* cœur *se* soulevait

 f. N : me *déguiser* assez

 g. N : ne *s'aperçût* pas *du* mauvais

 h. N : et *depuis ce temps* il

 i. N : hospice [*peu agréable* surchargé] désagréable : il

 j. N : parvint *à tel point* que

 k. N : sortir *aisément* qu'une

 l. G 1 : m'[*efforçai* corr.] empressai

 m. N : que je m'étais *appliqué jusqu'alors à* l'éloigner

 n. N : pour *toujours* à

 o. N : inspiré *une* horreur que j'avais peine à cacher

 p. N : comparaison. *Les idées qu'elle me fit naître changèrent en désir et en charme le dégoût que j'avais eu jusqu'alors pour leur jouissance.* Il me

 q. N : en *hommages* de

 r. N : devenait *pour moi* un

 s. N : ce *vilain* Africain

 t. N : sais [*pas* rat.] ce

 u. P 1 : accosta [*plus* rat.] ni

v. N : cérémonie, habillé
w. N : après *lui,* car
x. N : triompher *authentiquement* de

Page 75 :

a. P 1, N : me *rebaptisât* pas
b. N : réellement. J'étais revêtu
c. N : grise, *avec des* brandebourgs
 P 1 : grise, garnie *avec des* brandebourgs
d. N : blancs, destinée *à* ces
e. N : lesquels *on frappait* avec
f. N : nouveau *néophyte.* Enfin
g. P 1 : la *cérémonie* plus
h. N : recevoir *de l'inquisiteur* l'absolution
i. N : dans l'Église
j. N : Henri IV *se soumit autrefois* par
k. N : manières *de ce moine* n'étaient
l. N : pas *fort* propres
m. N : terreur *funeste* qui
n. N : moine *ne répliqua rien, mais je l'entendis grommeler je ne sais quoi entre ses dents, d'un air fort peu satisfait. | Toutes les cérémonies achevées,* au moment
o. N : avec vingt francs *de* petite

Page 76 :

a. N : instant mes espérances
b. N : aisé *d'imaginer* quelle
c. N : vis *tombé* dans
d. N : je *fus* réduit
e. N : devait *l'*irriter en
f. N : que mon
g. P 1 : pendant *près* de deux mois
 N : pendant [*plus de deux* corr.] près de *trois* mois
h. N : attendre, *de chercher les occasions,* et *les* vingt
i. N : ne *devait jamais* s'épuiser
j. N : et *à la douleur,* je ne
k. N : et *mon* amour
.*l.* N : trouvais [*beau* corr.] *grand*
m. N : de *me livrer à* ma
n. N : pour *m'assurer qu'il était bien vrai que j'étais* [*en liberté* corr.] *libre.* J'allai voir monter
o. N : voyant entrer d'autres gens *de mon étoffe,* je fis
p. N : sous *mon* bras
q. N : regardais *déjà, sinon tout à fait comme le maître, au moins comme l'un des habitants, et cela me paraissait extrêmement beau.* [*Enfin* rat.] Enfin
r. N : force *de courir, je m'épuisai,* je me lassai. J'avais

Page 77 :
 a. N : donna du lait caillé, de la giuncà, et
 b. N : six *sous* un des *meilleurs* dîners [orthogr. partout *dinés*]
 c. N : jours. / *Le soir,* il
 d. N : ne fut
 e. P 1 : m'*indiqua* dans
 f. N : enfants, *et* les
 g. N : charretier, mais douce, officieuse
 h. N : assistais tous les matins régulièrement à
 i. N : Roi, *tout fier* de me
 j. N : Cour. Le Roi
 k. N : la *plus excellente* symphonie
 l. N : Somis, les Besuzzi [*sic*], Desjardins
 m. P 1 : le *son* du
 n. N : transportait *de joie*. Du reste

Page 78 :
 a. P 1, N : n'y *avait* point
 b. N : quelque *jolie* princesse
 c. N : méritât *mes hommages,* et
 d. N : en *ébaucher* un
 e. N : eusse *pu mettre* à
 f. N : épuisait, *et même* cette économie était
 g. N : que *celui* d'une
 h. N : rustique : avec *des laitages,* des œufs *frais,* du fromage
 i. N : bis, du vin passable *et la liberté, l'*on est
 j. N : mon *grand* appétit
 k. N : de *leurs importuns regards.* Je
 l. N : avec *cinq* ou *six* sols [...] à *cinq* ou *six* francs
 m. N : sobre *dans mes repas,* faute
 n. N, P 1 : appeler cela
 o. N : Montferrat me
 p. N : que j'*aperçus* plus
 q. N : de *tant de* châteaux
 r. N : chercher *quelque* occupation
 s. N : il *point* facile
 t. [Dans P 1 *en boutique* ajouté en interl.]

Page 79 :
 a. N : je *trouvai* à
 b. N : gagnai-je *le prix de* quelques
 c. N : repas. / Un
 d. N : marchande de [*de* ajouté en interligne] [*d'un air si attirant* raturé] si bonne
 e. P 1 : Elle *me* parut contente
 N : Elle *fut* contente
 f. N : davantage. *En un mot, je plus assez à cette jeune dame pour revenir chez elle avec une sorte de familiarité, qu'il ne tint pas à*

mon goût, ni peut-être au sien, qui n'augmentât davantage. Mais, quoiqu'

g. N : que *tout* cela

h. N : touchante : *son air était caressant, sans être tendre ; au premier abord il semblait que l'amitié fût déjà faite, et qu'il ne pût rien venir de plus.* Elle s'appelait

i. N, P 1 : avoir pour son compte des prétentions, qu'il

j. N : jouait [*assez bien* corr.] *passablement pour un courtaud* [*pour un courtaud* ajouté en marge]. Ce nouvel

k. N : elle [*se plût*] ... [*à me* corr.]... *affectât* [...] *de* me

l. N : quoiqu'*assez* de

m. N : été *beaucoup* plus

Page 80 :
a. P 1 : je [*pusse dire* corr.] susse

b. N : aussi *profond* que

c. N : pouvais *voir d'elle* sans

d. N : bras blanc et *rond* qui

e. N : et [rédactions success. raturées : *celui qui..., un autre, bien intéressant encore...*] celui qui

f. N : troublaient, [*ma poitrine* corr.] *mon sein* s'oppressait

g. N : soupirs *très* incommodes

h. N : étions. Madame

i. N : dangereux *objet* achevait

j. N : perdre, *ma tête s'en allait,* et

k. N : adressait *quelques mots* d'un [...] qui me *faisaient* rentrer

l. un geste, un mot, un regard

m. N : état *était* très [...] moi; cependant *il* faisait mes

n. N : assez fréquentes [*assez fréquentes* ajouté interligne], *ce qui était* assurément *fort* gratuit de sa

o. N : usage *que nous en faisions l'un et l'autre.* / Un jour

p. N : elle *était montée* dans

Page 81 :
a. N : aperçu; *regardant* le côté opposé à la porte, elle ne pouvait

b. N : parure *allait jusqu'à* la coquetterie; son

c. N : laissait [*apercevoir* corr.] voir

d. G 1 : cheveux [*réunis* corr.] relevés

e. N : figure *je ne sais quel* charme

f. P 1 : de *sentir,* et

g. N : les *deux* bras

h. N : ne *m'entendait pas,* et *n'imaginant* pas

i. [Le passage qui suit fait l'objet d'une rédaction considérée comme antérieure aux textes de N, P 1 et G 1, et figurant dans le ms. 7871 de Neuchâtel (fragment VII), reproduite ici d'après la transcription de Dufour, *Annales...,* III, 236 :]

Mais [je ne savais pas *corr.*] j'ignorais qu'en la dévorant ainsi du cœur et des yeux elle me voyait elle-même dans une glace, à laquelle je n'avais pas songé. Elle se retourna et me surprit dans un transport qui me [fit *corr.*] faisait soupirer en étendant les deux bras vers elle. On ne peut rien imaginer d'égal au subit effroi dont je fus saisi en me voyant découvert dans cette attitude : je pâlis, je tremblai, je me [sentais *corr.*] sentis défaillir. Elle me [regarda *corr.*] rassura en me regardant d'un œil assez doux et me montra du doigt une meilleure place à ses pieds. On peut juger que je ne me le fis pas dire deux fois. Jusqu[e là *corr.*]es ici tout était peut-être assez simple, mais la suite de ce petit manège me paraît plus étrange. C'était là, comme on voit, une déclaration [assez nette *rat.*] peu équivoque de part et d'autre, et il semblait qu'il ne [manquait plus rien *corr.*] pouvait plus rien manquer entre nous à la familiarité de deux amants déclarés. Point du tout : à genoux devant elle, je me trouvai dans la situation la plus délicieuse, il est vrai, mais la plus contrainte où j'eusse été de ma vie. Je n'osais ni respirer ni lever les yeux, et si j'avais la témérité de reposer quelquefois ma main sur son genou, c'était si doucement que dans ma simplicité je croyais qu'elle ne le sentait pas. Elle, de son côté, attentive à sa broderie, ne me parlait [point *rat.*] ni ne me regardait [pas *rat.*]. Nous ne faisions pas le moindre mouvement : un silence profond régnait entre nous, [cependant j'eus *rat.*] mais que le cœur disait et sentait de choses ! Cette situation paraîtra très plate à bien des lecteurs; cependant j'eus lieu de penser qu'elle ne déplaisait pas à la jeune personne, et pour moi j'y aurais passé ma vie entière, j'y aurais passé l'éternité sans rien désirer de plus.

j. N : glace *à laquelle je ne songeais* [*point* corr.] *pas et* qui
k. P 1 : simple [*mou*(vement ?) rat.] *signe* de
l. N : montra le parquet à
m. N : cri, *me lever,* m'élancer *à ses genoux* ne fut
n. P 1, N : on *aura* peine
o. N : sur *les siens,* ni
p. N : tout *décelait* en
q. N : la *crainte d'offenser et* de déplaire
r. N : parti avant
s. N : pas *aperçu* à
t. N : pas de *voir* qu'elle
u. N : que *cette persuasion* me
v. N : surmonter. *Un reste d'incertitude me faisait trembler d'encourir son indignation et de me faire chasser de chez elle ; son état de femme et* cinq ou

Page 82 :
a. G 1 : combien [*elle eût duré* rat.] de temps
b. [N ajoute en interl. *monter l'escalier, puis* entre les mots *entendis* et *ouvrir.*]

c. N : nos amours
d. P 1 : pour cela que

Page 83 :
 a. N : s'y *serait* prise
 b. N : pour *enhardir* un
 c. N : selon *toutes les apparences* sa
 d. P 1 : faire *encore* à
 e. P 1 : des *délices* inexprimables
 f. N : de *jouissance pareille* à
 g. N : une femme honnête qu'on
 h. N : main *faiblement* pressée
 i. N : aperçus *en elle* aucun
 j. N : maintien plus retenu, mais non plus froid qu'à
 k. N : railleur *et* goguenard
 l. N : d'avoir *fait* quelque
 m. [Dans P 1 *déjà* ajouté marge.]
 n. N : dont je n'ai jamais pu
 o. P 1 : j'ose *le* dire
 p. N : plus pures et plus vives que
 q. P 1 : plus vrai, plus tendre, plus
 r. N : désintéressé; j'aurais *cent* fois
 s. P 1 : pour les plaisirs

Page 84 :
 a. N : succès *auprès* des
 b. N : aimer. Ce qu'il y
 c. P 1 : avait *en lui* de *plus* singulier
 d. N : traître *de commis* semblait
 e. N : Dès *les premiers jours* que
 f. N : sa *maîtresse* m'avait
 g. N : utile *à quelque chose* dans
 h. N : travail, *excepté* mon
 i. N : coup *il* s'avisa
 j. N : apprendrait *à tenir* les
 k. N : Basile, *lorsqu'*il
 l. N : air *en parlant ainsi* je
 m. N : sais *quel sourire italien* qui ne me
 n. N : Basile lui dit
 o. N : étais *fort* obligé, qu'elle
 p. N : dit *deux ou trois* fois
 q. N : qui *pouvait* m'être
 r. N : elle, *et peut-être voulait-elle prévenir le retour de son mari.*
Nos déclarations muettes s'étaient
 s. N : Jacobin *vieux, mais* de
 t. P 1 : avait *contée ;* puis, me
 N : avait détaillée. Puis, *en* me
 u. N : coups *du* revers de *la* main sur
 [Dans P 1 *d'un revers de main* ajouté marge.]

v. N : sage, de l'aller voir et d'avoir bon courage, que

Page 85 :

a. N : était [*marquée par des* corr.] mêlée de *témoignages* d'estime

b. N : firent moins [...] qu'*ils* ne

c. N : combien *n'eussé-*je *pas* été

d. [Dans N, *jeune* ajouté en interligne.]

e. N : pour *tous ceux qui devaient la remplir ;* il en

f. N : petite, *et* j'eus

g. P 1 : agréable *vis-à-vis* de

h. N : côté de la bonne chère et des attentions. Il y eut

i. N : n'était [*assu*(rément ?) raturé] sûrement

j. N : étaient [*très* corr.] fort gaies

k. N : une *voiture* à

l. N : monte; *on entre :* c'est

m. N : s'il *arrivait* actuellement

n. N : ce *temps-*là

o. [Dans N *très* ajouté en interligne.]

p. N : cou, lui fait

q. N : lui *met* un

r. N : dit. Il

[Dans P 1 *tout* ajouté en interl. entre *dit* et *naïvement.*]

s. N : il [*brutalement* corrigé] grossièrement

t. N : il y peut bien *coucher* la

u. N : moine *alors* prit

v. N : s'empresser *de* prendre part *à sa bonne œuvre,* puisque

w. N : faire *comprendre* qu'il

x. N : celui-ci *député* par son *maître,* vint

y. N : de *la maison* et

z. N : vie. Je partis

Page 86 :

a. N : de [*ne pas vouloir qu'elle fût* corr.] vouloir qu'elle *ne* fût *pas* infidèle

b. [Dans P 1 *avec elle* ajouté marge.]

c. N : moins *cette aimable personne,* mais

d. N : le [*damnable* corr.] vigilant

e. [Dans N *inutilement* ajouté en interligne.]

f. N : événements *me détachèrent des* charmants

g. N : aussi *timide* qu'auparavant

h. N : qui voulait m'empêcher de souffrir et non pas me faire briller, et qui regardait plus à la propreté qu'à la parure Mon habit

i. P 1 : ajouta un chapeau et
N : ajouta seulement un chapeau, *des bas* et

j. [Dans N *mettre en état de me* ajouté en interligne.]

k. N : les aventures. Celle-ci

l. N : me *la figurais.* Je fus

Page 87 :
 a. N : distinction *qu'on y mit* fut
 b. N : pas; *et* comme
 c. N : de *galon dans* sa
 d. P 1, N : faisait *presque* un
 e. N : bourgeois. *Tel fut* le
 f. N : auquel *vinrent aboutir* enfin mes
 g. N : Vercellis était
 h. G 1 : pouvant [*croire* corr.] imaginer
 i. N : accent *aussi* pur
 j. N : esprit *juste et* orné
 k. [Dans P 1, *française* ajouté en interligne.]
 l. N : marquer *ni terreur ni* faiblesse, *et* sans
 m. N : se *déguiser. Quoiqu'elle ne sortît point* de son rôle de femme, *elle supportait la douleur avec une constance qui lui était si naturelle qu'elle ne se doutait pas même* qu'il y eût
 n. N : philosophie, *et ce* mot, *moins* à la mode *alors* qu'aujourd'hui, *était à peine connu d'elle.* Cette

Page 88 :
 a. N : c'était *moins* par une véritable commisération que *par le motif plus grand et plus noble de* faire ce qui était bien en soi. J'ai un peu
 b. G 1 : que [*je passais* corr.] j'ai passés
 c. [Dans G 1 *homme* ajouté en marge.]
 d. N : qui *l'environnaient* ne
 e. N : de *penser* qu'à
 f. N : avait *d'abord* marqué
 g. N : sentiments [*et de mes idées* rat.] : mais

Page 89 :
 a. N : blâme, ne me
 b. N : donnaient point de
 c. N : depuis, *surtout à Paris,* que
 d. N : interroger *un homme* pour *le* connaître
 e. N : commun, *surtout aux* femmes
 f. N : un intérêt véritable, on
 g. N : pour sot
 h. N : avec *crainte.* Mes
 i. N : un *valet,* elle
 j. N : pour *la société* qui
 k. N : eût *le* temps *de songer* à
 l. N : femme, plus adroite encore, s'était

Page 90 :
 a. N : eux; ils [*craignaient entre elle et moi les discours du tête-à-tête* corr.] *n'aimaient point* à me *laisser tête-à-tête avec elle.* Ils voyaient
 b. N : mettre ne *fût pris sur leur portion ;* car

c. N : gens *sont* trop avides pour être justes, *et* tous les legs qui sont pour d'autres *leur semblent* pris

d. N : écarter *peu à peu* de

e. N : dégoûtèrent en [*la* corr.] *lui* persuadant

f. N : on n'employait *autour d'elle que de* gros *butors* de porteurs de chaise, au lieu de moi; enfin

g. N : les *maux que souffrait* cette pauvre femme me *touchaient beaucoup ;* la constance

h. N : les *endurait* me

i. N : versé des larmes sincères dans sa chambre, sans

j. G i : personne [*ne* rat.] s'en

k. N : femme *de goût* et d'esprit; sa

l. G i : trop [*aimable* corr.] égale

m. P i : raison contre

n. P i : la [*faiblesse* corr.] tristesse

Page 91 :

a. P i : me *dit* de

b. N : cruelles ? J'ai peut-être

c. P i : ne *peut* se

d. N : dans la misère

e. N : honnête, et qui

f. N : vieux. Ce ruban me

g. N : pris : je dis que *c'était* Marion qui me l'*avait* donné

Page 92 :

a. N : de *bon bouillon* que

b. N : avait *cette* fraîcheur

c. N : permettre contre

d. N : modération [*lui fit tort* corr.] comparée

e. N : pas [*se décider* corr.] *la condamner* absolument

f. N : Dans *les* tracas

g. N : était, *et prêts à nous séparer tous,* on

h. N : pas *la peine* d'approfondir

i. N : accomplir. *Mais ma punition n'est pas toute intérieure, et David Hume ne fait aujourd'hui que me rendre ce que je fis jadis à la pauvre Marion.* / J'ignore

Page 93 :

a. N : enfin l'obstination *du* mensonge ne *laissait* rien

b. N : en qui *tous ces* vices

c. N : la *plonger* ? Si le

d. N : rendre *infâme, d'honnête qu'elle eût été sans moi !* / Ce

e. N : cette *malheureuse* fille

f. N : s'il *venait d'être commis. Cent fois j'ai cru l'entendre me dire au fond de mon cœur : Tu fais l'honnête homme et tu n'es qu'un scélérat. Je ne saurais dire combien cette idée a empoisonné d'éloges que j'ai reçus, et combien* [*quelquefois* corr.] *souvent en moi-même elle me rend tourmentante l'estime des hommes. Cela va quelquefois au*

point de me faire regarder comme une confirmation de mon crime de
souffrir que l'on pense bien de moi. Cependant je n'ai jamais
 g. P I : mais je n'ai jamais dit
 b. N : consistait, *car si je connaissais quelqu'un qui en eût fait*
une pareille dans toutes ses circonstances, je sens qu'il me serait impos-
sible de ne pas le prendôe en horreur. Ce poids
 i. N : sans *soulagement* sur
 j. N : trouvera *certainement* pas

Page 94 :
 a. N : mon *crime.* Mais
 b. N : remplirais *qu'à moitié mon* but, si
 P I : remplirais pas *non plus ma tâche,* si
 c. N : de *mon cœur* que
 d. P I : dans ce cruel moment, et *quand* je
 N : dans *ces cruels moments.* Lorsque je
 e. N : mon *goût* pour
 f. N : qui *se présente ;* je l'accusai
 g. N : que *j'avais eu l'*intention de
 b. N : de [*monde* corr.] *gens* fut
 i. N : Je *ne* craignais *pas* la
 j. P I : plus *la honte* d'en
 k. N : déclaré voleur
 l. N : laissé *rentrer un moment en* moi
 m. N : Si *après la confrontation* M. de
 n. N : part *et* qu'il
 o. N : moi; *je suis parfaitement sûr qu'à l'instant j'aurais avoué.*
Jamais, ni dans ce fatal moment, ni dans aucun autre, le crime réfléchi
n'approcha de mon cœur. L'âge est encore
 p. N : véritables [*méchancetés* corr.] noirceurs
 q. N : criminelles que *dans un autre* âge, mais ce qui
 r. N : et *mon forfait dans le* fond
 s. P I : n'[*est* corr.] était
 t. N : Aussi *ce* souvenir
 u. N : m'afflige moins à cause *des crimes* qu'à cause du mal
qu'il a dû causer. Si c'est un crime
 v. N : il *a dû* l'être *par les* malheurs de ma vie, *que j'ai souvent*
endurés avec plus de patience, en les regardant comme son juste châti-
ment. Voilà ce que

Page 95 :
 a. P I seul ajoute ici : Fin du Livre Second.

Page 96 :
 a. P I : Les Confessions de J.-J. Rousseau / Première
Partie / Livre Troisième.
 N : Les Confessions / de J.-J. Rousseau / Première Partie /
Livre III.
 b. N : rêveur, je désirais

c. N : d'hommes le
d. N : et *voluptueuse,* qui
e. N : dans *le sentiment* du *besoin,* donne
 G 1 : dans l'ivresse du [*besoin* corr.] désir, donne
f. N : mon *imagination* de
g. N : occupais [rédactions successives rat. : *sottement, seulement*] bizarrement en idée à
h. N : incommode, dont *rien ne pouvait* me délivrer
i. N : donné *vingt ans de* ma
j. N : où *l'image de l'école et la familiarité* de l'enfance *menaient* là comme d'*elles*-mêmes
k. N : faire *de front* une
l. N : sorte *forcé* par
m. N : des [*réduits* rat.] allées
n. N : de loin [*aux* rat.] *devant les* personnes
o. P 1 : voulu être

Page 97 :
a. N : là qu'un
b. P 1 : résolue ne m'en eût en passant donné
c. N : donné [*le plaisir* corr.] l'amusement
d. N : si j'*avais* eu l'audace d'attendre *dans cette posture.* Cette
e. P 1 : mais moins
f. N : venaient chercher
g. N : eau. Il y avait
h. N : que j'y trouverais un refuge assuré si j'étais vu et surpris. Dans
i. N : risible qu'*attirant. Quelques-unes* feignirent
j. N : voir; d'autres se crurent
k. N : homme *assez rude,* qui m'alarma *vivement.* Je m'enfonçai
l. N : atteint, saisi
m. N : moustache *et* un grand sabre
n. N : étranger *d'une* grande
o. N : reconnaître *ce service.* Contre

Page 98 :
a. N : jugeai qu'avec elles seules
b. N : guère, et *si la fantaisie leur eût pris de me retenir* [*si... retenir* ajouté en interligne], pourvu que l'homme et le sabre ne *se missent pas de la partie,* j'étais bien
c. N : comme *je l'*étais
d. P 1 : délivrer et de leurs
 N : délivrer *aisément* et de leurs
e. N : passant avec
f. N : Il *n'était pas seul, non plus ;* il me
g. N : jugé *depuis* que

h. N : maudites *femmes s'étaient tant moqué*[es] de sa crédulité *qu'elles* lui *en* avaient fait honte. Quoi

i. N : soit, c'était un bon homme, *quoique* Piémontais, et je ne pense jamais à

j. N : que, par le [*désir* rat.] seul désir
P 1 : que [*par* corr.] *pour* le seul désir

k. N : place *ne* m'eût *pas épargné.* Cette

l. N : craindre, *me guérit du bizarre goût* [*que j'avais pris* corr.] *qui la produisit.* | Mon

m. N : avait *valu* quelques

n. N : des hommes *les* plus *estimables* que j'aie *jamais* connus

o. N : profité *tout le reste de* ma

p. N : héros, tantôt vaurien, *jamais homme.* M. Gaime

q. N : le *généreux* soin

Page 99 :

a. P 1 : mon *mérite* et

b. N : lui, me servir, *non* de degrés pour *m'élever* à la fortune, *mais* de ressources

c. N : humaine; il me

d. N : comment, *contrarié* [*par la force des choses* corr.] *par les adversités et par la misère,* l'homme

e. N : états. | Il amortit

f. N : me *faisant voir* que

g. N : revenue *dans* la

h. N : cœurs *des* autres *et choisir entre leurs états,* il y aurait *beaucoup* plus

i. N : était *de* peu

j. N : sujet *à retomber ;* que

k. [Dans P 1, *toujours* ajouté en marge.]

l. N : devoirs toujours remplis

l. N : religion. *Mes lecteurs ont* déjà *compris* que

m. N : est l'original
P 1 : est, en grande partie, l'original

n. N : sentiments furent

o. N : de *m'en* retourner

p. N : dirai *seulement* que

q. N : leçons *si* sages

Page 100 :

a. N : de *probité* et de

b. N : s'y *est point étouffé,* et qui

c. N : attendait *qu'une heureuse culture* pour fructifier. | Quoiqu'

d. N : conversion *à la vertu* fût

e. N : solide, *j'avais le cœur touché.* Loin

f. N : surtout de *la bienveillance et de la douceur* dont ils étaient

g. N : attaché *à ceux qui ont paru s'intéresser à moi.* Je m'affectionnais à

h. N : disciple, *plus attentif, plus docile que le premier,* et cela me

i. N : trompais : il avait *remarqué* plus

j. P 1 : témoin *plusieurs* fois du

k. N : je *me rendais à* mon

l. N : promesses *inutiles,* il

m. N : devenir *un honnête homme,* que c'était

n. N : pour *parvenir,* et que

o. N : d'abord *comme* simple domestique, je pouvais

p. N : être *sûr* que

q. P 1 : si, par mes sentiments et par ma conduite, on me jugeait

r. N : on *avait l'intention de* ne m'y pas

s. N : laisser. / Le commencement de *son* discours m'avait donné *de* brillantes espérances, que la fin démentit cruellement. Quoi !

t. N : un *serrement de cœur* que *l'espérance guérit* bientôt. Il me mena

u. N : chez *M.* le Comte Solar de Gouvon [...] reine. L'air

Page 101 :

a. N : avec *vérité.* Il

b. N : pas tout

c. N : il, en toutes [choses] les

d. N : sont *difficiles ;* les

e. N : voilà votre

f. N : sa *bru,* et

g. N : augure. *Je connaissais déjà suffisamment les usages pour savoir* qu'on ne

h. N : et *sur ce que* le Comte [...] me *voulut* faire

i. P 1 : de *l'hôtel.* Cependant

j. N : me *faisait écrire* et

k. N : était même pas fort

l. N : aurais *peut-être* pas

Page 102 :

a. N : fait *une vive* impression

b. N : pris *un si grand* goût

c. N : d'une attention, d'une assiduité, d'un zèle, qui
 P 1 : d'une assiduité, d'un zèle, d'une attention, qui

d. P 1 : m'*avertit* sagement de

e. N : vint *dans la suite* [ajouté en interligne] à se

f. N : qu'on *ne remarquât trop cette différence, quand on serait accoutumé à mes premiers soins.* Votre

g. N : il, *sera* la

h. N : faire [*plus dans la suite* corr.] *toujours davantage,* mais

i. P 1 : de jamais faire moins

j. N : / [*Cependant des affaires vinrent à la traverse, et je fus un peu oublié* rat.] Comme on

k. N : avait *point interrogé* sur
l. N : ne *m'en* supposait
m. N : pas qu'on songeât
n. N : moi. *Outre cela* des
o. N : famille. On
p. N : fut *durant* quelques
q. N : qui *n'eût* guère *permis de songer* à moi, *quand on aurait eu en ma faveur tous les beaux projets sur lesquels j'avais un peu trop compté.* Cependant
r. N : relâché, *je n'avais pas donné le moindre sujet de plainte, et l'inattention qu'on avait pour moi ne venait sûrement pas de ma faute.* Une chose
s. N : peu distrait sur mes devoirs *au-dedans.* / Mademoiselle
t. N : Breil, *fille de l'ambassadeur,* était à peu près
u. N : là : *cela peut être,* mais je m'en
v. P 1 : d'*en* être

Page 103 :
a. N : ambition n'allait
b. N : delà [*de ce* corr.] *du* plaisir de la servir [*de la servir* ajouté en interligne], *mais je sentais pour ce plaisir de mon état une passion extrême.* À table
c. N : à *en* chercher l'occasion : si son
d. N : moment *le dos de sa chaise, je m'y établissais* à l'instant; *en tout autre temps* je me tenais
e. N : assiette. *J'aurais donné tout au monde* pour qu'elle
f. N : mot. *Tout cela ne me réussissait point, et* j'avais
g. N : mortification *de voir que j'étais* nul
h. N : quoi [*de peu obligeant* corr.] *d'assez peu flatteur,* je lui
i. N : fis [rédactions successives corrigées : *par hasard, heureusement*] *par bonheur* une réponse
j. N : moi, *avec un petit sourire qui n'était pas désobligeant.* Ce coup
k. N : fut *rapide et* court
l. N : transporter, *et,* le
m. N : l'occasion *s'étant présentée* d'en
n. N : second, *je m'en prévalus très heureusement.* On
o. N : fiert *on avait mis un* t *de trop.* / Le vieux
p. N : sans rien
q. N : je *me dépêchai de dire* que
r. P 1 : ne [*signif*(iait ?) rat.] venait
s. N : ferit, il blesse, il frappe; qu'ainsi
t. N : regardait sans

Page 104 :
a. N : dire. On ne vit [...] étonnement. [Cette dernière phrase ajoutée en bas de page avec un signe de renvoi.] *Ces moments sont courts et rares, mais ils sont délicieux : ils vengent de l'inégalité des rangs le mérite injustement avili.* Mais

b. N : flatta *plus que tout le reste* fut

c. N : Breil, *duquel je n'ôtais pas la vue,* un air

d. N : valait *bien* le

e. N : puis *elle regarda son grand-père d'un œil caressant, comme pour exciter* la louange *que j'avais droit d'attendre* et qu'il

f. N : effet. *Mais quoi que je n'y fusse pas insensible, je jouis bien moins de cette louange que de l'applaudissement que Mademoiselle* de Breil *y donna.* * *Le lendemain, à dîner, elle fit enfin attention que j'étais là, et dans une absence de son laquais, elle me demanda* à boire d'un ton *fort doux. Je tressaillis et volai pour la servir. J'avais* trop rempli le verre : *en le lui présentant,* je répandis [* Signe d'alinéa ajouté ici par R.]

g. N : finit *l'histoire,* où

Page 105 :

a. N : et, *de mon côté,* j'osais

b. N : osai *jamais* sortir

c. N : gant *à* un

d. N : aurais *mille fois* écrasé

e. P 1 : fois, *passant avec sa fille, et* me trouvant

f. N : faire *ailleurs.* Il

g. N : je *le* fus *encore plus.* Il me dit de

h. N : moi. / Dès le

i. N : avec *bonté,* il vit

j. N : sur [*aucune* corr.] *rien. Voyant* surtout

k. [Dans N *une bizarrerie* a été corrigé en *une de ces bizarreries.*]

l. N : qu'*on remarquera plus d'une fois* dans ma

m. N : étais valet et disciple dans

n. P 1 : et j'avais dans ma servitude un précepteur

o. N : d'une *condition* à

Page 106 :

a. P 1 : et dont *pour* cette

b. N : aux *gens* de

c. N : et *d'où* il

d. N : avait *autant de* goût qu'il *en* fallait

e. N : fait illusion

f. N : élémentaire, à peine

g. N : traduire *un livre* de

h. G 1 : verra [*souvent* rat.] dans

i. N : à *apprendre* souvent

j. N : prodiguait [*des* corr.] ses

k. [Dans P 1 *bonne* ajouté en interligne.]

Page 107 :

a. N : dictée *ou* pour copier, et ma

 P 1 : dictée et pour copier. Ma

b. N : me *devint* plus

c. N : italien, mais

d. N : et *surtout* quelque *connaissance* des
e. N : livres *que je n'avais pas acquise* chez
f. [Dans G 1 *travailler* raturé puis récrit.]
g. N : monde. Son
h. N : maison, *au grand dépit* des
i. N : qui, *parce que j'étais le plus jeune, affectaient de me traiter comme leur inférieur, et qui,* me voyant
j. N : instructions de leur
k. N : pour *demeurer* longtemps
l. N : réfléchi *que longtemps après,* il m'a
m. N : Solar, *ayant alors des vues pour* des ambassades, et peut-être *dans l'éloignement pour le* ministère, aurait
n. N : former *de loin* un
o. N : eût *eu* du
p. G 1 : dépendant [*d'elle seule* corr.] uniquement d'elle
q. P 1 : et [*je* corr.] ne
r. N, P 1 : cela, *je trouvais* [ajouté en interligne dans N] cette manière de parvenir lente
s. N : et *plus* sûre
t. N : pas, *puisque* l'espèce [...] ne *vaut* assurément
u. N : obtenu *et* presque
v. finies : l'on
w. P 1 : généralement comme
x. N : espérance, *mais* qui

Page 108 :
a. P 1 : voir [*parvenir* corr.] arriver
b. N : espèce, je n'en avais voulu
c. P 1 : un [*Monsieur* rat.] M. Mussard
d. N : chez *M.* le Comte
e. N : autre *jeune* Genevois
f. N : amusant, *très vif,* très
g. N : agréables. *Il n'en fallut pas davantage.* Me voilà
h. N : pouvoir [*le quitter et de ne pas concevoir même comment on pouvait vivre sans lui* rat.] m'en passer. Il allait
i. N : allait bientôt partir pour
j. N : d'abord [*au point de* corr.] *jusqu'à m'absenter pour longtemps* sans congé
k. N : voyant *à quel point* il m'obsédait, on lui
l. N : et *personne* ne me [...] maison. / On me fit
m. N : que *M.* Bâcle
n. N : voyage, au bout duquel
[Après « voyage », tout le passage qui suit a été raturé : *et cela pour le voyage uniquement,* car pour retourner à Genève, c'est à quoi je ne *songeais point du tout.* Je me rappelais avec délices combien je l'avais trouvé charmant *en venant.* Que devait-ce être lorsqu'à tout l'attrait de l'indépendance *je pouvais joindre* celui de]

o. N : c'est *de* quoi *l'idée ne me vint même pas.* Les monts
p. N : villages *se multipliaient à mes yeux,* se succédaient
q. N : cesse, *et toujours* avec
r. N : combien, en venant, *je l'avais trouvé* charmant. Que
s. N : indépendance *je joindrais* celui

Page 109 :
a. N : mon goût, de mon âge et de bonne
b. G 1 : ambition [*qui* rat.] d'une
c. P 1 : lente, *pénible,* incertaine
d. N : jeunesse. Plein
e. P 1 : justifier *de la sorte* à
f. N : que *ma cervelle était tellement renversée que* j'étais
g. N : me *remettre* quelque
h. N : arriver *dans* ma
i. N : résolu de jamais ne me

Page 110 :
a. N : porte *au nez.* Moi
 G 1 : porte [*au nez* corr.] aux talons. Moi
b. N : emporter *une* grande
c. N : où dans ce moment allait mon délire, il faudrait
d. N : dans l'objet
e. N : pensâmes, Bâcle
f. P 1 : il *de plus* curieux dans le monde qu'une
g. N : le *solide* fondement
h. N : nous *élevâmes* notre
i. N : devions *à* chaque
j. P 1 : que les *denrées* ne [...] recueillent [*que... recueillent* ajouté en marge d'une encre plus noire], et [*et* ajouté en interligne] que quand
k. N : recueillent. Nous n'imaginions
l. N : noces, sans *rien* débourser [...] fontaine. *Sûrs* qu'elle pouvait nous défrayer en Savoie, en Piémont, en France, et par tout le monde, nous faisions

Page 111 :
a. P 1 : de *repasser* les
b. N : que *par* la
c. N : arrêter quelque
d. N : part. / *Telles furent les sages idées sur lesquelles* je me
e. P 1 : commencer, *attiré par une chimère,* la vie d'un
 N : commencer, *sous les plus extravagants auspices, le train* d'un
f. N : vanité, *les amours,* les
g. N : les *brillantes* aventures
h. N : amené. Je pars
i. N : avec mon ami Bâcle et ma fontaine *de Héron,* la bourse

j. N : tout *d'un* coup borné mes projets
k. N : fis *ce* voyage
l. N : agréablement que
 P 1 : agréablement [*toutefois* rat. encre plus noire] que
m. N : nos souliers et nos habits s'useraient

Page 112 :
a. N : parti *que moi* sur
b. N : des *avis* très
c. N : moi, *et qui lui faisaient regarder* ma fortune
d. N : plus *amers* pour
e. N : endurer, de tout
f. N : dans *tout* l'univers
g. N : était *pour moi* une
h. N : pas. Ce qui
i. N : il *ne manquait pas d'esprit.* Je crus
j. N : inconstance; j'*avais* tort
k. N : mis [*les pieds* corr.] le pied dans
l. P 1 : durèrent environ
m. N : mais *ses* suites dureront
n. N : obtenir *l'assistance* dont
o. N : point ? Non, non
p. N : dis *hautement et* avec
q. N : jamais il n'appartint
r. N : inégale, et souvent

Page 113 :
a. N : ont *tant* gémi
b. N : ne m'*a* fait répandre une larme ni pousser un soupir. Mon
c. N : pieds, je colle ma bouche sur *une de ses mains,* dans les transports de la plus *pure* joie. Pour elle
d. P 1 : que *je l'*avais
e. N : supprimant [*il est v*(rai ?) corr.] *néanmoins* quelques
f. N : épargner *et sans* m'excuser
g. N : chambre, *moins, je crois, pour avoir son avis, dont elle ne se souciait guère, que pour capter son approbation.* Je n'osais
h. N : durant *ce colloque ;* mais

Page 114 :
a. N : j'entendis *ces mots* : On
b. N : ne *plus* l'abandonner
c. N : chez *M^{me} de Warens.* Cet
d. N : fut [*pas pourtant* corr.] pourtant pas
e. P 1 : mais servit
f. P 1 : fait jouir
g. N : occasionelles, *cet* homme sensible
h. N : sentirait *jamais* rien
i. N : connu *tout* son
j. N : été, *je le pense,* si

k. N : m'*inspirerai.* J'oserai

l. N : moins *vif* peut-être

m. N : pour *une personne* du

n. N : fut *au monde,* et

o. N : mais *peut-être* le deviendra-t-il dans

p. Tout le passage, depuis « par leurs effets » jusqu'à (p. 123) : « Maman m'étudiait, m'observait », est distribué de façon différente dans N, où l'ordre des §§, fragments ou groupes de §§, est le suivant :

 1. [p. 115] « La manière dont [...] avec plaisir »
 2. [p. 115] « On ne trouvait [...] tout allait »
 3. [pp. 114-115] « Elle habitait [...] s'exhalaient plus librement [*parmi ces vergers*] »
 4. [pp. 116-123] « Dès le premier jour [...] n'ennuyaient pas »
 5. [pp. 115-116] « Elle supportait avec [...] l'éviter ».

Deux ou trois soudures sont assurées, dans N d'une part, dans P 1 et G 1 de l'autre, par de courtes phrases auxquelles rien ne correspond dans l'autre rédaction.

q. N : de *reste,* dont

Page 115 :

a. N : fut *précisément* celle où l'on *m'établit.* Cette

b. N : était *au-dessus du* passage

c. N : et *du jardin,* on découvrait la

d. N : avais *eu* du

e. N : avais *vu* que

f. N : ma *charmante* patronne...

g. N : moi; je la voyais [...] verdure : je m'y plaçais *plus* paisiblement auprès d'elle; *j'étais comme si* mon cœur, jusqu'alors comprimé, se *fût trouvé* plus

h. N : librement *au travers de tout cela.* / Dès le premier jour [p. 116]

i. N : trouvait *ce qu'à Turin, ni ailleurs, je n'ai jamais vu joint à la magnificence : de* la propreté, *de* la décence et une

j. N : patriarcale *que la lésine du* faste ne *connut* jamais

k. N : porcelaine, *jamais* de

l. N : ni de vins étrangers dans sa cave; mais l'une

m. N : étaient garnies

n. N : Quiconque venait la voir

o. N : ouvrier, *ni* messager *ni* passant, n'*en* sortait

p. P 1 : boire, *selon l'ancien usage helvétique.* Son domestique
 N : boire. / Son domestique

q. N : d'une cuisinière, d'une femme

r. N : Merceret, *et* d'un

s. N : suite; *elle joignait à cela* deux

t. N : mille *francs* de

u. N : rare; [*mais* corr.] *par malheur* l'économie

v. N : endettait, *mais* elle

w. N : allait. / Elle habitait [p. 114]

x. N : choisi[e] *pour moi-même ;* on
y. N : profitais *chez elle* avec
z. N : plaisir. On ne trouvait pas chez [même page, § pré-
cédent]

Page 116 :

a. N : avec *beaucoup de*
b. N : première *vapeur* des
c. N : ce [*premier* rat.] dégoût durait *très* longtemps. Elle
d. N : intervalle, *et* mon
e. N : fait *depuis* longtemps
f. N : sien. *En reprenant de l'appétit, elle s'égayait et m'égayait ;* Je recommençais
g. N : mal. / Enfin
h. N : plus *parfaitement* au
i. N : dans *la* confidence
j. N : le pied *où je les voyais.* J'ai
k. N : réelle, *en* voyant
l. N : goûtés *aussi* tranquillement
m. N : J'ai [*toujours* rat.] vu
n. N : éviter. / *Tandis que le vide des jours se remplissait ainsi d'occupations mêlées,* Maman m'étudiait [p. 123]
o. P 1 : la plus douce familiarité s'établit
 N : la familiarité la plus douce *ou plutôt l'habitude de cette familiarité* s'établit
p. [Dans G 1 *entre nous* ajouté en interligne.]
q. G 1 : même [*point* corr.] degré
r. P 1 : continué le reste
s. N : entre *elle et moi.* Je trouve
t. N : sens *entraient* dans
u. N : mais *seulement* pour

Page 117 :

a. N : caresses, et
b. N : dira qu'à la fin nous avons *pourtant* eu des relations
c. N : attendre *et* [*suspendre ses jugements* corr.] *ne pas se presser de juger.* Je ne saurais tout
d. [Dans P 1 et G 1 *vraiment* ajouté en interligne.]
e. N : jamais [*inspiré* corrigé] fait
f. N : jamais *furetant* sous
g. N : un *certain* embonpoint, *quelquefois* mal
h. N : sans *connaître* un instant *l'ennui.* Elle est
i. N : un *tourment* du devoir de [*parler* corr.] *l'entretenir.* Nos
j. N : contemplais, *je m'attendrissais,* et j'étais
k. N : tic *bien* singulier
l. N : prétendre, *sans songer même* aux
m. N : recherchais *et le goûtais* avec une
n. P 1 : souffrir [*personne* rat.] de
o. P 1 : maudissant ces

N : maudissant mille fois *à chacune* ces

p. N : allait *jusqu'*au point

q. N : douloureuse. *J'étais toujours en crainte qu'on ne lui parlât, qu'on ne la dégoûtât de moi, qu'il n'y eût quelque chose de fait ou de dit qui nous séparât.* Le besoin

r. N : élans *de cœur* qui

s. N : promener *aux environs* de la

Page 118 :

a. N : Cela *jetait sur* ma

b. N : qui n'*était* pourtant *pas* sombre

c. N : qu'un [*flatteur espoir* corr.] espoir flatteur

d. N : affecté, la beauté du jour, le chant des oiseaux, la douceur

e. N : cela *frappait* tellement *mon cœur* d'une
[Même leçon, corrigée, dans P 1 et G 1.]

f. N : où [*mon* corr.] *ce même* cœur

g. N : sans *penser* même

h. N : rêverie, *c'est d'y avoir vu* des objets *que j'ai retrouvés,* quand elle s'est réalisée, tels exactement que je les avais imaginés *alors.* Si jamais

i. N : une [*délicieuse* rat.] tranquillité *délicieuse,* au lieu

j. N : réveil. / Si j'entrais [...] yeux, je ne finirais pas. Combien

Page 119 :

a. N : de *la* chambre

b. N : qu'[*il* corr. au crayon] elle

c. N : même, *elle présente,* il m'échappait

d. N : amour semblait seul pouvoir

e. N : jour *étant* à table

f. N : rejette *à l'instant* le

g. [Dans P 1 *presque* ajouté en interligne.]

h. N : non *pas* tout

i. N : comme [*peut-être* rat.] jamais peut-être *jeune homme de* mon âge n'en est

j. N : tempérament s'était

k. N : involontaire, *me donna* des alarmes sur ma santé qui *prouvent* mieux

l. N : innocence *des mœurs* dans laquelle

m. N : et *qui ne* sauve aux jeunes gens *de plus grands* désordres *qu'*aux dépens

n. N : la *paresse* trouvent

Page 120 :

a. P 1 : son [*consentement* corr.] aveu

b. G 1 : détruire [*en moi* rat.] la

c. N : constitution *que m'avait donné*[e] la nature
 P 1 : constitution [*que j'avais reçue de* corr.] qu'avait rétablie en moi la nature

d. N : et qui *jusqu'alors avait eu* le temps

e. N : femme, *portant* son image *empreinte* au

f. N : voyant *toute* la

g. N : rappellent, *couchant* dans

h. N : couché. *Quelle situation !* Tel

i. P 1 : me *voit* déjà demi

j. N : image [*toujours* corr.] *incessamment empreinte*

k. N : douceur *du sentiment* qu'elle

l. N : éveiller, me garantissait *et* d'elle

m. N : elle. *Quant à* moi, tout ce que *je* puis

n. N : occupé *aux* choses

o. N : moins. *Tantôt* c'étaient des projets *qui ne finissaient pas* à rédiger, *tantôt* des mémoires à mettre au net, *tantôt* des recettes à transcrire, des *ordonnances* à [*prescrire* corr.] *donner au tiers et au quart ;* c'étai[en]t des herbes à [*piler* rat.] trier

p. N : piler, *le feu d'un alambic* à *ménager.* Tout

q. N : travers *de* tout

r. N : mendiants, *de quêteurs,* de visites

s. N : entretenir à la fois un soldat, un chanoine, une belle dame, *et* un frère

t. N : pestais *entre mes dents,* et jurais

u. N : de *gronder* étaient

Page 121 :

a. N : jetant *par intervalles* des

b. N, P 1 : à *s'empêcher* d'éclater

c. N : m'amusait parce qu'

d. N : de ce qu'on

e. N : mon *premier* dégoût

f. N : un *tel* effet

g. N : grimaces, quand je voyais [*approcher* rat.] ses

h. N : faisait *du baume ou* de l'opiat [*sic*]. / Mon temps

i. N : pas *absolument* tout

j. N : trouvé dans *ma* chambre quelques livres, le Spectateur, les *Devoirs de l'homme et du Citoyen,* la Henriade : quoique

k. P 1 : occupais : Puffendorf, le Spectateur, la Henriade

l. N : lecteur, je lisais

Page 122 :

a. N : me *plaisait* beaucoup

b. N : mes *idiotismes* provinciaux

c. N : faute que

d. P 1 : dans le*s* cœur*s* de [le texte de Voltaire est : *le* cœur]

e. N : fleur. *Elle n'avait pas plus lu que moi, mais elle avait mieux lu.* Plusieurs

f. N : dans *le grand monde,* et venue

g. N : commerce *aisé* de

h. N : où *l'on prend* le [...] monde, et où *les femmes* ne

i. N : malgré *tous* les murmures qu'*excitèrent plus d'une fois* sa

j. N : et *elle avait* l'esprit

k. N : précisément, *dans* mes [*idées* rat.] chimériques idées, la

Page 123 :

a. N : aime *guère* à

b. N : pas. / *Elle m'ennuyait quelquefois davantage à table, où sa manière de vivre me forçait de rester très longtemps.* Elle supportait [p. 115]

c. N : m'étudiait, m'interrogeait, et *cherchant ce qu'on pourrait faire de moi, faisait* force projets *pour me placer. Mais il fallait étudier mes dispositions, mon goût,* mes petits talents, *et puis* trouver ou faire naître les occasions. Tout cela n'était

d. N : jour. *Elle avait grande opinion de* mon mérite, *mais* il en fallut *un peu* rabattre. Un de ses

Page 124 :

a. N : Aubonne, vint la voir

b. N : intrigant, une espèce

c. N : proposer *à Paris* un plan

d. N : Il *l'*allait proposer à Turin, où

e. N : adopté. *En passant,* il s'arrêta

f. N : Annecy [*où* rat.]; il y

g. N : chez M*me* *de Warens.* M. d'Aubonne m'*aperçut ;* Maman lui

h. N : et *promit,* s'il me

i. N : à m'*employer.* / M*me*

j. N : de *quelques commissions,* et

k. N : jaser; *il* se

l. N : lui, *croyant qu'il l'était de moi.* Le résultat

m. N : fut que j'étais

n. N : idées *et* presque

o. P 1 : je *pusse* aspirer

p. N : la seconde fois

G 1 ajoute en interligne après *seconde :* ou troisième.

q. N : jugé, *mais* ce ne fut

r. N : de ce jugement bizarre tient

s. P 1 : on *doit sentir* que

t. N : avec *tout le désintéressement imaginable,* quoi

u. N : dire [*à ce sujet* rat.] MM.

v. N : autres, *il m'est impossible de* les prendre

w. N : presque *inaliénables* [*sic*] *se rassemblent et* s'unissent [L'orthographe de P 1 et G 1 est *inaliables.*]

x. N : que je puisse en concevoir

y. N : tempérament *plein de feu,* des

z. N : vives, *ardentes,* impétueuses

Page 125 :

a. N : lentes, *tardives,* embarrassées, qui

b. N : jamais *nettement* qu'après

c. P 1 : et *ma tête* n'appartiennent
d. N : il m'éblouit, *il* me brûle. Je sens
e. N : et ne
f. N : a *de plus* étonnant
g. N : tact sûr
h. N : finesse, pourvu
i. N : rien fait qui
[Dans P 1, après *rien,* les mots *fait ni* ajoutés en marge.]
j. N : ferais *de très jolies conversations* par
k. N : Quand *j'ouïs réciter* le trait de *ce* Duc

Page 126 :
a. N : idées *naissent et* s'arrangent
b. N : de *tout ce tumulte,* je ne
c. N : ce chaos se débrouille, ce grand mouvement *s'arrête,*
chaque
d. N : vu l'Opéra
e. N : les [*grands* rat.] changements
f. N : désordre *fort* désagréable
g. N : à *cette confusion déplaisante* un spectacle
h. N : avais *pu* rendre
i. N : Mes *originaux* raturés
j. N : transcrire *trois* ou *quatre* fois
k. N : jamais rien pu faire
l. N : vis *d'un bureau.* C'est à la
m. P 1 : de *toute* mémoire
n. N : de *sa* vie
o. N : retenir *vingt* vers
p. N : vient que
q. P 1 : qui [*veulent* corr.] demandent

Page 127 :
a. N : écris *pas* de
b. N : de *méditations pénibles,* ou, si
c. N : ne *finis point, je rabâche ; il règne dans ma lettre un
désordre épouvantable, et* à peine
d. N : à *former.* J'ai
e. N : hommes : *je n'ai eu que trop d'occasions pour cela ; j'en
ai profité, et* je me crois
f. N : vois *rien* que
g. N : est *la seule chose* qui
h. N : rappelle le temps, le ton
i. N : échappe alors; sur ce
j. N : penser, et sur-le-champ, *et tout* à la fois, à mille
k. N : oublier *toujours* quelqu'une
l. N : il *faut* passer
m. P 1 : savoir *toutes* leurs histoires, pour
 N : savoir *toute leur histoire, deviner tout ce qu'ils ont dans
l'âme* pour être sûr

n. G 1 : rien [*oublier* rat.] dire

o. N : qui *déplaise à* quelqu'un *d'entre eux.* Là-dessus

p. N : avantage : *ils sont, comme on dit, au fait :* ils sont plus sûrs [...] disent, *parce qu'ils savent* ce qu'il faut taire; encore *font-ils* souvent *des bêtises.* Qu'on juge

q. G 1 : plus [*assurés* corr.] sûrs

r. N : il est presque *sûr* de *ne pouvoir* parler *un quart d'heure* impunément

s. N : parler. Quand

t. N : et il faut relever *l'entretien quand* on ne dit mot. Cette contrainte insupportable m'eût

u. N : plus *cruelle* que

v. N : champ. *Cela me trouble au point de perdre la tête sur les moindres choses : je sens une angoisse, une sueur froide ; des nuages obscurs troublent mon cerveau ; je m'intimide, je m'embarrasse, et il suffit* qu'il faille

Page 128 :

a. N : je *ne trouve* rien

b. N : que j'ai la fureur

c. P 1, G 1 : plus [*promptement* corrigé] tôt

d. N : balbutier *quelques* paroles

 P 1 : balbutier promptement *quelques* paroles

e. N : rien. En voulant

f. N : ayant *assez* [*assez* ajouté en interligne] vécu dans le monde

g. P 1 : soir *entre* deux

 N : soir *chez Mᵐᵉ la Maréchale de Luxembourg ; Mᵐᵉ la Maréchale de Mirepoix et* M. le Duc de Gontaut *y étaient ;* il n'y avait personne autre et je m'efforçais

h. N : mots à une conversation

 [Dans P 1 *à une conversation* ajouté en marge.]

i. N : trois *faisaient à peu près tous les frais. Mᵐᵉ de Luxembourg* se fit apporter un *opiat* [*sic*], dont elle

j. N : estomac. *Mᵐᵉ de Mirepoix,* lui

k. N : grimace, *lui* dit

l. N : ton *Mᵐᵉ de Luxembourg.* — Je crois

m. N : et presque *à l'instant* la

n. N : tour. *Cette* balourdise, vis-à-vis d'une autre, eût pu

o. N : femme *qui avait* fait un peu

p. N : était *épouvantable,* et je crois

q. N, P 1 : à *s'empêcher* d'éclater

r. N : éclater; *mais les gens de cour savent se contenir et il n'y parut point du tout.* Voilà

s. N : parler *lorsque je n'ai* rien

 P 1 : parler sans *trouver* rien

t. N : voilà *suffisamment* de quoi faire [*assez* rat.] comprendre

Page 129:
 a. P 1 : j'ai *néanmoins* souvent
 b. N : physionomie *animée* et mes yeux *pleins de feu* pro-
mettent
 c. N : que *le dépit de voir frustrer* cette attente rend
 d. N : montrer *toujours* à mon désavantage. Le parti
 e. P 1 : cacher *était* précisément
 f. N : même, *comme il* est arrivé
 g. N : dit *plusieurs* fois
 h. N : souffre certaines exceptions, *mais* j'y
 i. N : ainsi *décidée,* l'état
 j. N : question que de
 k. N : homme, maigre *et* grison, le plus
 l. N : j'aie *jamais vu,* ce
 m. N : venait *assez souvent* chez
 n. N : emploi *qui ne paraissait pas déplaire au bon homme.*
Tandis

Page 130:
 a. N : cela. Monsieur le
 b. N : disant *sans cesse* : Mais
 c. N : de *bonne grâce* au
 d. N : Il *ne demanda que la* pension *la plus* modique, et *prit
sur lui le soin de* l'instruction. Il ne *s'agit plus* que du
 e. P 1 : fut *plus* question
 f. N : pension, *comblé de l'idée d'avoir un jour un nouveau converti
parmi ses prêtres.* Il permit *toutefois* que
 g. N : juger du succès
 h. N : comme *je serais allé* au
 i. G 1 : une [*jolie* corr.] aimable
 j. P 1 : un livre
 k. N : prêter. On ne
 l. N : pas *quel* livre
 m. N : psaumes. *On conçoit qu'en* huit ou dix leçons, fort
interrompues, *je ne fis pas de grands progrès.* Loin *d'être* en état
de solfier, *je ne connaissais pas* le quart
 n. N : une *si grande* passion
 o. N : faciles. *C'était le premier des* cantates de
 p. N : concevra *donc* quelle
 q. N : ni *notes* ni *quantités,* je parvins

Page 131:
 a. N : était *barbare et dur,* ses membres
 b. N : mais *pour* sa figure [...] doucereuse, *elle* m'est
 c. P 1 : et *je ne puis* me la
 d. N : frémir. *Il me semble que je le rencontre* encore
 e. N : disciple de M. l'abbé de Gouvon ! / Si
 f. N : resté *trois semaines* à
 P 1 : resté [*trois semaines* corr.] deux mois à

g. N : que je maigrissais, que j'étais triste, que je ne mangeais pas, devina

h. N : tirait *un peu* sur

i. N : qui cachent tous [...] esprit sous une *assez* épaisse figure. Mais

j. N : marquait *le plus* en

k. N : âme sensible [*aimante* rat.] affectueuse, aimante

l. N : sentait [*fait* corr.] né

m. N : très *peu difficile.* Cependant

Page 132 :

a. N : ai pu jamais rien

b. N : maîtres. Le peu que je sais, je l'ai

c. N : peut *s'asservir* à

d. N : mon *amitié,* ma

e. P 1 : il [*ait* corr.] eût été jamais amoureux

f. N : effroyable, *surtout* dans un diocèse *voisin des hérétiques et* administré

g. N : convenance, *l'infortuné Gâtier fut puni,* mis

h. N : fis *des* [*seuls* rat.] deux *seuls* prêtres *que j'eusse trouvés vraiment* dignes *d'attachement et d'estime* l'original

i. N : que *cette* imitation *ne déshonore* pas mes

j. N : fût *très* aimable

Page 133 :

a. N : faire lui-même chasser *d'Annecy.* On dit

b. N : une *par imitation,* pour

c. P 1 : je *l'ai* écrite

d. N : années, *mais il est certain que je n'en avais pas vingt-deux, et qu'il n'y a rien qui n'y paraisse.* / A peu près *dans* ce *même* temps, *il se passa* un événement

e. N : avais *presque* oublié

f. N : sortir : *on devine l'*usage *que* j'en

g. N : fut *consumé* en

h. N : temps *et le feu gagnait toujours.* La maison

i. N : hâte, *et l'on portait* les

j. N : fenêtres au delà

k. N : jetais par *les fenêtres* indifféremment tout

l. N : de *marbre* qu'en

m. N : temps *je n'*aurais *pu* soulever

n. P 1 : prêt de même à y jeter une

Page 134 :

a. N : retenu. / Le bon

b. N : venu ce jour-là voir M^me *de Warens,* ne resta

c. N : jardin, *et* se mit

d. N : et [*tout le monde qui y était* corr.] tous ceux

e. N : arrivant *peu* après, je vis

f. N : autres. [*Peu de temps* rat.] *Presque en même temps,* le vent

g. N : Deux *ou trois* ans
h. N : pouvaient *un jour* servir
i. N : de *réciter,* en
j. N : en *prières,* et durant [*ce temps* rat.] *ces* [sic] *prières,* j'avais
k. N : changer [*et même très à propos* corr.] très *heureusement :* voilà
l. N : ces choses *eût produit* l'autre
m. N : humain, l'orgueil

Page 135 :
a. N : Montagne, Fréron
b. P 1 : la *rencontre* était
c. N : défavorable *qu'il lui eût été* possible, on *ne pouvait se déguiser* qu'ils
d. N : pour pousser
e. N : et *au bout de deux ou trois mois* on me
f. N : fit qu'elle ne
g. N : art, *qu'elle aimait beaucoup elle-même,* lui
h. N : naître *l'idée* de
i. N : musicien, *faute de mieux.* L'occasion
j. N : homme, *amusant quand il n'était pas ennuyeux, et qu'à cause de ses singeries elle appelait petit-chat.* Maman *nous* fit faire connaissance. Je m'attachais
k. N : convint. J'entrai chez lui; j'y
l. N : qu'à *cinquante* pas
m. N, P 1 : de *Mme de Warens,* nous
n. N : elle *à tout* moment, *lui ou moi,* et *Petit et Petit chat* y soupaient très
o. G 1 : souvent [*l'un et l'autre* rat.] ensemble
p. N : ensemble. On *conçoit* que la vie
q. N : les *Lazaristes.* Cependant, pour être plus libre, cette vie n'était
r. N : mois je ne sortis [*presque* rat.] pas

Page 136 :
a. N : quelques-*unes* ont été *marquées* par
b. N : bien-être que *leur souvenir m'affecte* comme
c. N : température, *l'*odeur de l'air, *le ciel* [*gris* corr.] *clair ou serein, le jour brillant ou sombre,* une certaine
d. N : le vif souvenir m'y
e. N : exemple, *dans le temps dont je parle,* tout
f. N : répétait *au logis,* tout
g. N : chantait *à l'église,* tout
h. N : soutane que M. Le Maître *mettait* par-dessus son habit laïque [*pour aller au chœur* rat.], et le beau
i. P 1 : épée, Le Maître
j. N : allais *avec* ma
k. N : bout *d'accompagnement* que

l. N : attendait *après tout cela, surtout* le bon
m. N : objets m'a
n. N : plus *qu'il ne fit* dans *sa* réalité
o. N : avant jour
p. N : Maman, *était fille d'un facteur d'orgues et* savait
q. N : motet *en duo* [*en duo* ajouté interligne] Afferte
r. N : tout *tient sa place et rien n'est indifférent dans les retours imaginaires* de ces temps [...] innocence, *qui reviennent* souvent
s. P 1 : depuis un an
 N : depuis *plus* d'un an

Page 137 :
a. N : reproche. Mon départ de Turin *avait été ma dernière* sottise. Maman me conduisait
b. N : conduisait bien
c. N : passion. Ce qui
d. N : musique, mais il n'y
e. N : choses; ma mauvaise
f. N : entendîmes *heurter* [orthogr. *hurter*] à
g. N : la *maîtrise. On* ouvre. Un jeune homme se présente
h. P 1 : entre, monte avec elle, se présente
i. N : un *petit* compliment *élégant* et *simple,* se donnant
j. N : bon *M.* Le Maître
k. N : stature *et* large
l. N : avait *quelque chose* de
m. N : dans *toute* sa
n. N : plates. Il avait
o. N : tombait *en loques,* une
p. N : garantir *des neiges* un chapeau à porter
q. N : équipage *on voyait* pourtant

Page 138 :
a. N : qui *ne courait* pas *le pays* comme
b. N : route, que l'argent lui avait manqué, et oubliant
c. N : soupé *l'*on parla
d. N : parla *pertinemment.* Il connaissait
e. N : les acteurs, *tous* les *artistes,* toutes les jolies femmes, *et* tous les grands
f. N : il [*était* corr.] paraissait
g. N : il *le coupait* par quelque
h. N : lui *proposa* d'y
i. N : volontiers. *Il* lui *demanda* quelle *était* sa
j. N : contre. Avant d'aller
k. N : église, *il* lui
l. N : beaucoup *pour* lui
m. N : tout le *bon* goût *possibles,* et qui
[Dans P 1, *tout* ajouté marge.]
n. N : de surprise plus agréable. Après
o. P 1 : messe, *il* reçut

p. N : musiciens, *à quoi* il
q. N : qui *après* tout n'était

Page 139 :
a. P 1 : éducation, de l'esprit, des talents, de l'usage
 N : éducation, des talents, l'esprit, l'usage
b. N : place, *peut-être même* d'autant plus *aisément* qu'il aurait
c. [Dans P 1 *le mérite* ajouté marge.]
d. N : pour *l'aimer* ; car
e. N : avait *certainement*, et il
f. N : pressé *d'étaler* son
g. N : n'en [*parlait* corr.] disait
h. N : savait quand
i. N : montré, *et il avait l'air de tout savoir*. Badin
j. [Dans N *séduisant* ajouté en interligne.]
k. N : conversation, toujours souriant et
l. N : passer *malgré qu'on en eût*. Les
m. N : de *tout* ce
n. N : filles, et
o. P 1 : dans *le commerce* des
p. N : Il *n'était pas naturel* qu'avec
q. N : où *on les* connaît
r. N : pour Bâcle
s. N : disait *était pour moi* des
t. N : mon *inclination* n'allait
 G 1 : mon [*inclination* corr.] engouement n'allait
u. N : contre *cette séduction*. D'ailleurs ses maximes *de plaisir et de débauche me paraissaient* très bonnes pour lui, *mais* je sentais
v. N : étaient *point* à
w. N : osais *pas* même
x. N : me *captivait*. J'en
y. N : en *avait parlé* avec

Page 140 :
a. N : mauvaise *compagnie*, non
b. N : fortement *le danger* que
c. N : son verre et son pot arrivaient
d. P 1 : être ivre
e. N : garçon bon, *doux, complaisant, et dont la gaieté de sang-froid valait* [*bien* rat.] *mieux que celle de sa crapule*. Malheureusement
f. N : humeur. Il [*devenait* corr.] *devint* ombrageux
g. N : ce *pût être*, il
h. N : il discernait *mal* les
i. N : et *se cabrait quelquefois* sur
j. N : Sorbonne. S'il est
k. P 1 : qui *tiennent* des
l. N : surtout, qui était *au* reste un *fort* galant homme, mais *très fier* de sa noblesse, n'avait

m. N : l'autre *s'en ressentait.* Cette
n. N : dîner *d'usage* que

Page 141 :
 a. N : où *le maître de musique* était
 b. N : invité. *M. l'Abbé de Vidonne (c'était le nom du* chantre*(* fit *à Le Maître* quelque
 c. N : dit *quelques paroles dures* que
 d. P 1 : que [*Le Maître* corr.] celui-ci
 e. N : la *même* nuit
 f. P 1 : adieux, *fit tous ses efforts* pour
 g. N : embarrassait *beaucoup* était
 h. N : devait. *Petit chat* s'était pour ainsi dire consacré à
 i. N : Soit *par* son art, soit *par* ses soins
 j. N : suivait *mettait* un nouveau prix à sa complaisance. Elle ne
 k. N : c'en *était* pour
 G 1 : c'en [*était* corr.] étaient pour
 l. N : domestique, *sur* le
 m. N : nous n'*avions* plus
 n. P 1 : le soir
 o. N : et M^me *de Warens,* sous
 p. P 1 : grossit la bourse [...] surcroît qui
 N : la bourse *de Petit chat de quelque argent,* qui

Page 142 :
 a. N : là *de l'aveu* du
 b. N : vengeance *plus* moqueuse et *plus* plaisante
 c. N : Reydelet, *dont* nous *fûmes* très bien *reçus.* Le Maître
 d. P 1 : Pâques, et moi, à *la faveur* de ce mensonge
 e. N : naturels *et si bien tournés,* que
 f. N : couchés; *le bon curé* ne savait
 g. P 1 : de *rester* plus
 h. N : retour / A peine
 i. N : soutenue [*ni* corr.] et
 j. N : devenait sujet
 k. N : ressemblait *beaucoup* à
 l. N : je *ne pensais qu'*à me tirer *le plus tôt que* je
 m. N . fussions *pas* attendus, nous *y* fûmes
 n. N : Le Maître *était un homme qui* avait [...] art et *qui* la méritait

Page 143 :
 a. N : flagorneur, si supérieur
 b. N : ces *petits* maîtres
 c. N : chef. / Arrivés à Lyon
 d. N : Rhône, *avec l'aide* de
 e. P 1 : Reydelet, Le Maître
 f. N : Cordelier *savoyard,* dont

g. P 1 : trahirent; son bonheur
h. N : verra [*dans un instant* corr.] tout à l'heure
i. N : fut [*saisi* corr.] surpris
j. N : saisi d'*horreur. Tandis que tout le monde se rassemblait* autour d'un homme
k. N : il *aurait* dû
l. N : pris *le moment* où
m. N : ce *second* aveu
n. [Dans N, le livre III s'achève ici, p. 154 du ms. Sur la page suivante le livre IV s'ouvre sur le § « De tout ce que j'ai dit » précédé du titre : Les Confessions / de J.-J. Rousseau / Première Partie / Livre IV.]
o. N : il est resté
p. N : dans *ce* livre
q. N : presque *absolument* ignoré

Page 144 :
a. N : ma *vie* est
b. N : intéressant pour
c. P 1, N : m'en *rappeler* vivement
 G 1 : m'en [*rappeler* corr.] retracer vivement
d. N : tant de *petits* déplacements successifs, dans tant d'allées et *de* venues, je ne
e. N : ne *puis* remplir
f. N : encore *dans la suite* sur
g. N : je *partis* pour
h. N : fait durant *les premiers* jours diversion à
i. N : bonheur-*là.* J'y
j. N : Mon *voyage* fut
k. N : tous *les* autres, je n'ai
l. N : celui-là. *Il ne m'en revient pas la moindre chose,* sinon mon
m. N : pour [*Annecy* corr.] Paris, *et peut-être l'avais-je ren-*contrée en route sans en rien savoir. / Je n'ai

Page 145 :
a. N, P 1 : moi *des secrets* de
b. P 1 : présent *et de l'avenir,* en
 N : présent *et quelquefois de l'avenir avec ceux que j'aime,* en
c. N : espace, il n'y reste
[Dans G 1 après *espace,* addition encre plus noire en marge : et hors les plaisirs [...] jouissances.]
[Dans P 1 la même addition est en bas de page, avec var. : hors *mes* plaisirs.]
d. N : dans *ce* qu'elle
e. N : révolution *que produisit* [sic] à *la Cour de* Turin l'abdication du Roi *Victor et ses suites, et* [sic, = *elle* (?)] craignit
f. N : elle l'*aurait* préféré, *et avec raison,* parce
g. N : est *très* étonnant
h. N : sans *la moindre* interruption

i. N : alors *bien* des

j. [Dans N note en bas de page après *aller :* « Une partie du diocèse de Genève est sur terres de France ».]

k. [Dans P 1 seul figure ici la mention : Fin du livre troisième.]

Page 146 :

a. P 1 : Les Confessions de J.-J. Rousseau / Première Partie / Livre Quatrième.

[Dans N ce livre commence plus haut, v. p. 143 var. *n.*]

b. N : le *remords* d'avoir

c. N : abandonné Le Maître

d. N : fut *bien* plus

e. N : contenait *son génie et* sa

f. P 1 : saisie à Lyon

g. N : avait *inutilement* réclamé son bien, *son ouvrage,* son gagne-pain. La propriété

h. P 1 : bien, [*le gagne-pain de sa vieillesse* corr.] son gagne-pain

i. P 1 : était au moins

j. N : ainsi *le travail de vingt-cinq ans* / Il ne

k. N : les *grandes douleurs* ont

 G 1 : les [*grandes douleurs* corr.] grands chagrins ont

l. N : désertion, je ne la trouvais [*plus* corr.] pas

m. N : rien. Ce n'est pas quand

n. N : faite *que le sentiment en est cruel,* c'est

o. G 1 : c'est [*longtemps après quand* corr.] quand longtemps après [...] rappelle, car

 N : c'est quand on se la rappelle, car

p. N : point : *le temps efface tous les autres sentiments, mais il aigrit le remords et le rend plus insupportable ; surtout quand on est malheureux, qu'on se dit que l'on mérita de l'être, et qu'au lieu de trouver en soi la consolation qu'on y cherche, on n'y trouve qu'un nouveau tourment. Je crois que les heureux ont peu de remords, mais celui qui connaît le mal doit s'assurer de l'être toute sa vie ; autrement il ne sait pas quel avenir il se prépare dans ses malheurs.* / Le seul parti

Page 147 :

a. P 1 : pour [*avoir tôt ou tard des nouvelles* corr.] savoir

b. N : était. J'y restai [*J'y restai* ajouté marge], mais je me

c. N : allai *point* voir

d. N : et qui pouvait me protéger encore. Je craignais

e. G 1 : ma [*protectrice* corr.] patronne

f. N : allai encore moins au

g. N : plus, *et je n'étais pas curieux de voir mon ancien précepteur.* Je ne vis

h. N : connaissance. J'aurais bien voulu

i. N : Intendante, *pour qui je me sentais de l'inclination,* mais je

j. N : mon *premier* enthousiasme

k. P 1 : le *trouvai* brillant

l. N : arrachaient. *Il n'en fallait pas tant pour achever de me*
m. N : profiter plus à mon aise de ses *instructions,* je lui
n. N : qui n'appelait
o. N : à *faire* pâmer
p. N : passaient *et se prolongeaient de la sorte* sans qu'on
q. N : heures, *on mangeait* un
r. P 1 : mérite, et maudissant
s. N : ses *vastes* talents
t. N : si *j'eusse* été
u. N : et si j'avais su *profiter de l'occasion.* | M^me
v. N : voir *très* souvent

Page 148 :
a. N : de *devenir amoureuse de* moi. *Cette fille* pressait
b. N : aimais *beaucoup*
c. N : y *venait* d'autres
d. N : je *trouvais assez de mon goût.* Pour
e. N : à *l'antipathie* que
f. N : Espagne, *c'était comme si elle m'eût voulu mordre.* Mais je
g. N : fort [*à être cajolé par* corr.] au milieu de toutes
h. N : même, *il est sûr qu'elles* me *caressaient* à
i. P 1 : J'ai *jugé* depuis
j. N : pas, *et je ne sache pas que, dans le cours de ma vie, quelquefois assez agacé par des femmes, rien de pareil me soit jamais tombé dans l'esprit.* | D'ailleurs
k. N : a *sa fantaisie ;* ç'a

Page 149 :
a. N : pas *précisément* la vanité [...] qui m'attire, *mais* c'est
 P 1 : pas du tout la vanité, *c'est la volupté* qui m'attire; c'est
b. N : personne, *un ton de sentiment et d'éducation dans les propos,* plus de goût
c. N : mettre, une robe
d. N : Je *préférerai* toujours [...] jolie *qui aura* plus
e. N : préférence *assez* ridicule
f. N : tint qu'à
g. P 1 : Ils étaient
h. N : courts *et* si
i. N : leur *précieux* souvenir
j. N : ennuis de mes *derniers* ans
k. [Dans G 1 *un matin* ajouté marge.]
l. N : faisaient *de* concert
m. N : âge... | Je m'étais
n. [Dans P 1 note en bas de page : « A Wootton en Staffordshire ».]

Page 150 :
a. N : ville, et, la chaleur *augmentant,* je me
b. N : et, *bientôt après,* des voix

c. N : nom; je m'*avance,* je trouve
d. N : Mademoiselle [*de* raturé] Galley
e. N : délicat, [*et* raturé] de
f. P 1 : pouvait [*manquer* raturé] qu'entretenir
g. N : longtemps *leur* union

Page 151:
a. P 1 : ne venait la déranger. Elles
 N : ne la *dérangeait.* Elles
b. N : château *à deux lieues d'Annecy,* appartenant
c. N : eus *donc* recours
d. N : Galley, *et* le
e. N : traversai *à pied* le
f. N : jambes; *alors les deux chevaux suivirent* sans
g. N : mots *à l'oreille,* et
h. N : service; nous
i. N : battait *d'une étrange force en regardant* M^lle
j. [Dans P 1 et G 1 les mots « montez [...] derrière elle » ajoutés marge.]
k. N : voyant? — Sa mère
l. P 1 : Thônes [orthogr. *Toune*]; nous revenons
m. N : et *nous reviendrons tous ensemble.* / L'effet
n. [Dans N les mots « et quand [...] me tenir » ajoutés en interl.]
o. N : parlait *aussi bien* que
p. N : seulement, *ou j'étais* tête
q. P 1 : ou *avec* l'autre

Page 152:
a. P 1 : marmiton *mangeait son pain sans mot dire à la fumée du rôti.* On
 N : marmiton [rédac. success. raturées : *rongeait son frein, regardait faire et rongeait*] regardait faire en rongeant son frein. On
b. N : des *Demoiselles* qui
c. N : rien, *car* leur gaieté
d. N : de *toute* la journée
e. N : deux *poulettes* assises
f. N : et *le petit coq en haut* entre
g. N : souvenir *charmant !* Comment
h. N : pouvant *trouver* à si peu de frais des plaisirs
i. N : repas *si simple,* je ne dis pas pour la gaieté *sans fard,* pour
j. N : prendre *en sortant de table* le
k. N : dessert *sous un cerisier.* Je montai

Page 153
a. N : branches. M^lle Galley, *en* avançant
b. N : présentait *une fois* si

c. N : cerises ! *Ah, que* je les
d. N : passa *toute* [sic] *entière* de
e. N : avec *d'autant plus de* liberté *que c'était* toujours avec *innocence.* Pas
f. N : que nos cœurs nous *demandaient.* Enfin
g. N : d'autres, *s'ils veulent,* diront
h. N : privauté qui *me fût échappée* fut *d'avoir* une seule fois *baisé* la main
i. N : circonstance donnait *un* prix à cette faveur *si* légère. Nous
 P 1 : circonstance *ajoutait au* prix de cette légère faveur. Nous
j. N : était *pas trop* irrité
k. N : pour *entrer* en ville, et *comme* il ne nous restait que le temps *nécessaire, il fallut se hâter* de *repartir,* en nous distribuant
l. N : le *coup d'œil* de
m. N : des *années* de

Page 154 :
a. N : que *le souvenir de cette journée* me
b. P 1 : me charme plus, me touche plus, me revient
c. N : trop ce
d. N : deux *filles,* mais
e. N : mon *suprême* bonheur
f. N : mais *au* choix je crois que je l'aurais
 P 1 : mais à choix je l'aurais
g. N : galantes, *et de remarquer* qu'
h. N : peut-être *goûté* plus
i. N : si *mauvaise société.* Cela
j. N : je *ne dépensasse que* peu
k. N : de *nouvelles* de

Page 155 :
a. [Dans N, *un* ajouté en interl.]
b. P 1 : choses sérieuses
c. P 1 : vît le lendemain les couplets arriver comme
 N : vît arriver les couplets le lendemain comme
d. N : faits *de ma vie,* ils
e. P 1 : meilleurs *peut-être* ou
f. N : avec *un peu* plus de *chaleur* qu'ils n'auraient
g. N : cœur [*était* corr.] *se trouvait* tout
h. N : agréable, *comme* elle pouvait l'être entre deux hommes *de goût et instruits.* Pour moi
i. P 1 : faire [*aucune* corr.] une grande
j. N : tirai d'autres
k. N : sur *l'élégance* dont
l. N : imaginerait *sûrement* pas
m. P 1 : pas [*deux* corr.] *trois* pieds

Page 156 :

a. P 1, N : droites et même
b. N : longues, *eussent pu l'agrandir,* si
c. N : seulement [*mince* corr.] court
d. P 1 : petitesse *incroyable ;* il
e. N : devait *avoir l'air d'*une
f. N : noble, *de fort* beaux
g. N : qu'on *avait* plantée
h. N : Il *avait tort* de faire
i. N : voix *très* différentes
j. N : plaisant *et* bientôt
k. N : posément *et* qu'il
l. N : ménageait *extrêmement* son
m. N : avait *une* peine *infinie* à
n. N : basse. / M. Simon *ne serait pas suffisamment peint, même quant à la figure, si je n'ajoutais à tout cela qu'il était extrêmement* galant
o. N : sur *son* oreiller
p. N : coiffe de *bonnet* bien
q. N : entendant *frapper et refrapper,* crie
r. N : aiguë. *Le paysan* entre

Page 157 :

a. N : insulté *par une femme, se fâche à son tour, lâche de gros mots,* lui dit
b. N : pour *toutes armes* que
c. N : quand *heureusement* sa
d. N : disgracié *du côté du* corps
e. N : cette fleur, cette superficie qui jette
f. N : dans *la société,* même
g. N : avait *un* art *singulier* de
h. N : avec mystère, avec intérêt, comme une
i. P 1 : anecdote *riante,* ce qui
j. N : chantait *assez bien* de
k. N : que *parvenir à* baiser une femme au genou était pour lui la dernière faveur
l. P 1 : trouvai bien. J'allais
m. N : Il animait *et* louait mon
n. N : donnait de *très* bons avis pour mes lectures, dont

Page 158 :

a. N : vie *n'*ait *pas* été *fort* liée
b. N : des [*avis* corr.] leçons
c. P 1 : pouvoir lui
d. N : fenêtre. Pas *une âme* ne
e. N : homme *arrêté* s'y
f. N : sortait *dans les autres maisons.* J'étais
g. N : figure, *je ne savais quelle contenance tenir ;* il me
h. N : cette *crainte* me

i. N : faire l'*amoureux* espagnol
j. N : osais; *d'ailleurs* il convenait
k. N : comme *nous en étions convenus* en
l. N : peur qu'*après* [*avoir fait sottement* rat.] des difficultés
sur celle-là, *l'*on ne m'en proposât
m. N : je *ne savais comment leur faire entendre que M^lle Giraud*
voulait
n. N : compte, *et* je me
o. N : devina. Quand
p. N : filles n'*eût* pas

Page 159 :
a. N : ans, *son parler du* nez et sa peau
b. N : jeunes *filles* pleines
c. N : perdre *tout à fait* que
d. N : ayant *aucunes nouvelles* de
e. N : elle *acheva de* l'y *déterminer.* Elle
f. N : serait *bon* que quelqu'un *l'accompagnât* chez
g. [Dans G 1, *et me proposa* ajouté marge.]
h. N : La Merceret, *qui, je pense, avait aussi un peu de goût
pour moi,* trouva *cela très bien imaginé.* Elles
i. N : et ne trouvant rien [...] moi qui me déplût, j'y
j. N : consentis, *persuadé que* [*cette* corr.] ce voyage [*était*
rat.] *durerait* au plus une *huitaine* de jours. La
k. N : ne *pensait* pas
l. N : même, *prépara* tout. *Je fus obligé d'*avouer
m. N : ma *grande* prière
n. N : enverrait son
o. N : pied. Ainsi
p. N : de *tous* ces
 G 1 : de [*tous* corr.] toutes ces
q. N : sans *faire le fat.* La Merceret, *qui n'était pas* déniaisée
comme la Giraud
r. N : couchassions [*toujours* rat.] dans

Page 160 :
a. N : tentation, mais la moindre
b. N : savoir *tirer parti.* / Je n'imaginais
c. N : des *temps infinis* pour
d. N : arrangement. La pauvre Merceret, *qui peut-être* en me
défrayant *avait compté* sur quelque équivalent, en fut
e. N : égalité, *de la médiocrité,* de l'union
f. N : perdu *tout cela.* Dans
g. N : voir dans ma patrie *ce* que *j'y* portais
h. N : mon père !

Page 161 :
a. N : de *repentir.* Je
b. N : Merceret *au cabaret,* et

c. N : âme s'ouvrit à mon abord aux
d. P 1 : et lui
e. N : combattit, *mais* faiblement
f. N : meilleures, *etc.* Du reste
g. N : il *crût* lui-même
h. P 1 : à *trouver* ce qu'à [...] de moi
 N : à savoir ce qu'il *ferait* de moi
i. N : femme, *mais* mielleuse *et grondeuse tout à la fois,* fit semblant
j. N : arrêter plus longtemps avec eux au retour
k. N : cabaret. Le lendemain je les *allai* voir. Ils m'offrirent
l. [Dans P 1 *sans pleurs* ajouté marge.]
m. N : je *m'en* retournai
n. G 1 : ce [*dont j'avais besoin* corr.] qu'il me fallait

Page 162 :

a. N : avaient *point* de
b. N : heure. Je dois
c. N : rassasier *à mon aise* de
d. N : mes motifs
e. N : ont *eu* rarement
f. N : coûte *guère* à nourrir. S'il
g. N : les *biens futurs* du paradis. J'avais *d'ailleurs* grand besoin
h. N : ce *pût être,* et
i. N : peu *d'argent* qui
j. N : dix *cruches* [= forme populaire de *creutzer*] qui partirent
k. N : dînée; *en sorte qu'*arrivé
l. N : devenir *le jour suivant.* J'avais *une extrême* faim; je *ne laissai pas de faire* bonne contenance, et *de demander* à

Page 163 :

a. N : tranquillement; *puis,* après
b. N : avec *mon* hôte
c. N : voulus, pour *six bâches* [= forme populaire de *batz*], à quoi
d. N : en *gages.* Ce
e. N : n'avait *encore* dépouillé
f. P 1 : personne *et* qu'il [...] batz, que je
 N : personne, *et que* pour *six bâches* il ne *commencerait assurément* pas, que je
g. N : et *partisse en paix,* que je *le* payerais
h. P 1 : argent par un
i. P 1 : oublié *l'enseigne* du cabaret et le nom de l'hôte
j. N : un plaisir *vif* de
k. N : lui *montrer* qu'elle
l. N : importants, mais
m. N : de *ce bon* homme
n. N : tirer, et je me comparais

o. P 1 : musique *comme si* je *l'avais sue,* et de
p. N : point de maîtrise
q. P 1, N : garde de m'aller fourrer
r. N : parmi [*les* corr.] *des* gens
s. N : On m'*adressa chez* un nommé
t. N : reçut bien
u. P 1 : il *ajouta* qu'

Page 164 :
a. N : soupe et *pas autre chose,* mais
b. N : soir. *Ainsi fut fait.* Ce pauvre
 G 1 : soir. [*Ainsi fut fait* corr.] J'y consentis. Ce pauvre
c. N : me *faisait* toutes ces avances *non seulement* du meilleur cœur, *mais de la meilleure grâce* du monde
d. N : faut-il *que j'aie* trouvé
 G 1 : faut-il qu[*e j'aie* rat.]'ayant trouvé
e. N : jeunesse *et que* j'en
f. P 1 : l'ordre *de gens* où
g. N : les [*trouver* corr.] chercher
h. N : même *que celui* où
i. N : peuple les *bons* sentiments de
j. N : sont *éteints entièrement,* et il n'y a *plus* que l'intérêt
k. N : me *donna des leçons* excellentes, dont
l. N : J'ai *dit que j'avais* des moments
m. N : voici un
n. N : tête m'*avait tourné,* il ne faut que
o. N : maître *de musique* sans
p. N : quand j'*aurais bien employé* les six mois que j'avais passés avec *Petit chat,* ils n'auraient jamais pu
q. N : pour *que je n'apprisse point.* Catholique en
r. N : dit *à M. Le Maître ;* moi
s. N : vantai, et sans
t. N : noter *d'oreille* le

Page 165 :
a. [Dans G 1 *une pièce* ajouté en interl.]
b. N : travailler à ce bel ouvrage pendant quinze jours, de le
c. N : distribuer, *aussi tranquillement, aussi fièrement* que si
d. N : cette *production sublime,* je mis
e. N : se *rappellera* peut-être
f. N : paroles si
g. N : appris ce *même* [ajouté en interl.] *menuet* avec
h. N : sur [*des* corr.] d'autres paroles *très* infâmes
i. N : avais *parfaitement* retenu
j. N : chacun le goût de l'exécution, le genre du mouvement; j'étais
k. N : siècles. Je frappe *d'*un rouleau
l. P 1, N : les *deux* ou *trois* coups
m. N : commence *enfin...* Non

n. P 1 : semblait *en* attendre
o. N : percer *les oreilles* d'un
p. N : train, *en suant,* il
q. N : gouttes. Pour ma

Page 166 :
a. P 1 : entendais les assistants
b. N : se dire *moins* à leur oreille *qu'*à la
c. N : là *d'agréable ;* un
d. N : sabbat *est cela* [sic] ? Pauvre
e. N : Jacques, *en* ce cruel moment tu *ne t'attendais* guère
f. N : Cour *ta musique exciterait* des murmures de surprise
et *d'admiration,* et que *tout* autour de toi *les plus grandes prin-
cesses et* les plus *belles dames* se diraient [*avec transport* corr.] à
demi-voix : quels *chants délicieux !* quelle musique enchante-
resse ! *il n'y a pas là un son qui n'aille* au cœur !
g. P 1 : diraient *entre elles* à demi-voix
h. N : en *avait-*on
i. N : ferait *fortune,* et que
j. N : de *peindre* mon
k. N : ni *d'ajouter* que
l. N : ma *folie, la honte* [*la honte* ajouté en interl.], le regret
m. N : réduit, *enfin* l'impossibilité
n. P 1 : dans *les* grandes
o. N : tout *ce qu'il était le moins nécessaire qu'il sût, en prenant,
il est vrai, l'utile précaution de lui demander* le secret
p. N : promit *comme on peut bien croire,* et qu'il
q. P 1 : me *tint* comme
r. N : peut *bien* croire *aussi.* Dès
s. N : fit *le* semblant
t. N : mais tristement : les
u. N : écoliers, *comme on imagine bien,* ne
v. P 1 : foule; *pas un qui fût* de la ville et pas une seule éco-
lière. J'eus
w. N : gros *Allemands,* aussi
x. N : ignorant, et qui dans mes

Page 167 :
a. N : fille *voulut se donner* le plaisir
b. N : malice ensuite de chanter, *et fort bien,* devant
c. N : un *seul* moment
d. N : jouait ce
e. N : composé *et noté* moi
f. N : avais *une consolation* très *douce :* je recevais de temps
en temps des nouvelles *de mes* deux
g. N : consolatrice *pour les malheureux,* et
h. N : plus *mon affliction* dans
 P 1 : plus mes *peines* dans
i. N : ne *s'est* jamais

j. N : songer [*uni*(quement ?) rat.] continuellement

k. N : je l'*avais oubliée*, on se trompe *extrêmement*. Je ne

l. N : désirer *ardemment notre réunion*, non *pas* seulement

m. N : mais *beaucoup* plus pour *celui* de mon

n. N : devaient ma

o. N : à leurs charmes : elle *ne* tenait *à rien de plus près* des autres et ne leur

 P 1 : à [*vos* corr.] leurs [suite comme G 1]

p. N : je *pusse cesser de l'aimer* ; mon cœur

q. N : avait *bientôt* transmis

r. N : qu'il *avait* d'abord *fait* à

s. N : changement qu'*il lui arrivât*, pourvu

t. N : moi, *j'aurais été le même pour elle*. Je ne

Page 168 :

a. N : avoue : je pensais

b. N : qu'il n'y *aurait jamais* de vrai bonheur pour moi dans la vie tant que *nous serions séparés*. / N'ayant point

c. N : je *n'ai* jamais *pu me figurer* que

d. P 1 : jamais *l'avoir* tout à fait

e. N : perdue *et* qu'elle eût pu *tout à fait* m'oublier

f. N : me *fera chercher* ; je la retrouverai

g. N : une *sorte de* douceur

h. N : passé, *d'approcher des* maisons *qu*'elle avait *habitées*, et tout *cela* par

i. N : mes *plus* ineptes bizarreries *est* de n'*avoir jamais osé* m'informer

j. N : compromettais *enfin de* quelque *manière*. Il se mêlait même à cela

k. G 1 : frayeur [*d'entendre* corr.] qu'on ne

l. N : que je *voudrais* entendre

 P 1 : que j'*en* voulais entendre

m. N : de Lausanne, j'y *allai faire* une

n. N : j'éprouve [*avec* rat.] une

o. N : composée *des souvenirs* de

p. N : née, [*et* raturé] une

q. N : quelque autre cause plus

 P 1 : quelque cause encore plus

r. N : et *paisible* qui

s. N : laquelle *je me sentais* né vient *réchauffer* mon

Page 169 :

a. N : verger *tout* au bord

b. N : lac; il me faut un ami *sincère*, une

c. P 1 : jouirai *jamais* d'un

d. N : parfait que quand

e. N : cela *dans le lieu ou je le désire*. Je ris

f. N : de *ma* simplicité *quand je songe au nombre de* fois que je suis allé dans ce pays

g. P 1 : cherchais. Le pays et

h. N : et *les gens* dont *il est peuplé* ne m'ont jamais paru faits *les uns* pour *les autres.* Dans cette *promenade* de Vevey

i. N : plus *ravissante* mélancolie

j. N : avec *attendrissement* à mille félicités *idéales.* Je soupirais [dans G 1 *je soupirais* ajouté en marge]

k. N : dans *cette* eau, *non moins pure qu'elles !* J'allai

l. N : cette *charmante* ville

m. N : établir les

n. N : volontiers à *tous* ceux qui
 P 1 : volontiers *aux gens* qui

o. N : sites, et dites.

p. N : fait *ces belles contrées* pour

Page 170 :

a. N : brodeur dont

b. N : bon *fils si jamais il en fut.* Il aimait

c. N : fusse, *pour ne pas* perdre

d. N : pays *intéressée* à ce

e. N, P 1 : on se *donnât* pour

f. N : être *quand* on

g. N : campagne. *Ayant* passé vingt

h. N : dois *maintenant* connaître [dans P 1 *à présent* ajouté marge]

i. N, P 1 : aujourd'hui *la même* question

j. P 1 : même que *l'on* rencontre la vérité, *on* est

k. N : je *restai* à

l. Sur le mot *que* se termine le ms. N.

Page 171 :

a. P 1 : quand une fois j'étais sorti

b. P 1 : jargon indéchiffrable, mais [*qui ressemblait plus* corr.] ressemblant

c. P 1 : seul, l'hôte et les gens du pays ne *l'entendaient* que par signes. Je lui

d. P 1 : parfaitement *bien ;* il

e. P 1 : prendre *ma* part *du* sien

f. G 1 : archimandrite [*du St Sépulcre* corr.] de Jérusalem

Page 172 :

a. P 1 : servir d'interprète et de secrétaire. Malgré

b. P 1 : bonne *société,* aimant

Page 173 :

a. [Dans G 1 et P 1, les deux phrases suivantes, ajoutées en marge, ne font que développer, et en partie reproduire, deux phrases de l'alinéa précédent.]

b. P 1 : ses *pièces* ne fut

c. G 1 : la [*pitié* corr.] piété

Page 174:
 a. P 1 : l'archimandrite *eut* un
 b. P 1 : aussi que j'ai
 c. P 1 : je m'*enchevêtrai* [*si bien* corr.] tellement
 d. P 1 : pied, j'aurais ainsi *voyagé de bon cœur* toute

Page 175:
 a. P 1 : qui *regarde* le
 b. P 1 : heure, *à laquelle* je
 c. P 1 : l'italien [*presque* corrigé] du moins
 d. [Dans G 1 *célèbre* ajouté en interl.]

Page 176:
 a. P 1 : de *l'auteur* dont
 b. P 1 : fait, *et probablement j'y aurais peu réussi.* | M. de la

Page 177:
 a. P 1 : lettre *dont il a connaissance.* Si je l'*obtiens* par
 b. P 1 : tendait à le
 c. P 1 : Godard [*sic*], colonel au service
 d. [Dans P 1 *pour mon voyage* ajouté en interl.]

Page 178:
 a. P 1 : Mes chimères
 b. P 1 : jamais mon imagination
 c. P 1 : obstacle, [*et* corr.] mais qui
 d. P 1 : vue courte

Page 179:
 a. [Dans G 1 *la symétrie et* ajouté en interl.]

Page 180:
 a. P 1 : rabattre, *en la voyant,* du portrait.

Page 181:
 a. P 1 : étaient *encore* d'un
 b. P 1 : un [*cœur sensible* corr.] esprit
 c. P 1 : vous [*montre* corr. encre plus noire] *montrent,* mais
 d. G 1 : mener [*encore* corr.] bien
 e. P 1 : part de *Son Excellence,* encore

Page 182:
 a. P 1 : recherche, longtemps
 b. P 1 : était en
 c. P 1 : pas *le Colonel* Godard

Page 183:
 a. P 1 : agresseurs *n'*auraient *pas* eu *souvent* les
 b. P 1 : approprier sans gêne
 c. G 1 : dispose [*à mon gré* corr.] en maître

Page 184 :
 a. P 1 : écrire ? Pourquoi

Page 185 :
 a. G 1 : un [*pays* corr.] lieu
 b. [Dans P 1 et G 1 cette note ajoutée en marge.]

Page 186 :
 a. G 1 : celui [*que je me rappelais* corr.] qui me

Page 187 :
 a. P 1 : jusqu'[*à Turin* corr.] en Piémont

Page 188 :
 a. P 1 : rien *ne m'*annonçait
 b. P 1 : j'eus une aventure à peu près [*à peu près* ajouté en nterl.] du

Page 189 :
 a. P 1 : pour trouver
 b. G 1 : parut [*fort* rat.] propre
 c. P 1 : tira d'un pot de verre des cerises
 d. P 1 : n'*osait* m'en

Page 190 :
 a. P 1 : pour *y* chercher
 b. G 1 : commençais [*réellement* corr.] tout de bon
 c. P 1 : acceptai *point* cette
 d. P 1 : pas *aisée* à
 e. G 1 : comme [*une* rat.] celle
 f. P 1 : même, *ni de faire venir deux fois un ouvrier pour avoir son argent.* Je n'ai

Page 191 :
 a. P 1 : étoile, ou sur un banc
 b. P 1 : livrant [*mon cœur et mes sens* corr.] mes sens et mon cœur
 c. P 1 : niche ou *d'arcade* enfoncée
 d. P 1 : virent *le soleil,* l'eau

Page 193 :
 a. P 1 : trouvées *remplies* d'omissions
 b. P 1 : collationner *et corriger* mes
 c. [Dans G 1 *après* ajouté en interl.]
 d. P 1 : pour *me réduire à* jeûner
 e. P 1 : ce goût

Page 194 :
 a. P 1 : J'avais *de quoi* faire commodément

Page 195 :
 a. P 1 : célestes [*mais* corr.] et
 b. P 1 : suis *encore,* en
 c. P 1 : rochers, des bois noirs, des chemins

Page 196 :
 a. P 1 : et des *éperviers* qui
 b. P 1 : laisser *courir* des
 c. G 1 : de [*ma vie* corr.] mes jours
 d. P 1 : mouille, *bientôt* on est
 e. G 1 : était [*avec* corr.] chez

Page 197 :
 a. P 1 : sans trop savoir qu'
 b. P 1 : plus d'*égalité.* Ce
 c. G 1 : fils. [*Trois* rat.] Deux

Page 198 :
 a. P 1 : au *lecteur* un
 b. P 1 : me [*bien* rat.] connaître
 c. P 1 : pouvoir rendre
 d. P 1 : yeux [*des lecteurs* corr.] du lecteur
 e. G 1 : pas [*même* rat.] à

Page 199 :
 a. P 1 ajoute ici : Fin du Livre quatrième.

Page 200 :
 a. P 1 : Les Confessions de J.-J. Rousseau / *Première Partie* / Livre *Cinquième.*
 b. P 1 : commençai *de travailler* au
 c. P 1 : pas payé cette instruction. Je logeai

Page 201 :
 a. P 1 : si *fort* pour
 b. P 1 : se *fût* fait

Page 202 :
 a. P 1 : moi-même; depuis
 b. P 1 : appris pas pourtant sans
 c. G 1 : voir [*occuper* corr.] remplir

Page 204 :
 a. [Dans P 1 *journellement* ajouté marge.]
 b. P 1 : Il me semblait que j'étais
 c. P 1 : J'aurais passé des mois entiers au milieu de mes crayons et de mes pinceaux

Page 205 :
 a. P 1 : et de dégoût, je ne la regardais, *comme font tous les ignorants,* que

Page 206 :
 a. P 1 : néanmoins coûté tant de peine
 b. P 1 : un *joli* duo
 c. P 1 : beaucoup [*de quoi* corr.] de choses à quoi

Page 207 :
 a. P 1 : souviens qu'*un jour* M^me

Page 208 :
 a. P 1 : un *devoir* de
 b. [Dans P 1, *et d'outrages* corrige un mot raturé non déchiffré.]

Page 209 :
 a. P 1 : me *tirer* de

Page 211 :
 a. P 1 : régiment je croyais
 b. G 1 : philosophes [*tenir* corr.] soutenir

Page 212 :
 a. P 1 : échange [*contre* corr.] pour
 b. P 1 : courait grand risque
 c. P 1 : confiance *en* mes
 d. P 1 : obscurité *mettait* à
 e. P 1 : inflammatoire; [*la maladie* corr.] elle
 f. P 1 : depuis *lors,* et
 g. [Dans P 1 et G 1 *de la Valdoste.*]

Page 213 :
 a. G 1 : Il [*fallut* corr.] fallait
 b. P 1 : ne *songeais* d'autre
 c. P 1 : instruments, [*faire* corr.] tirer les parties, *faire les répétitions,* etc. Maman
 d. P 1 : Canavas, *parent de M^me Vanloo,* qui travaillait
 e. P 1 : fallait [*de* rat.] guère
 f. P 1 : crochet [*à côté* corr.] *aux côtés* du

Page 214 :
 a. P 1 : se liguèrent et ameutèrent contre lui les

Page 215 :
 a. P 1 : pour *toute ma* vie à
 b. P 1 : qui ne prenait
 c. [Dans P 1 *d'achever* ajouté marge.]
 d. P 1 : consentement *plutôt* à force

Page 216 :
 a. [Dans G 1 *triste* ajouté interl.]
 b. P 1 : l'haleine de tous
 c. P 1 : l'attention, la gêne

Page 217 :
a. [Dans P 1, après *l'unique fois,* deux mots raturés : [*du monde* (?)]
b. P 1 : le [*plus* corr.] meilleur
c. P 1 le plus *aimable* peuple
d. [Dans G 1, *jeunes* ajouté interl.]

Page 218 :
a. P 1 : tant *au* monde
b. [Dans P 1 « ses cheveux [...] cendré » ajoutés marge.]
c. P 1 : nette et flûtée
d. P 1 : quelquefois mon attention
e. [Dans P 1 les expressions *pour l'humeur égale, pour la bonne grâce,* étaient d'abord interverties.]
f. P 1 : n'eût *eu des cheveux* un peu *trop blonds.* J'avais
g. P 1 : ton [*lent et* rat.] traînant
h. P 1 : plus *exact,* car

Page 219 :
a. P 1 : elle *eût* laissé
b. P 1 : trouvais *presque toujours* prêt
c. P 1 : là, les baisers
d. P 1 : prenant bonnement
e. P 1 : pas *si* aisé

Page 220 :
a. G 1 : mes [*élèves* corr.] écolières
b. P 1 : plusieurs *traits,* dont
c. G 1 : Menthon [*prit son temps pour* corr.] résolut

Page 221 :
a. [Dans G 1, après *étais,* le mot *assurément* raturé.]
b. G 1 : utile [2 mots corr. *auprès d'elle* (?)] à ses
c. P 1 : écrire, elle et moi
d. P 1 : fois *à dîner* pour
e. G 1 : trouvai [*le ton* corr.] l'air
f. P 1 : de *sens* et de

Page 222 :
a. P 1 : me *laissait* plus
 G 1 : me [*laissait* corr.] laissa
b. G 1 : de [*cette* corr.] la
c. G 1 : à [*ce marché* corr.] cet

Page 223 :
a. P 1 : dans [*la* corr.] ma
b. P 1 : altéré de femmes
c. P 1 : ans [*qu'elle avait de plus* corr.] que
d. P 1 : encore *alors* pour

Page 224 :
 a. [Dans P I *légères* ajouté en interl.]
 b. [Dans P I *déjà* raturé après *étant.*]
 c. P I : digne *et* d'elle
 d. P I : aimai [*si* rat.] plus
 e. [Dans G I *trop* ajouté en interl.]
 f. P I : cet *abandonnement* d'elle-même

Page 225 :
 a. P I : plus même qu'une maîtresse. Enfin je l'aimais trop

Page 226 :
 a. P I : attachée à ses devoirs; à son mari, toujours

Page 227 :
 a. G I : point. [*Le ministre* [...] *successeur* ajouté interligne]. Ce que je sais
 b. P I : l'empêcha d'y renoncer
 c. P I : ont [*presque* rat.] tous *perdus* [*sic* ; G I : perdu]
 d. G I : des [*fautes* corr.] erreurs

Page 229 :
 a. P I : autant qu' [*excusable* rat.] estimable

Page 230 :
 a. P I : savait *pas.* Il
 b. P I : de *mes jours* un
 c. P I : de [*notre* rat.] l'intimité
 d. P I : ne venait *assurément* pas

Page 232 :
 a. P I : renfermés les uns vis-à-vis des autres dans
 b. G I : monde [*a quelque chose à faire* rat.] l'on ne parle que quand on [*doit* rat.] a quelque

Page 233 :
 a. P I : fortune *et les espérances, avaient en attendant* besoin
 b. P I : qui *favorisait* toujours
 c. P I : paraissait utile

Page 234 :
 a. P I, G I : lui [*demanda* corr.] demande s'il y [*avait* corr.] a
 b. P I : S[on] E[xcellence] alors [*alors* ajouté interl.] occupée
 c. G I : après [*lui* rat.] et

Page 235 :
 a. P I : il semble
 b. P I : y [*parvenir* corr.] arriver
 c. P I : Anet avait *été faire* au
 d. P I : un habile

e. P 1 : nos *bras,* après
f. P 1 : rare, [*à* corr.] en

Page 236 :
a. P 1 : depuis *lors.* Cette perte

Page 237 :
a. P 1 : caresses, m'*appelant* son
b. P 1 : elle ôtait *ce* que
c. P 1 : que je *prévoyais* que de

Page 238 :
a. P 1 : pourvoir à sa subsistance

Page 240 :
a. P 1 : n'avoir *pas* de
b. G 1 : que j [*e n'* rat.]' avais porté [*que* rat.] deux
c. G 1 : parodie janséniste [*janséniste* ajouté marge] assez

Page 241 :
a. P 1 : eu raison ni nouvelle
b. P 1 : figurer parmi
c. P 1 : Rameau : à force

Page 242 :
a. P 1 : donner *de* petits
b. P 1 : qu'il avait, disait-il, transposée, pour
c. P 1 : à laquelle la transposition *rendait nécessaire une autre basse.* Je
d. P 1 : ne pouvait *s'exécuter* sur-le-champ
e. P 1 : s'intéresser *fort* à moi

Page 243 :
a. P 1 : le même temps *à peu près* à Chambéry

Page 244 :
a. P 1 : dans *la pratique* de
b. G 1 : chose [*bien* rat.] très
c. P 1 : me *trouvant* avec

Page 245 :
a. P 1 : France, qui
b. P 1 : il *choisit tout* et
c. P 1 : avoir [*eu* rat.] un seul

Page 246 :
a. P 1 : avec *lequel* j'ai
b. P 1 : aucun intérêt à
c. [Dans P 1 Rousseau a ajouté en marge :]
Je l'ai revu depuis, et je l'ai trouvé totalement transformé. O le grand magicien que M. de Choiseul ! Aucune de mes anciennes connaissances n'a échappé à ses métamorphoses.
d. P 1 : le *Roi* de Prusse

Page 247 :
 a. P 1 : encore *un penchant* un peu
 b. G 1 : Depuis [*que j'avais* corr.] qu'ayant
 c. P 1 : Sensible à mon zèle

Page 248 :
 a. P 1 : femme d'esprit
 b. P 1 : celui *du magistrat,* et
 c. [Dans G 1 *armés* ajouté marge.]
 d. P 1 : civile, si jamais je rentrais dans mes droits de citoyen, et de ne soutenir jamais au dedans la liberté par les armes, ni de ma personne ni de mon aveu. Je me

Page 249 :
 a. P 1 : m'amusais à feuilleter
 b. P 1 : et *de* lettres

Page 250 :
 a. P 1 : dernièrement *au château* d'Arberg
 b. P 1 : depuis *de* longues [G 1 : depuis longues]

Page 251 :
 a. P 1 : lui *montrer* mon

Page 252 :
 a. G 1 : m'amusaient [*beaucoup* corr.] extrêmement
 b. P 1 : exemple, *et aidé des* Récréations de mathématique d'Ozanam, faire
 c. G 1 : faisant [*jamais* rat.] d'excès
 d. G 1 : J'ai [*la poitrine* rat.] une
 e. P 1 : la fièvre survint
 f. P 1 : dévoraient *même* au sein

Page 253 :
 a. P 1 : goûté toutes les
 b. P 1 : passant souvent

Page 254 :
 a. P 1 : hommes, *malgré sa belle figure,* et des plus
 b. P 1 : Sénat, *ne manqua pas de s'emparer* de
 c. P 1 : généreusement, *il* lui
 d. P 1 : cela n'*était* pas
 e. P 1 : s'avisa de *vouloir m'*apprendre
 f. G 1 : bat [*deux ou trois fois* corr.] une

Page 255 :
 a. P 1 : laisse [*longtemps* corr.] toujours
 b. [Dans G 1 *l'ardeur de* ajouté marge.]

Page 256:
 a. P 1 : Dieu qu'*avec* tant
 b. P 1 : et *peut-être* elle seule
 c. P 1 : éprouvâmes *de nous* être rendus
 d. P 1 : l'invincible *nature* reprendrait
 e. P 1 : intervalle qui n'a pas

Page 257:
 a. G 1 : Profitant [*ainsi* corr.] maintenant
 P 1 : Profitant *alors* du
 b. P 1 : mort *nous aurait séparés.* Mais
 c. P 1 : retraite, me dit-elle, est charmant, et

Page 258:
 a. P 1 : coteaux élevés
 b. P 1 ajoute ici : Fin du Livre cinquième.

Page 259:
 a. P 1 : Les Confessions de J.-J. Rousseau / *Première Partie* /
Livre *Sixième.*
 b. P 1 : pensé même, mais senti
 c. G 1 : puisse [*assigner* rat.] énoncer
 d. P 1 : Maman et j'étais heureux; je parcourais

Page 261:
 a. P 1 : montions *à* une
 b. P 1 : elle [*me guérit* surchargé] faillit me guérir

Page 262:
 a. P 1 : dire, dont

Page 263:
 a. P 1 : de la *providence,* qui

Page 264:
 a. P 1 : durement *les Écritures.* Tout
 b. P 1 : à s'*entr'aimer* entre eux

Page 265:
 a. P 1 : point *fort* scrupuleuses
 b. G 1 : intimement [*convaincue* rat.] persuadée
 P 1 : intimement [*persuadée* rat.] persuadée [*sic*]

Page 266:
 a. P 1 : qu'il *n'aurait* fallu
 b. P 1 : bien [*tâché* corr.] cherché
 c. P 1 : m'en [*exempter* corr.] excepter
 d. P 1 : réclamer pour moi l'exception, c'était
 e. P 1 : sans [*la* rat.] troubler
 f. P 1 : vîmes *venir* l'hiver

Page 267 :
 a. [Dans P I *pu* ajouté en interl. d'une autre encre.]
 b. P I : à *les* mieux entendre

Page 268 :
 a. P I : qui *flattent* l'espoir
 b. P I : loin *d'attiédir* mon
 c. P I : me [*plaisais* rat.] pressais
 d. P I : d'un [*nommé* corr.] libraire
 e. P I : profitai. La joie
 f. P I : jamais de grandes [dans G I, *fait* ajouté interl.]
 g. P I : moi *sous* un chêne.

Page 269 :
 a. P I, G I : souvent [*il* corr.] l'auteur
 b. G I : les [*eût* corr.] avait
 c. G I : les [*puisât* corr.] puisait
 d. P I : et [*souvent* corr.] quelquefois
 e. P I : fallu [*étudier* corr. d'une autre encre] épuiser
 f. P I : puisse *tout embrasser,* et

Page 270 :
 a. P I : poursuivre *ainsi* jusqu'au
 b. P I : m'occuper *une* demi-heure

Page 271 :
 a. P I : fatiguais *point.* Il
 b. P I : je [*trouvai* corr.] *trouvais*
 c. P I : avec *plaisir* tous

Page 272 :
 a. P I : dignes d'être
 b. P I : tressaillais *d'aise* et

Page 274 :
 a. P I : suivre toutes [*toutes* ajouté interl.] ses idées
 b. P I : sans disputer
 c. P I : passées exactement à ne penser que

Page 275 :
 a. P I : croire [*que je n'eusse* (?) corr.] jusqu'à ce que j'eusse
 b. P I : l'opération *par* les lignes
 c. P I : maître *la chose* est

Page 276 :
 a. P I : mieux *sentir* la
 b. P I : infiniment *de* les voir
 c. P I : jours [*elles me rendirent* corr.] la
 d. P I : mes [*récréations* surch.] occupations

Page 277 :
 a. G 1 : assez [*exactement* surch.] nettement
 b. P 1 : et *le ciel* avec
 c. G 1 : du [*grand* rat.] chemin

Page 278 :
 a. G 1 : que [*tout le monde* rat.] dès
 b. P 1 : qui [*les désabusèrent* rat.] sans savoir
 c. P 1 : dans les Lettres de [*les Lettres de* ajouté interl.] la
Montagne

Page 279 :
 a. P 1 : guère sur cet
 b. P 1 : mis *en* tête
 c. P 1 : vains efforts
 G 1 : vains et [*inutiles* corr.] continuels efforts
 d. [Dans P 1 *seul* ajouté interl.]
 e. P 1 : entre [*ses* corr.] mes
 f. P 1 : sien, contribuait *aussi* pour
 G 1 : sien [1 mot non déchif. corr.] contribuait [*aussi* rat.]
pour

Page 280 :
 a. P 1 : présume encore en vie aujourd'hui
 b. P 1 : chose *est* indubitable
 c. P 1 : me [*paraît* surchargé] paraissait
 d. P 1 : presque *jamais* en

Page 281 :
 a. P 1 : si j'ose le dire

Page 282 :
 a. P 1 : chapelle *de* la maison

Page 283 :
 a. G 1 : connaissances [*qu'* rat.] dont

Page 284 :
 a. P 1 : depuis [*quelques* corr.] plusieurs

Page 285 :
 a. P 1 : à *très* peu
 b. P 1 : n'avait *aucune* preuve
 c. P 1 : tout à mon usage
 d. P 1 : eût été exactement le

Page 286 :
 a. P 1 : tous deux
 b. P 1 : de l'un *gâte* presque toujours l'autre
 c. P 1 : et *malgré* des
 d. P 1 : corps *semblait* avoir
 e. G 1 : à [*voir* corr.] sentir

Page 287:
 a. P 1 : polype. Il n'en fallut
 b. P 1 : m'y *exhorta,* et
 c. P 1 : Colombier, et qui de Romans
 d. G 1 : Pont du [*du* ajouté interl.] St Esprit
[Saint-Andéol orthogr. partout *St. Andiol.*]
 e. G 1 : voulu; [*mais* corr.] car
 f. P 1 : ne [*me* rat.] convenait

Page 288:
 a. G 1 : pour [*le voyage* corr.] sa route
 b. P 1 : soupçonné d'y aller faire
 c. G 1 : dire [*qui* rat.] d'où

Page 289:
 a. P 1 : elle. Je me comportai
 b. G 1 : gâter [*ses* surch.] mes
 c. P 1 : fait *à l'église ;* cela faillit à gâter mes affaires. Sur ma

Page 290:
 a. P 1, G 1 : d'amour [*très sérieusement* corr.] tout
 b. P 1 : et moi. *M. de Torignan,* quoique

Page 291:
 a. P 1 : que Torignan
 b. P 1 : répondait *sur* un ton
 c. P 1 : interrompit brusquement [*brusquement* ajouté interl.]
ce silence
 d. P 1 : m'a toujours empêché

Page 292:
 a. P 1 : ses [*plaisanteries* corr.] épigrammes
 b. G 1, P 1 : ripostais [*même* rat.] quelquefois

Page 293:
 a. P 1 : je ne *supportais* pas

Page 294:
 a. P 1 : tous les *soirs* tête-à-tête
 b. P 1 : que [*de* rat.] la bonne
 c. P 1 : d'être attentif à tout ce
 d. P 1 : que j' [*y* rat.] avais
 e. P 1 : qui m' [*attendaient* corr.] étaient

Page 295:
 a. P 1 : parlé souvent
 b. G 1 : ce [*pont* rat.] prétendu *pont* [aj. interl.] n'était
 c. P 1 : sous ces voûtes
 d. P 1 : distrait, rêveur

Page 296:
 a. G 1 : moins [*haut* corr.] beau

Page 298 :
 a. P i : occupait *plusieurs* d'entre
 b. P i : exercice *amusant* et
 c. P i : crapuleux [*et* rat.] plus
 d. P i : étudiants *quelques* Irlandais

Page 299 :
 a. P i : je lui *donnai* la
 b. P i : sage [*résolution* corr.] intention
 c. P i : disséquait, [*ce que je fus* corr.] et qu'il
 d. P i : en avançant
 e. P i : et *de* ses lettres
 f. P i : étouffés *en venant.* Ils
 g. P i : Anglais, *et* qui

Page 300 :
 a. P i : corrompre *la* fille
 b. P i : la dissension, le scandale
 c. P i : droit. J'exécutai *cette résolution* avec quelques
 d. P i : obligation que j'aie

Page 301 :
 a. P i : la *ferme* intention
 b. G i : expier [*comme* rat.] ma
 c. G i : qu'à [*désormais régler* corr.] régler désormais
 d. G i : vu toujours [*toujours* ajouté interl.] marquer

Page 303 :
 a. P i : si je ne [*pardonne* corr.] fais

Page 304 :
 a. P i : trop paisible qui ne
 G i : trop [*pénible* surch.] paisible
 b. P i : pour *les* affaires
 c. P i : me ramenaient auprès

Page 305 :
 a. P i : de ce côté; trouvant
 b. P i : ne *perdais* rien
 c. P i : que *sa* tendre *amitié* pour

Page 306 :
 a. P i : que *quoique* ma
 b. G i : pas [*la force* corr.] le sang
 c. G i : et [*qui* rat.] dont
 d. G i : il [*fit la même* corr.] en fit autant

Page 307 :
 a. P i : de *ses prouesses.* Ce
 b. G i : femme [*aimable* corr.] pleine
 c. P i : qui *m'était arrivé* jusqu'alors
 d. P i : vertu, d'estime et d'attachement. Dès

Page 308 :
 a. P 1 : Grand Prévôt *de* Lyon

Page 309 :
 a. P 1 : Condillac, *du nom de son oncle devenu si célèbre,* paraissait
 b. P 1 : je *pensais* l'attendrir
 c. P 1 : tantôt je *lui parlais* raison
 d. P 1 : embarrassant; n'entendant

Page 310 :
 a. P 1 : je *me rebutai* bientôt
 b. P 1 : accommodai de quelques
 c. P 1 : aller [*acheter* rat.] chez

Page 311 :
 a. P 1 : quand une fois j'avais ma

Page 312 :
 a. P 1 : même. / Enfin
 b. P 1 : me [*retrouve* corr.] *revois* à ses pieds
 c. P 1 : accueil, *dans ses yeux,* dans ses caresses
 d. P 1 : retrouvais *jadis* et
 e. P 1 : qu'il y *avait* de
 f. P 1 : que de [*peine* corr.] chagrin
 g. P 1 : objets [*passés* rat.] témoins
 h. P 1 : tant de souvenirs

Page 313 :
 a. G 1 : je [*m'accoutumai* corr.] repris
 b. P 1 : derechef en moi-même à chercher les
 c. P 1 : ne *manquerait* pas
 d. P 1 : et [*même* rat.] peut-être
 e. P 1, G 1 : des [*consolations* corr.] remèdes

Page 314 :
 a. P 1 ajoute ici : Fin / du Sixième Livre, et de la Première Partie.

Page 317 :
 a. Cette note ne figure pas dans P 1. Voir la note 1 de cette page.

Page 321 :
 a. Dans G 2 le titre, l'épigraphe et l'indication « livre septième » occupent le haut de la première page du texte. Il en est de même dans P 1, où la disposition et le libellé diffèrent :
 P 1 : Les Confessions de J.-J. Rousseau / Deuxième partie / Livre Septième / *Intus et in Cute.*
 Au bas et à droite de ce titre figurent dans P 1 seulement l'indication : Aa, et en tête du texte, à l'encre rouge, le chiffre 1, début d'une numérotation en chapitres (les paragraphes étant numérotés en noir).

b. P 1 : à *tracer !* Le sort
c. G 2 : continuelle, on verra [*entre ma situation et mes incli-
nations* ajouté en marge].

Page 322 :
a. P 1 : de *simplicité* que
b. P 1 : tristes [*tableaux* rat.] retours
c. P 1 : le [*ciel* rat.] sort
d. P 1 : qui [*ne me rappelle* corr.] me retrace uniquement les
e. P 1 : de [*tristes* corr.] cruels
f. P 1 : mon être, *et dont l'impression ne s'efface point de mon
cœur. Ces sentiments me rappelleront assez les événements qui les ont
fait naître pour pouvoir me flatter de les narrer fidèlement, et s'il se
trouve quelque omission, quelque transposition de faits ou de dates, ce
qui ne peut avoir lieu qu'en choses indifférentes et qui m'ont fait peu
d'impression, il reste assez de monuments de chaque fait pour le
remettre aisément à sa place dans l'ordre de ceux que j'aurai marqués.*
L'objet propre de mes confessions est de faire connaître exacte-
ment mon intérieur dans toutes les situations de ma vie. C'est
l'histoire de mon âme que j'ai promise, *et cette histoire devient
désormais d'autant plus intéressante, qu'elle est la clef d'un tissu
d'événements bien connus de tout le monde, mais qu'on n'expliquera
jamais raisonnablement sans cela.* / Il y a cependant
[Ce texte devait figurer d'abord dans G 2, où tout le passage
a été gratté, sous le texte constituant la rédaction actuelle, à
l'exception de la partie commune aux deux mss, « L'objet propre
[...] promise. » La première partie de la nouvelle rédaction étant
trop longue pour s'insérer en entier dans l'espace libre avant la
phrase « L'objet propre... », toute la fin de phrase (« ce que
mes sentiments m'ont fait faire; et voilà de quoi principalement
il s'agit ») a été écrite en renvoi dans la marge. Toute cette
nouvelle rédaction dans G 2 est d'une encre plus noire.]
g. P 1 : sont *entre* les mains

Page 323 :
a. P 1 : éclaircissement *sur la vérité des faits,* soit
b. P 1 : oublie [*jamais* rat.] que je
c. P 1 : mais, *après l'exploitation de mon projet,* il ne
d. P 1 : autant *pour moi* de
e. P 1 : jouissances; j'y

Page 324 :
a. P 1 : hâte *et furtivement* sur
b. P 1 : entasse autour
c. P 1 : l'amour *pur* de
d. [La numérotation des chapitres et §§ est ici interrompue
provisoirement dans G 2, mais continue dans G 1.]
e. P 1 : Paris, [*laissant* surch.] déposant

Page 325 :
 a. P 1 : marque *de la bienveillance et* de l'amitié
 b. P 1 : de *très* grand
 c. P 1 : donna lui-même
 d. P 1 : fois, *comme il sera dit ci-après,* sans
 e. P 1 : connaissance, *qui ne laissa pas d'avoir des suites,* m'ait été
 f. P 1 : qui [*dans* rat.] m'avait
 g. P 1 : prêté un bonnet
 h. P 1 : bas, qu'il ne m'a jamais redemandés et que je ne lui ai jamais rendus. Je lui ai pourtant
 i. P 1 : mieux s'il s'agissait de ce que

Page 326 :
 a. P 1 : bonté [(?) *d'âme* (?) corr.] de cœur
 b. P 1 : modification *ce principe,* il faudrait
 c. P 1 : je *n'*avais
 [Dans G 2 la fin de cette n., à partir de « Elle est... », écrite d'une encre pâle, est, à l'exception des tout derniers mots, pratiquement illisible.]
 d. P 1 : le bon [*Perrichon* corr.] Parisot. / J'avais
 e. P 1 : témoigner *et* l'exactitude
 [Dans G 2 *assidûment* ajouté marge.]
 f. P 1 : forces. J'ai donc gardé
 [Les mots qui ne figurent pas dans P 1 (« sitôt que [...] plus du tout ») constituent dans G 2 une add. en marge.]

Page 327 :
 a. P 1 : jeune *commerçant* appelé
 G 2 : jeune [*commerçant* surch.] négociant appelé
 b. G 2 : les [*sacrifices* rat.] doux
 c. [La numérotation des §§ (encre noire) reprend ici dans G 2 ; elle continue ininterrompue depuis le début du livre dans P 1, où les chapitres (?) sont en outre numérotés à l'encre rouge (= chiffres gras entre crochets dans la présente éd.).]

Page 328 :
 a. P 1 : louis [*dans* rat.] d'argent
 b. P 1 : toujours *assuré* d'être
 c. P 1 : recommandé, *il n'y en eut que* trois *qui* me furent

Page 329 :
 a. P 1 : oculaire. / M. Damesin pourvut
 [Dans G 2 « Toutes ces recommandations [...] *de* Mably » ajouté en interl. d'une autre encre.]
 b. P 1 : pour mon logement [*mon logement* ajouté en interl.], ma

Page 330 :
 a. G 2 : elle [*prés*(entait)(?) corr.] offrait
 b. G 2 : ce [*gauche* rat.] campagnard

c. P 1, G 2 : le [*présenter* corr. marge] soumettre
d. P 1 : fus *beaucoup* moins
e. P 1 : de *ma lecture*. Le mémoire

Page 331 :
 a. P 1 : de [*voir* rat.] la facilité
 b. P 1 : sa manière [*manière* ajouté interl.] d'écrire
 c. P 1 : pour [*écrire* corr.] noter

Page 332 :
 a. P 1 : chose [*dont il s'agit* rat.] est
 b. P 1 : côté faible [*faible* ajouté marge]. Vos
 c. P 1 : signes, dit-il, sont
 d. G 2 : représentent [*clairement* corr.] nettement
 e. P 1 : redoublé; mais ils
 f. P 1 : exigent, *pour chaque intervalle,* une
 g. P 1 : qui ne [*peuvent* corr.] peut suivre
 G 2 : qui ne peut toujours [*toujours* ajouté interl.] suivre
 h. P 1 : d'œil *que* l'une *est jointe* à l'autre
 i. P 1 : me [*trouvai* corr.] vis

Page 333 :
 a. G 2 : rendait [*la musique* corr.] les idées
 b. P 1 : encore *beaucoup* de temps
 c. P 1 : pas *fort* chargée
 d. P 1 : trente ans, *j'étais homme fait* et

Page 334 :
 a. P 1 : j'avais *que l'on s'occupât de* moi
 b. G 2 : furent presque [*presque* ajouté interl.] les seuls
 c. P 1 : à quoi *j'occupais* ce court
 d. P 1 : Virgile *et* un Rousseau
 e. P 1 : Athéniens *prisonniers* [ajouté marge] gagnaient

Page 335 :
 a. P 1 : régulièrement, *au café de* Maugis
 b. [Dans P 1 ce § numéroté 14.]
 c. P 1 : les femmes. J'ai parlé [la phrase « Vous réussirez...
côté-là » ajouté marge]

Page 336 :
 a. P 1 : jamais. / **4** 1. Après avoir
 b. P 1 : avoir *longtemps* remis *l'exécution de* ces terribles
 c. P 1 : bonté *et* Madame
 d. P 1 : et n'annonçait [*n'annonçait* ajouté interl.] point
 e. P 1 : fier *eût été* faire
 f. P 1 : aujourd'hui. / 14. J'étais

Page 337 :
 a. P 1 : jugement avantageux [*avantageux* ajouté marge] qu'elle

Page 338 :

 a. P 1 : riant *quelquefois* de

 b. [Au lieu de cette note, rédigée dans G 2 d'une encre différente et d'une écriture moins soignée, P 1 donne simplement au bas de p. :] *Voilà ce que j'aurais pensé toujours si je n'étais jamais revenu à Paris.*

 c. [Dans G 2 la numérotation des §§ cesse ici.]

Page 339 :

 a. P 1 : M^me *Darty,* la [G 2 : d'Arty]

 b. P 1 : l'amie [*unique* corr.], l'unique

 c. P 1 : ne parut *pourtant* pas

 d. P 1 : fois *par* semaine

 e. P 1 : m'enhardir. *Enfin* sa maison

 f. [Dans P 1 *Fontenelle* ajouté marge.]

Page 340 :

 a. P 1 : garda ma lettre deux jours sans

 b. P 1 : rendit *en* m'adressant

 c. P 1 : continuai *à* vivre

 d. P 1 : savait *très* bien

Page 341 :

 a. P 1 : huit *à* dix

 b. P 1 : que le *désir* [*seul* rat.] d'obéir

 c. P 1 : souvent *durant* ma

Page 342 :

 a. P 1 : y *songer.* D'ailleurs

 b. P 1 : composais *des vers,* des chants

 c. P 1 : fait *jadis* à

Page 343 :

 a. P 1 : avant *que* de

 b. P 1 : Ovide. Le troisième

Page 344 :

 a. P 1 : la *première beauté de l'univers.* Il ne

Page 345 :

 a. P 1 : faisait *très* assidûment

 b. P 1 : que *le nouvel* ambassadeur

 c. P 1 : faisait *tous* ses

 d. P 1 : secrétaire *nommé* M. Follau

 e. P 1 : un *petit* abbé

Page 346 :

 a. G 2 : prendre [*en passant* rat.] la

 b. P 1 : Toulon *pour Gênes,* tant par raison d'économie

 c. P 1 : prendre [*en passant* rat.] un

Page 347 :
 a. P 1 : et *fatigante* traversée

Page 348 :
 a. P 1 : un *autre* Robinson
 b. P 1 : j'aurais *pu faire* pour
 c. P 1 : choisie; je
 d. P 1 : matelas de [*mon manteau* rat.] mes
 e. P 1 : manteau. Je me
 f. P 1 : table *d'une* autre *que je mis* de champ
 g. P 1 : lazaret qu'à
 h. G 2 : escortaient : [*le palier de* rat.] l'escalier
 [Dans P 1 *l'escalier était ma salle à manger* ajouté marge d'une autre encre.]

Page 349 :
 a. P 1 : le *haut du* palier
 b. P 1 : servi [*sur l'escalier* rat.], l'on
 c. P 1 : à *ce pauvre* homme

Page 350 :
 a. P 1 : il le *sentit,* et
 b. P 1 : lui-même *n'y entendît rien,* prit
 c. P 1 : arrivé, lui
 d. P 1 : et *chez* son

Page 351 :
 a. P 1 : situation [*plus* corr.] assez

Page 352 :
 a. G 2 : ces [*sequins* rat.] passeports
 b. P 1 : étrangers. Sans être français je trouvai cet usage injuste et je l'abrogeai
 c. P 1 : sequin. J'eus
 d. P 1 : mon intérêt
 e. P 1 : ne *gagnerait* rien
 f. P 1 : non-pareille *et tout le reste* sans qu'il

Page 353 :
 a. G 2 : je [*ne* rat.] la trouvai [*pas* rat.] moins
 b. P 1 : conseillait assez bien
 c. P 1 : qu'ils [*faisaient* corr. marge] eussent
 d. P 1 : manquait pas aussi [*aussi* ajouté interl.] malgré [*toutes* rat.] mes [*protestations* corr.] représentations
 e. [Dans P 1 *dans toutes ses dépêches* ajouté marge.]
 f. P 1 : absolument que
 g. [Dans P 1 *fût en chiffres* ajouté marge.]
 h. P 1 : chargé *par* le
 G 2 : chargé [*par* corr.] pour le
 i. P 1 : parut si heureusement

Page 354 :
a. [Dans P 1 *de lui porter* ajouté marge.]
b. P 1 : corrections *à faire* sur celles
c. P 1 : lui-même en termes
d. P 1 : signait *pour les* autres
e. P 1 : aux [*nou*(velles)(?) rat.] dépêches
f. P 1 : gloire *à* [*signer* corr.] chiffrer

Page 355 :
a. P 1 : ètre. Et je
b. P 1 : exemple, *me tentaient de* les
c. P 1 : pouvoir; en tout
d. [Cette note, précédée du mot *Note,* ne figure pas dans P 1.]

Page 356 :
a. P 1 : Montaigu me *donna* la lettre *et* pour toute instruction me dit, Voyez
b. P 1 : introduit, j'*ôtai* mon masque et je me *nommai.* Le
c. P 1 : Monsieur, dis-je, c'est à regret
d. |Dans G 2 *dans la huitaine* ajouté marge.]

Page 357 :
a. P 1 : Marseille. Son équipage
b. P 1 : inutilement *porté* l'ambassadeur
c. P 1 : craignaient *tous* de

Page 358 :
a. P 1 : consentir *et* ne dit
b. P 1 : mot. Cette démarche
c. P 1 : homme *de mérite* et très
d. P 1 : n'en être pas *moi-même* la

Page 359 :
a. P 1 : fonctions; mais je
b. [Dans P 1 *est de ne jamais payer* ajouté marge.]
c. P 1 : laissai *tous* les
d. P 1 : sequins, ou de

Page 360 :
a. P 1 : faisions toujours
b. P 1 : et *que nous étions* en
c. P 1 : voulus avoir enfin mon
d. P 1 : tout *différent.* Il
e. P 1 : il signait

Page 361 :
a. P 1 : son [*confrère* corr.] collègue

Page 362 :
a. P 1 : crut *voir aussi* dans

b. P 1 : dans *la nécessité* de
c. P 1 : Jonville. Autant
d. P 1 : fonctions [*étaient* corr.] était de [*sa* corr.] la part

Page 363 :
a. P 1 : de [*la loge* corr.] celle que
b. P 1 : Vitali, *qui tenait les clefs,* n'étant
c. [Dans P 1 et G 2 *J'étais d'autant plus outré* corr. un passage raturé non déchiffré; de même dans G 2, *ma* à la ligne suivante.]
d. P 1 : monsieur, vous viendrez, lui dis-je, me
e. P 1 : été [*les* rat.] témoins

Page 364 :
a. [Dans P 1 *me* ajouté marge.]
b. G 2 : attentif [*et soigneux* rat.] à

Page 365 :
a. P 1 : ambassadeur *en* jetaient
b. P 1 : et *surtout* de
c. P 1 : et *suffire* à tout
d. P 1 : deux *coquins* finirent
e. P 1 : trop *bonne,* et
f. P 1 : je servais
g. P 1 : étaient à Venise

Page 366 :
a. P 1 : m'en *absentasse* quand
b. P 1 : Comment ! *me* dit-il
c. P 1 : gentilshommes soi-disant [orthogr. dans G 2 : *soit*-disant]
d. P 1 : et *tout* le
e. P 1 : eût *pu* l'envoyer
f. P 1 : loin de faire

Page 367 :
a. P 1 : pris *plus* modérément
b. P 1 : priai *seulement* d'obtenir
c. P 1 : embarrassé. Mais
d. P 1 : vis, *de ma vie,* jamais
e. P 1 : entre *vous et moi.* Mon action

Page 368 :
a. P 1 : répondre *au* mémoire

Page 369 :
a. P 1 : de [*la jeunesse* rat.] cet
b. P 1 : récréations *très* simples
c. [Dans G 2 *grand regret d'avoir* ajouté marge.]

Page 370 :
a. P 1 : le [*goût* corr.] préjugé

Page 371 :
 a. P I : longueur *énorme* du

Page 372 :
 a. P I : parlais [*à* corr.] chez
 b. P I : dont le nom et la voix étaient
 c. P I : laideur *même* n'exclut

Page 373 :
 a. P I : de St Chrysostome
 b. P I : souvent *en hiver.* / Mais
 c. P I : eu *de l'aversion* pour
 d. P I : l'entrée des *bonnes* maisons
 e. P I : que, *quand on n'a pas* la bourse *bien* garnie, on ne
doit pas se mêler de faire *l'amour,* surtout à Venise. Je n'avais
 f. P I : la *triste* habitude
 g. P I : sentir *bien* vivement

Page 374 :
 a. P I : j'en *repartis* au bout
 b. P I : formes. *Un soir,* on parlait
 c. P I : me *reprochant* mon
 d. P I : tous, *me vantaient* la
 e. P I : et *disaient* qu'
 f. P I : Dominique *ajouta* qu'il
 g. P I : trop *sensé* pour
 h. P I : que *je ne comprends pas* moi-même
 i. P I : Padoana était assez *bien* de figure
 j. P I : revins si persuadé
 k. P I : en *entrant* fut
 l. P I : que *j'éprouvai* durant *plus de* trois semaines, *quoique*
aucune
 m. P I : apparent *ne l'autorisât.* Je
 n. P I : chirurgien eut
 o. [Dans P I *aisément* ajouté marge.]

Page 375 :
 a. P I : opinion ne m'a cependant jamais
 b. P I : qui, *par leur rang,* ne
 c. P I : fît bien
 d. P I : j'eusse *remarqué* qu'on

Page 376 :
 a. P I : vanité *plutôt* que

Page 377 :
 a. P I : s'offrit aux sens et au cœur d'un
 b. P I : mon *caractère,* c'est

Page 378 :
 a. P 1 : eus-je *senti,* dans
 b. G 2 : de [*ces* corr.} mes

Page 379 :
 a. P 1, G 2 : idée [*dans ma tête* rat.], je vis
 b. P 1 : en *plaisanterie,* et
 c. P 1 : fenêtre; je voulus
 d. G 2 : à [*son* corr.] mon

Page 380 :
 a. P 1 : était *repartie* la veille
 b. [Dans P 1 *à d'autres* ajouté marge.]
 c. P 1 : agneau. On
 d. [Dans P 1 *à chacun* ajouté marge.]
 e. P 1 : il *me devenait* moins possible
 G 2 : il m'aurait été [*plus* corr.] moins possible

Page 381 :
 a. P 1 : peu après
 b. P 1 : pas *le temps* d'avoir
 c. P 1 : qu'il *eut* d'en
 d. P 1 : et *demander justice.* Je marquai
 e. [Dans P 1 *m'exposer à* ajouté marge.]

Page 382 :
 a. G 2 : bien [(?) *chère* (?) corr.] douce
 b. P 1 : blancs. Sur la
 c. [Dans P 1 *de mes appointements* écrit marge.]
 d. P 1 : qui *vaudraient la peine* d'être
 e. [Cette note ne figure pas dans P 1.]

Page 383 :
 a. P 1 : monde *en particulier* convint
 b. P 1 : tort *envers* son
 c. P 1 : et *je* n'y
 d. G 2 : cessai [*par là* rat.] de voir

Page 384 :
 a. [Dans G 2 *réellement* ajouté interl.]

Page 385 :
 a. P 1 : amour du juste et du beau [*du juste et du beau* ajouté
marge encre plus noire] d'y
 b. P 1 : tempérait et calmait [*et calmait* ajouté en interl.] ma
 c. P 1 : hautes *sciences :* rien
 d. P 1 : rapidité. *Combien* il

Page 386 :
 a. P 1 : tendre; il jouait
 b. P 1 : ange. [*Après* corr.] Hors

c. P 1 : de [*très* rat.] tolérant
d. P 1 : turc, athée
e. P 1 : personne; *mais* il brusquait

Page 387 :
 a. P 1 : même, *car* il avait
 b. P 1 : loin; mais
 c. P 1 : de [*corps.* corr.] cœur
 d. P 1 : années, *le joindre* à
 e. P 1 : réussissent. Les projets
 f. P 1 : naissance *les* projets
 g. P 1 : loger [*dans* corr.] à

Page 388 :
 a. P 1 : propos, *principalement* avec
 b. P 1 : champion : je
 c. P 1 : ordinaire; elle

Page 389 :
 a. P 1 : avant *que* de
 b. P 1 : fou. Enfin nous
 c. P 1 : cri. Pucelage !

Page 390 :
 a. P 1 : bien *appris à* lire
 b. P 1 : vis-à-vis *de* mes fenêtres
 c. P 1 : est *toujours* l'opposé

Page 391 :
 a. P 1 : tendresse : cette
 b. P 1 : retirée *et domestique fut* si
 c. P 1 : on vit
 d. P 1 : jour [*chez* corr.] par

Page 392 :
 a. P 1 : que la composition
 G 2 : que de la [*musique* corr.] composition
 b. P 1 : chanteurs Bérard, *La Garde* et
 c. P 1 : l'entendre, avec le
 d. P 1 : sur [*ma pièce* corr.] mon

Page 393 :
 a. P 1 : faire *entrer* dans
 b. [Dans G 2 *l'exécution de* ajouté marge.]
 c. P 1 : occupés à l'opéra

Page 394 :
 a. P 1 : examiner ce qu'il

Page 395 :
 a. P 1 : ayez *rempli les vides et* suppléé [texte conforme au ms. de la lettre de Voltaire]
 b. P 1 : mis *à travailler,* et
 c. P 1 : fut *prête.* Elle

Page 396 :
 a. P 1 : les *paroles* de
 b. [Dans G 2, *que j'attendais, et qui certainement* ajouté marge.]

Page 397 :
 a. P 1 : représentation *devant le roi,* il
 b. P 1 : les *connaisseurs* avaient
 c. [Dans G 2 *prit des mesures* ajouté marge.]
 d. P 1 : M. *le duc* de

Page 398 :
 a. [Dans P 1 *c'est d'être Genevois* ajouté marge.]

Page 399 :
 a. P 1 : avec *la* plus *vive impatience.* Un
 G 2 : avec [*la plus vive impatience* corr.] le plus vif empressement. Un
 b. P 1 : lui *serrait* le
 c. P 1 : des [*croquants* corr.] fripons

Page 400 :
 a. P 1 : appelée Goton, était
 b. [Dans P 1 *sur moi* ajouté interl.]

Page 401 :
 a. P 1 : greffé *mes* talents sur les *leurs.* Cependant

Page 402 :
 a. P 1 : supplément. On

Page 403 :
 a. P 1 : le *chantier* plus
 b. P 1 : les *anecdotes* de
 c. [Cette note ne figure pas dans P 1.]

Page 404 :
 a. P 1 : allée *qui menait* chez M^me La Selle était la même où *était* la boutique de la *Duchap* [*sic*], célèbre
 b. P 1 : lesquelles *tous* nos
 c. P 1 : aussi peu à peu [*peu à peu* ajouté interl.], non
 d. P 1 : maris [(?) *cocus* (?) corr.] trompés

Page 405 :
 a. P 1 : craignait *ce* nouvel
 b. P 1 : Gouin, pour lui
 c. P 1 : Gouin, *à la pointe St Eustache.* J'allai

Page 409 :
 a. P 1 : mariage, elle me *fit voir l'appartement qu'on lui préparait et* me causa
 b. P 1 : aussi bien *tout au moins* de figure
 c. P 1 : mon [*opéra* corr.] acte

Page 410 :
 a. P 1 : qu'il n'*eût* peut-être
 b. P 1 : rendez-vous, *fussent-ils même avec des femmes,* ne

Page 411 :
 a. P 1 : écus *de copie,* tirés
 b. P 1 : les [(?) *déchirements* (?) *de cœur* corr.] angoisses
 c. P 1 : le [*malheur* corr.] mal

Page 412 :
 a. P 1 : n'en *ai parlé* qu'à
 b. P 1 ajoute ici : Fin du livre septième.

Page 413 :
 a. P 2 : Les Confessions de J.-J. Rousseau // 2ᵉ Partie / Livre 8ᵉ.

Page 414 :
 a. P 2 : à Fontenay-*aux-Roses,* où
 G 2 : à Fontenay- [*aux Roses* corr.] sous-Bois, où
 b. P 2 : la musique *italienne.* Nous
 c. [Dans G 2 *et le parc de Vincennes* ajouté marge.]

Page 415 :
 a. P 2 : mouvement, *après ce transport,* fut
 b. P 2 : Je trouvai *Diderot* très

Page 416 :
 a. P 2 : déposés *sur le papier* dans
 b. P 2 : de l'*avoir apprise,* je
 c. P 2 : un *arbre.* Il

Page 417 :
 a. P 2 : l'effet *et la suite inévitables* de
 b. P 2 : retournais dans ma tête mes périodes avec

Page 418 :
 a. P 2 : absolument de logique et d'ordre; de
 b. P 2 : elle-même était

c. P 2 : francs par an [*par an* ajouté en interl.] ne *pouvait* [*sic*] me
d. P 2 : annuel à cinquante

Page 419 :
 a. P 2 : d'esprit, elle se

Page 420 :
 a. P 2 : quoique *nous fussions* au
 b. P 2 : nous eût
 c. P 2 : qui, *par convention,* ne

Page 421 :
 a. P 2 : quartier *de* Saint-Roch
 b. P 2 : mis *pleinement et* librement dans

Page 422 :
 a. P 2 : mérite *cependant* d'être
 b. P 2 : si *extraordinaire,* que
 c. P 2 : nouvelle [*ranima* corr.] réveilla
 d. P 2 : libre, vertueux

Page 423 :
 a. P 2 : pure *et* sainte
 b. P 2, G 2 : sensibilité [(?) 1 ou 2 mots non déchiffrés, corrigés d'une encre plus noire par :] si vive
 c. P 2 : pour *tous* mes
 d. P 2 : homme sans entrailles, *sans mœurs,* un
 e. P 2 : telle, *que dès lors je ne regardai plus mes liaisons avec . Thérèse que comme un engagement honnête et sain, quoique libre et volontaire, ma fidélité pour elle, tant qu'il durait, comme un devoir indispensable, l'infraction que j'y avais faite une seule fois, comme un véritable adultère, et quant à* mes enfants *en les* livrant
 f. P 2 : donné *jamais* le
 g. P 2 : menaçait *lorsque* j'aurais

Page 424 :
 a. [Dans P 2 *soit par quelque autre motif* ajouté marge.]
 b. P 2 : été élevés en honnêtes
 c. P 2 : les *deux autres,* et
 d. P 2 : à qui nos liaisons *n'étaient point cachées ;* je
 e. P 2 : une *très* honnête
 f. P 2 : amis *auquel* j'eus
 g. P 2, G 2 : sa [*belle-fille* corr.] bru
 h. P 2 : Francueil [*son autre belle-fille* corr.] sa

Page 425 :
 a. [Les mots entre crochets manquent dans G 2.]
 b. P 2 : qu'*ils méritent eux-mêmes.* Ma
 c. P 2, G 2 : pour [*quelqu'un* corr.] des enfants

d. [Dans P 2 et G 2, *et* ajouté interl.]

e. P 2 : nous quittant nous respecte encore, ce sont des bassesses

f. P 2 : promis [*mes* corr.] ma

Page 426 :

a. G 2 : la [*jeune* corr.] nouvelle
b. P 2 : personne *fort* aimable
c. P 2 : n'était du tout point celle
d. P 2 : une *seule* fois

Page 427 :

a. P 2 : rondement *tant bien que mal.* J'en

Page 428 :

a. G 2 : échauffement [*consacré* corr.] contracté
b. P 2 : lit *près de* six
c. P 2 : s'insinuer, *et vaincre l'obstacle ;* mais

Page 429 :

a. G 2 : briser [*toutes* rat.] les fers
b. P 2 : avais [*osé espérer* corr.] espéré
c. P 2 : jugements [*des hommes* corr.] insensés
d. P 2 : marcher *fièrement et* seul
e. P 2 : exemple *qu'ils ne voulaient pas suivre et* qui
f. P 2 : et, sans assujettissement personnel, le seul qui pût

Page 430 :

a. P 2 : facile. Diderot *s'était chargé* de
b. P 2 : n'y a *nul* exemple
c. P 2 : talent, dont j'avais toujours

Page 431 :

a. [Cette note ne figure pas dans P 2.]
b. P 2 : beau, en quantité
c. P 2 : le *service* de
d. P 2 : me [*guérir* corr.] délivrer
e. P 2 : faisaient *mon principal* fond de
f. P 2 : chez moi; je déplorai

Page 432 :

a. P 2 : Helvétius, Thyerri, Malouin
b. [Dans G 2 les mots *souffrances, les* sont cachés par la reliure.]
c. P 2 : effet, ne me donnaient
d. P 2 : momentané, me *voilà faisant* à
e. P 2 : ma vie. Pendant
f. P 2 : faut que j'en aie *employé* pour
g. P 2 : moi de concert

h. P 2 : pas *leur* laisser les rieurs *pour eux.* Un
i. P 2 : ma *coupe,* fut
j. [Dans P 2 *dans une lettre à M. Grimm* ajouté marge.]

Page 433 :
a. [Dans P 2 *qui m'était offerte* ajouté marge.]
b. [Dans P 2 un *s* raturé à la fin de *faute.*]
c. P 2 : mais il [*il* ajouté en interl.] devint
d. P 2 : moi, *sans me nommer,* d'affreux

Page 434 :
a. P 2 : peu de [*profit* corr.] progrès
b. P 2 : libre, à sa manière
c. P 2 : pût *pas.* Ma

Page 435 :
a. P 2 : perdre. *Les cadeaux de toute espèce venaient me chercher.*
Bientôt

Page 436 :
a. P 2 : C'étaient des chuchoteries continuelles avec mes amis,
tout
b. P 2 : d'un crayon et d'un livret que
c. P 2 : prendre, je m'avisai
d. P 2 : je pris le parti
e. P 2 : honte *et* j'affectai

Page 437 :
a. P 2 : un *seul* mot
b. [Dans P 2 *Devin du village* n'est pas souligné.]
c. P 2 : pour l'*éclaircissement* de
d. P 2 : voilà *peut-être* ce qui
e. P 2 : donnait *assez* souvent
f. P 2 : parent, *qui logeait chez lui,* ni d'aucune
g. P 2 : il *s'était*
h. P 2 : quelque temps M^lle Fel [*M^lle Fel* ajouté interl.] de
bonne amitié, s'avisa
i. P 2 : coup *de* devenir éperdument amoureux *d'elle,* et de

Page 438 :
a. P 2 : tomba dans
b. P 2 : anecdote *assez* merveilleuse
c. P 2 : tout à fait. *J'en fus navré,* car
d. P 2 : faisait *trophée* étaient
e. P 2 : étais *pourtant* bien

Page 439 :
a. P 2 : des *plaisirs* bruyants
b. P 2 : il *l'a été* dans
c. P 2 : lettres, et par

d. P 2 : ses *connaissances,* tenant
e. P 2 : jour il *me* demanda *pourquoi je le fuyais* : je lui *répondis* : Vous
f. P 2 : ne *savoir* résister
g. P 2 : que [*partir* corr.] dîner
h. P 2 : par *sa* connaissance
i. P 2 : lui, mais
j. P 2 : moins *étroites, mais durables,* et dont

Page 440 :
a. P 2 : voir dès le
b. [Dans P 2 *ambassadeur de Malte* ajouté marge.]
c. P 2 : précédé dans l'ambassade de Venise M. de Montaigu. M^me de Créqui
d. P 2 : autres *ce* M. Saurin
e. P 2 : effacer *et* gratter

Page 441 :
a. P 2 : conservés. Ce fut
b. P 2 : Paris, *un* autre *refuge* fort

Page 442 :
a. P 2 : Valmalette, maître d'hôtel du roi, *avait pris* le
b. P 2 : très *élégante* qu'il
c. P 2 : univers *entier* n'était
 G 2 : univers [*entier* rat.] n'était
d. P 2 : amis qui trouvaient
e. P 2 : pouvoir humer *à peine* quelques
f. P 2 : rejeter [*quelques moments* corr.] un moment

Page 443 :
a. P 2 : rien dans *la* société du coloris
b. P 2 : systèmes [*hyperduliques* raturé] de [adj. formé sur hyperdulie, terme théologique, que Voltaire emploie aussi de façon plaisante]
c. P 2 : de *la* cohue

Page 444 :
a. P 2 : était une
b. P 2 : et *que ce qui était purement de* remplissage
c. P 2 : galantes *m'en* faisait prévoir *un pareil pour le* Devin

Page 445 :
a. P 2 : petits violons [*eux-mêmes* rat.] qui
[La note dans P 2 se lit : *Note * C'est ainsi qu'on a toujours désigné Rebel et Francœur.*]

Page 446 :
a. P 2 : l'air fat et

Page 447 :

 a. P 2 : à souffrir. / Me voici

 [Dans G 2 *si son mensonge était reconnu* écrit d'une encre diffé-rente.]

 b. P 2 : arriver, *une demi-heure* après

 c. P 2 : vis-à-vis *la* petite

 d. [Dans P 2 *Oui* souligné.]

Page 448 :

 a. P 2 : le *murmure* et

 b. P 2 : dans [*toute la salle* corr.] les loges

 c. P 2 : qui *se disaient* à

 d. Cf. le fragment conservé à Neuchâtel, n° 7843, f° 9 v°, vraisemblablement ébauche de ce passage :

 A mesure que la représentation s'avançait l'intérêt et l'attention croissaient ; un léger murmure animait le silence sans l'interrompre. Les applaudissements bruyants dont la présence du souverain empêchait l'éclat n'étouffaient point les endroits les plus agréables, et se changeaient en un frémissement de plaisir et d'approbation cent fois plus flatteur. J'entendais les mots charmant *et* délicieux *partir à demi-voix de toutes les loges, et je remarquai très distinctement dans celle du roi une agitation qui n'était pas de mauvais augure. Enfin au moment de l'entrevue des deux amants, où véritablement la musique a dans sa simplicité je ne sais quoi de touchant qui va au cœur, je sentis tout le spectacle s'unir dans une ivresse à laquelle ma tête ne tint pas.*

 e. P 2 : pas *le* seul

Page 449 :

 a. P 2 : plus *grands* transports

 b. P 2 : aussi [*douce* rat.] pleine

 c. P 2 : Le soir même, M.

 d. P 2 : Roi, *au milieu de* tous

 e. P 2 : écarté *de tout cercle,* et

 f. P 2 : choisir ce qu'il

Page 450 :

 a. P 2 : me *résoudre,* à tout

 b. P 2 : qu'elle m'*allait imposer.* Adieu

 c. P 2 : oser parler

 d. P 2 et G 2 portent : *constatoit*

 e. P 2 : Quelqu'un me fit signe *de* ce fiacre d'y monter

Page 451 :

 a. P 2 : de *ne négliger* aucun

 b. G 2 : ne [*pas le devoir* corr.] le devoir pas

 c. P 2 : que c'était mauvaise [...] part, si elles [...] aise

Page 452 :
 a. P 2 : propres à me rendre en effet misérable
 b. P 2 : dédiai *la* pièce
 c. P 2 : le *temps* de
 d. P 2 : composées *exprès* pour

Page 453 :
 a. P 2 : ouvert *au même endroit* sur
 b. P 2 : n'en *parlerais pas* ici moi-même *si* quelque temps après
il *ne s'était répandu dans Paris* un bruit *qui, véritablement ne dura
pas,* que je n'étais pas l'auteur du Devin du Village
 c. [P 2 ne donne pas cette note.]
 d. P 2 : estropiât *comme* à plaisir

Page 454 :
 a. P 2 : aux originaux
 [Dans G 2 *prétendus* ajouté en interl.]

Page 455 :
 a. P 2 : soulèvement. *Ma* brochure
 b. [Dans P 2, *on ne songea* [...] *française* ajouté marge.]

Page 456 :
 a. P 2 : de *m'*ôter
 b. P 2 : qu'il *pût imaginer,* c'est
 c. P 2 : que [*la seule condition* corr.] le seul
 d. P 2 : complication de brutalité et d'iniquité, que
 e. P 2 : les entrées [*d'* corr.] *à* un

Page 457 :
 a. P 2 : la *justizia* [*sic*] in
 b. P 2 : prix *accordé.* J'écrivis
 c. G 2 : me [*privant* corr.] frustrant
 d. P 2 : dans aucun

Page 458 :
 a. P 2 : augmenter *encore* d'amitié

Page 459 :
 a. P 2 : et *me réfugiant* au café de Procope, *qui était vis-à-vis,*
j'y trouvai
 [Dans G 2 le passage depuis *et sortant* jusqu'à *Boissy* est ajouté
en interl. d'une autre encre.]
 b. P 2 : humblement l'auteur
 c. P 2 : de [*mauvaise* corr.] sotte
 d. P 2, G 2 : de l' [*égalité* corr.] inégalité
 [Dans P 2 le titre *Origine* [...] *hommes* pas souligné.]
 e. P 2 : mais puisque *enfin* elle

Page 460 :
 a. P 2 : se *chargeaient* des
 b. P 2 : du *temps,* enfoncé
 c. P 2 : sublimes, *osait placer* auprès
 d. P 2 : attribuant *uniquement* cette

Page 461 :
 a. P 2 : et *je* me

Page 462 :
 a. P 2 : pas *alors* assez
 b. G 2 : ensemble [*dans une* et un autre mot non déchiffré raturés] le
 c. P 2 : travaillait *en secret* depuis
 d. P 2 : jour, m'*étant allé* coucher sans souper, *à cause d'*une violente migraine, il
 e. G 2 : Quelle [1 mot raturé non déchiffré] surprise
 f. P 2 : inséparable *des* sentiments
 g. G 2 : et [*que* rat.] dont
 h. P 2 : sentiments *que mon ami* ne

Page 463 :
 a. P 2 : et *inutilement* les
 b. P 2 : consacrer *ma vie et celle* de
 c. P 2 : cependant elle ne
 d. P 2 : été sûr qu'elle n'en *mettrait pas* un sol *à son usage.* Durant
 e. G 2 : mon [*voyage* corr.] séjour
 f. P 2 : à Grange *Canard* [*sic,* et sans trait d'union]. Elle

Page 464 :
 a. P 2 : dédicace *du* Discours
 b. P 2 : orthogr. : Chambéry, G 2 : Chambér*i*
 c. P 2 : ni de Genève ni de [*Paris* rat.] France. Arrivé
 G 2 : ni [*de Genève ni* rat.] de France ni de Genève. Arrivé
 d. P 2 : citoyen *par* un autre
 e. P 2 : ouvertement *celui de mon pays.* Je

Page 465 :
 a. P 2 : que *la morale de* l'Évangile étant *la* même
 b. P 2 : on *voulait* expliquer
 c. P 2 : inintelligible, *ainsi que le culte* et
 d. P 2 : aversion pour
 e. G 2 : depuis [*plusieurs* corr.] quelques
 f. P 2 : logeais. Je désirai
 g. P 2 : citoyen, *ayant été* inscrit

Page 467 :
 a. P 2 : [*pour* rat] qu'il voulut supplanter *pour les sels du Valais,* et

b. P 2 : j' [*espérai* corr.] attendis

c. P 2 : Moultou *le fils, qui pendant mon séjour à Genève fut reçu dans le ministère, auquel il a depuis renoncé,* jeune homme
[Dans G 2 le même membre de phrase figure à la même place mais raturé.]

d. P 2 : Lucrèce, *et dont je n'espérais pas moins que* d'atterrer les rieurs. Je m'essayais
[Dans P 2 le § *Au milieu de ces dissipations* [...] *mes papiers* est écrit en interl. et dans la marge à la suite de *le vengeur de son ami.*]

Page 469 :

a. P 2 : s'il manquait *à ce devoir.* Crommelin

b. P 2 : manquait *à son* château de *la* Chevrette

c. P 2 : ouvrages *de sa maison d'Épinay,* nous

d. P 2 : une *très* petite

Page 470 :

a. P 2 : à [*mon* corr.] ce

b. P 2 : faire *ce travail* en

c. P 2 : pas *d'*avoir

d. P 2 : printemps *prochain.* / Une

e. G 2 : ma [*patrie* corr.] conduite

Page 471 :

a. P 2 : que *l'*amour

Page 472 :

a. P 2 : même après son retour [*après son retour* ajouté en interl.] pour *me* proposer la place de bibliothécaire honoraire à Genève. Mais mon

b. P 2 : Je *retournai* dans

c. G 2 : Holbach. [*Cette triste circonstance* corr.] Ce triste événement me fit
P 2 : Holbach. *Il me répondit honnêtement.* Cette triste *circonstance* me fit

Page 473 :

a. P 2 : exemple *bien frappant* des tours

b. P 2 : ne [*m'attendais* corr.] pensais à rien moins. Qu'il me parut changé ! Un autre homme était avec lui. Au lieu de [Dans G 2 *Un autre homme était avec lui* ajouté marge.]

c. P 2 : empêcha *mon cœur* de *s'*épanouir

d. P 2 : si *pleinement* consacrés

Page 474 :

a. G 2 : et [*que* corr.] dont

b. P 2 : le temps pour jamais passé; toutes

c. G 2 : osât [*penser* rat.] ainsi

d. P 2 : du Roi pour

e. P 2 : accordée *à ma sollicitation,* et

Page 475 :
 a. P 2 : trop la vérité
 b. P 2 : vrai [*dites* corr.] dire
 c. P 2 : vivre *et parvenir à la Postérité,* je *me* dois de trans-
mettre
 d. P 2 : que [*travaillent à le peindre* rat.] *ses iniques* ennemis
 e. P 2 ajoute ici : Fin du Livre huitième.

Page 476 :
 a. P 2 : *Les Confessions de J.-J. Rousseau* // 2ᵉ *Partie* Livre 9ᵉ.
 b. P 2 : habiter *la campagne* ne me
 G 2 : habiter l'Ermitage ne [*ne* ajouté en interl.] me
 c. P 2 : la campagne et *pour* la retraite; il
 d. P 2 : avais [*des talents* rat.] un nom, des

Page 477 :
 a. P 2 : qui *ne sait* travailler
 b. P 2 : suffire en bien
 c. P 2 : Mais *sans répéter ce que j'ai dit sur le même sujet,*
j'ajouterai seulement qu'écrire *des livres* pour avoir
 G 2 : Mais [*sans répéter ce que* rat.] je sentais [...] pour avoir
 d. P 2 : pas *fourré* dans
 e. P 2 : d'un *écrivain* distingué

Page 478 :
 a. P 2 : vivre. *J'avais un* métier *qui* pouvait
 b. G 2 : j'ai [*déjà* rat.] faits
 c. P 2 : Paris qu'*en* d'autres
 d. P 2 : avait *faite* exprès
 e. P 2 : à *la délicieuse* impression

Page 479 :
 a. P 2 : petit *livre* blanc
 b. Chevrette *chez Madame* d'Épinay, *plus* souvent *importuné*
chez *moi* de curieux
 c. P 2 : temps, ce n'a
 d. P 2 : avec plus

Page 480 :
 a. P 2 : cette question
 b. [Dans P 2 *tout* ajouté en interl.]
 c. P 2 : dans [*ceux* corr.] le voyage

Page 481 :
 a. P 2 : ne *cherchant* jamais d'application
 b. P 2 : ne *prétendais* pas non plus
 c. [Dans P 2 *oser* ajouté en interl.]
 d. P 2 : ne *jamais* rien
 e. P 2 : faire *abandonner la résolution* d'aller m'établir à
Genève et céder aux instances de Mᵐᵉ d'Épinay. Je sentais

Page 482 :
 a. P 2 : au bien
 b. P 2 : qu'on *a* trouvé
 c. G 2 : mes [*livres* corr.] écrits

Page 483 :
 a. P 2 : suite *de cet ouvrage au gré de certains* lecteurs
 G 2 : suite [un mot rat. non déchiffré] aux yeux des lecteurs
 b. P 2 : ces [*maximes* corr.] principes sont *manifestées* [*sic*] avec
 c. P 2 : incroyable, *et qui pourtant est très vrai, est que* la
 d. P 2 : ouvrages : ce ne *sont* donc pas elles
 e. G 2 : les [*deux* rat.] derniers
 f. P 2 : des *écrits* de
 g. P 2 : pas *d'être pleins* d'excellentes choses *qui méritaient d'être mieux* dites, et il est
 G 2 : pas [(?) mots rat. non déchiffrés] de contenir [...] et il est
 h. P 2 : hommes, *en mettant si* peu *d'art à* s'en faire

Page 484 :
 a. P 2 : qui *trouvait* la [...] fatigante, *et* aimait
 b. P 2 : vingt-trois *assommants* volumes
 c. P 2 : pleins de redites, *d'éternelles rabâcheries* et de petites
 G 2 : pleins de longueurs, de redites, de [*rabâch*(eries) rat.] petites
 d. P 2 : si j' [*avais pu* corr.] eusse honnêtement pu
 e. P 2 : Abbé, *que* St Lambert *me fit donner* par son neveu le Comte de St Pierre, je m'étais
 f. [Dans G 2, ni le § J'*en méditais* (numéroté 7 dans P 2), ni les trois suivants, ne sont numérotés.]
 g. P 2 : de *marquer* les
 h. P 2 : de *nos actions.* Car
 i. P 2 : plus [*difficile* corr.] pénible
 j. P 2 : résister *aux* désirs qu'il doit

Page 485 :
 a. P 2 : succombé. / 8. En sondant
 b. G 2 : à [*mettre en* corr.] fournir
 c. P 2 : prises assurées
 d. G 2 : occuper, [*l'autorité de l'amitié* rat.] et l'on

Page 486 :
 a. P 2 : semblerait. / 9. Outre
 b. G 2 : de son [*fils* rat.] mari
 c. P 2 : écrit. / 10. Tous
 d. P 2 : puis *de jour* méditer

Page 487 :
 a. P 2 : travail en en
 b. P 2 : délassement. / **3.** 1. Je suivis
 c. P 2 : étais *tracée,* et je
 d. P 2 : Épinay *et* à la
 e. P 2 : je [*sentis* corr.] compris
 f. P 2 : arranger, *mais* qui
 g. P 2 : que *toute* cette

Page 488 :
 a. P 2 : cela. [*Ce* corr.] Mais ce [...] amusait [*n'*rat.] était
[*pourtant* rat.] *moins* de les
 b. P 2 : qui n'*est* pas
 c. P 2 : su *trouver* une
 d. [Dans P 2, le § primitivement terminé à *tétons* est ainsi
allongé en interl. et marge :
 et d'autres causes *dont il est* inutile *de parler ici* m'ont [...]
auprès d'elle.]

Page 489 :
 a. P 2 : rendît la Chevrette moins [*aim*(able) (?) corr.]
agréable
 b. P 2 : le [*refrain de la rustique chanson* corr.] rustique refrain
de la chanson
 c. G 2 : me [*faisaient payer* corr.] vendaient

Page 490 :
 a. P 2 : cabaret. / **3.** Me voilà
 b. P 2 : enfin [*dans* corr.] chez moi
 c. P 2 : dans *sa cause* le
 d. P 2 : modifications. / **4.** 1. J'ai toujours

Page 491 :
 a. P 2 : elle, *malgré le* sort et *les* hommes

Page 492 :
 a. P 2 : lui *jurerai,* dans
 b. P 2 : de *ressentir* l'amour
 c. P 2 : de *tous* mes
 d. P 2 : fallu [*toujours* rat.] deux
 e. G 2 : sans [*quoi* corr.] cela
 f. P 2 : craindre *du côté* des
 g. [Dans P 2 *contraire au mien* ajouté en marge.]

Page 493 :
 a. P 2 : moins *au* préjudice *de tous deux.* Livrée
 b. P 2 : trouvés *leur* étaient *cent fois moins funestes.* Cette
 c. P 2 : mieux *ne pas me disculper autant que je le pouvais* d'un
 d. P 2 : *dont l'impulsion surmontât mon inertie* ajouté en interl.

Page 494 :
 a. P 2 : j'ai *narré* l'histoire
 b. P 2 : *sans y songer* ajouté marge
 c. P 2 : nouvelle *qui me jeta* dans
 d. P 2 : persévérer. | 8. *Jusqu'alors* j'avais
 [Dans G 2 le chiffre 8 omis.]
 e. P 2 : et *durant* quatre
 f. P 2 : m'*échauffait en dedans,* et dont
 g. P 2 : plus [*sûre* corr.] ferme
 h. [Dans P 2 *les maximes* ajouté en interl.]
 i. G 2 : mes sent[*iments* surch.]ences

Page 495 :
 a. P 2 : changement *étonnant !* Tout
 b. P 2 : sans [*même* corr.] presque
 c. P 2 : redevins [*bientôt* rat.] craintif, complaisant, *facile,*
en un

Page 496 :
 a. P 2 : mortels. | **5.** 1. N'étant
 b. P 2 : madrée s'était
 c. P 2 suivi *jusqu'alors* avec
 d. P 2 : se *traitait* entre
 e. G 2 : seulement [*qu'il y avait de petites allées et venues* rat.]
que les
 f. P 2 : laquais *même* de Grimm était renvoyé
 g. P 2 : avait [*fait* corr.] tâché de faire entrer
 h. P 2 : et [*de les tenter* corr.] les tentant
 [En corrigeant, R. a oublié de substituer *en* à *et*]

Page 497 :
 a. P 2 : de *jamais* rien
 b. P 2 : qui devenait, *outre cela,* plus flagorneuse, plus
pateline avec moi *qu'elle n'avait jamais été ;* ce qui
 c. P 2 : tous. *Je lui pardonnais* son avidité, mais *j'avais peine
à* lui pardonner sa dissimulation
 d. P 2 : quelque *gratitude ;* elle
 e. G 2 : subsister, [*lui* rat.] dévoraient
 f. P 2 : loin d'*avoir pour moi* [*pour moi* ajouté marge] *des
secrets sur* mes
 g. P 2 : conduite ? Que

Page 498 :
 a. P 2 : fille *envers moi ?* Quelle
 b. G 2 : de [*la* corr.] ma
 c. P 2 : aimais *pas* à
 d. P 2 : femme *eût été* d'un
 e. P 2 : pu [*l'empêcher* rat.] la changer
 f. P 2 : consulter; *mais* on

g. [Dans P 2 *un* ajouté en interl.]
h. P 2 : que [*pût s'y prendre* corr.] s'y prît
i. P 2 : se [*ligua* corr.] décida

Page 499 :
a. P 2 : de *treize* ans

Page 500 :
a. G 2 : l'air de [*la bonne fort*(une) (?) corr.] l'amour
b. Dans P 2 après *assez,* la phrase *Tant que* ajoutée marge ainsi modifiée : [...] les siens, *J'en étais fort aise ;* quand cela n'était pas, je
[La rédaction primitive était donc :
assez. Je préférais]
c. P 2 : récit. / 6. 1. Je croyais
d. P 2 : les *immenses* manuscrits
e. G 2 : donnés [*l'Abbé* corr.] le Comte
f. P 2 : avec *très peu d'*autres
g. P 2 : impraticables par l'*erreur* dont
h. P 2 : avait *prise* des
i. P 2 : seul depuis

Page 501 :
a. P 2 : imposait [*la nécessité* corr.] l'obligation
b. P 2 : parut le plus *honnête,* le plus *équitable* et le plus utile
c. P 2 : parent. / 4. Je fis
[Dans G 2 ni ce § ni aucun des suivants n'est plus numéroté.]

Page 502 :
a. P 2 : commencer. / 5. La réflexion
b. P 2 : prédicateur *moral* plutôt
c. P 2 : été *bien* différent
d. P 2 : plus *avant,* je vis
e. P 2 : adversité, *qui jugent de ma conduite par mes disgrâces,* seraient
f. P 2 : avec *équité* dans
g. P 2 : mérités. / 7. 1. Cet ouvrage

Page 504 :
a. G 2 : projet [*dans* corr.] pour
b. P 2 : élans *sur les* jours
c. P 2 : exhaler que par mes
d. P 2 : combustibles, *qu'*avec
e. P 2 : une *seule* fois

Page 505 :
a. G 2, P 2 : sérail *d'*Houris
b. P 2 : qui *toutes* le goût
c. P 2 : malgré *ses* cheveux
d. P 2 : qu'il a fallu [...] guérir, la crise

Page 506 :
 a. [Dans P 2 *trop* ajouté en interl.]
 b. P 2 : mes *plus* belles
 c. P 2 : Déjà *le* lecteur
 d. P 2 : cœur. / **8. 1.** Au fort
[Après ce § la numérotation cesse dans P 2, à une exception
près (*infra*, p. 509 : « Je me figurai... »).]

Page 507 :
 a. P 2 : J'ai *cent fois* regretté
 b. P 2 : dryades, *car* c'eût
 c. P 2 : qui jamais je n'eus aucun
 d. P 2 : en *découvrit* le
 e. P 2 : pas *rétabli* de

Page 508 :
 a. P 2 : étant garde-malade et malade
 b. [Dans P 2 *numéros* en toutes lettres.]

Page 509 :
 a. P 2 : mes *fantastiques* amours
 b. P 2 : que *je venais d'abandonner.* / Je me
 c. P 2 : rare, il est plus aimable *en même temps.* Je les

Page 510 :
 a. P 2 : fallait *absolument* un
 b. P 2 : par [*me fixer* corr.] choisir
 c. P 2 : majesté *totale du spectacle* qui
 d. P 2 : avais *jamais* pu

Page 511 :
 a. [Dans P 2 *même* ajouté en interl.]

Page 512 :
 a. P 2 : son *grand* potager de la Chevrette *et fournissait
presque toute l'année son office et sa table.* Pour n'être

Page 513 :
 a. P 2 : je *pris le parti de faire* coucher
 b. Cette note ne figure que dans P 2.

Page 514 :
 a. P 2 : extravagant. *Ainsi ceux qui le soufflèrent en furent cette
fois pour leur peine, et je n'en passai pas mon hiver moins tranquil-
lement.* A force
 b. P 2 : tout à fait [*subjugué* corr.] séduit
 c. P 2 : avais prêchées

Page 515 :
 a. P 2 : que *jamais* j'en
 b. P 2 : C'était [*enf*(in) (?) rat.] assurément

c. P 2 : tourna *naturellement* vers
d. P 2 : perdu *de* leurs grâces
e. G 2 : et [*que peut* corr.] qu'y a-t-il
f. G 2 : lui [*fait* corr.] accorde
g. P 2 : et *se maintenir* vertueuse

Page 516 :
a. P 2 : ressemblaient *plus* à des
b. P 2 : veulent s'éclairer, se convaincre *mutuellement,* et se
c. P 2 : simplicité *de cœur,* me parut
d. P 2 : montrer *dans* chaque parti
e. P 2 : de *tout l'univers.* Ce projet
f. P 2 : un *enthousiasme* digne
g. P 2 : faisait *croire* de
h. [Dans G 2 *de* ajouté en interl.]

Page 517 :
a. P 2 : Julie, [*qui furent faites en entier et mises* corr.] que je fis et mis
b. P 2 : doré, *séchant* l'écriture *avec* de la poudre d'azur et d'argent, *cousant* mes cahiers *avec* de la non-pareille bleue, enfin
c. P 2 : raffolais, *malgré ma barbe déjà grisonnante.* Tous
d. P 2 : répéter [*incessamment* corr.] toujours
e. P 2 : ne dois pas omettre
f. P 2, G 2 : qui fait à l'histoire [(*sic*) : le mot *trait* ajouté par les éditeurs]

Page 518 :
a. P 2 : davantage *presque* à l'abri
b. P 2 : attentat *exécrable* d'un

Page 519 :
a. [Dans P 2 *mon tendre délire, et dans* ajouté en interl.]
b. P 2 : qui, *j'ose le dire,* se sentent

Page 520 :
a. P 2 : n'aime *point* ces
b. P 2 : physionomie [*était* rat.] à la
c. P 2 : lui *descendaient* au
d. P 2 : mariaient *très* heureusement
G 2 : mariaient [*très* rat.] heureusement
e. P 2 : *lui venaient* quelquefois,
f. G 2 : jouait [*bien* rat.] du
g. P 2 : conformité *de naturel* contribua
h. P 2 : condition, *brave* militaire

Page 521 :
a. P 2 : vertus *et les plus rares* talents. S'il
[Dans G 2 *et les plus rares talents* rat.]

b. P 2 : un *pareil* attachement
c. P 2 : par *des vertus.* / C'était
 G 2 : par [*des vertus* corr.] une estime réciproque. / C'était
d. P 2 : mais [*ornée* corr.] revêtue
e. P 2 : frémissement *nouveau mais* délicieux
f. P 2 : empoisonnée *sans en sentir* encore
g. [Dans P 2 *mes yeux se dessillèrent* ajouté marge.]

Page 522 :
 a. P 2 : qu'elle *devait* éviter
 b. G 2 : je [*regardais* corr.] me reprochais

Page 523 :
 a. P 2 : que *mon équipage,* ma galanterie, mon air
 b. P 2 : en *toute* sûreté
 c. P 2 : et *puis* pour
 d. P 2 : âge *et à ma parure,* m'avait
 e. P 2 : pas *de* lui

Page 525 :
 a. P 2 : jure *à la face du Ciel* que
 b. [Dans G 2, après *Sophie,* renvoi à une note raturée en bas de page, difficilement déchiffrable (« C'était un de ses noms [...] »), note dont la suppression s'explique par la précision donnée sur ce prénom p. 528.]
 c. P 2 : ai [*dit* rat.] cent

Page 528 :
 a. P 2 : fureur, quand
 b. P 2 : Chevrette, [*était* corr.] fut

Page 529 :
 a. P 2 : selon *sa* coutume
 b. [Dans P 2 *railleuse* ajouté en interl.]
 c. P 2 : qui m'*eût* peut-être
 d. P 2 : qui *s'étaient* faites
 e. G 2 : dont [*je vois* rat.] sans

Page 530 :
 a. P 2 : femme dont j'aurais dû
 b. P 2, G 2 : était [*pénétré* corr.] inondé par
 c. [Dans P 2 *criminel* ajouté marge.]
 d. P 2 : succès *passagers* de
 e. G 2 : de [*ses* corr.] ces
 f. P 2 : Grimm [*qui avait des prétentions sur toutes les femmes* rat.] avait [suppression qui s'explique par l'insertion de cette observation p. 552.]

Page 531 :
 a. [Dans P 2 *M. de* ajouté en interl.]
 b. P 2 : toutes [*ses* corr.] ces
 c. P 2 : mais [*me* rat.] voyant
 d. P 2 : et *d'user* de
 e. P 2 : m'aviez promis

Page 532 :
 a. P 2 : me [*vaille* rat.] donne

Page 534 :
 a. P 2 : seraient *toujours* respectés

Page 535 :
 a. P 2 : chargeant *du blâme* de

Page 536 :
 a. P 2 : émut *puissamment ;* je pleurai
 b. P 2 : risqua [*pas* corr.] point
 c. G 2 : bientôt [*cette* rat.] presque
 d. P 2 : oubliait *de* même
 e. P 2 : pour *toute* cause
 f. [La note n'est pas dans P 2.]

Page 537 :
 a. P 2 : qu'il [*a mise à ce* (1 mot non déchiffré) rat.] y a jointe
 b. P 2 : plus, *ce me semble,* de
 G 2 : plus [*ce me semble* rat.] de
 c. P 2 : retiré *depuis six mois* dans
 d. P 2 : publiant, *qu'il avait un* ami
 e. G 2 : juste [*distinction* corr.] exception

Page 538 :
 a. P 2 : qui ne *regardait* que
 b. P 2 : gouverner, *malgré moi,* comme
 c. G 2 : sa [*légèreté* corr.] fantaisie
 d. G 2 : de [*l'attendre* corr.] dîner.

Page 539 :
 a. P 2 : expliquer *maintenant* les
 b. P 2 : une *grande* voracité
 c. P 2 : des apothicaires et des médecins à la
 d. P 2 : laisser. Diderot
 e. P 2 : laisser *sortir* les vieilles gens de

Page 540 :
 a. P 2 : c'était *là* ce que
 b. P 2 : pathétique : Une femme
 c. P 2 : une *autre* [*autre* ajouté interl.] lettre
 d. P 2 : fait. *La* colère

Page 541 :
a. P 2 : même; M^me
b. P 2 : Ermitage, Diderot, ne sachant
c. P 2 : son *très libre* choix
d. P 2 : elle, [*d'aller* rat.] de retourner
e. P 2 : vous *réjouirait* comme

Page 542 :
a. P 2 : je *ne* trouverais pas *si* aisément un *si* bon *substitut* pour
b. [Dans G 2 *avoir* ajouté en interl.]

Page 543 :
a. P 2 : peut rester dans le cœur après cela ? Nous

Page 544 :
a. P 2 : refuser ce manuscrit

Page 545 :
a. P 2 : que [*pendant* corr.] durant
b. P 2 : dans [*son* corr.] mon
c. P 2 : là, *vraiment,* de

Page 546 :
a. P 2 : pu *nous* poser
b. P 2 : abusait *souvent* pour

Page 547 :
a. G 2 : enfoncer [*davantage* rat.] dans
b. P 2 : avait *remis* lui
c. P 2 : miennes. [*J'en os*(ai) (?) rat.] Elle me
d. P 2 : preuves. *Cela n'est pas possible.* Mais
e. P 2 : abusé; *elle n'en est* pas capable et *d'ailleurs* j'y avais
f. G 2 et P 2 orthogr. : qui *mit* mes [Rousseau ne distingue pas habituellement *mit* et *mît*.]

Page 548 :
a. P 2 : fois, *assez vivement,* mais
b. P 2 : réveiller *ma défiance,* et
c. P 2 : tant [*à Paris* rat.] chez
d. P 2 : Devin *du Village,* un

Page 549 :
a. P 2 : sedes Tonantis...
b. [La note n'est pas dans P 2.]
c. P 2 : début [*annon*(ce) (?) corr.] répond
d. [Dans P 2 *Bruna* est souligné.]
e. P 2 : fut *très* bien
f. P 2 : de *me la* rendre insupportable

g. P 2 : airs *tels* que je n'*en* vis [...] et [*que* corr.] dont je
n' [*en* rat.] avais
h. P 2 : que *j'avais quittée* une

Page 550 :
 a. G 2 : pré[*cau*(tion) (?) corr.]vention
 b. P 2 : prit [*de* corr.] pour
 c. P 2 : couvert. *Enfin,* il me
 d. [Dans P 2, *incommodé* ajouté marge.]
 e. P 2 : ancien *petit* cuistre

Page 551 :
 a. P 2 : de ceux
 b. G 2 : plaignais [*guère* corr.] point
 c. P 2 : lamenter *amèrement* de
 d. P 2 : aucun; je l'avais
 e. P 2 : et d'une
 f. P 2 : il mon
 g. P 2 : il *osa* lui *donner* en

Page 552 :
 a. [Dans G 2 *troubles* ajouté en interl.]
 b. P 2 : sa *comédie* avec

Page 553 :
 a. P 2 : mais *les plus* antipathiques
 b. P 2 : ne *s'était piqué* de
 c. P 2 : qui *se sent embrasé* de ce
 d. [Tout le § *Je me rappelai le sommaire* [...] *jamais expli-
quée,* qui commence par les trois mêmes mots que le suivant,
a été ajouté en marge dans P 2 et G 2.]
 e. P 2 : suivre les
 f. P 2 : me *ressouvins* de
 [Dans G 2 le *e* de *souviens* a été barré.]
 g. P 2 : donnée, *par son histoire de carpe pâmée,* après

Page 554 :
 a. P 2 : fit *plusieurs* amis

Page 555 :
 a. G 2 : marqué [*iamais* rat.] la
 b. P 2 : Grimm [*n'était* rat.] à qui
 c. P 2 : langage, *mais ce fut* [ajouté en interl.] quand
 d. P 2 : capable, *je pouvais me* venger
 e. [Dans P 2 le *le* ajouté en interl.]

Page 556 :
 a. P 2 : insu. Ce n'était pas assurément de la droiture.
L'opposition
 b. P 2 : réplique. *Jugera* qui

c. G 2 : assez [*intéressante* corr.] agréable
d. P 2 : qu'il *affectait* d'avoir
e. P 2 : mon *ancien attachement* qui

Page 557 :
 a. P 2 : fortement *ma* résolution
 b. P 2 : trop *qu'opposer à mes* raisons. Elle ne
 c. P 2 : et [*dans* corr.] par
 d. P 2 : caractère *naturellement* concentré
 e. G 2 : eûmes [*ensemble* corr.] ensuite
 f. [Dans P 2 *jugé* ajouté en interl.]
 g. G 2 : réellement [*tort* rat.], envers
 h. P 2 : ennemis [*sans* rat.] par

Page 558 :
 a. P 2 : je n'*ai* jamais
 b. P 2 : appuya [*beau*(coup) (?) rat.] longtemps
 c. P 2 : parvenir. Il s'attacha ensuite
 d. P 2 : était *de savoir* à quel

Page 560 :
 a. P 2 : la [*belle* corr.] mauvaise
 b. G 2 : aussi [*avec nous* rat.] ? Comme

Page 561 :
 a. [Dans G 2 *autre* ajouté en interl.]
 b. [Dans G 2 le premier éditeur a remplacé le § *Je n'avais pas besoin* [...] *d'Épinay* et le suivant (*Instruit du vrai* [...] *l'accompagner*) par cette phrase de liaison dont les termes sont empruntés à la fin du second : '
 « Elle ne perdit rien à mon refus, ayant engagé son mari à l'accompagner. »]
 c. G 2 : motif [*du* corr.] de ce

Page 562 :
 a. P 2 : sans *avoir presque jamais daigné* m'y

Page 563 :
 a. P 2 : première fois
 b. [Dans P 2 *réellement* ajouté en interl.]
 c. P 2 : pas *trop* à

Page 564 :
 a. P 2 : serais *jamais* cru

Page 565 :
 a. [Dans P 2 *tête-à-tête* ajouté en interl.]
 b. P 2 : bien [*remis* corr.] rétabli de
 c. P 2 : pour *revenir* vivre
 d. P 2 : rassemblions *d'ailleurs* à nous

Page 566 :
 a. [Dans P 2 *malheureuse* ajouté en interl.]
 b. P 2 : élevés, *j'ose le dire,* aux
 c. [Dans P 2 *deux* ajouté en interl.]
 d. P 2 : la *plus voir* que

Page 567 :
 a. [Dans P 2 *le refus de* ajouté en interl.]
 b. P 2 : générosité [*qui doit assurément avoir lavé* corr.] digne
assurément de laver
 c. P 2 : laisser *entrevoir* que

Page 568 :
 a. G 2 : moi[*même* rat.], en
 b. P 2 : vrai, [*mais* rat.] et

Page 569 :
 a. [Dans P 2 le mot *nom* ajouté en marge; il manque dans G 2.]
 b. P 2 : plut *ensuite* d'en
 c. P 2 : il *a* déjà
 d. P 2 : paix. *C'est ce que je fis.* Seulement
 e. P 2 : piège *grossier* de

Page 570 :
 a. P 2 : sienne [*par* rat.] sur *laquelle* on

Page 571 :
 a. [Dans P 2 la référence ajouté en marge.]
 b. P 2 : prenait *avec moi* pour
 c. P 2 : Diderot [*le seul* rat.], qui se vantait de me rester
seul, et qui

Page 573 :
 a. P 2 : que *cette dangereuse femme* avait

Page 575 :
 a. [Dans P 2 *à* ajouté en interl.]
 b. P 2 : où [*je me sois trouvé* corr.] j'aie été
 c. P 2 : coucher le huitième jour à l'Ermitage. Je me
 d. P 2 : je [*n'avais* corr.] ne m'étais
 e. G 2 : lesquelles [*je n'avais* corr.] M^me d'Épinay n'avait
 f. P 2 : meubles, pour nous

Page 576 :
 a. G 2 : passasse [*l'hiver* rat.] à l'Ermitage
 b. P 2 : me *trouver* malheureux
 c. P 2 ajoute ici : Fin du Livre neuvième.

Page 577 :
 a. P 2 : *Les Confessions de J.-J. Rousseau* || 2^e *Partie* / Livre 10^e
 b. P 2 : mon état

Page 578 :
a. P 2 : reprenons *en détail* le
b. P 2 : à *leur* crier
c. P 2 : que l'*option* de
d. P 2 : se *compromettre :* mais

Page 579 :
a. G 2 : n'[*avaient* corr.] eurent

Page 580 :
a. P 2 : n'en *recevaient* pas
b. P 2 : facilité ce qui
c. P 2 : tâcher d'*exposer* en
d. P 2 : mes [*devoirs* rat.] principes

Page 581 :
a. P 2 : tramer *d'eux-mêmes* des
b. P 2 ajoute cette note à la suite de *méchanceté :*
J'avoue que depuis ce livre écrit, tout ce que j'entrevois à travers les mystères qui m'environnent me fait craindre de n'avoir pas connu Diderot.

Page 582 :
a. G 2 : fallait [*tromper* rat.] écarter
b. P 2 : dire ? » Grimm était
c. P 2 : a *dix* ans
d. G 2 : ne [*semble* corr.] pense
e. P 2 : le *sent,* et
f. [La note n'est pas dans P 2.]
g. P 2 : de bien. / Je sentis les
h. [Dans G 2 *encore* ajouté en interl.]

Page 583 :
a. P 2 : disait *à peu près* la
b. P 2 : imagination s'*allumait* aisément
c. P 2 : devenu tranquille

Page 585 :
a. P 2 : terrasse [*où était* rat.], donnait
b. P 2 : cœur, *que* je composai
c. P 2 : ici le premier de mes écrits, car la Julie n'était pas [*encore* corr.] à moitié faite, où j'aie
d. P 2 : de [*larmes* rat.] délicieuses

Page 586 :
a. P 2 : public [*ses* corr.] mes
b. P 2 : que [*ses* corr.] ces

Page 587 :
a. [Dans P 2 *même* ajouté en interl.]
b. P 2 : tournaient *toutes* à

c. P 2 : plus *dangereux* ennemis
d. [Dans P 2 un *s* raturé à la fin de *bienséance*]
e. P 2 : Diderot *la même* méthode; mais

Page 588 :
 a. P 2 : envie. *Je vous avoue,* Monsieur, *que* je ne puis vous dissimuler combien
 b. P 2 : homme *auquel,* du moins
 c. P 2 : moins indigné *que* déchiré *par* cette

Page 589 :
 a. P 2 : de [*les* rat.] garder
 b. G 2 : toujours [*trouvé* corr.] éprouvé

Page 590 :
 a. G 2 : de [*passer* corr.] partager

Page 591 :
 a. P 2 : sent *assez* que
 b. P 2 : fait *si* mauvaise
 c. [La note n'est pas dans P 2.]
 d. G 2 : de [*Grimm* rat.] M^me

Page 592 :
 a. [Dans P 2 *messages* ajouté en interl.]
 b. P 2 : la *façon* dont
 c. P 2 : attentions *réciproques* ne
 d. [Dans P 2 *de lettres* ajouté marge.]

Page 593 :
 a. P 2 : envoyer *le mien,* sans
 b. P 2 : titre *et* pour qu'il
 c. [Dans G 2 *comme* ajouté en interl.]

Page 594 :
 a. [La note n'est pas dans P 2.]
 b. P 2 : la *société,* sans
 c. G 2 : jours [*loin* rat.] dans
 d. P 2 : ignorait *encore* quelle

Page 595 :
 a. P 2 : ans passer les vacances à St Brice, à un quart de lieue de l'Ermitage, dans le
 b. P 2 : et ami
 c. P 2 : de [*St Brice* corr.] Groslay
 d. P 2 : plus *tendre* amitié
 e. P 2 : voisins, celui
 f. G 2 : parlais [*avec* corr.] à

Page 596 :
a. P 2 : permission de *l'*accepter. J'appris
b. G 2 : J'appris [*que son offre* corr.] qu'elle
c. G 2 : et [*qu'elle* corr.] que M^me Le Vasseur
d. P 2 : demandait *une* permission
e. P 2 : avait [*aussi* rat.] la

Page 598 :
a. P 2 : détaché, je ne pouvais
b. P 2 : fille [*encore* corr.] alors
c. P 2 : choix *des gens* qui s'y *rassemblaient,* une

Page 599 :
a. P 2 : pour me venir voir
b. P 2 : croisa le sien. / J'avais un homme
[Dans G 2 *Je lui dois* [...] *souvenirs* ajouté en interl. en fin de §.]
c. P 2 : même, *c'est-à-dire* excellent
d. G 2 : confi[*dence* corr.]ance
e. P 2 : inexcusable *et bien choquant* envers
f. [La note n'est pas dans P 2. Peut-être cette note, figurant au bas de la p. 78 de G 2, se continuait-elle à l'origine au verso : au bas de la p. 79, déchirée, figurent une ou deux lignes rat. où l'on peut encore déchiffrer : *de changer d'opinion* [...]

Page 600 :
a. P 2 : une [*joie* corr.] fête
b. P 2 : vis un carrosse à la porte. *Cela* me fit peur; je voulais
c. P 2 : plaisir, *j'étais* sûr qu'il
d. P 2 : de *plus* grands

Page 601 :
a. P 2 : aurait *peut-être* cherchées
b. P 2 : aviserait *jamais* chez
c. P 2 : parler *jamais* qu'avec
d. P 2 : tous [*très* corr.] assez
e. [Dans P 2 *et* ajouté en interl.]

Page 602 :
a. P 2 : d'une *brouillerie.* Toutefois
b. P 2 : point [*ici* rat.] la

Page 603 :
a. P 2 : ouvrage *étaient* fort
b. P 2 : envoyait [*aussi* rat.] franches
c. G 2 : voulut [*point* corr.] rien

Page 604 :
a. [Dans P 2 *aussi* ajouté en interl.]

Page 605 :
 a. P 2 : et *qu'on me permettait de* faire
 b. P 2 : avant de
 c. [Les mots manquant dans G 2 (bas de la page 79 déchiré) sont ici rétablis entre crochets d'après P 2.]
 d. G 2 : insupportable [*d'être commandé par le temps et* rat.] de ne
 e. P 2 : talent venait *du vif intérêt que je prenais aux* matières
 f. P 2 : qu'il *n'est* pas *possible* que

Page 606 :
 a. [Dans P 2 la phrase *Je sentais...,* ajoutée marge, se termine par *désavantageuse au* côté *faible.*]
 b. P 2 : comme tel. Passe encore quand
 [Dans G 2 un renvoi après *tel* introduit l'adjonction « et même faire [...] plus besoin », qui figure avec une dizaine de mots raturés non déchiffrés sur la marge supérieure.]
 c. P 2 : vouloir [*épargner* corr.] économiser
 d. P 2 : arrivait tout en
 e. P 2 : jours [*chez* corr.] avec

Page 607 :
 a. P 2 : ménage n'en *allait* pas moins
 [Dans G 2 les mots intermédiaires ajoutés marge.]
 b. P 2 : mon [*accommodage* rat.] barbier
 c. P 2 : chez moi. Je puis
 [Dans G 2 la phrase intermédiaire ajoutée en interl.]
 d. P 2 : argent. / Encore si cette vie
 [La phrase intermédiaire, ajoutée en marge, se lit : « Il a fallu renoncer *enfin* [...] de faire, et *cette réforme* m'a fait sentir [...] que le sien. »]
 [Dans G 2 l'addition commence en fin de § : « argent. Dans la suite » et se continue en bas de page « il a fallu [...] que le sien »; mais la détérioration du feuillet ne permet plus de lire les mots placés par nous entre crochets.]
 e. P 2 : composition [*de mes* corr.] des
 f. P 2 : et [*je* corr.] à

Page 608 :
 a. P 2 : de poursuivre
 b. P 2 : passer de la copie, celui de m'éloigner tout à fait de
 c. P 2 : le [*moyen* corr.] temps

Page 610 :
 a. P 2 : où *se fait l'hommage*

Page 611 :
 a. P 2 : tant [*par* rat.] mes incommodités que [*par* rat.] mon
 b. P 2 : c'était [*tout* rat.] ce qu'on
 c. P 2 : pressentiment *secret* me fit

Page 612 :
 a. G 2 : apercevoir [*malgré* rat.] dès
 b. [Dans P 2 *qu'elle* [...] *devenir* ajouté marge.]
 c. P 2 : changer, *jamais* ni
 d. P 2 : paru s'occuper

Page 613 :
 a. [Dans P 2 *seule* ajouté en interl.]
 b. [Dans G 2 *M. de Luxembourg* [...] *du Roi* ajouté marge.]
 c. P 2 : du Roi, *cette simplicité, dis-je, faisait un bien singulier*
contraste avec les

Page 614 :
 a. P 2 : et *que remplit* une grande
 b. G 2 : qui [*forme* corr.] occupe
 c. [Dans G 2 *appelée Isola bella* ajouté marge.]
 d. P 2 : choix des quatre
 e. P 2 : frais à l'impression

Page 615 :
 a. G 2 : le [*pérystile* rat.] péristyle

Page 616 :
 a. G 2 : me [*voyant* corr.] sentant

Page 617 :
 a. P 2 : écrivis, *dans une de mes lettres,* quelque
 b. P 2 : occupé *plusieurs* jours

Page 618 :
 a. P 2 : elles paraissaient
 b. P 2 : l'*invincible* fatalité

Page 619 :
 a. P 2 : prévenant, comme
 b. P 2 : portais sur
 c. P 2 : été *plus avantageuse ;* tant

Page 621 :
 a. P 2 : Château, *et* dont
 b. P 2 : belle, me servait
 c. P 2 : et *beaucoup* d'autres
 d. P 2 : leur *est* aisé
 e. P 2 : un *seul* instant

Page 622 :
 a. P 2 : les *charmes* de

Page 623 :
 a. [Dans P 2 *y avait quelques années qu'il* ajouté marge.]
 b. G 2 : est [*fatigué* corr.] persiflé
 c. G 2 : quelque [*chose* corr.] mot

Page 624 :
 a. G 2 : choses. [*Cependant* rat.] J'avais
 b. P 2 : novembre 1760. / Vous
 c. P 2 : expressions *ont un tour équivoque,* je
 d. P 2 : Coindet *entreprenant,* ha**rdi**
[La leçon *entrant* dans G 2, inadvertance de copie, corrigée
en bas de page (**par le premier éditeur ?**).]

Page 625 :
 a. G 2 : cette [*préférence* rat.] façon

Page 626 :
 a. P 2 : vis *bien* qu'il

Page 628 :
 a. P 2 : vôtre [*qu'on* corr.] que j'en
 b. P 2 : épanchements [*d'un* corr.] des
 c. [Dans P 2 *mis* ajouté en interl., d'encre et d'écriture différ.]
 d. P 2 : de [*son amitié* corr.] lui, qu'il ne m'*est* pas

Page 629 :
 a. P 2 : moins *intéressants pour elle,* soit
 b. P 2 : plus *de bonne* objection
 c. P 2 : libraire *de France,* et
 d. G 2 : débitât, [*non* corr.] soit

Page 630 :
 a. P 2 : fille, [*M^{me} de Bouff*(lers) rat.] Mademoiselle
 b. P 2 : timidité *de vierge.* Rien
 c. P 2 : c'était *un* enfant
 d. G 2 : sais [*qui des deux* corr.] lequel

Page 631 :
 a. G 2 : très [*impudemment* corr.] imprudemment
 b. [Dans P 2 *qu'elle protégeait* ajouté marge.]
 c. P 2 : point *du tout,* m'envoya
 d. P 2 : pièce [*sitôt qu'* corr.] quand elle
 e. P 2 : je *savais* moins
 G 2 : je [*savais* corr. encre différ.] croyais moins

Page 632 :
 a. P 2 : libelle. / *Cette lettre courut.* Diderot
 b. [Dans P 2 *imité du Petit Prophète* ajouté marge.]
 c. P 2 : solliciter *son élargissement,* lui
[Dans G 2 *sa liberté* ajouté interl.]
 d. [La note n'est pas dans P 2.]

Page 633 :
 a. P 2 : Luxembourg [*quand* corr.] en

Page 635 :
 a. P 2 : pas encore mis l'impudence incroyable *dont il usa dans la suite envers moi.* Mais comment
 b. [La note n'est pas dans P 2.]

Page 636 :
 a. [Dans P 2 le passage *il l'a trouvée* [...] *journal* souligné.]

Page 637 :
 a. G 2 : donnerai [*point* corr.] pas

Page 638 :
 a. P 2 : respect *que je* leur *dois,* ni
 b. P 2 : le temps *où* M. et M^me de Luxembourg n'*étaient* pas
 c. [Dans P 2 *la* ajouté en interl.]
 d. G 2 : digne [*en effet* rat.] de

Page 639 :
 a. P 2 : avoir *pas* voulu le tromper, et je n'ai [*je n'ai* ajouté en interl.] pas assurément
 b. [Dans P 2 *infinie* ajouté marge.]
 c. P 2 : par *son ordre* que

Page 640 :
 a. P 2 : eût *tout à fait* tourné
 b. P 2 : jeune *et belle personne* des agaceries
 c. P 2 : oublier *ma soixantaine,* pour
 d. [Dans P 2 *de la curiosité* ajouté marge.]

Page 641 :
 a. P 2 : puisque *si* l'amour vainqueur me fut si funeste, l'amour vaincu
 b. P 2 : marcher *encor* dans le livre suivant avec assez
 c. P 2 : ajoute ici : *Fin du livre dixième*
 [Sur la même page (fait exceptionnel) commence le livre XI.]

Page 642 :
 a. P 2 : *Les Confessions de J.-J. Rousseau* // *Deuxième Partie* / Livre *onzième.*
 [Commence sur la même page (114) que la fin du l. X.]

Page 643 :
 a. P 2 : dans *tout* le reste
 b. G 2 : en [*France* corr.] Suisse
 c. [La note n'est pas dans P 2.]
 d. P 2 : partie *en parallèle avec* la
 e. P 2 : jamais *connu* tout

Page 645 :
 a. P 2 : Richardson, *quoi que M. Diderot en ait pu dire,* ne sauraient
 b. P 2 : mien. / Toute ma crainte

Page 646 :
a. G 2 : était [mots cachés par la reliure] [*la* corr.] ma marche [*n'en* corr.] ne fût
b. P 2 : nom, *mais le fait m'a été assuré*

Page 647 :
a. P 2 : plus *érotiques* extases
b. P 2 : dialogue [*qu'elle fit* corr.] que je fis
c. P 2 : rigoristes *trouveront* que
d. P 2 : il *aurait voulu,* bon

Page 648 :
a. P 2 : misse *tout entière* dans
b. P 2 : s'il eût *su que cet ouvrage existait.* Enfin
c. P 2 : pris, *pour m'en délivrer,* le
d. P 2 : il [*doit* corr.] voit
e. P 2 : y *pourra connaître* combien
f. P 2 : elle *ne* [ajouté en interl.] me parlait peu [*sic*]

Page 649 :
a. P 2 : il *n'*y avait *pas beaucoup* de
b. [Dans G 2 R. a oublié de souligner, comme il l'a fait dans P 2, la suite des paroles citées, de *quand en* à *carrosses*]
c. P 2 : avais *le bonheur* de
d. P 2 : précisément *dans le* moment
[Dans G 2 *au moment* ajouté en interl.]
e. G 2 : son [*père* corr.] fils
f. P 2 : peu *sous ses yeux* ce

Page 650 :
a. P 2 : à M. *de Luxembourg,* que
b. P 2 : Maréchal, *appelé Morlane,* soutint
c. P 2 : anticipons *pas* de

Page 651 :
a. P 2 : principal *n'*avait été *que* de
b. [Dans G 2 *que ses pertes avaient* ajouté marge.]
c. P 2 : donnait *jadis* à
d. P 2 : un besoin

Page 652 :
a. P 2 : il *y* parut
b. P 2 : pas la Maréchale

Page 653 :
a. P 2 : évité *la tentation* d'en
b. P 2 : été *peu content* de
G 2 : été *mé-*[ajouté interl.] content de
c. [Dans G 2 *utile* ajouté en interl.]

Page 654 :
a. G 2 : même, [*n'agit* rat.] ne
b. P 2 : impulsion *des gens qui disposent de lui.* Je sais
c. G 2 : pu [*me* rat.] lui
d. P 2 : talents, plein de reconnaissance
e. P 2 : que [*personne* corr.] quelqu'un

Page 655 :
a. P 2 : Blas *auprès* de
b. P 2 : ·outre *la Comtesse* de

Page 657 :
a. P 2 : son *premier* nom
b. P 2 : nom, *s'avisa de* me *pousser* tellement
c. P 2 : histoire, était *moins* de *l'*avoir donné *à mon chien,* que de
d. P 2 : fait *alors* pour

Page 658 :
a. P 2 : que [*j'avais méritées* corr.] je méritais

Page 659 :
a. P 2 : plus encore
b. G 2 : en [*bon* rat.] ordre
c. P 2 : suivi *des yeux* cet

Page 660 :
a. G 2 : point [*pour* corr.] avec
b. P 2 : exemplaires, *je ne me souviens pas bien de la quantité.* Après

Page 661 :
a. P 2 : apportait *pour* ne pas [...] déranger
G 2 : apportait à ne pas m'exposer [*ne pas m'exposer* ajouté marge] à la [*pas* rat.] déranger
b. P 2 : bon gré, pour
c. P 2 : attendre [*pour cela* rat.] [corr. success. : *la conclusion ... l'exécution*] la conclusion
G 2 : attendre [*l'exécution* corr.] la conclusion
d. P 2 : Hôtel *d'*Hollande
G 2 : Hôtel [*d'* corr.] de Hollande
e. P 2 : Cependant [*il m'écrivit qu'* rat.] en
f. P 2 : paquet [*était tombé* corr.] tomba

Page 662 :
a. P 2 : moins *outre ma dépense ordinaire* un
b. [La note n'est pas dans P 2.]
c. [Dans G 2 *directement* ajouté en interl.]

Page 663 :
 a. P 2 : il désira *de m'avoir* pour
 b. G 2 : à [*mes* corr.] ses
 c. P 2 : vains, *ou* ne suis-je
 d. G 2 : quoique [*ses* corr.] ces

Page 664 :
 a. P 2 : je *découvris* que
 b. P 2 : dirigeait l'entreprise en quelque sorte, qu'il m'*en*
écrivait très
 c. P 2 : encore *beaucoup* plus

Page 665 :
 a. P 2 : pour *moi-même.* Son
 b. G 2 : qu'il [*avait* rat.] méritait
 c. P 2 : avais moins
 d. P 2 : et *comme il* me *parut* avec
 e. P 2 : me *répondit-*il

Page 666 :
 a. P 2 : faute [*de l'Administration* corr.] du Gouvernement

Page 667 :
 a. P 2 : état [*présent* corr.] actuel
 b. P 2 : main [*capable de les tenir* rat.], la
 c. P 2 : que *j'en* pusse apprendre
 d. P 2 : jusqu'à *l'étourderie.* L'aspect

Page 668 :
 a. P 2 : voir *l'anéantissement.* Cependant
 b. P 2 : avait *même* rapporté
 c. P 2 : me *fourrai dans l'esprit* que
 d. G 2 : dis-je ! [*lui* corr.] m'y
 e. P 2 : avait *si fort* pressé
 f. G 2 : publier [*pour le travestir* corr.] travesti

Page 669 :
 a. P 2 : principes *de religion* étaient encore *beaucoup* plus
contraires à leurs
 b. P 2 : on *le savait très bien,* remplis
 c. P 2 : sans [(?) *savoir* (?) corr.] songer
 d. P 2 : à [*songer* corr.] faire

Page 670 :
 a. P 2 : Cour l'augure de leur triomphe et le fondement de
leur confiance. Enfin
 b. [Dans P 2 *et des pièges* ajouté marge.]
 c. P 2 : si *cela me fût arrivé* dans ces
 d. [Dans P 2 *pour les calmer* ajouté en interl.]

Page 671 :
 a. P 2 : et [*une* corr.] ma

Page 672 :
 a. P 2 : disait sur ma terrasse

Page 673 :
 a. G 2 : qu'on [*me* rat.] les publiât
 b. P 2 : trouvai, *plusieurs fois,* un plus
 c. P 2 : ils *étaient en* quelque

Page 674 :
 a. P 2 : avait *lu* quelque
 b. P 2 : donna *des* marques
 c. P 2 : Côme [*qui avait la main d'une adresse et d'une légèreté sans égale* rat.] l'envoya
 d. P 2 : retenir *mes* plaintes
 e. P 2 : recommencé une troisième fois
 f. P 2 : vessie *très* grande

Page 675 :
 a. G 2 : celle [*de ses* corr.] des
 b. P 2 : dilettosa/*Simile* a se *l'habitator* produce

Page 676 :
 a. P 2 : réfléchir *sur* ce

Page 677 :
 a. P 2 : Profession de foi *du Vicaire,* et
 b. P 2 : furent *redits* le même jour *et que je n'ai pas oubliés :* « M. Mathas
 c. P 2 : rapporta *ces mots,* je ne
 d. G 2 : que [*je prenais de* corr.] j'avais pris
 e. [Dans G 2 *tous* ajouté en interl.]

Page 678 :
 a. P 2 : défendre *autrement* qu'à
 b. P 2 : fait. [*sur* corr.], vers
 c. P 2 : cruauté. J'appris que
 d. P 2 : Conti *ne les traitaient* guère
 e. [Dans G 2 *pour lequel j'étais* ajouté marge.]
 f. P 2 : me *justifiait* pleinement

Page 679 :
 a. [Dans G 2 un *o* devant le 2ᵉ *i* de *craignoit* a été raturé, transformant l'indicatif en subj. (que Rousseau ne distingue pas orthographiquement du passé simple)]
 b. P 2 : à *quelque démarche* qu'on [...] et *à laquelle* mon
 c. P 2 : cas *comment* les

Page 680 :
 a. P 2 : fallait *s'adresser directement aux* auteurs
 G 2 : fallait [*s'adresser directement* corr.] brûler [*aux* corr.]
 les auteurs
 b. [La phrase *Pour les* [...] *point,* qui n'est pas dans P 2, est
 ajoutée en marge dans G 2.]
 c. G 2 : d'un [*séna*(teur) corr.] inquisiteur
 d. P 2 : avancé leur voyage
 e. G 2 : mais [*en revanche* rat.] j'en
 f. P 2 : jamais *peut-être* ministre
 g. P 2 : être, [*lui répondis* corr.] ajoutai-je

Page 681 :
 a. P 2 : Malheureuse *prudence* de
 b. G 2 : cœurs [*fait taire* corr.] domine
 c. P 2 : situation [*et me fit* rat.], du moins
 d. P 2 : qui *faisait tourner* à
 e. P 2 : et *parvenir* jusqu'à
 f. P 2 : me [*faire* rat.] dire
 g. P 2 : beaucoup [*d'agitation* rat.] de
 h. G 2 : sur [*les* corr.] le succès des
 i. P 2 : conseillait *fort* l'Angleterre

Page 682 :
 a. P 2 : pusse *jamais* me
 b. [Dans P 2 *ami de Grimm et de M^me d'Épinay* ajouté en interl.]
 c. P 2 : livre *qui portait mon nom,* et si

Page 683 :
 a. P 2 : la *tranquillité* publique
 G 2 : la [*tranquillité* corr.] sûreté
 b. G 2 : avait [*dans* corr.] sous
 c. P 2 : après-midi *mes promenades ordinaires.* Le
 [Dans G 2 la même expression a été mise au sing., les *s*
 raturés.]
 d. G 2 : dans [*une* corr.] la

Page 684 :
 a. P 2 : par *l'histoire du* Lévite
 b. [Dans P 2 *me dit* ajouté en interl.]
 c. P 2 : effet, *en ouvrant* la
 d. G 2 : Maréchale, [*d'aller* rat.] de me
 e. G 2 : vous [*en* corr.] attend
 f. P 2 : habillai *en* hâte

Page 685 :
 a. P 2 : surprise, je n'étais
 b. P 2 : m'oubliai pour
 c. P 2 : compromettre *Madame de Luxembourg,* si

d. P 2 : cette *rencontre,* ce qu'*aucune puissance humaine ne* m'eût *engagé à* faire
e. P 2 : un *seul* mot
f. P 2 : fus *indigné* de
g. P 2 : avait [*été très mal* rat.] excité

Page 686:
a. P 2 : occupai *durant* le
b. P 2 : Maréchal *s*'offrit
c. P 2 : et [*comment* corr.] que leur
d. P 2, G 2 : l'am[*usa* corr.]ena

Page 687:
a. P 2, G 2 : y [*mettre* corr.] nommer
b. G 2 : un [*moment* corr.] mouvement
c. P 2 : le [*peux* corr.] veux

Page 688:
a. P 2 : que *c'était* un

Pagœ 689:
a. G 2 : qu' [*ayant* corr.] au lieu
b. G 2 : lettre [*chez* rat.] de
c. P 2 : épaules *des postillons.* En

Page 690:
a. G 2 : trouble [*quand* corr.] tant que
b. G 2 : pré[*voir* corr.]venir
c. P 2 : façon [*mes malheurs* corr.] mon malheur
d. P 2 : mon *court* bonheur
e. P 2 : rumine [*au point* rat.] pour
f. [Dans P 2 *connu* ajouté en interl.]
g. P 2 : voudrait *rendre* à
h. P 2 : une chose

Page 691:
a. P 2 : et leurs *amis* et leurs *complots,* que
b. P 2 : m'[*égayer* corr.]amuser
c. P 2 : facilité [*de les rendre* corr.] que

Page 692:
a. P 2 : supérieurs à l'adversité dans leurs livres; qu'on les mette
b. P 2 : Yverdon, *patrie* de mon [orthogr. partout *Yverdun*]
c. P 2 : était [*réfugié* corr.] retiré
d. P 2 : Miran : [*je fus* rat.] fort

Page 693:
a. P 2 : ne *soient pas, par elles-mêmes,* fort
b. P 2 : fil [*du complot* corr.] de la trame

c. P 2 : si, *au lieu de* me
 G 2 : si [*au lieu de* corr.] sans me
d. P 2 : de [*rester* (?) *tranquille* corr.] tenir ferme
e. [Dans P 2 *tranquillement* est ajouté en interl.]
f. P 2 : fraîche matinée [*? Grande question* [...] *solution de beaucoup* raturé] aurais-je
g. G 2 : réel [*important* corr.] ne sont pas inutiles
h. G 2 : de [*la conséquence* corr.] l'importance
i. P 2 ajoute ici : *Fin de l'Onzième Livre.*

Page 695 :
a. P 2 : *Les Confessions de J.-J. Rousseau* // 2ᵉ *Partie* / Livre 12ᵉ.
b. P 2 : que *j'aie* pu m'y prendre
c. P 2 : les *deux* précédents
d. P 2 : les [*deux* corr.] trois
e. [Dans P 2, *en intrigue* ajouté marge.]
f. P 2 : la [*marche* corr.] route obscure et [*ténébreuse* corr.] ortueuse

Page 696 :
a. G 2 : son [*père* corr.] oncle
b. P 2 : attachai à la mère et à la fille de l'amitié la plus tendre. Cette
c. P 2 : dernière, destinée [la phrase reste sans verbe] [Dans G 2 *était* ajouté marge.]
d. P 2 : famille [*les* corr.] le [*devoirs* corr.] devoir de la plus sainte amitié [*de la plus sainte amitié* ajouté en interl.] qui
e. [Dans P 2 *longtemps* ajouté marge.]
f. P 2 : décrété *de prise de corps* le

Page 698 :
a. P 2 : quelque ouvrage

Page 699 :
a. P 2 : inspiré *depuis longtemps* de
b. P 2 : duquel *j'avais mis* un

Page 700 :
a. P 2 : d'ailleurs *bien* clairement
b. P 2 : et [*je suis bien sûr que* rat.] la remarque n'*en* avait
c. P 2 : mettant *un moment* à

Page 701 :
a. P 2 : Frédéric *descendra-t-il plus bas que le* général
b. P 2 : attachement *me* restait

Page 702 :
a. P 2 : les *sentiments* du
b. P 2 : Je *tombai* dans

c. P 2 : état. *Le vice équivalent, dont je n'ai jamais pu bien me guérir, m'y paraissait moins contraire.* Cette
[La phrase a été raturée dans G 2. Sa suppression rend inintelligible l'expression « cette double raison ».]
d. P 2 : former [*quelquefois* rat.] des

Page 703 :
a. P 2 : M. *le Maréchal,* que

Page 704 :
a. P 2 : toujours le même
b. P 2 : eussent [*abusé* rat.] profité
c. G 2 : lui [*paraissait* corr.] plaisait
d. P 2 : accueillit *tous deux* comme
e. P 2 : maximes [*si* corr.] bien

Page 705 :
a. G 2 : la [*simpli* corr.] rusticité

Page 706 :
a. P 2 : qui *le* suis toujours

Page 707 :
a. P 2 : sachet *de peau,* plein
b. [Dans P 2 *ne me rendaient* [...] *intéressant* ajouté marge.]
c. P 2 : sur *ses* sentiments
d. [Dans P 2 *à Brot* ajouté marge.]
e. P 2 : pria *d'engager* Son

Page 708 :
a. [Dans P 2 *pareille* ajouté interl.]
b. P 2 : peu après

Page 709 :
a. P 2 : dire, *ou* ne pris-je

Page 710 :
a. [Dans P 2 *forcé* [...] *sondes* ajouté marge.]
b. P 2 : sans *aucun* scandale

Page 711 :
a. P 2 : peut-être [*sa raison, son mari,* corr.] son mari, sa raison, sa vie

Page 712 :
a. [Dans P 2 *point* ajouté interl.]
b. P 2 : honnê[te]tés, [*ie ne pus me dispenser de* corr.] il fallut
c. P 2 : une *deuxième* fois
d. [Dans G 2 *ni la finesse* ajouté interl.]

Page 713 :
a. P 2 : et *par trait de temps* cette
b. G 2 : je [*ne vis point* corr.] vis peu
c. P 2 : de ne me pas faire
d. P 2 : m'*aller* établir
e. P 2 : plus *idiot* cafardage

Page 714 :
a. P 2 : Môtiers, ils m'auraient
b. [Dans P 2 *jamais* ajouté interl.]
c. P 2 : soupçonner *même* qu'on
d. P 2 : homme *avec* qui *l'on* prend [leçon plus logique que celle de G 2, vu ce qui précède]
e. P 2 : à Paris, à Genève, à Neuchâtel même [Dans G 2 *à Berne* ajouté interl.]

Page 715 :
a. P 2 : Classe, *qu'il* [ajouté interl.] voulût
b. P 2 : extrême *de* pouvoir

Page 716 :
a. P 2 : religion. *Cependant,* comme
 G 2 : religion. [*Cependant* corr.] Toutefois, comme
b. P 2 : calviniste ? C'était prendre

Page 717 :
a. P 2 : qui j'*avais* toujours
b. P 2 : fait *dans ma réponse* avec

Page 718 :
a. G 2 : heureux [*moment* corr.] changement
b. [Dans G 2 le passage « en même temps... mes mémoires » corrige une ligne raturée non déchiffrée.]
c. [Dans P 2 le 6 final semble surcharger un 5 ou un 4.]

Page 719 :
a. P 2 : Maréchal *lui-même* prendre
b. P 2 : faire ? / Ce déficit
c. P 2 : remarquai *le plus* furent

Page 720 :
a. P 2 : donna *quelques* soupçons
b. P 2 : pus [*même* rat.] le
c. P 2 : ne [*m'inquiétai* corr.] songeai

Page 721 :
a. P 2 : cafards, que le
b. P 2 : là, *et dont j'ai oublié le nom,* une

Page 722 :
a. P 2 : anciens *citoyens,* qui

Page 723 :
 a. P 2 : fis cette entreprise et *je l'*exécutai si

Page 724 :
 a. P 2 : illustre, le grand homme, *l'homme* célèbre, etc. Car dès lors
 b. P 2 : mêmes *points,* et
 c. P 2 : A *leur* équipage, on prit ces muletiers pour
 d. P 2 : étaler *à la queue de son mulet.* Ces

Page 725 :
 a. P 2 : faire *toutes* ces
 b. P 2 : beaucoup de la liberté
 c. P 2 : avait [*voulu* corr.] osé
 d. P 2 : avoir *reçu* avis
 e. P 2 : fait *aucun ouvrage* qui

Page 726 :
 a. P 2 : Mais *du* reste
 b. P 2 : terre sur laquelle

Page 727 :
 a. P 2 : pour [*continuer* corr.] poursuivre

Page 728 :
 a. P 2 : les *plus* grandes
 b. P 2 : devait *au moins* quelque *souvenir,* à moins
 c. P 2 : parents, [*des quidams* rat.] des cagots

Page 730 :
 a. P 2 : propreté [*dans toute* corr.] sur
 b. P 2 : ramener Sauttern à la vertu et la jeune femme à son devoir
 c. P 2 : étaient *ainsi* rapprochés

Page 731 :
 a. [Dans P 2 *en hommes, et qui avait été dans* ajouté en interl.]
 b. [Dans P 2 *inutilement* ajouté interl.]
 c. [Dans P 2 *ce que* [...] *m'en mêler* ajouté marge.]

Page 732 :
 a. P 2 : rapporter *sur ce triste événement* à la
 b. G 2 : homme [*d'affaire* corr.] de confiance
 c. G 2 : attacher [*tout* rat.] à lui
 d. P 2 : M^me *la Maréchale* ne

Page 733 :
 a. G 2 : mon [*absence* corr.] éloignement
 b. P 2 : à *la mémoire* d'un honnête homme qui *m'avait honore d'une sincère* amitié. J'ai été
 c. P 2 : des [*motifs* corr.] idées

Page 734 :
 a. P 2 : reste un homme
 b. P 2 : racheter *en Écosse* ses

Page 735 :
 a. [Le long § *Je ne crois pas* [...] *pas si bien* figure et dans P 2 et dans G 2 sur un feuillet intercalaire; les variantes entre les deux rédactions sont nombreuses, mais dans les deux mss. l'écriture est hâtive, semblable à celle des dernières pages de P 2 et G 2. Au verso du feuillet intercalaire dans P 2 on lit (fragment inédit ?) :
 *Page 155 de la II*ᵉ *Partie des Confess.* [mots raturés non déchiffrés] *malheurs les plus sensibles sources de mes* [*maux les plus cruels* rat.] (?) *non* (?) *départ* (?) [ou *dépôt* (?)] *fatal* [*sans lequel* [*o*]*n eût* (?) rat.] (?) [*départ* ou *dessein* ou *dépôt* (?)] *fatal, jamais l'imposture n'eût tenté de l'abuser sous les yeux de son ami tant que j'eusse été là pour la confondre.*]
 b. P 2 : Mably. J'avais eu *d'anciennes* liaisons
 c. P 2 : de *présumer* que
 d. P 2 : Lettres *écrites* de
 e. P 2 : courir *sous son nom* [ajouté interl.] dans
 f. P 2 : Saladin [*qui lui était* rat.] dans laquelle
 g. P 2 : pris le parti
 h. P 2 : Mais [*que devins-je quelque temps après* corr.] qu'on juge de ma surprise
 i. P 2 : était *bien* [ajouté interl.] réellement de *lui,* et que

Page 736 :
 a. P 2 : nécessité, *dont l'effet était* d'accabler, au fort de *tous* ses malheurs
 b. P 2 : Je *compris,* à
 c. P 2 : de *plus cruel* ennemi
 d. P 2 : St Pierre *que dans l'espoir* que je m'en tirerais *mal.* / Plus
 e. G 2 : excita [*contre* corr.] pour

Page 737 :
 a. P 2 : Suisse, [*en me livrant* corr.] et me livrer
 b. P 2 : des *écrits* portant
 c. P 2 : avait *fait presser* de
 d. G 2 : et [*trois cent francs* corr.] cent écus
 e. P 2 : pied *très* raisonnable

Page 738 :
 a. P 2 : Versailles, *qu'il y eût quelque contrée au monde ou l'*on laissât
 b. P 2 : voudrais *de tout mon cœur* pouvoir
 c. P 2 : pas *exactement* [ajouté interl. encre différ.] d'un seul

Page 739 :
 a. P 2 : cet *ouvrage,* ni le citer
 b. P 2 : malade; il me vint
 c. P 2 : vécu, [*me familiarisant avec tout le monde* rat.] versant
 d. G 2 : aumônes [*autour de moi* corr.] à pleines mains
 e. P 2 : que *le peuple soulevé* secrètement

Page 740 :
 a. P 2 : qu'*il* ne
 b. P 2 : les [*rues* rat.] chemins
 c. P 2 : donner commission par la classe de me
 d. [Dans P 2 *de* ajouté interl.]

Page 741 :
 a. P 2 : aperçût. Les prestolets
 b. P 2 : j'[*eus recours à* corr.] imaginai
 c. P 2 : discours *que je prononcerais* devant

Page 742 :
 a. P 2 : entendant répéter et marmotter incessamment
 b. P 2 : patriotes *que l'affaire* intéressait; tout
 c. [Dans P 2 *mille mouvements* ajouté marge.]
 d. P 2 : qui [*suivaient les mouvements* corr.] suivant les inspirations
 e. P 2 : arguments *tous* tirés
 f. [Dans P 2 *aucun autre* ajouté interl.]

Page 743 :
 a. P 2 : populace, [*à quoi* rat.] il
 b. P 2 : pays. Il m'avait
 c. P 2 : engageais à *ne plus écrire,* on
 d. P 2 : double; la condition

Page 744 :
 a. P 2 : deux grands
 b. P 2 : et m'acquitter
 c. P 2 : conduit dans l'affaire
 d. P 2 : disgrâce *à la cour* et *près* du Gouverneur
 e. G 2 : Gouverneur. [*J'essayai* corr.] Je risquai

Page 746 :
 a. P 2 : aperçu, *les premiers* [...] sortir, *auraient* ouvert [...] entrée, *devaient* naturellement être *assommés.* M^me de
 b. P 2 elle *me* parut ne faire
 c. [Dans P 2 *une* ajouté interl.]
 d. P 2 : grande [*opinion* corr.] idée
 e. P 2 : joignait l'invitation

Page 747 :
a. P 2 : je *ne voulus ni* écrire *ni* promettre
b. P 2 : au milieu *de ses* huées

Page 748 :
a. [Les deux dernières phrases *Au reste... persécuteurs* ne sont pas dans P 2.]
b. P 2 : tirer *en même temps* assez

Page 750 :
a. P 2 : vraiment [*héroïque* corr.] théologique
b. P 2 : pas, sitôt qu'il s'agit de moi, d'être d'une orthodoxie très [*rigoureuse* corr.] intolérante. Je ne fus
c. P 2 : accusait *hautement* d'avoir
d. P 2 gentillesses *du même ton.* Il ne

Page 751 :
a. P 2 : avais vécu, et je l'envoyai à Duchesne [*et je l'envoyai à Duchesne* ajouté marge] pour le

Page 752 :
a. P 2 : arbitre ? *Le conseil de Genève.* Je déclarai [Les mots *Le conseil de Genève*, indispensables au sens, ne figurent pas dans G 2.]
b. P 2 : jugerait *à propos* et
c. P 2 : plus *évidemment* que

Page 753 :
a. P 2 : intérieurement *aussi* persuadé, *aussi* convaincu qu'il est l'auteur du libelle *que je le suis* de ma propre existence
b. G 2 : du [*mémoire* corr.] libelle. Mon
c. P 2 : de du Peyrou. Si
d. P 2 : publia *M.* du Peyrou, et
e. P 2 : inutiles, *paraissait* enfin

Page 754 :
a. P 2 : dans [*cette* corr.] la
b. P 2 : accueillir. Je saute
c. P 2 : d'une cour *de derrière* avait
d. P 2 : par [*une* corr.] la

Page 755 :
a. [Dans P 2 *à Potsdam* ajouté marge.]
b. P 2 : si bien *que je profiterais de cette invitation* qu'elle [*venait de m'écrire* corr.] m'écrivit

Page 756 :
a. P 2 : établir [*à* corr.] dans
b. P 2, G 2 : Bernois, bien aises [*sic* : verbe omis]
c. P 2 : cette *petite* île
d. P 2 : dessus *les* dispositions *de Leurs Excellences* par

e. P 2 : à *plusieurs* chefs
f. P 2 : réponse, [*l'* rat.] assura Mylord que les
g. P 2 : conduite, ne
h. P 2 : risquer *de m'*y *transporter,* je fis
i. P 2 : ayant *eu* de
j. P 2 : de *me* loger

Page 757 :
 a. P 2 : environ demi-
 b. P 2 : font *estimer* l'île

Page 758 :
 a. P 2 : homme *à Paris,* dans
 b. [Dans P 2 la phrase *Les petites* [...] *souterrains* ne figure pas.]

Page 759 :
 a. P 2 : soustraire, *autant qu'il était possible,* à la
 b. P 2 : que j'avais acceptée en la
 c. P 2 : resté. Joignant
 [Dans G 2 *et qui* [...] *constituant* ajouté interl.]
 d. [Dans P 2 toute la fin de ce § ajouté interl. et marge (avec plusieurs var. par rapport à G 2). Ainsi s'explique au début du § suivant la leçon *En repos de ce côté.*]
 e. P 2 : l'honneur *m'ôterait* toutes les

Page 760 :
 a. P 2 : ôtant *en même temps* toute
 b. G 2 : ressource, [*afin de* corr.] pour
 c. P 2 : se *douteraient-*ils *de mon choix en pareille* alternative ?
 d. P 2 : repos *de ce* côté, j'étais
 e. P 2 : mon *caractère.* Je n'avais
 f. P 2 : mes *vils* calomniateurs
 g. P 2 : fiel *et* sans haine, prompt à
 h. P 2 : oiseuse [*pour laquelle j'(étais)*(?) rat.] auquel

Page 761 :
 a. P 2 : dort. | *On y* fait
 b. P 2 : car *depuis que j'ai perdu* le sommeil, *je l'*ai peu regretté : l'oisiveté
 c. P 2 : restait *plus* pour
 d. P 2 : que de vivre
 e. [Dans G 2 *ici* ajouté interl.]
 f. [Dans G 2 *ni gesticuler* ajouté interl.]

Page 762 :
 a. P 2 : et *ma menterie.* Et
 b. P 2 : campagne *sitôt* que
 c. P 2 : occuper *sans cesse* à
 d. P 2 : rocher, à entreprendre *sans crainte* un

e. [Dans P 2 *et à l'abandonner au bout de dix minutes* ajouté marge.]

f. P 2 : fleur *et* tantôt *une autre,* brouter

g. P 2 : ces [*travaux* corr.] trésors

Page 763 :

a. P 2 : étude, *ou plutôt* l'amusement

b. P 2 : sans *un examen particulier,* et

c. P 2 : lever [*de courir* rat.] lorsqu'il faisait beau de courir humer sur la terrasse l'air

d. P 2 : murs *et* des rues ont peu

e. P 2 : ne [*comprends* corr.] ne puis comprendre

f. P 2 : à *cette élévation* de cœur qui *n'impose* point

Page 764 :

a. P 2 : un *saint* évêque

b. P 2 : une [*bonne* corr.] vieille

c. P 2 : ardeur *au* moment

d. P 2 : quelques *moments* autour

e. P 2 : dont *jamais* je

f. P 2 : question; *et* cette méthode

g. [Dans P 2 *nommait et* ajouté interl.]

Page 765 :

a. P 2 : cause. J'errais

b. P 2 : bateau *tout à fait* à la

c. P 2 : moins *délicieuses.* Cependant, pour complaire

d. [Dans P 2 *pas* ajouté interl.]

e. P 2 : moi *les* stations

f. G 2 : qui [*étaient* corr.] se trouvaient

Page 766 :

a. P 2 : Cette *petite* peuplade

b. P 2 : faisions *une fête,* Thérèse

c. [Dans P 2 *de pommes* ajouté interl.]

d. P 2 : repos. / *Me* voici encore *réduit à l'*un de

e. P 2 : ils *ne font aucune difficulté de* m'en prêter

f. P 2 : trouvent tout

g. P 2 : contradiction *même* [ajouté interl.] avec

h. P 2 : peut exister

i. P 2 : incroyable, *pourvu* qu'il *tende* à me noircir. *Ils ne s'arment d'incrédulité contre ce qui est* extraordinaire *que lorsqu'il n'est pas criminel.* / Mais, quoi

j. P 2 : de *rapporter* fidèlement

Page 767 :

a. P 2 : à *l'habitation de* l'île

b. P 2 : si *parfaitement* que

c. P 2 : je *m'en fis* un de n'en sortir *jamais.* Les

d. P 2 : jusqu'*au point de* sentir des

e. P 2 : altérer *toute* la

f. P 2 : lieu de *n*'y être souffert *que* par
g. P 2 : suis-je *par* force
h. P 2 : chasser : c'est peu qu'on me
i. G 2 : peu [*d'être contraint* corr.] qu'on me permette
j. G 2 : ces [*inquiétantes* rat.] réflexions

Page 768 :
 a. P 2 : vie *à la crainte* d'en
 b. P 2 : St Pierre, par *laquelle* il
 c. P 2 : naturel, *rien* de moins
 d. P 2 : prévu *même* qu'un
 e. P 2 : Baillif *de Nidau* qui
 f. P 2 : fallait *un* temps
 g. P 2 : commençait d'*altérer* mon

Page 769 :
 a. P 2 : plus *vif* regret
 b. P 2, G 2 : qui [*me restaient* corr.] pouvaient me rester
 c. P 2 : je *pusse* me réfugier, je ne pouvais *me* soustraire à
 d. P 2 : ramenant *à l'idée* dont
 e. [Dans P 2 *plutôt* ajouté interl.]
 f. P 2 : termes les plus durs de sortir
 g. P 2 : immédiat [*de Berne* rat.] dans l'espace
 h. P 2 : vingt-quatre *heures,* et de

Page 770 :
 a. P 2 : trouvé *souvent* dans
 b. P 2 : promettaient [*un jour d'égaler* corr.] déjà d'égaler un
jour
 c. P 2 : manière dont
 d. P 2 : fit *songer* à
 e. P 2 : sujet *plusieurs lettres,* et me fournit *beaucoup* de

Page 771 :
 a. P 2 : françaises, *et* ne
 b. P 2 : étaient *bien* en
 c. P 2 : pour *se moquer de moi.* J'aurais

Page 772 :
 a. P 2 : le *seul* moyen
 b. P 2 : espérer *un moment,* et
 c. P 2 : avais *reçues* et
 d. P 2 : peuple *qu'il s'agissait d'*instituer
 e. P 2 : Je *sentis* qu'il m'était
 f. P 2 : à *M.* Buttafuoco
 g. [Dans P 2 *chez ces insulaires* ajouté interl.]
 h. P 2 : ne me *laissait* nulle

Page 773 :
 a. P 2 : affaires *avec* les
 b. P 2 : que *même* sans
 c. G 2 : au *milieu* [*sic*] la confiance

P 2 : au *mien* la confiance
d. P 2 : ennemis *s'étaient fait* un
e. P 2 : soupirais après cette

Page 774 :
 a. P 2 : persécuteurs, [*je ne voyais* corr.] et ne voyant
 b. P 2 : hospitalité, [*d'* corr.] à écrire
 c. P 2 : utile *après le départ des troupes françaises* si
 d. P 2 : ni *prendre* un genre de vie qui *me mettait au supplice* et dont
 e. P 2 : fallait *trouver le passage libre* à travers
 f. [Dans P 2 *après mes malheurs* ajouté interl.]

Page 775 :
 a. P 2 : ressource et loin
 b. P 2 : peuple féroce et demi [- *barbare* rat.] sauvage, tel que me le *dépeignait* M. Dastier
 c. P 2 : une résolution pareille avant
 d. P 2 : passionnément *une* entrevue *avec* Buttafuoco, *pour conférer avec lui sur tout cela, et, comme il* m'*en avait donné l'espérance,* j'attendais *qu'il la remplît* pour prendre
 e. P 2 : voyage, *bien moins encore* pour celui de Corse
 f. P 2 : impraticable. Il fallut renoncer à mon projet chéri, [Les deux ou trois phrases intermédiaires de G 2 ne figurent pas dans P 2.]
 g. G 2 : je [*fis toute la diligence possible pour* rat.] m'empressai de
 h. P 2 : et n'ayant pu
 i. P 2 : moi, sur l'invitation de Mylord Maréchal je me déterminai *pour le* voyage
 j. P 2 : et [*laissant* rat.] *mettant* mes papiers *en dépôt* dans les mains de *M. du Peyrou.* On verra [p. 779] [Les 7 ou 8 §§ intermédiaires de G 2 ne figurent pas dans P 2.]
 k. G 2 : le [*détail* corr.] récit

Page 778 :
 a. G 2 : avais [*pas une âme* corr.] personne

Page 779 :
 a. G 2 : loin [*d'affecter* rat.] de
 b. [Le texte de P 2 reprend ici, à la suite de *les mains de* M. *du Peyrou,* p. 775.]
 c. P 2 : pour [*Londres* corr.] l'Angleterre
 d. P 2 : moi *et de ma réputation,* après
 e. [Dans P 2 *à force d'intrigues* ajouté en interl.]

Page 780 :
 a. P 2 : leur *puissance,* parvinrent *enfin* à me
 b. P 2 prend fin ici avec cette mention : *Fin du livre douzième / et de la seconde partie.*
 c. G 2 : elles [*contraires à ce que je viens* rat.] mille

INDEX
DES NOMS DE PERSONNE
ET DES
ÉCRITS DE ROUSSEAU
MENTIONNÉS
DANS LES *CONFESSIONS*

INDEX
DES NOMS DE PERSONNE
ET DES ÉCRITS DE ROUSSEAU
MENTIONNÉS
DANS LES *CONFESSIONS*

(N. B. : Les références bibliographiques à des ouvrages déjà signalés dans la *Bibliographie* sont données en abrégé.)

ALBERT. Chanteur (basse-taille) à l'Opéra de Paris de 1734 à 1751, 392.

ALEMBERT (Jean Le Rond d') 1717-1783. Fils naturel de M^{me} de Tencin. Mathématicien, membre de l'Académie des sciences en 1741, fait partie de la commission chargée par l'Académie des sciences de juger en 1742 le mémoire de Rousseau sur la notation de la musique par chiffres. Rousseau le rencontre par l'intermédiaire de Diderot lors des débuts de l'*Encyclopédie*, soit vers 1746, 410. Il est présent lors de la première visite de Rousseau au donjon de Vincennes pendant la détention de Diderot (414). Parmi les réfutations du *Discours sur les sciences et les arts,* 432-433, Rousseau omet de faire un état d'un paragraphe — d'ailleurs élogieux — glissé par d'Alembert dans le *Discours préliminaire* de l'*Encyclopédie.* C'est d'Alembert (Rousseau ne le dit pas, 474) qui demande au comte de Tressan de sévir contre Palissot après la représentation des *Originaux.*

La publication par d'Alembert, devenu membre de l'Académie française en 1754, de l'article *Genève* dans l'*Encyclopédie* lui valut de Rousseau la réplique que l'on sait, 584. L'article attribuait aux pasteurs de Genève une tolérance frisant l'hérésie (voir extrait publié en appendice de l'éd. Fuchs de la *Lettre à d'Alembert*), et souhaitait que les Genevois puissent avoir leur théâtre. La *Lettre à d'Alembert sur les spectacles,* épisode capital de la rupture entre Rousseau et les Philosophes, est dirigée contre Voltaire plus que contre d'Alembert; elle ne modifie pas beaucoup les sentiments de d'Alembert pour Rousseau; à ce moment d'Alembert, quittant l'*Encyclopédie* (janvier 1758), est en mauvais termes avec Diderot. La réponse de d'Alembert dans sa *Lettre à Jean-Jacques Rousseau Citoyen de Genève,* écrite dans un ton aisé, parodiant le style de Rousseau, est fort mal accueillie du destinataire; mais un rapprochement survient lors de la libération de la Bastille de Morellet (632), libération sollicitée par d'Alembert et obtenue par Rousseau (634), (juillet 1760). D'Alembert reçoit un exemplaire de *la Nouvelle Héloïse* et remercie élogieusement. Même réaction de sa part lors de la publication de l'*Émile* (676-677) : d'Alembert sympathise avec la victime des malheurs suscités par cette publication, et offre de s'entremettre pour obtenir au fugitif un asile à la cour de Prusse, bien que Rousseau le soupçonne au contraire de l'avoir desservi auprès de Frédéric (700). D'Alembert semble avoir caressé l'espoir de réconcilier Rousseau et les

Philosophes : mais son amitié avec Voltaire le rend suspect à Jean-Jacques, dont les soupçons sont accrus par les relations entre d'Alembert et Hume, et l'affaire de la fausse lettre du roi de Prusse, qu'il attribue à d'Alembert (v. FRÉDÉRIC).

Les *Confessions* accusent d'Alembert d'avoir pillé le *Dictionnaire de Musique* pour composer ses propres *Éléments de Musique*, 720 : les ressemblances pourraient venir en fait d'une dette commune envers Rameau.

V. John N. Pappas, « *Rousseau and d'Alembert* », *Publ. of Mod. Lang. Assoc. of Amer.*, March 1960, pp. 46-60. V. aussi 597, 599, 655, 673, 691.

ALIBARD (d') : V. DALIBARD.

Allée de Sylvie, 402.

ALTUNA Y PORTU (Manoel Ignazio de), 1722-1762. Basque d'Azcoïtia (Guipuzcoa), fait ses études au séminaire de nobles de Madrid, puis passe cinq ans à l'étranger : Venise, Rome, Naples, Paris. C'est à l'issue de son tour d'Italie qu'il fait à Venise la rencontre de Rousseau (360, 369), lequel le convainc de passer six mois à Paris pour y étudier les sciences. Ils s'y retrouvent au retour de Rousseau en 1744, et y passent près d'un an ensemble; c'est chez Altuna que loge à Paris Rousseau pendant l'hiver 1744-1745, 402-404 (*C. C*, II, 74). Revenu en Espagne, il épouse à Fontarabie en 1749 Dona Maria Brigida de Zuloaga, et s'établit avec sa femme à Azcoïtia où il mourra; il est maire de la ville depuis 1746, et contribue à y fonder une académie des sciences naturelles. Le groupe des *Amigos del pais* fondé après sa mort (1764) lui doit en grande partie sa création, et joue un rôle important dans l'histoire de l'Espagne « éclairée ». Son portrait par Rousseau, 385-387.

La seule lettre qu'on possède de Rousseau à Altuna, datée de Paris le 30 janvier 1748 (*C. C.*, II, 377), est un apocryphe fabriqué par Ch. Colnet.

V. Julio de Urquijo, *Menendez Pelayo y los caballeritos de Azcoïtia*, San Sebastian, 1925, utilisé par P. P. Plan, *D. P.*, V, 273 ainsi que par J.R. Spell, *Rousseau in the Spanish World*, Austin, Texas, 1938, et Gordian Press U.S., 1975.

AMELOT de CHAILLOU (Jean-Jacques), 1689-1749. Secrétaire d'État aux Affaires étrangères de 1737 à avril 1744. Entre son départ et la nomination de son successeur d'Argenson, l'intérim est assuré par La Porte du Theil, mais contrairement

à ce que croit Rousseau, Amelot ne meurt que cinq ans plus tard, 354, 358, 381.

Amézin (d'). Rousseau orthographie Damesin, Jean-Baptiste-Louis Vulliet de la Saunière, comte d'Amézin ou Amésin, 1704-1793. Gentilhomme au service de la princesse Anne-Thérèse de Savoie-Carignan. Rousseau lui est recommandé à son arrivée à Paris. Il épousera en 1746 à Chambéry Françoise-Sophie de Menthon, qui est probablement l'ancienne élève de Rousseau (Daumas), 328.

Amours de Milord Édouard : voir *Aventures…*

Amyot (Jacques) 1513-1593. Traducteur de Plutarque, 8, var. K.

Ancelet, identifié par Courtois (*Annales*, XV, 48, n. 4) comme étant Michel-Marie Ancelet, aide-major des Mousquetaires, puis mestre de camp de cavalerie. D'après le texte des *Confessions*, l. VII et VIII, 403-404, 456, Ancelet serait aux Mousquetaires vers 1744-1745, et encore fin 1753. Il signe « Ancelet, mestre de camp, rue St-Honoré, vis-à-vis St Roch » la lettre qu'il adresse à Rousseau le 10 mars 1764 (*C. C.*, XIX, 208). Il s'y déclare à la retraite, et partageant alors l'année entre Paris et les Ardennes où vit sa femme. Je n'ai pu trouver son nom dans les contrôles des Mousquetaires conservés au Service historique de l'Armée, ni parmi les listes de chefs de corps des régiments de cavalerie. Tiersot (*Rousseau musicien*, p. 140) imprime son nom *Amelot*, probablement simple coquille, ou confusion avec le ministre Amelot de Chaillou; l'orthographe des mss. est bien *Ancelet*. Ancelet protège Rousseau menacé d'agression lors de ses démêlés avec l'Opéra, il est plus tard son voisin à Montmorency, et va le voir à Môtiers (1764 ?). Aussi 602.

Anet (Claude). Né à Montreux (l'orthographe Montru des mss. des *Confessions* figure aussi sur son acte de décès) en 1706, mort le 13 mars 1734. Neveu d'un jardinier de M. de Warens, il semble s'être enfui et avoir abjuré le protestantisme en même temps que Mme de Warens; la double conversion pourrait alors s'expliquer au moins en partie par une liaison devenue compromettante à Vevey, de même que la mort d'Anet pourrait avoir une raison sentimentale (v. p. 235 et n. 1).

Apprenti chez un menuisier d'Annecy de 1726 à 1729, il vit ensuite chez Mme de Warens (115) et l'accompagne à l'occasion dans ses voyages (147). Sa tentative d'empoison-

nement, 201-202; ses activités de botaniste, 205. Son portrait par Rousseau, 230-231, 234, 236. — Rousseau donnera le nom de *Claude Anet* à un personnage épisodique de *la Nouvelle Héloïse*, lequel « tourne mal » après avoir épousé Fanchon Regard, femme de chambre de Julie. Des *Mémoires* apocryphes *de Claude Anet*, composés par le général Amédée Doppet (1753-1800), parus à Paris en 1786 et réédités en 1798, font de lui l'amant de la Merceret — à Chambéry où elle n'a jamais vécu. J. de Lacretelle a écrit un *Journal de Claude Anet*. V. Mugnier, *J.-J. Rousseau et M^{me} de Warens*, pp. 118-121. Aussi 207, 247, 306.

ANNIBAL, Rousseau fait allusion (p. 58, var. n, 62), au passage des Alpes en 218 avant J.-C. par ce célèbre général carthaginois au début de la seconde guerre punique.

ANTREMONT : v. ENTREMONT.

ANZOLETTA, fillette vénitienne « achetée » par Carrio et Rousseau, 380.

ARGENSON (Marc-Pierre de VOYER, comte d'), 1696-1764. Intendant de Touraine en 1721, conseiller d'État en 1724, intendant de Paris en 1741, ministre de la Guerre de 1743 à 1757. Depuis 1749 il exerce le contrôle sur les théâtres de Paris, l'imprimerie royale et la bibliothèque du roi. Dédicataire de l'*Encyclopédie* en 1751, 455, 457, 593. Il appartient à une famille célèbre : son père Marc-René de Voyer d'Argenson, 1652-1721, a été lieutenant de police au Châtelet puis garde des Sceaux; son frère aîné René-Louis de Voyer, marquis d'Argenson, 1694-1757, ministre des Affaires étrangères de 1744 à 1747, est l'auteur de *Mémoires* célèbres, et sa bibliothèque est à l'origine de celle de l'Arsenal; Rousseau le cite dans une note du *Contrat social*, éd. Garnier, p. 252, n. 1.

ARISTIDE. Le héros athénien dont Rousseau a lu l'histoire dans Plutarque incarne pour lui le sens de la justice. Il rappelle au livre II de l'*Émile* l'abnégation d'Aristide lors de sa condamnation à l'exil, 8, 25.

ARMENTIÈRES (Louis de CONFLANS de BRIENNE, marquis d'), 1711-1774. Colonel du régiment d'infanterie d'Anjou. Prend part à la guerre de la Succession de Pologne (blessé à Guastalla), à la guerre de la Succession d'Autriche (campagne avec Belle-Isle en Bohême). Maréchal de camp en 1743, lieutenant-général en 1746. Dans la guerre de Sept Ans, il commande

pondant de Rousseau, et le distinguer de son frère Frédéric, né en 1718, ont abouti à l'article que l'on peut considérer comme définitif de C. Sibertin-Blanc, *Provence historique*, 1963, fasc. 51, 52 et 53.

ATHANASIUS PAULUS (l'Archimandrite) : v. p. 172, n. 1.

AUBETERRE (M^me d'). Marie-Françoise Bouchard d'Esparbès, cousine et première femme de Joseph-Henri Bouchard d'Esparbès de Lussan (1714-1788), marquis d'Aubeterre, ambassadeur et futur maréchal de France, 623.

AUBONNE (Paul-Bernard d'), bourgeois de Nyon, né vers 1685, et peut-être beau-frère de M. de Tavel. Après avoir tenté sans succès de faire accepter par le cardinal Fleury un projet de loterie, il arrive à Annecy en 1729 avec l'intention de proposer le projet à la cour de Turin; il n'y parviendra qu'en 1735. En 1730 il accompagne à Paris M^me de Warens, qui devait pense-t-on l'introduire auprès du comte Maffei, ambassadeur de Sardaigne. Mais il se brouille avec elle et la laisse regagner seule Annecy. Mugnier doute qu'il ait eu en 1729, comme le suggère Rousseau, une aventure avec M^me Corvesi (M^me l'Intendante), 124, 132-133, 145, 215.
V., outre Mugnier, Benedetto, *M^me de Warens*.

AUGUSTE II, roi de Pologne, Dresde 1670-Varsovie 1733. Électeur de Saxe. Père naturel de Maurice de Saxe. Roi de Pologne en 1697. Allié à Pierre le Grand, détrôné par Charles XII de Suède (1703), puis rétabli après la bataille de Poltava (1709), 241.

AUGUSTIN (saint), 354-430. Sur ses *Confessions*, v. *Introduction*, p. IX, 71.

AUMONT (Louis-Marie-Augustin, duc d'), 1709-1782. Collectionneur et protecteur des arts. Étant en 1752, comme premier gentilhomme de la Chambre, responsable des spectacles de la Cour, fait jouer à Fontainebleau *le Devin du village*, 445, 449.

Aventures de Milord Édouard Bomston, 618, 719.

BACLE. Vraisemblablement un des fils du chirurgien Joseph Bâcle, réformé tourangeau établi à Genève en 1698 et époux d'une Genevoise. Deux des fils de cette union, Étienne, né en 1710, et Pierre, 1714-1731, ont été apprentis horlogers à peu près en même temps que Rousseau, 108-111, 138-139.
V. Gaillard, *Annales*, XXXII, 1950-1952.

BAGUERET (Gabriel). D'origine genevoise, semble s'être livré à des trafics assez louches en Allemagne avant de s'établir

en Russie où il obtient en 1720 le titre de « Conseiller dans le Collège de la Monnaie, des Mines et Manufactures de S. M. » [Pierre le Grand, mort en 1725]; sa présence à Chambéry en 1733 à l'occasion d'un procès est confirmée par les recherches de G. Daumas (*R.S.H.*, 1952, pp. 223-237). Il semble s'y être fixé définitivement par la suite, 254.

BAILLE. Personnage non identifié, dont le nom est bien orthographié ainsi sur les mss.; mais peut-être faut-il lire, propose P. Grosclaude dans son éd. des *Confessions*, Abeille, inspecteur des manufactures, et ami de Duclos, 665.

BAILLET (Adrien), 1649-1706. Érudit amiénois, connu pour son encyclopédie littéraire *(les Jugements des savants)*, qui lui valut des démêlés avec Ménage et qui, grossie par des continuateurs, constitue l'équivalent, au xviiie siècle, à la fois de nos modernes histoires de la littérature et de nos bibliographies critiques, 251.

BALEXERT ou BALLEXSERD (Jacques), 1726-1774. Médecin genevois établi à Paris, auteur d'une *Dissertation sur l'éducation physique des enfants depuis leur naissance jusqu'à l'âge de puberté* (1762), couronnée par la Société hollandaise des Sciences de Haarlem (v. p. 679, n. 1), et d'une autre sur *les Causes principales de la mort d'un aussi grand nombre d'enfants* couronnée par l'académie de Mantoue (1772), 678-679.
V. sur la puériculture au xviiie siècle le livre de Roger Mercier.

BALLOT (Sylvain), Rousseau orthographie BALLOD, 1702 (?)-1760. Avocat au Parlement de Paris, librettiste d'opéra, 395.

BANCHIERI (Adriano), 1567-1634 (?). Bolonais, auteur d'une *Cartella di musica*, Venise, 1610, souvent réimprimée. Fétis, qui donne ce titre et cette date, présente l'ouvrage comme contenant à la fois un traité de composition, les biographies des musiciens, et une description des méthodes de notation. Le dictionnaire des musiciens de Grove, plus récent, donne le titre *Cartella musicale* et la date de Venise, 1614; il parle d'un projet qu'aurait eu Banchieri de fonder dans son monastère de Bologne une académie des arts et des sciences; il fait état de nombreuses compositions pour la musique d'église, d'intermèdes pour des comédies, et même de comédies écrites sous le nom de Camillo Scaligeri, 284.

BARDONANCHE ou BARDONENCHE (Mme de). On hésite pour ce personnage entre deux identifications possibles : Élisabeth, née Odos de Bonniot, qui épouse successivement Dannond de

Brion, puis, devenue veuve, César de Bardonanche; ou sa bru Marie de Lestang de Murat; fille d'un président à mortier du parlement de Grenoble, épouse en 1714 de René-Alexandre, fils aîné de César de Bardonanche, 248.

BARILLOT (Famille). Jacques Barillot (?-1748), libraire à Lyon, et son fils Jacques-François (?-1750) furent tous deux reçus bourgeois de Genève en 1726. Rousseau devenu majeur confie à l'un d'eux, probablement le père, sa procuration établie devant notaire à Chambéry, le 12 juillet 1737, pour réclamer sa part d'héritage à Genève dans la succession de sa mère, 248, 284.
Sur cette famille de libraires, éditeurs de Burlamaqui et de Montesquieu, v. l'art. de P. F. Geisendorf dans *Genava*, t. XXII, 1944, pp. 203-210.

BARJAC. Confident et homme de confiance du cardinal de Fleury, puis son valet de chambre lorsque Fleury est au pouvoir. En cette qualité Barjac exerce, sans se départir de son bon ton, une autorité presque sans limites, tenant table ouverte, nommant aux charges, et exigeant d'être consulté et visité par les impétrants, 345.
V. Soulavie, *Mémoires du Maréchal de Richelieu* (t. IV, pp. 218-228).

BARTHÉLEMY (Jean-Jacques), 1716-1795. Abbé érudit, orientaliste, conservateur du Cabinet des médailles, auteur du *Voyage du jeune Anacharsis en Grèce*, 1779, 604.

BARTHÈS de MARMORIÈRES (Antoine). Né à Narbonne en 1736, mort après 1798. Premier secrétaire de l'ambassade de France en Suisse (1762), puis chargé d'affaires du 3 février 1765 au 1er janvier 1767, et encore en 1768. C'est en cette qualité qu'il offre ses services à Rousseau lorsque ce dernier est expulsé de l'île de St-Pierre, 776-777. A la fin de 1768 il obtient du gouvernement français une pension de retraite, et de la Suisse des « lettres de naturalité » de Saint-Gall. En même temps il devient gouverneur des pages de Madame (Adélaïde de France, 1732-1800, 4e fille de Louis XV); mais son ambition est de se faire assurer la place de secrétaire-interprète du roi en Suisse. Il adresse pour cela mémoire sur mémoire au ministère des Affaires étrangères, de 1775 à 1798. Dans l'intervalle la Révolution l'a trouvé attaché, en sa qualité de maréchal des logis des Gardes suisses, à la personne du comte d'Artois, comme secrétaire sans appointements —

BEAUTEVILLE (Pierre de BUISSON, chevalier de), 1703-après 1790. Né au château de la Louvière, dans le Languedoc. Mousquetaire, puis capitaine au régiment de Normandie; aide-maréchal des logis de l'armée auprès du maréchal de Saxe de 1744 à 1751; sert ensuite sous Richelieu dans les Cévennes et en bas Languedoc.

En 1761 il est chargé de négociations avec l'Espagne, puis, comme ambassadeur auprès du Corps helvétique de 1763 à 1775, il est médiateur du roi de France entre les *négatifs* et les *représentants* à Genève en 1766. Il prend sa retraite en 1775 et est pensionné en 1790 (Doss. personnels, Arch. du Min. des Aff. étr.). Rousseau, qui l'a connu chez le maréchal de Luxembourg, lui écrit d'Angleterre pour recommander F. H. d'Ivernois, 777.

BELLEGARDE : v. ENTREMONT, HOUDETOT.

BELLEGARDE (Louis-Denis de LALIVE de). Né v. 1680 à Fontaines-sur-Saône, fils d'un fermier général. De son mariage à Valenciennes en 1720 naissent les futures Mᵐᵉ d'Épinay et Mᵐᵉ d'Houtetot, ainsi qu'Ange-Laurent de Lalive de Jully. Fermier général en 1721, puis grand-maître des Eaux et Forêts de Bretagne. Il meurt le 3 juillet 1751 (date attestée par une lettre dans le dossier HOUDETOT, lieutenant-général, nᵒ 1111, Service historique de l'Armée), et est inhumé à Épinay, 407, 409, 511, 592, 602.

V. Mᵐᵉ d'Épinay, *Histoire de Mᵐᵉ de Montbrillant*, éd. Roth, I, 18, n. 6, II, 277-278.

BÉRARD (Jean-Baptiste). Ténor à l'Opéra en 1733, puis de 1736 à 1745, 392.

BERNARD (Abraham). Né le 31 décembre 1711 à Genève, fils de Gabriel Bernard et de son épouse Théodora Rousseau; cousin germain de Jean-Jacques. Son départ pour l'Allemagne semble avoir suivi de près la fuite de Genève de Rousseau, mais on ignore s'il est mort au service du roi de Prusse comme le disent les *Confessions* (liv. V, p. 249), et à quelle date (Ritter), 12, 13, 14, 19, 20, 23 - 28, 45, 46.

BERNARD (Gabriel), 1677-1737. Frère de Suzanne Bernard, mère de Rousseau. Sert quelque temps dans l'armée impériale et devient ingénieur militaire, mais ne peut obtenir à Genève, où il voulait travailler aux fortifications, le titre d'ingénieur. Il n'a pas davantage construit les fortifications de Charleston, comme le croit Rousseau (liv. V, p. 249, n. 1), et ne peut avoir pris part à la bataille de Belgrade (victoire des Impériaux,

commandés par le Prince Eugène, sur les Turcs) qui eut lieu dix-huit mois après son retour de Genève. Son mariage avec Théodora Rousseau, sœur d'Isaac et tante de Jean-Jacques, n'eut pas lieu le même jour que le mariage des parents de ce dernier, mais cinq ans plus tôt (1699); il avait précédé de quelques jours seulement la naissance d'une fille, qui ne vécut pas. Les époux furent sérieusement admonestés pour leur conduite. Le texte des *Confessions* rapporte donc vraisemblablement ici des légendes familiales. Parti pour l'Amérique en 1734, à 57 ans, Gabriel Bernard y meurt en 1737, 6, 12, 19, 26, 27, 32, 34, 59, 250.

V. les art. de Ritter, *Annales*, III, et Schinz, *Annales*, XXI, 1933.

BERNARD (Pierre-Auguste, dit GENTIL BERNARD), 1710-1775. Auteur du livret de l'opéra *Castor et Pollux*, musique de Rameau (1737) et de poèmes érotiques réunis seulement en 1775 dans son *Art d'aimer*, 325.

BERNARD (Samuel, financier), 1651-1739. Fils d'un peintre et graveur parisien. Amasse une fortune immense. Louis XIV le flatte et lui fait les honneurs de Marly. Il est anobli, et ses descendants s'allient à de grandes familles. Amant de Mme de Fontaine et père adultérin de Mme Dupin, 338.

BERNARD (Samuel, ministre protestant), 1631-1701. Pasteur à Saconnex, près de Genève. Grand-oncle, et non pas grand-père, de Rousseau; mais il recueille et élève la future mère de Jean-Jacques, Suzanne Bernard, lorsque meurt en 1682 le père de cette dernière. En mourant il partage ses biens entre elle et son propre fils Gabriel. Esprit cultivé, le pasteur Bernard avait hérité de son père, prénommé lui aussi Samuel, une riche bibliothèque, et laissa de nombreux papiers, 5, 249.

BERNARD (Suzanne), 1673-1712, mère de Rousseau. Fille de l'horloger Jacques Bernard (et non pas comme le dit Rousseau du pasteur Samuel Bernard, frère de ce dernier), elle est élevée après la mort de son père par le pasteur Samuel Bernard (1682). Sa beauté et sa coquetterie la font remarquer et lui valent des remontrances du Consistoire de Genève, sans qu'on puisse pour autant la taxer aujourd'hui de mauvaise conduite. Elle a 31 ans lorsqu'elle épouse Isaac Rousseau : le récit que donnent de leurs amours les *Confessions* semble donc poétisé. Elle meurt des suites de ses couches huit jours après la naissance de son second fils, Jean-Jacques, 5-7, 248.

BESENVAL ou BEZENVAL (M^{me} de), Rousseau orthographie
BEUZENWAL et BEUZEVAL. Née Catherine Bielinska, épouse
le baron Jean-Victor de Besenval de Bronstatt, de Soleure
(1671-1736), colonel des Gardes suisses en France, envoyé
extraordinaire en Suède et en Pologne (1713-1721 : c'est alors
qu'il dut rencontrer sa femme), chevalier de Saint-Louis,
lieutenant-général en 1719. Leurs fils Pierre-Victor (1721-
1791), auteur de *Mémoires* anecdotiques, sera aide de camp
du maréchal de Broglie pendant la campagne de Bohême,
puis maréchal de camp. La famille a fourni de nombreux
officiers aux Gardes suisses. M^{me} de Besenval protège Rous-
seau à ses débuts à Paris, 335-338, et contribue à lui faire
obtenir la place de secrétaire auprès de l'ambassadeur Mon-
taigu, 344-345, ce qui explique sa froideur quand Rousseau
se présente chez elle après sa querelle avec l'ambassadeur,
383. Une « lettre de Rousseau » (1744; *C. C.*, II, 376) est
apocryphe. Rousseau ne lui pardonnera pas d'avoir voulu le
faire dîner à l'office lors de sa première visite chez elle, 611.

BESSE (de). Commensal de Rousseau chez M^{me} La Selle, v. 1745,
non identifié. Le *Dictionnaire de la noblesse* de La Chesnaye-
Desbois ne mentionne pas de famille du nom de Besse, 404.

BETTINA. Ce prénom désigne une jeune chanteuse, 372, et une
jeune danseuse, 373, vénitiennes.

BEUZEVAL : v. BESENVAL.

BEUZENWAL : v. BESENVAL.

BEZOZZI (Famille), Rousseau orthographie BEZUZZI. Le dic-
tionnaire de Grove, éd. de 1954, mentionne une famille de
musiciens du nom de BESOZZI ou BEZOZZI. Le père Christo-
foro, né à Milan en 1661, s'établit à Parme v. 1700; un fils
Giuseppe, né à Milan en 1686, hautboïste, est membre de la
chapelle ducale à Parme de 1728 à 1733 au moins. Deux autres
fils (?), Alexandre, né à Parme en 1700 et mort à Turin en
1775, lui aussi membre de la chapelle ducale à Parme, et son
frère Jérôme (Parme 1713 - Turin 1775) également au service
du roi de Sardaigne à Turin, pourraient être les musiciens
mentionnés par Rousseau. Ce sont peut-être les mêmes qui
se produisent à Paris en 1735, et qui en 1770 reçoivent la visite
du musicologue anglais Burney alors en voyage en Italie. Tous
deux ont composé des sonates pour violon, flûte et quelquefois
hautbois, 77.

BINIS (Abbé de). Adjoint à Rousseau comme sous-secrétaire à l'ambassade de Venise. Non autrement connu. Rousseau l'accuse dans la 6e Promenade des *Rêveries* d'être devenu une créature de Choiseul, 345, 352-353, 360, 364, 366, 368.

BLAINVILLE (Mme de). Née Anne-Charlotte-Simonette d'HOU-DETOT, sœur du comte d'Houdetot. Épouse en 1740 le lieutenant-colonel Nicolas-Charles Dubuisson, marquis de Blainville, 529, 590-591.

BLAIR (Louis-François de), Rousseau orthographie BLAIRE, 1687-1764. D'une famille originaire du Béarn prétendant se rattacher à une ancienne maison écossaise; en fait, la famille est anoblie en 1700. Conseiller au Parlement de Paris depuis 1709, seigneur d'Arnay, Courtemanche (Somme) etc., épouse Catherine de Boisemont. Leur fils Louis-Guillaume de Blair de Boisemont, protégé par d'Argenson, devient intendant de La Rochelle, puis du Hainaut, puis de l'Alsace (de 1764 à 1779 : c'est à cette charge du fils que fait allusion le texte des *Confessions*), 677. V. F. Bluche, *les Magistrats du Parlement de Paris au XVIIIe siècle*, Paris, 1961.

BLANCHAR ou BLANCHARD (Esprit-Joseph-Antoine). Appelé " abbé " parce qu'il doit, d'après ses fonctions de maître de musique des cathédrales de Toulon, puis Besançon, porter l'habit ecclésiastique. L'incertitude des étapes de la carrière de ce personnage complique le problème de la datation de la visite de Rousseau à Besançon, relatée au l. V. Licencié de sa charge de maître de musique de la cathédrale de Besançon à la fin de 1732, Blanchard date de Paris, février 1734, un motet autographe conservé à la bibliothèque du Conservatoire de musique de Paris. Il est maître de musique à la cathédrale d'Amiens en 1735, et vient à Paris en 1737 comme un des quatre maîtres de chapelle du roi. En 1742 il reçoit une abbaye, qu'il quitte ensuite pour se marier (Grove), 238-239, 241.
V. Tiersot, *J.-J. Rousseau* (ce critique place en 1733 le voyage à Besançon).

BOISGELOU (Paul-Louis ROUALLE de), 1734-1806. Musicien que Rousseau a connu enfant vers 1742 chez son père, le président François-Paul Roualle de Boisgelou, 1697-1764, et qu'il revoit au temps du séjour à Montmorency, 602.

BOISSIER de SAUVAGES : v. SAUVAGES.

BOISSY (Louis de), Rousseau orthographie BOISSI, 1694-1758. Auteur dramatique, dirige à partir de 1755 le *Mercure de France* dont il a obtenu le privilège, 459.

BONAC ou BONNAC (Jean-Louis d'USSON, marquis de), 1672-1738. Envoyé extraordinaire en Suède de 1703 à 1708, en Espagne de 1711 à 1713, ambassadeur à Constantinople de 1716 ou 1717 à 1724 ou 1725, auprès du Corps helvétique de 1726 à 1736. Rousseau lui écrira en 1736 (*C. C.*, I, 42) pour le remercier de l'accueil reçu de lui à Soleure, 175-177, 181.

BONAC ou BONNAC (Mme de), 1693-1739. Née Madeleine-Françoise de Gontaut-Biron, épouse Jean-Louis d'Usson, marquis de Bonac. La cantate composée par Rousseau à la louange de Mme de Bonac est peut-être celle dont des fragments figurent dans le cahier « Réflexions critiques et morales » publié par Dufour, *Annales*, II, 192-198, 175-177.

BONNEFOND (M. de). Personnage non identifié. Le *Dictionnaire de la noblesse* de La Chesnaye-Desbois donne, sans mentionner d'individus, une famille de Bonnefonds, anoblie en 1592, possédant la terre de Launay en Normandie, dans la généralité de Caen, 328, 333, 388.

BONNET (Charles), 1720-1793. Savant genevois, naturaliste et philosophe de grande réputation. Sous le nom de *Philopolis* il a publié dans le *Mercure de France* d'octobre 1755 une lettre critiquant le second *Discours* de Rousseau, lettre à laquelle Rousseau répondit. Il est l'auteur entre autres ouvrages de la *Contemplation de la nature*. Rousseau l'accuse d'avoir collaboré avec Vernes en 1763 aux *Lettres sur le christianisme de Jean-Jacques Rousseau*, 750.
Voir sur Ch. Bonnet la thèse de G. Bonnet, Paris, 1929.

BONNEVAL (Michel de). Mort en 1766. Manceau, compositeur de ballets et d'opéras. Intendant des Menus Plaisirs de Louis XV. Selon les biographies de Hoefer et de Michaud, il pourrait être le frère de René de Bonneval, mort en janvier 1760, auteur de deux écrits adressés à Rousseau dont l'un réhabilite contre lui la musique française (1753-1754), 392.

BONNOT : v. CONDILLAC, MABLY.

BONONCINI (Giovanni Battista), Rousseau orthographie BUONONCINI, 1672-après 1748. Né à Modène, fils du musicien Giov. Maria Bononcini, (1640-1678). Les compositions de Giov. Batt. Bononcini ne sont pas encore nettement distin-

guées par la critique de celles de son frère Marc Antonio, 1675-1726, non moins fécond que lui. Giov. Battista est maître de chapelle à Modène dès 1687; son opéra *Camilla* est présenté à Naples en 1696, puis il se produit à Vienne, Rome, Berlin, à Londres où il est le rival de Hændel au temps de la fondation de la Royal Academy of Music (1716-1719). On perd sa trace après un nouveau séjour à Vienne de 1737 à 1748. Sa vie malheureuse (il passe pour avoir l'esprit dérangé) a pu lui attirer la sympathie de Rousseau, 343.

BONTEMPI-ANGELINI (Giovanni-Andrea), av. 1630-ap. 1704. De Pérouse. Son vrai nom est Angelini. Librettiste et dessinateur de machines pour le théâtre. Après avoir introduit l'opéra italien en Saxe tandis qu'il était au service du margrave de Brandebourg, il rentre en Italie v. 1670 et publie divers ouvrages dont une *Historia musica*, Pérouse, 1695, consacrée principalement à l'étude de « la théorie et de la pratique des anciens en matière de musique harmonique », 284.

BORDES (Charles), 1711-1781. Lyonnais revenu dans sa ville natale après quelques années parisiennes lorsque Rousseau lui adresse une *Épître* en vers rédigée vers 1741 et publiée en 1743, dans laquelle sont louées l'industrie et la prospérité lyonnaises (*O. C.*, II, 1130). Une autre *Épître* à Bordes est composée à Venise (*O. C.*, II, 1144). Mais l'amitié va faire place à l'hostilité une fois Rousseau devenu auteur et adversaire du luxe. Bordes, maintenant membre de l'Académie de Lyon, inaugure par sa réfutation en forme du *Discours sur les Sciences et les Arts*, parue dans le *Mercure* de décembre 1751, une polémique dont Rousseau fait mention au livre VIII des *Confessions* (p. 433 et n. 1). Si Bordes, établi plus tard en Angleterre, n'y est pas venu tout exprès pour nuire à Rousseau *(ibid.)*, il est bien l'auteur de la *Prophétie tirée d'un vieux manuscrit* que traduisent en 1761 les journaux londoniens, et probablement aussi de la *Lettre au Dr Pansophe* que la même presse reproduit en 1766, au plus fort de la querelle entre Rousseau et Hume. Ces deux « affreux libelles » furent alors attribués à Voltaire. Dans un fragment qu'on croit pouvoir dater de 1755-1756, publié par Streckeisen-Moultou et reproduit dans l'éd. Gagnebin-Raymond (*O. C.*, I, 1114), Rousseau juge encore équitablement l'attitude de Bordes (qu'il ne nomme pas) dans la polémique consécutive à la publication du premier *Discours :*
« Un seul mérite d'être excepté. Il savait penser et écrivait

bien, il prit parti dans la querelle, il publia non contre moi comme les autres, mais contre mon sentiment deux discours pleins d'esprit et de vues et très agréables à lire, mais il est certain qu'il ne fit en cela qu'enter son génie sur ses préjugés et donner un beau coloris aux erreurs vulgaires. » V. le livre d'A. Ruplinger, Lyon, 1915 ; L. Trénard, *Lyon, des Lumières au Préromantisme*, Paris, 1957 ; et Aurenche, *J.-J. Rousseau chez M. de Mably.* Aussi 325, 327, 343.

BORDEU (Théophile de), 1722-1776. Médecin d'origine béarnaise, exerçant à Paris depuis 1752. Collaborateur de l'*Encyclopédie* depuis 1753. Sa réputation est fondée principalement sur ses *Recherches sur le pouls*, 1756. Diderot le met en scène dans *le Rêve de d'Alembert*, écrit en 1769, 650.

BOSE : v. BOZE.

BOSSUET (Jacques-Bénigne), 1627-1704. Rousseau lit son *Discours sur l'Histoire universelle*, 8. Il évoque Bossuet à propos du « fief de Mauléon », 595. Le nom de Mauléon est souvent associé de façon maligne à celui de Bossuet au XVIIIe siècle. Voltaire a essayé de tirer au clair la légende d'un contrat de mariage secret entre Bossuet et une demoiselle à qui il aurait donné de quoi acheter cette terre, dont elle aurait ensuite pris le nom. V. la mise au point de J. Orcibal dans la *R.H.L.F.* de juillet-septembre 1956.

BOUCHARD (Jean-Baptiste), 1707 (?)-1747. Dauphinois établi à Chambéry au plus tard en 1730, fournisseur du service du cadastre ; mais les archives consultées par G. Daumas ne le donnent pas comme libraire avant 1738. Selon C. Bouvier, *la Bibliothèque des Charmettes*, Chambéry, 1914, p. 42, n. 1, sa boutique à Chambéry est dans la Grande-Rue, tout près de la maison du comte de Saint-Laurent où vivent Mme de Warens et Rousseau, 268.

BOUDET (Claude), 1705-1774. Religieux de l'ordre des Antonins, biographe de Mgr de Bernex, évêque de Genève (1751). C'est pour cette *Vie de M. de Rossillon de Bernex* que Rousseau lui a remis ou fait remettre en 1742 un mémoire témoignant en faveur d'un « miracle », 134.

BOUFFLERS (Amélie de), 1751-1794. Fille du duc et de la duchesse de Boufflers, petite-fille de la maréchale de Luxembourg. Elle n'a guère plus de neuf ans lorsque Rousseau fait sa connaissance en 1760 (« elle n'avait pas onze ans »). Elle épouse en 1766 Armand-Louis de Gontaut, duc de Lauzun, 1747-

1793. Elle périt sur l'échafaud pendant la Révolution, 630-631.

BOUFFLERS (Marie-Anne-Philippine-Thérèse de Montmorency, duchesse de). Née v. 1732, fille de Louis-François, dit le prince de Montmorency, seigneur de Neufville (près d'Arras), et de Marie-Thérèse Rym, baronne de Belem. Épouse en 1747 Charles-Joseph de Boufflers (quelques mois plus tard duc de Boufflers), gouverneur de Flandre et du Hainaut, de la ville et citadelle de Lille, colonel du régiment de Navarre, brigadier (mort en 1751). Elle est donc la bru de Mme de Luxembourg, laquelle avait épousé en premières noces le duc de Boufflers, Joseph-Marie, mort en 1747, père de Charles-Joseph. Ne pas la confondre non plus avec la *comtesse* de Boufflers, 621.

BOUFFLERS (Marie-Charlotte-Hippolyte de CAMPET de SAUJON, comtesse de), 1724-1800. Épouse en 1746 Édouard, comte de Boufflers-Rouveret (selon Gagnebin), ou Boufflers-Riverel (Plan), ou Boufflers-Rouvel (Courtois) ou Boufflers-Rouvenel (Faguet). Elle s'en sépare bientôt et devient vers 1750 la maîtresse du prince de Conti. Rousseau semble avoir fait la connaissance de la comtesse de Boufflers en 1759. Le conseil qu'elle lui donne à la fin de 1765 d'accepter l'invitation de Hume en Angleterre apparaîtra plus tard à Rousseau comme le signe d'une « haine couverte mais implacable » de la part de cette « furie » (317). Il glisse évidemment une allusion désobligeante à Mme de Boufflers dans la mention qu'il fait de Mme d'Arty, au l. VII (339), comme étant « l'amie, l'unique et sincère amie de M. le prince de Conti », 317, 611, 621, 638-640, 650, 654, 655, 657-658, 676, 681-683, 685, 686, 688, 700, 716, 740, 746.
V. sur ce personnage le livre de P. E. Schazman, 1933, son article dans la R.H.L.F., XLIV, 1937, pp. 403-407, et le livre quelque peu vieilli de Faguet, *les Amies de Rousseau* (1912) : sur son rôle dans le « complot », selon Rousseau, la note de B. Gagnebin, *O.C.*, I, 1574-1575.

BOUFFLERS (Stanislas-Jean, abbé de), dit le chevalier de Boufflers, 1738-1815. Maréchal de camp, gouverneur du Sénégal. Auteur de poésies légères et de contes, membre de l'Académie française. Rousseau se plaint de sa froideur, 651-652, 655.

BOULANGER (Nicolas-Antoine), 1722-1759. Collaborateur de l'*Encyclopédie* (c'est sans doute son art. *Déluge* qui « étendait les systèmes de Mussard sur la durée du monde », 443). D'Hol-

bach publia après la mort de Boulanger les *Recherches* de ce dernier *sur l'origine du despotisme oriental* ; et il lui emprunta son nom quand il fit paraître à Londres son propre *Christianisme dévoilé* (1761). V. J. Hampton, *N. A. Boulanger et la science de son temps* (1722-1759), 1955.

BOURBONNAIS ou BOURBONNOIS (M^lle). Cantatrice à l'Opéra de Paris de 1725 à 1748, 392.

BOURDEILLES : v. BRANTOME.

BOY DE LA TOUR (Jean-Pierre), 1742-1822. Fils aîné de Pierre Boy de la Tour et de Julie-Anne-Marie Roguin, son épouse. Propriétaire de la maison occupée par Rousseau à Môtiers, 699.

BOY DE LA TOUR (M^me) née Julie-Anne-Marie ROGUIN, 1715-1780. Nièce de Daniel Roguin, épouse en 1740 Pierre Boy de La Tour et, devenue veuve, dirige à Lyon la maison de commerce de son mari. Elle correspond avec Rousseau de 1772 à 1774, 696, 699, 701, 714.

BOY DE LA TOUR (Madeleine-Catherine), 1747-1816. Fille aînée de Pierre Boy de La Tour et de sa femme Julie-Anne-Marie Roguin. « Agée d'environ quinze ans » lors de l'arrivée de Rousseau à Môtiers, 696, elle épouse en 1766 Étienne Delessert, banquier à Paris. Elle correspond avec Rousseau qui l'appelle *Madelon* ou *Cousine*, et qui lui adresse notamment, de 1771 à 1773, une dizaine de lettres recueillies plus tard dans les éditions de ses œuvres sous le titre *Lettres élémentaires sur la Botanique*.

BOY DE LA TOUR (Pierre), négociant, 1706-1758. Né à Môtiers, négociant à Lyon, y fait faire pour Rousseau en 1744 une vérification auprès du service des douanes, 382. La famille, connue à Môtiers sous le nom de Magnin à la fin du XV^e siècle, y prend celui de Boy de La Tour à la fin du XVI^e ; elle est reçue à la bourgeoisie de Neuchâtel et anoblie en 1750. Plusieurs de ses membres, établis à Lyon au XVIII^e siècle, s'y adonnent au commerce et à la banque (*Dictionnaire histor. et biogr. de la Suisse*).

BOY DE LA TOUR (Pierre), « Pierre DUVAL », 1700-1772. Identifié comme étant « Pierre Boy de La Tour, allié Meuron, conseiller de la commune à Môtiers » dans l'éd. Gagnebin-Raymond, *O. C.*, II, 1931. Il est ridiculisé par Rousseau non pas comme il est dit *ibid.* sous le nom de Pierre de la Mon-

tagne, mais sous celui de Pierre Duval, « dit Pierrot des dames », 748.

Boze (Claude Gros de), Rousseau orthographie Bose, 1680-1753. Numismate lyonnais, membre de l'Académie française, secrétaire perpétuel de l'Académie des inscriptions; Rousseau lui est recommandé par ses amis lyonnais à son arrivée à Paris, 329-330.

Boze (Mme de) (femme du précédent), 329-330.

Brantome (Pierre de Bourdeilles, abbé et seigneur de), 1540-1614. Auteur des *Vies des hommes illustres et grands capitaines français*, de *Vies des grands capitaines étrangers*, du *Recueil des dames galantes*, etc., tous ouvrages publiés seulement en 1665-1666, 210.

Breil (Giuseppe-Roberto, marquis de). Fils aîné d'Ottavio-Francesco Solaro, comte de Gouvon. Ambassadeur depuis 1720 à Vienne, où Montesquieu lui rend visite en 1728 (Shackleton, *Montesquieu*, p. 98), 102.

Breil (Mme de), née Maria Vassallo di Favria, épouse du précédent, 101, 105, 107.

Breil (Pauline-Gabrielle de), née vers 1712, fille du marquis et de la marquise de Breil. Épouse en 1730 Cesare-Giustiniano Alfieri di Sostegno (1710-1764), 102-105, 505.

Brémond : Non identifié. Le *Dictionnaire de la noblesse* de La Chesnaye-Desbois mentionne une famille de ce nom en Dauphiné, sans détails. Rousseau le donne comme directeur des douanes de Toscane vers 1743, lorsqu'une courtisane vénitienne feint de prendre Rousseau pour Brémond, 375-376.

Brignole (Mme de), Rousseau orthographie Brignolé, conformément à la prononciation. Il ne s'agit vraisemblablement pas de la femme de Gian-Francesco de Brignole-Sale (1695-1769), doge de Gênes de 1746 à 1749, puis sénateur à vie, et envoyé à la cour de France en 1736 — mais plutôt d'Anna ou Annetta Balbi (1702-1774), devenue marquise de Brignole-Sale par son mariage avec un frère du doge. Après avoir rencontré le maréchal de Richelieu à Gênes en 1747, la marquise de Brignole devint bientôt sa maîtresse, et vint vivre à Paris, d'abord à l'hôtel de Richelieu, puis dans un hôtel de la rue d'Anjou, faubourg Saint-Honoré. Elle fut aussi la maîtresse du prince Honoré III de Monaco, lequel a épousé en 1757 la propre fille d'Annetta, Marie-Catherine. C'est au

cours des six ans qu'elle passa à Paris, à partir de 1748 environ, qu'Annetta, s'il s'agit bien d'elle, a pu fréquenter le salon de M^me Dupin et y rencontrer Rousseau, 339.

V. les ouvrages de Faur et de Soulavie consacrés au maréchal de Richelieu (Faur, pp. 101, 135-136; Soulavie, II, 135). Renseignements communiqués par le Dr F.-L. Mars.

BROGLIE (François-Marie, comte de), 1671-1745. Maréchal de France. Commande l'armée de Bohême à partir de 1741. Sa retraite sur Prague en mai-juin 1742, quelques années après l'épisode de La Secchia, p. 212 et n. 1, inspire à Rousseau une épigramme reproduite dans *O. C.*, II, 1136.

BROGLIE (M^me de), née Théodora-Élisabeth-Marie-Catherine de BESENVAL, a épousé en 1733 Charles-Guillaume-Louis, marquis de Broglie. Elle et sa mère protègent Rousseau lors de ses débuts à Paris, 335-338, 345.

BRUNA (M^me). « Chanteuse italienne » non identifiée, interprète en 1757 un motet de Rousseau, 549.

BRUTUS. Le Brutus mentionné dans les *Confessions* est soit le rival d'Antoine, Marcus Brutus, célèbre par sa mort courageuse mais désabusée (« Vertu, tu n'es qu'un mot ! »), soit plus probablement son aïeul Junius Brutus, sacrifiant ses fils à la république — trait rapporté par Rousseau dans sa *Réponse à M. Bordes*, et qu'il a pu lire dans Plutarque, 8, 25.

BUFFON (Georges-Louis Leclerc de), 1707-1788. A l'époque où Rousseau fait sa connaissance chez M^me Dupin, il est intendant du Jardin du Roi (Jardin des Plantes actuel) et membre adjoint de l'Académie des sciences. Il a voyagé en France, Italie (avec le duc de Kingston, 1735), Angleterre; publié des traductions. Il travaille déjà à son *Histoire naturelle,* dont la publication commence en 1749. A l'admiration de Rousseau, souvent exprimée (la légende veut que passant à Montbard pour lui rendre visite, en juin 1770, sur la route de Monquin à Paris, Rousseau se soit agenouillé au seuil du cabinet de travail de son hôte), répond la sympathie que Buffon fait connaître à Rousseau au lendemain de la « lapidation » de Môtiers (*C. C.*, XXVII, 118), 340. Sur les emprunts de Rousseau à Buffon dans l'*Émile,* voir le livre de P. Jimack (pp. 318 sqq.). Sur Buffon et Rousseau, O. Fellows, *P. M. L. A.*, LXXV, 1960.

BUONONCINI : v. BONONCINI.

BUTTAFUOCO (Mathieu), 1731-1806. Capitaine aide-major au régiment Royal-Italien, puis colonel commandant le régiment

Royal-Corse. Écrit à Rousseau le 31 août 1764 pour lui demander un projet de constitution pour la Corse, et correspond avec lui en 1764-1765. Plus tard rallié à la France, il sera comte et maréchal de camp, délégué de la noblesse corse aux états généraux de 1789, 770-771, 774-775.

CAHOÜET (Rousseau orthographie CAHOUET). Intendant de Mme d'Épinay, règle les détails du déménagement de l'Ermitage après le départ de Rousseau, et convoie Mme Le Vasseur à Paris (lettre à Mme d'Épinay du 27 déc. 1757, *C. C.*, IV, 411), 579.

CAHUSAC ou CAHUZAC (Louis de), 1700-1759. Venu de Montauban à Paris, secrétaire des commandements du comte de Clermont, abandonne son service pour la musique à partir de 1744. Auteur de nombreux livrets d'opéra, dont plusieurs mis en musique par Rameau ; de *Zénéide,* comédie en un acte en vers avec un divertissement, 1743 ; de « *Gri-Gri,* histoire véritable, traduite du japonais » 1739, que Rousseau, dans son *Persifleur,* classe ironiquement, en 1749, parmi les « sublimes productions de ce siècle » (*O. C.*, I, 1166). La querelle des Bouffons relatée au l. VIII des *Confessions* lui inspire *La Guerre de l'Opéra, lettre écrite à une dame de province par quelqu'un qui n'est ni d'un coin ni de l'autre,* s.l.n.d.
Son ouvrage en trois volumes *la Danse,* 1754, est plus important, car il dégage la préoccupation, commune à Diderot, à Rousseau et à d'autres contemporains, d'établir d'étroits rapports entre la phrase musicale, la poésie ou la prose poétique, et l'expression des sentiments ; comme Rousseau plus tard, Cahusac s'intéresse au motif dramatique et lyrique, très exploité au XVIIIe siècle à la scène comme dans les arts plastiques, de *Pygmalion,* composant la musique pour la pièce de ce titre de La Motte, 438.

CALABRAIS (le) : v. GRECO.

CAMILLE : v. VERONESE.

CANAVAS ou CANAVAZZO (Gianbattista), Piémontais employé au cadastre à Chambéry de 1730 environ à 1734. En 1742 il quitte Chambéry pour Paris, où son mariage le fait entrer dans la famille de Mme Van Loo (v. ce nom) (identification de G. Daumas), 213, 214.

CARDAN (Girolamo CARDANO), 1501-1576. Sur la comparaison, entre ce savant italien et Rousseau, voir l'*Introduction,* pp. X-XI.

CARIGNAN (Anne-Thérèse de Savoie-Carignan, princesse de), 1717-1745. Sœur de Victor-Amédée de Savoie, prince de Carignan. Épouse en 1741 un veuf, le prince Charles de Rohan-Soubise (1715-1787), maréchal de camp en 1743, aide de camp du roi. La maison de Carignan (ville située à 20 km au sud de Turin) est une branche cadette de la maison de Savoie; son premier prince est Thomas, né en 1595, 329.

CARLO-EMANUELE III : v. CHARLES-EMMANUEL III.

CARRION ou CARRIO, av. 1720-ap. 1773. Nom catalan, « castillanisé » après l'anoblissement par l'addition d'un *n* final. Secrétaire de l'ambassade d'Espagne à Venise lorsqu'il fait la connaissance de Rousseau (358, 360, 369-376, 380-381, 385). Sa carrière diplomatique le conduira ensuite en Suède, à Paris (d'où il rend visite à Rousseau à Montmorency, 599), selon Spell en 1759. En décembre 1760 Rousseau mentionne à Coindet, comme un rêve impossible à réaliser, le projet d'une société d'amis à trois avec Carrion (*Annales*, XIV, 1922, pp. 35-36). Carrion est ensuite en poste à Londres et à Vienne. Rousseau lui envoie de 1758 à 1762 un exemplaire de chacun de ses ouvrages, sauf *le Contrat social*. En 1763 ils échangent des nouvelles par le maréchal de Luxembourg qui l'a vu à Marly (*C. C.*, XVI, 152), puis en 1773 par le duc d'Albe. Voir Spell, pp. 15-18.

CASTEL (Louis-Bertrand), 1688-1757. Jésuite né à Montpellier, un des principaux rédacteurs du *Journal de Trévoux*. Bon mathématicien, publie entre autres, après son établissement à Paris en 1720, sa *Mathématique universelle* (1728). Lié avec Montesquieu — il a été précepteur de son fils — il revoit pour lui les *Considérations* avant la publication, et le confesse à son lit de mort. Son *Optique des couleurs* (1740) contient la théorie d'un « clavecin oculaire » qui excite l'intérêt des esprits curieux de science. Rousseau lui est recommandé à son arrivée à Paris (329); ils se brouillent après le retour de Rousseau de Venise (383). Castel polémique contre Rousseau à l'occasion de la *Lettre sur la musique française*, puis du *Discours sur l'inégalité*. Aussi 335-336.

CASTELLANE (Michel-Ange, comte de), 1703-1783. Sa carrière militaire se poursuit jusqu'au grade de brigadier des armées du roi, en 1748; il est ensuite gouverneur de Niort jusqu'à sa démission de cette charge en faveur de son fils, en 1766. De 1740 à 1747 il est ambassadeur à Constantinople. Pensionné en février 1781 (Service histor. de l'Armée, Y 4 d., Castel-

lane; Arch. Aff. étr., Corr. polit. Turquie, t. 108-109, 112-118)
362.

Castries (Charles-Eugène-Gabriel de La Croix, marquis de),
1727-1801. Maréchal de camp (= général de brigade) en
1748; en 1756, commande les troupes françaises en Corse;
employé à l'armée de Soubise à partir du 1er janvier 1757,
commande la cavalerie à l'armée d'Allemagne à partir du 23
juillet; blessé à Rossbach en novembre. Lieutenant-général en
1758, reçoit le commandement d'un corps de troupe sur la
Meuse. Maréchal de France en 1783, ministre et secrétaire
d'État à la Marine en 1780. Rousseau semble se tromper
(530) en croyant que Grimm accompagne le maréchal (*de
camp* alors, non de France) de Castries : Mme d'Épinay dit
d'Estrées (voir Musset-Pathay, *Histoire de la vie* (...), II, 35).
Peut-être alors faut-il lire, 554, *hôtel d'Estrées,* et non *hôtel de
Castries.* Toutefois Grimm est lié avec le marquis de Castries en
1764 au plus tard, comme le montre une lettre publ. par J. von
der Osten, *Luise-Dorothee* (...), Leipzig, 1893, p. 294.

Cataneo (Mlle de). Fille du comte Jean de Cataneo, agent de
Frédéric II de Prusse à Venise. Elle n'est pas autrement connue.
— R. Mortier (*Studies on Voltaire* [...], XXXII, 1965), a étudié les
écrits de Cataneo dirigés contre les Philosophes : Montesquieu,
Voltaire, Diderot, Feijoo; mais Rousseau ne semble pas avoir
été au courant de cette considérable activité intellectuelle
(renseignements communiqués par M. Roland Mortier), 373.

Catinat (Nicolas de), 1637-1712. D'origine roturière, se dis-
tingue sous Louis XIV par la conquête des États du duc
de Savoie et accède à la dignité de maréchal de France. Il
se retire ensuite au château de Saint-Gratien, que Rousseau
pouvait voir de son « donjon » de Montlouis à Montmo-
rency. Le château existe encore aujourd'hui sur la commune
de Saint-Gratien (place Catinat), le lac d'Enghien actuel
faisant partie de l'ancien parc du château. Rousseau cite encore
Catinat aux côtés de Fénelon, dans le 2e *Dialogue,* parmi les
« hommes vertueux » qui ont « jadis existé sur la terre »,
585, 734.

Caton (Philibert). Né entre 1675 et 1680. Gardien du couvent
de Sainte-Marie l'Égyptienne à Chambéry de 1732 à 1736.
Une enquête ordonnée par le roi de Sardaigne le lava d'une
accusation de gestion frauduleuse, suscitée vraisemblable-
ment comme le dit Rousseau (214-215) par une cabale. On
ignore la date de sa mort; le titre de *définiteur* des Cordeliers

(conseiller du Général ou d'un Provincial) que lui donne Rousseau (214) n'est confirmé par aucun des documents connus jusqu'ici (Daumas).
Aussi 143, 213.

CATTINA. Jeune chanteuse vénitienne (372). C'est peut-être elle qui est nommée dans une pièce de vers composée à Venise par Rousseau, le fragment d'une épître à Bordes (*O. C.*, II, 1145).

CAYLUS (Anne-Claude-Philippe, comte de), 1692-1765. Fils d'une parente de M^me de Maintenon. Se distingue comme critique d'art, faisant avant Diderot le compte rendu des salons de peinture, et surtout comme archéologue. Il entre à l'Académie des Inscriptions à l'époque de ses premières relations avec Rousseau, 325. C'est lui qui a donné en 1737 la première traduction française du roman de chevalerie espagnol *Tiran le Blanc*, préludant ainsi à la renaissance préromantique de la littérature chevaleresque, et au goût « troubadour ».

CÉLADON. Héros de l'*Astrée* d'Honoré d'Urfé, une des lectures de jeunesse de Rousseau, 291.

CÉSAR. Jean-Jacques compare deux fois à Jules César l'enfant qu'il fut : 25 et 33. Mais dans le second cas César désigne à la fois le conquérant romain et le chien qui porte son nom dans la fable de La Fontaine *l'Éducation* (VIII, fable XXIV). Voir LARIDON.

CHAIGNON (Pierre de), 1703-1787. Résident de France à Sion de 1744 à sa mort, y reçoit Rousseau lors de son retour de Venise, 381.

CHAILLET (Jean-Frédéric), 1709-1778. Lieutenant-colonel au service du roi de Sardaigne, puis conseiller d'État à Neuchâtel de 1752 à 1763, défend Rousseau contre les pasteurs, 756.

CHAILLOU (Amelot de) : v. AMELOT.

CHALLES (Gasparde-Balthazarde). Née en 1702, fille de J.-B. Milliet, marquis de Challes, et de Françoise de Beaumont; sœur de M^me de Charlie ou Charlier (v. ce nom). Élève de Rousseau à Chambéry; elle a alors une trentaine d'années (Mugnier), 218.

CHAMBERS (Ephraïm), 1680 (?)-1740. Auteur de la *Cyclopædia, or A Universal Dictionary of Arts and Sciences*[...]*compiled from the Best Authors*, destinée à remplacer le *Lexicon Technicum* de John Harris (1704). Publié en 1728 en 2 volumes in-f°

dédiés au Roi, l'ouvrage vaut à Chambers d'être élu en 1729 à la Royal Society, et d'être enterré à Westminster Abbey, 410.

CHAMBRIER : v. LE CHAMBRIER.

CHANCELIER (M. le) : v. LAMOIGNON.

CHANTAL (Jeanne-Françoise, née FRÉMYOT, baronne de), 1572-1641. Née à Dijon, fille d'un président du Parlement de Bourgogne, épouse en 1592 le baron Christophe de Rabutin-Chantal, lequel meurt accidentellement en 1601. La rencontre de François de Sales, évêque de Genève, amène la veuve à entrer dans la vie religieuse et à devenir en 1610 la première supérieure de l'ordre de la Visitation Sainte-Marie qu'il vient de fonder. Béatifiée en 1751, M^me de Chantal est canonisée par Clément XIII en 1767, donc vers le temps de la rédaction des *Confessions*, 55.

CHAPPUIS (Marc), 1714-1779. Riche négociant, député de la bourgeoisie de Genève, lié avec Rousseau depuis 1744, s'occupe à Genève des affaires financières de Rousseau et de Voltaire. Il joue un rôle actif dans le mouvement « représentant » en 1763. Le nom signifiant *charpentier*, et orthographié aussi *Chapuis*, est très répandu dans les cantons de Genève, Berne et Vaud actuels, 467.

CHARLES-EMMANUEL III, Turin 1701-Turin 1773. Roi de Sardaigne de 1730 à 1773. Fils de Victor-Amédée II et d'Anne de France. Duc d'Aoste, puis prince de Piémont, à la mort de son frère aîné Victor-Amédée (1715); il reçoit alors seulement l'éducation politique et militaire d'un futur souverain. A l'abdication de son père en 1730, il monte sur le trône et s'oppose aux tentatives de ce dernier pour reprendre le pouvoir. A la guerre de la Succession de Pologne, il préfère aux propositions autrichiennes celles de la France, qui lui promet Milan (traité de Turin, 1733) 207-208. Il est vainqueur à Guastalla, le 19 septembre 1734, 212 et n. 1. Mais à la paix de Vienne (1738) il devra évacuer le Milanais et se contenter de Novare et Tortone. Il repousse alors l'alliance française dans la guerre de la Succession d'Autriche et s'allie à Marie-Thérèse et à l'Angleterre. Il n'intervient pas dans la guerre de Sept Ans, et la seconde partie de son règne est occupée par des réformes administratives, financières et judiciaires. Il a successivement épousé, en 1722 et 1724, deux princesses allemandes, puis en 1737 Élisabeth-Thérèse, sœur du duc

de Bourbon (1761). Il rencontre Rousseau chez les Luxembourg, et s'offre à l'aider à rentrer dans la carrière diplomatique, 653. Rousseau plus tard s'imagine que Choiseul s'est cru visé par une phrase du *Contrat social* (654) et lui attribue rétrospectivement son exil de 1762 ; il se décide en mars 1768 à adresser au ministre une longue lettre (*C. G.*, XVIII, 179) exposant ses doutes et soupçons, et lui demandant pour toute réponse un « je vous crois » qui le tranquillisera ; la réponse de Choiseul ne nous est pas connue, mais il envoie en septembre à Rousseau qui le lui demande un passeport accompagné d'une lettre « fort polie ». A la fin de l'année 1768, pourtant, Rousseau considère Choiseul comme l'âme du « complot » tramé par ses ennemis, ressentant l'annexion de la Corse par la France, survenue cette même année, comme un coup personnel, alors qu'il avait envisagé de rédiger une constitution pour une Corse indépendante. « Il regardait M. de Choiseul, ministre, comme son ennemi le plus implacable », écrira en 1791 Sébastien Mercier dans son *De Jean-Jacques Rousseau* [...] (I, 239, n. 1). Pourtant, la note liminaire au 2ᵉ cahier du ms. de Genève (*supra*, p. 317), rédigée évidemment avant la disgrâce de Choiseul (survenue en décembre 1770), fait encore confiance au ministre, que Rousseau espère détromper en s'adressant à lui directement. Cet espoir a été ensuite abandonné, puisque la partie de cette note qui concerne Choiseul a été biffée. Aussi 317, 653, 670, 674, 680, 691, 777.

CHOUET (Jean-Louis), 1678-1756. Premier syndic de la République de Genève en 1755, « fait rapport » au Grand Conseil de la Dédicace du *Discours sur l'Inégalité,* et écrit à cette occasion à Rousseau une courte lettre (*C. C.*, III, 133), 469.

CHRISTIN (Mᵐᵉ de), Rousseau orthographie CRISTIN : v. VULSON.

CINÉAS (Rousseau orthographie CYNÉAS). Sage conseiller de l'ambitieux Pyrrhus, roi d'Épire, conquérant insatiable, selon une anecdote rapportée par Plutarque, 217, 651.

CLAIRAUT (Alexis-Claude), 1713-1765. Mathématicien et astronome, reçu à dix-neuf ans à l'Académie des Sciences, 604, 677.

CLAIRE (Claire d'Orbe de son nom de mariage). Personnage de *la Nouvelle Héloïse,* cousine brune et vive de la blonde et raisonneuse Julie, 169.

connaissance à Paris en 1664, en Hollande puis en Angleterre, où il devient « lecteur » de l'église réformée française et bibliothécaire du palais épiscopal de Lambeth. Engagé dans diverses polémiques (notamment contre Jurieu) qui suscitent de sa part de nombreux écrits. Une grande édition in-4º de ses œuvres, en latin, a paru en 1709 à Hambourg par les soins de J.-A. Fabricius, 251.

COLTELLI : v. PROCOPE.

CÔME (Frère). Jean BASEILHAC, 1703-1781, religieux de l'ordre des Feuillants, en religion Frère de Saint-Cosme (saints Côme et Damien sont les patrons des chirurgiens), chirurgien renommé, fonde en 1753 un hospice pour les pauvres. Diderot le met en scène dans *Jacques le Fataliste* et raconte à son propos l'amusante anecdote du malade qui ne veut pas mourir (*Corr.*, éd. Roth, V, 197). Il soigne Rousseau en 1761, 674.

CONDÉ (Louis-Joseph de Bourbon, prince de), 1736-1818. Se distingue dans la guerre de Sept Ans. Passe pour un prince libéral; lié avec des écrivains (Chamfort). Embellit Chantilly. Émigrant en 1792, il formera à Coblence l'armée dite de Condé. Inhumé à Saint-Denis dans le caveau des rois de France, 575.

CONDILLAC (Étienne BONNOT de), abbé de Mureaux, 1715-1780. Frère du prévôt Mably et de l'abbé de Mably. Entre en relations avec Rousseau à Lyon en 1741, 325, et plus tard fait par lui à Paris la connaissance de Diderot (409) et du libraire qui publie son *Essai sur l'origine des connaissances humaines* (1746), vulgarisant les idées de Locke. Lorsque Condillac est devenu, vers 1755, précepteur du prince de Parme, petit-fils de Louis XV, ils restent en relations par Deleyre, bibliothécaire du prince. Il entre à l'Académie française en 1768. C'est à lui que Rousseau confie, après l'échec de la tentative de dépôt à Notre-Dame de Paris (relatée à la fin des *Dialogues* dans l'*Histoire du précédent écrit*), le manuscrit de ses *Dialogues*.
Philosophe sensualiste (*Traité des sensations*, 1755), et collaborateur de l'*Encyclopédie*, Condillac semble avoir exercé sur Rousseau une influence considérable, dont Rousseau lui-même témoigne par des allusions élogieuses dans le Second *Discours* (fin de la première partie, à propos de l'origine des langues; *O. C.*, III, 146, et dans l'*Émile* (sur les emprunts à Condillac dans l'*Émile* v. Fr. Bouchardy, dans les *Mélanges Bouvier*, 1920, et P. Jimack). Cette influence

accepter l'asile que lui offre Conzié sur sa terre d'Arenthon en Savoie (v. sur ces négociations H. de Saussure, *op. cit.* pp. 345-348). Mais lui ayant rendu visite à Chambéry en 1768, Rousseau croit découvrir que Conzié est en correspondance avec Choiseul, et gagné au « complot » (*D. P.*, XVIII, 269, XIX, 255). Il fait bonne figure lorsque Conzié lui rend visite à Paris en 1772 (*D. P.*, XIX, 357), mais ajoute au texte des *Confessions*, dans le ms. de Paris, une note hostile à son ancien ami (liv. V, p. 246, et var. *c*, p. 873). Une *Notice* de Conzié *sur M^me de Warens et Jean-Jacques Rousseau* a été imprimée dans les *Mémoires et documents publiés par la Société savoisienne d'Histoire et d'Archéologie*, Chambéry, I, 1856, pp. 73-90.

Coppier : v. Couppier.

Coraline : v. Véronese.

Coriolan. Rousseau exilé de France, de Genève et des États de Berne, et demandant asile à Frédéric II de Prusse, dont il a naguère sévèrement critiqué le caractère et la politique, se compare à Coriolan, général romain qui exilé de Rome est accueilli généreusement par son ancien adversaire le général des Volsques, 701.

Corvesi (Apolline-Catherine, née Guilloty), Rousseau orthographie Corvezi, épouse de l'intendant pour la province du Genevois, résidant à Annecy. Mugnier doute qu'elle ait eu, comme le dit Rousseau, une liaison avec M. d'Aubonne, 132.

Corvesi (Lazare), 1693-1768. Intendant de justice, police et finances, vice-conservateur des fermes et gabelles du roi de Sardaigne pour la province du Genevois vers 1720-1730, né à Sospel et mort à Nice, 132-133.

Couppier (François), Rousseau orthographie Coppier, 1679-1768. Jésuite, visiteur de M^me de Warens et de Rousseau aux Charmettes (nommé dans la *C. C.*, I, 57), 280.

Courteille (Jacques-Dominique Barberie, marquis de), Rousseau orthographie Courteilles. Mort après 1770. Serait fils de Jacques Barberie, seigneur de Courteilles, intendant des généralités d'Alençon et de Bourges. Son dossier personnel aux Archives du ministère des Affaires étrangères, qui donne ce renseignement, contient une note le présentant comme conseiller d'État ordinaire, maître des requêtes ordinaires de l'hôtel du roi. Il est ambassadeur de France

auprès du corps helvétique de 1738 à 1749, et ministre plénipotentiaire à la diète d'élection de Francfort en 1745, 176.

COURTILLES : v. WINTZENRIED.

CRAMER (M^me). Vraisemblablement l'épouse d'un des deux frères Cramer, imprimeurs à Genève (les imprimeurs de Voltaire) : soit Gabriel, dit l'aîné, soit Philibert, dit le cadet; mais Rousseau l'appellerait plutôt dans ce cas « M^me Cramer la jeune ». S'il s'agit de l'épouse de Gabriel, elle est née Claire DELON ou DELLON, fille aînée d'un Genevois, banquier du roi de Sardaigne, et a correspondu avec Rousseau pour lui exprimer son admiration à la lecture de *la Nouvelle Héloïse*, 752.

CRÉQUI (Renée-Caroline, née de FROULLAY, marquise de), 1704-1803. Fille de Ch.-Fr. de Froullay, l'ambassadeur qui précéda Montaigu à Venise. Lorsque Rousseau fait sa connaissance (440) en octobre 1751 selon Courtois, elle est veuve depuis dix ans du marquis de Créqui, qu'elle avait épousé en 1737. Elle montre à Rousseau des lettres de l'abbé de Saint-Pierre, 500. Elle correspond avec lui, 598, jusque vers 1771; Rousseau lui demanda des suggestions lors de la composition de l'*Émile*, et selon Faguet (*Amies de Rousseau*, pp. 235-268) c'est elle qui aurait eu l'idée d'*Émile et Sophie, ou les Solitaires*. V., outre le livre de Faguet, H. de Saussure, « M^me de Créqui et J.-J. Rousseau », *R. H. L. F.*, 1952, p. 330, et P. Tisseau, *la Marquise de Créqui (...), sa correspondance avec J.-J. Rousseau* (...), Paris, 1926. Aussi 554.

CRISTIN (M^me de) : v. VULSON.

CROISAT : v. CROZAT.

CROMMELIN (Jean-Pierre), 1716-1768. Genevois, membre du Conseil des Deux-Cents, puis du Petit Conseil. Ministre de la république de Genève à la cour de France de 1763 à 1768; mais Rousseau semble indiquer, 469, qu'il l'était déjà en 1755.

CROUSAZ (David de), Rousseau orthographie CROUZAS, 1656-1733. D'une famille noble vaudoise, fils d'Abraham, lieutenant baillival et colonel. David, seigneur de Mézery, bourgmestre de Lausanne de 1702 à sa mort, est lui-même lieutenant baillival (sur cette fonction, v. p. 170, n. 1). Il est le frère aîné du mathématicien et philosophe J.-P. de Crousaz, 1663-1750, professeur à Lausanne de 1735 à 1748, 170.

CROZAT (Pierre), Rousseau orthographie CROISAT. Acquéreur en 1702 du domaine de Montmorency, édifie le « grand château » actuel, 610.

CURTIS (M. de). Intendant des menus plaisirs lors des représentations à l'Opéra du *Devin du village,* conserve sa charge jusqu'en 1756 (Rousseau l'appelle CURY), 445, 447, 449.

CURY : v. CURTIS.

CUVILIER ou CUVILLIER. Premier interprète du rôle du Devin dans le *Devin du village,* 445.

DALIBARD (Thomas-François), Rousseau orthographie d'ALIBARD, 1703-1799. Botaniste et physicien, auteur de la *Florae parisiensis prodromus* (1749) et d'une théorie abrégée de l'électricité (1752); premier botaniste français à adopter le système de Linné. Succède à Rousseau comme caissier de M. de Francueil en 1751, 430-431.

DAMÉSIN : v. AMÉZIN (d').

DANCOURT (Marie-Anne) : v. FONTAINE (Mme de).

DANDIN (George). Héros de la comédie de ce titre de Molière (1668). Rousseau, allant s'excuser humblement auprès de Grimm des torts qu'il a soufferts de ce dernier, se compare à George Dandin forcé par son beau-père, M. de Sotenville, de s'excuser auprès de Clitandre pour l'avoir faussement accusé (acte I, sc. 6), 557.

DANEL (Jacqueline) : v. FARAMAND.

DANGEAU (Louis de), 1643-1723. L'abbé de Dangeau est académicien comme son frère aîné le marquis (1638-1720), dont le *Journal* a inspiré Saint-Simon, et servi à documenter Voltaire pour son *Siècle de Louis XIV.* Il est surtout connu comme grammairien, et l'un des auteurs des *Opuscules sur la littérature française par divers Académiciens,* parus en 1750, 106.

DARAN (Jacques), 1701-1784. Médecin, qui, après avoir soigné Rousseau en 1750-1751, deviendra chirurgien ordinaire du roi, 428, 432.

DARTY : v. ARTY (d').

DASTIER : v. ASTIER (d').

DAUPHINE (Mme la) : v. SAXE (Marie-Josèphe de).

DAVENPORT (Phœbe). Née en 1756. Petite-fille de Richard Davenport, hôte de Rousseau à Wootton, Staffordshire (1766-1767), 441. V. sur cette famille Courtois, *Le Séjour de J.-J. Rousseau en Angleterre,* Genève, 1924.

DAVID (Jacques). Fils d'un chirurgien de Nonancourt, près de Chartres, 1683-ap. 1750. Formé à la maîtrise de la cathédrale

de Chartres, exerce d'abord la profession de maître de musique à Paris, puis à la cour d'Espagne, avant de se fixer avant 1710 à Lyon, où il bénéficie de la protection de Camille PERRICHON (v. ce nom), grand amateur de musique, et prend en 1714 le titre de « maître de musique de l'Académie » des Beaux-Arts de Lyon, fondée l'année précédente. Il aurait conseillé Rousseau dans la composition de son opéra *La Découverte du Nouveau Monde* (Aurenche, *J.-J. Rousseau chez M. de Mably*, pp. 105-109), 325, 343.

Découverte du Nouveau Monde (la), 343.

DELESSERT (Mᵐᵉ) : v. BOY DE LA TOUR (Madeleine-Catherine).

DELEYRE (Alexandre), 1726-1797. Né aux Portets, près de Bordeaux. Après un bref stage dans la Société de Jésus, il vient à Paris où Montesquieu le présente à d'Alembert et Duclos ; c'est par ce dernier qu'il rencontre Rousseau.
Collaborateur de l'*Encyclopédie*, du *Journal des savants*, et d'autres périodiques savants français et étrangers ; il a composé le t. XX de l'*Histoire générale des voyages* et collaboré à l'*Histoire des deux Indes* de l'abbé Raynal. Après quelques semaines à l'armée en 1757-1758, il devient en 1759 le secrétaire de Choiseul, alors ambassadeur à Vienne, puis, à la fin de 1760, bibliothécaire de la Chambre du duc de Parme ; il est bien accueilli dans cette cour par Condillac, mais sa réputation d'athéisme lui vaudra là des difficultés. Il sera sous la Révolution député à la Convention, puis au Conseil des Cinq-Cents.
Ses rapports avec Rousseau ont été rendus délicats par ses relations amicales avec Diderot (507). En 1757, tandis qu'il s'efforce de faire la paix entre les deux hommes (514), il est mêlé à l'affaire du *Père de famille* de Goldoni, exploitée par les ennemis de Diderot. Sa correspondance avec Rousseau prend fin une dizaine d'années avant la mort de ce dernier. Deleyre est l'auteur de l'adaptation française de la romance du Saule (la chanson de Desdémone dans *Othello*), dont Rousseau, composa la musique. V. H. Bédarida, *Parme et la France*, Paris, 1927, pp. 364-373 ; et F. Venturi, dans la *Rivista Storica Italiana*, LXXVII, 1965, 791-824. Aussi 513, 518, 519, 580, 583, 598, 718, 719.

DELORME ou DELOLME (Jean-Louis), Rousseau orthographie de LORME, 1707-1784. Avocat genevois, membre du Conseil des Deux-Cents en 1746, du Petit Conseil en 1764, 398.

outre le livre VI des *Confessions* (273), le poème publié en 1739 *Le Verger de M^me de Warens*. M. Salomon est donné comme « grand cartésien », 267. Sur le cartésianisme de Rousseau, voir M. Gouhier, *Annales*, XXXV, 1963, pp. 139-160.

DESFONTAINES (Pierre-François GUYOT, abbé), 1685-1745. A quitté en 1715 la Société de Jésus pour devenir un des principaux critiques littéraires du temps, et un introducteur de la littérature anglaise, qu'il fait connaître par ses comptes rendus et par ses traductions : Pope, *la Boucle de cheveux enlevée*, 1726; Swift, *Gulliver*, 1727. A son compte rendu, généralement favorable, de la *Dissertation sur la musique moderne*, paru dans les *Observations sur les écrits modernes* du 1^er février 1743, Rousseau répond dans le *Journal historique* (dit *de Verdun*) de mars 1743 (v. *C.G.*, I, 182), 333. Voir Thelma Morris, *l'Abbé Desfontaines et son rôle dans la littérature de son temps*, Genève, 1961.

DESJARDINS ou DEJARDINS (Schmidl), Rousseau orthographie DESJARDIN. Forme francisée du nom du violoniste et compositeur piémontais Felice De GIARDINI (Schmidl) ou DE' GIARDINI (Grove), Turin 1716-Moscou 1796. Étudie la musique à la cathédrale de Milan, puis le violon à Turin, élève de SOMIS (v. ce nom). Autour de 1728, il appartient à l'orchestre de la cour de Victor-Amédée II; ensuite à divers théâtres de Rome et Naples, donnant de nombreux concerts. Après des tournées à Londres (1744), en Allemagne et à Paris (1748-1749) il se fixe à Londres de 1750 à 1784, y dirigeant l'Opéra italien, et y poursuivant une brillante carrière. Revenu en Italie à la fin de sa vie, il en repart avec une compagnie d'opéra bouffe pour une nouvelle tournée en Angleterre et en Russie, d'où il ne reviendra pas. Auteur de sonates et autres compositions pour violons, et d'opéras pour la scène anglaise, 77.

DESMAHIS (Joseph-François de CORSAMBLEU), 1722-1761. Auteur du *Billet perdu*, intitulé plus tard *L'Impertinent*, comédie en un acte et en vers, représentée avec succès au Théâtre-Français en 1750. Il a collaboré à deux articles de l'*Encyclopédie*, *Fat* et *Femme*, jugés médiocres par Grimm. Rend visite à Rousseau à Montmorency en 1760, 602.

DESROULINS (M^lle). « Américaine » non identifiée, élève de Rousseau à Paris, 333.

Devin du village, 437, 444-456, 458, 477, 548, 593, 594, 653.

DEYBENS, v. EYBENS (d').

DIANE. Bergère amoureuse du berger Sylvandre dans la 4^e partie de l'*Astrée* d'Honoré d'Urfé, 186.

a vu plusieurs fois Diderot chez Galitzin, à La Haye, en
1773 : « Il ne pleurait pas quand je le questionnais sur Rous-
seau ; mais il prenait un air de Tartufe, parlait de mauvais
cœur, d'ingratitude, d'amis indignement trahis, et se taisait
du reste, par discrétion, par humanité !... » (*Éclaircissements
relatifs à la publication des Confessions de Rousseau*, s. d. [janv.
1790].) Et Sébastien Mercier, admirateur plus enflammé, vers
le même temps (il se réfère à des impressions qu'on peut
placer vers 1775) : « Rousseau avouait souvent les obligations
qu'il avait à Diderot : [...] quand on prononçait le nom de
Diderot en sa présence il était ému ; sans doute cette émotion
venait du souvenir de l'amitié qui avait lié ces deux hommes
rares, et des causes qui avaient occasionné leur rupture... »
(*De Jean-Jacques Rousseau* [...], 1791, I, 245.)
Bien que la correspondance de Diderot contienne encore, après
la mort de Rousseau, des témoignages d'admiration envers
son ancien ami (éd. Roth-Varloot, XV, 215), il adopta, en
public, un ton beaucoup plus dur. Redoutant comme la
plupart des Philosophes la publication des « Mémoires » de
Jean-Jacques, il attaque violemment le disparu dans l'*Essai
sur les règnes de Claude et de Néron* (publié d'abord, en 1779,
sous le titre *Essai sur la vie et les écrits de Sénèque*).
La question des torts respectifs de Diderot et de Rousseau
dans la grande querelle de 1756-1757, qui rebondit dix ans
plus tard lors de l'affaire avec Hume, ami des Philosophes
français, n'a pas fini de susciter des discussions, vu la person-
nalité des deux écrivains en cause, les sympathies et hostilités
qu'ils continuent à inspirer. Les faits ont été longtemps
faussés, au détriment de Rousseau, par la publication au début
du XIXe siècle de l'ouvrage intitulé *Mémoires de Mme d'Épinay*
(v. ÉPINAY, Louise-Florence), dont les falsifications en ont
imposé à des critiques comme Sainte-Beuve, et plus tard à
toute la critique conservatrice. Le renversement du courant
à la suite du livre de Frederika Macdonald (v. ci-dessous, ÉPINAY,
Louise-Florence) a eu parfois pour résultat de noircir exagéré-
ment, en même temps que Grimm, son ami Diderot, dénoncé
comme l'âme d'un trop réel « complot ». Les faits et docu-
ments sont aujourd'hui mieux connus, après des mises au
point comme celle d'Henri Guillemin (*Bibliographie*, p. CXXXIII).
Reste l'important problème de la dette intellectuelle possible
de Rousseau envers Diderot — et inversement peut-être ;
problème qu'on ne peut espérer résoudre entièrement, vu le
nombre d'années passées par les deux écrivains en conver-

de Dinan. Académicien en 1746, auteur de quelques mémoires savants et du roman *les Confessions du comte de* ******* (1742), offert par M^me de Broglie à Rousseau pour le dégourdir lors de ses débuts à Paris. « Du moment que j'eus lu cet ouvrage, je désirai d'obtenir l'amitié de l'auteur » (337-338). La connaissance est faite chez M^me d'Épinay (439), c'est le début d'une longue amitié. Rousseau multiplie les marques d'estime pour Duclos (458, 555-556), il rappelle (452) que c'est la seule personne physique à laquelle il ait dédié un ouvrage; il cite au l. V de l'*Émile* les *Considérations sur les mœurs de ce siècle* (publ. en 1751). Lors de la rédaction du l. IX des *Confessions,* soit vers 1769, cette estime demeure entière, et Rousseau confie à Duclos le manuscrit de l'ouvrage. Mais après la mort de son ami, les notes ajoutées aux mss. de Paris et de Genève montrent qu'il croit avoir été trahi par lui. Il dénonce sa duplicité dans l'*Histoire du précédent écrit,* ajoutée en 1776 aux *Dialogues.*
Sur l'influence qu'a pu exercer Duclos sur les écrits de Rousseau, v. p. 337, n. 2, et *Introduction,* p. xiv. Duclos et *le Devin,* 444-445, 451-452, 456, 593; et l'*Héloïse,* 642; et l'*Émile,* 665, 677. On pourra consulter sur Duclos le livre de P. Meister, Genève, Droz, 1956, et sur ses relations avec Rousseau l'article de P. Dimoff dans le *Mercure de France,* n° 178, 1925, pp. 5-19. Aussi 559, 598, 647.

DUCOMMUN (Abel), 1705-1771. Maître graveur à Genève, établi rue des Étuves (actuel n° 13), puis rue de la Croix-d'Or (maison aujourd'hui détruite) au temps où Jean-Jacques fut son apprenti (avril 1725-mars 1728). On a retrouvé le contrat d'apprentissage signé entre Ducommun et Gabriel Bernard, à la date du 26 avril 1725, et conclu pour 5 ans (v. le livre de Ritter, qui blâme l'oncle Bernard d'avoir confié son neveu à un maître aussi jeune), 32-45.

DUDDING. Nom adopté par Rousseau, se donnant pour Anglais, durant son voyage avec M^me de Larnage en 1737. Courtois (*Chronologie,* p. 28) observe que le nom (orthographié DUDING) a été porté dans la première moitié du XVIII^e siècle par deux évêques du diocèse de Lausanne, avec résidence à Fribourg, où Jean-Jacques était passé quelques années plus tôt, 288.

DU DEFFAND (Marie de VICHY-CHAMBROND, marquise), Rousseau orthographie DEFFEND, 1697-1780. Épouse en 1719 le marquis Du Deffand, brigadier, plus tard lieutenant-général. A partir de 1747, installée au couvent de Saint-Joseph, rue

Saint-Dominique, elle tient un salon mondain et littéraire, fréquenté notamment par le président Hénault, d'Alembert, etc., et pendant ses séjours en France par Horace Walpole avec qui elle entretient une longue correspondance. Devenue aveugle, elle prend pour demoiselle de compagnie (1754) M^lle de Lespinasse, 655.

Dudoyer. Caissier de M. de Francueil, 427.

Du Luc (Charles-François de Vintimille, marquis des Arcs, comte), 1653-1740. Perd le bras droit à la bataille de Cassel (1677); capitaine des galères. Ambassadeur auprès du corps helvétique de 1709 à 1715, il protège le poète Jean-Baptiste Rousseau, exilé à Soleure, lequel lui dédie notamment l'ode I du livre III. Il est ensuite ambassadeur à Vienne de 1715 à 1717. Du Luc a épousé en 1674 sa cousine germaine Louise-Charlotte de Forbin. Il est le frère aîné de Charles-Gaspard-Guillaume Du Luc, évêque de Marseille, archevêque d'Aix, archevêque de Paris, 174-175, 595.

Dumoulin ou Du Moulin (Cyprien-Antoine-Baudouin, sieur). Mort en 1770. Neveu du procureur Mathas à Montmorency, 673.

Du Peyrou (Pierre-Alexandre), 1729-1794. Né en Guyane hollandaise d'une riche famille de colons originaire de la Dordogne. Après des études à Amsterdam, il est reçu en 1748 bourgeois de Neuchâtel, où il a suivi sa mère et son beau-père. Il rencontre probablement Rousseau en septembre 1762 chez le colonel de Pury — dont il deviendra le gendre en 1769. Rousseau, installé à Môtiers, non loin de Neuchâtel, est reçu par Du Peyrou en 1764 dans sa propriété de Cressier, entre les lacs de Neuchâtel et de Bienne (261); Rousseau l'appellera dorénavant dans ses lettres « mon cher hôte ». Suisse de fraîche date, et tirant des revenus considérables des propriétés coloniales héritées de sa mère, Du Peyrou, déjà assez mal vu de ses nouveaux compatriotes, intervient vigoureusement par sa *Lettre* dite de Goa pour défendre Rousseau contre les pasteurs (748-759). Quand Rousseau quitte l'île de Saint-Pierre (1765), c'est Du Peyrou qui s'occupe, et de Thérèse, et des papiers de Rousseau, qu'il lui fera parvenir en Angleterre. Il en redevient dépositaire lorsque Rousseau quitte l'Angleterre, 323, 662, 775. Les deux hommes se revoient au château de Trye, en novembre 1767; séjour marqué par une crise dans leur amitié, et qui s'explique assez par l'état d'esprit de Rousseau à

l'époque. La convention par laquelle Rousseau léguait tous ses papiers à Du Peyrou en échange d'une rente viagère est alors rompue, et les relations s'espacent désormais : leur dernière rencontre a lieu à Paris en mai 1775. Le livre XII des *Confessions* trace encore de Du Peyrou un portrait sinon flatté du moins équitable, 712-713. Il reste d'ailleurs, malgré l'incident de Trye et ses suites, dépositaire d'un grand nombre de papiers, parmi lesquels le manuscrit partiel des *Confessions,* dit de Neuchâtel. Après la mort de Rousseau, il s'acquitte de façon exemplaire de son rôle de dépositaire; il est responsable avec Paul Moultou de la publication de la Première Partie des *Confessions*, et donne sa propre édition de la Seconde (v. *Introduction,* pp. cxvii-cxxi). V. Charly Guyot, *Pierre-Alexandre Du Peyrou,* Neuchâtel, s. d. [1958].

Dupin (Claude), 1681-1769. Épouse Marie-Jeanne Bouilhat de Laleuf qui le laisse veuf vers 1720 avec un fils, Charles-Louis Dupin de Francueil. Il est à cette date receveur des tailles à Châteauroux, où il héberge M^me de Fontaine et sa fille M^me de Barbançois, qui reviennent des eaux de Bourbonne-les-Bains. Invité en retour chez elles à Paris, il y fait la connaissance d'une autre fille — adultérine celle-là — de la maison, Louise, avec qui il se remarie en décembre 1722. La protection du financier Samuel Bernard, amant de la mère, lui permet de devenir fermier général en 1726. Habitant d'abord à Paris, rue Plâtrière, Dupin acquiert et restaure le château de Chenonceaux, où Rousseau sera reçu à plusieurs reprises, et dans l'île Saint-Louis l'hôtel Lambert, 339-341, 384, 400, 548, 590, 598.

Dupin (Louise-Marie-Madeleine), née de Fontaine, morte en 1799. Fille adultérine du financier Samuel Bernard et de M^me de Fontaine, épouse à dix-sept ans Claude Dupin. Van Bever, à la suite de Desnoireterres, la fait naître en octobre 1706, et place le mariage en décembre 1722; B. Gagnebin date le mariage du 1^er décembre 1724, ce qui donnerait 1708 comme date de naissance. Musset-Pathay, relatant une « Promenade à Tours et à Chenonceaux » dans la *Décade philosophique* du 20 germinal an VIII (1800), déclare qu'il a tenté sans succès à Chenonceaux de voir M^me Dupin, qu'il donne comme âgée alors de 96 ans (née alors en 1704 ?). « Elle se lève à 9 h du soir et se couche à 6 h du matin [...] On nous dit [...] que cette femme prétendait avoir corrigé tous les ouvrages de Rousseau. » Lorsque Rousseau fait sa connaissance, 335, 338-

341, au plus tard au printemps de 1743, elle est « encore [...] une des plus belles femmes de Paris » (339); si l'on adopte la date de naissance de 1708, elle doit avoir un peu moins de trente-cinq ans. De Thun (v. ce nom), qui l'a connue quand elle en avait près de quarante, écrit : « Je trouvais que l'hôtesse, quoiqu'à l'âge de 40 ans, était encore dangereuse à voir. Ce sont des restes très conservés d'un visage charmant. Elle a des connaissances étendues de tout genre (...) » Elle emmène Rousseau à Chenonceaux, 400-402. Lui accorde des subsides, 418, 426, 496. Thérèse lui fait des confidences, 424. Envoie à Rousseau le médecin Morand, 428. Elle pousse Rousseau à faire des extraits de l'abbé de Saint-Pierre, 483. Reçoit Rousseau à Clichy, 598.
Aussi 129, 413, 430, 469, 590, 607, 611.

Du Plessis. « Lieutenant-colonel retiré, bon et sage vieillard », non identifié, 403. Il existe plusieurs familles nobles de ce nom; une branche est alliée aux Nonant, dont un membre est nommé par Rousseau comme fréquentant la même compagnie vers 1742-1743. J'ai consulté aux archives du Service historique de l'Armée les dossiers de plusieurs Du Plessis, dont aucun ne peut être celui mentionné ici.

Dupont. Laquais de M. de Francueil, exécute des travaux de copie pour Rousseau, 411.

Dupont, diplomate. Les archives du ministère des Affaires étrangères ont trace d'un Dupont chargé de la correspondance à Bruxelles de 1736 à 1739, où il est déjà adjoint à Jonville. Il aura vraisemblablement suivi à Gênes ce dernier, dont il est le secrétaire lorsqu'il fait visiter Gênes à Rousseau en 1743, 349. De 1741 à 1746, il est à plusieurs reprises chargé d'affaires dans ce même poste. On a des lettres écrites de Venise par Rousseau à Dupont en 1743-44, *C. C.,* I. Ils se revoient quand Rousseau vit à Montmorency, vers 1760; Dupont a alors « acheté une charge dans sa province », 600.

Dupré de Saint-Maur (M^{me}). Épouse de Nicolas-François Dupré de Saint-Maur, économiste, (1695 (?)-1774, traducteur du *Paradis perdu* de Milton (1729); mais personnage plus considérable que son mari. « Il passait pour un homme très médiocre. Sa femme a beaucoup de prétentions au bel-esprit. C'est une des virtuoses renommées de cette capitale. » (Bachaumont, *Mémoires secrets,* à la date du 2 déc. 1774.) Et Collé (*Journal,* mars 1757) rapporte une rumeur selon laquelle la femme collaborait aux discours du mari. — En relations

avec plusieurs lettrés du temps, dont Suard, M^me^ Dupré
de Saint-Maur est liée dès 1726 au moins avec Montesquieu
(v. *Corr.* de Montesquieu, dans ses *Œuv.*, éd. Nagel, Paris,
1950, t. III), lequel disait d'elle à l'abbé Guasco « qu'elle
était également bonne à en faire sa maîtresse, sa femme ou
son amie ». L'incident auquel fait allusion Rousseau est
rapporté ainsi par M^me^ de Vandeul dans ses *Mémoires* sur
Diderot, *Œuv.* de Diderot, éd. d'Assézat, I, xliii :
« Les spectateurs étaient mécontents; l'humeur des uns
produisit l'indiscrétion des autres; quelqu'un avoua que la
première expérience s'était faite devant M^me^ Dupré de Saint-
Maur. Mon père sortit en disant que M. de Réaumur avait
mieux aimé avoir pour témoins deux beaux yeux sans consé-
quence que des gens dignes de le juger.
Ce propos déplut à M^me^ Dupré de Saint-Maur; elle trouva la
phrase injurieuse pour ses yeux et pour ses connaissances
anatomiques; elle avait une grande prétention de science.
Elle paraissait aimable à M. d'Argenson; elle l'irrita, et
quelques jours après [*sic* : l'expérience est d'*avril !*], le
24 juillet 1749, un commissaire nommé Rochebrune vient
à 9 h du matin chez mon père... », 411.

Durand (Laurent). Libraire à Paris, éditeur des *Pensées philoso-
phiques* de Diderot, 410.

Du Terreaux (Charles-Auguste). Voisin de Rousseau à Mô-
tiers, maire de la commune des Verrières. Appartient à une
famille noble du canton de Neuchâtel, éteinte au xix^e^ siècle,
laquelle a tiré son nom d'une maison forte qu'elle possédait
à Môtiers au lieudit Le Terreau. Un incident survenu dans un
cabaret des Verrières lors du séjour de Rousseau à Môtiers
suscita rétrospectivement chez lui une vive émotion et une
active correspondance, en 1768, alors qu'il croyait voir se
multiplier les signes du « complot », 758. V. *D. P.*, t. XVIII.

Du Theil (Jean-Gabriel de La Porte), 1679-1755. Premier
commis de la section politique du ministère des Affaires
étrangères, est chargé à la fin d'avril 1744, lorsque Louis XV
congédie son ministre Amelot de Chaillou, et jusqu'à la
nomination du nouveau ministre d'Argenson, en nov. de la
même année, d'entretenir la correspondance avec les agents
diplomatiques. Signataire en 1748 du traité d'Aix-la-Chapelle,
381. Sur les lettres que lui a dresse Rousseau (liv. VII), v. p.
381, n. 1.

Duvernois (M^lle), Rousseau orthographie Du Vernois. Gouvernante de Mussard à Passy, 444.

Duvillard (Emmanuel), 1693-1776. Libraire à Amsterdam, puis à Genève, où il se lie avec le père de Rousseau ; y reçoit Jean-Jacques à son retour de Venise, 381.

Duvivier. Il s'agit peut-être de Jean-Pierre Duvivier, chanteur à l'Opéra de Lyon en 1688, 240.

Duvoisin (Jean-Jacques), 1726-1780. Pasteur originaire de Bois-le-Duc. C'est par erreur que Rousseau le croit « ministre du pays de Vaud », le confondant peut-être avec son neveu, également pasteur, François-Samuel Duvoisin, né à Yverdon en 1751. Chapelain de l'ambassade de Hollande à Paris (où Rousseau assiste au culte : 716), J.-J. Duvoisin sert d'intermédiaire entre Rey, à Amsterdam, et Rousseau. P.-P. Plan le donne comme chapelain du résident de Genève à Paris : cumulait-il les deux fonctions ? Il a épousé en secondes noces, en 1756, la fille cadette de Calas, 661.
V. L. Racz, « Duvoisin, un confident de Rousseau », Annales, XX, 1931, pp. 163-191.

Égisthe, Rousseau orthographie Égiste. Amant légendaire de Clytemnestre, et son complice dans le meurtre de son mari Agamemnon. Rousseau lui compare plaisamment, par un procédé héroï-comique, le commis ou *courtaud de boutique* qui souhaiterait profiter de l'absence de son patron pour entrer dans les faveurs de M^me Basile, 79.

Egmont-Pignatelli (Casimir, marquis de Renty, duc de Bisaccia, Grand d'Espagne) 1727 (?)-1801. Devenu comte d'Egmont à la mort de son frère (Guy-Félix d'Egmont-Pignatelli, comte d'Egmont, 1720-1753, brigadier de dragons, mort sans enfants). Épouse successivement : 1°, M^lle de Saint-Séverin d'Aragon, mariage dont naît une fille mariée à son cousin Pignatelli, comte de Fuentes ; 2°, Septimanie de Richelieu, fille du maréchal, laquelle meurt en 1772 ; 3°, M^lle Farell, en 1788. Il assiste en 1771 à la lecture des *Confessions*, 780. (Service historique de l'Armée ; dossiers Brigadiers : Guy Félix, comte d'Egmont).

Egmont (Comtesse d'), Jeanne-Armande-Élisabeth-Septimanie de Viguerod du Plessis de Richelieu, fille du maréchal. Mariée à seize ans (1756) à Casimir, comte d'Egmont. Célèbre par sa beauté, ses manières, son esprit. Reine de la cour et de la société diplomatique dans sa propriété de Passy, proche de

l'Établissement des Eaux, entre 1760 et 1770, mais de santé fragile, meurt jeune. Elle reçoit des artistes (Grétry, Chardin), des écrivains (Marmontel, Voltaire, Rousseau), des princes étrangers (Gustave de Suède en 1771); elle favorise l'influence de Choiseul et du Parlement, et représente l'idéal libéral et réformiste des Philosophes. Rousseau donne lecture chez elle, du 4 au 8 mai 1771 selon Courtois, de la Seconde Partie des *Confessions*, 780. V. le livre que lui a consacré la comtesse d'Armaillé.

Émile, 61, 132, 222, 457, 481, 483, 595, 607, 608, 614, 629, 630, 648, 658, 660, 661, 664, 665, 667, 668, 672, 673, 675, 677-680, 683, 698, 700, 702, 727.

Engagement téméraire, 402.

ENTREMONT (famille d'), Rousseau orthographie ANTREMONT (d'). Plusieurs membres de cette famille sont mentionnés dans *les Confessions* : 1° Jean-François Noyel de Bellegarde, marquis de la Marche et comte d'Entremont, 1661-1742, que Rousseau appelle « le marquis d'Entremont ». Il fut premier président de la Chambre des Comptes de Savoie, ambassadeur de Sardaigne en France en 1733, 213-214, 245. 2° son fils Claude-Marie, comte de Bellegarde, 1700-1755, diplomate au service de l'électeur Auguste de Saxe devenu roi de Pologne en 1697 et mort en 1733, 241, 245. 3° son autre fils, Jean-Baptiste-François, comte de Nangis ou Nangy, 1701-1778, qui deviendra inspecteur des armées du roi de Sardaigne, 241-242. 4° sa fille Jeanne-Lucie, qui a épousé en 1725 le comte de La Tour, futur ambassadeur en Espagne, 242.

ÉPAGNY (M^{me} d'). Personnage (d'Annecy ?) non identifié, 157.

ÉPINAY (Denis-Joseph LALIVE d'), 1724-1782. Fils du fermier général Louis-Daniel Lalive de Bellegarde. Mari de la protectrice de Rousseau, 407, 590, 592. Remercie Rousseau de l'envoi de la *Lettre à d'Alembert*, 589. Aussi 453, 469, 511, 512, 548-549, 568.

ÉPINAY (Louis-Joseph d'). Né en 1746 (?). Fils de Louis-Denis-Joseph d'Épinay et de son épouse Louise-Florence-Pétronille née d'Esclavelles; surnommé par Grimm « le lettré », 541, 560, 568.

ÉPINAY (Louise-Florence-Pétronille), 1726-1783. Née d'Esclavelles, d'une famille de Valenciennes. Épouse à la fin de 1745 son cousin Denis-Joseph Lalive d'Épinay. C'est peu après, sans doute au début de 1746, que Rousseau lui est présenté,

407. Le comte de Zurich (*Annales*, XXIX, 259) fixe cette rencontre à 1747; mais Mᵐᵉ d'Épinay apparaît pour la première fois dans la *C. C.* (II, 193) dans une lettre du 12 août 1752 à Lenieps. Il n'y figure plus guère après 1758. L'intervention de Mᵐᵉ d'Épinay auprès du préfet de police Sartine, en 1771, pour faire cesser les lectures des *Confessions,* est révélée en 1821 par Musset-Pathay (*Histoire de la vie* (...), I, 209). Sous le titre *Mémoires de Mᵐᵉ d'Épinay* avait été publié un peu plus tôt (1814) un ouvrage connu surtout par l'édition Brunet, Paris, 1818, laquelle a pris les plus grandes libertés avec le manuscrit, et offre un récit sinon romancé, du moins arrangé, de la vie de l'auteur et de ses relations (sous des noms fictifs) avec Grimm, Diderot, Francueil, Duclos, Rousseau (= *René*), etc. Musset-Pathay dénonçait dès 1820 le truquage, dont il soupçonnait Grimm. Mais la première étude établissant le véritable caractère du livre fut celle de Frederika Macdonald, trad. en français par G. Roth en 1909 sous le titre *la Légende de J.-J. Rousseau rectifiée d'après une nouvelle critique et des documents nouveaux.* G. Roth a depuis restitué à ces « pseudo-Mémoires » leur forme romanesque originale en publiant le manuscrit sous le titre *Histoire de Mᵐᵉ de Montbrillant* (le nom est celui d'une petite localité aux portes de Genève, où Mᵐᵉ d'Épinay s'est installée en 1758). Outre cet ouvrage et son introduction, on consultera, pour l'étude des rapports de Mᵐᵉ d'Épinay et de Rousseau, la *C. C.,* complétée par l'étude d'H. Guillemin, « les Affaires de l'Emitage », 1756-1757, *Annales,* XXIX, 1941-1942 et G. Charlier, *Madame d'Épinay et Jean-Jacques Rousseau,* Bruxelles, 1909. Les pages consacrées à Mᵐᵉ d'Épinay par Faguet dans ses *Amies de Rousseau* ne s'élèvent pas au-dessus de la vulgarisation agréable.

Mᵐᵉ d'Épinay invite Rousseau à la Chevrette, 408-409; elle l'installe à l'Ermitage, 469-473, 478, 481. Ils échangent leurs portraits, 625; leurs relations au temps de l'Ermitage, 487-489, 503-504, 517-518; confidences de Rousseau, 555. L'affaire du voyage à Genève et la rupture, 560-576, 578, 580. Mᵐᵉ d'Épinay et les « gouverneuses », 498; et Grimm. 437, 439, 549-550, 552-553, 557, 586-587; et Duclos, 439; entre Diderot et Rousseau, 540-543; et Mᵐᵉ d'Houdetot, 511, 528, 530-536, 585.
Aussi 423, 424, 450-451, 496, 513, 538, 555, 559, 602, 682, 718, 719.

ESCHERNY (François-Louis, comte d'), 1733-1815. D'une famille de Nyon ayant reçu la bourgeoisie de Neuchâtel en 1660; naît en France, à Lyon où son père Jean-François d'Escherny est consul du roi de Pologne; a pour précepteur le pasteur PETITPIERRE (v. ce nom). Rend visite une première fois à Rousseau en 1764 à Môtiers. Participe ensuite à plusieurs excursions avec lui, le colonel de Pury et Du Peyrou. Plus tard voyage en Allemagne, Autriche, Pologne, Russie; est témoin des débuts de la Révolution à Paris; comte de l'Empire en 1786 (*Tableau historique de la Révolution*, Paris, 1815). Ses *Mélanges de littérature, d'histoire, de morale et de philosophie*, 3 vol., Paris, 1809, contiennent des souvenirs souvent cités, *De Rousseau et des philosophes du* XVIII[e] *siècle*, 725.
V. Ch. Guyot, *Pierre-Alexandre Du Peyrou*, Neuchâtel, 1958.

ÉSOPE. Rousseau compare au fabuliste grec le médecin Procope, laid, bossu et spirituel, 443.

Essai sur l'origine des langues, 662.

ÉTANG (abbé de l'). Une lettre de lui de 1779 jointe au ms. original de l'*Épître à M. de l'Étang* (Bibl. de Genève) date de 1749 l'épître, appelle Rousseau « un ami dont je respecterai toujours la vertu », et précise que Thérèse est « sa commère »; elle permet de reconstituer ainsi une partie de sa carrière ecclésiastique : vicaire à Marcoussis avant 1749; curé de Saint-Filbert à Brétigny en 1752, puis de Saint-Pierre à Brétigny de 1767 à 1779 au moins, 440-441.

ETH OU ETTE (Marie-Louise-Philippine LE DUCQ d'). Née v. 1715 (?). Originaire de Valenciennes, y a connu M[lle] d'Esclavelles (future.M[me] d'Épinay, qui la met en scène sous le nom de *M[lle] Darcy* dans ses pseudo-Mémoires). Enlevée par le chevalier de Valory, qui au bout d'une quinzaine d'années l'abandonnera, 407.

EUCLIDE. Ses éléments de géométrie enseignés à Rousseau enfant par son oncle Bernard, 26.

EUGÈNE de Savoie, dit « le Prince Eugène », 1663-1736. Général dans les armées impériales, et vainqueur des Turcs, 6.

EYBENS (M. et M[me] d'). Identification incertaine : B. Gagnebin propose Pierre de Chaponay, baron de Morancé et seigneur d'Eybens, qui a épousé en 1722 Marie-Anne Dareste, fille d'Antoine d'Eyr, seigneur de Rosarge; L. Aurenche propose François de Surville, écuyer, fils de feu Henri-Ferdinand de Surville, seigneur d'Eybens, qui a épousé en 1728 à Grenoble

Antoinette Duvivier, veuve du conseiller François d'Albi. C'est au printemps de 1740 que les d'Eybens proposent à Rousseau le préceptorat des enfants Mably. On a une lettre de Rousseau non datée sur ce sujet, vraisemblablement adressée à M. d'Eybens (*C. G.*, I, 124-127), 248, 308, 309.

FABRICIUS. Rousseau connaissait sans doute dès l'enfance l'anecdote rapportée par Plutarque du mépris de Fabricius (mis en scène dans le 1er *Discours*) pour l'or de Pyrrhus, 416.

FAGOAGA. Espagnol non identifié, connu de Rousseau à Venise, 373.

FAGON (Guy Crescent), 1638-1718. Neveu de Guy de la Brosse (fondateur et intendant du Jardin du roi, actuel Jardin des Plantes de Paris). Docteur en médecine, puis (1664) professeur de botanique et de chimie au Jardin du roi longtemps abandonné, et qu'il repeuple de plantes rapportées de ses nombreux voyages en Auvergne, en Suisse et dans le midi de la France. Nommé premier médecin de la Dauphine (1680), puis de la reine, puis du roi (1710); reçoit à ce titre la charge de surintendant. Se retire au Jardin après la mort du roi (1715), 764.

FARAMAND (Jacqueline), 1696-1777. La « mie » ou nourrice de Rousseau, fille d'un cordonnier de Genève; épouse en 1733 un teinturier, Jacques Danel (Ritter), 7, 10.

FAVRE (Jacob), 1690-1775. Un des conseillers genevois qui condamnent en 1762 l'*Émile* et le *Contrat social*. Premier syndic en 1763, reçoit à ce titre la lettre par laquelle Rousseau renonce au droit de bourgeoisie, 721.

FAVRIA (Carlo-Giuseppe SOLARO, comte de), fils du marquis de Breil et petit-fils du comte de Gouvon. Mort en 1771, 101, 107, 109-110.

FAZY (Clermonde), née ROUSSEAU, tante de Rousseau. Une belle-fille de cette tante, Fanchon Fazy, est probablement à l'origine du personnage de Fanchon Regard dans *la Nouvelle Héloïse* (v. A. François, *Annales*, XIII, 1920-1921, p. 192), 16, 67.

FEINGS (Jacques-François de PRÉ de), Rousseau orthographie FEINS. Sert à partir de 1748 dans les Chevau-légers de la garde ordinaire du roi; mentionné comme écuyer de la reine (avec l'orthographe de Pré de *Fains*) par l'*Almanach Royal* de 1758 à 1767. Capitaine au régiment de la Reine (cavalerie)

en 1758, il l'est encore quand Rousseau fait sa connaissance en 1764. Maître de camp (= colonel) en 1771, Croix de Saint-Louis en 1772, il est encore attaché au même régiment en 1779, 724, 728.
V. J. Voisine, *R.S.H.*, avr.-juin 1963.

Ministre du roi de Naples à Venise, vers le temps où y séjourne Rousseau; en 1747 envoyé extraordinaire aux Pays-Bas (*Encyclopédie nobiliaire* de Spreti, III, 184), 368.

FITZMAURICE (Thomas), Rousseau orthographie FITZ-MORIS. Mort vers 1781. Irlandais venu faire à Montpellier ses études médicales, reçu docteur en 1735. Intérimaire d'une chaire pendant quelques mois en 1748, ne réussit pas à s'assurer une chaire à la Faculté mais passe toute sa vie à Montpellier tenant une pension pour des malades qu'il soigne gratuitement et pour des étudiants qui s'instruisent à sa table, 297-299. V. les résultats des recherches du Dr Dulieu présentés par J. Voisine *R.S.H.*, avr.-juin 1963.

FIZES (Antoine), 1690-1765. Né à Montpellier, fils d'un professeur de mathématiques. Élève de Jussieu à Paris. Professeur à la Faculté de médecine de Montpellier à partir de 1732, 287. Quelque temps médecin du duc d'Orléans à Paris (1763), mais on raconte que, ne parlant que latin et languedocien, il ne fit qu'une brève carrière à la cour, où il parut ridicule. Rousseau le consulte, 297.

FLEURY (André-Hercule, cardinal de), 1654-1743. Évêque de Fréjus, cardinal, académicien, appelé au pouvoir à l'âge de 73 ans (1727), il le conserve jusqu'à sa mort. Son premier souci étant de remettre de l'ordre dans les finances, il dut recevoir de nombreuses propositions dans le genre du projet de loterie de M. d'Aubonne, 124.

FOLLAU. Secrétaire engagé par le comte de Montaigu, et remplacé par Rousseau à Venise, 345, 367.

FONTAINE (Marie-Anne-Armande), née Dancourt. Née en 1684, fille du comédien et dramaturge Dancourt, mort en 1725. Son mari Jean-Louis-Guillaume de Fontaine, commissaire général de la Marine, lui donne une fille et un fils; son amant Samuel Bernard trois filles, qui deviendront Mmes Dupin, d'Arty et de La Touche, 338. Sur cette famille quelque peu scandaleuse, v. G. Desnoireterres, *Épicuriens et Lettrés*, Paris, 1879, pp. 438 sqq.

FONTENELLE (Bernard LE BOVIER de), 1657-1757. Neveu par sa mère de Corneille, d'abord poète pastoral et dramaturge, entre à l'Académie française, puis à l'Académie des sciences dont il devient secrétaire perpétuel. « Philosophe » par ses *Entretiens sur la pluralité des mondes* (1686), que lit Rousseau

enfant, 8, et son *Histoire des Oracles* (1687), il a 85 ans, et
publie encore des ouvrages scientifiques, lorsque Rousseau
entre en relations avec lui, 325, 334, 339. Les « conseils »
de Fontenelle dont Rousseau aurait dû « mieux profiter »
devaient être des mises en garde contre l'ambition d'écrire,
d'après les propos dont font état la *C. C.*, (IX, 30) et les
souvenirs sur Rousseau de Bernardin de Saint-Pierre (éd.
Souriau, p. 60) : « Il me dit quand il vit mes essais : Je vois
où vous irez, mais souvenez-vous de mes paroles : je suis un
des hommes qui a le plus joui de sa réputation : elle m'a
valu des pensions, des places, des honneurs et de la consi-
dération, mais avec tout cela jamais aucun de mes ouvrages
ne m'a procuré autant que plaisir qu'il ne m'a occasionné
de chagrin. Dès que vous aurez pris la plume, vous perdrez
le repos et le bonheur. Il avait bien raison. »
Selon Bernardin (*ibid.*, p. 169) Rousseau aurait fait sur l'invi-
tation de Fontenelle une nouvelle musique du *Devin*.

FORCADE (de). Commensal non identifié de Rousseau chez
M^me La Selle vers 1745, 404. Il n'est pas de famille noble de
ce nom dans le dictionnaire de La Chesnaye-Desbois.

FORCALQUIER (Marie-Françoise de), née Renée de Carbonnel
de Canisy. Née en 1725. Épouse d'abord le comte d'Antin,
petit-fils naturel de Louis XIV, puis en 1742 le comte de
Forcalquier, fils du maréchal-marquis de Brancas. Elle est
connue dans les salons du temps où l'on l'appelle la *Bellis-
sima* (v. la correspondance de M^me Du Deffand, le *Journal*
d'Augustus John Hervey, éd. Erskine, et la *Vie privée du
maréchal de Richelieu* par Faur), 339.

FORMEY (Jean-Henri-Samuel), 1711-1797. Né à Berlin de
parents français protestants. Membre de la société berlinoise
des *Aléthophiles,* qui répand les idées libérales. Traducteur et
vulgarisateur de Wolf, lequel est alors le principal disciple
de Leibniz (*la Belle Wolfienne,* 1741-1753). Auteur avant
Diderot d'un projet de dictionnaire encyclopédique, auquel
rend hommage le prospectus de l'*Encyclopédie*. Secrétaire
perpétuel de l'Académie de Berlin en 1748. Dirige plusieurs
périodiques, dont la *Bibliothèque germanique* d'Amsterdam.
Adversaire des Encyclopédistes, dont il exploite à son profit
les écrits en les expurgeant de tout ce qui peut inquiéter la
morale religieuse et l'ordre établi. Formey a donné dans ses
Souvenirs d'un Citoyen sa version de ses démêlés avec Rous-
seau à propos de l'*Émile* et de la *Lettre à Voltaire sur la Provi-*

dence. Elle fait apparaître comme pleinement justifié le mécontentement de Rousseau, 635-637.

V. J. Voisine, « S. Formey, vulgarisateur de l'œuvre de Rousseau en Allemagne », dans *Mélanges D. Mornet*, 1950, et E. Marcu, *Un encyclopédiste oublié : Formey*, *R.H.L.F.* juill.-sept. 1953.

FOUCHY (Jean-Paul de), 1708-1788. Astronome, commis par l'Académie des sciences pour juger du système de notation musicale de Rousseau, 330.

FOURMONT. Cette famille a donné trois orientalistes, Étienne, 1683-1745, son frère Michel, 1690-1746, et leur neveu Claude-Louis, 1703-1780. On ignore lequel des trois Rousseau a pu rencontrer chez M^me Dupin, 339.

FRANCŒUR (François), 1698-1787. Un des « petits-violons », 445. Entre à l'orchestre de l'Opéra en 1710; compositeur du roi en 1733. Dirige l'Opéra avec Rebel de 1757 à 1766. Surintendant de la musique du roi de 1760 à 1778. A composé des sonates, et, avec Rebel, quelques opéras. Dirige l'exécution des *Muses galantes*, 392.

FRANÇOIS (Jeanne) : v. ROUSSEAU (Jeanne).

FRANCUEIL (Charles-Louis DUPIN de), 1716-1780 (?). Fils du premier mariage de Claude Dupin, avec Marie-Jeanne Bouilhat de Laleuf. Épouse en 1737 Suzanne Bollioud de Saint-Julien, laquelle meurt en 1754. De son second mariage, en 1777, avec Aurore, fille du maréchal de Saxe, naîtra le père d'Aurore Dupin — la future romancière George Sand. Francueil est receveur général des finances de Metz et d'Alsace en 1738, plus tard secrétaire du cabinet du roi. Il fait en 1743 la connaissance de Rousseau, 340-341; le prend comme secrétaire, 400-402, 418 ; l'introduit chez M^me d'Épinay, 407-408; le prend comme caissier, 427, 429-430. Rousseau à la fin de sa vie attribuera à Francueil un rôle dans le « complot » : deux des *cartes à jouer* au verso desquelles figurent des ébauches des *Rêveries*, et peut-être des *Confessions*, mentionnent Francueil (les n^os 20 et 21, reproduites dans l'éd. Roddier des *Rêveries*, Garnier, 1960, p. LVII). Courtois fait erreur en le donnant comme né en 1708. Aussi 41, 345, 411, 445, 553, 590.

FRANCUEIL (Suzanne), née BOLLIOUD de SAINT-JULIEN. Morte en 1754. « Bien laide, bien douce », 340, épouse en 1737 Charles-Louis Dupin de Francueil; le couple, qui habite chez le père

et la belle-mère de Francueil rue Plâtrière, reçoit Rousseau
en 1743. C'est à elle que Rousseau confie en 1751 (424-425
et *C. C.,* II, 142) qu'il a mis ses enfants aux Enfants-Trouvés.
Aussi 408, 472, 493.

Frédéric, prince puis roi de Prusse (Frédéric II), 1712-1786.
La cruelle éducation que lui infligea son père Frédéric-
Guillaume Ier justifie la formule de Rousseau « peu heureux
dans sa jeunesse ». A partir de 1734 il vit au château de
Rheinsberg, ne s'occupant que de belles-lettres; il commence
en 1736 à correspondre avec Voltaire (246), *après* (et
non avant comme le dit Rousseau) la publication des
Lettres philosophiques, et faisant corriger par Voltaire son
Anti-Machiavel (1739). Il monte sur le trône en 1740, et se
distingue aussitôt par ses succès militaires, sans cesser de
s'entourer d'écrivains et de savants, surtout français : c'est
la période brillante de l'Académie de Berlin. Rousseau juge
sévèrement sa politique de conquêtes et confie en 1758 dans
une lettre à Lenieps : « Je voudrais mettre toujours le dia-
mètre de la terre entre cet homme-là et moi » (*C. C.,* V, 247).
Aussi se trouve-t-il dans une situation délicate quand il
se réfugie en 1762 sur le territoire de la principauté de Neu-
châtel, dont le roi de Prusse (le « Roi », 742, 745, 753, 755)
est alors le souverain (le « Prince », 735, 742, 743, 744, 754),
et le gouverneur Milord Maréchal. Rousseau accepte cette
hospitalité avec une hautaine fierté dans une lettre à Frédéric
(*C. C.,* XIV, 11) — et insère un éloge de Frédéric dans la
3e des *Lettres de la Montagne.* Il s'explique dans le livre XII
des *Confessions* (699-700, 703-709, 713-714,) à la fois sur
sa sévérité à l'égard d'un prince qu'il considère comme un
tyran, et sur les raisons qui l'ont poussé à lui demander
asile. Chassé de Suisse à la fin de 1765, il songe d'ailleurs à
accepter l'invitation de Milord Maréchal à Potsdam (735).
Quelques mois plus tard, à Londres, il est ulcéré par la publi-
cation dans les gazettes d'une prétendue invitation du roi de
Prusse, couchée en des termes d'une ironie mordante : cette
mystification due à Horace Walpole, et où Rousseau croit
voir la main de Hume, est un des éléments déterminants
de la rupture avec le philosophe écossais, et de la psychose
du « complot ». — Frédéric lui-même s'est exprimé sans
indulgence sur Rousseau, dans des lettres à Keith (Milord
Maréchal), à la duchesse de Gotha (1763 : jugement sur
l'*Émile*), à Voltaire. En 1772 il réfute sans le nommer Rous-

seau dans un essai *Sur l'utilité des sciences et des arts dans l'État,*
lu devant l'Académie de Berlin (« des personnes peu éclairées
ou peu sincères [...] de telles rêveries [...] je ne sais quel
énergumène [...] misérables paradoxes [...] faussetés [...]
vils sophistes... »). Ses jugements sur Rousseau, répartis
dans les vol. IX, XVIII, XX, XXIII, de ses *Œuvres* (Berlin,
1846-1857), sont réunis, mais en traduction allemande, par
Schindele, dans le *Philosophisches Jahrbuch der Gorres-Gesell-
schaft,* Fulda, Bd. 25, Heft 4, 1912.
Un des frères du roi, le prince Henri (Frédéric-Henri-Louis,
1726-1808) est admirateur de Rousseau, avec qui il correspond.

FRÉRON (Élie-Catherine), 1719-1776. Adversaire des Encyclo-
pédistes, et, comme tel, fort malmené par Voltaire. Fonde
en 1754 *l'Année littéraire* — où il publie en 1765 le mémoire
de Rousseau au P. Boudet sur le « miracle » d'Annecy en
1729, 135. Il avait auparavant adressé à Rousseau un juge-
ment élogieux sur *la Nouvelle Héloïse.*

FRIESE ou FRIESEN (Auguste-Henri, comte de), 1728-1755.
Neveu du maréchal Maurice de Saxe. Fils de Heinrich-
Friedrich von Friesen (1681-1719) et d'une fille naturelle
d'Auguste II de Pologne. C'est Maurice de Saxe qui fait
venir en France Auguste-Henri, lequel, francisant son nom
en *Friese,* fait une rapide carrière dans l'armée française :
maître de camp puis brigadier en 1747, il est nommé maréchal
de camp (= général de brigade) à vingt ans, en 1748 ; il mourra
dans ce grade à Chambord le 10 mai 1755. Ami du comte
de Schomberg, il a pour secrétaire Grimm, 418, 421, 426,
437, 438, 553-555. « Spirituel débauché » selon G. Roth, qui
renvoie aux *Mémoires* de Besenval (Pierre-Victor).

FROULAY ou FROULLAY (Charles-François, comte de), 1683-
1744. Colonel du Royal-Comtois en 1711 ; brigadier en 1719 ;
ambassadeur à Venise de 1733 à 1738 ; maréchal de camp
en 1734, lieutenant-général en 1738. Mort à Paris le
21 février 1744. Père de M^me de Créqui, 350, 362.

FROULAY ou FROULLAY (Louis-Gabriel, dit le bailli de Froulay),
1694-1766. Frère du précédent. Chevalier de Malte ; ministre
plénipotentiaire en 1741, et auprès du roi de Prusse en 1753.
Le Dictionnaire de La Chesnaye-Desbois le donne comme
« ambassadeur extraordinaire de la religion en France en
1741 ». Il est mentionné plusieurs fois dans la correspondance
entre sa nièce M^me de Créqui et Rousseau, qui l'appelle

« M. l'ambassadeur ». Dans l'ordre de Malte, *bailli* est un rang supérieur à celui de commandeur, 440.

GAGES (Joseph-Bonaventure THIERRY DU MONT, comte de), Mons 1682-Pampelune 1753. Originaire des Pays-Bas espagnols, devenus autrichiens en 1714. Carrière militaire au service de l'Espagne. En 1742, dans la guerre de Succession d'Autriche, il commande en chef l'armée espagnole du royaume de Naples, forte de 18 000 hommes, et envahit l'Italie du Nord, mettant en déroute les Autrichiens. Mais le redressement ennemi l'oblige à battre en retraite sur Naples (mai 1744). Il reprend ensuite l'offensive et achève victorieusement (1745) une campagne qui comme la précédente mérite les éloges de Frédéric II. De retour en Espagne en 1746, il reçoit la Toison d'Or et le titre de comte, 361.

GAIME (Jean-Claude), 1692-1761. Né près de Genève, étudie à Turin et devient précepteur du fils du ministre de l'Intérieur Mellarède, donnant alors des leçons à Rousseau, 98-100, 102, puis professeur à l'Académie militaire de Turin. En 1746, il se retire à Rumilly (actuellement Haute-Savoie, arrondissement d'Annecy). Il est, comme le dit Rousseau (132), l'original du Vicaire savoyard de l'*Émile*. Aussi 217.

GALLEY (Claudine), Thônes 1710-Chambéry 1781. Fille de François-Marie Galley de Saint-Pierre (mort en 1724) et de Charlotte de Menthon du Marest. Épouse en 1739 le sénateur Jacques Sautet, de Chambéry, 150-154, 158, 505.

GAMBA-CORTA. « Charles Jambe-Courte, opérateur italien », est autorisé par le Conseil de Genève à vendre son baume sur la place publique en septembre-octobre 1726 (Courtois, *Chronol.*), 27.

GASCQ (Antoine-Alexandre de), baron de Portets (Rousseau orthographie GASC), 1712-1781. Président à mortier du Parlement de Bordeaux (1739), bon violoniste et amateur de musique. Rousseau arrivant à Paris lui est recommandé, 329.

GATIER ou GATTIER (Jean-Baptiste), 1703-1760. Après des études théologiques à Chambéry, au séminaire d'Annecy où il connut Rousseau, et à Turin, occupa de 1730 à 1750 le poste de régent du collège de Cluses (Haute-Savoie actuelle, entre Bonneville et Chamonix) avant d'être curé de paroisse. Rousseau, qui le donne pour modèle, avec l'abbé Gaime, du Vicaire savoyard, a ou bien confondu ou bien romancé

le personnage; ni Mugnier, ni P.-M. Masson, n'ont trouvé trace dans sa biographie du scandale dont parle Rousseau, 131-132, 135.

GAUDARD (Jean-François), Rousseau orthographie GODARD, 1649-1738. Originaire d'Yverdon, entre au service de la France (1674) et se convertit au catholicisme. Lieutenant-colonel aux Gardes suisses de 1714 à 1737 avec seulement cinq ans d'interruption de service; il a servi en tout soixante-trois ans, et en a plus de quatre-vingts lorsqu'il engage Rousseau comme précepteur de son « neveu », lequel est vraisemblablement Pierre-François Villemain (en fait son petit-neveu), 177, 181-184. V. J. Voisine, *R. S. H.,* avr.-juin 1963.

GAUFFECOURT (Jean-Vincent) [P.-P. Plan] (ou Jean-Victor) [Gagnebin], 1691-1766. Né à Paris, fils d'un horloger genevois. Quand Rousseau fait sa connaissance, entre 1735 et 1737, Gauffecourt est secrétaire de M. de La Closure, résident de France à Genève, et vient régulièrement prendre les eaux à Aix, d'où il visite Chambéry (244-246). Enrichi par la fourniture des sels du Valais, il est lié avec plusieurs fermiers généraux en France. Rousseau le revoit à Genève en revenant de Venise, 381. Établi à Paris à la fin de 1744, Gauffecourt fréquente bientôt le milieu philosophique et introduit Rousseau dans la société, 391; lui rend divers services, 398. On peut s'étonner de l'éloge sans réserve que fait de lui Rousseau au livre V (244 : « notre amitié n'a fini qu'avec lui... ») quand on le rapproche de l'incident déplaisant rapporté au livre VIII, et à la suite duquel Rousseau se vit « forcé [...] d'ôter [sa] confiance et [son] estime » à ce même Gauffecourt (461-468). Mais la dernière phrase du portrait tracé au livre V (« Pour le rendre intéressant autant qu'il pouvait l'être, il fallait qu'on eût quelque chose à lui pardonner ») implique que Rousseau pardonna effectivement. Il le montra d'ailleurs quelques années plus tard en allant soigner Gauffecourt malade chez lui (543). Aussi 435, 437, 552.

GAUSSIN (Jeanne-Catherine), de son vrai nom GAUSSEN, 1711-1767. Actrice de la Comédie-Française, célèbre par sa beauté, 459.

GAUTIER (Joseph), chanoine, professeur de mathématiques et d'histoire, lit à Nancy devant la Société royale récemment fondée par le roi Stanislas sa réfutation du *Discours sur les sciences et les arts,* avant de la publier dans le *Mercure* d'octobre 1751. A la *Lettre à M. Grimm* dans laquelle Rousseau éludait

mariage en 1677 avec Marie de la Grange-Trianon. Jean-Baptiste a rempli des fonctions diplomatiques en Suisse. V. J. Voisine, *R.S.H.*, avril-juin 1963.

Greco (Gioachino), dit le Calabrais. Célèbre joueur d'échecs de la seconde moitié du xviiᵉ siècle, né dans le royaume de Naples, acquiert une grosse fortune par ses victoires à ce jeu sur des adversaires dans toute l'Europe. Son *Trattato del nobilissimo e militare essercitio de' scacchi* est traduit plusieurs fois en français à partir de la fin du xviiᵉ siècle, notamment en 1714 à Paris chez Denis Mouchet, in-16, 254.

Grégoire (Saint). Parmi les sept Grégoire portés sur les autels, il s'agit vraisemblablement ici (71) de Grégoire le Grand, né vers 540, pape de 590 à 604 sous le nom de Grégoire Iᵉʳ, qui établit la liturgie de la messe et le rite grégorien; c'est un des quatre grands docteurs latins avec saint Augustin, saint Ambroise et saint Jérôme.

Gresset (Louis), 1709-1777. Ce jésuite fit scandale en quittant la Compagnie et en se mariant après avoir publié son poème satirique *Vert-vert* (1734), dont le héros est un perroquet. Rousseau pense peut-être, lorsqu'il rappelle que Gresset a habité la « vilaine rue » où il logea lui-même à son arrivée à Paris, à l'épître où Gresset célèbre sous le nom de *Chartreuse* la pauvre chambre qu'il occupait lorsqu'il enseignait au collège Louis-le-Grand. Gresset est un des officiers munici-paux qui reçoivent Rousseau à Amiens, à son retour d'Angle-terre en mai 1767, selon Sébastien Mercier (*De J.-J. Rous-seau* [...] 1791, II, 164), qui rapporte le mot de Rousseau à Gresset : « Vous avez pu faire parler un perroquet, mais vous ne pourrez faire parler un ours », 327.

Griffet (Henri), 1698-1771. Religieux jésuite, d'abord profes-seur au collège Louis-le-Grand, puis prédicateur de Louis XV. Après la suppression de l'ordre, se retire à Bruxelles, 668.

Grimm (Friedrich-Melchior), 1723-1807. Né à Ratisbonne, fait des études de philosophie et de droit à Leipzig, et compose une tragédie sous l'influence de Gottsched. Ami d'un des fils du comte de Schonberg (nom francisé par les fils en Schomberg), et à l'occasion secrétaire du père, il accompagne ce dernier pour les fêtes du couronnement de l'empereur François Iᵉʳ à Francfort (1745) et y séjourne chez les Schön-berg jusqu'au départ pour Paris du second fils du comte, Adolphe-Henri, dont il est maintenant le précepteur (fin

1748-début 1749). Le fils aîné arrive vers le même temps, ou peut-être un peu plus tôt, à Paris pour prendre du service dans l'armée française; de même son ami le comte de Friesen. Toute cette émigration allemande est entraînée par la brillante fortune militaire de Maurice de Saxe en France. La présence de Grimm est attestée à Paris (selon Rousseau, 421, il habite alors « chez des filles au [...] quartier St-Roch ») le 6 avril 1749 lors de la confirmation dans la religion luthérienne du jeune prince de SAXE-GOTHA (v. ce nom), et Grimm y est donné comme secrétaire du comte de Friesen ou Frise, également présent (J. von der Osten, *Luise-Dorothea* [...], Leipzig, 1893). Si l'auteur de la lettre donnant cette information, de Thun, précepteur du jeune prince, ne fait pas erreur sur ce point, Rousseau se serait-il trompé en donnant Grimm comme « lecteur » du prince (414) en attendant d'entrer chez le comte de Frise (418) ? C'est *après* cette cérémonie que Thun engage Grimm pour donner des leçons d'allemand et de latin au prince « *tant que le comte de Frise sera absent* » (*op. cit.*, 70). Cette formule permet de concilier les deux versions : l'emploi de Grimm auprès du comte de Frise, au début tout au moins, était temporaire, et Grimm devait se procurer d'autres ressources quand les nécessités du service appelaient le comte loin de Paris.

Grimm et Rousseau se rencontrent lors d'un bref séjour de ce dernier chez le prince de Saxe-Gotha à Fontenay-sous-Bois en août 1749 (414). Leur goût commun pour la musique les rapproche; Grimm, ainsi mis en rapport avec Diderot, collabore à l'*Encyclopédie* à partir de 1751. Après la publication de son *Petit prophète de Bœmischbroda,* en 1753 (454-455), Grimm est assez lancé dans la société parisienne pour pouvoir se passer tout à fait de l'appui de son ancien maître Gottsched. L'exemple de Raynal, qu'il a connu chez le prince de Saxe-Gotha et par l'intermédiaire de Thun (Rousseau dit (437) que Raynal l'a connu avant de connaître Grimm), lui inspire l'idée de la *Correspondance littéraire,* qu'il commence en 1753, adressée sous forme manuscrite à diverses cours allemandes, et à laquelle collabore bientôt Diderot (elle ne sera publiée qu'au début du XIXe siècle). A la mort du comte de Frise, selon Rousseau, Grimm affecte une douleur inconsolable (553-554); il devient secrétaire du comte d'Estrées (et non du marquis de CASTRIES comme le dit Rousseau; v. ce nom), et à ce titre suit les armées françaises en Allemagne, 530. Ses relations avec d'Holbach, 438-439, 472-473, 545; le curé

de Deuil, 682; M^{me} de Rochechouart et sa fille, 426; ses prétentions auprès des femmes, 552; passion feinte ou réelle pour M^{lle} Fel, 437-438; « tentatives » auprès de M^{me} d'Houdetot, 530; liaison avec M^{me} d'Épinay, 489, 549-552.

Il aime donner des surnoms, 419, 541; surnommé lui-même *Tiran-le-Blanc*, 552; ses « germanismes », 420.

Amitié avec Rousseau, 418, 441, 445, 494; mis dans le secret de l'abandon des enfants, 424, 555; rédige un voyage imaginaire en Italie avec Rousseau et Diderot, 64; lettre ouverte de Rousseau à Grimm en réfutation des attaques contre le 1^{er} *Discours*, 432.

Phases du refroidissement et de leur amitié, 453, 457, 488, 555. Accointances de Grimm avec M^{me} Le Vasseur, 451, 496, 498, 556, 596, 660.

Première rupture et réconciliation, 557-559; nouvelle et décisive crise à propos du voyage de M^{me} d'Épinay à Genève, 564, 567-573. Désormais Rousseau voit en Grimm la tête du « complot », 583, 632, 691. Autres mentions, 450, 585, 587, 591, 636.

On ne connaît que trois lettres de Grimm à Rousseau, et deux de Rousseau à Grimm. Sur leurs rapports, v. la *Correspondance* de Diderot, éd. Roth, l'*Histoire de M^{me} de Montbrillant* de M^{me} d'Épinay, éd. Roth, et sur les circonstances de leur rupture H. Guillemin, *Annales*, XXIX, 1941-1942. En 1775, Grimm devient ministre de Saxe-Cobourg-Gotha à Paris et est anobli par l'empereur Joseph II. La *Correspondance littéraire* continue à paraître jusqu'en 1792, date de son retour en Allemagne, mais assez tôt la rédaction en est assurée par Henri Meister (fils). V. nombreux renseignements sur Grimm dans le livre consacré à la duchesse Louise-Dorothée de Saxe-Gotha par J. von der Osten, Leipzig, 1896; sur son séjour à Paris, v. notamment pp. 83-87.

Gros (Aimé), 1677-1742. Ancien élève des Lazaristes de Lyon, supérieur du séminaire Saint-Lazare d'Annecy vers 1730, 129-130, 131, 147.

Grossi ou Grossy (François), 1682-1752. Médecin ordinaire du roi Victor-Amédée II en 1726, « protomédecin » ou médecin principal de Savoie en 1727, vient en 1735, soit trois ans après la mort du roi, s'établir à Chambéry, où il pratique jusqu'en 1749. Mugnier (p. 132 et n. 3) mentionne une affaire de paternité illégitime dans laquelle Grossi joue un rôle peu brillant, 233-235.

dans la *Nouvelle Héloïse* et dans l'*Émile*. 432, 698. V. P.-M.
Masson, *la Religion de Rousseau*, II, 36 sqq.

HEMET (Charles), jésuite de la Province de Lyon; sa mort en
mai 1738 a fait douter qu'il ait pu être le confesseur de M^me de
Warens et de Rousseau aux Charmettes, le bail de la maison
Noëray prenant effet le mois suivant; mais l'objection tombe
à la suite des travaux récents qui rendent presque certains
des séjours soit dans cette maison, soit dans la maison Revil
contiguë, dès 1735 ou 1736 (nommé *C. C.*, I, 57), 279, 384.

HÉNAULT (Charles-François), 1685-1770. Président du parlement
de Paris, historien et poète, chez qui se réunissait le Club de
l'Entresol. Membre de l'Académie française, et habitué du
salon de M^me Du Deffand, 655.

HENRI II, né en 1519, roi de France de 1547 à 1559, 402.

HENRI IV, né à Pau en 1553, roi de France de 1589 à 1610. Abjure
en 1593 entre les mains de l'archevêque de Bourges dans la
basilique de Saint-Denis avant d'être accueilli à Paris; il fait
en outre — par procuration — pénitence publique à Rome :
75 (et n. 1).

HÉRON (d'Alexandrie), mathématicien grec du II^e siècle de notre
ère, inventeur de la fontaine qui au XVIII^e siècle porte son nom,
110-111, 333.

HERVEY (Mary, Lady), née Lepell. 1700-1768. Épouse en 1720
John Hervey, plus tard Lord Hervey of Ickworth (1655-
1751), premier comte de Bristol. Elle a connu Rousseau à
Paris dans le salon des Dupin vers 1743. Prendra parti contre
lui lors de la querelle avec Hume à la fin de 1766, 339.

HOLBACH (Paul-Henri DIETRICH ou THIRY, baron d'), 1723-
1789. Né dans le Palatinat, arrive en 1735 en France avec un
oncle. Traducteur de nombreux ouvrages anglais et alle-
mands, portant surtout sur les sciences physiques et naturelles;
collaborateur de l'*Encyclopédie*. Publie sous le nom de BOULAN-
GER (v. ce nom) son *Christianisme dévoilé* (Londres, 1761),
puis sous le nom de Mirabaud son *Système de la nature* (1770)
auquel Diderot a collaboré, développant des thèses matéria-
listes. Il jouit d'une grande réputation d'érudition parmi les
Encyclopédistes; reçoit les gens de lettres en son hôtel de
la rue Royale Saint-Roch (aujourd'hui 8, rue des Moulins)
le jeudi et le dimanche. M^me de Genlis consacre en 1822 à
ces dîners célèbres un ouvrage énumérant « une partie de la
cour et des littérateurs les plus remarquables du XVIII^e siècle ».

HOUDETOT (Élisabeth-Sophie-Françoise d'), née LALIVE de
BELLEGARDE. Née en décembre 1730, fille de Louis-Denis
Lalive de Bellegarde et de Marie-Josèphe Prouveur. Épouse
le comte Claude-Constant-César d'Houdetot le 28 février 1748 ;
Rousseau aurait fait sa connaissance « à la veille de son
mariage ». Mais c'est seulement en 1756-1757 que ses visites
à l'Ermitage sont le point de départ de l'amour de Rousseau.
Une curieuse déformation de l'aventure avec Rousseau est
donnée dans le récit qu'un voyageur allemand prétend avoir
recueilli en 1760 de Diderot (v. *R.L.C.,* oct.-déc. 1962, pp. 499-
500 et n. 1).
Dans sa vieillesse, M^me d'Houdetot (morte en 1813) reçoit
la visite de nombreux curieux désireux de connaître celle qui
passe pour avoir été le modèle de Julie.
Son esprit et ses talents sont vantés par Musset-Pathay, qui
cite d'elle (*Histoire de la vie...*), II, 136-137, 142) des vers
qu'elle ne voulut jamais publier.
Voir, sur ses rapports avec Rousseau, le chapitre que lui
consacre Faguet dans ses *Amies de Rousseau* (vieilli) ; les
études de Guillemin, Guyon et Osmont citées dans la Biblio-
graphie (sur les livres IX, X et XI).
Première rencontre avec Rousseau, 409 ; visites à l'Ermitage,
511-512, 519 ; son portrait, 520 ; amour de Rousseau, 521-
531 ; conséquences dans les rapports avec M^me d'Épinay et
Diderot, 535, 564, 567, 573, 578, 586, 592 ; avec Saint-Lam-
bert, 545-546, 559-560, 588-592 ; « refroidissement », 546-
548, 583, 640 ; fin de leurs « liaisons », 566, 575.
Amie de M^me de Verdelin, 623 ; M^me d'Houdetot et l'*Héloïse*,
521, 547, 617, 642, 647. Aussi 572, 607, 636.

HUBER (Jean-Jacques), Rousseau orthographie HUBERT, né en
1699. Dit « l'abbé Huber » ; Genevois, fils d'un membre du
Conseil des Deux-Cents, abjure le protestantisme à l'hospice
du Saint-Esprit à Turin (le *Dictionnaire helvétique de biographie et
d'histoire* dit : « en France », sans doute à tort), séjourne
en France, habitué des salons, et chargé de missions diplo-
matiques ; puis à Turin, chargé des affaires du royaume, 398.

HUBER (Michel), Rousseau orthographie HUBNER, 1724-1804.
Bavarois qui passe toute sa jeunesse en France. Il y traduit,
avec les encouragements et l'aide de Diderot, les *Idylles* de
Gessner ; à la fin de 1761, donc avant la publication semble-
t-il, il envoie à Rousseau sa traduction intitulée *Idylles et
Poèmes champêtres de Gessner* (Lyon, 1762), dont l'avertissement

accueilli Louis XIV, lequel ne reconnaît pas Guillaume III d'Orange comme roi d'Angleterre, et soutient après la mort de Jacques II les droits à la couronne d'Angleterre du fils de ce dernier, dit le Prétendant Stuart ou le Chevalier de Saint-Georges (1688-1766). L'échec d'une expédition en Écosse (1715) amène la France à conclure avec l'Angleterre un traité expulsant de France le Prétendant, qui s'installe alors à Rome, 288.

Jallabert (Jean), Rousseau orthographie Jalabert, 1712 ou 1713-1768. Pasteur en 1737, professeur de physique et de mathématiques à l'Académie de Genève en 1750, 467, 469.

James (Robert), 1703-1776. Auteur d'un Dictionnaire de médecine et de chirurgie dont la traduction française est entreprise par Diderot, Eidous et Toussaint. Trois libraires parisiens associés obtiennent le privilège en 1744, l'ouvrage est publié en 1748, en 6 vol. in-f°, 410.

Jaucourt (Louis), chevalier de, 1704-1779. Étudie la théologie à Genève, les mathématiques à Cambridge, et la médecine à Leyde, où il fait la connaissance de Théodore Tronchin, avant de s'établir définitivement en France (1736). Actif collaborateur de l'*Encyclopédie* à partir de 1751, 471.

Jeanne (la papesse). La première mention de ce personnage légendaire apparaît chez les chroniqueurs de la seconde moitié du xiiie siècle : une Anglaise ayant étudié à Rome sous le costume masculin et sous le nom de Jean l'Anglais aurait accédé au trône pontifical vers la fin du ixe siècle. Depuis Jean Hus, cette fable garde sa faveur auprès des antipapistes, même après le xviie siècle; elle est popularisée par des épisodes burlesques, comme l'accouchement de la papesse Jeanne au cours d'une procession. Une dissertation latine de l'érudit et homme d'État allemand Spanheim, né à Genève, est rééditée au cours du xviiie siècle (encore à La Haye en 1758). La papesse Jeanne est l'héroïne d'un opéra bouffe d'A J. B. Defauconpret, en 1793. Le nom de papesse Jeanne est donné plaisamment par Grimm et Rousseau à une fille entretenue par le ministre Klüpfel, que Thérèse prend pour le Pape, 422.

Jelyotte (Pierre de), 1713-1787 (Grove) ou 1797 (Roth). Béarnais (il a sa statue à Pau) destiné à la prêtrise, apprend la musique et la composition au chœur de l'église Saint-Étienne à Toulouse. A l'Opéra de Paris de 1733 à sa retraite

en 1755. Marmontel, son ami, lui attribue « la voix la plus rare que l'on pût entendre, soit par le volume et la plénitude, soit par l'éclat perçant de son timbre argenté ». Sa célébrité est encore grande à la fin du siècle : Dorat fait son éloge au chant III de son poème *la Déclamation théâtrale*. Il dirige les représentations à Fontainebleau du *Devin du village,* et a joué aussi dans les *Muses galantes ;* Rousseau déclare dans la *Lettre à d'Alembert* (éd. Garnier, 1954, p. 229, n. 1) s'honorer de son amitié, 401, 445, 450, 452.

JONVILLE (François CHAILLOU de), mort en 1765. Gentilhomme ordinaire de la maison du roi. Chargé d'affaires aux Pays-Bas autrichiens de 1733 à 1739; envoyé extraordinaire auprès de la République de Gênes de 1741 à 1745; il y reçoit Rousseau en 1743, 349. A son retour en France il revoit souvent Rousseau, 600-602. Aussi 362.

JOSSE. Personnage de *l'Amour Médecin*, de Molière, devenu le type proverbial du donneur de conseils intéressé (« Vous êtes orfèvre, Monsieur Josse »), 432.

JUBA. Juba II, roi de Numidie, personnage de la *Cléopâtre* (1647, en 12 vol.) de La Calprenède, roman lu par Rousseau enfant, 8.

JUIGNÉ (Jacques-Gabriel-Louis LE CLERC, marquis de, et de MONTAIGNE, baron de CHAMPAGNE et de la LANDE). Né en 1727, fils aîné du colonel de Juigné qui commandait en 1733 le régiment d'Orléans et à qui put être alors présenté Rousseau (p. 242, n. 1). Mousquetaire en 1742, capitaine de cavalerie au régiment d'Egmont en 1743, brigadier en 1759, lieutenant-général en 1762. Épouse en 1768 Charlotte Thiroux de Chammeville. Assiste en 1771 à une lecture de la seconde partie des *Confessions,* 780. Plus tard, à la fin de 1774, il est envoyé en Russie comme ministre plénipotentiaire.

JULIE. Julie d'Étange, plus tard M^me de Wolmar, héroïne de la *Nouvelle Héloïse,* 113, 169.

Julie ou la Nouvelle Héloïse, 169, 466, 483, 517, 519, 544, 547, 585, 593, 598, 603, 607, 616, 617, 618, 619, 629, 642-648, 685, 698, 719.

JULLY (Ange-Laurent LALIVE de), né en 1726. Frère de M^me d'Houdetot. Fonctions diplomatiques à Genève, puis à Paris à partir de 1757 comme « introducteur des ambassadeurs » (chargé de conduire les ambassadeurs et princes

diaire de Du Peyrou (759). Dans le 2ᵉ *Dialogue* (*O. C.*, I, 864), Rousseau cite Keith parmi les « hommes vertueux » dans la lignée de Fénelon et de Catinat. Mort peu avant Rousseau, Milord Maréchal lui légua sa montre. Il n'a jamais, quoi qu'en pense Rousseau (706), retiré à ce dernier son amitié. Du Peyrou témoigne d'autre part dans une lettre à Mᵐᵉ La Tour de Franqueville de la vénération attendrie que conserve Rousseau en 1775 pour son vieil ami (v. Ch. Guyot, *Du Peyrou*, p. 166). Ce sont les Philosophes qui, au lendemain de la mort de Rousseau (d'Alembert dans son *Éloge de Milord Maréchal*), accréditent la légende d'une querelle entre les deux hommes. Leur correspondance comprend plus de cent lettres réunies, avant d'être reprises dans la *C. C.*, par F. C. Green, « Letters of Milord Maréchal to Rousseau », *French Studies*, January, 1955. V. Edith E. Cuthell, *The Scottish Friend of Frederick the Great : the last Earl Marischall*, 1915. Aussi 733, 756.

KINGSTON (Evelyn PIERREPONT, 2ᵉ duc de), 1711-1773. Accède au titre en 1726, et siège à la Chambre des Lords en 1733. Neveu de Lady Mary Wortley Montagu, laquelle dit qu'il a reçu une très mauvaise éducation. Part pour le continent en 1733; il en ramène en 1736 sa maîtresse Mᵐᵉ de la Touche (338). Se distingue contre les insurgés à Culloden (1746) lors de la rébellion jacobite. Il est célèbre par ses amours avec Elizabeth Chudleigh, une des grandes courtisanes du siècle, qu'il épouse en 1769.

KIRCHBERGER.(Nicolas-Antoine), Rousseau orthographie KIRKEBERGHER, 1739-1800. De Gottstatt, près de Nidau. Ancien officier au service des états généraux de Hollande. Un des fondateurs de la Société économique bernoise, association patriotique et culturelle dont l'idéal se rapproche de celui que Rousseau prête à la Suisse dans la *Lettre à d'Alembert*. Futur bailli de Gottstatt. Il a rendu visite à Rousseau à Môtiers en 1762, et va de nouveau le voir à l'île de Saint-Pierre en 1765, 766. Admirateur de l'*Émile* (il fait partie du cercle lettré de la Bernoise Julie Bondeli, favorable à Rousseau), il appelle sa fiancée *Sophie* dans sa correspondance avec Rousseau. A la fin de sa vie il correspondra avec Saint-Martin, le « philosophe inconnu », 776.

KLÜPFEL (Emanuel-Christoph), Rousseau orthographie KLUPFFELL, 1712-1776. Né non pas comme on l'a dit en Saxe,

mais à Hattenhofen dans le Wurtemberg. Appelé en 1741 à Genève comme pasteur de l'église luthérienne, il fait là la connaissance de Thun, gouverneur du jeune prince héritier de Saxe-Gotha; engagé à la fin de 1746 ou au début de 1747 comme chapelain du jeune prince, il accompagne la suite du prince à Paris au printemps de 1747. Thun le présentait ainsi dans une lettre (en français comme toute cette correspondance de cour) à la duchesse de Saxe-Gotha, datée Genève, 26 juillet 1746 :

« Son nom est Klüpfel, natif de Wurtemberg. Il a un esprit solide et agréable, des manières insinuantes et une grande probité et piété dans le cœur. Il est théologien philosophe, sachant unir le raisonnement avec la révélation dans ce juste degré qu'il faut pour ne pas faire perdre à celle-ci son autorité et pour faire cependant toute l'impression qu'il faut sur les gens du monde qui demandent du raisonnement. Il fait d'excellents sermons dans ce même goût et il est également estimé et distingué, non seulement de son église, mais aussi des savants de Genève. Il parle français et à ses études sérieuses il joint celle de la physique expérimentale et particulièrement de quelques branches de l'optique. » (J. von der Osten, *Luise-Dorothea...*, Leipzig, 1896, p. 61.)

Une autre lettre de Thun, deux ans plus tard, montre que le séjour parisien a eu de fâcheux effets sur la conduite du pasteur, et corrobore le témoignage de Rousseau (420-422) :

« Je me trouve obligé de dire que le bon Klüpfel (*l'épithète est celle même qu'emploie Rousseau,* 421) est devenu, par la compagnie de M. Cramer (*un Genevois engagé comme professeur de géométrie pour le prince*), extrêmement dissipé, et a pris des façons de petit-maître, qui étonneraient et feraient rire ceux qui sont faits à la gravité de nos ministres ordinaires. Par exemple il avait commencé à dîner et souper la moitié des repas au moins hors de la maison du prince; malgré mes remontrances il soupa encore plusieurs fois en ville, jusqu'à ce que j'ai été obligé de prendre un ton d'autorité. Il est actuellement en règle; mais il n'a pas sitôt fini ses leçons qu'il court comme un pendu (*sic* = perdu ?) dîner en ville, et ne revient que le moment qu'on se met à souper. Il ne fait pas un pas, même avec le prince, entre les leçons, sans chanter un petit air et autres choses dans ce goût; grand quadrilleur et faisant sa cour aux dames, qui sont venues le chercher jusqu'à Fontenay (...) » (30 octobre 1748, *ibid.*)

C'est en août 1749, lors d'un court séjour chez le prince à

Fontenay, que Rousseau dit avoir fait la connaissance de Klüpfel (414). Il faut donc croire que sa dissipation avait bien résisté aux remontrances de Thun, l'affaire de la rue des Moineaux étant nécessairement postérieure.

Les relations avec Rousseau resteront amicales. Lorsque Rousseau envisage de quitter la Suisse pour Potsdam, Klüpfel, devenu vice-président du consistoire protestant du duché de Saxe-Gotha, invite Rousseau, s'il va à Berlin, à s'arrêter chez lui à Gotha, sur sa route, aussi longtemps qu'il voudra (lettre du 17 avril 1765, *C. G.,* XIII, 290). Un peu plus tôt, Klüpfel avait fondé l'*Almanach* nobiliaire dit de Gotha. V. sur lui J. von der Osten, *op. cit.,* pp. 61-87.

LA BRICHE (Alexis-Janvier LALIVE, seigneur de), né en 1735, frère de Mme d'Houdetot. « Introducteur des ambassadeurs », 511.

LA BRUYÈRE (Jean de), 1645-1696. Le succès rapide des *Caractères* (8 éd., les dernières très considérablement accrues, de 1688 à 1694) se poursuit au début du XVIIIe siècle où l'influence du livre est encore sensible, dans les *Lettres persanes* par exemple. Il est assez naturel qu'il soit une des lectures favorites de Mme de Warens et de Rousseau à Annecy (123). Sur l'influence du style de La Bruyère sur celui de Rousseau, v. p. 123, n. 1. Aussi 8.

LA CHÉTARDIE (Joachim-Jacques TROTTI, marquis de), 1705-1758. Ministre plénipotentiaire en Prusse de 1733 à 1738, ambassadeur extraordinaire en Russie de 1739 à 1744. Selon Musset-Pathay, il contribue à la réussite de la révolution qui met sur le trône Élisabeth, seconde fille de Pierre Ier : La Chétardie, qui passe pour être son amant, revient en France comblé d'honneurs. Mais lors du passage de Rousseau dans le service diplomatique, en 1743, La Chétardie, à la suite de la politique nouvelle qui suit la mort de Fleury, vient de revenir en Russie avec des instructions contraires à celles qu'il recevait précédemment; on l'a de plus calomnié en son absence. Il est pratiquement expulsé à la fin de 1744, et le gouvernement français l'envoie à la citadelle de Montpellier, puis à l'armée d'Italie, où il se distingue à la prise de Castillon (1747), 354.

LA CLOSURE (Pierre CADIOT de), 1663-1748. Résident de France à Genève de 1698 à 1739. Ce que dit Rousseau aux livres I, 6 et V, 248, de l'amour qu'inspira sa mère à M. de La Closure à une époque où le mari, Isaac Rousseau, voyageait en

Orient, a fait supposer que le diplomate pouvait être le père de Jean-Jacques, né en 1712 : mais La Closure fut absent de son poste de 1709 à 1713. Il vivait encore en 1744, mais n'était plus résident de France ; ce n'est donc pas à ce titre qu'il put recevoir Jean-Jacques en 1744 à Genève, s'il est vrai qu'il l'y reçut alors (381). Aussi 245.

La Condamine (Charles-Marie de), 1701-1774. Mathématicien parisien, participe à la mesure du méridien, 677.

Lagarde (Pierre), né en 1717. Chanteur et compositeur. Participe à la création du *Devin du village*. Peu connu jusqu'à 1750, où il devint chef d'orchestre en second de l'Opéra. A partir de 1764, professeur de musique des enfants royaux. Auteur de la pastorale *Églé*, 454, n. 1, 392, var. (*b*).

Laliaud, non identifié, originaire de Nîmes, correspond avec Rousseau de 1764 à 1771 au moins, 726, 731.

Lalive : v. Bellegarde, Épinay, Jully, La Briche.

La Martinière (Laurent-Corentin), mort en 1731. Secrétaire d'ambassade à Soleure de 1700 environ à sa mort, plusieurs fois chargé d'affaires en l'absence de l'ambassadeur. Son fils sera employé comme secrétaire-interprète à partir de 1739. Une lettre de Rousseau à La Martinière publiée par Musset-Pathay en 1825 est certainement apocryphe, 175-177.

Lambercier (Gabrielle), née en 1683. Sœur du pasteur Lambercier, dont elle tient la maison à Bossey. Lors du séjour de Jean-Jacques, elle a quarante ans et non trente, 14-19, 21-22, 33, 67.

Lambercier (Jean-Jacques), 1676-1738. Originaire de Neuchâtel. Pasteur en 1701, nommé en cette qualité en 1708 à Bossey (aujourd'hui en France, Haute-Savoie, 7 km S. de Genève, au pied du Salève). Des bruits calomnieux concernant notamment ses rapports avec sa sœur sont répandus par le curé de Confignon, M. de Pontverre (v. ce nom). Ils valent à Lambercier, quelques années avant le séjour de Jean-Jacques à Bossey, des difficultés dans son ministère (Ritter), 12-13, 16, 21-25, 33, 67, 70, 132.

Lambert (Marie), née Lenieps, 1730-1762. Épouse de Jean-François Lambert, baronnet de Grande-Bretagne (1726-1800). Elle meurt jeune, après avoir perdu un fils de 3 ans, et laissant orphelin un enfant en bas âge, 598.

Lamoignon (Guillaume de, seigneur de Blancmesnil et de Malesherbes), 1683-1772. Père de Malesherbes. Avocat

général, président à mortier, premier président de la Cour des aides, chancelier de France en 1750, succédant à d'Aguesseau. Rival de Maupeou, qui le fait exiler en 1763 et le remplace cinq ans plus tard. Rousseau le rencontre chez Mme de Besenval en 1742, 336. Aussi 669.

La Motte ou La Motte-Houdar (Antoine Houdar de La La Motte, dit), 1672-1731. Membre de l'Académie française depuis 1710, célèbre par sa querelle avec Mme Dacier sur la traduction d'Homère. Poète lyrique (*Odes,* 1707), dramaturge et critique. Ses œuvres complètes avaient été éditées en 11 volumes en 1754. Il a composé en 1700 sur le sujet de *Pygmalion* un ballet représenté à l'Opéra en 1748 sur une musique de Rameau (mais Cahusac passe aussi pour avoir composé la musique de ce *Pygmalion*). Rousseau a pu prendre là l'idée de son *Pygmalion, scène lyrique*. Rival de J.-B. Rousseau en 1709 à la succession de Thomas Corneille à l'Académie française, ami de Fontenelle et très répandu dans les salons, La Motte passe encore pour un grand poète lyrique lors des débuts de Rousseau à Paris. Mais dès le temps des Charmettes, Rousseau admirait le « trop doux La Motte » (*le Verger de Mme de Warens*), 59.

Lamy (Bernard), 1640-1715. Oratorien janséniste. Sainte-Beuve le cite parmi les meilleurs maîtres qu'eut Port-Royal. Son cartésianisme lui valut d'être censuré, et exilé dans un couvent du Dauphiné. Auteur des *Éléments de géométrie* (1684, augmentés en 1692), des *Entretiens sur les sciences,* Grenoble, 1683 (et nombreuses réimpressions), de *Nouvelles Réflexions sur l'art poétique* (Paris, 1668) et d'un *Art de parler* (1670) traduit en allemand et en italien. Ses *Éléments de géométrie* figurent sous le titre *Éléments de mathématique* dans une commande de librairie passée par Rousseau en 1736, selon la *C. C.,* I, 38. Les *Entretiens sur les sciences* ont pu influencer la composition du *Contrat social* et amener Rousseau à composer des *extraits,* comme l'avait fait avant lui Montesquieu, autre lecteur de Lamy (v. l'art. d'H. Roddier, *R.H.L.F,* oct.-déc. 1952). Ne pas confondre le janséniste Lamy avec le jésuite François Lami, attaqué dans les *Provinciales,* ni avec Dom François Lamy, philosophe cartésien de la Congrégation de Saint-Maur, adversaire de Spinoza, 267, 274.

Lanoue (Joseph-Baptiste Sauve, dit —, ou de), 1701-1761. Acteur de la Comédie-Française, créateur du rôle principal dans le *Narcisse* de Rousseau en décembre 1752. Il est lui-

même auteur (*La Coquette corrigée,* 1756, etc.), et certains lui avaient attribué la pièce de Rousseau (*C. C.,* II, 207), 458.

La Poplinière ou La Pouplinière (Alexandre-Joseph Le Riche de), 1693-1762. Fermier général, épris de musique, a étudié sous Rameau. Donne des concerts et des fêtes somptueuses dans l'hôtel où il s'installe en 1739, rue de Richelieu, et où sont reçus musiciens, peintres et écrivains. Malheureux en ménage par suite de l'inconduite de ses deux femmes, l'une et l'autre sensiblement plus jeunes que lui. Marmontel et Mme de Genlis font son portrait dans leurs *Mémoires.* Cette dernière, qui, étant encore enfant, séjourna chez lui en 1759, — peu avant le second mariage du fermier général, en 1760, — écrit : « On a pu donner quelques ridicules à cet homme, célèbre par son faste et sa bienfaisance; il était impossible de lui trouver un tort ou un vice », 391, 398, 400, 413, 548, 592.

La Poplinière (Françoise-Catherine-Thérèse), née Boutinon des Hayes, 1714-1756. Petite-fille de l'auteur comique Dancourt, et cousine germaine de Mme Dupin. Épouse en 1737 La Poplinière, qui a vingt ans de plus qu'elle. Selon les contemporains, c'est la présence de la jeune femme qui attire dans ce salon de hauts personnages. Courtisée par le maréchal de Saxe et par le duc de Richelieu, elle devient en 1744 la maîtresse de ce dernier. La découverte de cette liaison affecta fort le fermier général, qui renvoya sa femme (1746). On a prétendu que la composition de Rameau intitulée *les Tendres plaintes* évoquerait « les lamentations de Mme de La Poplinière lorsque son mari la chassa de son hôtel », 391-392, 397, 398, 653.

La Porte du Theil : v. Du Theil.

Lard (Jean), épicier de Chambéry, père d'une élève de Rousseau, 219.

Lard (Marie), née Beauregard, épouse de l'épicier Jean Lard, de Chambéry, et mère d'une élève de Rousseau, 219-220.

Lard (Péronne), fille des précédents. Épousera en 1749 le docteur Joseph Fleury, lequel succédera à Grossi comme « proto-médecin » ou médecin principal de Savoie. Mugnier (pp. 133-136) a retrouvé son portrait et son cahier de chant. La description que donne d'elle Rousseau (« vrai modèle d'une statue grecque », mais « sans vie et sans âme ») a pu lui être suggérée par le mythe ovidien de Pygmalion, populaire sur

la scène lyrique au xviiie siècle (v. Cahusac, La Motte) et auquel Rousseau s'intéresse à son tour vers le temps où il rédige cette partie des *Confessions,* 219.

Laridon. Nom d'un chien de bonne race, mais élevé dans les cuisines, dans la fable de La Fontaine *l'Éducation* (VIII, fable XXIV), dont la morale est :

> « On ne suit pas toujours ses aïeux ni son père :
> Le peu de soin, le temps, tout fait qu'on dégénère ;
> Faute de cultiver la nature et ses dons,
> Oh ! combien de Césars deviendront Laridons ! »

33.

Larnage (Suzanne-Françoise), née du Saulzey, 1693-v. 1755. Fille d'un conseiller au Parlement de Grenoble, épouse en 1716 Louis-François d'Hademar de Monteil de Brunier, sieur de Larnage. Lorsqu'elle fait la connaissance de Rousseau en 1737, elle a quarante-cinq ans et lui vingt-cinq. Elle vit au Bourg-Saint-Andéol, dans le Vivarais, séparée de son mari depuis un an après lui avoir donné dix enfants, 287-295, 297-299, 505, 523. V. Aurenche, *Annales,* III.
Rousseau la compare à la courtisane vénitienne Zulietta — à l'avantage de cette dernière, 377.

Larnage (Mlle de), fille de la précédente. Aurenche l'identifie comme l'aînée des trois filles des époux de Larnage, Virginie, née entre 1720 et 1725 ; peut-être 1722 si elle avait en 1737, comme le dit Rousseau, « quinze ans passés », 295, 300.

La Roche, valet de chambre du maréchal de Luxembourg, 659, 684, 686, 720, 732.

La Rochefoucauld (François de), 1613-1680. Rousseau parlant de « La Rochefoucauld, livre triste et désolant », fait évidemment allusion aux *Maximes* (1655) ; il s'attaquera constamment aux morales de l'intérêt défendues par La Rochefoucauld, Hobbes ou Helvétius, et sa distinction entre *amour de soi* et *amour-propre* est en partie dirigée contre La Rochefoucauld. Mais il a certainement lu aussi les *Mémoires* (1662), précieuse source de renseignements sur la Fronde, 123.

La Roque (Giuseppe-Ottaviano della Rocca, ou de), mort en 1773. Protecteur de Rousseau, plus tard gentilhomme de la chambre du roi de Sardaigne Charles-Emmanuel III. Mentionné par le président de Brosses dans la dernière de ses *Lettres d'Italie.* Neveu de Mme de Vercellis (Gaillard), 89-92, 94, 100-101.

LENIEPS (Toussaint-Pierre), 1697-1774. Genevois banni à perpétuité pour participation aux entreprises de Micheli du Crest en 1731. Établi banquier à Paris, ami de Rousseau qu'il fréquente à Paris puis à Montmorency (598) et qu'il entretient fréquemment dans ses lettres de la politique genevoise, à laquelle il continue de s'intéresser de si près que ses compatriotes obtiennent son incarcération à la Bastille de 1766 à 1768, 442, 733.

LE NÔTRE (André), 1613-1700. Dessinateur des parcs de Chantilly, de Versailles, de Vaux, etc., 610.

LÉON (Louis-Auguste de CHABOT, abbé de —, puis vicomte de ROHAN, puis vicomte de CHABOT), 1722-1753. Les Rohan sont princes de Léon, terre d'évêché en Bretagne. L'abbé de Léon est chanoine de la cathédrale de Strasbourg. Rousseau lui est recommandé à Paris en 1742 et lui donne des leçons de composition, 329. Il quitte l'église pour l'armée et devient mousquetaire à la 1re Compagnie le 31 janvier 1743 ; colonel en 1744, maréchal de camp le 10 mai 1748, il se démet de son régiment le 22 avril 1749, et reçoit en 1752 une pension du roi de Pologne. Il meurt le 9 février 1753. (Service histor. de l'Armée, Dossiers Maréchaux de camp, n° 2107.)

LESAGE (Alain-René), 1668-1747. La publication de l'*Histoire de Gil Blas de Santillane* s'étend de 1715 (deux premiers volumes) à 1724 (3e volume) et 1735 (4e volume). Ce dernier n'était donc pas encore paru lorsque Rousseau, sur le conseil de Mlle du Châtelet, commence à lire le roman à Lyon en 1731 ou 1732. Sur son influence probable sur les *Confessions*, v. *Introduction,* p. CIV, 193 et *(Gil Blas)* 655.

LESPINASSE (Julie de), 1732-1776. Orpheline sans fortune recueillie en 1754 par Mme Du Deffand, à qui elle fait la lecture. Les deux femmes se séparent en 1764 quand Mme Du Deffand découvre que sa dame de compagnie reçoit à part les habitués du salon; cette dernière ouvre alors un salon rival rue Saint-Dominique, où la suivent d'Alembert et quelques autres familiers de Mme Du Deffand. D'Alembert fait du nouveau salon un cénacle au sein duquel il exerce une autorité considérable, en particulier sur les élections à l'Académie, 655.

LESUEUR ou LE SUEUR (Jean), v. 1602-1681. Né à Clermont (Oise), pasteur protestant de la Ferté-sous-Jouarre, auteur de l'*Histoire de l'Église et de l'Empire* (Genève, 1672-1677, 6 vol. in-4° ou 8 vol. in-12), continuée par Bénédict Pictet,

Genève, 1713, 2 vol. in-4°; histoire renommée pour son impartialité, 70-71.

Lettre à d'Alembert, 585, 592, 607, 640.

Lettre sur la musique française, 455, 738.

Lettres écrites de la montagne, 135, 723, 725, 735, 738-741, 750.

LE VASSEUR (François), mort en janvier 1754. Ancien officier de la Monnaie d'Orléans, père de Thérèse Le Vasseur. Portrait, 419; « placé » par d'Holbach, 473. Aussi 388.

LE VASSEUR (Jean-François, ou Louis-François). L'un ou l'autre de ces deux frères de Thérèse Le Vasseur pourrait être le voleur de Rousseau en 1751 (v. *C. C.,* II, 304). On connaît la date de naissance du second, 1719, à Orléans, 399, 431.

LE VASSEUR (Marie), née RENOUX ou RENOULT, morte en octobre 1766. Épouse en 1696 François Le Vasseur. Mère de Thérèse. Après avoir recueilli M^{me} Le Vasseur au début de sa liaison avec Thérèse, 399-400, 419, et l'avoir prise pour secrétaire, 417, Rousseau la renvoie lorsqu'il quitte l'Ermitage, la soupçonnant d'être aux gages de ses ennemis, 424-425, 435, 451, 470, 496-499, 531, 556, 573, 574, 575; elle s'installe non loin, à Deuil; Grimm aurait plus tard offert de se charger de son entretien, 596, 659. Sa date de naissance n'est pas connue; selon les critiques, elle varie de 1673 (P.-P. Plan, G. Roth) à 1688 (Courtois). L'*Histoire de M^{me} de Montbrillant* lui donne 70 ans lors de l'installation à l'Ermitage (ce qui la ferait naître en 1686, date plausible).
Sentiments de Rousseau à son égard, 492, 497-498. Querelle avec Diderot à son sujet, 538-541. Aussi 388, 390, 431, 440, 451, 473, 489, 492-493, 507, 517-518, 569.

LE VASSEUR, ou LEVASSEUR (Thérèse), 1721-1801. Née à Orléans le 21 septembre 1721. La rencontre de Rousseau, si elle est postérieure au départ d'Altuna, chez qui Rousseau logeait encore à la fin de février 1745 (*C. C.,* II, 74), daterait au plus tôt de mars 1745, ce qui s'accorde avec la déclaration de Rousseau selon laquelle en juin 1762 il vivait avec elle depuis « près de dix-sept ans » (687). Un acte notarié passé en 1758 par Rousseau date du 1^{er} mars 1745 l'entrée de Thérèse à son service (Courtois, *Chronol.,* p. 50, n. 4). Elle avait alors 23 ans, ce qui concorde avec l'indication donnée au livre VII, 388. Le 30 août 1768, devant deux témoins, Jean-Jacques conclut avec Thérèse un véritable mariage civil avant la lettre (v. *D. P.,* XVIII, 285-286). Sur les sentiments de Rousseau

vieilli à son égard, v. au livre IX, 491 et n. 1, mais voir aussi à la fin du livre XI, 686-687. Thérèse a été généralement sévèrement jugée, non seulement par les ennemis de Rousseau, mais aussi par ses admirateurs et surtout ses admiratrices (M^me de Staël), qui ont volontiers rejeté sur elle les fautes dont il leur était difficile d'excuser Rousseau. La conduite de Thérèse ne fut exemplaire ni du vivant de Rousseau (on a aujourd'hui la preuve d'une incartade au moins, lors du voyage d'Angleterre avec Boswell : v. p. 492, n. 1), ni après sa mort où elle scandalise les fidèles de Rousseau en se mettant en ménage avec un valet de chambre de Girardin, l'hôte de Rousseau à Ermenonville. Elle sut monnayer, et auprès de la Société typographique de Genève, et auprès de la Convention, la gloire d'être la veuve d'un grand écrivain; mais Rousseau n'avait-il pas précisément pris des précautions pour qu'elle ne restât pas dans le dénuement ? On ne peut dire qu'elle trahit ses dernières volontés dans l'utilisation qu'elle fit de ses manuscrits, et sa conduite à cet égard se justifie mieux que celle de Girardin, qui ne lui restitua finalement que contraint et forcé le manuscrit des *Confessions* (dit de Paris) qu'elle devait remettre à la Convention.

On peut se demander si, moins illettrée (son orthographe est proprement ahurissante !), Thérèse eût autant scandalisé la critique du xix^e s. On trouvera mise au point et bibliographie dans l'ouvrage objectif de Ch. Guyot, *Plaidoyer pour Thérèse Levasseur,* Neuchâtel, 1962. Débuts de la liaison, 388-391; Thérèse vaut mieux que sa famille, 399-400, 419, 431, 473, 497; sa subsistance, 401; grossesses, accouchements et abandon des enfants, 402-403, 404-405, 422-423; sa naïveté, 422; faiblesse vis-à-vis de sa mère, 497, 507, 575; Thérèse et Gauffecourt, 462-463; Thérèse et « Maman », 464, 701-702; Thérèse et M^me d'Épinay, 530-531, 573; Thérèse et Grimm et Diderot, 556, 586; Thérèse et M^me de Luxembourg, 658-659; réflexions de Rousseau sur sa liaison avec Thérèse, 490-493, 496-499, 526, 701-703; pensions et rentes à Thérèse, 662-664, 759; séparation lors de l'exil, 684-687; rejoint Rousseau à Môtiers, 698; la « lapidation », 753-754; rejoint Rousseau à l'île de Saint-Pierre, 763, 765-766; nouvelle séparation, 775, 779. Aussi 417, 424, 435, 451, 459, 466, 470, 489, 512-513, 517, 518, 535, 539, 561, 569, 597, 615, 621, 622, 630, 640, 650, 659, 711, 742.

Lévite d'Ephraïm, 691.

LUCRÈCE. Héroïne romaine célèbre pour sa vertu, épouse de Tarquin Collatin. Sujet d'une « tragédie en prose » projetée par Rousseau, 467.

LUDWIG (Christian-Gottlieb), 1709-1773. Botaniste né en Silésie; amené par un voyage en Orient, où il observe la fécondation artificielle des dattiers, à une classification assez proche de celle de Linné, et fondée sur les organes sexuels. Mais il travaille sur herbiers et dans les jardins botaniques, et fonde ses synthèses sur les travaux contemporains plutôt que sur des observations personnelles. Auteur de plusieurs ouvrages en latin entre 1737 et 1742. Linné lui dédie le genre *Ludwigia*, 764.

LULLI ou LULLY (Jean-Baptiste) (Giovanni-Battista Lulli), Florence 1632-Paris 1687. (Il semble avoir adopté l'orthographe *Lully* avec la nationalité française.) Surintendant de la musique de Louis XIV. Son opéra *Armide et Renaud*, représenté à l'Opéra le 15 février 1686 — un de ses derniers ouvrages — reste un grand succès au XVIII[e] siècle. Il est l'auteur de la musique d'un *Triomphe de l'amour*, livret de Quinault et Benserade, ballet représenté en 1681, 444.

LULLIN (Amédée, dit Ami), 1695-1756. Pasteur (1726), professeur d'histoire ecclésiastique (1737) puis recteur de l'académie de Genève. C'est à ce titre qu'il charge Rousseau de chercher à Paris un exemplaire de l'édition de la Bible dite de Sixte Quint, curiosité bibliophilique parue à Rome en 1590. Reste en correspondance avec Rousseau « jusqu'à sa mort », deux ans après leur rencontre, 467.

LUTOLD, (orthogr. de R. pour *Leuthold*), v. J. Burdet, *La musique au Pays de Vaud* [...], Lausanne, 1963, p. 552, n. 2, 166, 175.

LUXEMBOURG (Charles-François-Frédéric de MONTMORENCY, duc de), 1702-1764. Prince de Tingry; pair de France; maréchal de France en 1757. Il a épousé en 1724 Marie-Sophie Colbert de Seignelay, qui meurt en 1747; puis en 1750, Madeleine-Angélique de Neufville-Villeroy, veuve du duc de Boufflers. Il a servi en Espagne, à l'armée du Rhin, participé à la défense de Prague et à la retraite de Belle-Isle; aide de camp et lieutenant-général en Flandre, il prend part à la bataille de Fontenoy. Lieutenant-général en Normandie, il y a empêché un débarquement anglais. Son hôtel parisien, rue Saint-Marc, sur la lisière nord de la ville, a accès par les jardins sur le boulevard d'enceinte (622). A la belle saison, le maréchal et

sa femme séjournent à leur château de Montmorency, où ils se trouvent les voisins de Rousseau à partir de 1759 (610-611). Leurs premières avances trouvent Rousseau réservé, 611. Ils lui rendent visite au Mont-Louis, 611, 613; il accepte leur hospitalité au petit château de Montmorency, 613-614, et est reçu à leur hôtel de Paris aussi bien qu'à leur château de Montmorency. Ils échangent leurs portraits contre celui de Rousseau peint par La Tour, 625. Deuils domestiques du maréchal, 649. Il présente Rousseau à Choiseul, 653, et lui demande plus tard s'il a parlé de Choiseul dans ses écrits, 680-681. Il envoie à Rousseau un chirurgien, le frère Côme, 674. Offre de l'héberger en Touraine, 675. Son attitude lors de la condamnation de l'*Émile,* 685-688.

Affection de Rousseau pour le maréchal, 620-621. Sa confiance en lui, 628, 720; sa tristesse en apprenant sa mort, 732.

Les lettres échangées entre le maréchal et Rousseau s'élèvent dans la *C. C.* à une cinquantaine, soit un peu moins qu'entre Rousseau et la maréchale. Aussi 621, 625, 628, 629, 631, 632, 633, 634, 642, 648, 649-651, 653-674, 675, 676, 680, 682, 685, 703, 719, 732, 733, 777.

LUXEMBOURG (Madeleine-Angélique, née de NEUFVILLE-VILLE-ROY), 1707-1787. Épouse en 1721 Joseph-Marie, duc de Boufflers, Rousseau la connaît alors, 611; puis devenue veuve (1747) elle se remarie en 1750 avec le duc de Montmorency, veuf lui-même, futur maréchal de Luxembourg. Selon Faur, cette union régularise une situation ancienne : « Mme de Boufflers aimait M. de Luxembourg et Mme de Luxembourg trouvait M. de Boufflers préférable à son mari. Cet accord fut d'abord un mystère, mais les époux l'ayant pénétré, et se trouvant liés par les mêmes torts, crurent devoir bannir les reproches, et faire tourner cet événement au profit de l'amitié. Les nœuds en furent plus resserrés; et la contrainte tyrannique fut bannie entre eux. » (*Vie privée du Maréchal de Richelieu,* Paris, 1791, II, 48.)

Mme de Luxembourg n'est pas moins pressante que son mari dans ses amabilités envers Rousseau. Elle voudrait le voir entrer à l'Académie française, 613. Rousseau exécute pour elle une copie de la *Julie,* 616, 619. Elle s'occupe de l'impression de l'*Émile,* 629, 660. Elle s'offre à retrouver et élever les enfants de Rousseau, 659. Son intervention, sollicitée par Rousseau, aboutit à la libération de Morellet, incarcéré à la Bastille, 632-634.

l'idée d'un extrait des ouvrages de l'abbé de Saint-Pierre (483) ; mais plus tard il l'accuse, 735-736, de l'avoir plagié. Aussi 325, 327, 334, 343, 602. V. Aurenche, R. *et Mably,* et l'introd. de l'éd. Lecercle (Paris, 1972) des *Droits* [...] *du Citoyen,* 1789.

MABLY (Jean BONNOT, seigneur de), 1696-1729. Frère du philosophe Condillac. Prévôt général de la maréchaussée des provinces de Lyonnais, Forez et Beaujolais au temps où il emploie Rousseau comme précepteur de ses enfants, 308, 310-311, 327, puis le reçoit à dîner, 325. V. les livres d'Aurenche et de Grosclaude cités p. CXXXII.

MAILLEBOIS (marquis de), 1682-1762. Commande les troupes françaises en Corse en 1739 et pacifie l'île (alors possession génoise) de janvier à octobre. Il est encore sur place lorsqu'il est nommé maréchal de France en 1741 ; muté en 1742. (Serv. histor. de l'Armée, Ancien Régime, 210), 772.

MAINE (Louise de Bourbon, duchesse du), 1676-1753. Petite-fille du Grand Condé, a épousé Louis-Auguste de Bourbon, duc du Maine, fils de Louis XIV. Compromise dans la conspiration de Cellamare contre le Régent. Son salon politique et littéraire, à Sceaux, est fréquenté notamment par Voltaire, 501.

MAIRAN (Jean-Jacques DORTOUS de), 1678-1771. Mathématicien, membre de l'Académie des Sciences, fait partie de la commission chargée d'examiner le système de notation musicale de Rousseau en 1742 (330). Mairan, qui s'est lié avec Montesquieu à Bordeaux, entre à l'Académie française en 1743. Il fréquente Mme Dupin, Lambert, de Tencin. Rousseau le voit encore lors du séjour à Montmorency, 602, 604.

MALEBRANCHE (Nicolas de), 1638-1715. Philosophe oratorien, cité par Rousseau parmi ses lectures des Charmettes, 273. (Cf. *le Verger de Mme la Baronne de Warens.*)
Sur Rousseau lecteur de Malebranche, v. l'article d'E. Bréhier, *Rev. Internationale de Philos.,* I, 1938-1939, pp. 98-120.

MALESHERBES (Chrétien-Guillaume de LAMOIGNON de), 1721-1794. Premier président de la Cour des Aides ; directeur de la Librairie — c'est-à-dire chef de la Censure. Cette position lui permit d'exercer la plus libérale protection sur les Encyclopédistes et Rousseau, de 1747 à la Révolution — où il périt guillotiné — sauf une brève interruption de 1770 à 1774. Rousseau lui adresse dans l'hiver 1761-1762 quatre lettres qui

constituent un important témoignage autobiographique (416) (elles sont publiées *O. C.,* I, 1130-1147). Il lui demande d'essayer de se procurer une lettre écrite en 1731 à La Martinière, 176. Rôle de Malesherbes dans l'impression de *la Nouvelle Héloïse,* 602-605; dans l'impression de l'*Émile,* 629, 660, 662, 665, 667-671, 676, 680, 681.

Sa correspondance avec Rousseau telle que la publie la *C. G.* porte surtout, dans les derniers temps, sur des questions de botanique; elle est à corriger et compléter par les lettres et fragments inédits publiés par P. Grosclaude, *Jean-Jacques Rousseau et Malesherbes,* Paris, 1960. Cet ouvrage éclaire le rôle de Malesherbes lors de la publication de l'*Émile* (voir aussi sur ce point Jimack, pp. 44-75) et de la condamnation de Rousseau : après avoir pris ses précautions pour ne pas être compromis, il joua son rôle de directeur de la Librairie en ordonnant une perquisition chez le libraire Duchesne et la saisie des exemplaires du livre. Dans un document daté par P. Grosclaude d'environ 1780, il déclare avoir fait prévenir Rousseau du décret de prise de corps (p. 108) : « Je le fis avertir de s'enfuir, il ne le voulait pas absolument [...] M. le prince de Conti lui en avait donné l'avis avant moi et il s'y était refusé [...] Je crois qu'ils auraient fini par le bannir [...] Enfin M. de Luxembourg seul le décida à partir et je crois que ce fut en lui disant que M^me de Luxembourg y serait compromise, ce qui cependant n'était pas vrai, car M^me de Luxembourg n'avait point du tout cette crainte, mais elle consentit qu'on s'en servît pour l'engager à pourvoir à sa sûreté. » Le même document contient une relation de l'entrevue que Malesherbes eut au Temple, dans les derniers jours de 1765, avec Rousseau partant pour l'Angleterre. Après son retour en France, Rousseau reprit-il la correspondance avec Malesherbes ? On ne connaît pas de lettres de l'un à l'autre dans la période qui va du séjour à Trye à l'installation à Paris (1770). On sait que Malesherbes avait confié à Rousseau des secrets de famille dans des lettres que le philosophe dut détruire, et qu'il eut communication de la Première Partie des *Confessions.* Malesherbes correspondit avec Moultou au sujet de la publication de ce livre, et souhaitait que la Seconde Partie ne vît pas le jour. Un intéressant jugement sur l'homme figure dans une lettre à Moultou du 25 juillet 1780 :

« Rousseau a consacré sa vie à la vérité. Il ne manquait point à ses principes quand il a écrit ce qu'il croyait vrai, quoique sa maladie l'entraînât dans l'erreur. » (Grosclaude, p. 97.)

Et à propos des *Dialogues* :

« Qu'on est malheureux, dites-vous, d'être haï de tout l'univers. Mais je crois que vous vous trompez. C'était au contraire sa jouissance la plus délicieuse. » (*Ibid.*, p. 113.)

Dans son *Mémorial sur la Liberté de la Presse*, 1789, Malesherbes écrit encore à propos de Rousseau : « Il se sentait le courage du martyre, il voulut en avoir la gloire. » (*Ibid.*, p. 115.)

MALOUIN (Paul-Jacques), 1701-1778. Un des médecins qui ont soigné Rousseau, sur la recommandation de M^me d'Épinay, 432. Membre de l'Académie des Sciences, il avait assisté en 1742 à la lecture par Rousseau devant l'Académie de son mémoire sur une nouvelle méthode de notation musicale.

MALTOR (Antoine), 1689-1767. Licencié en droit de la faculté de Paris. Secrétaire de l'ambassadeur Du Luc à Soleure, il y a connu Jean-Baptiste Rousseau, 595. Plus tard curé de Groslay (Rousseau orthographie Grosley), en Seine-et-Oise, près de Montmorency, il y noue des relations avec Jean-Jacques.

MANDAR (Jean-François), Rousseau orthographie MANDARD, 1732-1803. Oratorien, enseigne la théologie à Montmorency, 683. Plus tard, en 1772, il prêche devant le roi le panégyrique de Saint-Louis. Supérieur en 1782 du séminaire Saint-Magloire, puis professeur au collège de Juilly. Émigré en 1790, il passe pour avoir refusé un évêché sous Bonaparte, comme il l'avait fait sous Louis XV. Le récit de son voyage à la Grande-Chartreuse en 1775 (Rousseau a fait la même excursion en 1768), imprimé d'abord dans les *Affiches du Dauphiné* (1776), puis séparément à Paris en 1782, avec une traduction latine de son ami le père Viel, a été reproduit par plusieurs voyageurs.

MARCET de MÉZIÈRES (Isaac-Ami), 1695-1763. Bourgeois libéral de Genève, ami du père de Rousseau. Jean-Jacques fait sa connaissance en 1737, et le retrouve en 1754, 467. Auteur d'une comédie, *Diogène à la campagne* (1758), représentée sans succès à Carouge près de Genève.

MARÉCHAL (Milord) : v. KEITH (George).

MARGENCY (Adrien QUIRET ou CUYRET, seigneur de), né en 1727. Son père acquiert en 1731 la terre de Margency près de Montmorency, dont le fils devient seigneur. Gentilhomme ordinaire de la chambre du roi, ami de Grimm, poète mineur du cercle d'Holbach. Amant de M^me de Verdelin, il se détache d'elle en 1760 après la mort de sa femme et tombe dans la

dévotion (Roth, *Corr.* Diderot). Il accompagne M^me d'Épinay lors d'une visite de celle-ci à Rousseau à l'Ermitage, 531. Aussi 458, 602, 604, 605. V. Faguet, *Amies de Rousseau* (M^me de Verdelin).

MARI (Don Estéban, ou à l'italienne Stefano, De Mari Centurion). Mort en 1749 à Venise, où il est ambassadeur d'Espagne depuis 1741. Il appartient à la famille illustre des De Mari, dont les origines entourées de légende remonteraient à Charlemagne, et dont l'existence est attestée au début du xii^e siècle à Florence et Naples. Nicolo De Mari a été en 1680 ambassadeur auprès de Louis XIV (*O. C.,* I, 1391, et Spreti, IV, 388), 353, 355, 368.

MARIANE ou MARIANNE (P.-P. Plan donne les dates douteuses 1701-1782 et le prénom Antoine). Secrétaire à Constantinople de l'ambassadeur Bonac à partir de 1716; ce dernier l'amène avec lui à Soleure en 1725. Chargé d'affaires entre le départ de Bonac et l'arrivée de Courteille (1736-1738), puis à diverses reprises jusqu'à 1745 pendant les absences de Courteille. Il est encore secrétaire d'ambassade en Suisse à la fin de 1749, et vit encore en 1780 où il fait obtenir à son neveu Antoine Mariane ou Marianne, né à Carcassonne en 1744, le vice-consulat de Naples. Il est mort avant 1790, où une lettre du neveu mentionne « feu mon oncle » (Arch. Min. Aff. Étr., Dossiers indiv., vol. 48), 176-177.

MARION. Servante de M^me de Vercellis, faussement accusée par Rousseau du vol d'un ruban, 91-95.

MARISCHAL ou MARSHALL : v. KEITH (George).

MARIVAUX (Pierre CARLET de CHAMBLAIN de), 1688-1763. Introducteur en France du journal moral et littéraire à l'imitation du *Spectator* anglais, 121-122, Marivaux est célèbre, à l'époque où Rousseau fait sa connaissance, à la fois comme romancier, auteur de *la Vie de Marianne* dont les onze parties s'espacent de 1731 à 1741, et du *Paysan parvenu* (1735-1736), et comme dramaturge : en 1742 il a déjà donné à la Comédie-Française ou à la Comédie-Italienne une vingtaine de pièces dont *le Jeu de l'amour et du hasard* (1730) et *le Legs* (1736), comédie d'actualité en 1737, lors du voyage de Rousseau à Montpellier (289). Il retouche le *Narcisse* de Rousseau, 334, travail sur lequel on n'a pas de renseignements.

MARMONTEL (Jean-François), 1723-1799. Connu d'abord comme poète lyrique et dramatique, protégé de Voltaire puis de

MERVEILLEUX (David-François), mort en 1748. Les régiments des gardes suisses comptent plusieurs officiers de ce nom, originaires de Neuchâtel. David-François a servi lui-même (mais je n'ai pas trouvé son nom dans les registres des troupes suisses) avant d'être secrétaire-interprète aux Grisons (fonctions attestées par les Arch. des Aff. Étr. pour 1709-1711). Il est l'auteur des *Amusements des bains de Bade,* Londres, 1739. Ce n'est pas lui, précise Musset-Pathay, que Rousseau a mis en scène dans *la Nouvelle Héloïse* (1ᵉ partie, lett. 40 et 43); sur cet épisode du roman, v. *Annales,* VII, 198.

David-François, en 1731, serait secrétaire-interprète de l'ambassade à Soleure lorsqu'il recommande Rousseau comme précepteur pour le neveu (ou petit-neveu) de Gaudard, 177.

MERVEILLEUX (Mᵐᵉ de), belle-sœur du précédent, selon Rousseau. Les renseignements obtenus d'un descendant de la famille par M. Gagnebin, et que ce dernier a bien voulu me communiquer, font croire qu'il s'agirait plutôt de sa femme. Si Rousseau n'a pas fait erreur, Mᵐᵉ de Merveilleux serait la femme de Charles-Frédéric Merveilleux (et non *de* Merveilleux), de Neuchâtel, que les Arch. du Service historique de l'Armée (Yb 348, mémoire du 3 sept. 1741) donnent comme servant en tant qu'officier aux gardes suisses depuis 1710, avec commission de capitaine depuis octobre 1731; il commande en second un régiment « avec caractère de lieutenant-colonel » en 1741, 180-182.

MERVEILLEUX « officier aux gardes », fils de Mᵐᵉ de Merveilleux. Non identifié, 180.

MESME OU MESMES (Anne-Marie, née FEYDEAU de BROU, marquise de), 1732-1819. Fille d'un conseiller au parlement de Paris devenu garde des Sceaux. Elle épouse en 1749 Joseph, chevalier, marquis de Mesmes, maréchal de camp des armées du roi. Elle assiste en 1771 à une lecture de la Seconde Partie des *Confessions,* 780.

MEURON (Samuel de), 1703-1777. Conseiller d'État de Neuchâtel en 1739, procureur général en 1764. Soutient efficacement la cause de Rousseau contre les pasteurs, 744, 755.

MICHELI DU CREST (Jacques-Barthélemy), Rousseau orthographie DU CRET, 1690-1766. Genevois qui, après avoir servi comme capitaine en France (il existe une compagnie de ce nom aux gardes suisses au début du siècle), travaille à Genève comme ingénieur et topographe. En 1728, un mémoire impri-

mé à Strasbourg (mais non publié, précise Rousseau), et critiquant, à l'adresse du Conseil des Deux-Cents, dont Micheli fait partie, les plans de fortification de Genève, vaut à ce dernier d'être censuré, déchu de ses droits, puis condamné à mort pour crime de lèse-majesté (1735). Vivant en exil, il continue à polémiquer contre la politique genevoise, notamment contre la Médiation de 1738. Un nouveau procès lui est fait par les autorités de Berne qui l'accusent de complot et le condamnent à l'emprisonnement perpétuel (1749). Il est alors enfermé à la forteresse d'Aarbourg (Rousseau orthographie Arberg, 250) où il meurt le 29 mars 1766 (et non en 1760 comme le dit Van Bever). Il est donc encore en vie lorsque Rousseau, à l'île de Saint-Pierre, en 1765, lui envie cet emprisonnement, 767. Rousseau connaissait ses écrits, comme le prouve la IX^e des *Lettres de la Montagne ;* les idées de Micheli sur la constitution de Genève étaient plus proches des siennes qu'il ne le croyait (Spink).
V. J.-S. Spink, *Rousseau et Genève,* et la note de l'éd. Gagnebin-Raymond, p. 1335, qui se réfère aux recherches inéd. d'A. Corbaz.

MINARD. Peut-être l'abbé Minard qui collabore à des écrits contre les Jésuites publiés en 1762, 597, 672-673.

MINERVE. Le nom de la déesse de la sagesse (652) est employé comme nom commun, 232.

MINUTOLI. Officier de garde aux portes de Genève en 1718, 44.

MIRAN (M. de), neveu de M. Dupin, « avait un emploi à la saline » à Salins, 469, 692.

MIREPOIX (Pierre-Louis de LEVIS, marquis de), 1702-1757. Brigadier en 1734, ambassadeur à Vienne de 1737 à 1740, sert comme maréchal de camp en Bohême. Lors du départ de Rousseau pour Venise il commande en Provence depuis un an (346); en janvier 1744 il passe à l'armée de Piémont comme maréchal de camp sous les ordres du prince de Conti, et est nommé en mars lieutenant-général. Il sert en Flandre dans cette qualité en 1747, puis dans le comté de Nice. Ambassadeur extraordinaire en Angleterre de 1749 à 1755, il est appelé duc de Mirepoix par brevet du roi d'Angleterre à partir de 1751. En 1755 il succède à Richelieu comme gouverneur du Languedoc. Fait maréchal de France en 1757, il meurt le 25 novembre de la même année. Il a épousé en 1733 Anne-Gabrielle-Henriette Bernard, décédée en 1736; puis en

militaire avec le grade de capitaine de grenadiers aux gardes françaises, est nommé ambassadeur à Venise et prend Rousseau comme secrétaire (345-369, 381-384, 600, 653). Voir livre VII, 345 (n. 1-3), 346 (n. 1). Consulter sa *Correspondance diplomatique,* publ. par J. Souchon, Paris, 1915, et, avec précaution, Aug. de Montaigu, *Démêlés du comte de Montaigu (...) et de son secrétaire J.-J. Rousseau,* Paris, 1904.

MONTAUBAN (M. de) : v. LA TOUR DU PIN.

MONTESQUIEU (Charles de SECONDAT, baron de), 1689-1755. Sur sa « réfutation » par Dupin et le jésuite Berthier, 384, v. A. François, « Rousseau, les Dupin, Montesquieu », *Annales,* XXX, 1943-1945, pp. 47-64. Pastiche par Rousseau du style « philosophique » de Montesquieu, 448. Anecdote de sa querelle avec le P. Tournemine, 587-588 et *infra,* TOURNEMINE.

Les *Confessions* ne suggèrent nulle part que « l'illustre Montesquieu » (*ibid.*) ait été un maître à penser de Rousseau. Son influence est pourtant présente à travers toute l'œuvre de Rousseau, mais la question, complexe, est encore mal éclaircie (v. R. Derathé, « Montesquieu et J.-J. Rousseau », *Rev. int. de philos.,* Bruxelles, 1955, et E. Durkheim, *Montesquieu and Rousseau, Forerunners of Sociology,* Ann Arbor, Univ. of Michigan Press, 1960). L'épisode des Troglodytes dans les *Lettres persanes* apportait des arguments à la thèse du *Discours sur les sciences et les arts* (où Rousseau a pu se souvenir aussi des lettres 105 et 106 sur le mauvais usage des sciences); les lettres 83 et 84, faisant état d'un sens inné de la justice chez l'homme, peuvent être rapprochées de la Profession de foi du vicaire savoyard (v. R. Grimsley, dans *French Studies,* V, 1951, p. 305). La définition négative de la liberté dans l'*Émile* et la 6e *Promenade* (ne pas faire ce que l'on ne veut pas) vient de *l'Esprit des lois ;* Montesquieu est naturellement souvent cité, admiré et critiqué dans *le Contrat social,* dont le quatrième livre, constituant une application historique au cas de la Rome antique, procède du même esprit que les *Considérations.* C'est peut-être aussi l'influence du *style,* mais surtout celle de la *méthode* de Montesquieu qu'il importerait d'étudier chez Rousseau; on peut regretter à cet égard que *la Morale sensitive* n'ait jamais vu le jour (v. p. 485, n. 1), et observer la place considérable que tient dans l'œuvre de Rousseau — beaucoup plus réaliste et beaucoup moins doctrinaire qu'on ne l'a dit — le principe de

ORLÉANS (Louis), (duc d'), 1703-1752, fils du régent Philippe II d'Orléans, 672.

ORME (de l') : v. DELORME.

ORONDATE. Prince scythe, amant de Statira, fille de Darius, dans le roman en 10 volumes *Cassandre* (1642-1645) de La Calprenède, que lit Rousseau enfant, 8.

ORPHÉE. Personnage mythologique incarnant le génie musical, 238.

OVIDE, 43 avant-16 après J.-C. Après avoir lu enfant les *Métamorphoses* du poète latin, Rousseau fait de lui le héros d'un acte de ses *Muses galantes*, 343. Il empruntera au recueil des *Tristes*, composé en exil à Tomes, sur la mer Noire (liv. V, élégie X) l'épigraphe du paradoxal premier *Discours*, si caractéristique de la singularité dont se réclame Rousseau : *Barbarus hic ego sum, quia non intelligor illis.*

OZANAM (Jacques), 1640-1717. Mathématicien précoce, qui commence à se faire connaître à Lyon, d'où d'Aguesseau l'appelle à Paris. Membre de l'Académie des sciences en 1701. Auteur de nombreux ouvrages de mathématiques, dont les *Récréations mathématiques et physiques,* Paris, 1694 — encore réimprimées au début du XIXe siècle, 252, var. *b.*

PADOANA (Giustina). Courtisane vénitienne identifiée par un rapport de police de 1742 publié par V. Ceresole, *J.-J. Rousseau à Venise,* pp. 106-107, 374, 378, 428, 601.

PALAIS ou PALAZZI (Jean-Antoine), identifié par G. Daumas, *Rev. Sc. hum.,* 1952, pp. 214-218. Cet abbé piémontais, né près de Turin, était en 1730 bibliothécaire adjoint à l'université de Turin ; il est bien en cour, avec des relations influentes. Il séjourne à Chambéry du milieu de 1732 (212) au début de 1734, et fréquente chez Mme de Warens (213-214). Rousseau l'accusera dans les *Rêveries* (6e Promenade, éd. Garnier, p. 154 des variantes) de s'être procuré un établissement en France en devenant « traître et faux à [son] égard ».

PALISSOT de MONTENOY (Charles), 1730-1814. Membre de la société royale de Lorraine et de l'académie des belles-lettres de Marseille. Adversaire des Encyclopédistes, mais se gardant d'attaquer Voltaire dont il se fit l'éditeur. Il ridiculise Diderot, d'Alembert et Rousseau dans sa comédie *Les Originaux* (plus tard intitulée *Le Cercle*), représentée devant le roi de Pologne en 1755 et provoquant un incident relaté à la fin du livre VIII

(474). Il revient à la charge dans sa comédie *Les Philosophes* (1760), 631, 632.

PALLU du RUAU (Bertrand-René), 1693-1758. Intendant de justice et finances à Lyon, membre du Club de l'Entresol, et plus tard (1742) de l'académie de Lyon; traducteur de Métastase. Il est célébré dans l'*Épître à Bordes,* écrite à Lyon en 1741, 325. V. Aurenche, *J.-J. Rousseau chez M. de Mably,* pp. 112-116.

PANURGE. Rusé compère du Pantagruel de Rabelais, l'oratorien Bertier est comparé par Rousseau à Panurge pour certain sourire finaud qui l'alarme rétrospectivement, 596.

PAOLI (Pascal), 1725-1807. Nommé en 1755 chef des patriotes corses luttant pour l'indépendance de l'île, possession génoise difficilement maintenue en sujétion avec l'aide de corps expéditionnaires français. Avec le soutien de l'Angleterre, Paoli combat les Français lors de l'annexion par la France en 1769, puis se réfugie en Angleterre. La Révolution française, qu'il accueille avec enthousiasme, lui permet de regagner l'île (1790), mais il la livre aux Anglais et est mis hors la loi par la Convention. En 1764, recommandé à Rousseau par Buttafuoco, Paoli correspond avec lui, mais leurs lettres sont perdues, 770-771.

PARISOT (Gabriel), 1680-1762. Chirurgien-major de l'Hôtel-Dieu de Lyon, membre de l'académie de Lyon; dédicataire d'une Épître en vers qui est un des premiers documents autobiographiques sur Rousseau (reproduite *O.C.,* II, 1136-1143), 248, 325-326, 337. V. Aurenche, *J.-J. Rousseau chez M. de Mably,* pp. 108-112.

PATIZEL (Jean), abbé qui fait fonction de chancelier du consulat de France à Venise pendant le séjour de Rousseau, 357, 366.

PEATI (?), Rousseau appelle PEATI, 362, et PIATI, 374, un comte dont le nom lui échappe et qui est vraisemblablement le comte RIATI mentionné dans une lettre de Rousseau à Le Blond datée de Venise le 29 octobre 1743, *C. C.,* I, 202. L'encyclopédie nobiliaire de Spreti ne connaît ni Peati ni Riati, mais seulement une famille Piatti de Bergame.

PÉNÉLOPE. Rousseau à l'île de Saint-Pierre, remuant ses papiers sans se mettre véritablement au travail, se compare à la femme d'Ulysse qui dans l'*Odyssée* d'Homère défait pendant la nuit la tapisserie à laquelle elle travaille pendant le jour, 764.

situé alors en territoire sarde. Il est déjà connu pour les conversions qu'il opère sur les jeunes protestants à l'époque où il accueille Rousseau adolescent; si bien qu'on a pu se demander (sans preuves décisives) si la fugue de Jean-Jacques n'était pas préméditée. Pontverre est aussi l'auteur (Rousseau y fait allusion) de nombreux libelles antiprotestants; le pasteur Lambercier fut une de ses victimes, 49, 50, 51, 52, 68, 463.

PORTES (Louis, comte de, seigneur de Genollier). Ses dates de naissance et de mort ne sont pas données par le *Dictionnaire historique et biographique de la Suisse,* qui indique pour son père 1666-1739, et pour son fils 1750-1823.
L'affaire à laquelle fait allusion Rousseau agita la Suisse au temps où il résidait à Môtiers; elle se déroule de 1758 à 1765. Le comte de Portes intervint en faveur d'un mineur privé de ses droits par le bailli de Nyon, et dénonça les abus des autorités dans un livre qui fut condamné et brûlé à Berne. La *Défense apologétique du comte de Portes,* imprimée en 1767, figure dans le recueil factice des *Plaidoyers* de Loyseau de Mauléon, 2 vol. in-4°, Paris, 1757-1767, sous le titre « Défense apologétique du Comte de Portes, gentilhomme de feu son altesse sérénissime Mgr le Prince Stathouder, et général-major au service de Leurs Hautes Puissances les États-Généraux, adressée à Leurs Excellences du Conseil souverain de la République de Berne ».
Les origines de la famille y sont rappelées comme suit (p. 15) : « Le comte de Portes son père, après être sorti de France pour la religion qu'il professait, et après être entré au service du roi de Sardaigne, à la cour duquel il parvint aux premiers honneurs militaires, était venu s'établir dans le canton de Berne, à Genollier... », 595.

PRÉ DE FAINS (de) : v. FEINGS.

PRÉTENDANT (le). « Le Prétendant » ou « le chevalier de Saint-Georges », dit aussi Jacques III Stuart par ses partisans, né à Londres (1688-1766), fils de Jacques II Stuart chassé de son trône par la révolution et exilé à Saint-Germain, 288. Ne pas le confondre avec son fils aîné Charles-Édouard « the *young* pretender » ou « Bonnie Prince Charlie », 1720-1788), qui dirige avec l'appui de la France l'expédition de 1745 pour tenter de reconquérir le trône de Grande-Bretagne (allusion à un projet d'aide française à cette expédition), 397.

PRÉVOST D'EXILES (Antoine-François, l'abbé Prévost), 1697-1763. Successivement jésuite, puis soldat, puis bénédictin, passe secrètement au protestantisme, et doit à ses années d'exil volontaire en Angleterre d'être un des premiers initiateurs des Français à la littérature anglaise. Traducteur de Richardson, et auteur lui-même de romans (*Mémoires d'un homme de qualité*, 1728-1731, contenant l'épisode de *Manon Lescaut ; Cleveland*, 1731-1738, etc.) il semble avoir été plus encore que Richardson le maître de Rousseau romancier. Voir sur sa vie et son œuvre les travaux de M^lle C.-E. Engel et d'Henri Roddier, et sur ce .dernier point en particulier C.-E. Engel dans *Annales*, XXVIII, 1939-1940, pp. 19-39, et Roddier, *l'Abbé Prévost, l'homme et l'œuvre*, Paris, Hatier, 1955. — Lorsque Rousseau fait sa connaissance chez Mussard à Passy vers 1750, Prévost est engagé dans l'énorme entreprise de son *Histoire générale des voyages* (1745-1761). Il fut aussi rédacteur du *Journal étranger*, 443.

PROCOPE (Michel, « le médecin Procope »), nom porté par plusieurs membres d'une famille italienne établie en France, et popularisé par le café fondé à la fin du XVII^e siècle, vis-à-vis le Théâtre-Français (aujourd'hui rue de l'Ancienne-Comédie), par le Sicilien François Procope.
« Le médecin Procope » est Michel Coltelli (fils de François), dit PROCOPE-COUTEAU ou COUTEAUX. Né en 1684, docteur en médecine en 1708. Ce « petit Ésope à bonnes fortunes », 443, est, comme le fabuliste grec, laid et bossu, mais gai et spirituel, et il plaît aux femmes, qui contribuent à sa réputation. Il a épousé en secondes noces une riche Anglaise, et abandonné la pratique de la médecine pour se consacrer à son goût pour le théâtre. Il a composé des comédies et collaboré au *Pygmalion* de Romagnesi (1741). Il meurt peu après le temps où Rousseau fait sa connaissance chez Mussard : en 1751 selon Courtois, 1753 selon Gagnebin-Raymond (*O.C.*, I, 1442).

Profession de foi du vicaire savoyard, 99, 483, 629, 665, 672, 677, 698.

PRUSSE (roi de) : v. FRÉDÉRIC.

PUFENDORF (Samuel), Rousseau orthographie PUFFENDORF, 1632-1694. Juriste allemand dont les écrits (en latin) sur le droit naturel font autorité au XVIII^e siècle. Ils sont popularisés en France par les traductions de Barbeyrac : traduction abrégée des *Devoirs de l'Homme et du Citoyen* (1707), traduction

complète du *Droit de la Nature et du Citoyen* (2 vol., 1718; l'original est de 1672). Rousseau, suivant en cela l'exemple de Locke dans son traité d'éducation, recommande la lecture de Pufendorf dans son *Projet d'éducation pour M. de Sainte-Marie* en 1740. C'est un des prédécesseurs de Rousseau dans la théorie du « contrat social », 121.
Voir R. Derathé, *J. J. Rousseau et la science politique de son temps,* Paris, 1950.

Pury (Abraham de), 1724-1807. Ancien officier au service de la Sardaigne, propriétaire d'une métairie, « Mon lési » (= Mon loisir) à une heure de marche de Môtiers; rend visite à Rousseau dans l'été de 1762. Nommé conseiller général en 1765, il deviendra en 1769 le beau-père de Du Peyrou, 711, 713, 742, 744, 755. V. Ch. Guyot, *Du Peyrou.*

Pyrrhus. Roi d'Épire, adversaire des Romains (IIIe siècle avant J.-C.). A ses projets d'ambitieuses et insatiables conquêtes, son conseiller Cinéas oppose des conseils de modération et de retraite, dans une anecdote rapportée par Plutarque, 217, 651.

Quillau (Gabriel-François), « Quillau le père », libraire établi à Paris, rue Galande, près de la place Maubert, imprime la *Dissertation sur la musique moderne* (1743), 333.

Quinault (Jeanne-Françoise), 1699-1783. Fille de comédien, actrice de la Comédie-Française de 1718 à 1741. Après sa retraite de la scène, elle ouvre rue d'Anjou-Saint-Honoré un salon où Rousseau est introduit par Duclos au printemps de 1754, 458. La « société du bout du banc », ainsi appelée parce que les convives sont censés manger rapidement et sobrement, se réunit alternativement chez elle et chez le comte de Caylus deux fois par semaine; on y rencontre, avec Duclos, Marivaux, Nivelle de la Chaussée, Destouches, Diderot, Crébillon fils, Voltaire. Plus tard Mlle Quinault se retire à Saint-Germain. V. P.-M. Masson, « Le Dîner chez Mlle Quinault », *Annales,* IX, 1913.

Rameau (Jean-Philippe), 1683-1764. Son premier chef-d'œuvre, *Hippolyte et Aricie,* est présenté à Paris en 1732. Son *Traité de l'Harmonie,* 212, est de 1722. Étude assidue de Rameau par Rousseau à Chambéry, 238, 241, 253. Son revirement à l'égard du grand musicien date probablement de la critique par Rameau du système de notation musicale proposé par Rousseau, 332, et surtout du jugement que prononce Rameau

de cantates, d'un *Te Deum* et d'un *De Profundis*, 401, 445. V. L. de la Laurencie, *L'École française de violon de Lulli à Viotti,* I, 1922, pp. 71-102.

RÉGUILLAT, libraire et imprimeur à Lyon, destitué pour avoir diffusé des « livres contraires à la religion, à l'état et aux bonnes mœurs », il put néanmoins poursuivre ses entreprises sous le nom de sa mère, mais fut amené ainsi à l'emprisonnement, à l'exil et à la faillite (L. Trénard, *Lyon, de l'Encyclopédie au Préromantisme,* Paris, 1957, p. 131). Il proposait à Rousseau une édition générale de ses écrits, lors d'une visite qu'il lui rendit à Môtiers en décembre 1764, 737.

REY (Marc-Michel), 1720-1780. Genevois établi libraire à Amsterdam. En 1754, à Genève, il entre en relations avec Rousseau, qui lui confie l'impression du *Discours sur l'inégalité,* 468, puis de *la Nouvelle Héloïse,* 593, 603. Rey le presse de rédiger ses Mémoires, 608. Il imprime le *Contrat social,* 661. Fait une pension à Thérèse, 662-664, 759. Ses difficultés pour l'entrée en France du *Contrat,* 673-674. Il imprime les *Lettres de la Montagne,* 725. Rousseau est parrain de sa fille, 663. Leur correspondance comprend dans la *C. C.* quelque trois cents lettres, qui ne sont pas seulement consacrées aux affaires. Les dernières sont de la fin de 1773, date à laquelle Rey perd la confiance de Rousseau. Voir A. Schinz, *Jean-Jacques Rousseau et le libraire-imprimeur Marc-Michel Rey, Annales,* X, 1914-1915, pp. 1-134; aussi *Annales,* XVII, 1926, pp. 73-90.

REYDELLET (Louis-Emmanuel), Rousseau orthographie REYDE-LET, 1692-1743. Chanoine de la cathédrale Saint-Pierre de Genève, curé de Seyssel depuis 1712, a accompagné Mgr de Bernex dans un voyage à Paris en 1725. Il reçoit à Seyssel, en 1730, Rousseau et Le Maître, 142-143.

REYNAUD : v. REYNEAU.

REYNEAU (Charles-René), 1656-1728. Oratorien, enseigne la philosophie puis les mathématiques; associé libre de l'Académie des Sciences en 1716. Ses deux seuls ouvrages sont *la Science du calcul* [...] *ou éléments des mathématiques,* Paris, 2 vol., 1714 et 1735, et *l'Analyse démontrée,* Paris 1708, 274.

RIATI : v. PEATI.

RICHARDSON (Samuel), 1689-1761. Romancier anglais dont les œuvres ont connu un succès européen : *Paméla,* 1740, trad. française 1742; *Clarissa Harlowe,* 1747, trad. par l'abbé Prévost, 1751; *Grandison,* 1753-1754, trad. française par Prévost, 1755.

Rousseau compare à ce dernier roman sa propre *Nouvelle Héloïse,* 644-645 ; v. p. 645, n. 1.

RICHELIEU (Louis-François-Armand du PLESSIS, duc de), 1696-1788. Petit-neveu du cardinal, se fait remarquer par sa vie brillante et dissolue sous la Régence et le règne de Louis XV. Premier gentilhomme de la chambre du roi; maréchal de camp en 1738; lieutenant-général en 1744, il commande un corps expéditionnaire destiné à seconder le débarquement en Écosse du prétendant Stuart, 397; maréchal de France en 1748. Il est gouverneur du Languedoc de 1738 à octobre 1742. La présentation de Rousseau à Richelieu à Lyon eut-elle lieu en 1742 ou en 1741 ? Dans ce dernier cas ce dut être fin novembre, ou début décembre, lors du passage du duc, se rendant dans son gouvernement, 325.
Lorsque Rousseau le retrouve à Paris en 1744 chez La Poplinière, Richelieu vient de devenir l'amant de la maîtresse de maison; la découverte par le mari de cette liaison, sur l'indiscrétion d'une femme de chambre congédiée, fera quelque bruit. Richelieu habite rue Neuve-Saint-Augustin un hôtel dont Lamartine occupera en 1819 une mansarde (v. le commentaire de 1849 sur la méditation *L'Isolement*). Il est le père de la future princesse d'Egmont, chez qui Rousseau lira en 1771 ses *Confessions.* En tant que premier gentilhomme de la chambre, c'est lui qui est chargé d'organiser les spectacles de la cour; c'est à ce titre qu'il fait exécuter *Les Muses galantes,* 392-400.
Voir, sur la vie aventureuse et scandaleuse de Richelieu, les ouvrages (pas toujours sûrs) de Faur et de Soulavie.

RIVAL (David), 1696-1759. Horloger genevois, poète amateur, apprécié de Voltaire, et père de l'acteur de la Comédie-Française Jean Rival, dit d'Aufresne, 1728-1806 (?) (Ritter, *op. cit.,* 194), 59.

ROBECQ ou ROBECQUE (princesse de), Rousseau orthographie ROBECK, vers 1725-1760. Anne-Marie (ou Anne-Maurice ?), fille du premier mariage du maréchal de Luxembourg avec Marie-Sophie Colbert de Seignelay, épouse en 1745 Anne-Louis-Alexandre de Montmorency, prince de Robecq, lieutenant-général, grand d'Espagne, né en 1724. Ils ont un fils, décédé en 1749. Elle a été la maîtresse de Choiseul. Meurt en 1760 à 36 ans.
Le nom de Robecq vient d'un bourg de l'Artois (aujourd'hui

dép. du Pas-de-Calais) érigé en principauté en 1530 en faveur d'une branche de la maison de Montmorency, 631-632, 649.

ROCHE, père (maître à danser) et fils. Leur résidence existe encore à Chambéry, transformée en appartements, 3 rue de Roche, 213, 230.

ROCHECHOUART (M^me de), Julie-Sophie, fille d'Alexandre de Rochechouart appelé le marquis de Jars (branche des seigneurs de Montigny et de la Brosse), et d'Anne-Marie Augier de Lohéac de Crapado; née vers 1705, épouse en 1728 Bertrand, vicomte de Rochechouart (branche des seigneurs et barons du Bâtiment), né en 1680. Ils ont quatre enfants dont une fille, Louise-Alexandrine-Julie, née en 1730, qui épouse en 1749 Armand-Jacques du Pin de Chenonceaux (La Chesnaye-Desbois), 426, 553.

ROCHECHOUART : v. MONTPIPEAU.

ROGUIN (Daniel), 1691-1771. Suisse d'Yverdon, ancien officier au service des États de Hollande, établi à Paris où il fait en 1742 la connaissance de Rousseau, qui le nomme le doyen de ses amis (328). Il le fréquente à Montmorency, 598-599, et le recueille à Yverdon lors de l'exil (1762), 692-693, 696-698. Selon Musset-Pathay, Rousseau a mis en scène dans *la Nouvelle Héloïse*, I, lettre 34, un « neveu capitaine » de Roguin (« M. Roguin, écrit Saint-Preux, m'a offert une compagnie dans le régiment qu'il lève pour le roi de Sardaigne... »); c'est peut-être Georges-Augustin. Une cinquantaine de lettres échangées entre Rousseau et Daniel Roguin sont conservées dans la *C.C.* Voir aussi 174, 328, 333, 382, 409, 696.

ROGUIN (Georges-Augustin), neveu du précédent, 1718-1788. Colonel d'un régiment suisse au service de la Sardaigne; peutêtre mis en scène dans *la Nouvelle Héloïse* (v. ROGUIN, Daniel). Conduit Rousseau d'Yverdon à Môtiers, 701. Rousseau est défavorable à un projet de mariage du colonel avec Madeleine Boy de la Tour, 696; le colonel épouse en 1766 Jeanne-Marie-Anne d'Illens, dont il a sept enfants, *ibid*.
L'identité de ce personnage, qui est confondu dans la *Table* de la *C.G.* avec Augustin-Gabriel Roguin, 1714-1796, m'a été précisée par B. Gagnebin. En 1770, Rousseau aura un différend, à propos de la pension du roi d'Angleterre, avec un « colonel Roguin » qui peut être l'un ou l'autre (*C.G.* XX, 13, 27).

ROGUIN (Georges-François) (banneret), 1695-1764. Banneret d'Yverdon, parent éloigné de Daniel Roguin. Rousseau le

considère rétrospectivement comme un de ses plus dangereux et actifs ennemis, 748. Empressé auprès de Rousseau à Yverdon, 698-699.

ROHAN (princesse de), née Marie-Louise-Henriette-Jeanne de la Tour d'Auvergne, 1725-1781. Fille de Charles-Godefroi, comte d'Auvergne et d'Évreux, duc de Bouillon, etc., et de Marie-Charlotte Sobieska, épouse en 1743 Jules-Hercule Mériadec, prince de Rohan, duc de Montbazon, pair de France, etc., maréchal de camp, né en 1726. Elle fréquente le salon de M^me Dupin, 339.

ROHAULT (Jacques), Amiens 1620-Paris 1675. Philosophe cartésien, a épousé la fille de Clerselier, l'éditeur de Descartes; inhumé à Paris en l'église Saint-Étienne-du-Mont à côté de Descartes. Son cartésianisme lui attira des difficultés. Il est l'auteur d'*Entretiens* où il se justifie, et d'un *Traité de physique* (1761); il inventa un baromètre, 249.

ROLICHON. Religieux lyonnais de l'ordre des Antonins (sur cet ordre, v. p. 134, n. 1), 192-193.

ROSINA. Servante de M^me Basile, 82.

ROUELLE (Guillaume-François), 1703-1770. Lorsque Rousseau suivit ses cours, ce pharmacien normand établi à Paris venait d'être nommé (1742) démonstrateur au Jardin du roi. En 1744, il était membre adjoint de l'Académie des Sciences. Ses cours, bientôt célèbres dans toute l'Europe, attiraient encore Diderot quinze ans plus tard, 341, 402.

ROUSSEAU (M^me), nourrice de d'Alembert, chez qui il loge, selon Jean-Jacques, vers 1760, 597.

ROUSSEAU (Clermonde) : v. FAZY.

ROUSSEAU (David), 1641-1738. Grand-père de Jean-Jacques. Épouse en 1666 Suzanne Cartier qui lui donne quatorze enfants. Horloger, avec des goûts pour la musique (v. Ritter), 27.

ROUSSEAU (François), né en 1705. Frère aîné de Jean-Jacques. Apprenti horloger en 1722. La date de son décès est incertaine. Jean-Jacques ne put obtenir, du vivant de son père (mort en 1747), la présomption de décès de François Rousseau qui lui aurait permis de toucher sa part de l'héritage, 6, 9-10, 13, 26, 59, 285. V. Ritter, *Famille et jeunesse...*, et François, *Annales* [...] XXXI.

Rousseau (Isaac), père de Jean-Jacques, appartient à une famille de quatorze enfants (et non quinze, comme le dit Jean-Jacques, 5) d'origine française, établie à Genève au xvi[e] siècle pour cause de religion. On n'est pas renseigné sur les voyages qu'Isaac aurait accompli avant son mariage, mais on sait qu'il avait deux oncles et un frère établis à l'étranger. Les raisons et les conditions de son séjour à Constantinople, de 1705 à 1711, peu après son mariage à l'âge de 32 ans avec Suzanne Bernard, ne sont pas mieux connues ; il est de fait que de nombreux horlogers genevois, protégés français, habitent Péra à la fin du xvii[e] siècle ; on en trouve mention dans le Journal d'A. Galland en 1672-1673.
S'exilant de Genève en 1722 (12), Isaac s'établit à Nyon, dans le pays de Vaud — alors territoire bernois — et en 1726 y épouse en secondes noces Jeanne François (59).
En 1728, après la fugue de Rousseau, Isaac arrive trop tard à sa recherche à Annecy, 59. Jean-Jacques rend visite à son père à Nyon en 1730, 161, et annonce une nouvelle visite, à laquelle il renonce, 164. Le père et le fils se revoient à Nyon lors du voyage de Rousseau à Besançon (1733 ou 1734), 238 ; puis à Genève pour des affaires d'héritage, 284 (1737). En 1744, au retour de Venise, Rousseau traverse Nyon sans revoir son père, puis se ravise, 381-382. Voir Ritter, *Famille et Jeunesse* [....]. Aussi 6-10, 57, 67, 168, 285.

Rousseau (Jean-Baptiste), (poète) 1671-1741. Compromis dans une affaire de couplets licencieux, et condamné au bannissement à perpétuité (1712), « Rousseau le poète », dont le caractère fut jugé sévèrement par la plupart de ses contemporains, passa près de trente ans en exil à l'étranger. A la laissé, avec deux opéras et des comédies, plusieurs recueils de poésies lyriques dont quatre livres d'odes. C'est au début de son exil (1711-1715) qu'il occupa, chez l'ambassadeur de France à Soleure, une chambre où couche Jean-Jacques en 1731 (175). Des éditions de ses œuvres parurent à Soleure en 1712 et 1714. Jean-Jacques, nouvellement arrivé à Paris, apprend par cœur les odes de son homonyme, qui vient tout juste de mourir (334). Plus tard, à Montmorency, il recueille de son voisin le curé de Groslay des anecdotes sur « l'illustre banni » (595). La similitude des noms invitait Jean-Jacques à des comparaisons. Il écrit en 1768 de Trye à M[me] La Tour de Franqueville :
« La destinée du grand Rousseau [...], avec lequel j'ai tant de choses communes, sera la mienne jusqu'au bout. Il n'a point

Saint-Florentin (comte de), Louis Phélypeaux, comte de Saint-Florentin, duc de La Vrillière, 1705-1777. Ministre des Affaires générales de la religion réformée en 1725 ; de 1761 à 1775 ministre d'État. Il est membre de l'Académie des Sciences lorsque Rousseau présente son projet de notation musicale, et ministre de la Marine lors de l'affaire du capitaine Olivet à Venise. A la disgrâce de Marc-Pierre d'Argenson en 1757, Saint-Florentin succède à ce dernier à la tête du département de Paris, qui comprenait les théâtres, bibliothèques académies, les pensions aux écrivains, etc. ; c'est à ce titre qu'il est sollicité par Rousseau en 1759, 593, et en 1760 par M^me de Luxembourg en faveur de Morellet, 633. Devient duc de La Vrillière en 1770. Aussi 758.

Saint-Lambert (Jean-François, marquis de), 1716-1803. Fils de Charles de Saint-Lambert et de Marie-Christine Chevalier. Entré au service en 1739, sans fortune. Sert dans les gardes du roi de Pologne, puis aide-major général de l'infanterie à Minorque en 1756 (511), reçoit la croix de Saint-Louis ; exerce les mêmes fonctions à l'armée du Bas-Rhin, en Westphalie, à compter du 1^er mars 1757 (530). Une demande de pension non signée, de 1759, précise, malheureusement sans donner la date exacte, qu'on le fit alors venir à Paris (cf. 545) « pour travailler à des mémoires sur la manière de rétablir la discipline et l'ancien esprit de notre infanterie », et ajoute : « en faisant les fonctions de la charge d'aide maréchal des logis, le Sr de Saint-Lambert eut une attaque de paralysie dont il ne s'est guéri qu'à grands frais. Il est né sans fortune [...] » (sur cette attaque, cf. 564-565). Après sa démission de l'armée, Saint-Lambert s'installe à Eaubonne, fréquentant les milieux littéraires. En 1769 il publie ses *Saisons,* imitation de Thomson avec des emprunts à Gessner, à Haller et aux poètes latins.

Ses relations avec Rousseau sont antérieures à celles de Rousseau et de M^me d'Houdetot. Il s'entremet pour faire remettre à Rousseau les manuscrits de l'abbé de Saint-Pierre, 484. Rousseau s'introduit en tiers dans la liaison, nouée en 1752, entre Saint-Lambert et M^me d'Houdetot, 521-526. Il est dénoncé à Saint-Lambert, 529-530. Réactions de ce dernier et épilogue de l'affaire, 545-548, 559, 564-566. Rôle de Diderot, 585.

V. art. cité de Guillemin, « Affaires de l'Ermitage », et L. de Nardis, *Saint-Lambert* [...], Rome, 1961. — Aussi 511, 519, 551, 583, 590, 591, 642.

SAINT-LAURENT (Victor-Aimé CHAPEL, comte de), 1682-1756.
Intendant, puis contrôleur général des finances (1733) puis
ministre d'État (1750) à la cour de Turin, 200-201, 258.

SAINT-PIERRE (Charles CASTEL de), « l'abbé de Saint-Pierre »,
1658-1743. Aumônier de la duchesse d'Orléans, s'intéresse
à la politique étrangère à la suite du congrès d'Utrecht (1713)
où il a accompagné le cardinal de Polignac, et contribue
à la fondation du Club de l'Entresol. Son *Projet de paix
perpétuelle* (1713-1717) qui reprend des idées « européennes »
d'Henri IV, et son *Discours de la Polysynodie* (1718) qui propose
de confier le gouvernement à des « techniciens », ne sont que
deux de ses très nombreux projets de réformes, dont beaucoup
restèrent inédits. Le second, à cause de quelques allusions
politiques, lui valut d'être exclu de l'Académie française, 502.
Peu avant sa mort il avait fait la connaissance de Rousseau
chez Mme Dupin (339). Montesquieu ne parle de lui qu'avec
estime. D'Argenson, qui le mentionne souvent dans ses
Mémoires, note qu'une de ses idées, dont on s'est beaucoup
moqué « comme toutes celles qui venaient de lui », était de
« rendre les romans utiles aux mœurs » (V, 111). Rousseau
a pu s'en souvenir en composant la *Nouvelle Héloïse* (cf. 516).
Dès 1742 il était combattu dans l'*Anti-Saint-Pierre* de Formey.
Rousseau devient son éditeur, 483-484, 501-502, 736.
V. Derathé, *Rousseau et la science politique de son temps,* Paris,
1950, et M. L. Perkins, *The Moral and Political Philosophy of
the Abbé de Saint-Pierre,* Genève, 1959.

SAINT-PIERRE (comte de), « neveu » de l'abbé, selon Rousseau.
La famille de Castel, de Saint-Pierre-Église en Normandie,
ne semble comprendre alors qu'un seul *comte,* qui est Louis
Tancrède Castel, comte de Crèvecœur, maître de camp de
cavalerie, né en 1722, « mort sans alliance au siège de Char-
leroi en 1746 » : ce *petit-neveu* de l'abbé meurt avant son
père Louis-Sébastien, 1691-1749, marquis de Crèvecœur et de
Kerfily, maître de camp de cavalerie, *neveu* de l'abbé, 484,
500, 501.

SAINT-PREUX. Héros de *la Nouvelle Héloïse,* 113, 169.

SAINTE-MARIE : v. MABLY (François-Paul).

SALADIN (Mme). Musset-Pathay (II, 304) propose une identifi-
cation possible : ce pourrait être la femme de Jean-Louis
Saladin, dit Saladin d'Onex, de la branche aînée d'une famille
genevoise originaire de Villefranche-en-Beaujolais. Jean-

Louis Saladin, négociant et magistrat, 1701-1784, membre du Conseil des Soixante en 1740, vit à Paris de 1744 à 1751, exerçant pendant plusieurs années les fonctions de ministre par intérim de la république de Genève. Il est aussi, de 1745 à 1748, un des administrateurs de la Compagnie des Indes. Ensuite quatre fois syndic de Genève, premier syndic en 1769, 1773 et 1777. (*Dictionnaire historique et biographique de la Suisse*, qui renvoie à G. Fatio, *le Château de Malagny*.) Quoi qu'il en soit, cette M^me Saladin est certainement celle qui s'est chargée, en 1754, de faire l'intermédiaire entre Rousseau et la Bibliothèque de Genève dans l'affaire de l'achat de la Bible de Sixte Quint; voir à ce sujet LULLIN et *C. C.*, III, 67. La lettre de l'abbé de Mably à M^me Saladin, 735, à propos des *Lettres de la Montagne*, est reproduite *C. C.*, XII, 317-319; elle contient ce passage qui apporte un nouvel élément à la légende de Rousseau :

« Cet homme finit par être une espèce de conjuré. Est-ce un Érostrate qui veut brûler le temple d'Éphèse ? est-ce un Gracchus ? »

La comparaison avec Érostrate dut faire fortune; on la retrouvera lors de la publication des *Confessions* sous la plume de Walpole, qui parle du « nouvel Érostrate » qui a mis le feu au temple de la modestie pour faire parler de lui (v. Voisine, *J.-J. Rousseau en Angleterre*, p. 108).

SALES (François de), né au château de Sales, près d'Annecy, évêque de Genève, fondateur avec M^me de Chantal de l'ordre de la Visitation, dont le monastère à Annecy conserve son tombeau. Canonisé en 1665, 55.

SALLIER (Claude, l'abbé), philologue hébraïste, 1685-1733, éditeur du *Saint Louis* de Joinville; membre de l'Académie française, prononce devant l'Académie des Inscriptions et Belles-lettres en 1733 un *Discours sur la parodie* qui est une des rares défenses de ce genre populaire pour lequel les gens de lettres de son temps sont généralement sévères. Fréquente le salon de M^me Dupin, 339.

SALOMON (Jean-Baptiste), 1683(?)-1757. Médecin établi à Chambéry en 1728, nommé en 1737 médecin des prisons des châteaux de Chambéry et de Miolans (Daumas). Médecin de M^me de Warens, 267, 268, 287. Une lettre apocryphe de Rousseau à Salomon est reproduite par Musset-Pathay. V. sur Salomon l'article de G. Daumas, *Revue de Savoie*, 1959, pp. 197-208.

SANDOZ, aubergiste de Brot, sur la route de Môtiers à Colombier et Neuchâtel. Rousseau s'arrête chez lui dans ses voyages chez Milord Maréchal à Colombier, et en septembre 1764 lors d'un séjour au Champ-du-Moulin, 707.

SANTEUIL ou SANTEUL, identifications possibles : Jean de Santeul, 1630-1697 ; Claude de Santeuil, chanoine de Saint-Magloire, auteur d'hymnes sacrées publiées en 1723-1724, 549.

SARDAIGNE (roi de) : v. VICTOR-AMÉDÉE II ; CHARLES-EMMANUEL III.

SAURIN (Bernard-Joseph), 1706-1781. Auteur dramatique, membre de l'Académie française. Fils d'un membre de l'Académie des Sciences, Joseph SAURIN (voir ci-dessous), Bernard Saurin est bien l'auteur de la tragédie en cinq actes *Spartacus,* mais Rousseau confond son *Beverley* (1768) avec le héros d'une autre adaptation célèbre, *Barnevelt,* 440 (n. 1).

SAURIN (Joseph), le « fourbe Saurin », 1659-1737. Membre de l'Académie des Sciences ; père du précédent. Il serait l'auteur, malgré ses dénégations, des couplets licencieux qui furent cause de l'exil de Jean-Baptiste Rousseau, 595.

SAUTTERN : V. SAUTTERSHEIM.

SAUTTERSHEIM (Ignace), Rousseau orthographie SAUTTERSHAIN, Budapest 1738-Strasbourg 1767. Fils d'un conseiller impérial, quitte en décembre 1762, pour échapper à ses créanciers, un emploi dans l'administration à Presbourg (Bratislava). Il arrive en mars 1763 à Môtiers, où il se fait passer pour un baron hongrois du nom de Sauttern, persécuté dans son pays pour son adhésion au protestantisme. Il mourut en catholique à Strasbourg en 1767. La *C. C.* ajoute encore aux cinquante et quelques lettres échangées entre Rousseau et lui, et publiées dans l'étude, en hongrois, de Lajos Ràcz, parue dans la revue *Értekezések* [...] [*Études de Langue et de Littérature*], Tome XXII, Budapest, 1913, 729-731.

SAUVAGES, « démonstrateur » du Jardin des Plantes de Montpellier, du vivant de Claude Anet, selon Rousseau, 287. Sauvages aurait donc exercé ces fonctions avant mars 1734. Il est tentant de croire qu'il s'agit de Pierre-Augustin BOISSIER de la CROIX de SAUVAGES, né à Alais le 28 août 1710 ; en admettant qu'Anet ait fait le voyage de Montpellier peu de mois avant sa mort, Sauvages aurait alors été « démonstrateur » à 22 ou 23 ans.

Il devint docteur en médecine après avoir soutenu devant la

Faculté de Montpellier une thèse sur le sujet « L'amour peut-il être guéri par les plantes ? » qui le fit surnommer « le médecin de l'amour ». Disciple de Linné, qui l'appelle son correspondant le plus chéri, il classe les végétaux d'après l'emplacement, la disposition, la forme et la division des feuilles dans son ouvrage *Methodus foliorum, seu plantae florae Monspeliensis* [...], La Haye, 1751; c'est vraisemblablement à cet ouvrage que fait allusion Rousseau quand il écrit à Du Peyrou le 3 mars 1768 : « J'ai réduit [...] les phrases de Sauvages à la nomenclature triviale de Linnaeus, qui est très commode. » — Il meurt à Alais en 1795.

Mais il est un autre médecin de ce nom dont Rousseau a sans doute connu aussi les écrits, François Boissier de Sauvages de la Croix (1706-1776), qui semble confondu par P.-P. Plan avec le précédent. François Boissier de Sauvages est l'auteur d'une *Dissertation où l'on recherche comment l'air suivant ses différentes qualités agit sur le corps humain*, Paris, 1753, in-4°, 43 pages. On rapprochera ce titre des observations sur l'influence de l'altitude sur l'organisme dans *la Nouvelle Héloïse*, 1re partie, lettre XXIII, et on mettra en relation, à la suite de J. Starobinski, le thème littéraire de la *nostalgie*, au sens propre, développé dans ce roman, avec l'étude scientifique de François Boissier de Sauvages dans sa *Nosologia methodica*, parue en latin à Amsterdam en 1763 (donc après l'*Héloïse*) et en français à Paris en 1770-1771.

SAXE (Marie-Josèphe de), « M^me la Dauphine », Dresde 1731-Versailles 1767. A épousé en 1747 Louis, Dauphin de France, 1729-1765, fils aîné de Louis XV, père de Louis XVI, Louis XVIII et Charles X. Elle est fille d'Auguste III, électeur de Saxe et roi de Pologne; assez jolie, peu intelligente. Morte jeune, elle n'a pas joué un rôle important. Elle lit *la Nouvelle Héloïse* dès sa publication, 642.

SAXE-GOTHA (Frédéric, prince héréditaire de), 1735-1756. Fils aîné du duc Frédéric III de Saxe-Gotha (1699-1772, duc en 1732) et de Louise-Dorothée de Saxe-Meiningen. De mauvaise santé, le jeune prince meurt à 21 ans sans avoir régné; son frère Ernst Ludwig, né en 1745, qui succédera à leur père, a pour précepteur un certain Jacques-Auguste Rousseau, 1729-1808.

Comme tous les jeunes princes allemands du temps, Friedrich reçoit une éducation française très poussée de sa mère et du précepteur qui lui est donné en 1743, von THUN (v. ce

nom), séjournant à Genève, de la fin de 1744 au printemps
de 1747, puis à Paris jusqu'en mai 1750. La correspondance
du précepteur avec sa mère fournit d'amples renseignements
sur ces deux séjours, et sur les relations françaises du prince
(larges extraits publiés par J. von der Osten, *Luise-Dorothea*
[...], Leipzig, 1896). Le jeune homme fréquente les Rohan,
est présenté en audience privée à Louis XV en mai 1747,
rencontre Voltaire, M^me du Châtelet, Bernis, Marivaux, La
Chaussée, Duclos, Cahusac. Il reçoit quelque temps des
leçons d'histoire et de philosophie de l'abbé Raynal; Grimm
l'instruit en allemand et en latin, de Thun restant précepteur
en titre ou gouverneur *(Oberhofmeister)*. En principe le prince
voyage incognito sous le nom de comte de Rothe, mais on
ne dissimule guère son identité.

A partir d'avril ou mai 1747 le prince et son gouverneur sont
reçus chez M^me Dupin, où Rousseau fait leur connaissance
à une date qu'il ne précise pas (413). Un an plus tard, de
Thun loue à Fontenay-sous-Bois une maison de campagne,
où le prince et sa suite s'installent définitivement fin avril
1749; Rousseau y est invité en août *(ibid.)*. Malheureusement
les lettres de de Thun sur ce séjour parisien publiées par
J.v.d. Osten ne mentionnent pas Rousseau. Aussi 422, 550.

SAXE-GOTHA (Louise-Dorothée de Saxe-Meiningen, duchesse
de), née en 1710, a épousé en 1729 Frédéric de Saxe-Gotha
qui en 1732 devient duc sous le nom de Friedrich III. Ils
ont trois fils et une fille, nés de 1735 à 1752.
La duchesse surveille de près l'éducation française de ses
enfants, principalement du prince héritier Friedrich; elle
est en philosophie disciple de Wolf, et correspond avec
Voltaire et plusieurs autres écrivains français. C'est pour elle
que l'abbé Raynal, à l'instigation de von Thun, précepteur
du prince héritier, commence en 1747 une correspondance
littéraire sur la vie intellectuelle de Paris : l'entreprise, pour-
suivie jusqu'en 1755, servira de modèle à celle que lance
Grimm en 1753, sur une plus grande échelle (la duchesse
elle-même devient un des abonnés de Grimm en 1754).
Ses jugements sur Rousseau sont assez réservés :
« [...] son cours d'éducation est une belle chimère impossible
d'exécuter *(sic)*. Je vous assure même que si j'avais encore
des enfants au berceau je craindrais assurément trop de prendre
son Émile pour modèle. » *(Elle pense peut-être aux jeunes souve-*
rains de WURTEMBERG, v. ce nom.) (A Voltaire, 16 août
1762.)

« En général il me paraît que Jean-Jacques Rousseau a l'esprit rempli de paradoxes, de sophismes et de singularités, qu'il nous étale avec beaucoup de force et d'éloquence. Mais je ne crois pas qu'il mérite d'être banni ni de la France ni de sa patrie, ni son livre brûlé de la main du bourreau. » *(Même date.)* (Osten, p. 324.)

« V. M. a donc lu aussi *Émile ;* un jeune homme élevé sur ce modèle ne sortirait guère à mon avis de l'état des brutes. Rousseau est un homme singulier et a l'ambition de vouloir l'être. Ce qui me plaît le mieux de cet ouvrage c'est le 4ᵉ tome, quoi qu'il ne contienne non plus beaucoup de nouveautés. » (A Frédéric II, 12 fév. 1763.)

En 1765, elle fait inviter Rousseau, au cas où il se rendrait à Berlin, à lui rendre visite au passage, 755 et *C. G.* XIII, 262, etc.

Elle meurt deux ans plus tard, en 1767.

V. J. von der Osten, *Luise-Dorothea, Herzogin von Sachsen-Gotha,* 1732-1767, Leipzig, 1893, ouvrage contenant de très nombreuses lettres ou extraits de lettres en français.

Scævola (Rousseau orthographie Scevola), jeune Romain qui, croyant surprendre de nuit dans sa tente le roi étrusque Porsenna, et ayant tué un autre à sa place, plaça sa main droite sur un brasier pour la punir; geste admiré et imité par Rousseau enfant, 9.

Schomberg (Armand-Frédéric, duc de), (maréchal), 1615-1690. Allemand du duché de Clèves, sert successivement dans les armées des princes d'Orange Frédéric-Henri puis Guillaume II; passe ensuite au service de la France, francisant alors son nom de Schönberg, et devenant maréchal de France. Enfin il sert Guillaume III d'Orange, devenu roi d'Angleterre, et est tué dans les troupes de ce dernier, en Irlande, à la bataille de la Boyne, 178.

Schomberg (comte de). Il y a deux frères Schomberg (ou Schönberg), qui l'un et l'autre ont vécu à Paris : Gottlob-Louis et Adolphe-Henri. Ce dernier, né en 1734, arrive à Paris à la fin de 1748 avec Grimm pour précepteur. Mais Rousseau veut certainement parler du frère aîné, Gottlob-Louis, 1726-1796, fils du comte Jean-Frédéric de Schomberg, et ami d'enfance de Grimm. Gottlob vient en France également en 1748 et entre comme capitaine en second au régiment La Dauphine dont le colonel-lieutenant était au début de l'année son ami

(Rousseau dit parent) le comte de Friesen. Il deviendra lieutenant-général dans l'armée française, 437, 555.

Scotti (marquis), « frère du favori de la reine d'Espagne », 352. Le « favori » est Annibale Scotti, né v. 1680, ambassadeur extraordinaire aux cours de France et d'Espagne, où il obtient de hautes faveurs et prend part à la chute d'Alberoni; il épouse en 1699 la marquise Teodora Chiapponi. (Encyclopédie nobiliaire de Spreti, VI, 214.)

Séguier (Sidonie-Charles-François, marquis de Saint-Brisson)' 1738-1773. Lieutenant en 1757 au régiment du Limousin' aide-major en juin 1765, avec rang de capitaine en avril 1767. Rend visite à Rousseau en Suisse et fait avec lui en juillet 1765 le voyage de l'île de Saint-Pierre, 727.
Voir Y. Bézard, « Un disciple de Jean-Jacques Rousseau et sa famille, les Séguier de Saint-Brisson », *R. H. L. F.,* XLIV, 1937, pp. 330-351.

Séguier (Mlle), parente du précédent, et voisine de Rousseau à Trye, 728.

Séguy (abbé), Rousseau orthographie Ségui, précepteur des enfants du prince de la Tour-et-Taxis à Bruxelles, se lie d'amitié dans cette ville, v. 1732, avec Jean-Baptiste Rousseau, dont il deviendra l'éditeur; Rousseau l'a connu chez La Poplinière, 413, 595. Il est le frère de l'académicien Joseph Séguy (1689-1761), avec lequel on l'a souvent confondu. Voir Voisine, *Revue des Sciences humaines,* avr.-juin 1963.

Sellon (Jean-François), 1707-1790. Résident diplomatique, puis ministre de Genève à Paris de 1749 à 1764. Remet au comte de Saint-Florentin une protestation de Rousseau contre l'inscription du *Devin* au répertoire de l'Opéra, 593. Ses fonctions l'amèneront en 1762 à communiquer à Choiseul le jugement du Petit Conseil de Genève sur l'*Émile* et *le Contrat social.*

Sénac (Jean-Baptiste), 1693-1770. Ancien protestant converti et devenu jésuite (Roth). Médecin du maréchal de Saxe, oncle du comte de Friesen; ce qui vaut à Grimm, secrétaire du comte, d'être soigné par Sénac (438). Devient en 1752 premier médecin de Louis XV.

Sennectere (Jean-Charles de —, ou Saint-Nectaire), 1714-1785, fils du marquis de Sennectere, ambassadeur de France auprès du roi de Sardaigne à Turin de 1734 à 1745, 243-244.

Serre (Suzanne), née en 1720. Fille du peintre marseillais Michel Serre (né à Tarragone en 1658, il s'est distingué pendant

la peste de Marseille en 1720) et d'une Lyonnaise. Tandis qu'un des fils du peintre s'installe à Lyon et s'allie à une famille de soyeux, Suzanne Serre est pensionnaire au couvent des Chazottes, où Rousseau fait sa connaissance en 1731. Elle épousera le 24 février 1742, à Lyon, Jean-Victor Genève, et mourra au plus tôt en 1755, contrairement à ce que croit Rousseau (327), qui l'a connue lorsqu'elle avait onze ans, et non pas quatorze, 193.
Voir Aurenche, *Rousseau chez Mably*, pp. 23 sqq.
L'amour que Rousseau dit avoir éprouvé pour elle (327) autour de 1741 a fait naître diverses hypothèses, qui demeurent fragiles : Suzanne Serre pourrait être la jeune Lyonnaise inconnue à qui Rousseau adresse une déclaration datée *C. C.*, I, 103, de 1739; elle pourrait être le sujet de fragments autobiographiques évoquant une jeune femme inconnue (*O. C.*, I, 1161) : identification proposée par Ritter, 289-297, et souvent reprise depuis, sans preuves décisives; elle était peut-être l'héroïne d'un épisode idyllique par lequel Rousseau comptait primitivement, selon M^me de Saussure, terminer le livre VI (v. p. 314, n. 1).
On peut noter une curieuse erreur de Suzanne Goncerut, la « tante Suzon » de Rousseau, qui, écrivant en 1764 à son neveu, envoie en terminant ses compliments à M^lle Serre, voulant dire Thérèse Levasseur (*C. C.*, XXII, 170).
Les difficultés sont accrues par l'incertitude qui règne encore sur la date du départ de Rousseau pour Paris (1741 ou 1742?) et par suite sur celles du ou des séjours qu'il fit à Lyon dans cette période. Je ne vois pas de raison suffisante, dans l'état actuel de la documentation, pour identifier avec Suzanne Serre la destinataire de la lettre citée plus haut (*C. C.*, I, 103), figurant dans la collection de Saussure, et m'en tiens sur ce point au résumé de la question et aux conclusions établis par M. B. Ellis, « Jean-Jacques Rousseau : Biographical Problems, 1732-1742 », *Romanic Review*, April 1947, pp. 128 sqq.

SÉVIGNÉ (M^me de), 1626-1696. Née Marie de Rabutin-Chantal, épouse en 1644 le marquis Henri de Sévigné, mort en 1651. La première grande édition de ses *Lettres* date de 1734, 87.

SILHOUETTE (Étienne de), 1709-1767. Né à Limoges. Voyageant en Italie, il y a rencontré Montesquieu en 1729. Attaché au maréchal de Noailles, ensuite secrétaire des commandements, puis chancelier, du duc d'Orléans (Musset-Pathay, II, 311). Contrôleur général des finances de mars à novembre 1759,

s'attaque aux privilèges des fermiers généraux. Rousseau lui écrit pour le féliciter et regretter son départ lorsqu'il apprend son remplacement par Bertin (personnage ridiculisé par Diderot dans *le Neveu de Rameau*), 626-627.

SIMON, SIMOND ou SYMOND (Jean-Baptiste), avocat auprès du Sénat de Savoie, nommé en 1730 *juge-maje* ou président du tribunal d'Annecy (l'orthographe fautive *juge-mage* est postérieure à Rousseau). Il est donc peu probable, quoi que laisse entendre Rousseau (155) qu'ils aient pu se voir chez M^me de Warens avant le voyage de cette dernière à Paris en avril 1730. Simon meurt en 1748, léguant ses livres à la ville d'Annecy pour la création d'une bibliothèque publique. Après l'installation à Chambéry (sept. 1731), Rousseau reste en relations avec Simon, qu'il passe voir à Annecy lorsqu'il fait le voyage de Genève (251). Portrait caricatural de Simon, 155-157.
V. Mugnier, *M^me de Warens* [....]. Aussi 154.

SOCRATE. Rousseau se compare implicitement au sage athénien du V^e siècle avant J.-C., 228, 326 (note).

SOLAR (Solaro) : v. GOUVON (GOVONE).

SOMIS (Gianbattista), 1676-1763. Violoniste piémontais, élève de Corelli et Vivaldi. Violon solo du roi à Turin, puis directeur de l'orchestre royal jusqu'à sa mort. Il n'a publié qu'une série de sonates. Il est un trait d'union entre les écoles classiques de violon d'Italie et de France (Grove). Frère de la future M^me VAN LOO (v. ce nom), 77.

SOPHIE. Jeune chanteuse vénitienne, 372.

SOUHAITTI ou SOUHAITTY (Jean-Jacques), religieux de l'Observance, auteur des *Nouveaux Éléments du chant, ou Essai d'une nouvelle découverte qu'on a faite dans l'art de chanter*, Paris, 1677. Cet essai propose de noter le plain-chant au moyen de chiffres (ut = 1, ré = 2, etc.), les octaves supérieurs ou inférieurs étant marqués respectivement par un point ou une virgule à côté du chiffre. Le rapport de l'Académie des Sciences sur le système de Rousseau relevait son originalité par rapport à celui de Souhaitti, 331, originalité confirmée par G. Noll dans une thèse dactylographiée, Berlin, 1960.

STAMMA (Philippe), auteur de l'*Essai sur le jeu des eschets,* Paris, Emery, 1737, Hambourg, 1770, etc. C'est cette méthode qu'utilise Lorenzi, *C. C.,* VII, 62.

STANISLAS I^{er} Leczinski, roi de Pologne et duc de Lorraine, 1677-1766. D'une famille polonaise originaire de Bohême. (Son père est grand trésorier de Pologne.) Il voyage jeune en France, se rallie à Auguste II (Frédéric-Auguste de Saxe) après l'élection au trône de Pologne de ce dernier (1703), lequel est bientôt déchu après sa défaite devant Charles XII de Suède (1704). Stanislas négocie avec le vainqueur des conditions avantageuses et est élu roi en 1704, combattu plusieurs années par l'ancien roi allié aux Russes ; la Pologne est finalement entraînée dans la défaite de son protecteur Charles XII (Poltava, 1709), et Auguste II est rétabli sur le trône. Le régent de France, duc d'Orléans, autorise Stanislas, après la mort de Charles XII, à s'établir à Wissembourg ; en 1725 la fille de Stanislas, Marie Leczinska, épouse Louis XV. La mort d'Auguste II (1733) rendant vacant le trône de Pologne, Stanislas est soutenu par la France contre le fils d'Auguste II, que protègent la Russie et l'Autriche (v. p. 208, n. 1). La guerre de la Succession de Pologne est terminée par le traité de Vienne aux termes duquel Stanislas renonce à toute prétention au trône de Pologne, mais conserve le titre de roi en recevant à vie les duchés de Lorraine et de Bar. Il gouverne ainsi la Lorraine de 1738 à sa mort, tenant sa cour à Lunéville ; fonde la Société royale ou Académie de Nancy devant laquelle est réfuté le *Discours sur les sciences et les arts*, (432), le roi lui-même prenant la plume contre Rousseau. Il intervient contre Palissot, qui avait ridiculisé les Philosophes dans une comédie représentée à la cour de Lunéville, 474 ; Rousseau aurait été invité à la suite de cette affaire à entrer dans l'Académie de Nancy, 613. Stanislas lit en manuscrit la *Nouvelle Héloïse*, 642.

STUART : v. JACQUES II (le roi) ; PRÉTENDANT (le).

STURLER (Carolus), 1711-1793. Membre du Petit Conseil de Berne depuis 1762, 756.

SURBECK (M. de). Les officiers de ce nom sont très nombreux dans les registres des troupes suisses en France, au XVIII^e siècle. L'un d'eux, Charles-Placide, chevalier de Surbeck, « né à Bagneux près Paris », qui entrera au service en 1772, doit être un fils, petit-fils ou neveu de celui qu'a connu Rousseau (180) et qui serait pense-t-on Pierre-Eugène de Surbeck, 1676-1744. Je n'ai pu trouver de Surbeck ainsi prénommé dans les registres. Le régiment de Surbeck (ancien régiment de Stoppa) a pris ce nom en 1692, et son chef de corps, fait

maréchal de camp en 1696, et lieutenant-général en 1701, meurt en 1714; son commandement passe alors à son fils, qui jusque-là commandait une demi-compagnie dans le régiment de Brendé. Ce fils, dont le prénom n'est pas donné, serait-il le Surbeck auquel fut recommandé Rousseau ? (Arch. de l'Armée.)

SUZON (Rousseau orthographie SUSON), tante de Rousseau, v. ROUSSEAU (Suzanne).

SYLVANDRE. Berger amoureux de la bergère Diane, dans la 4ᵉ partie de l'*Astrée* d'Honoré d'Urfé, dont l'action se situe sur les bords du Lignon dans le Forez (actuel département de la Loire), 186.

TACITE. La traduction par Rousseau (467) du premier livre des *Histoires* de Tacite (v. 55-120 ap. J.-C.) date du séjour à Genève en 1754. Aussi 455.

TALMONT (princesse de), morte en 1773. D'origine polonaise, Marie-Louise Jablonowska épouse en 1730 Anne Charles-Frédéric de la Trémoille, prince de Talmont. Le rôle et les sentiments que lui attribue Rousseau, peut-être par erreur, 646, sont contredits par le portrait peu flatté que trace d'elle Horace Walpole, qui l'a connue en 1765, dans un passage rapporté par Musset-Pathay (II, 315) : elle y est représentée comme une intrigante, maîtresse jadis du « jeune prétendant » (Charles Édouard Stuart, 1720-1788), et devenue dévote pour faire sa cour à sa compatriote reine de France, Marie Leczinska.

TASSE (le), Torquato TASSO, 1544-1595. Rousseau en fait le héros d'un acte de ses *Muses galantes,* et s'identifie à son personnage, 343 et n. 3; il le cite, 675.

TAULIGNAN, Rousseau orthographie TORIGNAN, Joseph Louis-Bernard de Blégiers, marquis de Taulignan, baron de Barry, etc., né en 1666, avait soixante-et-onze ans lorsqu'il eut Rousseau pour compagnon de voyage en 1737. Son nom est celui d'un bourg de la Drôme, dont les seigneurs s'éteignent à la fin du XVIIᵉ siècle, le titre passant à la famille de Blégiers. C'est vraisemblablement à Livron qu'il quitta les voyageurs, une des terres des Blégiers étant toute proche de cette ville, 288-293, 297. V. Aurenche dans *Annales*, III, 74.

TAVEL (Étienne-Sigismond de), amant (apparemment le premier en date) de Mᵐᵉ de Warens, 54, 226-227, lui aurait inculqué des principes « laxistes » en matière de morale sexuelle, 265.

En 1704, enseigne de la compagnie aux gardes appartenant à son oncle Villars dans les troupes suisses au service de la France; « bien jeune, joli garçon », devient second lieutenant de la même compagnie puis commande la demi-compagnie de Villarschandieu (autre de ses oncles) avec commission de capitaine à partir de 1713. En 1717 il est, sans faute de sa part, et contre son gré, congédié honorablement « à la fleur de son âge » avec une pension et une commission de colonel (Arch. de l'Armée, v. Voisine, dans *Rev. Sc. hum.*, avr.-juin 1963; autres détails, *C. C.*, II, 288-9).
C'est donc probablement après 1717 qu'il rentre au pays de Vaud et devient l'amant de M^me de Warens, qui bien que déjà mariée n'a à cette date que 18 ans. Il s'installe à Vevey en 1734, et devient bailli de la ville.

Teissier. Maître d'hôtel de M^me d'Épinay, 561.

Theil (du) : v. Du Theil.

Thellusson (Georges-Tobie de), 1726-1776. Banquier genevois établi à Paris, associé de Jacques Necker, 620.

Thersite. Héros de l'*Iliade* personnifiant la lâcheté insolente, et auquel Rousseau se compare plaisamment, 98.

Thieriot ou Thiriot (Nicolas-Claude), 1696-1772. Lié dès sa jeunesse avec Voltaire, dont il soutint toujours la gloire. C'est lui qui présente Desfontaines à Voltaire; il joua un rôle équivoque dans leur querelle. En 1736 il reçoit la charge lucrative de correspondant littéraire du prince Frédéric, plus tard roi de Prusse. Voltaire secourut financièrement à plusieurs reprises Thieriot, qui n'a jamais écrit, et vit avec son amie M^lle Taschin. Il fréquente les salons de La Poplinière et de M^me Dupin, 400.

Thierry (François), Rousseau orthographie Thyerri, médecin de Rousseau et de Thérèse Le Vasseur; Rousseau le consulte à Paris lors de l'abandon des enfants, 424, 432, et plus tard à Montmorency, 577.

Thun (le « baron de Thun »).

Un « Herr von Thun » dont il n'est pas dit s'il est baron, et dont l'état civil n'est pas indiqué, est fréquemment mentionné dans le livre consacré par J. von der Osten à Louise-Dorothée, duchesse de Saxe-Gotha. Thun est recommandé à la duchesse en janvier 1743 comme un précepteur possible pour le prince héritier Friedrich, alors âgé

de huit ans, par le comte Ernst Christoph Manteuffel, diplo-
mate et lettré ami de la duchesse. Manteuffel, qui est d'ori-
gine poméranienne, donne Thun comme un compatriote.
L'*Allgemeine Deutsche Biographie* ne connaît pas de famille du
nom de Thun. Thun, engagé comme « précepteur principal »
(Oberhofmeister) ou gouverneur, part pour Genève avec son
élève en septembre 1744 via Francfort, Strasbourg et Berne.
Pendant les deux ans et demi de ce séjour à Genève, Thun
ne cesse de recommander, pour compléter l'éducation fran-
çaise du prince, un séjour à Paris, où il a déjà fait lui-même
plusieurs voyages. En outre il engage un précepteur pour la
géométrie, un Genevois nommé Cramer, et un chapelain,
le Wurtembergeois Klüpfel, ministre de l'église luthérienne
de Genève. A Paris, où l'on arrive fin mars 1747, la suite du
prince sera complétée l'année suivante par l'abbé Raynal,
qui vient de quitter l'ordre des Jésuites et que Thun choisit
pour donner des leçons d'histoire et de philosophie, auxquelles
met bientôt fin l'opposition du duc et de la duchesse des
Saxe-Gotha, inquiets de savoir leur fils, bon luthérien, entre
les mains d'un ancien jésuite. Au printemps de 1749, c'est
Grimm, alors secrétaire du comte de Friesen, qui est chargé
« d'instruire le prince dans l'allemand et le latin tant que le
comte de Frise sera absent »; Thun gardant le titre et les fonc-
tions d'*Oberhofmeister*. Thun, qui a déjà rencontré Voltaire,
Mᵐᵉ du Châtelet et d'autres savants et lettrés français au
cours de séjours antérieurs, introduit le jeune prince dans la
société parisienne. Dès le début de leur séjour il se fait inviter
avec lui chez Mᵐᵉ Dupin, où Rousseau a fait leur connais-
sance à une date non déterminée. En mai 1748 Thun installe
le prince et sa suite dans une maison de campagne à Fonte-
nay-sous-Bois, où ils résident définitivement à partir de mai
1749. Ils y fréquentent une nombreuse société dont le marquis
du Châtelet, « gouverneur de Vincennes, notre voisin, et
parent de la savante ». C'est là que Rousseau est invité en
août 1749, 413, et fait la connaissance de Klüpfel et de Grimm.
Rien ne semble justifier l'assertion de Rousseau, 414, selon
laquelle Thun fut plus tard supplanté par Klüpfel dans ses
fonctions de gouverneur du prince Frédéric; mais au plus
tard à la mort de ce dernier, en 1756, le rôle de Thun était
terminé, tandis que Klüpfel allait se faire une importante
situation à la cour de Saxe-Gotha, ainsi que Grimm.
On peut se demander si Rousseau s'intéressa aux activités
de précepteur de Thun; il dut en causer avec Klüpfel, lequel

critique assez sévèrement la pédagogie du gouverneur en titre dans une très longue lettre au duc de Saxe-Gotha datée du 4 septembre 1749, donc des débuts de son amitié avec Rousseau. C'est peut-être cette attitude de Klüpfel qui donna à penser à Rousseau que le chapelain allait supplanter le gouverneur ; mais il n'en fut rien, et l'on comprend pourquoi si l'on lit en regard le rapport adressé à la cour par Thun sur Klüpfel quelques mois plus tôt (v. KLUPFEL). Dans cette lettre (en allemand, alors que Thun écrit toujours en français), Klüpfel critique l'abus des reproches et des punitions dont fait usage Thun ; il lui attribue un tempérament morose et maussade, observation qui concorde avec celle de Manteuffel qui, en 1743, prévoyait que Thun ferait un bon précepteur s'il pouvait vaincre son inquiétude naturelle.

Thun a le mérite d'avoir fourni l'idée et les possibilités matérielles de la *Correspondance littéraire* adressée aux cours allemandes et inaugurée par Raynal avant d'être développée par Grimm. V. le livre de J. von der Osten, pp. 56 sqq.

TINGRY (Charles-François-Christian de Montmorency, prince de), 1713-1787. Lieutenant-général des Armées et au gouvernement de Flandre et de Hainaut, gouverneur de Valenciennes, capitaine des gardes du corps de S. M. Épouse : 1º en 1730 Anne-Olivie de Senezan, morte en 1741 ; 2º en 1752, Louise Madeleine de Fay, morte en 1754 ; 3º en 1765, Éléonore Josèphe Pulchérie des Laurents, cousine de la maréchale de Luxembourg (La Chesnaye-Desbois).

Tingry est un bourg dans l'actuel département du Pas-de-Calais. Il rend visite à Rousseau au Montlouis, 621.

TORIGNAN : v. TAULIGNAN.

TOUCHE (la) : v. LA TOUCHE.

TOUR (de la) : v. WARENS (Françoise-Louise).

TOUR (la) : v. LA TOUR.

TOURNEMINE (René-Joseph), 1661-1739. Religieux jésuite, directeur du *Journal de Trévoux*, après avoir enseigné au collège Louis-le-Grand où Voltaire fut son élève. Il tranche avec autorité dans les réunions savantes de l'Hôtel de Rohan autour de 1720, « académie » organisée par l'Italien Oliva, bibliothécaire du cardinal de Rohan. Montesquieu, habitué de l'endroit, finit par s'en irriter et cesse de fréquenter l'hôtel de Rohan ; selon d'autres, la brouille serait survenue à la suite de la publication des *Lettres persanes* (1721). On prête aussi à

vers rend visite à Rousseau à l'île de Saint-Pierre, et l'invite à se réfugier dans sa propriété lors de l'expulsion de l'île, 778. Bibliographie sur Vautravers (inédits et imprimés) dans H. Utz, *Die Hollis-Sammlung in Bern,* Berne, 1959, pp. 145-147.

VENTURE de VILLENEUVE. On n'a pas identifié jusqu'ici ce musicien, dont le jeune Rousseau s'« engoua » au point de lui emprunter son patronyme (ou pseudonyme ?) lors de son séjour à Lausanne, où il se fait appeler « Vaussore de Villeneuve », 164-165.
Arrivée de Venture à Annecy en 1730, 137-140; Rousseau loge quelque temps avec lui, 147; il présente Rousseau au juge-maje Simon, 154-155; il a quitté Annecy lors du voyage de Rousseau à Besançon, 238; ils se revoient à Paris vers 1755, 473. Aussi 221.

VERCELLIS (comtesse de), 1669-1728. Née Louise-Marie-Thérèse di Chiabo, ou Thérèse de Chabod Saint-Maurice, d'origine savoyarde. Veuve du comte Hippolyte de Vercellis depuis 1696. Rousseau sert chez elle comme laquais de la fin de juillet à la fin de décembre 1728, quelques jours après le décès de sa patronne survenu le 19 décembre. Elle habitait à Turin le Palais Cavour, quartier Saint-Matthieu, paroisse Sainte-Marie (E. Gaillard), 87-92, 96, 98, 105.

VERDELIN (Bernard, marquis de), 1686 (?)-1765. Colonel d'infanterie. Son portrait par Rousseau, 623.

VERDELIN (Marie-Madeleine, née de BRÉMOND D'ARS, marquise de), 1728-1810. A épousé en 1750 le colonel-marquis de Verdelin, alors âgé de 64 ans. Sa rencontre avec Rousseau à Montmorency, 623 sqq. Coindet s'introduit chez elle, 625. Amie de Mme de Polignac, 647. Rend visite à Rousseau à Môtiers en 1765, 745-747, 753. Suggère à Rousseau de chercher asile en Angleterre chez Walpole, 755. Rousseau en 1770 la dénonce comme « furie », 317. Pourtant elle adresse encore en août 1771 une lettre aimable à Rousseau (*C. G.,* XX, 88); leur correspondance (plus de 150 lettres dans la *C. G.*) ne s'est jamais départie de ce ton amical. Aussi 753. Voir Faguet, *Amies de Rousseau,* et l'art. de P. Tisseau, *Annales,* XXV, 1936, pp. 1-218.

VERNES (Jacob), 1728-1791. Genevois qui après ses études de théologie s'est lancé dans la littérature, et fait un séjour à Paris en 1752 au cours duquel il lie connaissance avec Rousseau, il est ministre à Genève, et établi au quartier de Plain-

palais, lorsque Rousseau le retrouve en 1754, 467. Il lance à cette date un périodique pour lequel il sollicite sans succès la collaboration de Rousseau. Lié avec Palissot, qui prétend l'avoir consulté avant de ridiculiser Rousseau dans sa comédie *Le Cercle.* Collabore lui-même à l'*Encyclopédie,* et se plaint à Rousseau de l'article *Genève* de d'Alembert. Plus tard prédicateur en renom. Inquiet de bonne heure des opinions religieuses de Rousseau, il rompt avec lui lors de la publication de l'*Émile ;* auteur des *Lettres sur le christianisme de Jean-Jacques Rousseau,* 1763, 750. Rousseau l'accuse d'être l'auteur du *Sentiment des citoyens,* 751-753 et n. 1.
Vernes s'exilera en 1782 à la suite de désaccords politiques avec les magistrats de Genève. Sa correspondance avec Rousseau occupe dans la *C. C.* une quarantaine de lettres. Voir Ed. Rod, *L'Affaire Jean-Jacques Rousseau,* Paris et Lausanne, 1906.

VERNET (Jacob), 1698-1788 ou 1789. Genevois, ministre calviniste en 1722, en relations avec les milieux intellectuels français, particulièrement Fontenelle, et Montesquieu qu'il a connu à Rome en 1729 et pour qui il surveille à Genève en 1747 l'impression de *L'Esprit des Lois* (v. R. Shackleton, *Montesquieu*). A publié de 1730 à 1747 un *Traité de la vérité chrétienne* destiné à convertir au christianisme les adeptes de bonne foi de la religion naturelle. Il s'écarte de l'orthodoxie calviniste en abandonnant les notions de péché originel et de prédestination.
Après avoir en 1751 prononcé dans une séance publique à Genève une réfutation du *Discours sur les sciences et les arts* (v. éd. Havens du *Discours*), il « tourne le dos » à Rousseau quand celui-ci séjourne à Genève en 1754, 467.
Polémique contre d'Alembert et Voltaire lors de la publication de l'article *Genève* de l'*Encyclopédie,* et rompt définitivement avec Rousseau après la publication de l'*Émile.*

VERONESE. Nom d'une famille de comédiens italiens dont les débuts à Paris sont de mai 1744, le père Carlo Antonio Veronese (1702-1762) dans le rôle de Pantalon et la fille Anne-Marie-Coraline (1730-(?)-1782) dans celui de Colombine. Une deuxième fille, Camille-Jacquette-Antoinette (1735(?)-1768), est aussi sur les planches, ainsi qu'un fils, Antonio-Francesco (1732-1776). Acteur médiocre, mais vivant et sympathique, le père a écrit plusieurs comédies, dont *Coraline magicienne, Les Folies de Coraline.* Anna, dite Coraline, célèbre

sur le compte de Jean-Jacques, comme dans cette lettre du 9 juillet 1763 à la duchesse de Saxe-Gotha :

« Je pense sur le chapitre de Rousseau comme les bonnes gens, qu'il soit chrétien ou non, je l'estime de tout mon cœur, parce que je le crois de bonne foi un véritable honnête homme. Milord Maréchal que j'ai vu ici il y a quelques semaines en fait son idole; peut-être que Milord Maréchal n'est pas chrétien non plus (...). »

Autres mentions de Voltaire dans *les Confessions* : 443, 543, 648, 655, 717.

Mentions des écrits de Voltaire : *Henriade* citée 121-122; correspondance avec Frédéric de Prusse, 246; *Lettres philosophiques*, 246-247; *Princesse de Navarre, Fêtes de Ramire*, 393-395; *Temple de la gloire*, 394; *Candide*, 508.

Bibliographie : G. Brandes, *Voltaire in seinem Verhaltnis zu Friedrich dem Grossen und J.-J. Rousseau*, Berlin, 1909; É. Faguet, *Politique comparée de Montesquieu, Rousseau et Voltaire*; Introduction de G. R. Havens à son éd. du *Candide* de Voltaire, New-York, 1934; notes du même à son éd. du premier *Discours* de Rousseau; G. R. Havens, « *Marginalia* de Voltaire sur des pages de Rousseau », *R.H.L.F.*, XL, 1933, pp. 430-440; G. R. Havens, « Voltaire, Rousseau and the *Lettre sur la Providence* », *Publ. Mod. Lang. Assoc. of Amer.*, LIX, 1944, pp. 109-130.

VOYER : v. ARGENSON (d').

VULSON (Charlotte de), Rousseau orthographie tantôt VULSON, tantôt WULSON. Charlotte de Vulson épouse en 1724 Jean-Pierre CHRISTIN, avocat et conseiller à Orbe. L'amourette de Rousseau, alors âgé de douze ans, se situe donc immédiatement auparavant. C'est à l'automne 1744 qu'il revoit Mme Christin, passant à Nyon au retour de Venise (Courtois, *Chronol.*) 28-32; 168. L'art. de F. Aubert, « J.-J. R. et Nyon », *Annales*, XVII, 1926, ne fait pas mention de la famille Vulson.

VULSON (Mme de), mère de la précédente, 28.

WALLACE (Robert), Rousseau orthographie VALLACE, 1697-1771. Ministre écossais, devenu en 1743 modérateur de l'Église d'Écosse, en 1744 *Royal Chaplain for Scotland*. Auteur d'une *Dissertation on the Numbers of Mankind in Ancient and Modern Times*, Edimbourg, 1753, traduite par Élie de Joncourt (et non Jaucourt), 1754, « sous la direction de Montesquieu » selon le *Dictionary of National Biography*, 747.

Eugène devient lieutenant-général. En 1755, comme volontaire dans l'armée autrichienne, Louis-Eugène prend part aux campagnes de la guerre de Sept Ans, ce qui lui vaut d'être opposé à son frère dans plusieurs combats. Il épouse Sophie-Albertine de Beichlingen, comtesse d'Empire; se retire en 1762 et vit à Lausanne, en relations avec Voltaire et Rousseau, puis se partage entre Paris et l'Allemagne jusqu'à son accession au titre de duc en 1793, à la mort de son frère.

Il a rencontré Rousseau chez La Poplinière, est en relations avec le prince Henri de Prusse, autre admirateur de Rousseau; sa femme et lui correspondent avec Rousseau sur l'éducation des enfants, et suivent ses conseils lors de la naissance de leurs deux filles en 1763 et 1764; cette correspondance comprend dans la *C.C.* près de 60 lettres.

Rousseau lui envoie le *Sentiment des citoyens,* 751. (*Allgem. Deutsche Biogr.*, et O. Schanzenbach, *Ein Rousseau-Jünger im Hause Würtemberg,* Stuttgart, 1889.)

ZULIETTA (GIULIETTA), courtisane vénitienne. S'agit-il, comme semblent l'impliquer MM. Gagnebin et Raymond (*O.C.*, I, 1401) de la « Julietta » mentionnée par le président de Brosses comme « passant avec raison » en 1739 « pour la plus belle femme de toute l'Italie », et courtisée de l'ambassadeur de France (= Froulay ? Il a quitté Venise un an plus tôt.) ? La Zulietta de Rousseau est en juillet 1744 — date de l'incident du vaisseau *La Sainte-Barbe* — « une brunette de vingt ans au plus ». Elle n'aurait donc que quinze ou seize ans en 1738-1739, âge qui ne paraît guère s'accorder avec une aussi brillante réputation — sans parler de son métier. Il y avait vraisemblablement plus d'une courtisane à Venise prénommée Zulietta, 375-380, 428, 505.

C'est peut-être elle qui a inspiré deux courts poèmes de Rousseau publiés *O. C.*, II, 1145-1146.

ZUSTINIANI (GIUSTINIANI, Rousseau orthographie aussi ZUSTINIAN), famille patricienne de Venise, propriétaire du Théâtre San Mosè (et non San Samuele), 355, 356 (n. 1).

TABLE DES ILLUSTRATIONS

TABLE DES MATIÈRES

LES CONFESSIONS DE J.-J. ROUSSEAU

Première partie

Seconde partie

ACHEVÉ D'IMPRIMER
PAR L'IMPRIMERIE
TARDY QUERCY S.A.
A BOURGES
LE 10 AVRIL 1980

Numéro d'éditeur : 2031
Numéro d'imprimeur : 9574
Dépôt légal : 2ᵉ trim. 1980

Printed in France

ISBN 2-7050-0252-9